中国近现代中医药期刊续编

第二辑

医史杂志

王咪咪◎主编

2020年度北京市优秀古籍整理出版扶持项目

北京科学技术出版社

图书在版编目（CIP）数据

医史杂志 / 王咪咪主编. -- 北京：北京科学技术出版社, 2021.7
（中国近现代中医药期刊续编. 第二辑）
ISBN 978-7-5714-1479-5

Ⅰ. ①医… Ⅱ. ①王… Ⅲ. ①中国医药学—医学期刊—汇编—中国—近现代 Ⅳ. ①R2-55

中国版本图书馆CIP数据核字(2021)第049322号

策划编辑： 侍　伟　段　瑶
责任编辑： 侍　伟　王治华
文字编辑： 白世敬　刘　佳　陶　清　孙　硕　刘雪怡　吕　艳
责任校对： 贾　荣
图文制作： 北京艺海正印广告有限公司
责任印制： 李　茗
出 版 人： 曾庆宇
出版发行： 北京科学技术出版社
社　　址： 北京西直门南大街16号
邮政编码： 100035
电　　话： 0086-10-66135495（总编室）　0086-10-66113227（发行部）
网　　址： www.bkydw.cn
印　　刷： 北京捷迅佳彩印刷有限公司
开　　本： 787mm × 1092mm　1/16
字　　数： 475.08千字
印　　张： 52.25
版　　次： 2021年7月第1版
印　　次： 2021年7月第1次印刷
ISBN 978 - 7 - 5714 - 1479 - 5

定　　价： **890.00元**

《中国近现代中医药期刊续编·第二辑》编委会名单

主　编　王咪咪

副主编　侯酉娟　解博文

编　委　（按姓氏笔画排序）

王咪咪　刘思鸿　李　兵　李　敏

李　斌　李莎莎　邱润苓　张媛媛

郎　朗　段　青　侯酉娟　徐丽丽

董　燕　覃　晋　解博文

序

2012年上海段逸山先生的《中国近代中医药期刊汇编》（下文简称“《汇编》”）出版，这是中医界的一件大事，是研究、整理、继承、发展中医药的一项大工程，是研究近代中医药发展必不可少的历史资料。在这一工程的感召和激励下，时隔七年，我所的王咪咪研究员决定效仿段先生的体例、思路，尽可能地将《汇编》所未收载的新中国成立前的中医期刊进行搜集、整理，并将之命名为《中国近现代中医药期刊续编》（下文简称“《续编》”）进行影印出版。

《续编》所选期刊数量虽与《汇编》相似，均近50种，但总页数只及《汇编》的1/4，约25000页，其内容绝大部分为中医期刊，以及一些纪念刊、专题刊、会议刊；除此之外，还收录了《中华医学杂志》1915—1949年所发行的35卷近300期中与中医发展、学术讨论等相关的200余篇学术文章，其中包括6期《医史专刊》的全部内容。值得强调的是，《续编》将1951—1955年、1957年、1958年出版的《医史杂志》进行收载，这虽然与整理新中国成立前期刊的初衷不符，但是段先生已将1947年、1948年（1949年、1950年《医史杂志》停刊）的《医史杂志》收入《汇编》中，咪咪等编者认为把20世纪50年代这7年的《医史杂志》全部收入《续编》，将使《医史杂志》初期的各种学术成果得到更好的保存和利用。我以为这将是对段先生《汇编》的一次富有学术价值的补充与完善，对中医近现代的学术研究，对中医整理、继承、发展都是有益的。医学史的研究范围不只是中国医学史，还包括世界医学史，医学各个方面的发展史、疾病史，以及从史学角度谈医学与其关系等。《续编》中收载的文章虽有的出自西医学家，但提出来的问题，对中医发展有极大的推进作用。陈邦贤先生在

《中国医学史》的自序中有“世界医学昌明之国，莫不有医学史、疾病史、医学经验史……岂区区传记遽足以存掌故资考证乎哉！”陈先生将其所研究内容分为三大类：一为关于医学地位之历史，二为医学知识之历史，三为疾病之历史。医学史的开创性研究具有连续性，正如新中国成立初期的《医史杂志》所登载的文章，无论是陈邦贤先生对医学史料的连续性收集，还是李涛先生对医学史的断代研究，他们对医学研究的贡献都是开创性的和历史性的；范行准先生的《中国预防医学思想史》《中国古代军事医学史的初步研究》《中华医学史》等，也都是一直未曾被超越或再研究的。况且那个时期的学术研究距今已近百年，能保存下来的文献十分稀少。今天能有机会把这样一部分珍贵文献用影印的方式保存下来，将是对这一研究领域最大的贡献。同时，扩展收载1951—1958年期间的《医史杂志》，完整保留医学史学科在20世纪50年代的研究成果，可以很好地保持学术研究的连续性，故而主编的这一做法我是支持的。

以段逸山先生的《汇编》为范本，《续编》使新中国成立前的中医及相关期刊保存得更加完整，愿中医人利用这丰富的历史资料更深入地研究中医近现代的学术发展、临床进步、中西医汇通的实践、中医教育的改革等，以更好地继承、挖掘中医药伟大宝库。

李经纬 九十老人

2019年11月于中国中医科学院

前　言

《汇编》主编段逸山先生曾总结道，中医相关期刊文献凭藉时效性强、涉及内容广泛、对热门话题反映快且真实的特点，如实地记录了中医发展的每一步，记录了中医人每一次为中医生存而进行的艰难抗争，故而是中医近现代发展的真实资料，更是我们今天进行历史总结的最好见证。因此，中医药期刊不但具有历史资料的文献价值，还对当今中医药发展具有很强的借鉴意义。

本次出版的《续编》有五六十册之规模，所收集的中医药期刊范围，以段逸山先生主编的《汇编》未收载的新中国成立前50年中医相关期刊为主，以期为广大读者进一步研究和利用中医近现代期刊提供更多宝贵资料。

《续编》收载期刊的主要时间定位在1900—1949年，之所以不以1911年作为断代，是因为《绍兴医药学报》《中西医学报》等一批在社会上很有影响力的中医药期刊是1900年之后便陆续问世的，从这些期刊开始，中医的改革、发展等相关话题便已被触及并讨论。

在历史的长河中，50年时间很短，但20世纪上半叶的50年却是中医曲折发展并影响深远的50年。中国近代，随着西医东渐，中医在社会上逐步失去了主流医学的地位，并逐步在学术传承上出现了危机，以至于连中医是否能名正言顺地保存下来都变得不可预料。因此，能够反映这50年中医发展状况的期刊，就成为承载那段艰难岁月的重要载体。

据不完全统计，这批文献有1500万～2000万字，包括3万多篇涉及中医不同内容的学术文章。这50年间所发生的事件都已成为历史，但当时中医人所提出的问题、争论的焦点、未做完的课题一直在延续，也促使我们今天的中医人要不断地回头看，思考什么才是这些问题的答案！

中医到底科学不科学？中医应怎样改革才能适应社会需要并有益于中医的发展？120年前，这个问题就已经在社会上被广泛讨论，在现存的近现代中医药期刊中，这一类主题的文章有不下3000篇。

中医基础理论的学术争论还在继续，阴阳五行、五运六气、气化的理论要怎样传承？怎样体现中国古代的哲学精神？中医两千余年有文字记载的历史，应怎样继承？怎样整理？关于这些问题，这50年间涌现出不少相关文章，其中有些还是大师之作，对延续至今的这场争论具有重要的参考价值。

像章太炎这样知名的近代民主革命家，也曾对中医的发展有过重要论述，并发表了近百篇的学术文章，他又是怎样看待中医的？此类问题，在这些期刊中可以找到答案。

最初的中西医汇通、结合、引用，对今天的中西医结合有什么现实意义？中医在科学技术如此发达的现代社会中如何建立起自己完备的预防、诊断、治疗系统？这些文章可以给我们以启示。

适应社会发展的中医院校应该怎么办？教材应该是什么样的？根据我们在收集期刊时的初步统计，仅百余种的期刊中就有五十余位中医前辈所发表的二十余类、八十余种中医教材。以中医经典的教材为例，有秦伯未、时逸人、余无言等大家在不同时期从不同角度撰写的《黄帝内经》《伤寒论》《金匮要略》等教材二十余种，其学术性、实用性在今天也不失为典范。可由于当时的条件所限，只能在期刊上登载，无法正式出版，很难保存下来。看到秦伯未先生所著《内经生理学》《内经病理学》《内经解剖学》《内经诊断学》中深入浅出、引人入胜的精彩章节，联想到现在的中医学生在读了五年大学后，仍不能深知《黄帝内经》所言为何，一种使命感便油然而生，我们真心希望这批文献能尽可能地被保存下来，为当今的中医教育、中医发展尽一份力。

新中国成立前这50年也是针灸发展的一个重要阶段，在理论和实践上都有很多优秀论文值得被保存，除承淡安主办的《针灸杂志》专刊外，其他期刊上也有许多针灸方面的内容，同样是研究这一时期针灸发展状况的重要文献。

在中医的在研课题中，有些同志在做日本汉方医学与中医学的交流及互相影响的研究，这一时期的期刊中保存了不少当时中医对日本汉方医学的研究之作，而这些最原始、最有影响的重要信息载体却面临散失的危险，保护好这些文献就可以为相关研究提供强有力的学术支撑。

在这50年中，以期刊为载体，一门新的学科——中国医学史诞生了。中国医学史首次以独立的学科展现在世人面前，为研究中医、整理中医、总结中医、发展中医，把中医推向世界，再把世界的医学展现于中医人面前，做出了重大贡献。创建中国医学史学科的是一批忠实于中医的专家和一批虽出身西医却热爱中医的专家，他们潜心研究中医医史，并将其成果传播出去，对中医发展起到了举足轻重的作用。《古代中西医药之关系》《中国医学史》《中华医学史》《中国预防医学思想史》《传染病之源流》等学术成果均首载于期刊中，作为对中医学术和临床的提炼与总结，这种研究将中医推向了世界，也为中医的发展坚定了信心。史学类文章大都较长，在期刊上大多采用连载的形式发表，随着研究的深入也需旁引很多资料，为使大家对医学史初期的发展有一个更全面、连贯的认识，我们把《医史杂志》的收集延至1958年，为的是使人们可以全面了解这一学科的研究成果对中医发展的重要作用。《医史杂志》创刊于1947年，在此之前一些研究医学史的专家利用西医刊物《中华医学杂志》发表文章，从1936年起《中华医学杂志》不定期出版《医史专刊》。（《中华医学杂志》是西医刊物，我们已把相关的医学史文章及1936年后的《医史专刊》收录于《续编》之中。）这些医学史文章的学术性很强，但其中大部分只保存在期刊上，期刊一旦散失，这些宝贵的资料也将不复存在，如果我们不抢救性地加以保护，可能将永远看不到它们了。

上述的一些课题至今仍在被讨论和研究，这些文献不只是资料，更是前辈们一次次的发言。能保存到今天的期刊，不只是文物，更是一篇篇发言记录，我们应该尽最大的努力，把这批文献保存下来。这50年的中医期刊、纪念刊、专题刊、会议刊，每一本都给我们提供了一段回忆、一个见证、一种警示、一份宝贵的经验。这批1500万～2000万字的珍贵中医文献已到了迫在眉睫需要保护、研究和继承的关键时刻，它们大多距今已有百年，那时的纸张又是初期的化学纸，脆弱易老化，在百年的颠沛流离中能保留至今已属万分不易，若不做抢救性保护，就会散落于历史的尘埃中。

段逸山、王有朋等一批学术先行者们以高度的专业责任感，克服困难领衔影印出版了《汇编》，以最完整的方式保留了这批期刊的原貌，最大限度地保存了这段历史。段逸山老师所收载的48种医刊，其遴选标准为现存新中国成立前保留时间较长、发表时间较早、内容较完备的期刊，其体量是现存新中国成立前期刊的三分之二以上，但仍留有近三分之一的期刊未能收载出版。正如前面所述，每多保留一篇文献都是在保留一份历史痕迹，故对《汇编》未收载的期刊进行整理出版有着重要意义。北京科学技术出版社秉持传承、发展中医的责任感与使命感，积极组织协调本书的出版事宜。同时，在出版社的大力支持下，本书入选北京市古籍整理出版资助项目，为本书的出版提供了可靠的经费保障。这些都让我们十分感动。希望在大家的共同努力下，我们能尽最大可能保存好这批期刊文献。

近现代中医可以说是对旧中医的告别，也是更适应社会发展的新中医的开始，从形式上到实践上都发生了巨大的改变。这50年中医的起起伏伏，学术的争鸣，教育的改变，理论与临床的悄然变革，都值得现在的中医人反思回顾，而这50年的文献也因此变得更具现实研究意义。

《续编》即将付梓之际，恰逢全国、全球新冠肺炎疫情暴发，在此非常时期能如期出版实属难得；也借此机会向曾给予此课题大量帮助和指导的李经纬、余瀛鳌、郑金生等教授表示最诚挚的感谢。

王咪咪

2020年2月

目　录

中国近现代中医药期刊续编·第二辑

医史杂志

内容提要

【期刊名称】医史杂志（1953年更名为《中华医史杂志》，1957年更名为《医学史与保健组织》，下同，不另注）。

【创　　刊】1947年。

【刊　　期】季刊。

【编 辑 者】中华医学会医史学会编辑委员会。

【刊物性质】学术性刊物。

【现有期刊】1947年、1948年、1951—1955年、1957年、1958年的期刊（在1949年、1950年、1956年、1959年时该期刊停刊，下同，不另注）。

【主要撰稿人】陈邦贤、王吉民、李涛、范行准、宋大仁、章次公、王重民、曹炳章、耿鉴庭、程之范、陈存仁等。

本丛书收集了1947—1948年及1951—1958年所刊的《医史杂志》。笔者把新中国成立后发行的《医史杂志》放在本丛书之中，是有独特深义的，后文会详细介绍。

该期刊的几位主要编辑都曾有重要的学术文章发表，如陈邦贤先生发表了《〈史记〉医学史料汇辑》《〈汉书〉医学史料汇辑》《〈后汉书〉医学史料汇辑》《北史医学史料汇辑》等；李涛先生发表了《原始社会的医学》《秦汉时代的医学成就》《隋唐时代我国医学的成就》《宋代的医学成就》《金元时代的医学》《明代医学

（1369—1614）的成就》《世界名医传》等，尤其是《世界名医传》,为我国读者更好地了解世界其他国家的基础医学做出了贡献；王吉民先生发表的文章有《中国麻疯病史中之名人》《中国最早的麻疯专家——孙思邈》《最早留学洋习医者黄宽》《尹端模传》《霍梦慈博士传》等，这些文章在当时促进了中医学和西医学的交叉研究。王吉民先生还在1935年写过《中国医药期刊目录》一文，该文章中所提到的许多期刊现在已经散佚，但从该文章中可以得知1935年之前我国医药期刊的整体情况，以及一个时期医学研究的一种轨迹，这也正是既往研究医学发展史中容易忽视的。

另外，还有一些学者在新中国成立之初就写下了多篇有重要研究价值的学术文章，如宋大仁先生。宋大仁先生是一位多才多艺的医史学家、中西医兼通的医学人才，在弱冠之年就以第一名的成绩毕业于上海中医专门学校，后又考入上海东南医学院，并获得学士学位。他是当时中西医汇通的人才，以治疗消化系统疾病为专长，发表的文章有《中国化学制药学》《中国消化器病史概说》《中国古代人体寄生虫病史》《中国法医学简史》等。宋大仁先生还著有《中国医史研究概要》《胃肠病全书》《胃肠病鉴别诊断学》等，这些著作多是在期刊上连载，是宝贵的医史文献研究资料。医史文献学大家范行准先生也在这一时期发表了多篇文章。可以说他的每一篇学术文章都是一个研究中医的专题，他的代表性文章有《中国预防医学思想史》《汉唐以来外药输入之历史与外药之国有化》《汉魏南北朝外来的医术的考证商榷》《中国与亚拉伯医学的交流史实》《朝鲜古典医学》《论中医学在世界的地位》《两宋官药局》《中国医学变迁史》《中国经络学之剖视》《名医传的探索及其流变》《中国古代外族医家考》等，这些文章可以说开辟了很多新的研究领域，值得后学者深入探究。

除宋大仁先生、范行准先生以外，发表多篇学术文章的还有著名医学家余云岫先生。这个名字在中医界可谓是如雷贯耳，不仅因为其学术，更因为他是近代向相关卫生部门提出取缔中医的第一人。他的提议引起了全体中医人的强烈反对，在新中国成立前的二三十年间，为中医呐喊、争取中医合法地位的呼声不绝于耳，他的很多文章被多次、多方面地批判。但余云岫先生到底是个什么样的医家、他曾发表过哪些学术文章，这些问题却不是每一个中医人都清楚的。中国医史学会成立以后，余云岫先生曾多年担任《医史杂志》的主要编辑，发表过多篇医学史方面的学术文章，如《中国医学结核病观念变迁史》《医史学与医学前途之关系》《方言病诂》《尔雅病诂》等，也有批评中医基础理论的文章，如《论六气六淫》《六气论》《灵素商兑》等，以及一些中西医汇通的文章，尤其以《废止旧医以扫除医事卫生之障碍案》较为“出名”。想要了解近代中医发展的坎坷历史，他的文章会给我们提供重要的史料。

可以说，《医史杂志》几乎每一篇文章的背后都有一片待开垦的土地，所收录的文章可以说是打开了中医研究的很多扇大门，每一扇门后都通往一条大道，值得去进一步探寻。另外，范行准先生在新中国成立前夕曾写过一篇《中华医学史》，与陈邦贤先生所著《中国医学史》只有一字之差，且都提到了中医发展的过程，但二者出发点不同，引用的资料、撰写的思路也不同，读者看完后的心得体会应该也会有很大差异。这些文章都很长，通常会连载数期或数年，这是笔者在本丛书中收录1951—1958年《医史杂志》文章的第一个原因。

中国医学史这一学科创立于20世纪30年代，而中国医学史方面的大量优秀文章则展现于20世纪40—50年代。该期刊中的文章对于研究中国医学史非常重要，如果本丛书只保留1947年、1948年的期刊，将会把医史研究的精华部分舍弃，这对一个在当时只有十几年历史的新学科，一个专门研究中医历史的学科，一个必须通过连载文章才能体现研究成果的学科来说就太遗憾了。况且20世纪50年代的学术研究距今已有六七十年了，那时的文章能保留下来，对今天的中医相关学术研究来说也十分宝贵。（至今尚没有一个数据库将这部分内容完整收录。）这也是本丛书收载1951—1958年《医史杂志》文章的第二个原因。

下面简单介绍1951—1958年《医史杂志》的主要内容。该期刊为季刊，虽然只有30余期，但其内容却极为丰富。现将内容大致分类，介绍如下。

第一，医家介绍。使读者通过介绍著名医家的小传了解他们的成长过程、学术流派、学术经验等。该期刊历年都有这样的文章刊载，之前的中医期刊刊载的大多是古代著名中医医家，而1954年第3期的《医史杂志》上刊载了《太平天国医林人物传》，有的刊期还刊载外国医家的传记，使医史人物传记方面的记载更丰富全面。

第二，从史学角度研究中医的文章。研究中国医学史对继承、发展中医具有借鉴意义。其中代表性的文章有范行准先生的《中华医学史》《人类社会中医学活动的起源》《关于医学起源问题》等。该期刊也刊载了从不同角度对中国医学史进行研究的文章，如从专题史方面进行研究的文章有《中国预防医学思想史》《中国法医学史》《流行病史研究》《温病发展简史》等，这些文章丰富了近代中医的学术研究。另外，该期刊还刊载了从专病史角度对中国医学史进行研究的文章，如《中国近代精神病学发展概史》《癫痫的历史》《中国疟疾史概况》等，从这些文章中能看出近代中医的不断发展、变化。其他如《民国以来卫生事业发展简史》《太平天国时期之卫生工作考》等文章在别的近代期刊中都未刊载,这些资料是总结中医近代继承、发展史时所需的重要参考资料。

第三，从文献学角度研究中医著作、期刊的文章。这一时期对医学著作的研究不只限于对中医书籍本身的研究，也开始了对中医古籍辨伪的研究。中医古籍浩如烟海，对于中医古籍的辨伪既是老课题，也是新课题，直接影响着中医的传承。该期刊刊载的关于中医古籍辨伪的文章有《中国历代医学伪书考》《傅青主医学著作真伪考》等。从20世纪初开始，期刊日益丰富起来。较之书籍，期刊流通更广泛，但也容易散失。从20世纪30年代始，就有很多有心人不断搜集和研究各种期刊信息。该期刊刊载了一些从文献学角度对期刊进行研究的文章，如《中国最早第一种医药期刊》《民元前后之中国医药期刊考》等。文章中所列期刊，有些虽早已散佚，但我们可以通过文章所列期刊的名称和目录粗略地了解历史的各时期、各地方的中医期刊发展情况。另外，有些学者也开始对中医书目进行了整理，该期刊刊载的关于书目方面的文章有《伤寒书目》。该书目收集了《伤寒论》的各种辑校本、选编本、注释本等数百种学术书籍名称，类似文章还有《本草纲目拾遗引书编目》。我们可以通过对书目的研究,了解中医学术传承和发展脉络。

第四，各种史料的记载。《医史杂志》各期都会或多或少地登载一些与医学发展相关的历史资料，如1952年先后刊载了《英国博物院所收藏中文医书目录》《西陲古方技书残卷汇编》《元大都回回药物院的遗物》等文章，不仅丰富了近代中医文献学的内容，也进一步追溯了中医古籍散佚的原因。另外，1951年、1952年先后刊载了《伯驾利用医药侵华史实》《美国侵略者细菌战史料》等史料性文章。

第五，中医学术讨论性文章。代表性文章有《素问阴阳学与中国医学》《五运六气说的来源》《医家五行说始于邹衍》《新旧医（中西医）学术交流问题的我见》《试论传染病学家吴又可及其戾气学说》等，这些文章促进了中医的学术交流。

第六，中医对外交流领域的文章。该期刊刊载的反映中医对外交流的文章有《中俄医学交流史略》《印度的医史和卡尔提阿及波斯的医史》《中国与亚拉伯医学的交流史实》《祖国医药文化流传海外考》《中国医学传入越南始末和越南医学著作》等。这些文章对于今后研究中医发展史来说是十分宝贵的。有人还将西医的学术文章译成中文发表在该期刊上，主要文章有《小儿保育沿革史》《抗生素科学的起源和发展》《公共卫生工程之沿革》等。也有一些文章介绍了西方的医学教育现状、医学体制、医学教材、医学理念等，这无疑会对中医的发展有极大的促进作用。除此以外，中药研究、针灸类学术研究与传播、考证类文章在1951—1958年的《医史杂志》中也间或出现，这些文章为我们研究近代中医发展提供了重要资料。医学的发展离不开社会的发展，更离不开相应的医学体系和医疗方法，它们之间有着千丝万缕的联系。中医的发展也不是孤立的，对外交流是很重要的方面，人们在总结古代中医发展时都会提到外来医药，要探讨中医在近代的发展与改革，也离不开中医的对外交流这一话题，但中医受当时社会地位所限，总体来说学者们对中医对外交流的研究不够全面，而中华医学会医史学会在当时与外来医学接触相对较多，故该期刊弥补了其他中医期刊的不足，这也是笔者坚持把这些期刊结集出版的重要原因。

王咪咪

中国中医科学院中国医史文献研究所

醫史雜誌

第一卷第一期

十周紀念特刊

中華醫史學會出版

民國三十六年三月

· 白页 ·

民國三十五年十二月二十日本會舉行特別展覽會留影

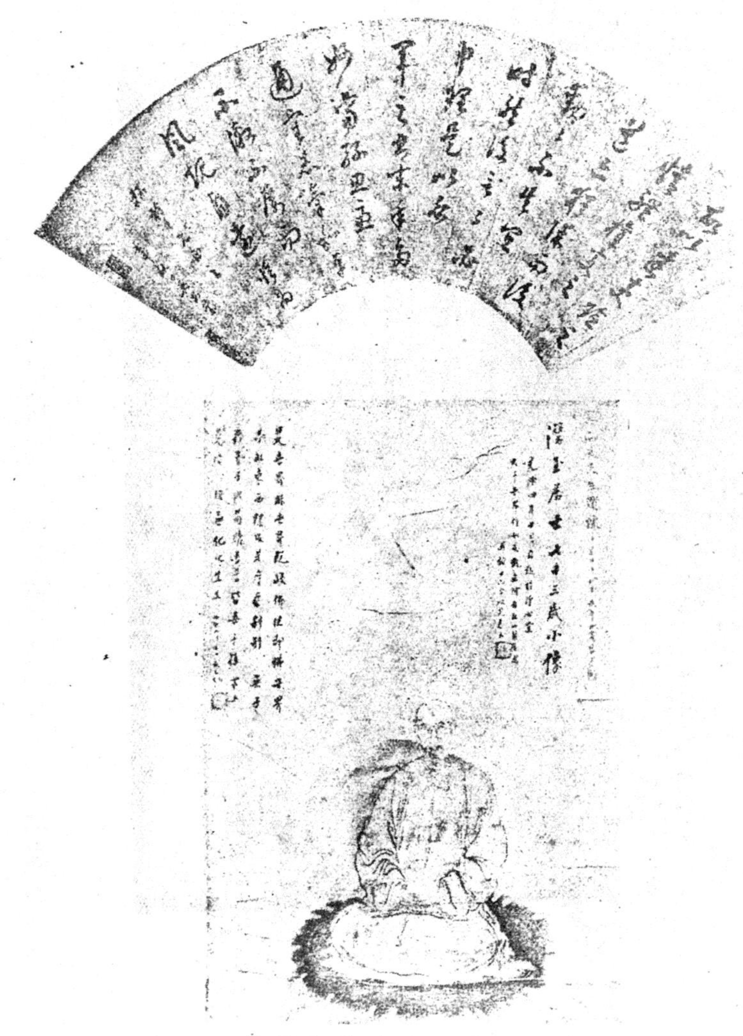

吴尚先先生之遗书及遗像

發刊詞

醫史之學，爲史學中之一門，且居學術史中之要席，蓋一國人文之進化，醫學實居前衛，未聞醫學落後之國家，而有高深之文化者，亦未聞在焜炳之學術史中，無醫學之地位者，然則欲考鏡已往醫學之事功，其史事可棄置不道乎？

吾國史家，多崇史法，上推仲尼丘明，次推遷固，以爲其書史法精嚴，奪爲惇史，後學莫可仰攀。顧其所記，亦多一家一國之興衰，其言學術之隆汙，生民之菀悴，蓋僅千百中之十一焉。此十一之中，又半出於庸豎之口，委巷之談，其眞可爲學術史材者，有幾何哉？是則雖欲考鏡往跡，其道彌艱。

中世以還，人事漸賾，記錄稍繁，雖比量未多，而專史之業已孶甲出焉；在吾醫家，唐有甘伯宗名醫傳，宋有許愼齋歷代名醫探源報本之圖，明有熊宗立醫學源流。而嘉靖初祥符李川父濂，復以列傳之體，目爲醫史，中國之有醫史稱號，濂書其嚆矢也。繼此有作，亦有數家，然皆依傍於前例，拾瀋於陳篇，爲比次之書而未能盡愚爲獨斷之業而未能盡智也。惟其所失，亦有可得而言者：

考諸前修言史之作，得二家焉，一曰唐劉子玄之史通，再曰清章學誠之文史通義。二家之書，文製並茂，其揚榷史業，掎摭利病，皆自謂前無古人，然子玄首標六家之旨爲全書喉衿，而不聞百氏史書作法之則；學誠唱導六經皆史之說，作一家綱領，而未及方技往跡探究之方。良由二子自負才地，各欲紹隆尼山緒業，而凌忽百氏之史跡，宜吾醫家自伯宗以降諸書，見嗤於君子也。

雖然，醫史學之業，於史學史中，實較晚出，其崛起於醫學領域，而自爲一科者，才五六十年間之事。西方於十六世紀初葉，始有人以醫家傳記爲醫史之肇端；是其方軌中外相同，吾之發軔，且早數世紀焉。自後，彼方醫史學家，復由實[illegible]學而漸趨於思想與實用之途，故有生理與病理等各科之歷史，今方歲出而月不同，吾則猶寡擬於數世紀前之陳規，或踽踽於東西學者之故轍，此其鄙陋爲何如乎？宜斯學之未足以云有立也。

夫醫史之業，不僅以龜鏡斯學之隆汙已耳，且有助於通史之撰集。往因斯業未修，史家纂次醫事，惟知取給稗談雜記，稗談雜記，其源又多出於委巷之人，於是俗語不實，流爲丹青；剖棺布氣，異世同書，刮骨療創，張冠李戴，是名實之乖濫也。針茅徙柳，視若神醫，出蛤走虵，驚爲國手，以虛妄爲實事也。潔古性亦愚蒙，金史錄其奇案，意抑河間，嗣明行同左道，百藥誇其脈診，許爲藝能，則品藻之失倫也。（案李延壽北史斛律羡傳稱：馬嗣明道術之士也，於羡未誅前勸羡披厭。蓋左道之流，故不以醫稱之，而李百藥北齊書乃以藝能傳之，豈非品藻人物之失乎？）仲景才重許洛，而范陳二書，不載其人，宏翰學出西方，而譜牒志乘，昧其人世，是非心存怫愉，則蒐揚之未至也。如右所云，昧者不察，以爲其事既高登簡冊，方欲躡跡希蹤，尤而効之，以爲名高，於是索隱行怪之事，類型雷同之文，史家殫於載筆，而醫之被扼，民之枉死，多矣。

惟斯業晚出，媾治者寡，始也以二三子從事於此，其後聲氣相應，從學漸多，遂有本會之設。迄今歲逾十稔，會員已遍於國內外，國籍則有七國之多。會員之分布既廣，每苦聲氣難通，且各人文製亦苦無地揭載，以收切磋觀摩之効；況中外醫史之作，亦亟須互相傳譯，俾獲攻錯之資，不有書誌，何以宣揚？因於去歲年會，將此事提出商討，詢謀僉同，遂議決刊布此誌，暫定年出四番。（如有餘力，每歲擬出醫史學報年刊一次。）因思醫史之學，既有補於曉解醫學升降之迹，以爲後事之師，知新之助，復有裨於異日有志通史者之修纂，嚶鳴求友，又其次者。惟詳醫史之有雜誌，在西方蓋始於一八二五年，(Hecker's Litterarische annalen der gesammten Heilkunde)而吾東方殆以本誌爲首出焉。際茲區宇未靖，物力多艱，草創朴略，匡持改進，有待同志之努力矣！發刊伊始，謹攄厥旨，以爲表旗。

十年中搜求經籍病名的經歷

余雲岫

十年來閉鎖在愁城當中，抑塞無聊，在掙扎生活之外，只有用着經籍來當做娛樂品。對於醫史的事項，向來有點興趣，本來想做一部對於自己的意志稍稍滿足的中國醫史，但是頭緒紛繁，謀生匆促，連預備工作還不曾做好。因爲醫史的當中最占重要而最難寫的是疾病史，這部份沒有弄清楚，畢竟不能動筆。所以要想在我的娛樂品裏面，古代的病名，或者證候的名，以及證候的形容詞，蒐集起來，憑着我個人孤陋寡聞的意見，武斷地來解釋一番，對於古代醫史收貯點材料，作爲古代醫史的預備工作。

我在中華民國二十六年，就開始工作，我知道經籍的解釋，大多數在爾雅、方言、說文、釋名、和廣雅裏面，所以先把這幾部書裏面關於疾病的諸條，解釋一番，這幾部書都有遜清的漢學大家注疏過，但這幾位大家都不是醫家，并且不是科學醫家，所以其所注疏的內容，是和現代醫學沒有取得什麼聯繫，所以不能不再審查一番，討論一番，甚且改竄一番，給予現代醫學家做中國醫史的便利。又這幾部書裏面的原有的解釋，是很簡略的，多是「病也，」「疾也，」「痛也，」的一種腔調，狠漠然的。只有釋名這部書裏的解釋，比較的有點町涯可以把握，其次則方言，所以我先把釋名這部書來開始工作，其中遇着了不少的困難。例如「消歇」我們現在差不多都知道消渴是「糖尿病，」但是究竟是不是糖尿病，還得審查一下！於是乎走進古董店裏，把關於糖尿病的古董記載，就能力所及的範圍，把他找出來，發見狠可以做參考的幾種病候。在素問裏面得着害消渴的人是「數食甘美而多肥」的人，又說「肥貴人高粱之疾，」現在糖尿病的原因，大多數是營養過於豐富而運動缺少的關係。又在素問裏得着「飲一溲二」的病候，在金匱裏得着「小便反多」的病候，而現在的糖尿病是多尿的。在脈經得着「消穀引食，大便必堅，小便則數」的病候，而現在糖尿病的人，大多數食量很好，并且喫過就會肚餓，而其大便是秘結的。在[illegible]

集裏得着「癰疽」的病候在巢氏病源得着「病變多發癰疽」的話，在千金方裏得着「消渴之人，愈與未愈，常須思慮有大癰」的話，而現在糖尿病人往往發生很厲害的膿癰。綜合起來，古書所說消渴的人的種種病候，和現在糖尿病人的病候及其併發病，一一符合。我於是乎方才敢斷定古人的消渴病，是現在的糖尿病。

又有「痺」病，古書中誕漫雜亂，究竟是現在什麼病，很難決斷。費盡力量審查一過，勉強定爲至少有「神經炎」和「僂麻質斯Rheumatism」混寫在裏面。但是確實性，已經不能像「消渴是糖尿病」可比。像這樣的種種困難，是到處都有。釋名的疏解，本名「釋名病釋」現在改做「釋名病疏」了，是二十七年十月脫稿，覆勘一過，删改增加，是三十五年十二月的事。

第二部就是方言疏解的工作，在方言裏得着「㾷嗌噎也」的語，而郭璞的注說道：「皆謂咽痛也。」郭氏把㾷嗌噎都解做咽痛，不曉得他根據在什麼地方？郭氏以前的書都找不出㾷嗌噎三個字解做咽痛的證據，但郭氏在晉室是個不崇清談，專講樸學的大實學者，他的訓詁，大概總有所本，不是想當然耳的隨便瞎說。依照他的訓釋，是喉病裏有聲音嘶嗄兼有痛的病候。照現在看來，喉病而有聲音嘶嗄和痛的，要算喉頭結核是最著明的，所以結核這個病，在我們中國雖然老早已經有了，但是講到喉頭結核的模糊陰影，只有方言這一條，勉强可以充當着。然而究竟沒有明確的證據，不免有點附會的嫌疑。這部書二十八年十月脫稿，曾在中華醫學雜誌裏面發表過，再勘和增删的工作，是在三十五年八月，當初名做方言病詁現在改做方言病疏了。

第三部是爾雅中的病名疏釋，在爾雅有「虺隤病也」的話，我在陸德明經典釋文裏面，找得繫辭下釋文有「隤孟作退」的話，詩經周南卷耳釋文，找得「虺說文作瘣」的話，於是乎曉得虺隤和「瘣退」是可以通寫的。在巢氏病源卷一找出「腲退風候」他的病候是「骨節懈怠，腰脚緩弱」而爾雅邢昺的疏，引孫炎解釋虺隤，說道：「馬罷不能升高之病。」這話和病源的骨節懈怠，腰脚緩弱的話，病情狠相符，於是我認爾雅的虺隤，就是病源的腲退。腲退就是瘦退，千金方寫做猥退，王子淵洞簫賦寫做腲腇，都是同聲的字通借的慣例。

第四部是說文解字的疏解，在說文有「皯面黑氣也」的文，小徐的繫傳說道：「今醫方云皯䵟也。」這個「䵟」字字書裏面找不着，我左思右想，東翻西閱，在外臺祕要第三十二卷找到一個「⿰黑志」字，這⿰黑志字就是現在的「痣Lentigines」曉得痣字古人有寫做⿰黑志的，而䵟字右旁的「赤」字和⿰黑志字右旁的「志」字，寫起草書來，是差不多不能分別的，是要認錯的，跟着抄寫的時候是要寫錯的。於是乎我以為䵟字是沒有的，大概是⿰黑志字傳抄的時候，把他抄錯了，做成千古未有的䵟字。這是說文解字裏面所遭遇的困難的一種。說文解字的疏解是三十年十二月脫稿，再勘和增刪工作是三十五年十月，從前上卷曾在醫文雜誌裏發表過，叫做說文解字病解，現在改做說文解字病疏了。

接着第五部是廣雅的工作，廣雅把僬僥當做八疾之一，是根據國語的晉語，從種種方面想像起來，僬僥這個病，身體矮小，智力薄弱，不能做什麼事情，好像是甲狀腺性的侏儒。這部書是三十一年二月脫稿，而在三十五年十二月修改，名叫廣雅病疏。

最後，大凡經籍當中有關疾病的名詞，而沒有被爾雅、方言、說文解字、釋名、廣雅所解釋的，又蒐集幾條做了一部十三經病疏，作為以上諸書病疏的補遺。在易經有眇、有跛、有多白眼、有寡髮、有心病、耳病。在書經凶短折、有狂。在詩經有首疾、有噎、有酲、有瘨、有痒、有微、有尰、有瘅、有癙、有矇、有瞍。在周禮有醫師、有毒藥、有癘、有痟首疾、痒疥疾、瘧寒疾、嗽上氣疾、有腫瘍、潰瘍、金瘍、折瘍、有瘵疾、有蠱。在禮記有隱疾、喪明、眂有瘖聾、跛躄、斷者、侏儒、有瘦、有風欬、有鼽嚏、有胎夭、有痁、有瘠、有殰殈、有禿、有傴。在左傳有瘯蠡、有心蕩、有駢脅、有沈溺重膇、有膏肓、有[illegible]、有瘈狗、有癉疽、有病目出、有惑疾、有攜痰、有六氣、有上僂、有札瘥夭昏、有折肱、有爛、有瘛。在公羊有悈、有痾、有瘯、有惡疾。在穀梁有閽聾、有天疾、有蓁蹶。在孟子有寒疾、有癰疽。這都是我國病名最初出現於古書裏面的，是我國古代醫史的疾病史上面應談敍述的東西。這部工作，是在三十二年二月，而修改是在三十五年十二月。

自從今年一月到二月底，這兩個月當中做了全部索引和目錄，於是乎全書總算告成了。

以上所述的，不過在每部書裏面舉出一兩條所遭遇的困難，和愚者的千慮，究竟有沒有一得，那是要希待讀我書的人批評了，有多少錯誤，還希望飽學的同人指教指教。

此外還有老莊荀韓等周秦漢晉諸子，周髀算經山海經等書，以及兩漢三國南北朝新舊唐書，都應該採集解釋，天若假年，請俟後日。

鎮海余巖寫在上海寓廬　三六年三月十日

十年來本會工作報告

王吉民

（一）成立經過

溯自民國廿四年秋，中華醫學會在廣州舉行第三屆大會時，有會員多人因鑒於吾國醫學歷史悠久，蘊藏豐富，有整理研究之必要；惟尚無一團體從事於此。爰由王吉民伍連德伊博恩胡美李友松海深德等發起組織一醫史委員會，當時推定王吉民為主席，伊博恩為祕書，李友松楊濟時胡美為委員。於翌年即民國廿五年二月，經中華醫學會理事會通過，本會乃告正式成立。民國廿六年中華醫學會在上海召開第四屆大會，議決將各專門委員會升為獨立學會，醫史委員會，遂重行改組，加以擴充，更名為中華醫史學會，同時仍為中華醫學會醫史組，由當年醫會會長朱恆璧醫師主持舉行成立典禮。公推杭州王吉民醫師任會長，北平李友松醫師副之，上海伊博恩博士為祕書，長沙楊濟時醫師，濟南魯進修醫師為委員。本會基本既定，乃積極進行，除訂定章程及細則外，復規定工作大綱，計有（一）搜集醫史有關之文獻。（二）發行醫史雜誌。（三）繙譯中醫典籍。（四）刊行會員研究心得。（五）建立中醫圖書館。（六）創辦醫史博物館等。本會成立以後，不斷努力推進，各項事工成績卓著，聲聞海外，乃於廿九年得國際醫史協會承認為會員，此不獨本會之榮，亦中國之光也。民國三十年本會成立五週，特發行專號，以資紀念，而正力圖發展，不幸太平洋戰事爆發，工作大受影響，故後此五年工作大受打擊，不能積極進行。茲為便利起見，謹將本會十年來舉辦之事業，再行分述如左：

（二）會員人數

本會共有會員五十名，計正式會員三十六人，贊助會員十四人，其中國人三十三名，美人七名，英人四名，法人三名，德人、奧人、智利人各一名，共分七個國藉。以職業論，則有中醫、西醫、歷史專家、大學教授、外交官、研究員等，足徵本會無分派別，不限國界，誠一純粹學術團體，人數雖不多，然國內凡對醫史具有興趣者，幾均加入爲會員矣。又此五十人中，三人已故，十人業離中國，故現在負責會員實三十七人而已。

（三）學術演講

本會第一次學術演講，係在民國廿六年四月成立會時舉行，不久中日戰事爆發，即告停頓，嗣會員滯滬者漸多，乃繼續舉行，迄未間斷。茲將歷屆講題紀錄於后。

民國廿六年四月六日　楓林橋國立上海醫學院

一　籌設中國醫史博物館芻議　王吉民

二　中國醫學之幾種根基　胡美

三　中國醫學史過去與現在之趨勢　伍連德

四　遠東痲瘋史上之人物　海深德

五　合信氏之中文醫學著述　楊濟時

六　中國古代醫學與近世營養　侯祥川

七　十年來中國藥物研究之檢討　伊博恩

八　舊醫教育之進展　吳紹青

民國廿九年四月廿二日　池浜路中華醫學會

舊醫對於猩紅熱之記載　余雲岫

民國三十年三月廿一日　池浜路中華醫學會

寶石在中醫之用途　馬弼德

中華醫史學會五年來工作之檢討　王吉民

民國三十一年六月廿四日　池浜路中華醫學會

一　李時珍傳略　吳雲瑞

二　李時珍對本草增加之藥品　伊博恩

三　本草綱目板本考　范行準

四　本草綱目中之芬芳藥品　于景梅

民國三十一年十二月廿九日　池浜路中華醫學會

一　捺制結核病診斷器械發明史　海深德

二　孫總理醫學畢業文憑考　王吉民

三　中國藥物漫談　伊博恩

民國三十二年十一月廿八日　與震旦大學歷史學系合辦　呂班路震旦大學新廈

一　中國霍亂病史　余雲岫

二　中西交通史與醫學之關係　斐化行　范行準

三　中國醫學之譯述與世界醫學之影響　王吉民　劉永純

四　中國藥物之輪出　吳雲瑞　王興義

民國三十三年十二月三十日　愚園路廟弄五十四號

銅人始末　丁濟民

民國三十四年十二月十二日　池浜路中華醫學會

中國醫史研究運動概況　王吉民

民國三十五年十二月十三日　池浜路中華醫學會

日美戰事爆發後醫史學會之工作　王吉民

（四）中醫圖書館

本會未成立以前，中華醫學會圖書館原有中醫書籍約有九十三種，係俞鳳賓醫師所收集，自民國廿六年改組力加擴充，特闢中文部之後，發展甚速。廿九年王吉民醫師將歷年珍藏之圖書雜誌，約五千册，悉數捐贈該館，復募得伍連德博士鉅款購入杭州清華藏書全部，至是中醫圖書已具規模。嗣後陸續添置，頗有所得。此外其他會員之零星捐贈，亦復不少。其中不乏孤本珍籍，該館之藏書乃益豐富。現核其總數約一千六百餘種共一萬二千餘卷，雜誌尚不在內。爲吾國最大中醫圖書館之一云。

中華醫學會以伍君對該會歷年卓著功績，議決將上項藏書名爲「伍連德醫史藏書」並懸伍君玉照於館內，以表彰之。

當敵僞佔據上海租界之際，本會爲安全起見，急將各珍本圖書博物，分藏於各熱心會員家中，直至日本投降始重行提回，幸無損失，此不得不感謝候祥川王逸慧馬弼德王吉民諸醫師之功也。中醫圖書館爲本會最大之成就，其能有今日多賴范行準先生之力，范君爲醫史學家精於版本，歷年來代本會選購圖書，搜求珍本，並編製卡片目錄，不憚煩勞，尤堪稱道。

（五）文獻展覽會

民國廿六年四月，中華醫學會在上海召開第四屆大會，同時本會亦舉行一醫史文獻展覽會。此爲吾國破天荒之舉也。地點在楓林橋國立上海醫學院松德藥學館內。會集各地收藏家三十餘人，共同合作，徵得展覽品二千餘件，除圖書珍籍中西雜誌外，有醫史圖表、先賢遺墨、名醫肖象、醫事圖畫、雕刻塑像、醫藥儀器、符咒、仙方等，分類陳列，並刊有展覽物品目錄在會分發，以便參觀者得按圖索驥。該展覽會曾引起多人之注意，各大報章，均多贊許。

民國三十五年十二月十二日，本會假中華醫學會大禮堂舉行一特別展覽會。一則以慶祝抗戰勝利，河山光復。二則以介紹中國醫藥文化與西方同道。所陳列之書畫及藝術品，皆甚名貴。是日到會者約八十人，其中三十餘爲盟軍駐滬醫務人員，濟濟一堂，殊盛事也。

（六）醫史博物館

博物館之創設，係在民國廿六年。先是中華醫學會在籌備第四屆大會時，曾商請醫史委員會組織一文獻展覽會，並撥款項以作購置陳列品之用。嗣後展覽會閉幕，多數出品人將物品捐贈醫會。同時王吉民醫師亦在該會宣讀「籌設中國醫史博物館芻議」之論文，頗得各方之贊同。於是即着手進行此事，委在中華醫學會圖書館傍，特闢一室陳列各物。至廿七年七月正式開放，任人觀覽。成立之始，範圍尚小，但經多方蒐集，規模漸具。廿九年遷至本會樓上，地位較前寬敞。嗣因美日戰爭，乃告停頓。然對於搜羅博物，仍隨時注意，祗因限於經費，不能盡量購置爲憾耳。現博物館陳列品約有五百餘件，但泰半係暫借自會員個人收藏者。又其捐贈物品中有珍品二件，一爲中外醫學文化比較圖表，係天津梁寶鑑醫師特製，極具價值。二爲丁濟民醫師之鍼灸銅人像，爲乾隆帝賞給「醫宗金鑑」編者福海氏之物，尤屬名貴。現本館陳列博物，計有三室。

陳列品分書畫、圖表、雕刻塑像、儀器、醫俗五大類。舉凡與醫藥有關之普通文物，大致可以代表。尚望以後能獲得充足款項，多購富于歷史性藝術品，俾增收藏之質量。本館爲我國唯一之醫史博物館，前途之希望，未可限量也。

（七）出版事業

本會爲提倡研究醫史及鼓勵會員興趣起見，對於出版事宜極爲努力，雖經費拮据，而十年來印行之書誌，有後列各種。

每年假中華醫學雜誌出版醫史專號一次，自廿五年迄今，刊印已有九次。計中文五次，英文四次。並於三十年發行五週紀念特刊一厚册，內載中英文專著十五篇，以慶祝本會成立五年。

民國廿九年李濤所著之「醫學史綱」問世，此書係本會於廿七年大會時委請編撰，取材新穎，可作醫史課本，由中華醫學會出版。

民國三十年蒙澳門姚鈞石先生慨捐鉅款，充作出版基金，以印行各種有價值之醫史著述，當推定會員三人組織一出版委員會，訂定徵稿章程，審查外來稿件，旋選定范行準著「明季西洋傳入之醫學」一書，爲本會醫史叢書第一種，於民國三十一年出版。尚有稿本數種，因限於經濟，未能付印。

本會早已有發行醫史專門雜誌之計劃，祗以中日戰事，持久未決，而發生種種困難，不見諸實現。迨至民國三十五年冬經年會議決通過發行季刊，推定編輯委員主持其事，第一期爲十週紀念特刊，業於三十六年三月出版，此爲我國第一次有醫史雜誌。茲將本會出版各刊物臚列於後：

中國醫史文獻展覽目錄　　王吉民編（一九三七年出版）

醫學史綱　　李　濤著（一九四〇年出版）

中華醫史學會五週紀念特刊　　王吉民編（一九四一年出版）

明季西洋傳入之醫學　　范行準著（一九四二年出版）

中華醫學雜誌（中文）醫史專號

第廿二卷第十一期、十二期（另有合訂本）（一九三六年）

第廿五卷第十一期、十二期（另有合訂本）（一九三九年）

第廿七卷第十一期、十二期（一九四一年）
第廿九卷第六期（一九四三年）
第卅一卷第五、六期（一九四五年）

中華醫學雜誌（英文）醫史專號
第五十三卷第四期（一九三八年）
第五十八卷第三期（一九四〇年）
第六十卷第五期（一九四二年）
第六十五卷第一期（一九四七年）

醫史雜誌季刊　余雲岫王吉民范行準李友松伊博恩編（一九四七年）

（八）交換與合作

本會自廿五年四月創立以來，十週年於茲。雖在抗戰期間，不但未嘗停頓，且逐步發展各項事工次第進行，至有今日之成績。此皆賴各會員熱心協助與職員毅力苦幹有以致之。此外復時與各方人士及學術團體保持密切聯繫。其最著者，如美國霍布金大學之醫史研究所，英國之威爾康醫史博物館，智利大學之裴鈞教授，以及上海拜耳藥廠新亞藥廠中國藥物公司等，或交換圖書，或捐贈款項，並有會員數人，在國內外作學術演講，與發表論文著述。惟本會在醫史界已漸露頭角，然此科範圍廣博，亟待研究之問題，千頭萬緒，決非短期間可達目的。如能集中力量，積極倡導，則十年以後，必有更大之成就也。

十年來本會圖書館的概况

范行準

本會成立於民國二十五年，至今已足足有十年的歷史了。

既然是醫史學會當然少不了圖書博物這二項重要的設備。說起對於醫史文獻最感興趣的人，我得先要提出兩位先生；那就是俞鳳賓先生和王吉民先生了。可惜俞先生於十年前已去世，無緣奉手，但由他生前在中華醫學會中購置的中國醫書，或從他的朋友處捐來的醫書約共也不下九十三種。這數目雖不算怎樣多，但今天本會圖書館的書，是以這九十餘種作爲基礎的。可是如其沒有王先生起來推動，恐怕除俞先生所留下的幾種醫書外，不會怎樣多起來吧？

（一）值得追憶的一夜

王先生是我在民國二十四年的某一春天於朋友家中初次見面的，而相知却在這以前，那是我與友人編輯國醫評論時代了。大家因爲都喜歡醫史這一門學問，所以一見面便很自然地談到書本上去。那時他還居在杭州，所以飯後談了幾句話，他就匆匆回杭去了。二十五年春，我自浙東原藉返滬，道出杭州，乘便冒昧到平海路他的府上去拜訪，因爲那是一個晚上，至今我推想起來，或是我日間在旅館裏先打電話與他約定的，大概那時他在白天是很忙，所以約我晚上去看他。

從潔白的矮矮牆垣中間的一個圓門跑進去，不到半箭路之遙，便有一座精緻的洋房，侍者引我到一間相當大的房間裏，四壁都是圖書，書是中西並蓄的，而且中文的書也都給牠洋裝燙金，所以在强烈的電光下，躺在玻璃橱裏的書便放出萬道金光，牠們眩耀、驕傲、誘惑，我便被牠們的魔力所吸引了。所以一踏進去，並不坐在客位上，便在那裏來回踱着，貪看橱內的書册。我那時的情狀，眞合着錢謙益所譏笑的「兒餓眼」了。其實我那時寒齋也有半壁圖書了。一會兒王先生進來，向我招呼，我才下意識地感到面上有些兒熱，便向旁邊的沙發坐下。

我是癖好書物的人，對着眼前四壁琳瑯的圖書，自然很容易地把話兒引向這兒去。也不同他寒暄，便對王先生說：你這許多書，我想收集起來必很費一番心血，王先生笑着說：是的：外國書收集起來較爲費事，中國醫書有的乘便出外買歸的，也有書店的人送來兜生意而選購的。我收藏的中醫書，都是普通的本子，說着他曉得我的嗜好，便取出鑰匙把櫥門打開，任我翻閱，我看了幾種，他說都是普通的本子，並不是客氣的話，但要收集那時所認爲普通本子而現在却已不甚易多得的書本，確是一件不容易的事。而且深山大澤，實生龍蛇，他那許多的書，也有幾部很珍貴的本子，如王宏翰的古今醫史等，都是一般藏書家所不有的。這書也是我那時初次看到。可惜我那時不勸他收藏好本子的醫書，因爲那時他的能力是够得上這條件的。接着他又取出有關醫史古玩給我看。

後來大家便談起醫史問題。王先生很興奮地說，我很想組織一所研究醫史的機構，使同志的人得到便利，並約略說明他的計劃，我自然極口贊成。但像我這樣一無力量的人，空口贊成，有什麽用，想起來至今還感到十分慚愧。臨走我還向王先生索取他的大著中國歷代醫學之發明，他便向櫥內取出抽印本書面上還給我簽名，並寫上二十五年二月五日贈時的日子。這是我與王先生正式奉手投分的一天，而他這一册大著也算是縞紵了，而我呢？却一無所有。我懷着這一册書，很愉快地踏着星月之光回到旅館。

後來我還到過杭州一次，我是從來不做日記的，所以不記得那一天了。他那時已移住岳王路，房屋較前更美奐，園有假山花木，眞是饒有圖書花木之勝。見面後大家又自然提起醫史圖書文物之事。他並告訴我，杭州有一位中醫願把他所藏的醫書捐出來組成圖書館的消息，我那時也很希望實現。那知某中醫玩的是一套弔名的把戲，但王先生組織醫史機構的決心，在民國二十五年二月五日那一夜已決定了。絕不動搖他的決心。因爲我們今天知道那時王先生已決心將他心愛的醫書文物捐給本會，以爲圖書博物兩館的基礎。所以十年前二月五日那一天的晚上，是値得追憶的。

以上可說是本會圖書館醞釀時期的槪況。

（二）在烽火中生長

不久，王先生的計劃便按步實行了。他在民國二十四年中華醫學會在廣州開會時，原已提出設立醫史學組，很快地在大會中通過了。廿六年他又趁上海醫學院開幕那一天，從杭州搬了許多醫史文物在那裏附設了一個醫史展覽會，以資提倡。同年又接受醫學會之要求，總揆會務。他就離開數十年來住慣的山明水秀的城市——杭州，舉家遷滬。記得那是八一三事變前不多幾時的事，而他自己來滬之後，不久便又匆匆到莫干山避暑去了。——這是他的慣例。後來滬戰發生了，他不能回來，只好困守名山。戰事西移後，他才繞道反滬。自此他一直住在上海，我們便常常有聚首的機會了。

那時上海還有租界，在風狂的戰火中，租界自成一小天地，並未受到戰神的蹂躪。那時租界上的現象有二多，一爲難民多，一爲舊貨多。其中的書籍尤多得滿街都是，眞有「東南文物掃地盡矣」之慨！那時我們也似喪家之狗，茫茫不知所之，不是愁柴便是愁米，並且也有避地的念頭，那有餘力收集這許多落難的文物，而且難保自己的青氊故物，不有一天遭同到樣地命運呢！可是，三個月的暴風雨過去了，租界上除了上述二多之外，一切復歸平靜，只是物價不斷地上漲，逃難的念頭也不敢轉了。因爲戰區天天擴大，那時只有香港是人們心目中之桃花源，可是像我們這樣地尋常百姓，那有錢去作香港寓公的奢望。所以仍是偃在這裏，過一天是一天。

不過，我們收集書籍的工作，確在上海戰事西移之後開始的。那時馬路上的書籍已經是很普通或殘缺的，而且像醫書一類的書，向來是很少見。王先生來滬之後，景況已不似在杭州時那樣好，何況又在戰事不停的時候，物價高漲到令人起跳，所以生計日蹙的感覺是我們這班書獃子所最感痛苦的。然而王先生却不氣餒，他到中華醫學會任事之後，同時便着手組織醫史圖書館和博物館，先將故會長俞鳳賓博士所經手的中文書籍，提出作爲醫史圖書館的基本圖書。那九十三種的書目，是載在一九三六年編的中華醫學會圖書館目錄中，現在還可考見。都是普通的醫書，內惟一部醫林寶鑑是清同治時揚州王九峯先生的手稿，龐然四十厚册，蠅頭行楷的大著，這是某先生感到俞先生熱心搜集中國醫書文獻所感動而捐贈的，可稱那九十三種書中之白眉。

隨後王先生又得到幾位朋友捐助若干錢，便陸續購得不少的書，內中伍連德先生捐來的一萬二千元，要算最大的數目了。自從上海戰事西移以至日人投降前後的八年中，連各人捐贈的書及舊有的九十三種書在內，現經整理好的有一千二百種，（雜誌除外）內中版刊重複的約一百四十種。

自從日人降伏以來，書價高翔，名目稍爲冷僻點，本子稍爲舊一點的書，一種書便要數萬數十萬元的代價，以毫沒有經費的本館那有這巨額的錢去購藏，事實上本館勝利後購藏醫書這一項工作已經停頓了，所以本館的出生和長成，是在烽火之中的。我們不願它就此停頓下去，願它不斷地生長到中國最完備的一所醫史圖書館。

（三）生長的經過

本館的圖書，我是每一部都摩挲過的，因爲這八九年以來我與王先生是始終其事的人。在戰時書友送到王先生處要買的書，要叫我去商量，我也時常從書店裏拿來的醫書送給王先生看，大家關於書的內容版子價錢等，都作詳細的考量，有時一部書要商量大半天，才決定買與不買，這其中經過的甘苦，不是過來人是不知是的。眞是如魚飲水，冷暖自知。在這樣情形之下，買得的書不下數百種之多。此外還有值得特別一提的幾件購藏圖書的往事。

第一　雲間沈氏織誦廬的藏書失收

當上海戰事西移後的一年十一二月間，雲間沈氏後人持其先人織誦廬所藏醫書目錄兩大册，約有醫書一千數百種，內頗多精本，願出讓本會。沈氏後人某君，也是學西醫而與王先生相識的，終於書價參差，沒有成功，實在那時本會絕沒有購這一批書的能力，這是很可惜的一樁事。後來這一批書就分散了，友人某君得其精華，而我得其畸零，其中一部原刊余春甫古今醫統大全，是由我向某君情商代本會購進的。此外還有幾種書，是由我轉讓會中的。

第二　寒齋善本書出讓於本會

在滬戰後第二年的下半年吧，我在來青閣訪書，該店由蘇州購得羅嘉杰所藏的十數種醫書，都是羅氏在光宣間出任日本橫濱領事館參事時購歸的。羅氏的藏書室叫做十瓣同心蘭室，他在日本刊過針灸書二種，我曾得到這二種書原刊闊大的初印本，後亦讓給本會。他從日本購歸的善本醫書不少，但後來陸續散出，多被銀行家謝某藏去。我購得的是羅氏藏書中最後一批。內有影抄元本儒門事親，眞本千金方，朱筆校本金匱要略，與日本慶祐外科捷徑原稿，及日抄本慈幼方，活幼便覽等書，都是這批書中的尤物。因為我購這一批書的錢，是借於相識未久的朋友某君的，後來因歲暮沒有錢還他，而王先生見面時總說你這批書為何不讓給會中？我只好原價出讓本會，以清宿逋。這可說是本館中第一次購進的善本醫書。

第三　僧清華所藏醫書的購得

稍稍留心書目的人，都知道在戰前有過一種珍藏醫書類目那一部書目。這就是杭州智果寺主持僧清華的藏書，據說這位僧人除了唪經外，還做女科醫生，似乎和竹林寺那一派的僧人一樣行徑。但他卻愛收藏醫書，又似乎較竹林寺那一派的僧人稍高一籌。他生前與王先生原是認識的，這大概他們都嗜好醫書吧？後來他涅槃了，遺命將這批書捐給性質相類的圖書館，可是他的裔僧那裏肯，想把牠出賣，有的卻持異議，這風聲漸漸傳開去，杭州上海那一班書儈都想要轉牠的念頭。這消息卻被王先生知道了，恐為雲間之續，他決定想把牠收歸本館，所以四出託人前去說項，經過多次周折，最後才得議定，由本會出若干錢作爲代價，這批書便歸本館保存，以免清華一生心血付諸流水。這是要感謝後來智果寺主持的，因爲他能深識大體。但是那時杭州早已淪陷了，清華的書於杭垣淪陷前，已寄存附近草與簷齊的矮舊平房裏，以爲掩避；而智果寺旁有張靜江先生別業，爲敵人軍警所守，無法搬運，王先生爲此冒險要到杭州親自設法，當時我勸他眞不要爲這批書去冒險，因爲那時火車遇炸是恆有的事，可是他却毅然不顧一切地去了。

他到了杭州，便託留在杭垣未去的之江大學外國人馬教授去設法搬運，因爲當時失去人性的敵人，非常兇狠，對淪陷區人民，稍不如意，卽任意戕殺，對於外國人却還留着三分顧忌。幸賴馬教授幫助他，每天自秦望山入城用汽車從敵人明幌幌的鎗刺縫裏，偷偷地搬運一車。這樣戰戰兢兢搬了一箇月才搬完，這是怎樣一個險惡的鏡頭！搬到之江大學後，由該校打包交轉運公司寄到本會，前後約費三個月的時間，才將清華遺留的醫書，由本會保全。這不但王先生對得起死友，而且爲了充實本館的圖書而冒這樣險，其爲學術而奮鬬的精神，我想今後每個來此借讀本館圖書的，都要感念不忘。

我曾約略將珍藏醫書類目統計一下，所著錄的醫書，共四百五十四種，但據當時由本會點收時依目查對已缺了六十四種，內中最可惜的幾部明刊書如人鏡經，難經廣說和日本刊的徐春甫古今醫統大全（這書在戰時中國書店從杭州收到一部，未知卽此書否）道藏書中醫部書目載明十六種，現在只剩下急救仙方、和肘後方二種了。但當時沒有查出而經我這次編卡時查出，也有十幾種之多，而溢出書目外的書也有；如王宏翰的醫學原始便是其中之一。大概他所存的尚有四百餘種，這幾乎占了本館圖書一半之量。

再，我此處也要特別提起一句話的，那便是收購清華這批藏書的書價是伍連德先生所捐助的，所以那時王先生爲此刊一顆「伍連德藏書記」的印章，鈐在清華所藏的每一種書上，以爲紀念。

第四　捐贈

本館圖書來源，除了上述收購外，還有捐贈的。其中捐贈得最多的要算王吉民先生了。今天藏在本館的王先生所捐書本，便是我初次在杭州他的府上摩挲過的書本。好快的光陰！一轉盼間便是十年前事了。王先生所捐贈的連雜誌在內約有五千册，充實本館不少。本館向不收藏雜誌和現代人的醫書，而這一類書却是王先生收得特別多。所以今天本館所有的這類書多是王先生所捐贈的。內中如中華醫學雜誌，中西醫學報，三三醫學叢書等都是完全無缺的，現在已很不容易購到了。

第二要算伍連德先生長公子長耀的遺書了。因爲伍連德先生曾說過，在北平的醫書要捐給本會的。所以王先生聽到伍公子的赴晉，無人保管，便寫信給在平會員李友松林宗揚兩先生經手，開具書單，載明中文共計七十種，而他家寄來的經當時在館職員點驗，却只有五十五種。我在這次編卡時，許多書多蓋有「伍連德印」大概是伍先生居平時購置的。想後來就讓他留平的公子保存了。

（五）圖書的避難和復員

這雖然人們預料得到，但不能料到是那一天的一件事，而終於突然地來了，那便是民國三十一年十二月八日敵人突然向英美宣戰。接着他們的鐵蹄昂然地踏進這行將百年的租界，在那一剎那間百年的租界便消滅了。第二步自然是接管掠奪的工作。王先生爲防患未然，將館中和由杭州買來不久的清華藏書化整爲零，倉惶地將明版及珍貴的手稿等，分頭寄存王逸慧侯祥川馬弼德及王先生家裏，實行文物的避難。直到日人投降，才從原處提回來，而當時處置失當，位置已凌亂不堪。我這次重爲分類安置，才算勉强復員了。

（六）編卡

似乎在民國三十年罷，那時清華的書還沒有收歸本館，而本館已有三數百種書，王先生有感到編製卡片的必要，叫我權爲充數，我就費了二個月的半天時間，把牠編成。那時又借到余氏百之齋藏書目錄，王先生又叫館員葉君製卡，後來可惜我所製的卡片，與葉君製的相混，而編成一種書目。以致往往弄到有目無書，以後本館買來或他人捐贈的書，有的是葉君編，有的是後來幾位館員編，而這許多卡片又多混在一起，以致究竟那一卡是本館的書，那一卡是余氏的書，已弄不明白了。而他們對於醫書的版本與分類全是外行，以致弄得全不能用，而且有的從書店買來了，沒有編卡，便放入架上。加以王先生從各會員家裏提回來的書，多是隨手放置，以致部次凌雜，無復舊時的部署了。

我於去歲十月三日來此，想寫一部醫學史。但覺得本館書這樣凌亂不堪，往往要想取一部書作參考，雖大索天下，也還找不到，於是我只好放下寫作的工作，而匆匆地爲本館重新編卡，與分別部署，幾個月來，總算稍有頭緒了。但經我這一番整理，餘下廢卡很多；我對之竟沒有辦法來處置牠。

我想爲本館編一部可以檢查的書目，但生活的凌逼，能否如願，尚在未知之數，就是編出來的，一時也恐難付印。我眞羨慕過去像乾嘉時代的學者的昇平生活，我們只要能渡過那時人昇平生活的一半，也就感到滿足了。但據過去和現在情形看來，這顯然是痴人妄想，我寫到此地，不禁黯然！

（七）庋藏

我今次代本館編的卡片，是照老法取千字文的字分庋的。本館現在庋藏的書，已從天字至餘字，其中冬藏二字，預備留置珍本，閏餘二字則放置版本相同的書本。這次仍採用數百年前用千字文分類法，是因爲我既沒有學過杜威十進法，和王雲五中外圖書統一法，那一類的圖書館學，而且我想來此參考的，恐怕也多是上了年紀的人，不見得學過上述那一類圖書分類法，而且本館現在也祗有千多種書，分類好了，查起來並不困難，將來本會如有經費的話，可以雇用專門人才來管理，而把我今天所用的土法拋去重編，已非難事了。

再,我還要特別一提的,本館庋藏書籍的書櫥六只,是故牛惠生博士的遺物。承牛太太徐衡女士的善意,捐贈本館。今天本館圖書得有安置的場所,是出於牛太太之賜。但是牛先生生前所用的書櫥是中外圖書並用的,放洋裝書的櫥淺,中裝書的櫥深。但本館大部分是線裝書,所以不得不削足就履,把書根闊大的書只好橫放,將書腦向外了。這眞是牽强的辦法。

(八)書册的種數

現在我把本館圖書總數版本分別列之如下:

總數一千一百八十種(將來全部整理就緒當超過此數)

版本 明刊 六十三種

抄本 二百五十種

稿本 五種

上表是約略的數目,確數須待全部裝卡編目後才可決定。

民國三十六年三月二十一日於本館

中俄醫學交流史略

（俄生理學家巴佛洛夫氏逝世十一週紀念演講稿）

吳雲瑞

（一）引言

一九三五年世界第十五次國際生理學會在俄京開會，即由今日紀念之偉大之蘇聯生理學家巴佛洛夫氏主持。因當時國際科學合作空氣之濃厚，與席者莫不愉快，此爲氏秉承先前執政者傳統和平精神之表現也。目今中俄大兩民族，剛從共同苦鬥，脫離第二次世界大戰浩刼之第二年，痛定思痛，覺人類欲謀避免此後第三第四次……之厄運，舍此種國際間積極之精誠諒解與合作外，別無他途，而國際間科學合作尤爲最好之工具也。茲幸兩國親善新約已訂，吾人各就本位努力繼前輩之和平相處宏猷，則造福人羣實不僅中俄二國已也。下述諸端，即有關中俄醫學交換之史料。

（二）康熙遣醫救治傷病

● Wang & Wu History of Chinese Medicine 271—273 2nd Ed. 1936

公元一六八六年卽康熙二十四年，亦卽尼布楚訂約前二年，在中俄邊境雅克薩城（Albazin）有戰事，時城中英勇之羅刹守兵，方被淸兵所圍，當糧盡援絕時，俄兵（當時稱羅刹兵）穴土而居，發生一種疫癘，（史稱濕氣病一大約係急性風濕症，）時俄使已抵京，由外交折衝，城未破而議和。康熙卽於正月遣醫士二人，齎藥前往，除救護自已兵士外，並爲俄國勇士診治，一視仝仁，絕不作敵人相待。從此釋嫌修好，化干戈爲玉帛，其後尼布楚條約之順利修訂，締兩國二百多年之邦交，未始無因也。

（三）俄遣留學生來華有學種痘法與蒙古接骨術

兩國在尼布楚劃界約訂定後，文化交接使節，卽開始活動。俄政府先請派遣留學生進京，學習漢滿文字，及四書等。康熙乃於三十三年卽公元一六九四年，命設立俄羅斯館以招待使臣，商賈，敎士及學生等。並設二俄羅斯學一在國子監，專爲俄國留學生而設。一在內閣，專爲八旗子弟學習俄文，以備翻譯等用。（目今聯合國正進行國際交換敎育，不知二百年前康熙與大彼得已實行矣）當時中外天花大流行，京師爲防止傳染，設「査痘章京」一官以檢之，並立令人民患痘疹者遷移之政令，亦卽檢疫所之嚆矢。㊀故俄遣學生中有專習吾國種痘法及檢痘法。歸而行預防天花之措置。俞理初癸巳存稿及類稿曾記錄之。㊁亦有學蒙古接骨術者，康熙初一至云。㊂按我國種痘之法，相傳創自宋代，然據范行準君之考證，謂在明萬歷間。此種偉大的發明，實爲種痘法免疫疫苗接種法之最初嘗試。吾人皆知此法由英國駐土爾其領事夫人傳至英倫，對於 Jenner 氏牛痘之發明，有啓發之功，吾人現雖未能確證，然不妨推想此法之傳入土爾其，或卽經由俄學生也。俄羅斯館㊃與學在京設立，繼續至二百數十年之久

㊀乾隆廿三年叛將睦爾撒納逃入俄境哈薩克後染痘死俄國遣人送尸請驗

㊁康熙初游俄羅斯遣人至中國學痘由撒納特衙門移會理藩院衙門在京肄業見癸巳存稿

㊂蒙古醫善治骨折爲淸初之事實范行準君會有考證

㊃俄羅斯館在京城中玉河橋西仝上

❶即西名稱爲："Russian Ecclesiastical Mission in Peking" 是也。此種文化交換精神之悠久，爲國際間所罕見，而值得吾人敬仰與效法也。下列諸端，即爲該館對於溝通兩國醫學之功績。

（四）康熙徵聘俄外科良醫及俄羅斯館醫士

俄遣學生至北京每十年瓜代一次，康熙五十一年，適有調派機會，館中有俄正教教士一位，專管俄僑宗教生活。是年亦因適值瓜代，康熙乃請俄國噶噶林親王指派外科醫士來華，當時俄政府向莫斯科醫院徵聘得英籍外科專家 Thomas Garwin 或稱 Harwin 前來。於一七一六年抵京。同時莫斯科之科學研究院醫士 Pulart 氏，亦隨俄使 Hilarion 同年來京。其後俄羅斯館館醫常駐一人，亦每十年瓜代一次，此即使館隨侍醫官也。茲以可查考者，列名於次，大抵皆知名之士，而爲溝通醫學及生物學之功臣：

1805 年 Dr. Rheman

1830－1840 年 Dr. Kirillov

1840－1850 年 Dr. Tatarinov (A)

1851－1860 年 Dr. Basilevski

1861 年 Dr. Karnievski

1866－1883 年 Dr. Bretschneider (E·V·)

Rhoman 氏在一八〇五即爲蒙古人施種牛痘，並研究西藏藥材。

Kirillov 曾將中國藥物四十五種寄往俄生物學家 G. Ganger，共同研究。

Tatariov 爲研究中國醫學最有心得之人，著作頗多，最著者爲氏與聖彼得俄教授 Horaminov 共著之中國

❷俄人喜歡中國書見朔方備乘卷十一北徼形勢考

藥目（一八六〇）在氏任期內，有著名之俄羅斯贈書事，將於下節詳之。

Basilevski曾研究中國魚類。

E. V. Bretschneider氏爲遠東植物學之權威。其著作頗多，爲學術界所深知，不須贅述。氏又曾向北京[illegible]藏藥品之萬億號採集藥標以供研究。

至於俄醫師在京師行醫治病者，亦有其人，咸豐時高郵王同壽稱：在子章貝勒弈綸處曾識俄醫人華名秦綏爲俄羅斯官學生，在彼國不知何名，子章貝勒因其精醫，逐名之曰秦綏。其人能爲華言，每歲朝來賀，持刺即用秦綏字。（朔方備乘第四十一卷引）㊀

（五）俄國贈書中之醫書目

道光二十五年，即公元一八四五年，俄政府派使求中國丹珠爾藏經。道光命將雍和宮所藏之八百餘册贈之。越數月，俄沙皇因肄業留學生換班之便，即繕俄文書籍三百五十七種，饋贈中國，作爲酬謝。按存目有三十九種，爲醫學與自然科學書籍，即存目第爲六十九號至二百〇七號，詳細可按朔方備乘之俄羅斯進呈書籍記。是項書籍，可以代表當時俄國文藝科學之綜合成就，可與明末泰西耶穌會士攜來之數千卷文藝復興時代著作，先後媲美，爲文化交通之一大洪流。後存於軍機處以待譯述。惜道光後內憂外患頻起，未見實行，未知今日尚有保存人間者否？茲將醫學書目抄錄於後。㊁

169 本草綱目二本

170 初學必讀本草綱目一本

171 又一本

㊀中西醫話卷三——李經邦旅俄見俄國醫院行腦脊穿刺術以治怯症

㊁范行準君先得道光時抄本即爲朔方備乘所載俄羅斯進呈書目之底本

172—174 禽獸集圖共四本（動物）

175 本草損益二本　（植物）

176 俄羅斯國植木記一本　（植物）

177 草木記二本 178 又六本

179 金石記（礦物）

180 發明土產金寶記二本（礦物）

181 金石總鑑三本（礦物）

182 土產辨明二本

183 醫法論一本

184 形體全錄一本

185 形體全錄理解二本

186 希嚕爾吉醫書二本　案嚕道光抄本作魯

187 醫法新編四本

188 千金一方一本

189 療病用藥記一本

190 又一本

191 本草備要一本

192 貼藥爾撒醫書十本　案藥抄本作葉

193　內症記一本

194　形體記二本

195　對症用藥記五本

196　又三本

197　又一本

198　愼胗病形書一本

199　小兒疾病辨明論一本

200　發明凉水治病論一本

201　醫獸用藥指明一本

202　醫病法解一本

203　發明痔瘡論一本

204　種牛痘法一本

205　眼科二本

206　魂病論一本

207　延壽法一本

內中 172, 174, 176, 177, 178, 179, 180, 181, 182九號皆爲自然科學書故醫書共計三十種當時稱是項書籍由軍機處存注檔册以便他日繙譯焉，道光抄本稱「書存理藩院」云。

（六）中俄藥物之交換

關於中俄藥物之交換，除去俄館醫擕去研究之標本外，其可考者甚少。中國輸俄主要之藥厥爲大黃，史稱俄人嗜魚，喜用大黃，可解其毒，市以濟衆，自恰克圖互市成立後，有回民一家，專營大黃輸俄云。乾隆四十九年時曾一度禁售，後卽開禁恢復如舊。可以附於藥物者，當有茶與煙葉二物。至俄輸華藥物，其可考者，只有羚羊角一種。[二][三]

（七）中俄兩國際性醫學會

此兩集會，爲近代中俄醫學交流史上燦爛之事跡。詳細經過，均有專集記載。雖近四十年，其知此事者已不甚多，略舉一二，亦以彰兩國敦睦之精神，以勉來茲而已。第一次爲一九一一年，吾國伍連德氏主持之奉天萬國鼠疫研究會，當時出席代表共計十一國，多爲專家，俄政府特派出席者，有薩伯羅特尼（D.K.Zafolotny）司臘脫哥羅夫苦魯猶及勃特立府斯閉氏與（Zlatogoroff）四人。在印度研究鼠疫疫苗之發明人俄籍醫師海夫鏗 Haffkine 亦來參與其事，並有俄女醫師兩人擕醫學生來旁聽，計時共四星期，卽將疫氛控制，中俄邊境居民皆蒙挽救，當時輿論皆稱爲曠古未有之國際合作盛事。第二次集會卽一九三五年，俄大生理家巴佛洛夫主持之第十五次萬國生理學會，吾國各大學醫學院，皆被邀請。於是中國生理學會組織代表團，由林可勝教授率領前往參加。當時國際科學合作精神之表現，殊可紀念，亦爲巴氏畢生供獻其偉大科學生活之表現。乃曾幾何時，而烽火倏起，第二次世界大戰卽發生矣！

吾輩科學家當爲人類造幸福，不當爲人類造災禍，況吾輩之職責，爲解除人類之痛苦而工作，吾輩當籲請兩國人民本康熙與大彼得二主政時代之合作精神，繼續互相研究科學，交換兩國科學文化，來紀念爲人類解除痛苦之大生理學家巴弗洛夫先生（下略）

參考文獻

[二]中俄外交史一三七頁

[三]北徼方物考——本藥物門土爾扈遊牧地蔬貨運百合山丹芍藥見朔方備乘卷廿九第十九頁

朔方備乘　清咸豐十年何秋濤輯李氏望雲草堂藏本

朔方備乘扎記　清李文田撰靈鶼閣叢書本

癸巳存稿　清道光俞正燮撰。

癸巳類稿　仝上

俄羅斯進呈書目　范氏栖芬室藏道光年間手抄本，先是范君語余云，此目卽朔方備乘所本，檢對果然。

中西醫話　清毛景義輯

中國醫史　王吉民伍連德合撰英文本第二版，一九三六。

清實錄　震旦大學圖書館藏本

中俄外交史　何漢文　民廿四年，中華書局出版。

奉天萬國鼠疫研究會始末　陳垣光華醫事衛生雜誌第六七期合册。

鼠疫研究會通告　外務部宣統三年。

Plague　伍連德等。上海海關檢疫出版。一九三六年。

外治之宗吳尚先

葉勁秋
耿鑑庭

吳尚先名安業，初字師機，晚年取坡仙遺意，亦署杖仙，又署潛玉居士。原籍浙江錢塘縣。（吳穀人祭酒之孫）生於前清嘉慶十一年九月十二日卯時。初本業儒，乙未入都，因病不克應試，自是乃淡於功名，隨其尊甫笏庵公僑寓揚州，詩文自娛，亦工書法，兼治醫學，旁參禪理。咸豐三年，因避洪楊之役，遷居泰縣東北鄉俞家垛。當時下河一帶，貧病者多，而醫無良者，乃出其所學，專以薄貼治病。嘗謂：醫於外症易，內症難，實症易，虛症難，內治可蒙，外治不可蒙，吾之此膏，焉能必應，然治得其道，而所包者廣，術取其顯，而所失者輕。又曰：藥熨本同乎飲汁，而膏摩何減於燔鍼，此殆先生主用外治法之旨也。鄉居八載，活人無算，積驗既久，方藥大備，自信亦彌堅，乃將其心得，著述成書，初名外治醫說，後易名理瀹駢文，借子華子醫者理也，藥者瀹也之句。其自序此書之成，歷二十寒暑，稿經十數易，而板凡三鋟，先後得吳棠李微之陳榦卿之資助，初印於同治四年，次印於同治九年，三印於光緒元年。足本有序有略言有續略言，有駢文，有膏藥方，附浄心說，及家政。略言云：尚有集證二卷，及輯遺四卷，嗣出，恨未見。其書頗蒙許滇生喬鶴儕許辛木嘉賞。灊安趙太守，欲將改雕大字，存版於學宮，俾諸生印刷。山東、安徽、漢口、上海、常州等處，醫家都有用其法者，藥舖亦有修其方者。先生於同治四年後，金陵平復，重返揚城，集資設存濟藥局，耑以膏藥施治，歲活五六萬人。但其道易行於貧病，而無緣於富貴，此殆因其爲術簡易，每爲俗所輕視，而人情既安於藥餌，莫不狃於故常，疑其新異，故道不能大行於後世，惜哉。細讀其書，引徵淵博，論列精備，允足補內治法之不逮。君歿於光緒十二年八月初六申時，存年八十有一。子炳恆亦能醫，繼其遺志；孫名養和亦業醫，作故於淪陷期間，年七十餘。鑑庭曩曾訪其家，在觀巷中市，即存濟醫局之故址，僅餘荒地一坵，（該地近亦出售）破屋數椽，問其餘，則曰，殘餘藥箱，臟有數匱，語及書版，則因家政中有產業之記載，數十年前，曾因此而興訟。吳氏之產，大半已鬻，書版亦蝕，怨憤之餘，盡付一炬。嗚呼，象有齒而焚身，誠令人不忍聞矣。

民國二十九年春，張鳳博士避亂來滬，治學之餘，旁及醫藥，頗注意於外治法之應用，乃偏訪吳氏遺籍並其裔孫。經劉秋轉托鑑庭就近探求之，當獲其遺像一軼，亦既霉損，庭即攝取一影。該像左右上端各有先生自書題識，首題潛玉居士七十三歲小像十字，旁附光緒四年十月自題於淨心室。次行復有四言詩四句曰「大千世界，作如是觀，云何自在，一箇蒲團，并識十六字，以見志云。」其左端有云「是世界，非世界，既皈佛法，即世界，南北東西，隨處是塵塵剎剎；無子孫，有子孫，苟讀吾書，皆吾子孫，百千萬億，何時無化化生生。乙酉九月生日後復題時年八十。」

先生基於仁者之用心，籌劃乎萬金以一人生死，關係一家，倘有失手，要難餘生，拙工療病，不如不療，乃不療之療，是外治法之所由倡導也。而況

『經文內取外取並列，未嘗教人專用內治。若云外治不可恃，是聖言之不足信矣。矧上用嚏，中用填，下用坐，尤捷於內服。彼種痘者，納鼻而傳十二經，救卒暴絕，吹耳而通七竅，氣之相感，其神乎。』

『仲景傷寒論有火熏令其汗，冷水噀之，赤豆納鼻，猪胆汁蜜煎導法，皆外治也。……後賢於痞氣結胸，又有罨法熨法。……至於無陽者宜蒸，藏結者宜灸，於無法之中更出一法。……熱邪傳裏，有黃連水洗胸法，皮硝水搨胸法，芫花水拍胸法，石膏和雪水敷胸法，老蚓和鹽搗敷胸法，發斑有胆汁青黛水升麻水掃法，吐衄有井水噀法搭法，蓄血有蘇葉湯摩法，通有犀角地黃熬貼法，其餘傷寒兼症變症，無不各有外治法。』

『王晉三云喉風急症，舍吹鼻通肺之外治，別無他治；陳修園於鶴膝風症云有雷火針，及陳芥子末葱涕薑汁調塗外治二法，……匯參云金沸草散原治傷寒痰嗽，或以熏舌脹，遂愈。此見內治方可移爲外治也。』

今日之中醫，不忍其滅亡而奔走呼號者，其亦能免於

『今人遇病，不向大小輕重，輒云服藥，衆口一辭，牢不可破，有雖欲不服而不能。』

者否耶?扁鵲有云:醫之所病病方少;人之所病病病多。故先生又曰:

「醫之所患在無法耳,既有其法,方可不執。

「倘醫家能以其法,推之而體察於人情物理,於無法之中,別生妙法,則治諸症,莫不起死回生,豈非人心之所大快也哉。」

「依樣葫蘆,病藥不相對,或且相反,誤人匪淺。」

「引藥,亦不過以意度之耳。」

「女科載有催生方內用附子牛膝云:附子先令兒轉身向上,牛膝再使兒翻身向下,此說尤恐腹中未必答應。」

「今人信藥,不思其弊,良可嘆也。」

「有本不誤而性未發,疑其無效,易藥服之而反誤者;有初已誤,而性未發,信其有效,再三服之而大誤者;有醫多藥雜,性有所制,而不及發,無由辨其誤者;又有病家夙服他藥,他藥性發,疑是此藥之誤,而莫能辨其誤者。其有主人執定一見,不喜說錯,與醫家自以爲是,而不肯認錯者,不在此例。」

先生更懷疑於切脈,嘗引徐靈胎曰:「脈之變遷無定,焉能一診而知爲何病,皆推測偶中,以此欺人也。陳修園曰:此是實話,醫所不肯說者。」

「脈有憑而無憑,前賢論之詳矣。

「脈理幽微,非息心靜氣不能得,人多則必淆惑,不如望聞問之確也。」

其於病症之體認,亦不自深信,嘗曰:

「欲爲內治,則苦於不見藏府,明其事,不克措諸事,雖竭其指別目察之能,而臟腑不語,是非得失,終鮮決斷。」

『醫之難，在不能見藏府，而人之敢於為醫者，正恃此皆不見藏府，然孟浪酬塞，欺人欺己，於心終有不自安者。』

誠者，先生之不自欺也，何百年後，以保存國粹為責志者，猶未知內經傷寒以及往先賢哲，於內服湯液之外，儘多外治之法耶？先生所施用之外治法有敷、熨、薰、浸、洗、盦、擦、坐、嗃、嚏、縛、括、痧、火罐、推拿、按摩等等。最常用者，為膏藥薄貼。（先生遺墨遺像見扉業）

中華醫學史

范行準

緒論

一 醫學緣起

地球自有生物，即有疾病。生物因有生存本能，故即有醫學；醫學歷史亦即開始於其時。蓋近自生物學說昌明以來，醫學二字始有新之定義；所謂醫學，乃一匡助生理以恢復機能正常之技術而已。漢許愼說文亦謂：醫，治病工也。案：工與巫同意，皆以技巧得名。故班固依劉歆七略而爲漢書藝文志，以醫學居方技之首，其義至當。隋書經籍志序云，宋王儉別撰七志，六曰藝術志，紀方技，則知仍據劉班二家之例，此醫方當廁其列。隋志又云，梁阮孝緒七錄，五曰術技錄，紀術數，則以醫方與五行星占之籍互糅，然自范曄後漢書以下，諸家方技傳，胥以推步卜相諸技，混於醫家，蓋以醫之本體言，固比擬失其倫類，以醫之學理言，則恰如其分也。

夫病與健康，訖今猶無準則，細菌性發炎，吾人知爲病也，然其恆見之證象爲疼痛，發熱；不知二者悉有益於病人之反應。原疼痛之反應，爲不使動作與外物觸犯，俾保息白血球等所築成之城堡，以錮斃之；否則細菌游竄他處，則舊病未已，新病復起。至發熱可減少細菌之發育與繁殖，以其在高熱時，能發生抗毒素、免疫體、凝集素、溶菌素等也。又骨折，吾人知爲嚴重之損傷也，然苟將兩端銜接後，結締組織細胞，先行發展推進，以塡補斷骨罅隙，如架一索橋，隨即有造骨細胞接踵而至，重造新骨，至復舊觀而自止。此骨傷由本能治癒之技術，周密而正確，雖巧如元化，不能至也。良以病之進行，多循自然之定律，乃生理前進程序，而非病理前進程序；此生理前進程序，亦即吾人本能修復癒合之技術也。故美國克萊丁寧(Logan Clendening)氏嘗以本能爲最聰明之良醫，其言絕非誇誕。如每一疾患，必待人爲治法發明後，始獲拯救，吾恐地球上不僅無人類，且無生物矣。正惟如此，昔之巫師，得售其欺，後來醫家，因要上賞。不知許多自愈之病，與巫醫所投之藥石，漫無關涉；且有以癒爲劇矣。故克氏又曰，醫學是技術而非科學，故不能無誤。尤爲率素之言。而病人之康寧，多賴自身匡復，不全恃醫家之技術，亦較然矣。

觀夫近代人類，本其祖先狡猾智慧，使用科學利器，時窺取或無意發見此等生物本能之一二綱紀，而發明匡助人體生理，以恢復機能正常之術，如自血清療法，以訖最近問世之抗生體療法等，皆由觀察生物本能現象而治獲成功者。雖然，今日人類，固自詡有洞視一方之X光線，與無微不顯之顯微鏡等，猶未殫悉其幽微玄眇之境，故今後醫學之演進，仍將不出觀察生物本能技術之一途，以訖地球之毀滅。

由是言之，醫學爲起始於生物自身之本能，而非造端於人類，以吾國言，更非起自神農黃帝之倫，故其緣起遠近紛綸之說，均屬詞費，可弗論也。由醫學發展塗徑言，今雖爲人類之醫學史，亦不得不循生物進化之塗而先事詮次生物醫學之概況焉，以人類醫學知識固多由生物所禪也。不然，豈人類醫學爲天墜地踊，抑眞爲屬於本身可疑之神農黃帝乎？

至人類自有文字記錄之醫學言，其遠不越五六千年，在吾國有醫方本草可考者，又不逮三千年；人類學家有言曰，自有人類以訖今日已有五十萬年之歷史。故即以人類之醫學史言，此有文獻可以考覈之區區二三千年歷史，可謂近在眉睫之事矣。雖然此不滿二三千年之歷史因史有闕文，反多失實不詳，故爲援古證今之說，有不盡可憑者矣。

自下級生物，進化至高級生物，而猿人而原人，其年歲不知紀極，在此悠長歲月中，其捍禦疾病方法，因天賦之感覺、反射、刺戟與傳授等而得之。其始爲本能之發動，或偶然之機遇，其後漸成習慣與智識之行動；此等行動，不論有脊椎生物與無脊椎生物，均已有之。故人類所能觀察之生物醫學，爲自昆蟲至於鳥獸之醫學也。

二　競爭中之醫學

曲禮曰：飲食男女，人之大欲存焉。孟子曰：食色，性也。此云性與欲，即保持生命與種族之本能也。夫生物有兩大本能：一爲生命之保持，一爲種族之綿延。保持生命不得不資於飲食，綿延種族，不得不有牝牡配合之事。而世間一切爭端，從此而起，世間一切文化，亦從此而出，此競爭之說所由來也。故二者亦爲一切哀樂之源，世界無盡，哀樂之事亦無已時。雖然，世變紛綸，匪知所屆，而終亦萬變不離其宗者，厥爲飲食男女之事而已。醫固文化之一端也，故亦發駿於飲食男女之間，此其起源，屬於外鑠者。

夫生民之初，既如一切生物之不能不資於食；食者民之本，民以食爲天。遐荒之世，其所取以爲養者，必資於漁獵；有云約去今五萬年人類已知能阱殺大獸，則漁獵之時代必更在其前，此時雖已能任智而不恃力，然終無猛獸大魚爪牙之利，難免不爲所傷，於是外傷之醫學起焉。然未有火化，腥臊多害腸胃，於是內傷之醫學出焉。當彼漁獵時代，食不資於草木，故有病亦以動物爲治；而人類所用之藥物，則動物也。吾國最早記錄醫事之書，當推山海經，其中所用藥物，動物居其大端，外內兩因之病，多資動物爲治，非如後世見本草之名，遂望文生義，橫議醫之用藥，原於本草也。本書以後稱謂本草，悉仍舊稱。故余恆謂漁獵時代所用之藥物，以動物居多，而原始藥錄，當以動物爲開宗明義矣。

然歲月逾邁，生齒漸繁，禽鳥已不敷生民之資，因窮而變，乃嘗試草木之可食者，以爲日用之需；然草木多毒，於是民有中毒者，而解救之方出焉。若此情狀，多歷歲年，治病之藥，每於嘗試百草中得之，如病積而遇去實之藥，感風而遇發汗之方，厥疾用瘳，深記默識，銘之舌端，傳爲口實，遇族類朋侶而有是疾者，用之亦霍然愈矣。於是口耳相傳，期不失墜，其後則結繩爲號，劃骨爲記，以垂久遠，斯蓋本草書之前身也。此因資生而嘗百草，蓋在漁獵時代之後期，爲肉食粒食並用之時，禮運篇所謂食草木之實，鳥獸之肉也。

迨由漁獵時代，進而爲畜牧時代，復進而爲農業時代，民多粒食，遇毒之事，亦稍殺矣。然嘗草治病之事，已深鐫初民腦室。當其族類朋侶遇病，聞其哀恫之聲，動其良知，遂本其草木可以治病之經驗，與禪承其先天動物醫學之本能智識，乃披尋草木而治之，其不驗固多，然於萬千案中，偶有一驗而獲濟，亦事理之恆也。如是驗非一人，時非一日，有人焉，集思而廣益之；執爲專業，醫之辭彙，於是富矣。而後世史家，將嘗草治病之業，託始於神農，何其厚誣古人乎？且嘗草之事，爲各民族共有之傳說，彼漠北鮮卑之族，亦曾有以嘗草之功，推爲單于矣。（事詳古逸叢書本廣韻卷三第十四葉上虞字）若今流傳之神農本草，以丹石冠於上品，並丹鼎派道士之僞製也。

當火化未明，其民隨地理而生活，山居則食鳥獸，近水則食魚鼈螺蛤，茹毛飲血，腥臊多害腸胃，此時易發之消化器疾患有二：一爲器質之病，一爲寄生蟲病。（載籍所見寄生蟲病，以蠱病爲首出。蓋與恙病同爲古人最先注意者。）但自有火化之後，二者遂漸少焉。他如灸焫療法，亦爲有火以後之事。至吾國能知火化之事，據近人在周口店所發見之北京猿人，謂此猿人在四五十萬年前，已知用火矣。（詳張孟聞我國生物學之始萌見眞理雜誌一卷一期）

飲食中與醫最有關涉者，莫如酒之發明。詳世本國策諸書，謂酒爲儀狄或杜康所作，此猶火食始於燧人，稼穡嘗藥始於神農之說也。然斯說也，晉人已不信之，庾闡斷酒戒曰：蓋空桑珍味，始於無情，靈和陶醞，奇液特生。（藝文類聚卷七十二食物部引）江統亦據傳說駁之，其酒誥曰：酒之所興，乃自上皇；或云儀狄，或曰杜康。有飯不盡，委餘空桑，鬱積生味，久蓄氣芳；本出於此，不由奇方。（北堂書鈔卷一百四十八酒部引，二條合併。久字孔刊本曹楝亭抄本並闕。據六硯齋三筆卷二補。）此皆謂酒爲無意中發明者。書鈔並引酒經云，空桑穢飯，醞以稷麥，以成醇醪，酒之始也。（同上○案穢飯孔刊本作穢飲據涵芬樓影印本太平御覽卷八百四十三改）其說較爲後起。至其與醫有關，已散列於篇。

醫學之事，其起始與發展，由於飲食者半，已略如上述矣。由於男女之事者，亦半。今復詮次如下。

易辭下曰：天地絪縕，萬物化醇，男女構精，萬物化生。疏曰：絪縕，相附着之義。又曰，唯二氣絪縕，共相和會，萬物感之，變化而精醇也。其解似傷抽象，變化而精醇，又爲何義？詳動植物皆有其生殖細胞，此種細胞，具有綿延種族之本能，但此等細胞之機能，不論任何陰陽牝牡之生物，多待氣候而顯著，所謂字尾期是也。是則二氣化醇之說，似近以太（Ethler）作用，不但動植兩界如此，近更有巖石亦有內分泌之說。（此據某科學雜誌所載，頃忘其名）若吾人類，亦必有類似以太之能媒作用；以爲兩性歆合媒介者，其物云何，則捨荷爾蒙之生理作用外，余尙未能有更滿意之解釋，其顯著之行動，則求偶是矣。至易稱男女構精，萬物化生。則吾醫家乳醫、帶下醫、小兒醫之業所託始，其初或爲女子所執之役也。

孟子云：人少則慕父母，知好色則慕少艾。頗能道出童蒙期及思春期之性心理狀態。昔向秀難嵇康禁欲之書曰，感而思室，飢而求食，自然之理也。其說仍不出飲食男女，與食色性也之義。至男女相悅而不得之病，經方史書，雖有載之而頗寡，則以中國儒家除喪禮守制爲短期禁欲外，無強迫禁欲者。棄婦人喪夫不醮，多困於環境，禮亦無強迫守寡事，其眞有柏舟之操者，又多斷指撒錢，俾而獲濟。僧尼亦終身禁欲，雖有戒律精苦者，然其私行不可問者多矣。大師如北涼曇無讖，以淫行放逐，亦終以淫行誅死。道士有妻室，可勿論，然如長春眞人邱處機一派之道士，則爲絕對之禁欲者，又當別論。至醫書之論及治療禁欲而得之病，當數舊題南齊褚澄褚氏遺書。內有專文論之。因能與時消息，故横決之事少也。

人既獲食物之滿足而生存，因而遂發展性能，人類之爭攘多由此而起；最能發展性能機緣之人物，已往惟有帝王。故多父子推刃，兄弟加兵之事。劉宋汝南王邵，隋煬帝廣皆因衽席之事而躬行弑父。世傳魏文帝丕與弟陳思王植爭甄后，植不勝幾死；其事近人已辨其誣。然如唐文帝世民之殺兄建成元吉，宋太祖匡胤之暴崩，遂有斧聲燭影之案，而疑太宗匡義所弑殺，凡此禍皆起於衽席。蓋既貴爲太子親王，決不爲飲食之事而骨肉互相摧殘。古來帝王除梁武帝外，多由窮侈極欲而亡身失國，即在位亦多年事不永，或作種種變態性欲行爲，所以裸逐宮廷，聚麀別館，臊聲布於朝野，醜音被於行路，亦不卹也。梁武帝佞佛至篤，在位四十餘年，絕慾三十餘年。其敕責賀琛有曰，朕絕房室，三十餘年，無有淫佚。朕頗自計，不與女人同屋而寢，亦三十餘年云云。然亦終陷極害，可稱例外。若宋徽宗在位二十六年，共御室女六千餘人，遠過黃帝御女成仙之數，其子高宗荒虐有過于父，侍婢多死者。蓋爲淫虐狂之類。昏德重昏之醜謚非無故也。至陳後主不懷九廟之主，獨抱麗妃奔入智井。李後主辭廟不哭，而獨揮淚對宮娥，皆不失爲性情流露之人。又明季福王監國南都，除夕不樂，諸臣方以兵敗謝罪，良久曰：朕未暇慮此，所憂者後宮寥落，意欲廣選良家耳。又以復國大計，廷爭未決，而福王忽起曰，不如大婚去也。其聯則有萬事不如杯在手，百年幾見月當頭。此以酒色之事，較復國爲重矣。其他帝王淫亂之事，明郎瑛七修類藁卷四十九已言之，不贅。以知古來帝王自稱宵旰忘食，昧旦求衣，非眞爲字養生民，而伐罪之師亦不盡爲弔民計也。至窮窶之民，無力營置家室，亦多鋌而走險，爲淫虐之行者，則以小小匹夫，禍僅及於其身也。然此而猶可謂因帝王有重權擅作威福，故能虐用其民，以逞大欲；若夫舊日忠臣孝子，於性能之事亦有不可抗者，觀彼雪地吞氈，墓隅守制，辭庭漢妾，陷虜文姬，皆以娶婦生兒辱身非所，爲世所譏；是其力且有過於飲食名節矣！焉知陵谷可以易，體性能無可移者。

此種沛然無能爲禦之性能，在後世禮防高築之日，猶時被衝決而出，況彼茹毛飲血，裸體無衣，逢女而偶，不假良媒之雜婚時代，必横決而焉無忌憚。以近世優生學格之，則其人種必趨窳劣。又以宣泄無節，則其體又必早衰，不任疾患之侵襲，以致於死。人類考古學家之紀載，嘗有許多絕種之人類，吾恐其因除地震洪水疫癘外，斯或其一端也。

初民爲食而爭，亦爲偶而爭。案漢唐以來，用宮女或公主爲和戎之策，深中侵略者之弊。故涉血之讎，每起於此。有割剃敵人頭顱，貫爲項飾，以爲勇士之徽，而作媚偶之具者，其事今猶見於苗荒之域。故原世創傷之病，亦不止一端。案疾病之疾字，已見龜甲文。象人被矢傷臥於板片上休養之意。則疾爲起於矢傷專用之字，其後借爲病之通稱。又疒爲人倚板片之養，人病則着床也。其疒內所塡音義之字，即表何病着床矣。

然媚偶之事，復非一端，其於異性有以魁壯見幸，有以穠豔被憐，在生物已如是矣。若云有關醫學，當推媚藥，原民多以媚藥誘惑異性之愛戀也。夫縱慾之鹿，事後尚知爲偶啣草以振疲，原民之智，固已高於獸族也，豈有不知媚藥之事?故媚藥亦居原始藥錄中之地位，其中有不少强壯之劑，至今使用不廢。

余曾蒐集數十百種媚藥之文獻，推覈原始之迹，蓋不出數端，而以香、色、象三者爲多。香以催淫，色以誘惑，象則取譬。象徵也。而用味之物較少。香爲文麝之類，色爲花蝶之類，象爲鎖陽之類。其中象徵之例，爲用至宏，實後來如東漢郭玉醫者意也之說所取法，爲醫家拓展義理之論據。其說已別有專篇記之。

酒醴未有之前，香類實具興奮之催淫作用，信爲媚藥中不可少之物矣。自有酒後，香類在媚藥中，遂降落其位次，蓋酒不僅有興奮之催淫作用，且有悅口之味。扑鼻之香，遂爲媚藥中之將帥矣。酒色二字成爲連類之詞，亦職是故也。自有底野迦（雅片）出，則酒又退居於亞軍。

原始媚藥之術漸進，遂成爲房中之學，蓋聖人憫初民之縱慾敗度，思爲之節文也。故班固漢志房中類中敍之曰，房中者、情性之極，至道之際。又曰，樂而有節，則和平壽考。知其術初與西方性心理衛生學爲同族，而秦漢以來方士道教之流，視房中爲成仙之一途，人以爲誨淫之技，遂恥聞其名，學以晻昧焉，不其惜乎?房中漢志居方技之一，隋志與醫并爲一類。唐孫思邈千金方及翼方，王燾外臺祕要方，北宋日本康賴醫心方等，並收其書。蓋自隋後已入醫家矣。往者，西方在四五十年前，性心理學亦爲醫家所不齒，自英人靄理斯瘏口極論以倡導之，醫者始多感寤而研習焉，靄氏之力也。今靄氏且被譽爲世界最文明之人矣。若吾國此學雖隋後已入醫家，至今醫者已不復知其義理，與之言，則囁嚅焉若不敢出諸口，斯眞小丈夫也。

蓋情欲之事，其來也則五嶽所不能障；其衰也，則六龍所不能挽。故既壯以後，隨體貌以俱衰。壯者老，老者不能復丁，造物公平，初不因人而異。漢諺曰，雖有黃金，不如少年。述異記亦曰，雖有神藥，不如少年，皆惜時之譬也。曩者帝王雖盡四海之富，極聲色之娛，而耄耋及之，無能爲力。苟能復其丁壯，則冕扆不足尊，山河不足重也。方士洞明其弊，挾技以熒惑之，謂海外之藥，能使長生，房內之方，可多禦女，既盡情性之至樂，復可馭龍而成仙，愜意快心，無過於此。秦皇漢武暮年咸爲所惑，終生悔吝，有由然矣。

是知服食之事，兆端於初民，而聖人節之，中弊於方士，耆欲之主，交受其害，雖爲世笑，而覆車相尋，至今無絕，則耆欲之中人也深。故魏晉以來之寒食散，唐宋之金丹，明之秋石，紅丸，淸之雅片，其禍不僅殞其軀命，墟其宗社，且弱其種姓。今之盛用荷爾蒙製劑，雖未承石散雅片之弊，然其原意有能軼出媚藥之畛域乎。

莊生有云，人之所取畏者衽席之上，飲食之間，非懲往失，不能言也。然天下之事，禍福相倚，得失相參，未可因噎廢食，鑿水棄舟，當擇其善者而從之。如嘗草而獲治病之藥，媚偶而得强壯之方，固爲今人所託命者，然中歷戕生害性之事何可數計？故挈長校短，未可一概論也。如淡秋石取於尿液，紫荷車原是胎盤，今荷爾蒙製劑，有得之於尿液者，有得之胎盤者，豈非莊生所謂道在屎尿？又曰，化腐臭爲神奇乎？蓋一則基於精靈觀念，一則基於科學觀念也。

三　經方與醫經

動物醫學禪至人類，人類復從其生存競爭中獲其醫學智識，遂成爲經驗醫學。在人類茫無宗教時代，亦即未有巫官祭司等人物時，此經驗醫學，甚偏行也。故此經驗醫學，既無理論，更無神祕，余姑名之爲天眞之醫學，實則與本能醫學，無何分別，僅較本能醫學範疇略廣而已。自後，人智漸啓，鬼神觀念漸萌，宗教之說以興，以病爲鬼神所祟而巫醫之事生，因種族繁衍，與生存關係，漸成部落，其中乃有事神治人之酋長。一部落中拯治病患之務，亦由酋長行之；以酋長具有事神與治病之智慧，從巫而化也。

太古之時，曾有氏族社會，而以女子爲大酋，故女子亦知巫事。說文巫字云，女能事無形目舞降神者也。又覡字云，在男曰覡，在女曰巫。許愼注淮南子說山訓云：醫師，在男曰覡，在女曰巫。可知古之女酋，曾執治病之役，此非徒中國如此，卽稽治古希臘羅馬醫史者，亦知有女巫執行醫事之一段史程。中國史家限於禮教，於此類史材多所刈落，無可稽證。然如山海經十巫採藥，中有巫姑之名，合許說知女巫曾有爲醫治病之事，後世惟乳醫多用女人耳。

又因其療病之方，多行巫術，遂啓索隱行怪之塗，而成魔法之醫學。雖然，此酋長固多施用驗方，託巫術以蒙世者。同時經驗之醫學，仍流傳於各部落間也。惟巫術與經驗醫學，亦自是而混矣。

由是而進，醫學遂入哲理時代。夫人類賦有求知之心，既有事物，自有求知之念；當時巫師或酋長，既爲智識之保有者，於此有關一部落生死問題之醫學，自亟欲明其究竟。乃以人類幼稚心理，淺薄智識，以解釋其原理，故醫學之理論，與一般之哲學，同時出現。醫家之自然哲學時代，於焉成立。

考吾國醫學發展之迹，經驗與哲理二者，實可苞舉無遺。前述漢志方技略中之醫經、經方兩類，適可代表此兩時代。所謂醫經，敍醫學原理之書也，經方敍見證用藥之書也。漢志以此區爲兩類，彌有卓識。惟前人頗重形上之學，醫經窮理之書，故居經方之前；經方致用之書，故次醫經之後，揆以醫學發展之序，固爲倒置，而時人所尚，實不誤也。茲爲史家之書，故互易其位，而挈經方於前，畫爲經方時代、醫經時代。（案舊題南齊褚澄褚氏遺書，論素問云：由漢而上，有說無方，由漢而下，有方無說，殆以不見漢以前之經方，故如班氏倒置耳。）

蓋自生民以來，下逮載史之文，固可稱爲經方時代，而醫經時代居其後。然不能謂哲理醫學，始於載史之文之後，其事當起於舊石器時代，卽人類學家所稱爲智人（Homo Sapiens）也。其時蓋距今三萬五六千年以前，實爲人文之開始。人類考古學家，以宓羲略當舊石器時代之人，而人世冥滅，無文字可爲左驗。雖然，世所流傳之周易，其中卜辭，舊傳爲宓羲所創，固不足據；而移置殷代以前之人所作，似無大過，總不失爲吾國所留最古之哲理書也。況今發掘之殷墟甲骨文，多屬卜辭之類，且有病名可考者乎？則商殷以前已有以占卜求病之事，昭然可據者也。夫人類有智慧，即有哲學，初不必待文字之興。特有文字後，可以傳世行遠，哲學始漸弘恢耳，醫經時代實萌蘖於其時。今更校以蠻族，其於醫之情狀，尚有與商殷以前相類者。

四　巫醫之變動

惟醫學與當時文化息息相關，故每隨時代而蕃變。老子曰，至治之極，鄰國相望，雞犬之聲相聞，民各甘其食，美其服，安其俗，樂其業，至老死不相往來。此實洪荒之世，索居獨處之未有部落時代也。此時醫學，僅有原始之經驗而已，且不能與外界交易其知識，故其時之經驗醫學，爲保守者。

然人種繁衍，部落漸成，民食不足，侵犯之事以起；此時一部落中必有傑出者之巫師爲之長。此事神治人之酋長，至此而事繁，乃有分職之舉。古代巫官，即由此出。其要者蓋有三種：一爲紀事之巫，即史官也。一爲占卜之巫，一爲治病之巫。巫醫即巫官中之一職也。蓋其始但有治病之巫，而無治病之醫之名，故醫字晚出，尚書猶不見之，殷代以前，猶無是名也。後之稱述殷以前之醫事用醫，蓋追述耳。

清錢謙益序喻昌尙論篇云：上古之世，未有儒也，所謂通天地人者巫與醫而已。今尋說文，通天地人者曰聖，則謙益固以巫醫爲聖人之列矣。然以巫與醫爲並出者，猶未明醫出於巫之事。蓋部落單小，史祝醫諸事，一巫固可兼任，然謂儒出於巫，醫先於儒，則有卓識，蓋儒亦術士之通稱也。劉光漢古學出於官守論云：則古代之時，僅有巫官，醫卜諸官，咸爲巫官所兼攝，厥後醫卜之官，與巫分職。（國粹學報丙午年分十四期。）亦似猶未達一間。案巫有官階，部落非小，必有巫師爲之酋長，所立者當非僅一巫官而已，必先後已有記事之史官，占驗之卜官，治病之醫官等；蓋巫官爲史官卜官醫官等之總稱也。惟先漢據其先祖伯山公之說，謂醫官之學，流爲道家。同上其說甚諦，足破班志道家出於史官之繆也。至素問有鬼臾區與黃帝論難之說，則有卜官而知醫者。又世本謂巫咸以鴻術爲帝堯之醫，則有巫醫之官而輔弼元首者。

醫既出於巫，而因巫之才智與權力日進，醫亦隨而變易。案醫古作毉，爾雅釋文 此巫以祝由治病者，故素問有移精變氣之論。說苑有苗父芻狗祝病之術。許慎說文亦云：醫治病工也，而先儒謂工疑卽巫之訛文。亦可證醫古作毉之理。今素問尚有上工、中工、下工、粗工之詞，則以工、巫二字，說文互通也。其術自昔行於南方，論語子路篇云：子曰，南人有言曰：人而無恆，不可以作巫醫。禮記緇衣篇則云：子曰，南人有言曰：人而無恆，不可以作卜筮。蓋荆楚尙鬼，故巫術盛行於其地。至孔子有巫醫卜筮之異詞，猶世本既有巫咸以鴻術爲帝堯之醫，而初學記引世本，藝文類聚引譙周古史考，俱有巫咸作筮之說，凡此一人一書之異詞，適可證爲古代卜與醫猶屬巫師所掌之遺跡耳。

以上所舉巫醫，除巫咸外，似多以糈藉求福祚，或以祝延人之疾者，以巫之本職然也。然其後於無意中有酒發明，則部落中有舉善釀酒之巫師爲長，故據字義言，酋長之職，蓋爲有酒以後之事。酋，說文本訓爲繹酒，後以酋爲酒官。酒不僅以悅衆，且持以事鬼神。事神用酒，古有茜禮，訖今無絕，亦爲此設。故猶不脫巫之行徑，而醫學之事，亦因酒之發明而變易巫之舊法，故醫從酉作醫。說文云：醫者性然，得酒而使，故從酉。王育一說曰，酒，所以治病也。此爲毉字易巫爲酉作醫之迹，其時之酋長爲人治病，已不單用祝由糈藉，而以酒爲主治之物矣。今素問猶有湯液醪醴之論，扁鵲傳有湯液醴灑之法，漢書藝文志有伊尹湯液經法之書，且周禮有醫酒之職。則以酒治病，幾有奪舊巫以祝治病之席矣。

五 巫醫之治術

雖然，巫醫之術，固不僅賴巫祝拯療病患，亦有自始卽兼用藥，特假巫祝爲名耳。故陶弘景云：雖曰可祛，猶因藥致愈。巫醫用藥治病，其顯者有山海經羣巫採藥之事。海內西經云：開明東有巫彭、巫抵、巫陽、巫履、巫凡、巫相。郭璞注云，皆神醫也。又大荒西經云：大荒之中，有靈山，巫咸、巫即、巫盼、巫彭、巫姑、巫眞、巫禮、巫抵、巫謝、巫羅十巫。從此升降，百藥爰在。郭注云，羣巫上下此山采之也。此蓋洪荒之世，巫醫用藥治疾，逮周猶然。周書大聚解云：武王既勝殷，鄉立巫醫，具百藥以備疾災。詳夏殷尙鬼，武王所置巫醫，疑沿殷之舊制也。然則，殷周以降，巫醫固用藥治病也。至漢，巫與醫並重，淮南子說山訓云：病者寢疾，醫之用針石，巫之用糈藉，所救鈞也。石針糈藉，皆所以療病，求福祚，故曰救鈞。由此更知秦漢以還，巫之治病與醫之治病，已有分職而不相混；然兩者雖同掌治病之職，而巫地位之重，已遠不及醫。其說別詳於篇。

六　巫醫相混及其搖落

巫在春秋之季，與醫猶相混不分。案：左傳成公十年，晉侯之疾，先召桑田巫視之，繼召秦醫緩治之，緩之言，猶未越巫之畛閾。又、昭公元年，醫和診晉侯之疾，對趙孟之言，亦是巫術家事。而史記扁鵲傳中記扁鵲視趙簡子疾，其所云云，竟難辨其非巫。且記述扁鵲受術於長桑君事，亦惝怳迷離，竟是夢語，豈眞醫家授受之事邪，實左道之託詞耳。蓋扁鵲受於長桑君者，乃禁方與上藥，所謂禁方實禁咒之術，晉葛洪抱朴子中屢言之，爲巫醫正統之學也。至云飲其藥當知物矣，司馬貞索隱謂當見鬼物也。竟是墨家明鬼之事。（其說見後）就其全傳觀之，亦介於巫術與醫術之間。先秦以前醫之情狀，固如是也。然則，春秋時代號稱兩大良醫，其術固猶未越巫醫藩籬，而六氣國祚修短之說，實啓後世運氣及太素脈之漸。

東周以後，神鬼之說漸衰，其功不得不歸孔老之徒。蓋戰國時宋有墨翟者，倡兼愛與明鬼之說，孟軻醜詆譏序其人於于禽獸之列。及春秋之季，道家之說興，道家不信鬼神，老子曰，以道蒞天下，其鬼不神。韓非復伸老子之說，其解老篇所言，可證其輕恬鬼神也甚。他若莊列諸家，均不信鬼神能爲人害。

當楊墨之說盛行，學者不入於楊，則逃於墨，醫之質性與墨最近，以墨與醫，其先皆爲巫官也，且其說與醫相通，益可證當時醫家者，並不入於楊，而實逃於墨也。若儒者固視醫爲賤技小道，未嘗引爲同流，且其說多爲政治而設，巫醫亦無從仰攀以爲重也。然墨家之說，既爲二氏所敗，惟黃老之道本出於醫，醫至此遂依於道，猶祖禰歸於雲礽也。然未幾，墨家之學，已爲天師道所攝收，故名亡實存，且天師固以老子五千言渙汗於天下者，故無意之中，醫乃與之爲緣矣。

故鬼神之說，盛於戰國而衰於戰國，而巫與醫之分界，亦兆於戰國。秦漢以後，立言之士，薦紳之流，巫師之說多不道也。故治黃老家言之太史公，於扁鵲傳後案之曰，信巫不信醫，六不治也。素問亦言，拘於鬼神者，不可以言至德，此皆道家輕恬鬼神之精神也。是以正統之巫醫，至戰國而失勢，至秦漢而搖落，易詞言之，疾醫至秦漢始孳甲而出，然終不脫巫師之命蒂，此其故亦有可言：夫病患爲人之最苦者，醫又無毎病必愈之技，窮而呼天，迫而事鬼，乃人之恆情。醫又以隨俗爲變爲能事，有此鑿空逃虛之境，夫何不欣然蹴之！故巫醫雖搖落矣，而終不殊絕。知乎此，始解醫家訖清季如雷豐之流，其時病論中，猶著祛瘧之咒之故也。

雖然，疾醫至秦漢始孳甲而出，而猶未能舒芽生長，矯然自立，與巫絕緣者，除上述原因而外，又有二事厄之：一爲西京董仲舒之陰陽災異說，一爲東京張陵之天師道。董生雖云儒家，其陰陽災異說，本出巫道末流，與由巫蟬變未久之疾醫，同爲一家眷屬，故極易歆合。道陵自云取老子五千言爲教義，然觀其行事，恰與老子相反，老子以道蒞天下，其鬼不神，而天師道以劾鬼驅魔爲業；老子以患在有身，而道陵居黃鶴山修道，以延歷久視爲務，乃謂天師道出於柱下史，其誰信之？夫閉門驅鬼，惟見墨書，延歷長生，則秦漢以來方士事也。故天師道雖託始老聃，其術實出墨子，而終襲方士與釋家之事功。故天師道非承一流而成者，（後又云出於儒家）且秦漢之方士源出於巫，類能爲醫，醫乃方士之一類，而道士又須習知醫事，故彼自願與醫爲緣。兩者殆猶水之就溼，火之就燥，體性相近，有不期然而然者。（墨子之學爲明鬼，技巧，傳受等，俱與醫家相近，本書別有專篇論之。）

魏晉以來，道教寖盛，勝流如王羲之父子，郗愔昆季悉溺其術；醫家如葛洪、陶弘景之徒，亦承其緒，洪深嫉老莊，獨天師道之說則頂禮奉之。葛陶二氏之學，影響後世醫家彌鉅，此亦巫與醫不能絕緣之一因也。

七 醫學與雜術

鬼神之說，雖爲道法二家所厭聞，但此不過指立言之士，與縉紳先生之流而言，彼在社會傳統關係，巫祝之事，仍爲恆人所欽望，術數中之占驗如蓍龜等，固巫覡之嫡裔也，其事多混於醫家，素問有鬼臾區之說，復有擇日齊戒等，皆術數家事也。（素問亦非一家之言，故其說亦多互相攻伐。）至陰陽五行說，尤爲自素問以下窮理諸書之綱領，而五行生剋之義，余觀歷世學人，多未明其起始，至讀梁沈約宋書而始明。宋書歷志上史臣曰，且五德更生，惟有二家之說，鄒衍以相勝立體，劉向以相生爲義。下復舉勝生之例，知勝生即生剋之義也。（生剋爲後起之詞，考素問諸書，猶多作勝生。）然沈實據張華博物志之說，以是知五行生剋之說，至西京而始備，因推素問一書，必成於西京以後，爲確然無可疑者。

夫陰陽之說，固班孟堅所謂假鬼神以爲助者也。而五行與占蓍等，漢志又胥入數術略中。故大略言之，中國醫學，其理學實出於巫官，其後雖緣飾道家，顧何能換其胎骨哉？況漢自用董生，侈陳災異，而悉以五行陰陽變動之現象準之；百家之說，名法而外，胥受影響，醫其著者。

鬼神既爲人所敬畏，初則禱之，如武王之爲周公禱，子路之爲孔子禱是也。繼則咒之，如苗父之爲衆人祝，于吉之爲江左人祝是也。禱有哀懇之辭，祝有勅勒之義，前者近於宗教醫學，後者近於魔法醫學。靈樞賊風篇所謂先巫者，因知百病之勝，先知其病所從生者，可祝而已也。此與素問移精變氣之論可以互證，而可瞭然於魔法醫學之遺跡。外此更有以物厭勝之，亦魔法之醫術也。案：山海經每以動植諸物服之，云可已病防疾，如曰佩之無瘕疾，食之無腫疾。佩者、服也。今飲藥猶稱服藥，仍其舊稱，而昧其原意矣。後世符籙，實同斯義。

古又以陰陽變化之謂神，符瑞之說，遂起於其間。進而有讖緯。讖與緯本異術，而緯書多記讖說，故聯爲一詞。其說起於秦項而盛於哀平，竟與律家爲緣。後漢書律歷志，宋劉昭補注引易緯，以釋二十四氣，其言氣候當至不至，未當至而至，均生眚戾疾痗。更上溯其原，又與星歷有緣。考史記天官書，有星體變動而生疾疫之說。類此者，若唐開元占經，所記尤繁，胥爲後世醫家五運六氣所本。金元諸師，又擴運氣之說，而自成一家之言。至明初熊宗立，旁雜日者之說，而以人之年命合病日，而爲傷寒運氣全書。則又爲運氣說中之別支矣。

爨骨爲兆，折蓍爲象，其事古矣。今之易書，有謂當時所貽者，已如前說。而卦象河洛圖書，又爲宋元理學家所宗。理學影響於金元醫家，已非細事，然猶未聞以之作爲專集者，迨清乾隆時上海金理作醫原圖說，道光時茅松齡作易範醫疏，各以河洛圖書卦象，用作疏通證明人體經絡脈證藏象本草等，撰爲專集。其書固以理學爲宗本，然竟以河圖原醫，以周易範醫，其鑿空逃虛，有過於理學家者，醫之不競，有由然矣。若更上溯其源，實未踰原始巫術之家數也。

兩漢時又有三事與醫有關，彌可記述：一爲以相術決人夭壽病患，如術者相周亞夫、鄧通，以餓文入口，豫決二人必餓死。余因治醫史，於風鑑之學，亦稍遊其藩，知其術除揣摩人意外，亦能略解醫家舊說。蓋其初原取法於醫家，後醫家反取法於彼，故二家之說多通耳。意術者知周鄧二人有消化器病，或以政治關係，逆知二人必餓死，而有是驗乎？然墨子有非命篇，荀子有非相篇，俱斥星相家之疎繆，自左國以下諸書亦屢載相人之說，知其術甚古。迨漢後始多涉於醫耳。醫家望診，或師其術，如扁鵲之診齊桓侯，淳于意之診舍人奴，皆望診知病況生死也。東漢郭玉，能持脈以別男女，史家劇稱之。北齊馬嗣明，診候一年前知其生死，李百藥以爲良醫，斯實太素脈之濫觴。唐後乃有名太素脈以脈決人壽夭菀枯之事，則更由望診而至切診，於是醫家診術，與風鑑家揣骨之術，竟無所分。

一爲東漢時張衡、郎顗諸人，造爲風角九宮之說，醫亦交受其弊。案內經靈樞有九宮八風之文，所言悉屬占驗之術，此爲九宮風角入醫家之始。由是，靈樞一書，又可決其成於東京以後也。其術於醫藩衍頗廣，及於產家。外臺秘要載崔氏產書，有推日遊法、借地法、日歷法等。又隋志有產書九家，廁入五行類，不與醫同科。而推日遊法等，宋後和劑局方以下諸書猶綴載不絕，若九宮風角更無論矣。此醫與巫術家之禨祥小數，訖宋後猶未絕緣之證也。

又一爲稍後張郎諸人，有筮學大師管輅，以卜筮風角之術診視病患，其事推及朽骨，實爲後世堪輿家以形法決人疾患良惡，人口消長之濫觴。恆人多有迷而不復者。若金元以下傷寒運氣諸書，屢有棺墓之說，則又取義於日者之說耳。

學術之事，多互爲影響，醫亦與時消息而漬染時尚，詳術數與神仙，自昔已相混不分，神仙之事，雖爲東周以後所有，然鬼神之事，洪荒時代即已有之。殷猶尚鬼，至戰國齊威宣間，騶衍唱終始五德之運，至秦始皇時，齊燕迂怪之士，如宋毋忌、門子高輩，爲方仙道，形解銷化，依於鬼神之事。此鬼神與神仙合一之始，而今傳世之神農本草，猶有其形跡可尋。

墨子明鬼，其徒至漢末有劉根者，作墨子枕內五行記。（此書或作枕中記鈔，或作墨子五行記。余據北堂書鈔，太平御覽，本草和名等書輯爲一卷。）其書蓋言仙家燒煉變幻之術，與劉安淮南萬畢術同族。據後漢書劉根傳，謂根能呼召亡鬼，令人見之，其人亦費長房左慈之倫，固天師道之一族也。是墨家與道教之丹鼎派合一之始，故晉後墨子入於神仙家。而葛洪實爲此派之嗣人。

符籙出於古代厭勝之術，而抱朴子謂符出於老子，隋志亦有老子石室蘭臺中治癩符一卷，太平御覽方術部引黃帝出軍訣稱黃帝於夢中得符於西王母者，胥託詞也。此等符籙古僅用單字，如重午以雄黃書王字於小兒之額，以驚鬼邪之類，猶古之遺。其後則用複文，漢末太平經多用複文之符，令人吞服治病。惟複文爲日既久，人不見奇，復創爲草書複文以蒙人意，故抱朴子五符之文已難通解，況後來又合十數草字爲一符乎，宜俗有鬼畫符之誚也。實則皇古相傳，蒼頡造字之初，已有鬼夜哭之事。（見淮南子本經訓，並許慎注，及說文序。）故以字爲厭勝之物，其來舊矣。其後以單字綴成文字，仍不失其厭勝之用，如道士之咒文，密宗之經典皆其著者。漢鄭玄竟以孝經退妖賊黃巾，齊顧歡以孝經治邪病，陳徐份誦孝經以祈疾，唐杜甫又有驅瘧之詩，古人皆視爲文字之効也。今醫家祝由科，猶用符籙與咒文治病，乃其雲礽也。符籙治病所以偶有獲効，除心理作用外，則因符上硃砂爲汞之化合物，故蟲疾用之，或有微驗，有斯二者，故其術歷千百年而不斬也。

醫家能承符籙丹鼎兩派之緒者，惟葛洪與陶弘景。洪深嫉老莊，然好仙道而重燒煉，亦信符籙。逮于弘景，亦治符籙丹鼎之學，與稚川同術，二人深受天師道之影響。惟葛本儒家，陶喜玄理，并好釋氏之言，以是爲別耳。符籙之學，吾無取焉。丹鼎之學，爲醫家實驗之階，使無其學，亦不復有進步之醫學矣。故中國醫學盛於五朝，五朝醫學葛陶二人實爲中堅，使無二人，雖非萬樹無花之景，然亦減却春色之半矣。

（未完）

中國歷代醫學僞書考

自序

梁任公云，『無論做那門學問，總須以別僞求眞爲基本工作。因爲所憑籍的資料，若屬虛僞。則研究出來的結果，當然也隨而虛僞。研究的工作，便算白費。所以辨僞書爲整理舊學裏頭很重要的一件事。』又云，『辨僞的工作，由來已久。漢書藝文志明注依託者七，似依託者三，增加者一。隋僧法經著衆經目錄，別立疑僞一門。此皆有感於僞書之不可不辨也。宋人疑古最勇，如司馬光之疑孟子，歐陽修之疑易十翼疑周禮儀禮，朱熹之疑周禮疑古文尙書，鄭樵之疑詩序疑左傳，皆爲後世辨僞學先河。其他如郡齋讀書志直齋書錄解題等，指斥僞書亦不少。晚明胡應麟著四部正譌，始專以辨僞爲業。入淸而此學益盛，淸初最勇於疑古的人，應推姚立方（際恒）他著有尙書通論辨僞古文，有禮經通論辨周禮和禮記的一部分，有詩經通論辨毛序，其專爲辨僞而作的，則有古今僞書考，』（以上見清代學者整理舊學之總成績）立方此書，列古書九十餘種，逐一覈其眞僞，在辨僞學中，居重要之地位。此外則萬季野（斯同）之羣書疑辯，對周禮儀禮左傳易傳等，皆持懷疑之論，其他諸經，亦有所判別。四庫全書提要中明斥爲僞書者，其數亦不少。姚萬之作及四庫提要，皆辨別多書。其專爲辯證一部或幾部僞書而著爲專篇者，則有閻百詩（若璩）之古文尙書疏證，胡朏明（渭）之易圖明辯，萬充宗（斯大）之周官辯非，惠定宇（棟）之古文尙書考，范蘅洲（家相）之家語證譌，孫頤谷（志祖）之家語疏證，劉申受（逢祿）之左氏春秋疏證，康長素（有爲）之新學僞經考，王靜安（國維）之今本竹書紀年疏證，崔觶甫（適）之史記探原。其非爲辯僞而著書，然書中多辯僞之辭者，則有魏默深（源）詩古微之辯毛序書古微之辨漢志古文尙書十六篇，邵位西（懿辰）禮經通論之辯逸禮，方鴻濛（玉潤）詩經原始之辯詩序等。而其尤嚴正簡絜者，則有崔東壁（述）之考信錄，此書雖非爲辯僞而作，但對於先秦之書，除詩書易論語外，幾無不懷疑，卽論語也有一部分懷疑，其處處懷疑事事求眞之精神，實令人佩服。此外諸家筆記文集中，辯僞之著作不少。淸儒在辯僞方面之成績，殊爲可觀。（以上隱括梁氏遺說，出淸代學者整理舊學之總成績及古書眞僞及其年代。）然於醫家之書，僅略辯一二，未盡其類，蓋考據家多不知醫，知之或未暇專攻也。

余喜讀中國醫書，寢饋有年。醫書之外，亦喜考據，於辨僞之業，略涉藩籬，恆思以辨僞之方法，衡鑒舊有醫書。以爲中國醫學，有相當之價値，如採礦之山，煑鹽之海，蘊藏至富，取汲無窮。但歷世旣久，僞造之醫書滋多，往往眞僞兩書之理解，岐出而相矛盾，使學者有迷糢糊無所適從之憾，岐途依違，精神虛糜。然此爲研索者頗有學力，粗能懷疑，其害猶淺者也。僞託之醫書，其簡端標題之撰人，什九假名大醫，以行其欺謾之術，設其書自具心得，精當可法，則雖厚誣古人，亦有可原，然陋劣濫竽者，累累皆是，習醫日淺，學力不足者，震於撰人之盛名，幷僞書亦篤信之而不疑，日記覽而瞢然不知，且施之於治療，則影響尤鉅，其害尤甚矣。故辯明古代醫書之眞僞，足以甄汰陋劣之僞書，廓淸學者之頭腦，發古人之虛妄，解後學之大惑，誠爲切要之圖，固不僅考正醫學進化之歷程，求醫學史上記載之眞實而已。頻年涉獵，發見僞醫書不少，考索所得，條次成册，凡三卷，辯醫書百四十餘種，釐爲本草方劑診法傷寒雜病女科醫經醫史醫論等二十二類，顏曰中國歷代醫學僞書考。醫書在辨僞學中比之支流附庸，今彙輯辨僞文獻編述成帙，由支流而匯爲瀆澤，附庸而蔚爲大國，似稍足補前人未竟之業。吾國古代醫學之要籍，大率在此，欲考鏡其眞僞得失者，當有取焉。民國二十六年十一月二十一日蕭山謝誦穆穎甫記，時寄居於諸暨之珠稼塢。

例言

姚際恆云，『造僞書者，古今代出其人，故僞書滋多於世，學者於此，眞僞莫辨，而尚可謂之讀書乎，是必取而明辨之，此讀書第一義也。』（古今僞書考序）本書取中國歷代醫書百四十餘種，一一辨其眞僞，猶姚氏之志也。（本書自序中略述辨僞學之沿革，僅其涯略，若欲詳知辨僞學發達之情況及辨僞之方法者，則有古近辨僞諸專書在。）

醫書及辨僞專著書目史籍文集筆記等論及僞醫書者，一鱗半爪，必爲採摭，惟學殖謭陋，自多紕漏，敬希大雅賜教。

梁任公謂古今僞書考篇帙太簡單，未能盡其辭。（見淸代學者整理舊學之總成績）因此，本書遇可以旁通曲證之材料，雖非直斥僞妄，亦酌量輯入，庶於醫書之優劣及傳流之沿革，亦得明瞭。（所引古書，間有稀見者，於附註中略述其內容。醫家佚事，亦偶詳於附註，思存醫學史之史料也。）

俞曲園謂秦味經之五禮通考，『按而不斷，無所折衷。』（禮書通故序）然折衷之事，亦非易言者，本書對各醫書大抵有確定之斷語，亦有衆說雜呈，莫衷一是者，則羅列羣言，以待讀者之自擇，別立簡表，或曰僞，或曰疑爲僞託，或曰不僞，或曰部分僞，或曰疑部分僞，或曰著者不明，以寄折衷之意。

本書所列醫書，有書本不僞，後人誤疑其僞者，如孫思邈之千金翼方是也。有書雖出於僞託，而其言不可廢者，如依附褚澄之褚氏遺書是也。有書既出於僞託，而其說亦不足取者，如依附葉天士之醫效祕傳是也。良窳不齊，當分別觀之矣。（梁任公云，僞書非辨別不可，那是當然的，但辨別以後，並不一定要把僞書燒完，其故因爲書斷不能憑空造出，必須參考無數書籍，假中常有眞寶貝，我們可把他當做類書看待。戰國人僞造的書，一定保存了秦始皇焚書以前的資料，漢人僞造的書籍，一定保存了董卓焚書以前的資料，晉人僞造的書，一定保存了八王之亂以前的資料，因爲那些造僞的人，生在焚書之前，比後人看的書多些。例如僞古文尚書採集極博，他的出處，有一大半給人找出來了，還有小半找不出，那些被採集而亡佚的書，反賴僞古文尚書以傳世。又如列子是僞書，裏向的楊朱篇，也有人懷疑，但張湛僞造列子時，誰敢擔保當時沒有他書記載楊朱學說，誰敢擔保張湛不會剽竊那書，以做楊朱篇，同剽竊穆天子傳以做周穆王篇一樣，現在楊朱學說除了列子那篇以外，更沒有什麽可考，那篇當然在可寶貴之列，像這類的僞書，可以當做類書用，其功用全在存古書，這是一種。僞書第二種功用是保存古代的神話。拿神話當做歷史看，固然不可，但神話可以表現古代民衆的心理，我們决不可看輕，而且有許多古代文獻，別無可考，我們從神話研究，可以得着許多暗示，因而增加了解。僞書第三種功用，是保存古代的制度。如周禮一書，雖然决不是周公所作，是僞託的書，而那種精密的政制，偉大的計劃，是春秋以前的人所夢想不到的，可知必曾參考戰國時多數的政制，取長去短而後成書。而戰國政制賴以保存的，一定不少。還有一種保存古代思想的功用，也是僞書所有的，例如列子。我們若拿來當做列禦寇的思想看，那便錯了，若拿來當做張湛的思想看，再好沒有了，若拿來和老子莊子放在一起，那又錯了，若拿來和王弼老子注何晏論語注放在一起，却又很有價值了。又如起信論楞嚴經，我們根據來研究印度的佛教思想，固然不可，若根據來研究中國化的佛教的一種思想，却又是極重要的資料了。像這類造僞的人，雖然假託別時別人，我們却不和他這樣說，單要給他脫下假面具，還他的眞面目，一面指出他僞造的證據，宣布他的罪狀，一面還他那些賣出的家私，給他一個確定的批評，這麽一來，許多僞書都有用處了，造僞的人隱晦的思想，也宣顯了，由上面四點看，僞書有許多分明是僞而仍是極端有價值的，我們自然要和沒有價值的分別看。（古書眞僞及其年代）

中國歷代醫學僞書考卷上

蕭山謝誦穆著

本草

神農本草經

陶宏景云，此書應與素問同類，但後人多更修飾之爾。秦皇所焚，醫方卜術不預，故猶得全錄，而遭漢獻遷徙，晉懷奔迸，文籍焚糜，十不遺一，今之所存，有此四卷，其所出郡縣，乃後漢時制，疑仲景元化等所記。（本草經集註序）

又云，凡採藥時月，皆建寅歲首，則從漢太初後所記也。（本草經序例）

王應麟云，今詳神農作本草非也，三五之世，樸略之風，史氏不繁，紀錄無見，斯實後醫工知草木之性，託名炎帝耳。（困學紀聞）

葉夢得云，神農本草初但三卷，議者考其出產郡名，以爲東漢人所作，梁陶隱居始增修爲七卷，然陶氏不至東北，其論證多謬語。

楊愼云，白字本草相傳以爲神農之舊，未必皆出於神農，後人增之耳。然其中如腸鳴幽幽，又云，勞極洒洒，又云，髮髲療小兒癇大人痓。仍自還神化。又云，立冬之日，菊卷栢先生，爲陽起石桑螵蛸凡十物使，主二百草爲之長，立春之日，木蘭射干先生，爲柴胡半夏使，主頭痛四十五節，立夏之日，蜚廉先生，爲人參茯苓使，主腹中七節，保神守中，夏至之日，豕首茱萸先生，爲牡蠣烏喙使，主四肢二十三節，立秋之日，白芷防風先生，爲細辛蜀漆使，主胸背二十四節。此文近素問，恐非後世醫能爲也。又據此文以立冬爲首，別考緯書，謂三皇三世伏羲建寅，神農建丑，黃帝建子，至禹建寅，宗伏羲，商建丑，宗神農，周建子，宗黃帝，所謂正朔三而改也。立夏之後，復列夏至，而後言立秋，與素問長夏之說同，所謂五氣順布行四時也。（升庵文集▲行準案：某物先生，文出藥對，而源於師曠占。升庵引之失倫。）

王宏翰云，神農嘗百草，一日遇七十毒，此言出自淮南子，明王履極辯其誣，且毒之有大小也，設一日而遇七十毒，則毒之小也，固不死而可解，若遇毒之大者，入口即死矣，孰能解之，此淮南之寓言，惑世已久，豈可不爲辯正，使後世再爲之永惑也。（古今醫史）

姚際恆云，神農本草漢志無，案漢平帝紀詔天下舉知方術本草者，本草之名，始見於此。梁七錄載神農本草經三卷，隋志因之，書中有後漢郡縣人名，以爲東漢人作也，其後以代日增，今竝雜爲一，不可究詰矣。（古今僞書考）

四庫全書提要云，然本草雖稱神農，而所云出產之地，乃時有後漢之郡縣，則後人附益者多，如所稱久服輕身之類，率方士之說，不足盡信。（神農本草經百種錄提要）

余曲園云，世傳神農嘗百草藥，其後黃帝因之，乃與鬼臾區之徒，著爲醫書，今之內經是已，然考之漢書藝文志，無本草之名，平帝紀元始五年，徵天下通知方術本草者，召詣京師，樓護傳亦云，誦醫經本草方術數十萬言，則漢世固有本草矣。而不云出於神農，按陸賈新語道基篇曰，神農嘗百草之實，教人食五穀。然則所謂百草者，非嘗藥也，陸賈在漢初，所言當得其實，因有此說，後人著本草者，遂以屬之神農，此非實矣。（原醫篇）

鄭文焯云，淮南子云，神農嘗百草，蓋金石木果，燦然各別，惟草爲難識，炎黃之傳，惟別草而已，後遂本之以分百品，故曰本草，其言郡縣，皆合漢名，而以吳郡爲大吳，其藥有禹餘糧王不留行徐長卿石下長卿，亦非周秦之文，其言鉛錫，正合書禮，而與魏晋後反異，然則其書出於張機華佗同時無疑也。（醫故）

梁任公云，漢書藝文志中有神農二十篇，神農敎田相土耕種十四卷，神農黃帝食禁七卷。全部是附會的。最著名的神農本草一書，相傳爲神農口嘗百草，辨別苦辛，然後編著成書。其實此書與神農絲毫無關，乃漢末以後，漸漸湊成，至梁陶宏景才完全寫定。（古書眞僞及其年代）

又云，本草舊題神農撰，按本草之名，始見於漢書平帝紀及樓護傳，皆與方術對舉，不爲一書專稱，藝文志中醫經經方二欄所列，俱無本草之書，孫星衍校定神農本草經序。『予按藝文志有神農黃帝食藥七卷，今本譌爲食禁，賈公彥周禮醫師疏引其文正作食藥，宋人不考，遂疑本草非七略中書。』按此可備一說，未爲定論。則西漢末年，雖有研究本草之人，而其著書尚不名爲本草可知也，以本草名書，最早見於著錄者，晉荀勗中經簿有子儀本草經一卷，賈公彥周禮疏引但未言係神農所撰，子儀亦不知係何時人，梁阮孝緒七錄始著錄神農本草五卷本草屬物二卷。並有蔡邕吳普陶宏景等本草十六種，隋書經籍志自注引，除蔡吳陶三家外，尚有隨費秦承祖王李璞李譡之徐叔嚮甘濬之趙贊諸家，書之卷數自一卷二卷三卷至五卷六卷七卷九卷十卷不同，可見各家內容，未必盡同，或且迥異。及隋唐而大半亡佚，隋書經籍志僅有神農本草八卷，又一種四卷，又一種三卷，則名神農本草經，各家內容與神農本草內容之同異，今不可考，是否各自單行，毫無關係，亦無由知。隋志另有甄氏本草三卷，無自注，本草經四卷，注云「蔡英撰」。本草二卷，注云「徐大山撰」。然蔡邕吳普，係東漢三國間人，則東漢三國間已以本草名書，中經簿無神農本草，而七錄有之，則神農撰本草之說，起自南北朝，俱信而有徵也，據此，則隋唐尚存之本草，各家仍不相謀。且一家著書，亦可稱本草經，不必神農，故七錄所列諸家本草之內容，亦不必皆與神農本草從同，以本草歸之神農者，特其中一家之言耳。醫學在戰國，蓋已發達，先秦遺書多有載醫理及醫生實蹟者。戰國固諸子託古自尊之時，意當時已有神農嘗百草之說，若許行之爲神農之言，然西漢一代，言醫者謂之治方術，醫經經方術本草之書，已有數十萬言，漢志所錄醫經經方之書，且五百卷，則本草草創，或由斯時，東漢三國間，始以本草名書，吳普又華佗弟子，是今本本草與華佗吳普有密切之關係，或即以吳普本草爲基礎，亦有可能性也。中經簿之子儀本草，或亦彼時之書。彼時初無神農撰本草之說，所謂某某本草者，特某某研究藥性所著之書耳，初不必千篇一律，皆祖述神農。晉人淸談，亦好託古，有似戰國，以本草歸之神農，或醖釀於晉代，故梁人七錄，遂有神農本草及某某本草經。其時舊經止一卷，藥三百六十五種，陶宏景增名醫別錄亦三百六十五種，因注釋爲七卷。據陳振孫直齋書錄解題。陶宏景所注本草，至隋唐間已亡佚，其名醫別錄則混入本草舊文，尚存而不可辨。自後代有增益，多至六七倍，直齋書錄解題，『唐顯慶又增（藥）一百十四種，廣爲二十卷，謂之唐本草，宋開寶中又益一百三十三種，蜀孟昶又嘗增益，謂之蜀本草，及嘉祐中掌禹錫林億等重加校正，更爲補注，以朱墨書爲之別，凡新舊藥一千八十二種，蓋亦備矣，今（唐）慎微復有所增益』。按唐氏之本，即所謂大觀本也，後明人李時珍又廣爲本書綱目，篇幅益富。而猶假號神農，此其荒謬不論可知。即所謂舊經一卷，俗醫猶有信爲神農作品者，不知南北朝人即已不置信，宋人且已斷言係東漢末人所編述。陶宏景本草序云，『軒轅已前，文字未傳，藥性所主，當以識識相因至於桐（君）雷（公）乃著在於編簡此書當與素問同類。』則陶氏已不堅持神農撰本草之說。又云，『所出郡縣，乃後漢時制，疑（張）仲景（華）元化等所記。』同時稍後，北齊顏之推亦有同樣結論。顏之推家訓『本草神農所述，而有豫章朱崖趙國常山奉高眞定臨淄馮翊等郡縣名，出諸藥物，皆由後人所竄入，非本文。』至宋晁公武郡齋讀書志始因此直認本草爲張機華佗所編述，非神農或桐雷所撰著，故此書在東漢三國間，蓋已有之，至宋齊間則已成立規模矣。著者之姓名，雖不能確指，著者之年代，則不出東漢末訖宋齊之間，可爲定論。若仍固執俗說，附會證據，若清人孫星衍之所論，則嫌於辭費耳。詳見孫氏所作校定神農本草經序，其說不足辨，○同上

顧實云，本草之名，亦見漢書樓護傳，而漢志方技略，祗有神農黃帝食禁七卷，當中國北宋時，日本人康賴著醫心方（二十九）引本草食禁云，『正月一切肉不食吉』等語，據此，則隋志載神農本草八卷，當卽漢志之食禁矣，曰食禁，曰本草食禁，蓋詳略變言之殊。今神農本草經三卷，問經堂叢書本，清孫星衍馮翼同輯。重考古今僞書考

櫟蔭拙者云，孟子載爲神農者言許行，而不言及醫藥，神農嘗百草製醫藥，世多引淮南子爲證，余嘗考淮南文，殊不然矣，曰，古者民茹草飲水，采樹木之實，食羸蠬之肉，時多疾病毒傷之害，於是神農乃教民播種五穀，相土地宜燥濕肥墝高下，嘗百草之滋味，水泉之甘苦，令民知所避就。當此之時，一日而遇七十毒，此其嘗百草爲別民之可食者，而非定醫藥也，乃神農之所以稱農也。陸賈新語曰，民人食肉飲血衣皮毛，至神農以爲行蟲走獸，難以養民，乃求可食之物，嘗百草之實，察酸苦之味，教民食五穀，亦可以證矣。而其云神農定百藥者，昉見世本，太平御覽引 而鄭玄周禮註神農子儀之術，蓋其說之來尙矣。醫賸

又云，陶宏景云，本經所出郡縣，乃後漢時制，疑仲景元化等所記，又顏氏家訓云，本草神農所述，而有豫章朱崖趙國常山奉高眞定臨淄馮翊等郡縣名，出諸藥物，由後人所羼，非本文也。又證類本草滑石條，赫陽縣，先屬南陽，漢哀帝置，明本經所注郡縣，必是後漢時也，今考本經一無言所出者，惟女蘿柳華二條僅有焉，蓋愼微修證類時誤爲

黑字耳，及時珍作綱目，猶且不察，以舊經所載地名爲別錄文，此襲證類之誤也。唯太平御覽所引神農本草經，每藥下載所出地名，且文字與盧復本頗異，此乃舊經之文矣。同上

丹波元堅云，趙敬齋曰，藥字從草，以草爲藥也，按此解殆僻 玉石之類，乃仙家之藥，至於凡人，豈可輕服，（儒醫精要）又按倪純宇本草彙言曰，神農嘗百草而定藥，故其書曰本草，意必先以草爲正，嗣後果木金石禽魚等類繼之，故集中先列草部云云。此與敬齋之意相發矣。蓋輕身延年之妄，漢人蚤有其辨，今本草以玉石爲魁者，恐亦漢時方士之所爲，而如丹砂之寒涼，消石朴消之駃利，而列之上品，水銀之險惡，而列之中品之類，實非醫家之旨矣。岐伯論中古之治病，則特舉湯液與草蘇草荄之枝，而仲景之方，草類最多，則醫藥之於玉石，須處之第二流也必矣。藥治通義○王秉衡重慶堂隨筆云，藥字從草，故神農辨藥之書曰本草經，此說與趙氏倪氏相同。

又云，本草蓋爲漢方士所汨者也，漢書郊祀志稱成帝初即位，丞相衡御史大夫譚奏言郊祀，明年衡譚復條奏，中有云候神方士使者副佐本草待詔七十餘人皆歸家。顏師古曰，本草待詔，謂以方藥本草而待詔者。據此，則漢之本草爲長生久視，而非養正攻邪之用矣。且平帝之時，政自莽出，莽好神仙事，則所召通知本草者，其爲方士，亦可知矣。同上

鶴冲元逸云，本草妄說甚多，不足以徵也，然至考藥功，豈可廢乎，宜擇其合於仲景法者用之，至如延齡長生，補元氣，美顏色，入水不溺，白日見星，殊不可信也。其非炎帝書也，不待辨而明矣。後世服食家說，攙入本經，不可不擇焉。醫斷

原昌克云，神農氏嘗百草而醫藥興焉，然而正史不載，其所謂本經，後人僞託之書，比之素問難經，則又覺稍下一等。叢桂偶記

誦穆案，本草二字，見漢書郊祀志平帝紀樓護傳。郊祀志云，「及孝宣，參山蓬山之罘成山萊山四時蚩尤勞谷

五牀仙人玉女徑路黃帝天神原水之屬皆罷，候神方士使者副佐本草待詔七十餘人皆歸家。』顏師古注云，『本草待詔，謂以方藥本草而待詔者。』周壽昌漢書注校補云，『本草，顏注謂方藥本草，壽昌案，樓護傳護誦醫經本草方術數十萬言，是西漢時已有方藥本草一書。然藝文志不載，恐非今世傳之神農本草也。』案方藥本草似係泛稱，周氏謂西漢時有方藥本草一書，此失之穿鑿，惟西漢時已有本草成書，當屬可信。又東漢高誘注淮南子云，王瓜本草作段契，今查神農本草經王瓜條無之，疑東漢以前，本草成書不止一家，高氏所引，或出自他家本草，非神農本草經之文。或神農本草經傳本不一，所引者乃爲佚文歟。陶宏景本草經集注序云，今之所存，有此四卷，掌禹錫依隋書經籍志謂是三卷，觀羅振玉氏所影印燉煌古寫本之本草經集注陶序作四卷，知四字不誤，陶氏當日所見，當是四卷本，隋志作三卷者，或另有三卷本歟。本草經雖名爲神農所作，然陶宏景以下皆疑之，今以本草經所載之藥品證之，如葡萄胡麻徐長卿禹餘糧等，皆非神農時所有，益知其出於依託已。（葡萄古作蒲陶，史記大宛列傳云，宛左右以蒲陶爲酒，富人藏酒至萬餘石，久者數十歲不敗，俗嗜酒，馬嗜苜蓿，漢使取其實來，於是天子始種苜蓿蒲陶肥饒地，及天馬多，外國使來衆，則離宮別觀旁，盡種蒲陶苜蓿極望，○胡麻，陶宏景云，胡麻本生大宛，故名胡麻，沈括筆談云，胡麻卽今油麻，更無他說，古者中國止有大麻，其實爲蕡，漢使張騫始自大宛得油麻，種來，故名胡麻，以別中國大麻也▲行準案：胡字有大字意，故大豆亦稱胡豆，胡又與戎通，爾雅孫炎注曰戎叔大菽也。可證。陶沈二家之說亦非無可議者。○徐長卿，本草經別名鬼督郵，督郵漢置，爲郡守佐吏，主督察屬縣愆尤，郵卽尤之借字也，有東西南北中五部，謂之五部督郵，唐以後無。○禹餘糧，本草綱目引陳承云，會稽山中出者甚多，彼云，昔大禹會稽於此，餘糧乃爲此爾，○神農本草經輯本約有六種，一盧復輯，潘栻校，在醫種子中，一孫星衍孫馮翼合輯，在問經堂叢書中，一顧觀光輯，在武陵山人遺書中。一黃奭輯，在子史鈎沉中，一王闓運輯，一森立之枳園輯，森氏又著神農本草經考異一卷。）

行準案：謝兄援引諸家考證本草經爲僞書，亦謂富矣。大抵多從地理證明其僞，如陶弘景顏之推輩是也。然從未有人從人名考證其僞者。今從後魏賈思勰齊民要術卷二，大豆第六注云，本草云：張騫使外國，得胡豆。此爲直接證明本草經一書爲後漢人所託。思勰事跡除自題爲後魏高陽太守外，無可考者。魏書北史僅有賈思伯賈思同二人，無思勰名者，疑與思伯思同爲兄弟行。思伯卒於孝昌元年，卽梁普通六年，蓋與弘景同時，而二人所見之本草書則異也。然不知思勰所引者，果爲神農本草經否？惟此文爲歷來考據本草者所未見也。

中華醫史學會

執行委員會

王吉民　會長
李友松　副會長
伊博恩　祕書
楊濟時　委員
魯德馨　委員

編輯委員會

余雲岫　主編
王吉民　主幹
伊博恩　委員
李友松　委員
范行準　委員

伍連德醫史基金委員會

施恩明　主任
王吉民　委員
李友松　委員

姚鈞石出版基金委員會

王吉民　主任
李友松　委員
伊博恩　委員
楊濟時　委員
魯德馨　委員

稿約

(一)本誌登載研究中外醫學歷史之譯著爲主旨。

(二)譯文請附原書或附原文一段，以便參考，否則請指明原書名稱頁數。

(三)文體不拘，請用標點。

(四)圖表請用墨水繪製，以便製版。

(五)已發表之稿，請勿惠寄。

(六)來稿本誌有修改權。

(七)來稿刊出後，概酬本誌五冊。如作者欲添印單行本，請於來稿時聲明添印數量，印費照成本計算。

(八)來稿請寄上海慈谿路(池浜路)四十一號，中華醫史學會醫史雜誌編輯室。

中華民國三十六年三月出版

醫史雜誌 第一卷第一期

編輯者 中華醫史學會醫史雜誌編輯委員會

發行人 王吉民

發行所 中華醫史學會 上海慈谿路四十一號 電話：三九八七〇號

代售處 來青閣書莊 上海三馬路總店 蘇州護龍街支店
來薰閣書莊 北平琉璃廠總店 上海廣西路支店

價目表 國內連郵在內 國外郵費照加

全年四冊 國幣壹萬陸千元

零售每冊 國幣肆千元

▲本期特刊每冊零售國幣[illegible]千元

醫史雜誌

第一卷 第二期 民國三十六年六月

編輯者 中華醫史學會出版委員會

本期目錄

中華醫史學會出版

全年四期二萬元　上海(九)慈谿路四十一號　零售每期五千元

·白页·

中華醫史學會第二屆大會留影

卅六年五月八日於首都衛生部

後列 吳雲瑞 金漆波 江晦鳴 L.G.Kilborn（啓真道） B.E.Read（伊博恩） 繆利彬 馬弼德

中列 劉永純 葉勁秋 張昌紹 丁濟民 侯祥川 洪貫之 李濤

前列 范行準 宋大仁 胡定安 王吉民 伍連德 耿鑑庭 陳邦賢

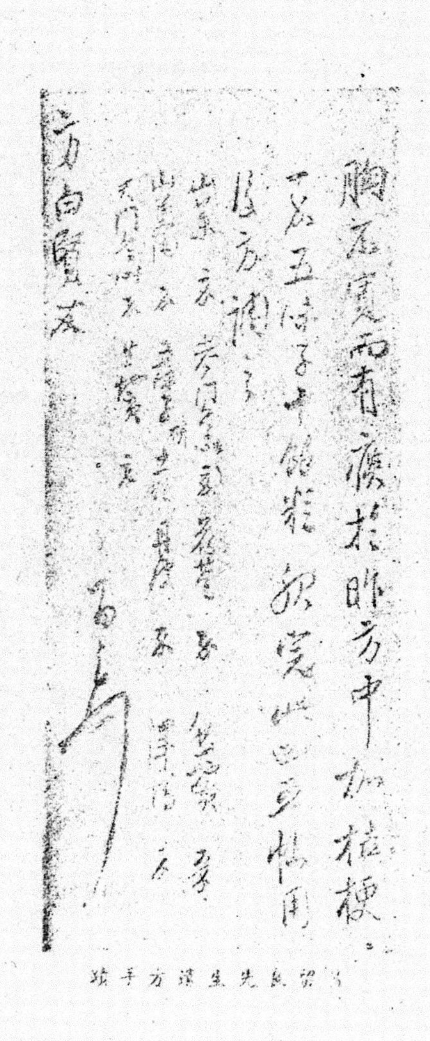
胸次宽而有痰，于昨方中加桔梗。

賀良先生諸方手蹟

瘈狗病之史觀及其診治法的初步檢討

劉永純

筆者平時於中醫書籍甚少涉獵。但遇有機緣，卽於前人瘋犬病之紀錄，時亦稍加注意。就醫史、診斷、及治療三點，爲研討之對象；關於醫史方面，在筆者所見之少數典籍中，了無所獲，於是知中國坊間流行之本國醫學史，對於狂犬病獨付闕然者，不爲無因。關於診斷方面之文獻，據筆者所知，亦甚稀覯；治療方面之文獻則特多。至診斷方法，則又往往附於單方之後。茲特擇中醫診療瘈病學說之一二，作爲初步之檢討，可謂溫故不足言知新也。尙乞方聞之士，多予指正。

狂犬病在我國古代之有紀錄，大約始於左傳。傳襄十七年曰：「國人逐瘈狗。」卽呂氏春秋適成篇及淮南子氾論之「猘狗，」漢書五行志之「狾狗」也。瘈、猘、狾三者，字異而音義並同，因皆訓爲狂，則「瘈狗」卽「狂犬，」俗稱瘋犬是也。由此可知此病之在吾國由來已久。而古書載政府與人民皆以逐瘈狗爲事，則知古人對於此病恐怖之深而防範之密也。

關於瘋犬之來源，古書謂每年驚蟄之後，地氣始生，蟲蛇出穴，霜降之後，地氣漸蟄，蟲蛇蟄伏，此時必吐故納新，呼出毒氣，留於洞口，犬性善嗅，感此毒氣，由口鼻吸入，遂成瘋狗。據近代學說，瘋犬病原爲一濾過性毒，其體極微，其性質介乎有生物及無生物之間，與可以結晶之烟葉凑合病毒同類。如欲牽强附會，此類學說，似與中國古代傳說相距亦不甚遠。惟中醫謂瘋犬之病，可嗅而致，恐不免言過其實；卽認蟲蛇之毒，與瘈同源，亦不足信。

人被瘋犬所嚙，同時受兩種疾病，一爲創傷，一爲染毒，兩者有否相互關係，此點已由學者斷定無關。往往創傷雖愈，而毒已內侵，普通非醫界人，往往不能明瞭，以爲創傷旣愈，卽無慮。千金方曾作警告曰：若初見瘡瘥痛定，卽言平復者，此最可畏，大禍立至，死在旦夕，誠哉此言！

然則病源候論所述猘犬齧瘡重發一語，非指創傷與毒發有密切關係乎？曰，然也。惟重發二字，實待解釋；人被瘋犬咬後，創傷全愈，可歷數月之久，毫無現象，但於瘈病欲發之前，創處忽作痒痛，此爲瘈病必發之徵，所謂瘡重發者，想卽此意。

對於瘋犬病之潛伏期，古書謂凡猘犬咬人七日輒應一發，三七日不發，則脫也，要過百日，乃得免耳。北史王晞傳稱：晞先被犬傷，困篤不起，有故人疑所傷非猘，勸令赴官，則晞被犬傷後，必已過此日數，故疑其所傷非猘狗也。（史亦未云晞後因犬傷致死。）然猘傷亦偶有發而不死者，或傷後創口爲他菌所犯者，皆未可輕予然否也。據吾人今日之經驗，以上海一隅而論，潛伏期之最短者，在人類爲十二至十四日，讀近四五十年來，上海市之衛生局報告，未見被犬咬七日後卽發病者，證之歐美各國最短之潛伏期，亦與吾人所述者相同。然則中國醫書不可信耶？曰，瘈病潛伏期之長短，係於瘈毒與咬傷之輕重，以及他病之累加，如果毒性猛烈，傷處多而深，或傷處爲厭氣菌所汚，或雜入他病，如斑疹傷寒之類，則潛伏期短至七日，非不可能。法國布來Pouler 曾有瘈病潛伏期七日之報告，可與中國古書所言相爲印證。三七日不發則脫一語，大概其意謂如咬後二十一天不發瘈病，卽爲受毒輕微，體中抵抗之力，足能解而脫之，此意與近代學說，幷無相反之處。由三七日不發則脫一語，可以反證古代瘋犬病潛伏期之短；至百於日乃免，至今仍可適用。雖然文獻上報告潛伏期有長至二十年者，（是否可靠，尙待證明。）但在普通情形，如百日後不發，卽有永不發病希望。例如巴斯德第一次作人類預防瘈病接種，係在公元一八八五年七月六日，被接種之人，係於七月四日被咬；巴氏共爲之接種十六日，其時已用乾燥一日之脊髓爲之注射，巴氏於是認其工作完畢，但接種之有效與否，惟有時日可以證明，直至十月二十六日，被接種者體健無恙，巴氏卽安心在法國科學院報告接種之經過，而認爲防瘈成功；今若計算時日，由七月四日至十月廿六日，共爲一百十三日，於中國所定百日之標準，先後若合符節，設使中國古時瘈病潛伏期，誠然甚短，則此項標準，更爲可靠。

狂犬病之症狀中，因病人神經敏感過度之故，有畏光、畏聲、畏風等徵候，狂犬病學權威賴蘭階Remlinger博士，對於畏風一症，特別促人注意，賴氏見一患急性病者，譫語亂動，怕水，吐涎，聽覺過敏，與瘈病完全相似，惟不畏風，賴氏卽斷其非狂犬病。此人死後解剖結果，確爲急性傷寒，畏風一症，實爲重要。吾人曾用之以診斷瘈病，未嘗或爽；通常醫書之內對於狂犬病中畏風之徵候，往往略而不言，而中國洗冤錄詳義拾遺補經驗方類有云：「凡被顛狗咬者，遇風畏縮，欲辨病症是否，先以蒲扇向病人搧之，如見風戰慄，卽是中毒明證。」可見古人已知此症在瘈病中之重要，患瘈病之人，在病之興奮期中，只須用口噓氣於其面上，（在常人尚不大覺得，）卽生喉部抽搐，面部慌張，全身痙攣現象，古書所以特別標明，使用蒲扇搧風，而不用芭蕉扇者，取蒲扇風微，類於以口噓氣也。

中國治瘈之方甚多，散見各籍，日本原玄璵所著之瘈狗傷考，集中國各方之大成，吾人在未經實地試驗之前，不能妄定其價值，此書從用法上分各方爲內治、外治，及內飲、外塗三類。但以近世醫學觀點衡之，須從效用上分爲預防、及治療二類，預防用於初咬之後，治療用於毒發之時，古籍對於此點，似未作彰明之分別，茲先就預防方法約略言之，（治療方法俟諸異日。）

千金方曰：「凡春末夏初，犬多發狂，必誡小弱持杖以預防之，防而不免者，莫出於灸，百日之中，一日不缺者，方得免難。」此法與用火灼消毒，或藉化學品腐爛之法，頗爲相似，推想或亦有相當效用。

本草載有用蟾蜍或毒蛇防瘈之法，大約係根據蟲蛇之毒與瘈毒同源之說，此說雖誤，但實驗證明二者，確有相當之關係，據吾所知法國學者卡默特 Calmette 氏及費沙利 Phisalix 氏，曾作與此有關而極有興趣之試驗。卡氏實驗爲交叉性的；以狂犬疫苗接種犬類、或兎類，使之免疫，於免疫成功後，取出血清，在玻璃管中，與蛇毒混合，見有中和作用，如以抗狂犬毒之血清，先注射動物體內後，再注射蛇毒，可阻止中毒現象發生。卡氏又證明對於蛇毒免疫之兎，若於眼前室中接種瘈毒，而兎不病，宛如對瘈已經免疫者然。

費氏以紅色蝦蟆皮膚分泌物，或單用或加以蛇毒(ViPere asPic)注射兎之靜脈中，分量在致死量以下，若干時後，對於瘈毒可以免疫，免疫時間只有二月有餘，過此卽無抵抗瘈病能力，費氏又以蛇毒及瘈毒混合，瘈毒之致病性爲蛇毒所滅，而抗原性不減，可作狂犬病疫苗之用，所加蛇毒分量，在動物致死量之下，因此亦可生蛇毒免疫作用，用此特別之苗，可以一舉兩得。

吾人曾用眼鏡蛇毒，使兎免毒，繼用瘈毒接種，三兎之中，果有二兎不生瘈病，惟對瘈毒免疫之兎，對於蛇毒不能免疫，上述試驗，似可與中醫之說相爲印證。但此項問題，多値得作試驗，以明究竟。

肘後方曰，殺犬取腦傅之，則後不發，以瘋犬之腦，預防瘈病，巴斯德所用者，不外乎此。但巴氏所用之腦，其毒性已經低減，而注射於人之皮下，可以無害有益，中國此法以大量之瘈毒與創口接近，以常理度之，非特不能阻止瘈病之進行，恐將促成瘈病之早現，但吾之提出此法者，爲其似可表現中國古時醫家，亦曾揣度瘈犬之腦中含有抗瘈物質之故。按瘈畜腦中含有抗瘈物質，已由巴斯德所證明矣。

綜觀以上所述，中國醫書對於狂犬病學診治方面，不無可取之處，此篇所言，僅初步之檢討而已。

素問中陰陽學與中國醫學

陳邦賢

素問這一部書，是中國最古的一部醫學文獻，究竟是在什麽時候產生的，很有不少的爭論，當在本文的後面敍述一點。那書中的內容，最多的就是談陰陽五行，我們把它關於五行的暫且不談，把它關於陰陽的分析一下，分別的寫在下面：

一 陰陽的綱要

素四氣調神大論篇：「夫四時陰陽者，萬物之根本也。」

又：「陰陽四時者，萬物之終始也，死生之本也。」

陰陽應象大論篇：「陰陽者，天地之道也。萬物之綱紀，變化之父母，生殺之本始，神明之府也。」

又：「陰陽者，萬物之能始也。」

天元紀大論篇：「物生謂之化，物極謂之變。」

又：「陰陽者，血氣之男女也。左右者，陰陽之道路也。水火者，陰陽之徵兆也。陰陽者，萬物之能始也。」天元紀大論篇同。

陰陽離合論篇：「陰陽者，數之可十，推之可百；數之可千，推之可萬萬之大，不可勝數，然其要一也。」五運行大論篇同。

又：「陰陽之變，其在人者，亦數之可數。」

寶命全形論篇：「人生有形，不離天地陰陽合氣。」

金匱眞言論篇：「陰中有陰，陽中有陽。」

陰陽應象大論篇：「重陰必陽，重陽必陰。」

由以上所說，陰陽是宇宙間一切的綱領。

二　陰陽的性質類別和關係

素生氣通天論篇：「陰平陽祕，精神乃治。」

陰陽應象大論篇：「陰靜陽躁，陽生陰長，陽殺陰藏。」天元紀大論篇：「天以陽生陰長，地以陽殺陰藏。」

又：「審其陰陽，以別柔剛。」天元紀大論篇：「曰陰曰陽，曰柔曰剛。」

陰陽離合論篇：「陽予之正，陰爲之主。」

陰陽別論篇：「謹熟陰陽，無與衆謀。所謂陰陽者，去者爲陰，至者爲陽；靜者爲陰，動者爲陽。」

五常政大論篇：「陽舒陰布，五化宣平。」又：「陽和布化，陰氣迺隨。」

素陰陽應系大論篇：「陽化氣，陰成形。」又：「水爲陰，火爲陽，陽爲氣，陰爲味」。

又：「陰在內，陽之守也；陽在外，陰之使也。」

五常政大論篇：「陰氣內化，陽氣外榮。」

方盛衰論篇：「陽從左，陰從右。」

素生氣通天論篇：「凡陰陽之要，陽密乃固，兩者不和，若春無秋，若冬無夏；因而和之，是謂聖度；故陽强不能密，陰氣乃絕。」又：「陰陽離決，精神乃絕。」

陰陽別論篇：「陰之所生，和本曰和；是故剛與剛陽氣破散，陰氣乃消亡。淖則剛柔不和，經氣乃絕。」

瘧論篇：「陰陽上下交爭，虛實更作，陰陽相移也。」

天元紀大論篇：「動靜相召，上下相臨，陰陽相錯。而變由生也。」

六元正紀大論篇：「陰陽卷舒，近而無惑。」又：「動復則靜，陽極反陰。」

方盛衰論篇：「陰陽並交，至人之所行。」

以上所說，有屬於陰陽性質的，有屬於陰陽類別的，更有屬於陰陽互相關係的，如相合，相貫，不應相爭，相持，相錯，相反，相失，相離，相逆，相失等之類。

三　陰陽和天地

素陰陽應象大論篇：「陰陽者，天地之道也。」又：「積陽爲天，積陰爲地。」又：「清陽爲天，濁陰爲地。」又：「天地者萬物之上下也。」又：「清陽上天，濁陰歸地。」又：「以天地爲之陰陽。」

陰陽離合論篇：「天爲陽，地爲陰。」豐經水篇：陰陽繫日月篇同。「日爲陽，月爲陰。」六節藏象論篇同。又：「天覆地載，萬物方生，未出地者，命曰陰處，名曰陰中之陰，則出地者，名曰陰中之陽。」

天元紀大論篇：「寒暑燥濕風火，天之陰陽也，三陰三陽上奉之。木火土金水火，地之陰陽也，生長化收藏下應之。」又：「天有陰陽，地亦有陰陽。」又「所以欲知天地之陰陽者，應天之氣，動而不息，故五歲而右遷，應地之氣，靜而守位，故六期而環會。」

太陰陽明論篇：「陽者，天氣也主外，陰者，地氣也主內。」

以上所說，是陰陽和天地不可須臾分離的，有天地而後有陰陽，有陰陽而後有萬物，萬物的變化生殺，都是陰陽和天地爲之主宰。

四　陰陽和四時

素四氣調神大論篇：「夫四時陰陽者，萬物之根本也。」又：「陰陽四時者，萬物之終始也死生之本也。」

金匱眞言論篇：「冬病在陰，夏病在陽，春病在陰，秋病在陽。」

陰陽應象大論篇：「四時陰陽，盡有經紀，外內之應，皆有表裏。」

三部九候論篇：「四時五行，貴賤更互，冬陰夏陽，以人應之。」

五運行大論篇：「陰陽之升降，寒暑彰其兆。」

氣交變大論篇：「陰陽往復，寒暑迎隨。」又：「陰陽之往復，寒暑彰其兆。」

六元正紀大論篇：「陰陽之政，寒暑之令。」

主眞要大論篇：「兩陰交盡，故曰幽，兩陽合明，故曰明，幽明之配，寒暑之異也。」

以上所說，都是陰陽和四時的關係。

五　陰陽和晝夜

素金匱眞言論篇：「陰中有陰，陽中有陽，平旦至日中，天之陽，陽中之陽也。日中至黃昏，天之陽，陽中之陰也。合夜至雞鳴，天之陰，陰中之陰也，雞鳴至平旦，天之陰，陰中之陽也。」

瘧論篇：「衛氣者，晝日行於陽，夜行於陰。」

以上所說，是陰陽和晝夜的關係。

六　陰陽和人體

素金匱眞言論篇：「夫言人之陰陽，則外爲陽，內爲陰。言人身之陰陽，則背爲陽，腹爲陰。言人身之藏府中陰陽，則藏者爲陰，府者爲陽。肝、心、脾、肺、腎、五藏皆爲陰，膽、胃、大腸、小腸、膀胱、三焦六府皆爲陽。」又：「背爲陽，陽中之陽心也。背爲陽，陽中之陰肺也。腹爲陰，陰中之陰腎也。腹爲陰，陰中之陽肝也。腹爲陰，陰中之至陰脾也。此皆陰陽表裏內外雌雄相輸應也，故以應天之陰陽也。」

陰陽應象大論篇：「淸陽出上竅，濁陰出下竅。淸陽發腠理，濁陰走五藏。淸陽實四支，濁陰歸六府。」又：「陰味出下竅，陽氣出上竅。」又：「陽之汗，以天地之雨名之。陽之氣，以天地之疾風名之。」

寶命全形論篇：「天有陰陽，人有十二節；天有寒暑，人有虛實。」又：「人生有形，不離陰陽天地合氣，別爲九野，分爲四時，月有小大，日有短長，萬物並至，不可勝量。」

陽明脈解篇：「四支者，諸陽之本也。」

以上所說，是陰陽和人體的比擬。

七　陰陽和六經表裏

素血氣形志篇：「足太陽與少陰爲表裏，少陽與厥陰爲表裏，陽明與太陰爲表裏，是爲足陰陽也。手太陽與少陰爲表裏，少陽與心主爲表裏，陽明與太陰爲表裏，是爲手之陰陽也。」

以上所說，是陰陽和六經表裏的支配。

八　陰陽和疾病

素宣明五氣篇：「五病所發，陰病發於骨，陽病發於血，陰病發於肉，陽病發於冬，陰病發於夏，是謂五發。」

太陰陽明論篇：「犯賊風虛邪者陽受之；食飲不節起居不時者陰受之；陽受之則入六府，陰受之則入五藏；入六府則身熱不時，臥上爲喘呼；入五藏則䐜滿閉塞，下爲飧泄，久爲腸澼。」又：「陽病者上行極而下，陰病者，下行極而上。」

評熱病論篇：「水者陰也，目下亦陰也，腹者至陰之所居，故水在腹者，必使目下腫也。」

痺論篇：「夫寒者，陰氣也，風者，陽氣也。」又：「病在陽則熱而脈躁，在陰則寒而脈靜。

痿論篇：「悲哀太甚則胞絡絕，胞絡絕則陽內動，發則心下崩數溲血也。」

病能論篇：「陽氣者，因暴折而難決，故善怒也，病名曰陽厥。」

脈解篇：「所謂耳鳴者，陽氣萬物盛上而躍，故耳鳴也。所謂甚則狂巔疾者，陽盡在上而陰氣從下，下虛上實，故狂巔疾也。」又：「所謂不可反側者，陰氣藏物也。」又：「所謂脛腫而股不收者，是五月盛陽之陰也。」又：「所謂胸痛少氣者，水氣在藏府也；水者陰氣也，陰氣在中，故胸痛少氣也。」

調經論篇：「夫邪之生也，或生於陰，或生於陽，其生於陽者，得之風雨寒暑，其生於陰者，得之飲食居處，陰陽喜怒。」又：「喜怒不節，則陰氣上逆，上逆則下虛，下虛則陽氣走之，故曰實矣。」又：「陽受氣於上焦，以溫皮膚分肉之間，令寒氣在外，則上焦不通，上焦不通則寒氣獨留於外，故寒慄。」

著至教論篇：「陽氣滂溢，乾嗌喉塞。并於陰，則上下無常，薄為腸澼。」

疏五過論篇：「暴怒傷陰，暴喜傷陽。」

以上所說，都是關於陰陽的疾病。

素生氣通天論篇：「陰不勝其陽，則脈流薄疾，病乃狂；陽不勝其陰，則五藏氣爭，九竅不通。」

陰陽應象大論篇：「陰勝則陽病，陽勝則陰病。陽勝則熱，陰勝則寒。」下二句見刺節眞邪論篇同。」又：「陽勝則身熱腠理閉喘麤為之俛仰汗不出而熱齒乾以煩冤腹滿死，能冬不能夏。陰勝則身寒汗出，身常清，數慄而寒，寒則厥，厥則腹滿死。此陰陽更勝之變病之形能也。」

勝則不病，不勝則病。陽勝則熱，陰勝則寒，是則太過而致也。陽勝故能冬，陰勝故能夏；熱甚故不能夏，寒甚故不能冬。

逆調論篇：「陽氣少而陽氣勝，故熱而煩滿也。」

瘧論篇：「陰氣勝則骨寒而痛，寒生於內，故中外皆寒。」又：「夫瘧氣者，幷於陽則陽勝，幷於陰則陰勝：陰勝則寒，陽勝則熱。」又：「瘧者陰陽更勝也，或甚或不甚，故或渴或不渴。」

厥論篇：「陽氣起於五指之表，陰脈者集於足下而聚於足心，故陽氣勝則足下熱也。」又：「陰氣起於五指之裏，集於膝下而聚於膝上，故陰氣勝則從五指至膝上寒。」又：「夫酒氣盛而慓悍，腎氣有衰，陽氣獨勝，陽氣獨勝，故手足爲之熱也。」

五常政大論篇：「陽勝者先天，陰勝者後天。」

以上所說，都是關於陰陽偏勝的疾病。

素評熱論篇：「陰虛者，陽必湊之，故少氣時熱而汗出也。」

脈要精微論篇：「陰盛則夢涉大水恐懼，陽盛則夢大火燔灼，陰陽俱盛，則夢相殺毀傷。」

陽明脈解篇：「陽盛則四支實，實則能登高而歌也。」又：「陽盛則使人妄言罵詈，不避親踈，而不欲食，不欲食故妄走也。」

瘧論篇：「夫瘧之始發也，陽氣幷於陰，當是之時，陽虛而陰盛，外無氣故足寒慄也。陰氣過極則復出之陽，陽與陰復幷於外，則陰虛而陽實，故先熱而渴。」「如是者陰虛而陽盛，陽盛則熱矣。」

痺論篇：「陽氣少，陰氣盛，兩氣相感，故汗出而濡也。」

厥論篇：「陰氣虛則陽氣入，陽氣入則胃不和。」

脈解篇：「九月陽氣盡而陰氣盛，故心脅痛也。」「陽盛而陰氣加之，故灑灑振寒也。」又：「陽盡而陰盛，故欲獨閉戶牖而居。」又：「陽盡而陰盛，故使棄衣而走也。」又：「所謂上走心爲瘖者，陰盛而上走於陽明。」又：「陰亦盛而脈脹不通，故曰瘨𤷪亦也。」

調經論篇：「陽盛則外熱，陰盛則外寒。」

以上所說，都是關於陰陽盛衰的疾病。

素脈要精微論篇：「陽氣有汗，爲身熱無汗，陰氣有餘，爲多汗身寒，陰陽有餘，則無汗而寒。」

逆調論篇：「陽氣少，陰氣多，故身寒如從水中出。」

痺論篇：「其寒者，陽氣少，陰氣多，與病相益，故寒也。其熱者，陽氣多，陰氣少，病氣勝陽遭陰，故爲痺熱。」

至眞要大論篇：「陰氣多而陽氣少，則其發日遠，陽氣多而陰氣少，則其發日近，此勝復相薄，盛衰之節，瘧亦同法。」

以上所說，是關於陰陽有餘不足的疾病。

評熱病論篇：「有病溫者，汗出輒復熱，而脈躁急不爲汗衰，狂言不能食，病名陰陽交，交者死也。」

瘧論篇：「瘧之始發也，先起於毫毛伸欠，乃作寒慄鼓頷，腰脊俱痛，寒去則內外皆熱，頭痛如破，渴欲冷飲。」「陰陽上下交爭，虛實更作，陰陽相移也。」又：「此氣得陽而外出，得陰而內薄，內外相薄，是以日作。」又：「其氣之舍深，內薄於陰，陽氣獨發，陰邪內著，陰與陽爭不得出，是以間日而作也。」又：「夫瘧之未發也，陰未幷陽，陽未幷陰，因而調之，眞氣得安，邪氣乃亡。」

脈解篇：「陽氣與陰氣相薄，水火相惡，故惕然而驚也。所謂欲獨閉戶牖而處者，陰陽相薄也。」又：「陰陽復爭，而外幷於陽，故使之棄衣而走也。」又：「所謂恐如人將捕之者秋氣萬物未有畢去，陰氣少，陽氣入，陰陽相薄，故恐也。」又：「所謂甚則嗌乾熱中者，陰陽相薄而熱，故嗌乾也。」

調經論篇：「氣血以幷，陰陽相傾，氣亂於衛，血逆於經，血氣離居，一實一虛。血幷於陰，氣幷於陽，故爲驚狂。血幷於陽，氣幷於陰，乃爲靈中。」又：「陰與陽幷，血氣以幷，病形以成。」

繆刺論篇：「陰陽俱感，五藏乃傷。」

著至敎論篇：「上下無常，合而病至，偏害陰陽。」

陰陽類論篇：「陰陽並絕，將爲血瘕沉爲膿胕。」又：「陰陽交合者，立不能坐，坐不能起。」

以上所說，都是關於陰陽相互的疾病。

素陰陽別論篇：「結陽者腫四支，結陰者便血一升，再結二升，三結三升；陰陽結斜，多陰少陽，曰石水，少腹腫；二陽結謂之消，三陽結謂之隔，三陰結謂之水，一陰一陽結謂之喉痺。」

以上所說，是關於結陰結陽的疾病。

九　陰陽和診脈

素陰陽應象大論篇：「善診者察色按脈，先別陰陽。」

陰陽別論篇：「脈有陰陽，知陽者知陰，知陰者知陽。」又：「所謂陰陽者：去者爲陰，至者爲陽；靜者爲陰，動者爲陽；遲者爲陰，數者爲陽。」又：「陰搏陽別，謂之有子。陰陽虛，腸澼死。陽加於陰謂之汗，陰虛陽搏謂之崩。」

脈要精微論篇：「陰陽有時，與脈爲期。」又：「微妙在脈，不可不察，察之有紀，從陰陽始。」又：「聲合五音，色合五行，脈合陰陽。」又：「麤大者，陰不足陽有餘爲熱中也。」又：「諸浮不躁者，皆在陽，則爲熱，其有躁者在手；諸細而沈者，皆在陰則爲骨痛，其有靜者在足。數動一代者，病在陽之脈也，洩及便膿血。諸過者切之，濇者陽氣有餘也，滑者陰氣有餘也。」

平人氣象論篇：「脈從陰陽，病易已；逆脈陰陽，病易已。」

宣明五氣篇：「五邪所見，春得秋脈，夏得冬脈，長夏得春脈，秋得夏脈，冬得長夏脈，名曰陰出之陽，病善怒不治。」

瘧論篇：「病在陽則熱而脈躁，在陰則寒而脈靜。」

陰陽類論篇：「此六脈者，乍陰乍陽，交屬相并，繆通五藏，合於陰陽。」又：「陰陽並絕，浮爲血瘕，沉爲膿胕。」

方盛衰論篇：「合之五診，調之陰陽，以在經脈。」又：「陰陽氣盡，人病自具；脈動無常，散陰頗陽，脈脫不具，診無常行，診必上下，度民君卿。」又：「診合微之事，進陰陽之變，章五中之情。」

以上所說，都是陰陽和診脈的關係。

十　陰陽和生死

素陰陽別論篇：「別於陽者，知病處也，別於陰者，知死生之期。」又：「別陽者，知病忌時，別於陰者，知死生之期。」玉機眞藏論篇同。死陰之屬，不過三日死；生陽之屬，不過四日死；所謂生陽死陰者，肝之心謂之生陽，心之肺謂之死陰，肺之腎謂之重陰，腎之脾謂之辟陰，死不治。」

三部九候論篇：「九候之脈，皆沈細懸絕者爲陰，主冬，故以夜半死；盛躁喘數者爲陽主夏，故以日中死」。

陰陽類論篇：「冬三月之病，病合於陽者，至春正月，脈有死徵，皆歸出春。冬三月之病，在理已盡，草與柳葉皆殺；春陰陽皆絕，期在孟春。春三月之病，曰陽殺；陰陽皆絕，期在草乾，夏三月之病，至陰不過十日；陰陽交，期在濂水。秋三月之病，三陽俱起，不治自已；陰陽交合者，立不能坐，坐不能起；三陽獨至，期在石水；二陰獨至，期在盛水」。

靈熱病篇：「陽熱甚，陰頗有寒者，熱在髓死。」又：「熱病已得汗，而脈尙盛躁，此陰脈之極也死。」又：「熱病脈尙盛躁，而不得汗者，此陽脈之極也死。」

以上所說，是陰陽和生死的關係。

十一　陰陽和氣味

素陰陽應象大論篇：「陽爲氣，陰爲味。」又：「陰味出下竅，陽氣出上竅。味厚者爲陰，薄爲陰之陽；氣厚者爲陽，薄爲陽之陰。」又：「氣味辛甘發散爲陽，酸苦涌泄爲陰。」至眞大要論篇同。至眞大要論篇：鹹味涌泄爲陰，淡味涌泄爲陽；六者或收或散，或緩或急，或燥或潤，或耎或堅，以所利而行之，調其氣使其氣使其平也。

以上所說，是氣味以陽陰來分別的。

十二　陰陽和治療

素陰陽應象不論篇：「善用鍼者，從陰引陽，從陽引陰。」又：「陽病治陰，陰病治陽。」

通評虛實論篇：「絡滿經虛，灸陰刺陽；經滿絡虛，刺陰灸陽。」

鍼解篇：「刺實須其虛者留鍼，陰氣隆至，乃去鍼也。」又：「九鍼上應天地四時陰陽。」又：「六鍼調陰陽。」

骨空論篇：「調其陰陽，不足則補，有餘則寫。」又：「不已者必視其經之過於陽者，數刺其俞而藥之。」又：「腎俞五十七穴，積陰之所聚也。」又：「凡五十七穴者，皆藏之陰絡，水之所容也。」又：「取俞以爲陰邪，取合以虛陽邪，陽氣始衰，故取於合。」又：「取井以下陰逆，取滎以實陽氣。」

調經篇論：「形有餘則寫其陽，經不足則補其陽絡。」

標本病傳論篇：「凡刺之方必別陰陽。」

至眞要大論篇：「謹察陰陽所在而調之，以平爲期。」

以上所說，是治療和陰陽的關係。

十三　陰陽和養生

素上古天眞論篇：「上古之人，其知道者，法於陰陽，和於術數。」又：「提挈天地，把握陰陽。」又：「和於陰陽，調於四時。」又：「逆從陰陽，分別四時。」

四氣調神大論篇：「陰陽四時者，萬物之終始也，死生之本也，逆之則災生，從之則苛疾不起，是謂得道。」又：「從陰陽則生，逆之則死；從之則治，逆之則亂；反順爲逆，是謂內格。」

六元正紀大論篇：「陽光不治，殺氣迺行。」又：「陽光不治，空積沈陰。」

至眞要大論篇：「陰陽之氣，淸靜則生化治，動則苛疾起。」

以上所說，是陰陽和養生的關係。

按素問八十一篇中，就有四十五篇是論陰陽的，可見陰陽與醫學的關係，非常重要。黃雲眉說：「素問之名，始見於張機傷寒論，繼見於皇甫謐甲乙經，而其書或且出六朝後，」姚際恆古今僞書考說：「予案，其中言黔首，……當是秦人作。又有言歲甲子，言寅時，則又後漢人所作。由這一點看來，至早是秦漢的書籍，遲則爲六朝以後的書籍。我們再硏究陰陽學是兩漢的時候最盛。兩漢的學術，雖然有今古文的異同，拿經來奠定它的基礎，但是它的眞正精神却別有所在，它的眞正淵源，也別有所在，那就是陰陽家的學說了。

陰陽家的學說，貌襲儒家仁義的說數，實在是本於道家的自然說，認自然界的一切，都由陰陽所化合成功的。所以漢初的學者，像陸王賈主張宇宙閒的一切現象，都依天地陰陽二氣的消長而生生發展的，懂得這個道理來立人生的法則的，便是聖人。

又像淮南王安，它廣從陰陽所編的淮南子，也說萬象的本體出於陰陽。更推、陰陽二氣的有精粹，精氣化做人，陰氣化做表。人的精神是天所有，骨骸是地所有。更把人身上的一切比附自然，是從陰陽和莊老的道家學說裏混合產生的。

當時雖以賈立的被稱儒者，也拿陰陽和天地人三者並論。這種陰陽學到了武帝時的董仲舒，更發揮他的天人合一說，拿陰陽來附會經學，造成今文學的中堅，他的就人身上來比附天象，以小節三百六十六，副日數。大節十二分，副月數。五藏副五行。四肢副四時。是本於淮南子，然後更進一步來說明人事和天象的關係。

這種學說到了東漢，便有王符的論氣，論陰陽，因而說「天本諸陽，地本諸陰，人本諸和」了。同時這種陰陽學說，因了西漢末王莽的托言符命，東漢初光武的行奉圖讖，於是陰陽家言變而爲圖讖緯書的學說。

又按先秦學術思想，最重要者，莫如天人相與，卽人能與神相通。古代巫史無別，祝與史不能分爲二事，梁任公先生說司祝之祝，就是史中之儒，蓋醫士之巫，卽後祝由科之屬，巫祝之史，可兼醫士之巫，醫士之巫，不得兼史祝，所以醫言獨立，而史祝可兼醫士。孔老墨爲三大宗，孔學中的天人相與派，這派也是春秋之學，而其源出於易與洪範，蓋九流所謂陰陽家者，就是這一派的流裔，以緯書爲論宗，至漢代而極盛。

陰陽之説，始於周易，易經乃奠定中國陰陽思想發展的基礎。易之學術，爲陰陽二元論，繫辭：「一陰一陽之謂道。」係説明宇宙萬有的現象，和社會的人事。我國古代的醫學，也不能軼出這個範圍。凡天地間一切事物的對立，均歸之於陰陽之對立，玆分析列表如左：

	陽	陰
宇宙	天、日、明、暑、	地、月、晦、寒、
時令	春、夏、晝、旦、	秋、冬、夜、暮、
場所	上、前、高、外、左、大、東、南、	下、後、低、內、右、小、西、北、
人倫	父、君、夫、男、	母、臣、婦、女、
人事	遺、尊、吉、福、	卑、賤、凶、禍、
身體	六府	五藏
	膽、胃、大腸、小腸、膀胱、三焦、	肝、心、脾、肺、腎、
	上竅	下竅
	腠理	四支
	背	腹
動作	氣、魄、	血、魂、
	躁、清、厚、生、殺、剛、密、至、	靜、濁、薄、殺、藏、柔、平、去、
	升、存、明、	降、散、暗、
	盛、	衰、
疾病	熱、燥、火、	寒、濕、水、
氣味	氣	味

	辛甘發散	酸苦涌泄
	淡味滲泄	鹹味湧泄
形體	氣、氣體、	形、物質、
數目	一、奇。	二偶、
脈象	浮、數	沉、遲
性別	雄、壯、	雌、牝、
卦爻	乾、震、	坤、巽、

我國的醫學，以漢代為最盛；當漢代陰陽學盛行的時候，業已把陰陽的學說混入醫學中去了；所以一切的一切，都是拿陰陽來做綱領，做基礎，然後再分析陰中有陽，陽中有陰；純陰或純陽；又可以說陰陽有無限的變化；明瞭陰陽的原則就可以明瞭一切了。所以素問中對於陰陽的紀載，特別之多，這就是中國醫學在漢代已和陰陽學打成一片，不可以須臾離開了。

陳立夫先生說：「中國一部易經，就是闡明生之原理之偉大著作。……易經中說陰陽時位：」

何謂陰陽？靜態超過動態之事物為陰，動態超過靜態之事物為陽，這顯然又是相對的差別，譬如天與地較，天空風雲變幻，動態勝於大地，所以天為陽而地為陰。人與物較，人之動態較強，所以人為陽而物為陰。男與女較，男子志在四方，所佔領之空間大，即動態較強，所以男為陽而女為陰。即就人體來分析，手足位於外，較動為陽，五臟位者內為陰；肺與心較，肺為陽，心為陰；而心與肝較，即心為陽而肝為陰。所以完全為對比之看法。易經中予陰陽各一符號，陽是一，陰是一。

陰陽配合，各有其所占之時間與空間，即所謂時位，本此陰陽時位，遂演成八卦，更由此而六十四卦，三百八十四象，以至於無窮。……

最早的狀況是混沌的：……無極，從無極一轉而成太極，陰陽遂分。圖中帶有陰影者，表示爲陰；無陰影者，表示爲陽；其曲線則表示爲互相環抱的意思，這種陰陽合抱的繞動，也可以說是緩急互調的動，於是兩儀四象，乃至於萬物，皆隨之而生。回看我們生元的假設：現在所知道的生元爲電子，而電子則爲陽電荷與陰電核所組織，而且電子本身也時時在旋轉飛動，於是電子與電子組合，便成原子、分子、細胞，以至於演成宇宙的萬殊，豈不正是這個道理嗎？

陰陽時位的配備，就演成各色各樣的生命，其理已如上述。我們再用人事來比喻其適宜與不適宜的道理；陽的人跑到很陰的地方，會沉悶得要死；陰的人而跑到很陽的地方去，又會給人討厭。譬如這裏二個人很相得，但再加上一個脾氣不好的人，就會將這個結合攪壞，均衡的局勢爲之打破，所以必須陰陽時位，都配合的很適當，易經就是專門研究如何方爲適當的配合之一部大著。

陰陽配合之最高理想爲致中和，中卽合理之謂，和卽配合或均衡之謂。……中和的結果，一面能維持一切組織本體而生存，一面能運用動力而推進，所以說：「致中和，天地位焉，萬物育焉」。

我們讀了這一段，更可以知道陰陽學的重要，所以在漢代因爲政治和學術關係，便把它引到醫學中去了。

中華醫學史（續一）

范行準

八　醫學與宗教

術數神仙二者，本出中夏，惟自漢明帝時，象教東流，吾國舊學，亦蒙其影響；太平經本多道家及術數家言，爲後來天師道之聖典，實黃老之緒餘，巫師之雲礽也，亦互有影響。案漢楚王英對黃老浮屠並重，有尙黃老之微言，浮屠之仁祠之語。而桓帝時襄楷上桓帝疏，亦可爲對道佛二氏並無岐視之證。考太平經成於桓帝以前，故其書亦有承負守一諸說，似有竊取佛經之義。然猶不甚顯也，惟如下文所述，殊難謂其不受西方影響：

漢自熹光以來，有三種妖賊多與此書有關；一爲張魯，一爲張修，一爲張角；魯之祖陵爲天師道之祖，在蜀鵠鳴山中造作道書，（後漢書六十五劉焉傳，鵠鳴山作鶴鳴山，道書作符書。）陵子衡，衡卽魯之父也，故三代均傳其術，太平經不著撰人，疑爲陵輩所爲。凡受道者出五斗米；其敎義爲各敎以誠信，不欺詐，有病自首其過。其階級初名鬼卒，繼號祭酒，最高爲治頭大祭酒，自號師君。又云：諸祭酒皆作義舍，如今之亭傳，又置義米肉懸於義舍，行路者量腹取之。（以上略據三國志魏志八張魯傳，及注引典略。）修之術與魯同。

角卽黃巾賊也。爲太平道，以符水治病。其治病之法，爲使病者處於靜室思過。又爲病者請禱。其法書病人姓名，說服罪之意，並作三官手書，使病者家出五斗米，號曰五斗米師。（以上並略據魏志張魯傳注引典略。後漢書劉焉傳注引典略。）又云：初鉅鹿張角，自稱大賢良師，奉事黃老道，養弟子跪拜首過，符水咒說以療病。病者頗愈，百姓信之。（後漢書皇甫嵩傳）以知三張之術，大抵相同。張魯傳亦謂魯與黃巾相似，典略言修之五斗米道，竟與魯無殊。蓋當時妖賊作亂，以此爲籌餉之計，故五斗米道頗爲盛行。修亦以其道領袖一方，後爲魯所殺，疑其同業見嫉，不全爲略取城池已也。裴松之謂張修應是張衡以議典略之失，或傳寫之誤，過矣。豈有弑父之行見之教主耶？

三張而外，同時尚有道士于吉。據吳志孫策傳注引江表傳云：吉先寓東方，往來吳會，立精舍，燒香讀道書，制作符水以治病，吳人多事之。亦助軍作福醫護將士。又注引志林云：初，順帝時，琅邪宮崇詣闕上疏于吉所得神書於曲陽泉水上，白素朱界，號太平青領道，凡百餘卷。考宮崇獻神書事，襄楷傳亦言之。李賢注明言所獻書卽今太平經，然則，後漢時太平經一書爲道士所奉之聖典，而亦莫不依其術以治病也。然其使病人自首其過，靜室思過，說服罪之意，則佛家懺悔之義也。置米肉於義舍，則佛家布施之義也。燒香，則釋家禮佛之儀也。上舉數端，後世道士爲病家祈福者多行之。其中置米肉於義舍事，除布施外，疑其尚有收攬人心之意。

道士在當時又有爲病人拜斗禳災延壽之事。案吳志呂蒙傳稱：蒙疾後更增篤，權自臨視，命道士於星辰下爲之請命。云云。蓋卽張角教養子弟跪拜首過之術也，而原於太平經。太平經有云：得病且死，不自歸於天，首過自搏叩頭，家無大小相助求哀，積有日數，天復原之；假其日月，使得蘇息。（涵芬樓影印道藏本太平經卷百十四第三十四葉）今世俗有病，尚有延道士拜斗步罡事，蓋由來舊矣。然則，其事亦不外佛家懺悔求哀之義也，後世醫書尚多載之，而昧其緣起矣。

至援佛家之說以入醫家，蓋始於舊題西晉王叔和撰次之金匱玉函經敍例。陶弘景亦好其說，其補葛氏肘後百一方，卽襲佛家百一之義。至隋巢元方諸病源候總論，唐孫思邈千金方翼方以下諸書，並多載之。蓋天竺本有五明，醫方明居其一也。隋費長房歷代三寶記有醫方明一卷，蓮社高士傳亦有記醫方明之事，則其學隋以前已傳入矣。千金方食治中，乃有引五明經之說，此醫方明之文之僅存醫家者。

然印度傳入之醫方明，無寧謂爲婆羅門教之醫學，隋書經籍志所錄之胡方十餘家，其中固有屬於中土醫家所託者，其爲屬於婆羅門教一系之醫學無疑。蓋所謂仙人，治鬼之詞，能仁之教所弗道也。占卜巫咒之術，亦佛所痛斥也。婆羅門教承吠陀之餘緒，所謂長命，神仙，咒術等，今均見於優婆尼沙曇全書（奧義書）中，此書固備載諸吠陀之說也。所謂儆衣行乞，或執巫醫占卜之術，見諸沙門者，則爲軼出常軌之邪命外道，大違世尊之教也。故就婆羅門教之教義而言，其芳臭與天師道較近，其符籙長生之說，二者當有合流矣。

下逮李唐，西域諸教，岔然並入，唐室俱優容之。其初阿剌伯人卽將回教傳入。其占星術家所用之十二宮獸帶說，亦隨曆法而傳入。其爲醫家所稱引者似首見於舊題廣成先生玉函經，廣成先生唐人也。其人雖屬道家，但書屬醫家，且宋時劉元賓曾注之，遂爲醫家之書矣。此阿剌伯學說最早爲醫家所採用者。又有景教，亦於其時傳入，並有醫人踐吾中土，但於固有醫學無所受染。迄明萬曆初年，天主教始重傳入，其後有鄧玉函人身說概，繼有羅雅谷等同譯之人身圖說，此爲歐洲醫學傳入之始，於明清間舊有醫學，亦略有影響。淸自嘉道以還，海通大開，西國基督教徒及其商人，擁入國門，近世醫學始入中國，於是世所自誇之農黃醫學地位，爲之丕變，而岌岌焉不能自保矣。

歷觀前世醫學，雖每隨當時學術而蕃變，然所謂學術者，不論中外，强半由巫覡所蛻變。醫與巫同出一族，故同聲相應，同氣相求，無甚方圓枘鑿之弊，此舊有醫學所以罕與當時學術格杆不入之事也。惟咸同以還，歐洲醫學，早已脫離僧侶祭司之手，而基於生物物理化學等學科之上，與猶尚未脫術數家理論之醫學，自難强爲調和，雖有才傑之士如汪仁俊之流，自作調人，以求倖存者，徒爲識者所笑，故窮理之學，已不爲通人所齒。其或能自存而有發揚光大之望者，蓋在致用之學已。

九　醫權之解放

經方者，原乎人類之本能，而積驗相承，遂有斯學。歷巫覡之手而入王官之府，與百家之學，同其錮蔽焉。自老聃寫書徵藏以貽孔氏，於是王官之學，始下庶人，民之能專習斯業者，始於其時乎。惟經方上藥，自昔所祕，緒言餘論，視爲玉版；藏之金匱，齋戒始敢受之，方士之故爲珍祕，亦已至矣！是以其學仍未廣也。中遭秦氏阬焚之禍，雖醫藥卜筮種樹之書不與，但無一卷流傳，此馬端臨敍文獻通考時已有此慨矣。良以其書之藏於故府者，遭項氏咸陽之炬，盡被熸滅，民間短小方書，又不爲通人所重，故晌卽湮棄，漢興，雖改秦之敗，大收篇籍，廣開獻書之路，惟建元以還，又盡黜百家，民間惟有五經，自餘竟無傳者。雖論語猶須師授，劉以藩位之尊，猶求史記於漢廷，僅乃得之；則當時之學又入官守矣。其後王莽頗重醫學，至成哀間已有十八家著於七錄，赤眉之火，又灰燼焉。

惟吾醫家，亦復如是，漢初淳于意雖少喜醫方術，猶不能得黃帝扁鵲之脈書，至位在公乘之陽慶處始得受其學，足徵當時醫家得書之難。而漢興至哀帝二百餘載，天府之書，醫經不過七家，經方不過十一家，（此據漢志方技略）且此十八家書內，醫經託名黃帝扁鵲白氏者三人，經方託名神農黃帝者二家，餘不著撰人，竟無一漢人之名，雖或如淮南子所謂爲道者，必託諸神農黃帝而後入說之例，有不免爲漢人所託者。然此二百年間，無卓卓之醫家，固爲不爭之事矣！蓋其時醫學猶未遠離草味之期也。（仲景自序云：漢有公乘陽慶及倉公，下此以往，未之聞也。案二人均秦之遺獻，陽慶入漢已老，意亦在壯年，且受學於慶，俱不得謂爲漢時之醫。雖謂漢興二百餘載，無醫家可也。至二人之醫，猶未離術數範疇，案意本傳云：慶曰，意好數，其人聖儒。則意固方士而知醫。長桑君更方士之儔耳。漢志方技略所載十八家書，除可疑之內經外，均已散亡，其中九家託名神農黃帝諸人，以現存內經核之，亦不越方士之說。蓋秦皇漢武，旣崇餙方士，醫與方士，猶未有顯著之分，故其書非粹然醫者之說也。況簡策繁重，傳布非易，雖越二百年所，天府之儲，亦僅此數，民間之醫簡策難得，重在口授，故僅能各承家技，終始順舊而已。然則謂其時醫學尙未遠離草味，非過言矣。）

然漢自元帝以還，信任儒術，學不錮於官守，醫經本草之學，民有多習之矣。至平帝元始五年，有徵通知方術、本草等人之詔，而至者多至數千人，其間醫家，當不在少數。時有樓護應詔，護少誦諸醫經、本草、方術數十萬言。吾人固疑其是否能誦習此數，又其中所誦醫經、本草，究占若干？俱無從推斷，但可推知元成以來，民間於醫經、本草，已多有專習，而護所記誦最多，故名獨顯耳。然護長以游俠名世，非醫家也。

考平帝享年不永，僅一十四齡之童豎耳。此詔書必王莽所擬發。蓋建始以來，王氏已執國命，莽既服習六藝，事惟師古，故爲平帝發此詔書。其後莽以外戚篡承漢統，於天鳳三年捕得敵黨王孫慶，使太醫尚方與巧屠刳剝其屍，度量五藏，意在昭明醫學，非全爲報復也。此爲中國自有帝王以來不肯爲之事，而莽坦然行之，可稱吾國醫史上最具實驗精神者。世徒以殘忍目之，吾不知古刑中之凌遲、炮烙方之，其意義孰大也？（吾嘗推莽爲帝王中之最有學問者，故劉歆楊雄等，均北面爲臣，而論史者，輙以莽國師，莽大夫嘲之。夫莽亦炎黃之胄，吾不知當時之天下，爲何必須屬諸智昏寂寥之豐沛餘裔？論順逆乎，則劉邦曾爲嬴秦亭長，滅項之後，當以其位還之秦氏。論得國之正乎，則劉邦曾以刀劍剸殺數十百萬人得之，曷若莽假行禪讓不血刃而有其位。至班氏謂莽之無道，爲書傳所無，則以改革者之口，何所不至！信如莽傳所言，亦不若武帝巫蠱之禍之慘也。讀者其以余言爲劇秦美新者乎。）故按造往史，莽實倡導醫學最力之人，漢志之有十八家醫書，莽之力也。使新室靈長，必能紹隆斯績。惜自踐阼以來，戎車歲出，以至覆敗，無暇制作，重以赤眉之火，長安爲虛，六籍烹滅，又非醫之一途已。

然據本傳稱，莽暮年日與方士涿郡昭君等，於後宮考驗方術，縱淫樂焉。案醫與方士，古多混稱，此云方士，當亦知醫者，其云在後宮考驗方術，縱淫樂焉。令人最易想起方士考驗者爲房內之術。實則古之方術，醫術亦在其內，是房內之術，雖非不在考驗之列，而醫術當亦在考驗之中。明李日華乃以新莽信方士蘇樂言，而嘲莽橫作神仙想者。（事詳六研齋筆記初集二）則又曲證故事矣。

要之，莽自執政以迄新室之亡，不僅提倡醫學，且亦實地考驗醫學，是有往史可爲稽證者。

考核漢志所載惟經方爲可貴；其書雖佚，然循名責實，經方者治法之書也，卽敍證用藥之方書也。以其書雜出衆手，故漢志不著撰人姓氏，夫醫之所貴，在求愈病而已，經方乃治病之術，然病情萬殊，非一人所得周致，雖以仲景之哲，猶云勤求苦訓，博采衆方也。雖然淮南子有云，好方非醫也，蓋謂聚衆方不足以治病，必先知病理而施治之，始乃有得，非薄醫方也。聞之本草起於單方，故自神農本草以迄驗方新編，皆經方之類也。（案漢書平帝紀，郊祀志以下，多舉醫經本草之名。又漢志經方中有神農黃帝食禁七卷，長沙葉德輝以爲卽日本康賴醫心方所引本草食禁之書，而爲漢志所載者，其說雖不盡可從，但可斷爲同類之書，以知漢時之云本草，猶經方之別稱。）然其中並非每方皆爲有效，但每方或曾爲病人經歷使用耳。此類經方，大多來自民間，而醫者使用於人或結爲專集時，皆不免有所藻飾也。此外又有以藥之形狀顏色而定其所用，卽由醫者意也而來者，斯則不復基於經驗矣。

十 經方之鼎盛與衰落

吾國醫家苟能循經方之學，沙汰玄言，持其名實，庶可遠乎鄙倍。西京以前，醫猶未遠於巫，東京以還，始近平實；晚乃有張仲景方，俗以爲經方之祖，而華他之術，世亦誇其踔眇。歷魏晉以迄齊梁，經方之學，於茲爲盛，推校其因，蓋有多端：

一爲丹鼎派道士之興起　秦皇漢武皆爲求長生神仙之雄主，然二主所信之方士，其求長生與神仙之阡陌，不盡相同，徐福盧生之徒，求藥於海外，李少君欒大之徒，則更求藥於爐竈，亦頗解物理，故少君以鬬旗小術，取信於武帝，如淮南萬畢術，劉根墨子五行記等，皆此類方士之傑構；前者如徐福一流之方士冥求動植，藥彙以之增廣；後者李少君一流方士，眩於金丹可以成仙之說，遂成實驗精神。魏晉以來，丹鼎派道士如魏伯陽葛稚川之流，守道彌篤，終身以之，當其焚煉金丹時，絕無偸惰之容，成敗固當別論，其實驗精神，擬之近世科學家，良無慚色，而此派道士與醫家多互爲表裏，且求仙必須知醫，爲其必守之金科玉律也。故魏晉以來醫家不尙理論而重證象及藥效之敍述，是以治病亦重試驗，鬱爲經方鼎盛之期。（未完）

國藥別名舉偶

汪良寄

上海中法製藥廠

當我們看中醫處方，或向藥店、藥材行購買國藥的時候，常看到許多非常生疏或通俗的藥名，都非本草或辭書所載，說他無理吧，倒也有其來源，非但可以知道所指何物，還可以明白這藥物的產地，形狀和品質，甚至於售價的貴賤，說他有理吧，又完全是些別字，有時竟連音義都不通，在萬事都求統一的今日，這些藥名，本可在廢止之例，惟因其援用既久，習慣自然，欲求改革，恐亦非旦夕可成，吾人爲適應實際，對於這類名字，尤其是研究國藥者，自也有一知之必要，因寫是篇，聊供參攷，雖此種用名，隨時隨地容有不同，但依此類推，也就不難知其大概了。

藥名	原植物	別名
三稜	Scripus maritimus, L.	荆三稜
大戟	Euphorbia pekinensis, Rupr.	下馬仙
川芎	Conieseiium univittatum, Turczaninow.	刁芎
女貞	Ligustrum Iucidum, Ait.	多青子
大黃	Rheum officinale, Baillon.	川軍，岷軍，紋軍，將軍，台黃，廣軍，湘軍，川紋，錦紋，製軍，蛋結，川野軍，西寧軍，西閙片。
山藥	Dioscorea batatas, Decne.	拷山
山漆	Gynura pinuatifida, DC.	三七
大茴香	Illicium verum, Hook.	原油香，八角茴香，谷茴香。
小茴香	Foeniculum vulgare, L.	小茴，鹽茴。
山茱萸	Cornus officinalis, Sieb. et Zucc.	于肉

山慈姑	Tulipa edulis, Bak.	紅燈籠
山梔子	Gardenia florida, L.	焦山梔，江山枝，枝子，山枝子，黃枝子，色枝子，二紅枝，蘇紅枝。
及已	Chloranthus serratus, Roem et Sch.	四大金剛
天南星	Arisaema japonicum, Blume.	胆星，眞京星，胆南星。
木防已	Cocculus trilobus, DC.	方杞
牛蒡子	Arctium lappa, L.	鼠粘子，牛子，大力子。
石斛	Dendrobium monile, Kraenzl.	風斗，耳環草，金耳環。
甘草	Glycyrrhiza glabra, L.	炙草，草節。
生薑	Zingiber officinale Roscoe.	生姜
半夏	Pinellia tuberifera, Ten.	半下，夏個。
百部	Stemona japonica Miq.	野天冬。
地黃	Rehmannia glutinosa, Libosch.	頂生地，地生炭。
羊蹄	Rumex crispus, L.	禿菜
肉桂	Cinnamomum Iour irtt Nees.	油桂，貢桂，邊桂，桂楠，紫油桂。
列當	Orobanche caerulescens, Steph.	草蓯蓉，栗當。
肉豆蔻	Myristica fragrans, Houtt.	玉果，肉果霜。
竹節人參	Panax repens Maxim.	土參
芍藥	Paeonia albiflora, Pall.	芍個
杜衡	Asarum blumei, Duch.	土細辛，馬蹄香。
沙參	Adenophora verticillata, Fisch.	南參
防風	Siler divaricatum, Benth. et Hook.	楓肉，北風。
何首烏	Polygonum multiflorum Thunb.	首烏，湖烏。
牡丹皮	Paeonia Moutan S ms.	丹皮，把丹皮，粉丹皮。
忍冬藤	Lonicera japonica Thunb.	銀花藤
知母	Anemarrhena asphodeloides, Bunge.	蚳母，京母。
使君子	Quisqualis indica, L.	史君肉

金銀花	Lonicera japonica, Thunb.	二寶花，山銀花。
金鈴子	Melia azedarach, L	川楝子
厚朴	Magnolia officinalis, Rehd. et Wils.	製棬朴，紳朴。
砂仁	Amomum Xanthioides, Wallisch.	砂米，砂縮仁。
胡椒	Piper nigrum, L.	白右月
栝樓	Trichosanthes kiriloWii, Max.	瓜蔞
枸杞子	Lycium chinense, Mill.	蓋棗王，頂棗王。
南天燭	Nandina domestica, Thunb.	南竹葉
枳椇子	Hovenia dulcis, Thunb.	鷄距子，枳柜子，鷄爪子(俗)
威靈仙	Clematis chinensis Retz.	靈仙，鉄線蓮。
茯苓	Pachyma cocos, Fr.	雲苓，赤苓，白糕，苓乳糕，方苓
烏藥	Lindera strychnifolia, Vill.	天台藥
柴胡	Bupleurum falcatum, L.	柴頭
射干	Belamcanda chinenais Lam.	寸干
茺蔚子	Leonurus sibiricus, L.	益母草子
草決明	Celosia argenta, L.	青箱子
馬兜鈴	Aristolochia contorta, Bunge.	斗苓
桑白皮	Morus alba. L.	雙皮
莪蒁	Curcuma zedoaria Roscoe.	文朮，莪朮。
貫衆	Aspidium falcatum, Sw.	貫仲，管仲。
細辛	Asarum siebodi Miq.	馬辛，北辛，山人參。(俗)
麻黄	Ephedra sinica, Stapf.	龍沙
連翹	Forsythia suspensa, Vahl.	蓮台，青翹。
紫蘇子	Perilla nankinensis, Decne.	家蘇子，杜蘇子。
款冬花	Tussilago farfara, L.	冬花
旋覆花	Inula britannica, DC.	金佛花，金佛草，金福花。
牽牛子	Pharbitis Nil, Chois.	白丑(白色種)，黑丑(黑色種)，丑牛。

麥門冬	Ophiopogon spicatus, Ker.	寬冬，蘇冬（俗）
黃芩	Scutellaria baicalensis Georg.	元芩，子芩，條芩，枯芩，枯條芩
黃蘗	Phellodendron amurense, Rupr.	黃柏，元柏，川元柏
黃連	Coptis teeta, Wall.	川連，元連，洋連，水連，鷄連，雅連，古勇連，玉連。
黃精	Polygonatum falcatum, A Gray.	元精
黃耆	Astragalus hoantchy, Franch.	黃芪，上有芪，芪面，大有耆
菖蒲	Acorus calamus, L.	節蒲
萎蕤	Polygonatum officinale, All.	玉竹
菝葜	Smilax china, L.	土苓，土茯苓
當歸	Ligusticum acutilobum, Sieb. et Zucc.	川歸，西歸，漢歸，佛手歸，歸梢，歸鬚。
葛根	Pueraria hirsuta, Schneid.	粉葛
鉤吻	Gelsemium elegans, Bth.	水莽草，爛腸草，（俗）
鉤藤	Ourouparia rhynchophylla Matsum.	雙鉤鉤
蒼朮（白朮）	Atractylis ovata Thunb.	峯貢王
蒺藜	Tribulus terrestris, L.	吉力，吉立，吉利，夕利，潼沙苑，刺蒺藜。
蒲黃	Typha latifolia, L.	香蒲，卜黃，薄黃。
槐實	Sophora japonica, L.	槐角子
鳳仙子	Impatiens balsamina, L.	急性子
橘皮	Citrus nobilis, Lour.	桔皮，上中廣，上廣皮，朱皮
澤漆	Euphorbia helioscopia L.	奶奶草
澤瀉	Alisma plantaginis, L.	宅舍
薄荷	Mentha arvensie, L. var Piperascens, Holmes.	卜菏，菝蔄。
薏苡仁	Coix Lacryma-Jobi, L.	苡米
薺苨	Adenophora remotifolia Mq.	空沙參，甜桔梗。
續隨子	Euphorbia Lathyris L.	千金子
罌粟殼	Papaver Somniferum, L.	米殼，美人草，御米殼。
鱧腸	Eclipta alba Hassk.	旱蓮草

鬱金　Curcuma Ionga. L.　　廣玉金，川玉金，洋玉金。

構成這類名字的要素，我們從上表中也就可以看出是由產地，品質，與簡字等所組成，譬如：

一•產地　習慣上，常冠地名於藥名之上

川	四川	川木香，川杜仲	浙	浙江	浙貝
建(或福)	福建	建巨紅，福澤瀉	廣	廣東	廣木香，廣皮
雲	雲南	雲苓	東	東洋(日本)	東斗，東香附
杭	杭州	杭白芷，杭竹葉	南	川南	南荊芥
懷	懷慶	懷牛膝，懷菊花	西	陝西	西歸
常	常德	常吳茱	北	川北	北柴胡
宣	宣城	宣黃連	藏	西藏	藏紅花
銀	銀州	銀柴胡	邊	邊境(如粵邊)	邊桂
撫	撫州	撫芎	台	台灣	台七里
會(或祁)	祁州	會白前，祁大黃	胡	外來品	胡黃連
古	古北口	古貝	番	外來品	番瀉葉
廠	吉林	廠平貝，廠胆草	洋	外來品	洋金花，洋紅花
湖	湖南，湖北	湖蓮子	土	土產品	土丹片，土茶個
蓋	蓋平	蓋玉竹			

二•品質　在這一項中，可以由形狀，品質，色澤，包裝等冠或接以某字而示區別，其爲冠爲接，因物而異，全由習慣，無理由可言，

甲•冠於藥名上者，

1.形狀

方	方苓	圓	圓朮
大	大蘇子	奎	奎元胡
小	小條芪	粉	粉草薢
魁	魁砂		

2.品質

淸	淸阿膠	次	次天麻
明	明附片	兌	兌三七
光	光山藥	上	上鳳甲
毛	毛巨紅	下	下鳳甲
頂	頂子黃	眞	眞廣皮
淨	淨骨皮	正	正甘松
統	統青蒿	貢	貢朮
冲	冲西花	官	官桂
大	大提淸	手	手提胡
副	副川卷	均	均姜

3.色澤

青	青防風	赤	赤茯苓
黃	黃防風	黑	黑桑椹
白	白雷丸	紅	紅半夏
紫	紫絳香	血	血丹參

4.香味

香	香白芷，香砂仁	甜	甜蓯蓉
蜜	蜜吉更	鹹	鹹豉
糖	糖瓜蔞	淡	淡附子

5.加工

法	法夏	炒	炒知母
製	製熟地	煨	煨天麻
飛	飛沒藥	炙	炙 耆
漂	漂青黛	焦	焦山梔

6.包裝

箱	箱歸	散	散紅花
籆	籆丹皮	條	條苓
盒	盒七瓜	板	板沈香
把	把丹皮		

7.其他

野	野百合，野朮	軟	軟柴胡
田	田三七	枯	枯桑葉
嫩	嫩鉤藤	乾	乾葛

乙。接於藥名下者

片	山查片	砂	坎離砂，打鬼砂
個	芎個，夏個	瓣	白菊瓣
王	川芎王	米	叩米，砂米，
碎	桂碎	珠	乳香珠，沒藥珠
面	枳殼面	絲	陳皮絲，黑白絲。

三。簡字　別無規則可循，全求簡略另寫，所用者爲同音或象形字。

簡　字	原　字	例　示
元	圓或櫞	元連，元朮，香元
火	藿	火香
枝	梔	二紅枝，色枝子
立	藜	吉立
夕	膝或瀉	牛夕，宅夕
叩	蔻	豆叩，風叩
交	膠或椒	白交香，川交

别	鼈	别甲，木別子。
下	夏	半下
叶	葉	竹叶
宅；及	澤	宅夕，及夕。
吉	[illegible]蒺	大吉，吉利。
力	瀝或藜	竹力，吉力。
巨	橘[illegible]	巨紅，巨核。
七	漆	甘七
毛	茅	毛朮
茯	腹	大腹毛
春	椿	春皮
言	鹽	大青言，光明言。
尾	韋	石尾
門	蒙	金門石，門止桂。
枚	梅	銀枚
艮	銀	艮枚
曲	麴	建曲
谷	穀	谷虫，谷精草。
必	蓽	必撥
全	蟬	全退
芝	脂	靈芝米
六	路或陸	六六通，商六。
平	坪	平朮
老	腦	洋老
代	黛或帶	青代
見	健	年見
干	乾	干姜，干七
羔	膏	益母羔
支	梔	支子

本稿承余雲岫先生校閱指正，並蒙周夢白先生多所賜敎，謹此誌謝。

本會第二屆大會記略

在中華醫史學會自一九三七年四月舉行第一次大會以後，中日戰爭爆發，無法召開大會，直至本年五月始克在首都舉行第二次大會，謹將大會情形約略報告於後：

日期　民國三十六年五月八日下午三時至六時。

地點　南京黃埔路一號中央衛生實驗院

出席會員　上海王吉民　伊博恩　馬弼德　侯祥川　丁濟民　宋大仁　范行準　王逸慧（王吉民代）　洪貫之　葉勁秋　吳雲瑞　余雲岫（范行準代）　劉永純　陳存仁（丁濟民代）

北平李濤　青島穎斗岩　南洋伍連德　成都魯德馨（伊博恩代）

鎮江胡定安　揚州耿鑑庭　南京陳邦賢

來賓張昌紹　江晦鳴　繆和彬　金瀚波

論文　收到論文共二十二篇，篇題列后：

1. 十年中搜求經驗病名的經歷　余雲岫
2. 中華醫學史緒論　范行準
3. 蘇京來華四名醫之傳略　王吉民
4. 元稹的詠病詩　耿鑑庭
5. 國父學醫時代的研究　陳邦賢
6. 中國醫學史分類法草案　宋大仁等
7. 葉天士世系及傳說攷　葉勁秋
8. 早期中國藥物西輸考略　吳雲瑞
9. 中國本草學述史略　洪貫之
10 明遺民醫徵略　章次公
11 歷代傳刊醫書地理分佈考　丁濟民
12 中國痘疫病學史　劉永純
13 中國戰時中醫學史　李濤
14 中國軍醫簡史　李濤
15 十年來之中國藥物學　伊博恩
16 華西中醫行醫之魔術　魯德馨
17 中俄醫學交流史略　吳雲瑞
18 素問中陰陽學與中國醫學　陳邦賢
19 中國醫史研究運動大事年表　王吉民
20 外治之宗吳尚先　耿鑑庭　葉勁秋
21 古代食療之觀察　侯祥川
22 清康乾間本草作家傳略　于景梅

議案　本屆大會除修正章程外，重要議決案有：推選美國醫史研究院斯格里院長、南洋伍連德博士、廣州姚鈞石先生三位爲名譽會員，及請呈教育部通令各醫學院與醫專規定醫史學爲必修科幹案。

選舉　大會選出下屆職員：會長王吉民　副會長李濤　祕書侯祥川　會計宋大亿

中華醫學會第七屆大會祝詞

夷禍區夏。八載而除。佳朋良友。各處天涯。

俄焉復旦。混一書車。盛會七屆。冠蓋京華。

昭官一堂。俯仰興嗟。康復元氣。資在醫家。

朝乾夕惕。競往有加。增香科學。其新孔嘉。

方駕歐美。其道非遐。繁術強國。發皇良書。

中華醫史學會敬祝

會員動態

△前海港檢疫處處長伍連德博士，於五月初，由南洋來滬，旋即晉京出席本會第二屆大會，及中華醫學會第七屆大會。會畢曾至青島北平一行，復於六月十二日到滬，由會長王吉民設宴招待。伍老博士為本會發起人之一，於醫史圖書館，熱心贊助，此次蒞滬，曾到會參觀其「伍連德醫史藏書」非常愉快。除再將大批圖書捐贈外，並助鉅款，以為提倡醫史研究之用。伍博士業於六月十六日買棹南返矣。

△北京大學醫學院設有醫學史研究室，由本會副會長李友松醫師主持。聞該室經費獨立，與別科平等，均列入學校預算，此在吾國尚屬創舉。北大之重視醫學史，於此可見一斑。

△胡美博士近著「東方醫西方醫」一書，獲得紐登圖書公司之獎金，計三千五百元美金。胡博士清末來華，創辦長沙雅禮醫院，及醫學院，對於吾國醫藥文化，有深切研究。太平洋戰前回美，在霍布金醫史研究院擔任中國醫史講師，現年七十餘，仍繼續工作，殊堪欽佩。

△耿鑑庭先生贈送本會醫史博物館吳尙先先生畫像立軸一幀特此誌謝

△中央衛生實驗院朱章賡院長兼本屆中華醫學會理事長，近應世界衛生協會之邀，擔任該會遠東組組長，於六月十九日乘機赴紐約履新，約一年後返國。

△（六月八日香港訊）本市名醫黃雯醫生，前於抗戰期間，歷任廣東省衛生處處長，廣州市衛生處長等要職，黃氏不特醫學精湛，對衛生行政及中西文學，尤有深刻研究。最近黃氏返港復業，曾就我國醫學名著黃帝內經，著成專論，寄交英國劍橋大學，業經該校審核完畢，認為確有價値，特給予黃氏以醫學博士學位，按該校授予華籍學生此種學位者，並不甚多，聞除伍連德外，當以黃為第二人。

按黃博士為本會基本會員，此次榮獲母校給予博士學位，不獨吾國醫界之榮譽，更為本會之殊光。前曾去函道賀得奉覆音，謂不日將其大作撮要惠登本刊云。

△丁濟民先生近收到元明本醫書多種，其中以元大德刊大觀本草，明成化年刊南北醫方大成初刻本草綱目為最。其中元刊大觀本草，為聊城楊氏海淵閣舊藏，並有安樂堂諸印，楮墨精佳，洵為元刊元印之稀覯本。又初刻本草綱目，原刊於金陵。日人國譯本草綱目，載有此本書影數頁，並云中國已佚。今竟為丁君所得，洵快事也。

△陳存仁先生近從北平購得中醫書二百五十餘種，內頗多珍本。並曾為本會代搜名醫手蹟，殊可感謝。

△宋大仁醫師，近奉衛生部函聘為中醫委員會委員，其發行之「中西醫藥」中，時有關於醫藥史論著發表，最近數期有本會會員葉勁秋之「葉天士之研究」長篇，考據詳博，頗値一讀。

醫史新聞

△美國霍布金大學醫史研究院院長斯格里氏，為近代醫史學大家之一。歷年主持該院，成績斐然。近以不願多消耗其才力於機關行政，決於六月終辭去院長之職，回瑞士祖國，專心寫作其大作「世界醫學史」。聞該書共分八鉅冊，將由英國牛津大學出版。

△美國醫史協會會報，為醫學史專門雜誌之權威出版物，迄今已屆十四載，近以印費激增，經濟拮据，不得不事緊縮。決自本年正月起，改為雙月刊，每年一卷，但內容不改云。

△南美巴西國城都阿格利，近成立一醫史研究所，其所長為華理亞醫師，現擬成立一圖書館，及醫史博物館，並印行學報云。

△（中央社六月九日紐約電）代表全美所有醫師共同權益之美國醫學會，今日在大西洋城召開中央全會，各地醫師與會者達一萬五千人，為世界同類性質會議規模之最大者。今日會議上最使人注目者，為中國針灸古法之論文，即金針刺入病體，痛苦即可消除。一部份紐約醫師稱之為「針灸」。據各該研究者稱，千百年來，華人曾殫精竭力，製就各種圖表，詳列諸種穴道，據稱多種慢性及連續性之疼痛，大都造因於皮膚及肌肉中各種超敏感之纖小部份，一經金針戳破，即可止痛，各該會員特將過去六年間七百例研究及治療紀錄，當衆陳列，以證明其效驗云。

捐款誌謝

△本會此次印行醫史雜誌十週紀念特刊及籌備第二屆大會事宜蒙朱章賡先生經募中央衛生實驗院一百萬元，王逸慧先生慨助八十萬元，丁濟民先生五十萬元，陳存仁先生五十萬元，王吉民先生五十萬元，魯德馨先生五萬元，特此誌謝。

中華醫史學會章程

民國三十六年五月修正

第一章 總則

第一條 本會定名爲中華醫史學會（Chinese Medical History Society）。

第二條 本會爲中華醫學會專門學會之一，在該會舉行大會時，主持醫史組議程。

第三條 醫史博物館及醫史圖書館爲本會與中華醫學會共有之產，其管理之責，由本會担任之。

第四條 本會會址設在上海中華醫學會內。

第二章 宗旨

第五條 本會以提倡醫史研究、整理醫學文獻、保存醫史文物爲宗旨。

第三章 會員

第六條 本會會員分下列三種：

甲、凡中華醫學會會員，於醫史研究特饒興趣者，由會員二人之介紹，經執委會審查通過後，得爲本會正式會員。乙、凡非中華醫學會會員正式於醫史研究特饒興趣者，由正式會員二人之介紹，經執委會審查合格後，得爲本會贊助會員。丙、凡國內外知名之士，於醫史研究有特殊貢獻者，經執委會推薦及大會通過後，得爲本會名譽會員。

第七條 凡申請入會，須填具志願書，並應提出有關醫史之學術論文一篇，交本會登記審查。

第八條 贊助會員入會已滿五年以上，時有醫史論文或專門著作發表，經本會執行委員二人提名於執委會審查合格後，亦得爲本會正式會員。

第四章 權利與義務

第九條 會員均有發言，表決，選舉，提案諸權，但被選之權祇限於正式會員。

第十條 會員均有享用本會圖書博物設備免費贈閱醫史季刊，及參與各項事業之權。

第十一條 會員均有遵守本會章程議決案，宣揚宗旨，並爲本會搜集資料，撰稿等義務。

第十二條 會員如有妨害本會名譽時，得按其情形輕重，由執委會議決，分別予以懲戒或開除會籍。

第五章 組織

第十三條 本會設會長、副會長、祕書、會計各一人，組織執行委員會，由大會選舉之，並以次多之人爲候補，任期二年，若大會延期，則至下屆大會新職員選出時爲止；連選得連任。

第十四條 本會於必要時，得設特種委員會，由執行委員會議決組織之，其委員除另行推定外，本會會長及祕書爲當然會員。

第六章 集會

第十五條 全體大會，每兩年舉行一次，其地點由執委會決定之。

第十六條 執委會每兩月開會一次，遇必要時，得由會長召集臨時會議。

第十七條 特種委員會由會長隨時召集之。

第七章 經費

第十八條 本會經費以會員會費及刊物收入補充之。如有特別需要，得由執委會另籌之。

第十九條 凡熱心贊助本會事工，自願捐助款項，地產，圖書等，另設董事會保管之。

第八章 分會

第二十條 任何地區，凡有本會正式會員五人以上時，經當地會員之請求，得設立分會。但須由執委會通過之。

第二十一條 分會須每年將其工作狀況報告總會。

第九章 出版

第二十二條 本會出版醫史雜誌季刊，由編輯委員會管理之。

第二十三條 本會印行醫學史叢書，由出版委員會管理之。

第十章 附則

第二十四條 本會辦事細則由執委會另訂之。

第二十五條 本會章程如有未盡事宜，得於大會時經出席會員三分之二之同意修改之。

第二十六條 本章程經中華醫學會理事通過之日施行。

醫史雜誌

第一卷　第三·四期合刊　民國三十七年三月

編輯者　中華醫史學會編輯委員會

伍連德醫師七十歲生日紀念論文專號

中華醫史學會出版

本期暫售三萬元　上海(九)慈谿路四十一號　全年暫不預定

· 白 页 ·

伍連德
民卅七年
伍連德印

伍余王三醫師壽辰紀念論文序

在民國三十七年中，我們有三位最敬愛的朋友，有的已經六十歲，有的已經七十歲了。那是夏歷戊子二月十八日伍連德先生七十歲生日；七月初七日王吉民先生六十歲生日；九月十四日余雲岫先生七十歲生日。這三位先生，在過去數十年中，對中國的醫學事業，都各有崇高的成就；但他們都盡瘁於中國醫學事業的啓發和改進，而從來不爲一己的利害打算；今天他們生日，我們都應該有一點敬意的表示！

伍連德先生自從民元以前，從迢遠的海外返國，爲國家服務。那時中國的醫權，猶如殖民地一般整個地操在外人手裏，不久東省發生嚴重的鼠疫，日俄兩國的醫家，都要把防治鼠疫的大權，抓到自己手中辦理，因爲他們都說我國沒有担得起這種重任的人才，並出種種威嚇的言詞，這眞是對中國醫家無比的侮辱。幸而那時有新從海外歸國的伍先生，挺身而出，爭回主權，以其學識，處理此事，眞是遊刃有餘；不久鼠疫便被撲滅了，外國醫家，無不歛手推服。其後他即着手建設種種防疫與醫學衛生上的機構；最著的如海港檢疫處，與中央醫院等，都是伍先生所手辦的。他擔任海港檢疫處處長，直到中日大戰後才告退休。他爲國家服務了幾十年，他退休了，政府沒有一個字褒獎他，社會沒有一個字安慰他；我們試想：像伍先生那樣的學者，國家原沒有一個錢培植過，而他却爲祖國爭回光榮，把人生最寶貴的一大段生命，消耗於自己祖國的醫學事業上；臨了，只落得投老炎荒，默默地仍要靠他本來的技術以求生。這可證明中國的政府和社會，對於學者，多數是不知尊敬的。

余雲岫先生早歲負笈海外，學成歸國後，深感我國醫學的不進步，是舊有醫學的不改進，故爲文字鼓吹醫學革命，並向政府有所獻替；因政府的無能，而未達目的，然志亦偉矣。余先生不僅是我國醫政史上第一位改革的功臣，並且他因學貫新舊，久負博洽之名，利富有實驗的精神。他這幾十年來，除爲醫學革命文字而外，同時又孜孜不倦地考索舊醫學的病名，並整理國產藥物的文獻；又爲試驗國藥起見，節縮衣食，購置器械，成立了一所余氏化學實驗室，時時將紙上的文獻，拖進實驗室裏去試驗，偶然亦有一二可喜的發見與發明。由此，我們知道余先生爲中國醫學革命的目的，是爲求中國醫學的獨立，和進步；並不是不愛中國醫學，相反地他是最愛中國醫學的。他對舊說研究的徹底，他對舊說整理與發揚，至今爲止，沒有一個中醫趕得上他。他之所以貶斥舊說的荒謬，是韓非挫癰沐髮的主義。在中醫自己的理智上說，也應該這樣做的，所以近來有識的中醫，對余先生不但沒有惡感，而且都存十分敬意。這因爲余先生在做學問與行動上，都是廓然大公的。

王吉民先生民元前畢業於香港西醫大學堂，是提倡研究中國醫學史最早者之一。他早年和伍連德先生用英文合撰的中國醫史，風行國內外，中外的學術界交口稱譽，其價值已久有定評。其對於公益事業，如醫學團體等，亦最爲熱心而肯負責任。他除與二三同好組織中國惟一的中華醫史學會及醫史博物館外，自民國二十六年第七屆中華醫學會大會推選爲副會長後，並聘爲醫務幹事協助總幹事施思明先生，會務得蒸蒸日上，自東夷入寇，施君適已赴美，于是一切會務均落到王先生一人身上：那時正處敵僞毒燄鴟張之時，內困於會中經濟的窮乏，外處於敵僞魔掌的淩逼，他却始終勉力支持與抵拒，那時困心衡慮，不遑啓處的心情，我們今日還可揣摹得出的。王先生既將全副精力處理會務，自己一家生活，當然發生問題了。因此不得不把他數十年來在杭州行醫所積的房產等逐漸變賣以渡八年來危難的生活，等到勝利時，不但他的薄產賣光，蕭然只剩下一家人，而尤可念的是他的身體健康，也因措拄艱困而悠遠地十年來的會務，致大受影響，其間雖屢次辭職而不能求得接替之人，不得不勉力撐支下去，直到三十五年底才卸仔肩。終于把具有光榮而悠久歷史的中華醫學會，及中華醫史學會與醫史博物館都被保存下來，沒有一毫的損失。那麼王先生也是爲中國醫學而犧牲了他一生的心血了。

由上面看起來，我們知道這三位先生，還有二點相同的地方；其一便是同受西方新文化而仍保持東方優良的舊道德，就是爲人；其二他們對中國醫學雖有如許的貢獻與犧牲，却始終默默地不在人前表揚過一個字，這是克己。今天逢到他們的大慶，我們固然不屑爲世俗所排演的那類慶壽的儀式，但我們以爲像這三位先生過去數十年間，在中國醫學都有貢獻的人，不應跟政府與社會上，對於學者採那冷酷無情的態度，——因爲他們只知戰爭與投機；今天他們大慶，我們應作一點有意義的敬禮，以表示崇敬這三位先生爲國家爲醫學上努力的微意。但用什麼做壽禮呢？我們都知道這三位先生對於中國醫學史，都有同好的，所以擬定今年逢着他們每一位的生日，就出一册醫史論文集，來紀念他。這論文我們就借醫史雜誌的地位刊行之。幸承海內外弘雅之士，寵賜鴻文，惜因印費昂，篇幅遂陝，我們只能印成這樣薄薄的册子，作爲今天紀念這三位先生的華誕！

丁濟民　余新恩　金問淇　范行準　陳邦典　蔣法賢
刁信德　余濱　金寶善　倪葆春　陳耀真　藏天右
王子玕　吳雲瑞　施思明　徐乃禮　富文壽　龐京周
王子傳　宋大仁　侯祥川　徐誦明　盛佩葱　顧毓琦
王以敬　李濤　侯寶璋　馬弼德　黃銘新　W. W. Cadbury
王逸慧　李樹芬　俞松筠　高鏡朗　楊濟時　E. H. Hume
朱恒璧　汪企張　姚文鍔　張孝騫　經利彬　L. G. Kilborn
朱章賡　林可勝　洪式閭　張維　劉永純　H. H. Morris
汀和山　周詒春　胡定安　張錫祺　劉瑞恒　B. E. Read

中華醫史學會

執行委員會

王吉民 會長
李友松 副會長
侯祥川 祕書
宋大仁 司庫

編輯委員會

余雲岫 主編
王吉民 主幹
伊博恩 委員
李友松 委員
范行準 委員

伍連德醫史基金委員會

施思明 主任
王吉民 委員
李友松 委員

姚鈞石出版基金委員會

王吉民 主任
李友松 委員
伊博恩 委員
楊濟時 委員
魯德馨 委員

中國戲劇中的醫生

李濤

中國的戲劇起於宋代，後來金元人特別嗜好戲劇，所以此道日益發達（1）。但是宋金的雜劇院本無一流傳到現在者，現存最早的劇本皆作於金末元初，即公元十二世紀的上葉（2）。到了明朝士大夫爭以製曲爲榮，因之明代傳奇古今獨步。

戲曲略分南北兩枝。北曲指雜劇言，始於金，盛於元。南曲指傳奇言，始於元，盛於明。至於崑曲則爲南曲的一派。創始於明嘉靖時的崑山梁伯龍和太倉魏良輔。自明嘉靖至清道光凡三百餘年，南北歌場皆以崑曲爲主。

清乾隆時戲曲有花雅兩部，雅部指崑曲言，花部則指崑曲以外諸曲言。所有高腔，南梆子，山西梆子，西皮，京調等皆屬於花部。花部的戲大部分是按照雜劇傳奇的戲文加以改變，創作的戲較少，而且編印成書者也不多，所以本文姑略去花部諸戲不論以免重複。

醫生是戲劇中常常需要的脚色，且有專以醫生扮演成戲者，例如雜劇中的雙門醫（3）和崑劇中的請醫（4）（5）（6）等皆是。可惜雙門醫一劇已不傳，內容無從稽考。至於請醫則爲譏笑醫生的滑稽劇。戲詞有三種不同的本子，但是戲情皆本幽閨記。

脚色

戲劇的脚色，金時有五種，即副末，副淨，引戲，末泥，和裝孤。元明時有江湖十二脚色之說。現在流行的皮黃劇，略分爲生，旦，淨，丑，詳分爲江湖十八脚色（7）。

醫生在戲劇中照例以淨或丑扮演。按都城紀勝云「副淨色發喬」喬爲諧謔之動作，滑稽突梯，作誇大傲慢之態。雜劇中醫生例以淨演，其歌詞動作滑稽可笑，自在意中。關於丑的解釋，都城紀勝云「雜扮或名雜班，又名紐元子，……多是假裝爲山東河北村人以資笑，今之打和鼓，撚捎子，散耍皆是也。」南詞敘錄曰「丑以粉墨塗面，其形甚醜，今省文作丑。」由此可見丑的職掌，亦以滑稽爲主。故傳奇和皮黃戲中皆以丑扮演醫生。

但是扮演孫思邈、華陀及藥師佛等戲，則不以淨丑，而以生末脚色充任（8）。此時醫生例著道裝，視同神仙，不復被人鄙視。不過這是一種例外，尋常醫生皆由淨丑扮演。

風情劇中的醫生

戲劇作家對醫生的治病能力十分懷疑，所以編戲時常用醫生插科打諢，以博觀衆一粲，藉醫生使劇情鬆動。所以逍遙遊（9）一劇內有「老爺不要聽他，世界這些醫生的藥，只會死人，那裏會活得人來？」又劉唐卿（10）著的降桑椹內，更明白的給兩位醫生起了宋了人和糊突蟲的名字，使人一望而知是取笑醫生了！

在多數風情劇中，照例交互表演男女兩方。編者爲打破其對偶的單調計，常插演滑稽場，以免觀衆生厭。滑稽場中多以醫生爲滑稽的對象。例如男女愛戀得了相思病，便請醫生診治，這位醫生例作種種醜態，使觀衆大笑。取笑醫生的方法，大約不外錯斷病症，錯用藥味，用藥品編爲滑稽歌曲等。風情劇佔戲劇的一大部分，而且牽涉醫生的地方特別多，現在選擇七劇作例：

吳昌齡　張天師斷風花雪月（11）
葉憲祖　丹桂鈿合（12）
施　惠　幽閨記
阮大鋮　燕子箋（13）
袁于令　西樓記（14）
萬　樹　風流棒（15）

張天師斷風花雪月的劇情，係敍八月十五月明之夜，陳世英與桂花仙子相戀，過了一宵，仙子別去，世英戀念着她而病了的事。世英病時請了一位太醫。他的僕人張千與太醫對白中極盡詼諧之致。更假定太醫有一丁香奴，與太醫答話。目的無非博觀衆大笑而已。玆節錄一段如下：

張千：太醫在家麼？
太醫：誰叫太醫，太醫不在家。
張千：不在家可往那裏去了？
太醫：太醫兵馬司裏去了。
張千：敢是去看病呀？
太醫：不是看病，醫殺了人，那裏坐牢哩！
張千：咄，太守衙裏請去來。
太醫：請我做甚麼？
張千：有個相公染病，請你看一看。
太醫：你那病人不好幾日了？
張千：不好七日了。
太醫：我太醫八日不曾出汗哩。
張千：咄！
太醫：老哥，你着那患子來，我看。
張千：他染病怎麼走得動？
太醫：着他騎個驢兒來。

太醫：既然他來不得，倒擡了我去罷。
張千：好了又要你看什麼？
太醫：這等一發教他好了來。
張千：也擡不將來。
太醫：哦！只抓個杌兒擡將來。
張千：他騎不得驢兒。

…………………

太醫：有誰討藥來？
丁香：有姑娘家討藥來。
太醫：與了多少藥錢？
丁香：與了一兩藥錢。
太醫：你與了他多少藥？
丁香：我與他七囤半。
太醫：弟子孩兒親眷上門，你怎麼不多與他些，曾說藥引子來麼？
丁香：不曾說藥引子。
太醫：快趕上去說與，要生薑兩船，棗兒丑擔，水要十桶，着他做一服吃。再有誰討藥來？
丁香：有史千戶家討藥來。
太醫：與了多少藥錢？
丁香：與了五兩銀子。

太醫：五兩銀子你與他多少藥？

丁香：我與了他兩丸藥。

太醫：五兩銀子與了他兩丸藥，我這藥是偷來的，與他許多去。你與他甚麼藥去？

丁香：我與一丸紅丸兒，一丸黑丸兒。

太醫：老哥你不知道，與他紅丸兒則與他紅丸兒，黑丸兒則與黑丸兒。紅丸兒吃了是活藥，黑丸兒吃了是死藥。他都吃了，着他死又死不得，活又活不得。

張千：喏，行動些，早來到了也。你在此站一站，等我報復去。秀才，太醫在門首。

陳世英：着他過來！

張千：着他過來！（太醫見陳世英拏包袱打科）

陳世英：哎喲！

張千：他是患子，你怎麼打他？

太醫：醫的醫的！打著他還知疼哩(拿藥與陳世英科)你吃這藥。

陳世英：這藥不好，我不吃。

太醫：這般好藥你嫌不好，你不吃，我替你吃。（太醫吃藥作戰倒科，張千作慌科）

張千：可怎麼了？（做扶太醫起身科）

太醫：（做甦醒科）你這裏有紙筆麽？

張千：要他何用？

太醫：趁我甦醒着，傳與你這個方兒。

張千：走！油嘴花子快出去。

丹桂鈿合一劇，係敍權次卿斷絃，徐丹桂失侶，在廟內相遇，兩情相愛，丹桂之母向氏有病，請醫張西泉診治，其中賓白一段，極爲有趣。

「小子別號西泉，行醫三代流傳。脈訣念他數句，藥性記得幾篇。說病何曾猜着，寫方一味胡傳。不管風寒暑濕，那知蠱癲狂顛。虛勞的與他硝黃瀉倒，悶滿的却將參朮來煎，害熱的一貼乾薑附子，傷冷的吃些黃柏黃蓮。老人家說他驚風吐乳，男子漢說他產後胎前。醫得前街哭聲震地，醫得後巷叫苦連天。昨日東市頭拏我替他唱歌送殯，今早西市頭請我一頓硬脚粗拳。專替閻羅王發檄，却與棺材店掙錢。幾番要丟這樁道路，爭奈沒甚麼養活家園。」

幽閨記通稱拜月亭，是南戲的名作。劇情爲金蔣世隆與妹瑞蓮同居父喪。一日，陀滿興福因避難逃入蔣宅。蔣世隆憐而使之逃遁。興福遂投山寇中。後番兵來侵，蔣世隆偕妹瑞蓮逃難失散。王鎭女瑞蘭亦奉母逃難失散。世隆沿路呼瑞蓮，瑞蘭誤以爲呼己，至則爲一秀才，遂相攜而走。又被巨寇所捕，相見之下，知爲興福。被釋後，遂再上路。旋至廣陽鎭宿一酒館中。其夜世隆向瑞蘭求愛，瑞蘭不肯，經店主爲媒，遂結奇緣。其後世隆染病，由店主代請翁醫生診治。翁醫生出來有一段道白，全用藥名打諢，直使人噴飯。（此齣原名"抱恙離鸞"，崑劇中改稱"請醫"，現在偶有演者。）

「吩咐丁香奴，劉季奴，你們好生看着天門麥門。我去探白頭翁蔓荆子，趁些鬱金水銀總當歸。倘有使君子來大麥小麥，可回說是張將軍李國老家請去了。你蓯蓉把破故紙包那末藥與他去。前者因爲你不細辛防風，卻被那影木賊爬過天花粉牆，上了金線重樓。打開青箱，偸去了珍珠琥珀金銀花子，丹砂襪子，茯苓裙子，昆布襪子，青皮靴子。那一個豆蔻又起狠毒之心，走入蓮房，摟定我的紅娘子，扯下裩襠，直弄得川芎血結。咳！苦腦子，苦腦子，如今可牽海馬，到常山喫莽草，薄荷邊飲些無根水。傍晚看天南星出，即掛上馬兜鈴，將紅燈籠點着白蠟燭，往人中白家來接我。你若薏苡來遲了，叫我黑牽茴香，惹得我急性子，將玄剳索弔你在

甘松樹上，四十蒺藜棍，打斷你的狗脊骨，碎補孛孛出蓽撥，饒你半夏分罰子王不留行。」一

燕子箋一劇係記霍都梁與妓女華行雲相愛，曾寫春容圖，送舖中去裱。同時酈安道贈給女兒飛雲大士相一張，也送裱匠去裱。無意中彼此錯取了畫。酈飛雲得春容圖，甚喜，寫了小詞一紙，不料被燕子銜去，又被霍都梁拾得。霍都梁託女醫孟婆送還詩箋，取囘原畫，不料公差誣以暗通關節，要拿捕治罪。其後霍都梁應試，被鮮于佶竊取他的卷子得以中試。後來酈尙書發見鮮于佶無能，檢舉於朝，仍以霍都梁爲狀元。前者酈飛雲因亂與父母相失，寄養於賈節度處，賈節度便使之嫁卞無忌。卞無忌卽因亂改名的霍都梁。華行雲也因亂被酈尙書收養，認爲義女，也嫁予卞無忌。此劇在最後詰圓一齣，用女醫孟婆揷科打諢，作爲收場。

袁于令的西樓記，于叔夜善詞曲，有才名。妓女穆素徽讀叔夜的錦帆府樂集，最愛其楚江情一闋，嘗自寫於花牋。一日于生於妓館見花牋，感其知己之情，借花牋而歸。後至西樓，面會素徽。乃敍久慕之情，互約生死而別。其友趙祥告其事於于生之父，於是被禁邸內。趙祥又驅逐素徽出境。素徽邀于生船會，又被池同驚擾，誤將白紙與斷髮封入，遂使于生不解其意，空泊一夜。池同更與其假母約定，以巨金買之爲妾。素徽不能忘懷于生，堅守貞操，不肯曲從。一方于生積憂成病，日重一日，適父轉任山東，因使醫師包必濟看護叔夜。一日危篤，包必濟知不可救，遂逃去。包必濟的道白中有「藥醫不死病，佛度有緣人。」可見醫生自己對於治病能力也抱着十分懷疑的態度了。

風流棒的劇情是荆瑞草在仙林寺見題詩贊嘆不已。詢之寺僧，知爲美女謝林風所題，因呼酒和之。不料一時情急，竟亂追美人，遇賴參將的內姪女倪菊人，又種情根。菊人因愛荆生才貌，思念成病，召醫生霍起齋診之。菊人順便託人診治荆生，並私贈旅費。

以譏笑切脈爲題材的戲劇

風情劇內往往以切脈誤斷病症，取笑醫生。於是指男爲女，誤老爲少，笑話百出。這正表示戲劇作家對於醫生切脈斷病，抱着十分懷疑的態度。還有病家因爲一般醫生的行爲低下，不肯令醫生切脈，俾由病家口述病症，求醫生開方者。關於切脈誤斷病症的戲有薩眞人夜斷碧桃花(16)，楊梃齋的龍膏記(17)，和運甓記(18)等。因爲男女禮敎的關係不肯令醫生切脈的戲，有韓本蕃的焦帕記(19)。

薩眞人夜斷碧桃花的劇情是徐端女碧桃，許配張道南爲妻。二人偶遇於花園，款談之際，被徐端發覺，碧桃羞愧身亡。後來張道南中狀元，又遇碧桃鬼魂。一會之後，道南竟患了相思病。於是請了一位賽盧醫診治，切脈之後誤斷爲寒熱往來。張道南說他看錯了脈，自己患的是風月病。結果奚落賽盧醫一頓。

龍膏記敍張無頗與元載之女湘英締姻。當湘英病時，請醫診治。在元載與醫生對白中，明白的譏諷一般醫人不會診脈斷病，只是猜病試藥。

元載：我小姐有病，你可用心診治。

醫生：待醫人猜一猜。

元載：診脈要好，怎麽要猜？

醫生：老爺！如今的醫人，那個曉得脈理，猜着的便喚做明醫了！

元載：這病該用什麽藥？

醫生：這病凡女科的藥都要用。

元載：這等太雜了！

醫生：還是多用些定有幾樣撞着。老爺如不信，把這藥試一試。

元載：吃下藥去便好才是，怎麽經得試的？

醫生：老爺！如今的醫人，那一個不把病人來試手。

元載：院子！我叫你遍訪名醫，怎麽叫這樣的醫人來，快打發出去。

至於運甓記譏笑醫生診脈，尤其入骨。劇情是陶侃之母陶老夫人患病。因陶侃在外爲官，隣人王媽媽爲請張醫生診治。切脈之後先說是陽脫白濁等男子病，後來告訴他是女科，遂改斷爲產後；又告訴他是老婦，才斷爲憂鬱。

張醫生：夫人拜揖。（作背立爲老夫人診脈介）

王媽媽：張先生這是什麽樣？

張醫生：你不曉得。左心小腸肝膽腎，右肺大腸脾胃命，女人反是背看之。這是難經脈訣裏的，難道我倒錯了？（作轉診介）（唱）論脈理，眞罕奇，偏墜小腸疝氣追，陽脫與陰虛，白濁加疳疰，謹房事，怕夢遺，那夫人請迴避。

王媽媽：啐！老強盜昏了，一個老夫人，倒說男子病！

張醫生：哎！是我錯了，方才上一個人家去，看過了脈，想着他的藥，一時間就信口說了出來，待我再看。（又診介）今番是了！（唱）這症候，實可疑，胎前產後惡露迷，月水久壅淤，行經忒宣利，沙淋敗，白帶遺，若再遷延恐難愈。

王媽媽：啐！一個老人家又說了後生家的病！

張醫生：咳！又是我不是了！方才手診老夫人的脈，眼却看小夫人的臉，故此說錯了。今番待我細看。嗄！老夫人的貴恙，原是七情上起的，暮年血枯又時憂鬱，感成這個症候。如今只是開鬱導氣，補中調理，自然漸漸減輕，懷抱一開，飲食自進。待學生回到舍下就送藥過來。

王媽媽：張先生不要又差了！

說病討藥在戲裏是常見的事，有的是因爲請醫不便，有的受禮教的影響，蕉帕記便是屬於後一類的。蕉帕記敘龍驤與胡弱妹的遇合。其中胡老夫人有病，請陳醫官看病。其子胡連便主張說病吃藥，他說「爹爹你要放正經，醫人不是好惹的。」又說「可知道旣是在下的母親，却是你尊正，終不然教那醫人捏手捏脚，摸上摸下，成什麼規矩。」「母親的病又不是胎前產後，吐血中風，不過是花園裏受些風寒，待孩兒對那醫人說，是這等這等，那等那等，下兩帖柴胡半夏的藥，怕他不好。」

歷史劇中的醫生

歷史劇如果平鋪直敘，易使讀者生倦，往往串演醫生，緩解劇情，例如梁辰魚著的浣紗記(20)。

浣紗記敍越王勾踐用范蠡計滅吳事。范蠡遊山陰至若耶溪，見西施，愛之，約爲夫婦。勾踐歸國後，欲得一美女獻吳王。范蠡願以西施供犧牲，自至其家託之。其中第十七齣效顰一段演西施患病，東施爲請女醫北威醫治。北威爲一駝子，說她所患是心病，第一要排遣，第二方纔喫藥，結果與東施互相取笑一陣。

悲劇中的醫生

元明時代，醫生大部分是江湖人，藥舖學徒和讀書不第者。這種人的行爲當然不能爲人俯仰，尤爲士大夫所不齒。所以戲劇作家常將賣毒藥、害人、拐賣人口等下流行爲，假定爲醫生所爲。例如孟漢卿著的張孔目智勘魔合羅(21)王仲文著的救孝子賢母不認屍(22)，關漢卿著的感天動地竇娥寃(23)和稽永仁的雙報應(24)等。

張孔目智勘魔合羅的劇情是李德昌出外營商，家中有妻劉玉娘和孩兒佛留，他的遠房兄弟李文道開藥舖，外號賽盧醫，見嫂貌美，便調戲她，嫂不從。後來李德昌在回家途中患病，託塑魔合羅的高山寄語其妻，不料誤報給賽盧醫，他便配合毒藥，害死李德昌，並誣告劉玉娘。官將劉玉娘判死刑，後來張孔目重審此案，結果定了賽盧醫的罪。

其次王仲文著的救孝子賢母不認屍的劇情，是楊興祖出外當兵，家有母李氏和妻王春香，弟楊謝祖。一日楊謝祖送嫂王春香回娘家，楊謝祖送到半路返回。不料這時賽盧醫拐一啞女，正要生產，相遇於途，於是求王春香接生。啞女因難產死亡，賽盧醫便威逼春香脫下衣服給啞女穿上，並用刀劃破他的面皮，免得人家認屍。後來王家告春香爲楊謝祖謀害，屈打成招。幸得楊興祖回家，遇見逃妻，此案才得大白。終於將賽盧醫明正典刑。

關漢卿著的感天動地竇娥寃的劇情，敍楚州蔡婆生一子，頗有些錢。有一個竇秀才名天章者，向他借銀數十兩，不能償還，便把他的女兒名端雲的給了他爲媳婦，改名竇娥。不料蔡婆之子染病身亡。後來賽盧醫又借了蔡婆的錢，因無力償還，便把她誘至郊外欲用繩絞死他。恰値張驢兒與他的父上場，救了她。賽盧醫逃去，張驢兒與他的父依仗救死的恩惠，欲父娶蔡婆，自己娶竇娥，竇娥執意不肯嫁他。他乃往見賽盧醫，強迫他給些毒藥，欲毒死蔡婆。因將毒藥放入飯內，不料被他父誤吃而死。驢兒强指係竇娥下藥毒死的告了官，將她定了罪。

稽永仁著的雙報應的劇情，是建安生員錢可貴欠納官銀，妻周氏自賣以救夫難。貢生張師孔買得周氏，詢得其意，不忍使其夫妻離散，送還周氏於錢生。又錢生友張子俊狎一美少年王文用。其後張生得病。王生私與張妻通，並欲死張生以免障礙。王生向庸醫宋東峰乞得毒藥毒殺張生。一日孫制史到城隍廟拈香，忽落其帽。夢見神告曰，欲知落帽，只問東風。醒後捕宋東峰搜之，發見王生向宋東峰買毒藥以害人的信件，結果將三人皆處刑。

能治病的醫生

戲劇作家大約認爲尋常醫生不能治病。所以上邊所引的十幾劇中，無一醫生能治病於愈者對於儒醫則持尊重的態度，例如湯顯祖著的還魂記(25)。其中陳最良便是一位儒醫，所以能治好柳夢梅的病。戲內醫生道白中常用「貧無達士將金贈，病有閑人說藥方」。可見那時治病者不限於醫生。當時社會上因爲鄙視醫生，反認爲能治病者是那些不以醫爲業的人，例如李文蔚著的同樂院燕青博魚(26)和徐元著的八義記(27)。

同樂院燕青博魚敍燕青被杖一氣患了白內障。先寄住在店內，後來因爲欠了房飯錢便流爲乞丐。在街上遇見燕二爲他診治，結果恢復光明。其對白如下：

燕二：君子你這眼是從小裏壞了的，可是半路裏壞了的？

燕青：哥也，我這眼是半路裏氣壞了的。

燕二：君子也，你倒有緣，我善會神針灸法，我醫好你這眼，你意下如何？

燕青：若得如此，我感恩非淺。

燕二：待我取出金針來。君子正著，我下針也！我這針上至泥丸宮，下至湧泉穴，太陽穴不敢下針，少陽穴下兩針，咳嗽，三裏下兩針。我取出這藥來，是聖餅子，用菩薩水調的，君子張開了口吃藥，這一會針藥相投了也。我起針波，吸氣吸氣。君子將那手摩的熱着，揉你那眼，我着你復舊如初也。

關於金針撥內障法，元明戲劇裏極爲常見，足見是那時極爲欣賞的事。徐渭著翠鄉夢(28)敍玉通禪師因妓女紅蓮而破戒體。坐化後，靈魂投入柳宣教家爲女，後來流落爲妓，喚名柳翠。她的師兄月明度化他，乃大悟，復去修眞。月明道：「這個呵，又象一件什麽？象醫瞎子的一般，用金針撥轉瞳人，則怕撥不轉，撥得轉他，倒依舊光明。」其次蕉帕記裏，呂洞賓也曾唱「今日用個金針撥開瞳子，救着兒曹，世人也休認做閑話漁樵。」

八義記敍晉屠岸賈殺趙朔，更求其孤兒，欲絕其後。趙朔之客程嬰公孫杵臼兩人護救之。

成人後，使報父仇。其中有晉公主患病，醫官治不好，便出榜召草澤醫人，結果被治好了，這是表示不以醫爲業的能治病，醫生反不會治病。所以那時社會上形成求方討藥的風俗，在戲劇裏討藥治病的事尤其多。例如丹桂鈿合中的向氏，龍膏記中的元湘英，她們的病雖然請了醫生，反是吃偏方治好的，這更表示醫生的無能了。

釋道劇中的醫生

孫思邈華陀等已被後人尊爲神仙，編戲者便不敢褻瀆他們。這類戲眞是使醫生揚眉吐氣的戲。例如孫眞人南極登仙會(29)，夏倫著的南陽樂(30)和蔣士銓的空谷蘭(31)，粲花主編的療妬羹(32)，此類戲中的醫生，例著道士裝，顯然視同神仙，與尋常醫生不同。

孫眞人南極登仙會記述孫思邈應唐太宗召到京師。不肯留，回山採藥，東海龍王求治宿疾得愈，因宴之於龍宮，並贈上古仙方一部，以備救度衆生。逮思邈功行圓滿，遂由南極星及福祿二仙度之到瑤池。

這齣戲裏，記載多數藥物的功用，例如滋補需用茯苓，開脾胃全憑枳實，順氣便是半夏，活血用當歸等等。皆出諸思邈與道童的對白中，處處帶有滑稽口吻，讀之無乾燥板滯的弊病。

其中記載思邈給東海龍王切脈說病，全本小宇宙論解釋病因，正是中國多年相信的病因論。他說「天運五行，人調五臟，五行順則雨暘時若，災害少見，五臟和則氣血充盈，疾病難侵。故怒甚則傷其氣，思多則損其神，今汝之疾因怒而成，非時醫而可救。吾今付汝一藥服之，漸加調治，自然可安矣。」

結尾孫思邈因爲精通醫藥，博覽仙方，陰功廣布，陽德多施，便被引度成爲仙人。此劇命意設詞，處處根據史實，想作者必爲名士，毫無可疑，作者原意固是宣揚道教，但就醫學立場論，視治病爲一種陰功，頗含獎勵醫生，重視醫學的意思。

其次夏綸著的南陽樂，假託諸葛孔明不死於五丈原，且能滅魏吳，使天下歸蜀，意在翻史實為孔明補恨。孔明於五丈原築壇，每夜向天祈求借壽。至第七夜，天帝感其忠誠，遣天醫華陀以仙丹陰投其煎藥中，服後，病便痊癒。

蔣士銓著的空谷香，敍姚夢蘭之母改嫁孫虎，夢蘭隨之度日。適有顧孝威欲買妾，由其僕介紹買夢蘭。不料孫虎圖財又將其賣予吳賴。夢蘭以既許顧孝威，不肯嫁吳賴。花轎來迎時，竟執刀自刎，幸傷淺為卜醫生所救，得以不死。孫虎欲給診費，醫生亦不肯受而去。然孫虎仍不肯以之嫁顧孝威，率夢蘭遁逃。其夜宿旅舍中，夢蘭乃入廐中自縊。更為孫虎所救，得慶更生。孫虎悟前非，始肯以女嫁顧生。完婚後，忽瘟神散布瘟疫，於是揚州惡疫流行，夢蘭染病，藥師佛化身為醫生以救之。因取丹藥一封，向鼻孔吹入，霎時痊癒。

粲花主編的療妬羹，敍杭州褚大郎娶妻苗氏無子，因娶妾小青。苗氏因妬幽之別院。此時其表親楊器亦因無子欲納小星。其夫人顏氏極賢慧，見小青才貌雙全，私欲救之，因借予牡丹亭等書瀏覽。小青因題詩一首「冷雨敲窗不可聽，挑燈閑讀牡丹亭，人間亦有癡於我，豈獨傷心是小青？」楊器見而悅之，於是兩情相印。其後苗氏妬之益甚，更幽之別院，且欲買毒藥將其毒死。因向賣藥道人買下胎藥，道人不肯，反予以安胎藥。又央買砒霜，道人則予他解毒藥，假說是砒霜，以免回絕了他，反到別鋪去買。他的徒弟恐怕服藥不效，來退謝禮，他便倒藥葫蘆說道，「錢財何在名何在？自倒空壺與衆看。」他這兩句話正道著醫生偉大的精神。

結　論

戲劇作家無疑全是當代文豪，善於觀察人情，描寫故事。而且戲劇是活的文學，描寫的事要接近眞實，扮演時要合乎觀衆心理，才能受人歡迎。所以戲劇的內容，足以代表那時代的文人思想和民衆心理。

由上邊二十六本戲劇內，可知中國在13—19世紀內，醫生在社會上的地位很低。所以風情劇中以醫生插科打諢，悲劇中以醫生殺人害命。當時文人對於切脈斷病，似乎抱着十分懷疑的態度，所以多數戲內譏笑切脈斷病。至於能治病者反是些不以醫爲業的人。由此可見那時的人看不起醫生這種職業。

金針撥內障法，是當時一種新奇的手術，曾有三本戲裏提到。

戲劇作家所鄙視的爲一般庸醫，至於眞能起死回生的醫生如孫思邈華陀等，則被尊爲神仙。而且視治病爲一種陰功。陰功廣被，便可成仙。可見那時十分需要能治病的醫生了。

參考文獻

1. 王國維　戲曲考原，晨風閣叢書內。
2. 鄭振鐸　中國戲曲的第一期，文學大綱內，民22商務版。
3. 臧晉叔　元曲論，元曲選內，世界鉛印本。
4. 請醫，幽閨記，綴白裘第12集上海啟新版。
5. 施　惠　幽閨記，六十種曲第12册，民24開明本。
6. 老黃請醫戲考第13册。
7. 青木正兒　南戲之脚色，中國近世戲曲史，王古魯譯，民25商務版。
8. 請藥王
9. 王應遴　逍遙遊，盛明雜劇二集，民14武進董氏刻本。
10. 劉唐卿　降桑椹孤本元明雜劇，民30商務版。
11. 吳昌齡　張天師斷風花雪月，元曲選第175頁，民25世界本。
12. 葉憲祖　丹桂鈿合，盛明雜劇二集，民14武進董氏刻本。

13 阮大鋮　燕子箋，醉怡情雜劇內。
14 袁于令　西樓記，六十種曲第37冊，民24開明本。
15 萬樹　風流棒，擁雙艷三種內。
16 關漢卿　薩眞人夜斷碧桃花，元曲選第1684頁，民25世界本。
17 楊珽　龍膏記，六十種曲第44冊，民24開明本。
18　運甓記，六十種曲第26冊，民24開明本。
19 單本　蕉帕記，六十種曲第52冊，民24開明本。
20 梁辰魚　浣紗記，六十種曲第9冊，民24開明本。
21 孟漢卿　張孔目智勘魔合羅，元曲選第1368頁，民25世界本。
22 王仲文　救孝子賢母不認屍，元曲選第756頁，民25世界本。
23 關漢卿　感天動地竇娥寃，元曲選第1499頁，民25世界本。
24 嵇永仁　雙報答，奢摩他室曲叢一集。
25 湯顯祖　還魂記，六十種曲第38冊，民24開明本。
26 李文蔚　同樂院燕青博魚，元曲選第229頁，民25世界本。
27 徐元　八義記，六十種曲第36冊，民24開明本。
28 徐渭　翠鄉夢，盛明雜劇一集，民7武進董氏本。
29　孫眞人南極登仙會，孤本元明雜劇，民30商務本。
30 夏倫　南陽樂
31 蔣士銓　空谷香藏園九種內，漁古堂版。
32 粲花主　療妬羹，暖紅室彙刻雜劇傳奇第21種。

中華醫學史

范行準

一爲巫術之貶抑　漢自武帝巫蠱之獄後，巫術之事，深爲縉紳先生所厭薄，（案太史公史記扁鵲傳案語云：信巫不信醫，六不治也，亦感時傷事之言。亦有學者以此爲扁鵲語，恐誤。）醫懲世變，亦不敢肆行其術；且醫與巫漸成水火之勢，立言之士，多所詆排，故仲景自序有嗤鄙世士欽望巫祝之語。惟危迫之病，仍不免告窮歸天，而行其術者，如產蓐之病，多雜用巫覡也。

一爲崇尚刑名　漢宣帝頗以刑名繩檢天下，而不善太子元帝之柔仁好儒，自後諸帝，多稟元帝之風，由是名實眩亂，而漢終以是失國；獻帝以來，權臣柄國，崇尚刑名，刑名之學，循名控實，俘剪不根之說。晉後士大夫尤善持名理。夫秦漢以來，百家悉蒙陰陽五行之毒，獨名法能遠絕之，觀荀卿之譏子思，韓非之疾虛妄，可爲左驗。惟魏晉以後之醫家，亦頗濡染其風，陰陽五行之說，既少衰矣，巫術則已脫焉。（此實其大略耳，非真謂巫祝之術，已全絕也。宋羊欣之飲符水徐秋夫之鍼鬼，並以醫名而行禁術也。秋夫縛芻鍼鬼，大類印度闍婆吠陀，余別有說。）詳醫經之學，既滿紙陰陽五行，與名法大相違迕，故不爲魏晉以來之人所重，如黃帝素問至齊梁間始有全元起其人起而作注，雖仲景傷寒論名爲經方，亦以其論雜有陰陽五行諸說，故亦沈霾至唐中葉之初，孫思邈爲千金翼時，始獲見之，千金方謂江南諸師祕其書不傳者，僞言以爲重也。惟經方之學，旨在實効，與循名控實之名理相符，故魏晉以迄齊梁，經方本草之學獨盛，而醫經之學，幾不爲醫家所知，獨針術與經方並重耳。故藏象之學，頗爲時人所習，蓋針學必先了解人體、藏象、經絡、血脈、流貫之原委，然後始可下針砭也。

一爲士大夫綜習醫學　魏末何平叔夏侯太初之倫，侈陳名理，逮於晉氏，斯風大扇，于時醫家而爲士大夫者，有高平王叔和，安定皇甫玄晏二人。觀叔和脈經及所撰次之仲景書，皆粹然醫家者言，雖陰陽五行之說，未能盡湔，然其陳述故言，亦未嘗張皇其說也。及爲養生論，則頗持名理。玄晏所次甲乙經，則亹亹陳言，無所發露，然甲乙所述藏象、血氣、形相之說，猶不遠於事情，惟所爲解寒食散方，則尚名家之法也。洎永嘉之亂，褻衣南渡，冠帶之倫，多妙解經脈，二殷如淵源仲堪，胥位在分陝，並善經方，其事著在方策，不可誣也。至若穎陽范汪，句容葛洪，於醫尤戛戛獨造。二殷與范，皆以善言著於當世；獨葛憎嫉清言，以事驗爲歸也。故崇實驗、絕巫祝、持名檢，三者爲發皇經方學之主因。蓋以士大夫之綜習醫事，使承學之士，悱憤有作，故自晉宋以迄齊梁，名醫輩出，規制大備，此五朝醫學所以夐絕千古，盛極而無以爲繼也。

此外醫家門第之盛，亦以晉宋齊梁爲最；自晉入齊梁，江表取人，多以世族，醫之枋柄，亦歸世貴，草澤之醫，蓋罕聞焉。如宋之徐熙徐文伯，齊之徐之才徐嗣伯等，位列清顯，或侯或王，並以父子昆仲叔侄雲礽之行知醫；他若姚菩提、姚僧垣、姚最，王安上、王顯、李亮、李脩、李元孫等，亦各以父子孫曾兄弟知醫，且均翱翔雲路。蓋世不徒以三世之醫貴之，亦由魏晉以還，人重門第，晉宋又以孝治天下，人子必當知醫，如殷仲堪以父病耳聰，嫻習醫術，爲世著聞。然醫重門第，其弊乃至不肯降志爲貧賤持脈；殷浩有常所給使母病，給使恐浩不肯爲母視病，乃叩頭流血以求之。（事詳世說新語術解篇。案：章炳麟太炎文錄初編一，五朝學，以爲殷仲堪事，誤。）後世醫家診病猶存貴賤貧富之見，蓋非無因，雖世利爲人所恒有，其來未始與晉宋門第無關，宜後人著以爲戒也。

余常以中國醫者多未學膚受之士，以各承家技爲能事，宜范曄降醫於星卜之列，不豫儒家齒數；顏之推於父母疾篤始拜素日所賤之醫。（顏氏家訓風操篇云：父母疾篤，醫雖賤雖少，則涕泣而拜之，以求哀也。）至醫官之貶抑不齒於文臣之列，則始於北宋也。（樓鑰攻媿集卷十五序王作肅增釋南陽活人書。）故其中罕有通人，其著者又多不以醫爲素業者也。豈非以其言之無文，行之不遠，故不能保世滋大者乎？獨五朝之世，醫家具有前述之長，故能遠軼姬漢，下視金元，鬱爲斯學之鉅觀也。其中且有一二巨人長德，可與西歐諸哲互爭雄伯者，尋西歐醫中聖哲均推希波克拉提斯、亞里士多德等，惟吾土亦有葛洪范汪諸人，較挈長短，彼竟無以勝也。案彼土於醫，生理解剖，最所專擅，而詳述證候，使用方劑，彼竟有不及。葛氏又以爐煉爲化學之長，乃希亞二氏所不知，亞氏固以哲學爲彼土之雄，惟范氏亦善名理，推爲當時清言眉目也。至希亞二氏論醫不離四行，而葛范二人述證詳於用藥，於陰陽五行之說，多所脫略，此則爲長。彼土史家又以希亞二氏撰述弘富相誇，今姑不論如希氏全集多爲後人竄附僞託，即眞爲希氏書，亦無以勝；考葛氏抱朴子自序，計其著述，不下千卷，內醫書有百餘卷，故吾國史家，亦謂洪著述之富，江左絕倫。范汪所撰醫方、體例、菲晶諸書，亦不下千卷，然則固有超乎希亞二氏矣。世徒以不睹葛范二氏之全書，而輕爲優劣，豈不過乎？

惟晉宋以來之俗，亦有二弊；北朝崇佛而迷於報應，有災祈之寺門，有病祈之寺門，以冀玄感冥通，稍有徵驗，即以爲佛力所致，紛紛劖刻巖石爲象，以酧恩願，故雲岡伊闕，蓋是當日佞佛遺蹟。迤至隋唐，其風未衰，南朝崇尚玄理，士大夫如郗愔兄弟，王羲之父子之流，雖降志於緇流，然實溺於天師道，王氏父子並耆服寒食散，至呻吟枕席而不自痛；郗愔吞服符水，致有符紙爲癥之疾，詳世說新語術解篇。其後羊欣亦以符水治疾，秋洪以針茅治鬼，皆天師道也。蓋自張陵以來，天師道經數百年之孕育，其勢與釋氏並張。天師之劍璽，已代苗父之芻狗矣。要之，釋氏之報應，天師之符水，晉後已混於醫家，歷千百年而未絕，俱巫術之類耳。惟純粹之疾醫，取之不過略備一格而已，固未嘗如前古巫醫用爲治病之具，此其所異也。

五朝醫學，亦如文學之窮於天監，蓋中國醫學，至梁已駿極不可上矣，何則，以梁已前之醫學，各門不僅已備，且已臻瓜熟蒂落之境，隋唐以後，非無醫學也，然其意境不越齊梁，隋唐以後諸師，僅有引伸而已，衍其緒餘而已，彼巢元方、孫思邈、王燾之倫，俗問推爲隋唐醫學之巨子；然巢源外臺，體制類於書鈔，思邈之書，偶綴案語，亦雜糅道釋，至天師道禁解劾治之術，一再盈於卷軸，何其鄙倍耶？下至聖濟總錄諸書，並沿其失，巢氏之書，惟錄五朝以來諸師之病候，亦雜用道教內丹之說，王氏外臺，方證彙取，並著書名卷數，義例最爲醇謹。

三書搜緝繁富，同爲經方之寶藏，言中古醫學者，多取資焉。實現存五朝時代經方之結集，非盡隋唐之醫學也。自唐至宋，不墜其學，至和劑局方而臻其極。其時適有鼠疫大發，醫者睹此前古未有之患，自不勝其周章狼狽之概，於是金人張元素之流，乃倡古方不能治新病之說，經方遂不爲人所重，於是經方之學，與關洛陷於完顏。

十一　醫經之勃興

經方衰息之原因，厥爲鼠疫。因獷猛之鼠疫，經方不足以收拾之，故立新方以求治，而求其學理於久爲人所忘懷之醫經，此與十六世紀歐洲因鼠疫之橫行，而令當時醫家廢然捨去中世醫學，而重拾格林諸人之墜緒者相似，惟彼則棄虛求實，吾則卽僞去眞，此吾國醫學不競之轉捩點也。

今世所傳之黃帝內經，黃帝八十一難經，前者見於漢志，後者見於仲景傷寒論序，皆不失爲漢人所爲也。外此今所見漢人醫經尚有黃帝蝦蟆經，黃帝明堂經等書，並多殘缺。（二書今均有緝本。）然素問至齊梁間，始有人爲之注，靈樞則唐初楊上善作太素時，始合素問緝而注之，然難經在吳赤烏二年太醫令呂廣已爲之注，視注素問者且早二百許年；疑難經先行吳會，素問後入南方。否則，時人豈以難經重於素問耶？至靈樞原名九卷鍼經，皇甫謐剌取此書素問、明堂等，次爲甲乙，唐後始有其名，而顯於世者，則又在北宋耳。

惟內難之學，自漢至宋，其間注者，雖有數家，然千百年間，未聞學統；自金聊攝成無己始注傷寒論，亟稱引其書，始重於世，重以金天眷皇統間，鼠疫發於嶺北，延及燕薊，夫鼠疫新病也，不能以古方爲治，故張元素倡：「古方新病，不相能也。」之說，斯固有感而發也。然自元素片言，經方時代，倏焉告終，而醫經時代遂爾奠立。

然古方固不能治新病，而治新病又必須有其學理根據，在宋金理學最發達之時代，自極易構成一種新病之學理，以爲處方之準則，此種學理，亦必須如當時理學家之援證古說，乃求其病因於內難仲景諸書，以此爲天地之戾氣，而五運六氣之說，北宋時已爲沈栝諸人所倡導，此殺人如麻之鼠疫，適可視爲歲運太過之故，而獲其論證矣！然當時猶無學統之見也。

自成氏首以內難歲運之說，注解傷寒，後人又以運氣之圖，附其書以行，劉張朱李諸師，既生於理學發達之時代，丹溪且承白雲之學，自易受理學之濡染，而理學家又惟知自立壇坫爲名高者，金元諸師，尤而效之，故醫至金元，始成學統。

自北宋周敦頤作太極圖說後，至朱熹而理學始克完成，以道家之說，飾以易卦，尊孔孟而薄漢儒訓詁章句之學，未幾而門戶朋興，於是遂有各家學統。其太極、無極、動靜、陰陽、五行、八卦諸說，與醫家五運六氣之說，最易沆瀣一氣，醫者亦效宋儒尊周易孔孟諸書者，以尊內難仲景諸書，而薄魏晉以來之經方，其旨則不僅古方不能治新病已也。然周程顥、邵雍、張載所尊者，皆孔孟之道，而主敬、主靜之說不同，遂分濂、洛、關、閩諸統。劉張朱李諸師，皆主內難仲景諸書，其所記誦方書，不出三五種之外，其所摘發，又不出一卷之內，而主寒、主熱、主攻、主補，亦各不同，卽偶有引證他書，又必以合其所主之說爲準的，其後學統既成，河間既薄易水，東垣又譏戴人，彼此糾彈，遞相瘡痏；是又何異朱程陸王之爭耶？

惟金元諸師，既以內難諸書爲議病論藥之準則，使學人有所依據，學者猶科舉時代之帖括，必遵其程式，無復騁其逸足，而能求經驗於內難諸書之外也。因此，其所被尊之經方，如仲景諸書，亦用陰陽五行之說，以明其理，故經方之學，至是而入醫經之域。

夫既有學統，卽有偏狹之見，彼金元諸師，主寒、主熱、主攻、主補，皆偏狹之見也。然醫家偏狹之見，不自金元諸師始，千金方已有論之。及宋蜀人石藏用，餘杭陳承，並以醫鳴於宣和間，石喜用熱藥，陳喜用寒藥，而皆愈病，時人爲之諺曰：藏用擔頭三斗火，陳承篋裏一盤冰。見方勺泊宅編下 二氏用藥雖持極端，特未立學說耳。其立說者，則有同時錢乙、陳文仲，錢陳二人，並以小兒醫鳴於北宋，其治痘也，錢主用涼劑，而陳主用熱藥。金趙秉文贈張子和，亦引初虞世說，謂吳越之地頗喜溫熱之藥。然初未有學統之見也。至元初朱彥脩橫議其間，於是宗朱者，遂以朱之優劣爲優劣矣。

元明以來，醫家門戶之見益深，學者亦以其學統之盛衰而定其優劣，初不計其病之情僞，藥之寒熱，與其所持之議論相合否也。自明季以迄清初，頗崇樸學，醫家於門戶之見，固未盡泯，而亦有一二振奇之士，不爲金元舊說所囿者，爲東吳吳又可，蘇人徐大椿，玉田王清任，山陰陳遠公等，頗多刊落陳言，別創新境。大略則不遠於經方。獨吳閶葉桂，雖言宗仲景，而方案以側媚取容，披猖江左，餘風歷數百年而未已，然實亦取法金元，惟知逞意立方也。

十二 醫學之窒息

由上觀之，中國醫學，其歷史有可異之點，卽致用之經方，至第五世紀已無進境，窮理之**醫經**，至東漢已臻成熟，然**邈無緒統**，虛懸千有餘年，始有學統可稽。此其史迹，與他國迥殊，**尤**與西洋醫學之史迹相反：

案希臘之四元說，由層累而成；達雷士主水，亞諾芝曼德主土，亞曼芝曼尼主風，赫拉克里特士主火；至恩比多立出，始折衷四家之說，而以萬物由地、水、火、風、四元素之離合聚散而成，故四行之說，非創于一人一時也。諸創說者，俱在紀元前五六世紀左右，卽吾國自周襄王至周元王時之人也。此與中土始則五行並重，終則重一行以平衡四行者，其離合之迹適相反也。然亦有相似之處；歐洲自紀元四七六年西羅馬帝國之亡，迄一四五三年東羅馬沒落前之一千年間，稱爲黑暗時代。醫學亦沈霾於四行液體說，且醫之人物庸俗猥瑣，竟無學術可言，至文藝復興時代，始革除舊命，而復格林諸人之學說。自後卽步上科學坦途，而吾國醫學，自十二世紀初以迄清之鼎命淪胥，約七百餘載，俱浸淫於金元諸師之說，長夜不旦，又與歐洲文藝復興以前之醫學同矣。

雖然，學術之道，多分虛實兩途，明理之道，虛也，而屬於學；致用之道，實也，而屬於術。醫經明於學而不詳於術，經方明於術而不詳於學，惟金元諸師，能代術以學，于學中求其術，卽先從原理中定一法則，更從法則中求一治法，在學術之方法言，金元諸師實較以前醫家爲進步。惟吾國因自然科學之不進步，醫學豈能獨前，雖翻破內難仲景之書，又何能救其空疏之弊？是以金元醫學，雖有學統可紀，正惟因有學統，不免師範故言，故摘索不出一卷之內，馳騁不越勝生之外，蓋惟離經叛道之是懼焉，雖更歷千萬年，其於舊說理論，或更圓鎣，然於治病之實際，寧有毫末之補哉？

嘗觀近世西洋醫學之特徵，固亦代術以學，然其學理，能與實際疏通證明，不憑思辨之臆說，與經驗之緣由，依自然法則之趨勢，而次第進展焉。蓋其所憑者，爲物理學中之顯微鏡，生物學中之解剖等；而金元諸師所憑者，除內難諸書外，爲周易之八卦，道家之無極、太極等，故終成土飯塵羹之局耳。蓋雖用同一方法，然一爲形下者，一爲形上者，故同塗而異歸。

抑余觀金元諸師，依傍理學，溺志玄言，循虛責實，期反古初，欲於舊說中求新法，而糟粕前人歷經試驗之方。家自以爲盧扁，人自以爲張華，躊躇滿志，不復他求。皇甫玄晏曰：非生而知之，試驗亦其次也。金元以降諸師，旣無生知之聖，何又下視試驗也？

今依吾國醫學發展之迹，史前醫學而外，次經方醫經爲兩時代，用爲全書綱領；以醫經爲窮理之學，經方爲致用之學也。吾國醫學，自有史以來，年歲雖邈，著述雖繁，尋其緒言，猶未越此二途也。

元稹的詠病詩

耿鑑庭

(一)引言

余雲岫先生敍釋名病釋曰：

「余欲上窺周秦兩漢病名，泛覽羣籍，常苦其解釋簡略，難以臆斷，獨劉熙釋名，稍有範圍可守，爰先作是篇，而以方言、廣雅、說文、爾雅、繼之。庶幾經子之病名，或可得其略於十一歟。」

先生本此宗旨，先後成釋名病釋，方言病疏，爾雅病詁，說文病解，等篇、若干名辭，經先生引今證古，使讀者瞭如指掌，開卷豁然，乃研究中國醫學之根本方法。鑑讀之，獲益良多，每擬循此途徑，而作進一步之工作，苦無目標可尋；但素喜讀詩，每見詩中詠病之作，形容畢肖，非任何舊有醫書記載之所能及，且有與近代學理暗合之處，如杜工部寄高岑三十韻中有云：

『三年猶瘧疾　一鬼不銷亡　隔日搜脂髓　增寒抱雪霜』

觀隔日搜脂髓一語，與新說殊爲巧合，蓋人身之血球，多產生於骨髓，瘧原蟲分裂之際，爭尋新血球而居，杜說雖爲形容臆測之辭，但頗合近代學理。因擬仿倭邦吉益東洞、古書醫言、尾台士超、醫餘之作，將余平日所讀到之詩，其句有關醫藥疾病者，悉數摘出。每遇會意處，輒加評語或箋註。但一人之時間有限，欲博覽而完全摘出，勢非短期所能辦到，無已，祇可以人爲綱，分別摘錄，此舉可獲下列各點：

(1)可以見當時社會情形，及關於醫藥之風俗習慣。

(2)可與史書及醫籍，互證疾病流行史。

(3)可知該作者之一身患病情形。

(4)間有一二俊句，可與近代學理吻合，證明古人之思想，並不落後。

所以借元稹發軔者，一因元氏工愁善病，二因元氏詠病之作較多，(白香山與元氏同時，集中詠病之作尤多，第二篇擬耑輯白氏之作。)三因元氏贈郭道士詩中，有涉及黴米致脚氣之說，較鈴木梅太郎之發明，尚早一千餘年，(其詳見後)其他名家詩句，將次第摘出加按，詩多者，每人一篇，詩少者，合同一時代之數人爲一篇。待將來粗具端倪，或可克繼余先生大作之後，別備一格云。

(二)元氏略傳

舊唐書元稹傳，內收其遺著若干篇，文繁不易摘錄。新唐書雖較簡略，仍不脫舊唐書窠臼，茲爲便利計，將全唐詩元氏小傳摘出，以其簡而明也。

『元稹，字微之，河南河內人。幼孤，母鄭賢而文，親授書傳。舉明經書判入等，補校書郎。元和初，應制策第一，除左拾遺，歷監察御史。坐事貶江陵。士曹參軍，徙通州司馬，自虢州長史，徵爲膳部員外郎，拜祠部郎中，知制誥。召入翰林，爲中書舍人，承旨學士。進工部侍郎，同平章事。未幾罷相，出爲同州刺史，改越州刺史，兼御史大夫，浙東觀察史，太和初，入爲尚書左丞，檢校戶部尚書，兼鄂州刺史，武昌軍節度使。年五十三卒。贈尚書右僕射。稹自少與白居易唱和，當時言詩者，稱元白號爲「元和體。」其集與居易同名「長慶」』 鑑案：江陵：在今湖北境。虢州：在河南靈縣境。越州：今浙江紹興。通州：唐時之通州，卽今四川達縣。同州：今陝西大荔縣。鄂州：今武昌。

(三)元詩詠病之句摘錄

元氏長慶集，詩之部份，依體分類，並非編年。除詩中有顯明記載者外，往往不能辨其爲何時何地所作。玆將摘出之句，依其性質，略分爲若干類。

甲、應特別提出的一句詩

昔年我見柸中渡，今日人言鶴上逢，兩虎定隨千歲鹿，雙林添得幾株松，方瞳應是新燒藥，『短脚知緣舊施春。』（原註云：「昔僧時，先有脚疾。」）欲請僧繇遠相畫，苦愁頻變本形容。（元氏長慶集，卷十一。和樂天尋郭道士不遇，原註云：「昔常爲僧，於荊州相別。」）

玆再從白氏長慶集卷十七中，將尋郭道士不遇一首，錄出：

郡中乞假來相訪，洞裏朝元去不逢，看院祇留雙白鶴，入門唯見一青松，藥爐看火丹應伏，雲碓無人水自舂。（原註云：「廬山中雲母多，故以水碓搗練，俗呼爲雲碓。」）欲問參同契中事，更期何日得從容。

元詩第六句，『短脚知緣舊施春』一語，鄙意覺其與徽米致脚氣之說類似。因不諳佛學，「舊施春，」是否爲佛學名辭，不得而知，查之於佛學辭典中，亦無所獲，乃舉以叩諸丁福保老先生。（先生乃吾師陳邦賢先生之師。）此句是否可譯作白話，『我知道你的脚病？是因爲吃了舊日人家布施的陳米。』抑另有別解。後得覆示，大意謂：「這樣解釋，一點不錯。」如此，則徽米致脚氣之說，不待鈴木梅太郎，唐時詩家，卽已推測知之矣。

乙、瘴瘧

元氏長慶集中，詠病之最多者，莫瘴瘧若。（瘴氣。據近人研究，卽惡性瘧。）元氏受其魔難，恐亦最久。蓋元氏宦遊之地，多在黃河以南瘧疾流行之地，據卷十一，酬樂天東南行詩一百詠，序中有云：「到通州後，……予病瘧將死。……」可見在通患瘧，最重，蓋通州地處巴東，氣候炎蒸，土壤卑溼，故易令人患瘧。當時尚無撲殺胞子蟲之特效藥，故屢發屢愈，往往經若干年而不能脫體。日久貧血虛羸，故詩中多記衰弱症像。玆將詠瘧之作，摘錄於下，庶可見其一斑。

肌膚無瘴色，飲食康且寧。卷一思歸樂 鑑案：此二句，爲羨慕趙工部年高拔涉南方，未爲瘴染。

炎瘴不得老。卷二陽城驛

江瘴氣候惡。又苦雨

瘴侵新病骨，夢到故人家。卷八酬樂天見憶兼傷仲遠

服藥備江瘴，四年方一癘，豈是藥無功，伊予久留滯。滯留人固遠，瘴久藥難治，去日良已甘，歸途杳無際。卷七遣病十首之一

病賽烏稱鬼，巫占瓦代龜。原註云：「南人染病，競賽烏鬼。楚巫列肆，悉賣瓦卜。」連陰鼃張王，瘴瘧雪醫治。原註云：「并作難治，終冬往往無雪。」卷十酬翰林白學士代書一百韻

瘴江乘早渡，毒草莫輕芟。卷十一送侍御之嶺南 鑑案：此因久受瘴魔，故以經驗之語，警告行客。

護落因寒甚，沉陰與病偕，藥囊堆小案，書卷塞空齋。脹腹看成鼓？形羸瘦比柴，道情憂易釋，溫瘴氣難排。治櫨扶輕杖，開門立靜街，耳鳴疑暮角，眼暗助昏霾。……被冷東筋骸，畢竟圖斟酌。先須遣癘痎。原註云：「瘴瘧之徒。」……卷十一痁臥聞幕中諸公徵樂會飲因有戲呈三十韻 鑑案：此因久瘧，故現脾臟腫大，貧血，視聽力障礙，足腫，等等症候。

我病方吟越，君行已過湖，原註云：「元和十年，閏六月，至通州染瘧危重。」詩序中則作「瘧病將死」。坐痛筋骸憯，旁嗟物候殊，……欲令仁漸及，已被瘧潛圖。……瘴窟蛇休蟄，炎溪暑不阻。……光陰流似水，蒸瘴熱於爐。卷十二酬樂天東南行詩一百韻

自傷魂慘阻，何暇思幽玄。原註云：「積病瘧二年，求醫在此，滎陽公不忍歸之瘴鄉」。……閑痛苦相煎。卷十一獻滎陽公五十韻

紫河變鍊紅霞散，翠液煎研碧玉英，金籍眞人天上合，鹽車病驥軛前驚，愁腸欲轉蛟龍吼，醉眼初開日月明，唯有思君治不得，膏銷雪盡意還生。卷十七 予病瘴樂天寄通中散碧腴垂雲膏仍題四韻以慰遠懷開拆之間因有酬答

自笑今朝誤夙興，逢他御史瘧相仍，過君未起房門掩，深映寒窗一盞燈。卷十一 晨起送使病不行因過王十一館居二首之一

雨滯更愁南瘴毒，月明兼喜北風涼。卷二十 夜坐

病瘴年深渾禿盡，那能勝置角頭巾，暗梳蓬鬢羞臨鏡，私戴蓮花恥見人，白髮過於冠色白，銀釘少校頷中銀，我生四十猶如此，何況吾兄六十身。卷二十 三兄以白角巾寄遺髮不勝冠因有感歎 鑑案：此因患瘧日久，而貧血虛羸。

秋茅處處流痎瘧，夜鳥深深哭瘴雲，羸骨不勝纖細物，欲將文物却還君。卷二十一 酬樂天寄生衣

瘴塞巴山哭鳥悲，紅妝少婦斂啼眉，殷勤奉藥來相勸，云是前年欲病時。卷二十一 瘴塞

丙、衰弱

元氏之衰弱，恐多半因瘧而致，與詠瘧之句聯貫者，已摘入乙項瘴瘧類中，茲將未明言因何而致之衰弱詩句，另摘爲一類。

我年三十二，鬢有八九絲，非無宦次第，其如身早衰。卷五 寄隱客

春來筋骨瘦，弔影心亦迷。卷六 三歎 鑑案：此借驥而比擬自身之句。

清晨頮寒水，動搖襟袖輕，翳翳林上葉，不知秋暗生。迴悲鏡中髮，華白三四莖，豈無滿頭黑，念此衰已萌。卷七 解秋十首之一 三十鬢添霜。又其三 況我頭上髮，衰白不待年。又其十

憶初頭始白，晝夜驚一縷，漸及鬢與鬚，多來不能數。壯年等閑過，過壯已十五。華髮不再青，勞生竟何補。卷七 遺病

簷宇夜來曠，暗知秋已生：，臥悲衾簟冷，病覺肢體輕。卷七 遣病十首之八

我病百日餘，肌體顧若刲，氣塡暮不食，早早掩竇圭，卷七 感夢

髀股惟夸瘦，膏肓豈暇除。卷八 哭呂衡州六首 鑑案：此乃敍述呂氏之衰弱情形，故亦附錄於本欄中。

今日再來衰病身。卷八 褒城驛

虛過休明代，旋爲朽病身。卷十 代曲江老人百韻 鑑案：此爲元氏年十六時作，非詠自身者也。

多病苦虛羸，晴明强展眉，讀書心緒少，閑臥日長時。卷十五 晴日

病惛燈火暗，寒覺薄幃空。卷十五 景申秋八首之四 病苦十年後。又其八

問人知面瘦，祝鳥願身輕。……飢饞看藥忌，閑悶點書名。卷十 二十二 病減逢春期白 卒大不至十韻

我今因病魂顚倒。卷二十 酬樂天頻夢微之

前途何在轉忙忙，漸老那能不自傷？病爲怕風多睡月，起因花藥暫扶床。……卷二十一 酬樂天歎損傷見寄

丁、視力障礙

病來雙眼暗，何計辨雺霏。卷四 浮塵子

病眼厭看書。卷十五 景申秋

滿眼文書堆案邊，眼昏偸得暫時眠。卷十七 望喜驛

書得眼昏朱似碧，用來心破髮如絲。催身易老緣多事，報主深恩在幾時。卷二十二 自歎寄樂天

觀以上數則，可知元氏不但視力障礙，且患色盲。

戊、失眠

炎昏豈不勌，時去聊自驚，浩歎終一夕，空堂天欲明。卷七 遣病

元稹的詠病詩　　一一九

强眠終不着，閑臥暗消魂。（卷十五 景申秋八首之三）

酬君十首三更坐，減却當時半夜愁。（卷十八 酬李孝甫見贈）

唯將終夜常開眼，報答平生未展眉。（卷九 遣悲懷）

己、頭風

忽然寢成夢，宛見顏如珪，似嘆久離別，嗟嗟復悽悽，問我何病痛，又歎何栖栖。答云痰滯久，與世復相暌，重云痰小疾，良藥固易擠。前時奉橘丸，攻疾有神功，何不善和療，豈獨頭有風。（原註云：「予頃患痰頭風，踰月不差，裴公教服橘皮朴硝丸，數月而愈，今夢中復徵前說，故盡記往復之詞。」）殷勤平生事，款曲無不終，悲歡兩相極，以是半日中。（卷七 感夢）

頓愈頭風疾，因吟口號詩。（卷十四 酬李十六醉後見寄口號）

風頭難着枕。（卷十五 景申秋）

天暖癢頭風。（卷十五 生春）

鑑案：頭風之疾，古醫書記其症候，頗爲廣泛。主要者，爲頭痛，眩暈，等症。其中包含之病至廣。元氏之頭風，依余武斷解釋，恐即高血壓之頭痛，何以知之，以元氏少年豪飲，晚年畏酒，推測而知之。患高血壓症者。飲酒後，必增加痛苦。其天暖癢頭風一語，或兼有皮膚病歟，茲將忌酒之詩句錄出，以證吾說。

昔在痛飲場，憎人病辭醉，病來身怕酒，始悟他人意。怕酒豈不閑，悲無少年氣，傳語少年兒。盃盤莫迴避。（卷七 遣病十首之四）

昔愁頻酒遣，今病安能飲，落盡秋槿花，離人疾猶甚。（又其十）

逢酒判身病。（卷十四遣春之一）

杯酒病中難。（又其二）

醉伴見儂因酒病，道儂無酒不相窺。那知下藥還沽底，人去人來剩一巵。（卷十八病醉）

顛狂酒興病來孤。（卷十六送友封二首）

病妨杯酒負春風。（卷十九盧評事子蒙）

多緣老病推辭酒。（卷二十二和周從事詩）

庚、足腫

治尰扶輕杖。（卷十一痁臥聞幕中諸公徵樂會飲）鑑案：說文云：「脛氣腫，本作瘇。」徐曰：「下溼地則生此疾，今文作尰。」

何處生春早，春生老病中，土膏蒸足腫。……（卷十五生春）

扶床履地行。（卷十病減逢春期白辛不至十韻）鑑案：此敍述病後足腫，不良於行之現象，觀此詩之後半截，尙有飢饞看藥忌一語，可知其足腫，實因忌口而缺乏乙種維他命所致之症象，前述之視力障礙，或即因忌口而缺乏甲種維他命歟，又卷七感夢一詩中，有陰寒筋骨病之句，恐即四肢疼痛，行動為艱之意。

辛、日光浴

病與窮陰退，春從血氣生，寒膚漸舒展，陽脈乍虛盈。就日臨階坐，扶床履地行。（卷十病減逢春期白辛不至十韻）

病翁閑向日。（卷十五生春）

壬、其他

主人一朝病。……主人病心怯。……卷一大鵞鳥

神醫不言術，人瘼曾暗瘳。卷二陽城驛

予亦觀病身，色空俱疾寞。卷五楊子華畫三首

雌一守命門，迴九填血腦，委氣榮衛和，咽津顏色好。卷六和樂天贈吳丹

棄置何所任，鄭公憐我病。卷七遣病之二

在家非不病，有病心亦安，起居甥姪扶，藥餌兄嫂看，今病兄遠路，道遙書信難，寄言嬌小弟，莫作宦家官。又其六

……庭涉病看長，林果閑知數，何以强健時，公門日勞驚。又其十

自古誰不死，不復記其名，今年京城內，死者老少幷。……以此方我病，我病何足驚。卷七遣病

……

擺折成病痾。卷七和李相公慈竹

病夫空自哀。卷九城外回謝子蒙見論

病是他鄉染，魂應遠處驚，山魈邪亂逼，沙虱毒潛嬰。冊約看宵辨，余慵療不精，欲尋方次第，俄値疾充盈。……舊衣和篋施，殘藥滿甌傾，乳媼閑於社，醫僧婗似醒。……卷九哭女樊四十韻

鄉思病難裁。卷十二酬盧祕書

病宜多宴坐。卷十四憫惲三首寄胡果

病來閑臥久，因見靜時心，殘月曉窗過，落花幽院深。望山移竹塌，行藥步墻陰，車馬門前過，遙聞哀苦吟，卷十四 春病

閑徵藥草名。卷十四 夜飲

閑聰老覺時。卷十五 雪天

病憎燈火暗，寒覺薄幃空。卷十五 景申秋

病儻更借出，羸馬共馳聲。卷十五 遣行

病同又同聲。卷十五 遣行

何處生春早，春生老病中。……似覺飢膚展，潛知血氣融。卷十五 生春

共作洛陽千里伴，老劉因疾駐行軒。卷十六 與太白同之東洛至櫟陽太白染疾駐行

莫笑風塵滿病顏，此身原在有無間。卷十八 酬李孝甫見贈

萬里長鳴望蜀門，病身猶帶舊瘡痕。卷十九 病馬詩

嬾成積疹推難動。卷十九 盧評事子蒙

垂死病中仍悵望。卷二十四 聞樂天授江州司馬

病覺今年晝夜長。又 送盧戡

病煎愁緒轉紛紛。卷廿一 酬樂天嘆窮愁見寄

當年此日花前醉，今日花前病裏銷，獨倚破簾閑悵望，可憐虛度好春朝。又 酬樂天三月三日見寄

懼聾摘耳，効痛嚬眉。卷二十三 君莫非

近來如此愚漢者，半爲老病半埋骨。卷二十四 縛戎人

癸、蟲豸詩

蟲豸詩，乃元氏宦遊通州時今四川達縣所作。備述當地毒蟲害人之情形，及一般療法。乃研究風土病者之良好參攷。特摘錄其有關部份爲耑章，該詩計二十一章。前冠總序，略云：

『通之地，叢穢卑褊，烝瘴陰爵，焰爲蟲蛇，備有辛螫，蛇之毒百，而鼻褰者尤之，蟲之輩亦百，而蝨、蟆、浮塵、蜘蛛、蟻子、蛒蜂之類，最甚害人。其士民具能攻其所毒，亦往往合於方籍，不知者，遭輒死，余因賦其七蟲爲二十一章，別爲序以備瑣細之形狀，而盡藥石之所宜。』

巴蛇　原序云：「巴之蛇百類，其大蟒，其毒褰鼻，蟒人常不見，褰鼻常遭之，毒人則毛髮皆豎起，飲溪澗而泥沙盡沸。驗方云：攻巨蟒，用雄黃煙被其腦則裂，而鸛鳥能食其小者，巴無是物，其民常用禁術制之，尤効。」

巴蛇千種毒，其最鼻褰蛇。……噴人豎毛髮，飲浪沸泥沙。……卷七 巴蛇 三首之一

雄黃假名石，鸛鳥遠難籠，詎有隳腸計，應無破腦功。又 其二

蛒蜂　原序云：「蛒，蜂類而大，巢在褰鼻蛇穴下，故毒螫倍諸蜂，螫中手足，輒斷落，及心胸，則圮裂，用他蜂中人之方療之，不能愈，巴人往往持禁以制之，則差。」

巴蛇巢窟穴，穴下有巢蜂，近樹禽垂翅，依原獸絕蹤，微遺斷手足，厚毒破心胸，昔甚招魂句，那知眼自逢。卷七 蛒蜂 三首之一

蜘蛛　原序云：「巴蜘蛛大而毒，甚甚者，身邊數寸，而蹄長數倍其身，網羅竹柏盡死，中人瘡痏潗淫，且痛癢倍常，用雄黃苦酒塗所嚙，仍用鼠婦蟲食其絲盡，輒愈，療不速，絲及心，而療不及矣。」

稚子憐圓網，佳人祝喜絲，那知緣暗隙，忽復嚙柔肌，毒腠攻猶易，焚心療恐遲，看看長妖緒，和扁欲漣洏。（卷七 蜘蛛三首之三）

蟻子　原序云：「巴蟻衆而善攻欂棟，往往木容完具，而心節朽壞，屋居者不省其微，而禍成傾壓。」

蟻子生無處，偏因溼處生，陰霪煩擾攘，拾粒苦囂譁，牀上主人病，耳中虛藏鳴，雷霆翻不省，聞汝作牛聲。（卷七 蟻子三首之一）

蟆子　原序云：「蟆，蚊類也，其實黑而小，不礙紗縠，夜伏而晝飛，聞柏煙與麝香輒去，蚊蟆與浮塵，皆巴蚍鱗中之細蟲耳，故嚙人成瘡，秋夏不愈，膏楸葉而傅之，則差。」

蟆子微於蚋，朝繁夜則無，毫端生羽翼，針喙噆肌膚，暗毒應難免，羸形日漸枯，將身遠相就，不敢恨非辜，（卷七 蟆子三首之一）

浮塵子　原序云：「浮塵，蟆類也，其實微不可見，與塵相浮而上下，人苦之，往往蒙絮衣自蔽，而浮塵輒能通透及人肌膚，亦巢巴蚍鱗中，故攻之用前術。」

可歎浮塵子，纖埃喻此微，寧論隔紗幌，并解透綿衣，有毒能成痏，無聲不見飛。（卷七 浮塵子三首之一）

但覺皮膚憯，安知瑣細來，因風吹薄霧，向日誤輕埃，暗嚙堪銷骨，潛飛有禍胎，然無防備處

，留待雪霜攙。又其三

蟲　原序云：「巴山谷間，春秋常雨，自五六月至七八月，雨則多蟲，道路羣飛，噬馬牛血及蹄角，且暮尤極繁多，人常用日中時趨程，逮霜雪而後盡，其嚙人，痛劇浮蟆，而不能毒，留肌故無療術。」

陰深山有瘴，溼蟄草多蟲，衆噬錐刀毒，羣飛風雨聲，汗粘瘡痏痛，日曝苦辛行，飽爾蛆殘腹，安知天地情。卷七蟲三首之一

……博牛皮若截，噬馬血成文，蹄角尙如此，肌膚安可云。又其二

（四）餘論

本篇匆促草成，漏誤在所難免。若干有關書籍，未暇遍檢，卽元氏之小集十卷，亦未能寓目。（一說已包括於坊本六十卷中）又元氏之墓志，不知何人所作，何病致死，其中或有記載。（此等事實，史書往往不載，但墓志中間或可稽。）暇當求之於中唐以後之各家耑集中。更擬傍搜博採，爲本篇之增補及修正云。

（完）

醫史卮言

核堂

脚氣

偶讀日人鈴木梅太郎維他命一書，(日本昭和十八年東京日本評論社出版)其第一章維他命概說中，備述因食白米而致脚氣，遂研究其原因，而發見維他命之經過，(案維他命爲文克(Funk)所命名後亦譯爲維生素，鈴木所發表於化學雜誌時命名爲(Oryzonin))鈴木遂自居發見維他命之第一人。然他書言發見此物者，遠則推一九〇六年霍布金(F.Gowland Hopkins)，近則推文克，都不言鈴木爲首功也。(鈴木自謂其論文發表於一九一一年三月之日本化學雜誌第三十二卷第四期，而文克之論文，則在同年十二月。論時間，鈴木發見維他命確在文克之前，而撰醫史者，盛張文氏功績，而不一題鈴木之名，或有門戶派別之見乎。)惟米類能致脚氣，其事在初唐已有人言之。考宋唐愼微大觀本草卷二十五黍米，掌禹錫引孟詵云：「不得與小兒食之，令不行。若與小貓食之，其脚便踻曲不正；緩人筋骨，絕血脈」。又卷二十六稻米，引陳藏器云：「糯米性微寒。……久食之，令人身軟。黍米及糯，飼小貓犬，令脚屈不能行，緩人筋故也」。案：黍與秫同，劣於糯米，北方呼爲黃米。

詳孟詵爲孫思邈弟子，著有食療本草，必効方各三卷。予俱有輯本。其生卒日月雖不能確知，然據舊唐書所載，謂死於開元元年年九十三。上溯生年，蓋生於武德四年，即西紀六二一——七一三年間人也。禹錫所引孟氏之文，蓋出食療本草。查愼微書載嘉祐本草時，有稱引詵爲同州刺史，則食療當撰於長安四年(西紀七〇六)之後，以詵於武后長安四年爲同州刺史也。至陳藏器云云，蓋據孟氏之說耳。考藏器四明人，爲開元中京兆府三原郡縣尉，其書當撰於開元間，知至遲亦在七三〇九年以前事。距今已一千二百餘年矣。

孟詵以黍米作爲動物試驗，其情狀絕類今日之動物試驗，其精神眞卓然可傳者，雖人代冥滅，而遺說猶存。惟後此學者未能搜其說於行間書縫之中，以發揚前哲幽隱，遂使今之學者冥索夜行久，而始獲其情。苟鈴木諸人先能參此文獻，或能早悟其因，而維他命發見權自可拔纛先登矣。

予久蓄此事於胸中，而稽懶未筆之於紙，頃讀耿君元稹詠病詩，有似本年某君在大公報據杜少陵詩以研究其患肺病一文之例，時有異解，而文中特提元氏詩：「短脚緣知舊施春」謂即由徽米致脚氣病說之首出者，以證明早於鈴木氏一千餘年，今茲所見者，又早於元氏數百年。以知史源之事，不易追徵；彼事物紀原，壹事紀始等書所說，就今日所知，亦多可重寫也。

或云，孟詵既為孫思邈弟子，而孫氏千金翼方，不有穀白皮粥，防脚氣方，此穀白皮非米皮之類乎？若然，又在孟氏前矣。予曰，此予友李君失檢致一再傳誤也。穀也，非穀也，穀亦名構，古多與楮為一物，故本草經楮實一名穀實。史記封禪書云：「有桑穀生於廷」漢書郊祀志上引之，師古曰：「穀即今之楮樹也其字從木」。今知與楮為異科，乃高二三丈之落葉喬木屬於桑科植物也，如何能與草本植物之穀相混乎？

又詳鈴木原書所述試驗者乃用白米而非黴米，或陳米，耿君謂其用黴米陳米，豈別有所據也？至丁福保先生答耿君施春之義云云，亦漫爾應質耳，非眞知其意者。案溫飛卿集外詩卷九宿秦生山齋詩有云『行解無由發，曹溪欲施春』知施春即施米之謂，猶給廩即給米之意；可不煩他解，則元詩『舊施春』可解為『舊日施米』之意。予查無錫華純甫為丁氏編譯之佛學大辭典，確無此詞，宜丁氏之漫爾應質也。

雖然，世所重霍文諸氏者，為其發見維他命乙，而非發見食米與脚氣關係，否則荷蘭阿夷克曼（Eijkman）在一八九七年已知以白米試之家雞矣。思至此又不覺嗒然若喪也。因讀耿君之文，遂漫記於此。

巫之起源及其在西陲之近况

曾德馨

「毉」字古從「巫」；巫之義，祈禱也。秦漢以前，毉無專術，疾病災禍，悉問鬼神，祈禱之事，惟巫是求；巫師禳誦，遂成專業。上古有巫彭作醫，爲人祈禱治病，是爲吾國有巫之始。商之時，有巫咸爲相，明著於尙書君奭篇。列子稱爲神巫，謂其「知人生死存亡，期以歲月如神」，而史記正義、越絕書、呂氏春秋等書，均各紀說其事，自非神話可比。

巫咸以祈禱，且列官於朝；當時民俗風尙，對於巫覡信祟之深，可以想見。

春秋時，齊侯召桑田巫，有病在膏肓之診。晉侯求神巫視疾，有不食新麥之斷。其他如，申公巫臣，巫馬期，巫陽等，是皆載之正史，散佈列國，而儕於士大夫之林者。自是而後，巫師之潛勢，不但深入民間，而且普及各社會。

巫師於祈禱之前，多使邪說，自謂能爲人禍福。於藉術斂財之外，往往貽誤人命，亦曾爲明智之士加以禁制。魏國鄴令西門豹曾投巫於鄴水以絕民禍，史記紀其事甚詳。漢武帝戾太子之獄，亦巫蠱所構成，殺人無算，社會懼之。在當時社會，自好之士，雖未明顯的薄絕巫師，而戒懼之心，則爲一般所同，所謂敬鬼神而遠之，已爲大多數之態度。秦漢以後，毉學日益昌明，巫師已成不能藉治病立足之勢，乃專以趨鬼遣神，以愚邊鄙之民，而畫水書符爲人療疾者，正史已不多見。

西南川滇黔，地接蠻荒，開化較遲，至今仍有巫師存焉。川俗呼巫師曰「端公，」業此者大都世傳，稱家長曰「掌壇師」；各於其門張挂堂名，如「祈福堂」「保安堂」之類。堂中供奉偶像，小者四五寸，大者尺餘，神類有數百種之多，凡封神演義所有者，幾莫不備焉。

成都一隅，尙有巫二十餘家，散佈各街巷。平日以畫符呪水爲業。例如人家六畜不安，小兒夜啼，住宅不淨，等等；迷信婦女，往往請巫師畫符籙數紙，貼於門楣，以却邪祟。遇有病人沉危，醫師表示不治者，輒請巫師設壇禳誦，以盡最後人事。凡求巫師禳誦者，大都知識淺薄之流，而士大夫之家，則鮮見之。

巫師到病家禳誦，其法頗似北方之跳神。入門先設香壇，張挂滿繪鬼神之立軸數幀；旁置鑼鼓。巫師少者三人，多者七人至十五人，視法事種類而定必要人數。主要法事，爲「接神」「禳星」「接壽」「砍心神」「破關」「勸鬼」「送茅」「施孤」「渡花」「逐祟」「收鬼」「拜星」「拜斗」等類。

禳誦有大小之分：小禳誦不過三五人，擇法事中之重要(如「接壽」「勸鬼」「送茅」之類)數種行之。每一巫師主一法事。大禳誦人數增加。法事多少，亦視人數定之。每行法事，輒通夜擾嚷，隣舍咸受其擾。往往有巫師尚未離門，病人即已死去者，蓋震撼不寧所致也。

人家有舉行禳誦者，親友皆須送香燭紙帛，名曰「交神」。優裕之家，且須備酒餚以餉送禮者，名曰「吃保符酒」，是亦情禮往來之另一格，鄉村尤重視之。雖然，習俗未能盡除，而巫業則日趨沒落。際此科學昌明之世，既不能藉符籙治病以自立，更無深厚玄哲之義理，徒以鬼神二字標榜，天然淘汰，自無疑義，其不能容於社會，只時間性耳。

近年以來，頗多學者以講究玄哲之學，而涉及靈魂。不學之徒，最易牽混。巫師中亦頗有藉新說以濟其術者，是則爲害社會之大，恐將甚於往昔。甚望講靈學者，多向科學途徑深求，不妄立虛渺之談[illegible]爲社會文化障礙，則巫之害，可不除而自絕也。

中國醫史文物展覽會記

丁濟民

一九四七年五月八日，中華醫史學會第二屆大會，在南京舉行。當經改選執行委員會，結果，王吉民，李濤二會員蟬連正副會長，侯祥川爲祕書，宋大仁爲司庫。十日返滬，即於十二日在王會長寓中召開首屆執行委員會，議決通過要案多件，而籌開中國醫史文物展覽會一事，亦爲議決案之一，當推舉王吉民宋大仁丁濟民三人爲本屆展覽會籌備會委員，即積極進行，向各方徵求展覽品。至十月廿三日開第二次籌備會，決定展覽會日期，及開辦經費，議決定十二月二十日下午至二十一日爲展覽日期。經費一層，因會中素無的款，而必須之開辦費絕不可少，當由籌備委員各認捐國幣五十萬元，共計一百五十萬元，以資應付。其展覽會場借中華醫學會大禮堂，並議決與中華醫學會合辦舉行，俾取得便利。

十二月十八日下午，舉行豫展，招待新聞記者，時正大雪飄揚，而各報記者，冒風雪而至，當由王會長及中華醫學會總幹事余新恩博士等招待。二十日下午即正式開放，大禮堂專陳展唐宋元明以來有關醫史之名醫名人書畫，同時本會之醫史博物館，醫史圖書館，亦行開放，一任來賓參觀。其珍貴書籍等，則陳列於博物圖書兩館。

此次參加展覽者，有新會伍連德醫史藏書室，鎮海余氏百之齋，東莞王氏芸心醫舍，上海徐氏雙雲五星研齋，丹徒章氏豫學堂，湯溪范氏栖芬室，中山宋氏海煦樓，南昌楊氏吉玉廬，孟河丁氏三世醫廬等，皆爲有名醫史收藏家。

展覽品博物方面，有石器、銅器、瓷器、漆器、象牙、彫刻、竹刻、木刻、絲織品、及泥塑等：書籍方面，有宋元明清以來孤本珍籍，書畫方面，有宋元明清以來名醫名人珍貴作品。在博物方面，以針灸銅人像，各種煉丹爐，及精細象牙彫刻、如臥美、吳大澂贈針醫竹刻針筩，雌品彫造呂純陽像，最爲來賓注目。書籍則有舊題北宋孤本聖散子方，宋刻元印聖濟總錄，元刻初印大觀本草，元刊宣明方論，危氏得効方，明洪武刻本袖珍方，成化刊南北經驗醫方大全，萬曆金陵胡刊本草綱目等爲最。書畫方面，以宋文天祥贈顱顖醫「慈幼堂」三字匾額，（有明清人題跋數十家，爲長凡數丈之手卷。）元名賢沈右送沈伯新醫師序良惠堂題詞合卷。（亦有元明清以來名人題跋數十家，長凡三五丈。）傅青主父子遺墨。（手卷有名人題跋）呂留良醫方眞蹟徐大椿自題畫眉泉圖（着色。）清高鳳翰贈趙誠夫左手繪杏林圖（着色有名家題跋數十家長凡三五丈）等，皆爲天壤至寶。碑版方面，以舊拓王羲之治頭瘍方，明拓北齊龍門古藥方，皆所罕觀。以上各種珍貴文物，多爲來賓所賞歎，亦爲各報章雜誌採作題材者，其於提倡醫史上，殊有重大意義。

案本會醫史展覽會，第一次爲民國二十六年在楓林橋上海醫學院新廈落成之時，第二次爲一九四六年，亦在中華醫學會大禮堂舉行，惟特爲招待英美軍醫官佐而設，故未公開。此爲第三次，材料之富，規模之大，皆遠過於以前二次。初以此次展覽會，因過於學術性與專門性，料其成績必不甚佳，蓋上海人看慣花花草草之書畫展覽會，對此種展覽會必無多大興趣，詎開展之日，來賓即極爲踴躍，第二日來參觀者尤衆，原定每日下午五時停止參觀，而逾時來者猶絡繹不絕，招待員欲婉却之，則謂遠道而來務請通融，故盛意難却，不得已只得延長至六時後者，足見盛況空前。

此次來賓，因會期適在星期六及星期日，又以大雪初晴，來參觀者故自踴躍。其蒞會參觀之人物，以各大學教授，藝術家，考古學家，歷史家，及醫校學生爲最多。中西名醫來會參觀者，亦不少，足見中國醫史事業，已爲社會有識人士所注意；故此次展覽會之結果，對於醫史之運動，逆料必有甚大裨助云。

本會會務簡報

王吉民

本會自去年五月在首都召開第二屆大會，改選職員後，各項工作均依照議決方針次第舉行，茲分別略述如左：

（一）會員　本年度曾開執行委員會兩次，通過新會員七名，計江晦鳴，沈乾一，姜春華　沈仲圭，徐春霖，沈警凡，蕭叔軒等，現會員總數共五十八人，但其中有三人已去世，十五人業離中國，故實數僅四十人。又上海會員共二十二名，佔半數以上。

（二）募捐　爲繼續刊行醫史雜誌，及舉辦醫藥文物展覽會起見，經執委會議決，舉行募捐運動，自七月起至九月止，共募得一千三百九十萬元，結果尚佳。其中伍連德醫師所捐之五百萬元，係指定編印目錄之用。（捐欵芳名另列）

（三）雜誌　醫史雜誌第二第三期各稿，於卅六年六月間已交印刷所排印，不料旋發生工潮，久不解決，該印刷所未得編輯部同意，即將原稿寄往重慶，經四閱月，始將紙版打就寄回，至錯誤百出，並擅自加價，屢經交涉，皆無結果，殆至年終，始行解決，故第二期發出時，已延期半年矣　本誌頗受文化界歡迎，除定戶外，各醫學院及圖書館多來定閱，並與美國兩醫史期刊交換。

（四）展覽　於十二月廿日下午及廿一日，與中華醫學會合辦中國醫史文物展覽會，假慈谿路四一號中華醫學會大禮堂舉行，成績美滿，本埠各大報均有特寫，此次展覽費用，蒙王吉民，丁濟民，宋大仁三先生各捐五拾萬元，及中華醫學會設備茶點招待新聞記者，特此誌謝。展覽會詳情，另有丁濟民先生報告，故不贅。

（五）捐贈　在過去數月來，本會收到各圖書文物計有伍連德醫師醫書十九部圖書集成（中華書局本）一百二十二册。吳雲瑞醫師醫史書畫及物品五件。又已故會員海深德醫師圖書五十九册，醫史幻燈片三箱，係由其女公子海安娜醫師贈送。柯爲良之孫由美寄來其祖父僑華時所用外科器械十四件，書籍十六册等，並誌謝忱。

募捐運動結束報告

宋大仁

本會此次募捐運動，目標定爲一千萬元，自三十七年七月開始至九月底，已達目的。此皆會員諸公之熱心勸募有以致之，謹將捐欵芳名公佈於后，藉申謝忱。

伍連德先生五百萬元　國醫國藥社同人（丁濟民經募）二百萬元　王逸慧先生一百萬元　張錫祺先生一百萬元　馮炳南先生五十萬元　（王吉民經募）　余雲岫先生五十萬元　伊博恩先生劉永純先生各三十五萬元　丁濟民先生三十萬元　梁寶鑑先生二十五萬元　李濤先生王吉民先生宋大仁先生侯祥川先生吳雲瑞先生余濱先生高鏡朗先生耿鑑庭先生國立江蘇醫學院（胡定安經募）各二十萬元楊濟時先生吳紹青先生章次公先生蘭州中央醫院（于景枚經募）各十萬元魯德馨先生楊銘鼎先生范行準先生洪貫之先生各五萬元　謝誦穆先生四萬元

以上共計壹仟叁佰陸拾玖萬元

書報簡介

夷質

（一）中外醫學史概論　李廷安著　民國三十五年上海版　商務印書館出版　定價九角加成發售

本書僅五十頁，約三萬餘字。全書分爲三編，即第一篇外國醫學史，第二編中國醫學史，第三編中外醫學之異同及對我國新醫學之展望。其書多係摘譯中外九種醫史而成。（計英文八種中文一種。）故本書作者（實則當云編譯）無得失功罪可言。其較可讀者，爲第一及第三編，頗便未習醫學者之參考。

惟本書既名「中外醫學史概論」，鄙意第一編與第二編之地位，當互相對調，庶名實相符。否則，可渾稱爲「醫學史概論」也。

（二）中國醫學史綱要　陳永梁著　民國三十六年九月初版　廣東中醫藥專科學校經售　書價未定

本書約十萬字，分爲四編。即第一編上古醫學。第二編中古醫學。第三編近世醫學。第四編現代醫學。體例蓋據陳邦賢商務印書館出版之中國醫學史，文字亦多據之，故陳書之誤者。此書無不誤。惟學如積薪，後來居上，此書亦間有採用新史料，而斷語亦多精確處，則在荒涼寂寞之醫史出版界中，有此著作，亦足自壯。惟第四編現代醫學，多摘錄中醫報章雜誌，其文字幾占全書三分之一，而旨在張皇新中醫主義。其民國以來之西洋醫學在中國歷史地位，竟無一字提及，蓋已消失於作者張皇新中醫主義中矣。頗疑作者視中國之西洋醫學爲化外，作者本爲中醫學校教席，故以中醫代表中國現代醫學，初不問史實如何耳。是作者過於顧及本身立場，而忘史家之直筆矣。鄙意再版時此編必須修改，或析出別行，作爲「中醫奮鬭史」，或可不乖名實也。

（三）華西醫藥雜誌二卷一期　考據專號　民國三十六年四月出版　重慶華西醫藥雜誌社發行　定價三千元加成發售

本期載任應秋「四庫全書醫家類醫籍鳥瞰」以下十二篇。其中作品多翻刻舊時書報雜誌者。惟姜春華之「流行性腦脊髓膜炎考」，及董華農之「中國上古醫藥發生史初步試探」二文最佳。姜君之文雖覺過略，但其言本病之流行，至外臺祕要始有明確之記載云，可謂居要之言，與拙纂「中國傳染病文獻錄」中所言者正同。華君之文運用近代人類文化學一類之書，似亦能言之成理。至任君之中之表，蓋似據近人四庫全書考永樂大典考中所附之表格而成，頗便參考。可謂有功醫史之作。

中華醫史學會出版及經售醫史圖書目錄

Publications on Medical History

民國三十七年三月份

明季西洋傳入之醫學 綿連紙仿宋精印線訂四厚冊	范行準著		C.N.$360,000
醫學史綱 道林紙精裝	李　濤著		175,000
中國醫史文獻展覽品目錄	王吉民編		30,000
中華醫學雜誌醫史專號			
第廿二卷第十一 十二期		每期	70,000
第廿二卷第十一·十二期合訂本		一冊	140,000
第廿五卷第十一 十二期		每期	70,000
第廿五卷第十一 十二期合訂本		一冊	140,000
第廿七卷第十一·十二期		每期	70,000
第廿九卷第六期		一冊	70,000
第卅一卷第五·六期合刊		一冊	70,000
醫史雜誌季刊第一期十週紀念特刊		一冊	40,000
第二期 $30,000 第三四期合刊			$30,000

In English:

History of Chinese Medicine 2nd Ed. Wong & Wu		U. S. $15.00
Chinese Medical Journal, Medical History Number		
Vol. 53, No. 4, 1938	1 Copy	C.N.$70,000
Vol. 58, No. 3, 1940	1 Copy	70,000
Vol. 60, No. 5, 1942	1 Copy	70,000
Vol. 65, No. 1 & 2, 1947	1 Copy	70,000

外埠郵購另加寄費一成

上海(9)慈谿路四一號中華醫史學會

·白页·

醫史雜誌

第二卷 第一·二期合刊 民國三十七年八月

編輯者 中華醫史學會編輯委員會

王吉民醫師六十歲生日紀念論文專號

中華醫史學會出版

本期暫售八萬元 上海（九）慈谿路四十一號 全年暫不預定

· 白 页 ·

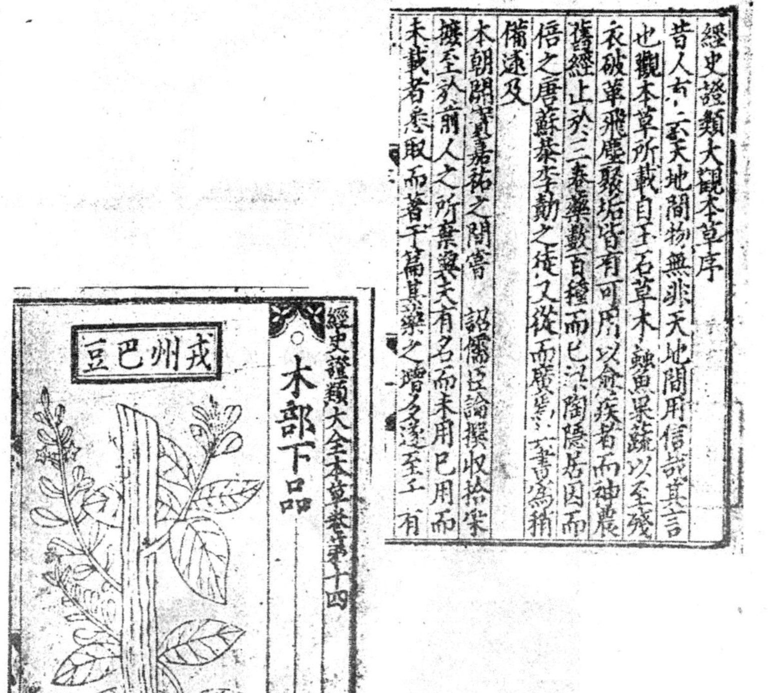

經史證類大觀本草序

昔人有言天地間物無非天地間用信哉其言也觀本草所載自玉石草木蟲魚果蔬以至殘衣破革飛塵聚垢皆有可用以愈疾者而神農舊經止於三百六十五種而已梁陶隱居因而倍之唐蘇恭李勣之徒又從而廣焉於是書為稍備逮及

本朝開寶嘉祐之間嘗　詔儒臣論撰收拾采摭至於前人之所棄與夫有名而未用已用而未載者悉取而著于篇其為藥之增多遂至千有

經史證類大全本草卷第十四

木部下品

伍余王三醫師壽辰紀念論文序

在民國三十七年中，我們有三位最敬愛的朋友，有的已經六十歲，有的已經七十歲了。那是夏歷戊子二月十八日伍連德先生七十歲生日；七月初七日王吉民先生六十歲生日；九月十四日余雲岫先生七十歲生日。這三位先生，在過去數十年中，對中國的醫學事業，都各有崇高的成就，但他們都盡瘁於中國醫學事業的啓發和改進，而從來不爲一己的利害打算；今天他們生日，我們都應該有一點敬意的表示！

伍連德先生自從民元以前，從迢遠的海外返國，爲國家服務。那時中國的醫權，猶如殖民地一般整個地操在外人手裏，不久東省發生嚴重的鼠疫，日俄兩國的醫家，都要把防治鼠疫的大權，抓到自己手中辦理，因爲他們都說我國沒有担得起這種重任的人才，並出種種威嚇的言詞，這眞是對中國醫家無比的侮辱。幸而那時有新從海外歸國的伍先生，挺身而出，爭回主權，以其學識，處理此事，眞是遊刃有餘；不久鼠疫便被扑滅了，外國醫家，無不斂手推服。其後他即着手建設種種防疫與醫學衛生上的機構：最著的如海港檢疫處，與中央醫院等，都是伍先生所手辦的。他擔任海港檢疫處處長，直到中日大戰後才告退休。他爲國家服務了幾十年，他退休了，政府沒有一個字褒獎他，社會沒有一個字安慰他；我們試想：像伍先生那樣的學者，國家原沒有一個錢培植過，而他却爲祖國爭回光榮，把人生最寶貴的一大段生命，消耗於自己祖國的醫學事業上；臨了，只落得投老炎荒，默默地仍要靠他本來的技術以求生。這可證明中國的政府和社會，對於學者，多數是不知尊敬的。

余雲岫先生早歲負笈海外，學成歸國後，深感我國醫學的不進步，是舊有醫學的不改進；故爲文字鼓吹醫學革命，並向政府有所獻替；因政府的無能，而未達目的，然志亦偉矣。余先生不僅是我國醫政史上第一位改革的功臣，並且他因學貫新舊，久負博洽之名，和富有實驗的精神。他這幾十年來，除為醫學革命文字而外，同時又孜孜不倦地考索舊醫學的病名，並整理國產藥物的文獻，又為試驗國藥起見，節縮衣食，購置器械，成立了一所余氏化學實驗室，時時將紙上的文獻，搬進實驗室裏去試驗，偶然亦有一二可喜的發見與發明。由此，我們知道余先生為中國醫學革命的目的，是為求中國醫學的獨立，和進步；並不是不愛中國醫學，相反地他是最愛中國醫學的。他對舊說研究的徹底，他對舊說整理與發揚，至今為止，沒有一個中醫趕得上他。他之所以貶斥舊說的荒謬，是韓非挫癰沐髮的主義。在中醫自己的理智上說，也應該這樣做的，所以近來有識的中醫，對余先生不但沒有惡感，而且都存十分敬意。這因為余先生在做學問與行動上，都是廓然大公的。

王吉民先生民元前畢業於香港西醫大學堂，是提倡研究中國醫學史最早者之一。他早年和伍連德先生用英文合撰的中國醫史，風行國內外，中外的學術界交口稱譽，其價值已久有定評。其對於公益事業，如醫學團體等，亦最為熱心而肯負責任。他除與二三同好組織中國惟一的中華醫史學會及醫史博物館外，自民國二十六年第四屆中華醫學會大會推選為副會長後，並聘為醫務幹事協助總幹事施思明先生，會務得蒸蒸日上，自東夷入寇，施君適已赴美，于是一切會務均落到王先生一人身上；那時正處敵偽毒燄鴟張之時，內困於會中經濟的窮乏，外處於敵偽魔掌的淩逼，他卻始終勉力支持與抵拒，那時困心衡慮，不遑啓處的心情，我們今日還可揣摹得出的。王先生既將全副精力處理會務，自己一家生活，當然發生問題了。因此不得不把他數十年來在杭州行醫所積的房產等逐漸變賣以渡八年來危難的生活，等到勝利時，不但他的薄產賣光，蕭然只剩下一家人，而尤可念的是他的身體健康，也因揞拄艱困而悠遠地十年來的會務，致大受影響，其間雖屢次辭職而不能求得接替之人，不得不勉力撐支下去，直到三十五年底才卸仔肩。終于把具有光榮而悠久歷史的中華醫學會，及中華醫史學會與醫史博物館都被保存下來，沒有一毫的損失。那麼王先生也是為中國醫學而犧牲了他一生的心血了。

由上面看起來，我們知道這三位先生，還有二點相同的地方；其一便是同受西方新文化而仍保持東方優良的舊道德，就是爲人；其二他們對中國醫學雖有如許的貢獻與犧牲，却始終默默地不在人前表揚過一個字，這是克己。今天逢到他們的大慶，我們固然不屑爲世俗所排演的那類慶壽的儀式，但我們以爲像這三位先生過去數十年間，在中國醫學都有貢獻的人，不應跟政府與社會上，對於學者採那冷酷無情的態度，——因爲他們只知戰爭與投機；今天他們大慶，我們應作一點有意義的敬禮，以表示崇敬這三位先生爲國家爲醫學上努力的微意。但用什麼做壽禮呢？我們都知道這三位先生對於中國醫學史，都有同好的，所以擬定今年逢着他們每一位的生日，就出一册醫史論文集，來紀念他。這論文我們就借醫史雜誌的地位刊行之。幸承海內外弘雅之士，寵賜鴻文，惜因印費高昂，篇幅遂陝，我們只能印成這樣薄薄的册子，作爲今天紀念這三位先生的華誕！

丁濟民 余新恩 金問淇 范行準 陳邦典 蔣法賢
刁信德 余濱 金寶善 倪葆春 陳耀眞 戴天右
王子玕 吳雲瑞 施思明 徐乃禮 富文壽 龐京周
王子傳 宋大仁 侯祥川 徐誦明 盛佩葱 顧毓琦
王以敬 李濤 侯寶璋 馬弼德 黃銘新 W. W. Cadbury
王逸慧 李樹芬 俞松筠 高鏡朗 楊濟時 E. H. Hume
朱恒璧 汪企張 姚文鏐 張孝騫 經利彬 L. G. Kilborn
朱章賡 林可勝 洪式閭 張•維 劉永純 H. H. Morris
江秉甫 周詒春 胡定安 張錫祺 劉瑞恒 B. E. Read

中華醫史學會

執行委員會

王吉民 會長
李友松 副會長
侯祥川 祕書
宋大仁 司庫

編輯委員會

余雲岫 主編
王吉民 主幹
伊博恩 委員
李友松 委員
范行準 委員

伍連德醫史基金委員會

施思明 主任
王吉民 委員
李友松 委員

姚鈞石出版基金委員會

王吉民 主任
李友松 委員
伊博恩 委員
楊濟時 委員
魯德馨 委員

明代掛名醫籍之進士題名錄

章次公

一　楔子

前人有詩云：「太宗皇帝眞長策，賺得英雄盡白頭。」這是指唐太宗自削平區夏後，便以科甲籠絡人心，使英雄們窮神盡氣於故紙堆中，不再爲非作歹，以亂天下，李氏帝位才能永久保持下去。所以當時他得意地說：「天下英雄，盡入吾彀中矣。」這種政策，果然收到良好効果，居然保持四百年的天下。但是事情往往出於當初統治者意料之外的，其一便是英雄想入彀而並不讓他入彀，聽說唐黃巢原是因爲考不取進士而造反的，弄得「內庫變爲錦繡灰，天街踏盡公侯骨」的那副慘局，雖說沒有亡國，但亡國的種子實種於黃巢那次叛亂。其次是有「彀」待他，而他不來的，那便是亡李唐四百年天下的漠北遊牧民族們。

所以大體說起來，許多造反之人，往往不是呻唔咕嗶之輩，而偏多起於目不識丁之草莽英雄，秦始皇不僅焚書，而且還坑殺過讀書的儒生，總算是徹底遏止人民智識的來源了。但是陳涉、劉邦、項羽，都並不是讀書出身之人，祖龍的王座，居然被這班粗漢打垮了。所以有人嘲笑秦始皇坑儒焚書之蠢，有「劉項原來不讀書」的話，也許劉邦看出書生的無用，當他馬上之時，便拿儒冠當做尿壺用了。

其實以科目用人，其來舊矣，周禮大司徒已有三年大比之事，不過那時考試的不是帖括便了。到了唐宋，考試的制度日見嚴密，至明清而稱極盛。

自唐宋以來，釋褐之後，都有題名的。唐進士題名之舉，便是時人所艷稱的「雁塔題名。」宋朝進士諸科放榜後，纔行期集，列敘名氏鄉貫三代書之，謂之「小錄。」但都未刊石，其有刊石的乃是明永樂二年才開始的。此進士題名碑，是立於南京國子監，而北京的進士題名碑，則在永樂十二年，其碑板也樹在國子監的。此兩京題名碑至清雍正時已不見了。那時只看見宣德五年林震榜以後的碑石，清也繼朱明之例，在國子監樹碑題名。

唐朝的雁塔題名，因非石刊傳，又有登科記，並不傳。宋時雖有題名錄，但是不全，現在只存紹興十八年王佐榜，寶祐四年文天祥榜以下二錄，元朝也只有元統元年進士錄了。這幾存的宋元登科錄，今由徐乃昌據元明本重刊之，然已不能完全考見了。獨明朝的進士題名碑錄，有康熙間刊本，今附見於清進士題名碑錄之後。

我也是一個偶然的機會，看到清歷科題名碑錄初集，這書共八册，而六册却是明洪武至崇禎的進士題名錄，但清朝反而僅有兩册，即自順治三年丙戌科傅以漸榜爲始，而止於乾隆四年己未科莊有恭榜。前有康熙五十九年李周望自序，後有雍正十年孫嘉淦續刊序。但這書旣有乾隆己未科進士題名，那當然是乾隆初補刊陸續印行的。因此書自李氏刊行後，凡有新科進士即陸續補刊上去，所以年代愈後，則以前的題名錄愈漫漶難識；此本除正德甲戌科有一葉里貫處稍有泐損而猶可辨識外，餘都很清晰，楮墨精佳，確爲難得之本，是栖芬室所藏的。

這許多進士中，居然有不少是屬於醫籍的，原來「醫生」不論中外，古來都是被人們，尤其過去被士大夫階級中人視作討厭的人物。在歐洲中世紀時候，除了是學校出身或是內科醫生爲社會所尊敬外，其他如浴室外科醫生，理髮店外科醫生，其地位是很低的，尤其那許多浴室醫生，居然僱了漂亮的姑娘，在那里服侍病客，而那些病客也醉翁之意不在酒地受她們服侍。因而那些浴室，稱做「心靈浴場」(Seelladez)，而那些「心靈姑娘」(Seelenschuestez)也變做「肉體姑娘」了。因公開賣淫，以致花柳病大爲流行，這樣一來，那些號稱外科醫生，變做娼家鴇母，而實際便是後來按摩院裏的老板了。他們是與那時的許多正式而高尙醫生，往往混在一處的，因此，社會上連帶對那些高尙醫生，也不甚看重了。

在我們中國呢，「馬醫賤技」原是一句很古的老話，以儒家自命而世故很深的北齊顏之推，他在訓子女的家訓中，對於那些醫生，也極其奚落之能事，「良相良醫」不過那些失意政客拿它來慰藉自己的冠冕話而已。究竟「良相」是威靈顯赫的。

的確，醫生是可爲而不可爲的。受了病家幾文錢，便要負病人生死之責，提心吊胆，坐立不安。呼之卽來，揮之卽去，召而稍爲遲點去，就說醫生架子大，一召卽去，又說這醫生診務清，經驗少，便減低了信仰心。而且半夜敲門，凌晨排闥，以應急病之召，所以往往醫生自己的飲食起居，都無法規定，而且還要仰承病家的顏色，所以天下的職業，以醫生爲最沒有做頭。難怪三國時的華佗先生，雖曹孟德以魏王之尊，來請他看病，也推說他自己太太有病，在家不肯去，而被砍頭完結，這就是說，死也不願做醫生也。做太史公的，評華老先生這種行徑，說是「藝成自悔」，可稱「深得我心」。我想做醫生而閱歷稍久的，中心固未必自負「藝成」，而「自悔」之情，則必十九有之。

禮記上說，「醫不三世，不服其藥」，照這樣獎勵醫生應當世襲其業的話說來，三世之醫，應該是很多的，而結果却少得可憐，許多名醫，很少有二代以上做醫生的。像華佗那樣名醫，連一世也都不願做完，同時名醫張仲景，是以做官爲職業的，做醫生是票友性質，但也沒有人說過他的公子是行醫的。淸葉天士臨死時的遺囑，也不喜他的兒子做第二世的醫生。這都可證明醫生是很難做的。所以自己吃過苦頭，决不願意自己的兒子，再走這條苦路，這是人情之常，何況在科舉時代，人人都有登龍門，吞雲夢之路可走呢？於是醫家的兒子，棄其把脉世業，而入帝王「彀中」者多矣。因爲良相終比良醫體面啊！如其不信，請看下表。

二　屬於醫籍之進士題名錄

年號	科	甲第名次	人名	籍貫
正統	壬戌	三甲七二	沈訥	直隸蘇州府崑山縣人醫籍（以下州縣下「人醫籍」三字略）
又	戊辰	三甲二	蔣敷	直隸應天府江寧縣
景泰	辛未	二甲三七	張瑢	陝西西安府長安縣
又	甲戌	三甲四四	王績	直隸松江府華亭縣
又	又	三甲七四	蔣歠	應天府江寧縣醫籍直隸丹徒縣人
又	又	三甲八三	史珍	江西九江府德化縣
又	又	三甲一〇四	陳孟晟	直隸池州府銅陵縣
天順	丁丑	三甲七九	李祥	直隸松江府華亭縣
又	又	三甲一四〇	熊瑞	四川眉州
又	庚辰	三甲三七	孫左	太醫院籍浙江仁和縣
又	甲申	二甲四三	孫義	應天府上元縣人太醫院醫籍
又	又	二甲七〇	翟瑄	河南洛陽縣人太醫院醫籍
成化	丙戌	二甲二八	翟瑛	河南洛陽縣人太醫院醫籍
又	又	二甲九四	張鈍	陝西西安府長安縣
又	又	三甲一〇	陳琦	直隸蘇州府吳縣人太醫院籍
又	又	三甲一二〇	翟庭惠	河南河南府洛陽縣
又	又	三甲一三一	余金	四川成都府內江縣
又	又	三甲一三二	吳黼	直隸松江府華亭縣
又	又	三甲二四九	蔣誼	應天府句容縣人南京太醫院官籍

年號	年	甲第	姓名	籍貫
又	己丑	二甲一六	王瑞	直隸安慶府望江縣
又	又	三甲六三	王溥	河南南陽府鄧州內鄉縣
又	又	三甲一二七	徐瓚	浙江嘉興府秀水縣人太醫院醫籍
又	壬辰	三甲五九	汪箎	浙江杭州府仁和縣人太醫院籍
又	乙未	三甲四二	欒鏞	江西定海縣太醫院籍
又	又	三甲一一一	劉傳	直隸蘇州府嘉定縣
又	又	三甲一四二	滑浩	浙江餘姚縣太醫院醫籍
又	辛丑	三甲一八	王恩	直隸松江府華亭縣
又	又	三甲一三一	程愈	浙江嚴州府淳安縣
又	丁未	二甲六一	仲棐	直隸揚州府高郵州寶應縣
又	又	二甲一〇八	戴恩	直隸安慶府潛山縣
又	又	三甲一三七	錢春	浙江嘉興府嘉善縣
又	丁未	三甲二一二	王琚	直隸安慶府望江縣
又		二甲二三	仲本	太醫院醫籍直隸寶應縣
弘治	庚戌	三甲五一	段敏	直隸鎮江府金壇縣
又	癸丑	三甲五六	蔚春	直隸廬州府合肥縣
又	丙辰	二甲六	濮韶	太醫院醫籍直隸太平府當府縣
又	又	三甲六四	翟銓	太醫院醫籍河南洛陽縣
又	己未	三甲七八	史良佐	南京太醫院醫籍直隸崑山縣
又	壬戌	三甲六	張龍	直隸松江府上海縣

又	又	三甲五一	王材	直隸安慶府望江縣
又	又	三甲六〇	張元泰	江西安昌府新建縣
又	又	三甲一四七	寧溥	直隸淮安府山陽縣
正德	戊辰	二甲三五	茹鳴鳳	太醫院醫籍直隸常州府無錫縣
又	又	二甲六二	王浚	浙江嚴州府建德縣
又	又	二甲八二	錢宏	太醫院官籍錢塘縣
又	辛未	二甲一〇二	高鵬	湖廣岳州府澧州
又	又	三甲一〇一	蔣亨	直隸常州府武進縣
又	又	三甲二一九	路直	河南河南府洛陽縣
又	甲戌	二甲一一八	李濂	河南開封祥符縣
又	丁丑	二甲五七	陳沂	南京太醫院醫籍浙江鄞縣
又	辛巳	三甲四三	湯虺	四川潼川州
嘉靖	癸未	二甲六五	茹鳴金	太醫院醫籍直隸無錫縣
又	丙戌	二甲四二	查懋光	太醫院醫籍直隸長洲縣
又	又	二甲七七	楊順明	四川順慶府南充縣
又	壬辰	三甲六二	吳希孟	太醫院醫籍直隸武進縣
又	乙未	二甲八二	馬承學	太醫院醫籍直隸蘇州府吳縣
又	又	三甲一一七	楊子臣	四川順慶府南充縣
又	又	三甲二〇九	盧梗	直隸蘇州府常熟縣
又	戊戌	二甲二	朱應雲	浙江嘉興府海鹽縣

又	又	三甲三八	劉廷儀	太醫院籍浙江慈谿縣
又	甲辰	二甲二一	查懋昌	太醫院籍直隸蘇州府長洲縣
又	丙辰	二甲八三	楊脩	四川順慶府南充縣
又	又	三甲一九	黃廷聘	湖廣永州府道州
又	己未	二甲七	黃宏宇	太醫院醫籍廣東瓊州府瓊山縣
又	又	三甲三	嚴大紀	太醫院醫籍浙江杭州府餘杭縣
隆慶	辛未	二甲二	施策	直隸常州府無錫縣
萬曆	甲戌	三甲八三	劉弘道	太醫院醫籍直隸蘇州府吳縣
又	又	三甲二一八	郝國章	太醫院官籍山西太原陽曲縣
又	丁丑	三甲二九	楊文舉	四川順慶府南充縣
又	又	三甲二三九	沈時敍	河南府開封祥符縣
又	癸未	一甲一	朱國祚	太醫院官籍浙江嘉興府秀水縣
又	又	三甲一八七	何選	太醫院官籍直隸蘇州府嘉興縣
又	己丑	三甲二〇五	郭如星	河南河南府新安縣
又	庚戌	三甲七五	朱大啟	太醫院官籍浙江嘉興府秀水縣
又	癸丑	三甲二六	段鏷	直隸鎮江府金壇縣
又	己未	三甲二四三	施元徵	直隸常州府無錫縣
崇禎	戊辰	三甲九二	蔣煜	直隸常州府武進縣
又	庚辰	三甲一六九	朱茂曝	太醫院籍浙江嘉興府秀水縣

我們看了上所列的醫籍進士有二點可以提出，一、兄弟皆擐巍科如翟瑄翟瑛，及翟惠庭與翟銓等，我很疑心這洛陽籍的翟氏，在太醫院中必然占有很大的勢力，這勢力或許有歆動朝士的；故他們或他們的子弟能够科甲蟬聯。其次如四川南充縣的楊順明楊子臣楊脩楊文舉，浙江秀水縣的朱國祚，朱大啓朱茂暻及鎮江府金壇縣的段敏鏌等，恐都他們的近屬或兄弟行，或亦是在當時的太醫院中占有勢力的。

這榜上有名的醫籍進士，有許多都可考出他們的生平事跡；如滑浩當是壽之裔，因攖寧生於元自許昌、揚州而遷餘姚的，又如撰醫史的李濂，他的可詳的事狀也很多，可是這範圍過大，一時難於措手，只將明代惟一的太醫官籍朱國祚如何得到狀元事狀，稍一敘述；因國祚是萬曆癸未是第一甲第一名的進士，在明登科錄中，以雜行登第爲殿撰的尙有成化八年壬辰科的吳寬，他原是匠籍出身，此正可與以醫籍出身的朱國祚相對，關於朱國祚爲殿撰，據他的裔孫朱彝尊說，當時尙有一段佳話，日下舊聞說：

按太醫題名記先少保東山公爲院使時重立，先少時保事定陵，於乾清宮西煖閣切脈，奏曰：「聖體病在肝腎，宜寬平以養氣，安靜以益精。」上喜命大璫陸敬書之屏。當癸未殿試，先太傅文恪公名在第一，臚傳日定陵顧左右曰：「此老子積德也。」卷十

案明太醫院題名碑，就是朱國祚的父親爲太醫院使時重樹的，碑記則黃洪憲撰，見碧山學士集，日舊聞引之。由是我們知道朱國祚的狀元是怎樣來的。按明沈德符野獲編卷十五云：今上癸未進呈卷中有吾鄉朱少宰，與國姓既同，且名亦似佳讖因，拔爲首云云。

關於明代雜行應試之事，我們從進士題名碑錄所載的便可知其大略。除了民籍官籍外，有軍籍、鹽籍、灶籍、匠籍、瓦籍等，不過這許多雜籍，他們都有背景的，如挂名軍籍的，他們原是赫赫有名的錦衣衛，好象現近帶有特務性質的衛戍司令一般顯赫，他們所謂匠籍，並不是他的父親，眞都是做泥水木匠，而是爲政府司理製造軍服打武器的那類官職的子弟，醫籍當然也是太醫院的子弟爲多。實在他們的父兄大半是在政府中做大官的。他們不叫子弟做太醫，也知這行飯不容易吃的緣故。至雜行出身的日下舊聞卷十二已有論及，而推知當時民間醫籍，也多塡民籍的了。

中國古代本草著述史略

洪貫之

吾國藥物之書，題名本草，始於何時，不甚可攷，漢書藝文志，亦無本草之目，當非失於著錄，蓋西漢以前，雖有類似著述，如爾雅及山海經之屬，可謂原始本草，但亦非專論藥物之書。惟本草一名，確起於西漢，考之漢書成帝紀：「有方士使者，副佐，本草待詔，七十餘人，皆歸家；」又平帝紀：元始五年，（公元五年）有「徵天下通知逸經、古記、天文、曆算、鐘律、小學、史篇、方術、本草、以及五經、論語、孝經、爾雅、教授者，」殆爲本草名稱見於史傳之始。此後王莽時，有樓護者，自云「能誦醫經、本草、方術、數十萬言，」可見本草之學，在漢代已漸見發達。至東漢之季，亦偶見本草之名。如高誘註淮南子：「王瓜、本草作段契，」明引本草爲證，則已爲著錄，而非空言；查誘爲東漢末年人，是最初本草之書，當成於高誘之前。今世言本草者，每以神農本草經爲最古，然晉荀勗，（卒於太康十年己酉，卽公元二八九年。）中經簿，有子儀本草一卷，（賈公彥周禮疏引）而無神農書，梁阮孝緒（公元四九七至五三六）七錄，始有神農本草五卷，神農本草屬物二卷，陶宏景本草經集註七卷之目。此外以本草名書者，有蔡邕本草七卷，吳普本草六卷，李當之本草經一卷，隨費本草九卷，秦承祖本草六卷，王季璞本草經三卷，談道術本草經鈔一卷，徐叔嚮本草病源合藥要鈔五卷，四家體療雜病本草要鈔十卷，王末鈔小兒用藥本草二卷，甘濬之癰疽耳眼本草要鈔九卷，趙贊本草經一卷，本草經利用一卷，本草經輕行一卷等，俱見七錄。其見於隋志者，有神農本草經三卷，雷公集註神農本草四卷，陶氏名醫別錄三卷，（藝文略作陶宏景撰，明李時珍本草綱目襲之，均誤，說見後。）神農本草八卷，本草要方三卷，亡名氏經略一卷，本草經類用三卷，徐大山本草二卷，蔡英本草經四卷，亡名氏藥目要用二卷，姚最本草音義三卷，亡名氏本草集錄二卷，本草鈔四卷，本草雜要訣一卷，依本草錄藥性三卷，（錄一卷）原平仲靈秀本草圖一卷，甄氏本草三卷，甄立言本草音義七卷，沙門行矩諸藥異名八卷（註：本十卷，今闕。）等；即此存目，可見我國六朝時代本草著述之富。且諸家本草多至數十種，以神農名書者，僅得數種，亦見當時言本草者，不必神農也。惜各書早已亡佚，文獻無徵，亦可歎矣！

梁七錄，既有蔡邕（公元一三三至一九二）本草，吳普本草之著錄，及高誘註淮南子，明引本草之文，則本草成書，最早之年代，已略可推斷。至於神農本草經一書，雖舊時著錄，不著撰人姓氏，但以今日史學知識證之，不但與傳說時代之炎帝神農氏無關，且較蔡邕、吳普、李當之、諸本為晚出，絕無疑義。然梁七錄已有神農本草之目，則本草假托神農，當為東晉或六朝初年之事；因荀勗中經簿，僅言子儀本草，不錄此書，更為顯然。其後梁時陶宏景，（公元四五二至五三六）因神農舊經，撰為本草集註，其自序有云：

「……秦皇所焚，醫方卜術不預，故猶得全錄；而遭漢獻遷徙，晉懷奔迸，文籍焚靡，千不遺一，今之所存，有此四卷，是其本經；所出郡縣，乃後漢時制，疑仲景、元化、等所記。又有桐君採藥錄，說其華葉形色，藥對四卷，論其佐使相須；魏晉以來，吳普、李當之等，更復損益，或五百九十五，或四百四十一，或三百一十九，或三品混糅，冷熱舛錯，草石不分，虫樹無辨；且所主治，互有多少，醫家不能備見，則識致淺深。今輒苞綜諸經，研括繁省，以神農本草經三品，合三百六十五為主，又進名醫副品，亦三百六十五，合七百卅種：精麤皆取，無復遺落，分別科條，區畛物類。……」

（據范行準燉煌石室六朝寫本本草集註殘卷校注轉引。）原載「中西醫藥彙編」第三卷二〇三——二〇四頁

據此可見當時所傳神農本草，收錄藥品，多寡不一，紀載主治，亦互有繁簡；陶氏乃「甚

綜諸經，研括繁省」，又增列名醫副品，而成此書，其卷帙及三品分類，如次：

本草經卷上　序藥性之本源　本論病名之形診　題記品錄　詳覽施用之。

本草經卷中　玉石草木三品合三百五十六種

本草經卷下　虫獸菓菜米食合一百九十五種有名無實合一百七十九種合三百七十四種

右三卷，其中下二卷藥，合七百三十種，各別有目錄，並朱墨雜書，幷子注（大書分爲七卷）（仝上，序錄殘卷校注轉引。）

此外，尙有名醫別錄一書，隋志三卷，但題陶氏撰，不著其名；至藝文略，乃直書陶宏景撰，昔時醫家，亦均認爲宏景所撰，未有異詞。李時珍本草綱目序例，謂「神農本草，藥分三品，計三百六十五種，……梁陶宏景，復增漢魏以下名醫所用藥，三百六十五種，謂之名醫別錄，」（見綱目卷一，序例上。）其下，並綴以宏景集註自序，是誤以本草集註爲別錄矣！至於別錄一書，究爲何人所撰？不無疑問。蘇敬新修本草註：「梁七錄有神農本草三卷，陶據此以別錄加之，爲七卷，」其實宏景自序謂苞綜「諸經，」當指神農以外之本草而言，所謂名醫「副品，」亦不必完全採自「別錄，」但別錄之書，決非宏景所撰，日本多紀元胤、元堅、弟兄，著醫籍攷，曾謂「別錄不是成乎宏景之手，隋志所謂陶氏，別是一人，」（醫籍考卷十）其說甚爲有見。蓋宏景既苞綜諸經，撰爲本草集註，已不必另撰別錄，倘在未成集註之前，著有別錄一書，更不必以自著別錄之文，摻入集註；此種傳訛之詞，原不足辨。今本草集註，僅存敍目，其全已無可攷見矣！

自梁以迄初唐，醫家所用，大抵以陶氏集註爲本。唐顯慶二年，（公元六五七）蘇敬（敬、舊亦作恭，蓋後世避帝諱而改。）摭陶氏之乖違，辨俗用之紕繆，遂表請修訂；高宗乃詔長孫無忌等廿二人，與蘇敬重訂；顯慶四年（公元六五九）正月十七日，新修本草二十一卷及圖經目錄等告成，合五十四卷，世謂之唐本草，李時珍謂：「唐高宗命司空英國公李勣等，修陶隱居所註神農本草經增爲七卷，世謂之英公唐本草，頗有增益；顯慶中，右門長史蘇敬，重加訂註，表請修定，帝復命太尉趙國公長孫無忌等廿二人，與敬詳定。」—（本草綱目卷一序例）云云，是認七卷本之集註爲李勣所修，而後復經蘇敬等重爲詳定者，實屬大誤。蓋蘇敬先據本草集註，訂其謬誤，乃復表請修定，此可就新修本草孔序：「蘇敬摭陶氏之乖違，辨俗用之紕繆，遂表請修定，深副聖懷；乃詔太尉揚州都督，監修國史，上柱國趙國公，臣无忌，太中大夫，行尚藥奉御，臣許孝崇等二十二人，與蘇敬詳撰」之語，可證，李氏不察，顚倒史實，殊覺可鄙。今新修本草，久無傳本，惟纂喜廬叢書中，收有唐卷子本新修本草殘卷，畏友范行準兄，曾就此殘卷，參校舊籍，輯有成書。今查千金翼方卷二一，所錄本草三卷，卽爲唐本舊目，並可攷見，而世尠留意，亦可怪已。行準案：千金翼中所錄本草爲據唐本草之說，余雲岫先生似已言之，予所輯新修本草則據唐卷子本外，悉依日本深江輔仁之本草和名之目也。因以本草和名之藥目編次，持與殘卷相較，一無所異，知本草和名錄自唐本。此事丹波元簡在本草和名序及提要已備言之。

今攷新修舊目，依證類所載，剔除唐後增附之品，計本經三百六十種，別錄一百八十二種，有名未用一百九十四種，唐附（卽顯慶新修所增）一百十四種，共八百五十種，但以千金翼本草舊目考之，與此略有出入；計玉石部、八十二味，草部、二百五十七味，木部、一百〇一味，人獸部、五十六味，虫魚部、七十一味，果部、二十五味，菜部、三十七味，米谷部、廿八味，有名未用、一百九十六味，（政和證類存目中，無北荇華、領灰、二種，故作一九四種。）計八百五十三種，此因開寶以後各部藥品，或移易、或分條，及錯誤漏列等，致難盡合，應以千金所載爲是。余雲岫先生曾撰讀千金翼方札記一文，已有攷訂；（見余氏醫述三集，卷二，第五一頁。）容後再爲詳校。查新修存目，除顯慶新增藥味一百十餘種外，唐本所收，本經、別錄、及有名未用之藥，都七百三十九種，所有唐本退本經六種，（姑活、別覊、石下長卿、翹根、屈草、淮木。）及退別錄十四種，（薰草、牡蒿、齧舌、練石草、弋共、蕈草、五色符、藎草、鼠姑、舩虹、赤赫、占斯、嬰桃、鴆鳥毛。）並在有名未用數內，以與陶氏集註七百卅種總數相較，唐本已多出九種；（內有名未用，較集註中之有名無實，實少三種。然此外亦間有一二爲陶氏集註所未收者，）又不似蘇敬等所增，可見唐初所傳之本草，轉輾傳抄，較之陶氏原本已有進退矣。此外，本草之書，見於新舊唐志者，有張鼎本草卅卷，目錄一卷，藥圖二十卷，圖經七卷，孔志約本草音義（宋志作唐本草）二十卷，陳藏器本草拾遺十卷，李含光本草音義二卷，本草音三卷，孟詵食療本草三卷，鄭虔胡本草七卷等。惟張鼎本草，諸家簿錄未載其名銜卷帙，並同新修本草，醫籍攷疑鼎與蘇敬，同爲編撰者，新唐志著目，係爲複出，頗爲近理。至本草音義，題孔志約撰，亦頗有可疑；按新修本草有孔志約序，未言自著音義，恐亦有悞；故宋志作唐本草，或別有所據也。

更攷宋代本草書，見於宋志或諸家著錄者，有盧多遜詳定本草二十卷，目錄一卷，李昉開寶重定本草二十卷，目錄一卷，蘇頌圖經本草二十卷，目錄一卷，掌禹錫補註本草（讀書後志，作補註神農本草。）十二卷，目錄一卷，唐愼微大觀經史證類備急本草三十二卷，日華子諸家本草廿卷，陳承重廣補註神農本草二十三卷，重修政和經史證類備用本草三十卷，王繼先紹興校定經史證類備急本草廿二卷，（玉海作卅二卷）寇宗奭本草衍義二十卷等，是其較著者。其餘唐宋兩朝本草著述尙多，如本草藥性，王方慶新本草，蕭炳四聲本草，楊損之刪繁本草，孟蜀李珣海藥本草，南唐陳士良食性本草，杜善方本草性類，亡名氏南海藥譜，文彥博節要本草圖，龎安時本草補遺，莊李裕本草節要，鄭樵本草成書，張文懿本草括要詩，亡名氏本草韵略，梁嘉慶本草要訣等。今略敍本草成書之沿革，並摭拾宋代以前之本草書錄，以實本文，聊見一斑。惟以屬稿倉卒，未能遍攷載籍，詳加述記，自知罣一漏萬，舛誤必多，尙希　博雅方家，賜以匡正！至於宋世以後之本草著述，容後另文撰記，暫從省略，讀者諒之！

民國以來衛生事業發展簡史

金寶善

我國歷代雖不乏醫藥官制，如周官有醫師，上士，下士，掌醫藥之政令；秦及兩漢均有太醫令丞，主醫藥，屬少府；後漢有醫丞，有醫工長，宋元以來，并有太醫局太醫院之設，然考其職務，雖亦有涉民衆健康之事，而重點則在帝室也。遜清光緒卅二年施行新政，於民政部設衛生司。宣統二年東三省鼠疫流行，清廷派軍醫學校會辦伍連德醫師前往防治，并於京師組設防疫局，及衛生會，山海關設檢疫所，各海口亦同時實施檢疫，另設奉天鼠疫研究會，是爲促進我國衛生事業之重要因素。

公共衛生，爲具有社會性之事業，其發榮滋長與一國政治經濟文化之進步，息息相關；凡政治經濟文化發達之國家，其公共衛生事業，亦必有可觀，反之，政治經濟文化落後之國家，其公共衛生事業亦不能獨自進步。我國近年來政治經濟文化，均有莫大變化與進步，公共衛生事業，雖處於國步艱難之際，困扼頓挫，固所不免，然因政府之積極提倡，以及我醫藥衛生界同仁之努力，其所表現之進步，以視其他事業，良無慚色。茲將自民國成立以來我國公共衛生事業之發展經過，分四個階段，略述如次：

第一期：　自民國元年至北伐成功國民政府奠都南京止，計時十有六年，本期以處於北京政府統治之下，軍閥割據，各種事業，均鮮進步，醫療衛生事業，則以教會醫事機關之提倡，促進及迫於事實上之需要，尚有相當成就，教會醫院亦年有增加，且所佔比例甚高，醫學院校，亦相繼設置，計有北平協和，上海女子，聖約翰，同德，光華，東南，南通，湘雅，遼寧等醫學院。中山，北平，河南，齊魯，震旦等大學之醫學院；及江西，河北，浙江三省之醫專，共十七所。惟各校當時教育方針，完全偏重臨床醫師訓練，於公共衛生課程之教學，頗嫌不足。民國初年中華醫學會成立，與前此成立之博醫會，同爲我國主要之醫學學術團體，對於我國醫藥科學與衛生事業之促進，均有顯著之貢獻。至於政府方面，自民國元年八月於內務部設衛生司，迄北伐完成，北京政府瓦解止，衛生行政組織，無大變動，在此期間較重要之工作，爲辦理東三省及綏遠山東等省鼠疫防治工作，并於民國八年三月成立中央防疫處於北平天壇，該處掌理關於傳染病之研究講習及生物學製品之製造，鑑定等事項，是爲中央政府所經營生物學製品之嚆矢。地方衛生機關之建立，則以京師警察廳試辦公共衛生事務所然最早。該所係由當時之京師警察廳得協和醫學院之助，於民國十四年五月所創辦者，其工作範圍包括傳染病管理、婦嬰衛生、學校衛生、工廠衛生、環境衛生、生命統計、衛生教育、疾病醫療等項，此爲我國有現代化市衛生工作之開始，對於我國公共衛生事業之發展實具有甚大之影響。

第二期：自北伐成功，迄七七抗戰止，爲時約十年。國府奠都南京後，雖統一告成，　外有日寇侵佔東北，發生九一八事變，　外患有增無已，我政府雖處此嚴重情勢之下，仍力謀建設，均有顯著之進步，醫藥衛生事業，亦多有發展。本期所增設之醫學院校計有中央大學醫學院，孫逸仙博士紀念，及中正兩醫學院。廣西福建兩省立醫學院，山東陝西兩省立醫專等校。若干醫學院已增加公共衛生課程之講授，如協和醫學院，上海醫學院及同濟大學等校。博醫學會及中華醫學會於民國廿一年四月十五日合併爲中華醫學會，各種專門學會，如中華公共衛生學會，中華內科學會等亦相繼成立，對於我國公共衛生問題之探討與著述亦漸增多，本期重要衛生事業如次：

（一）中央衛生建制　國民政府奠都南京後，於民國十六年四月設立內政部，內置衛生司，主持衛生行政事宜。十七年十一月十一日改設衛生部，內設總務、醫政、保健、防疫、統計五司；另設中央衛生委員會爲設計審議機關。其後陸續增設中央醫院，中央衛生試驗所等機關。二十年四月十五日衛生部改爲衛生署，隸內政部，組織縮小，內設總務、醫政、保健三科。廿一年在全國經濟委員會之下，設立中央衛生設施實驗處，旋改稱衛生實驗處，掌理衛生技衛設施及檢驗、鑑定、製造、研究等事項，爲全國最高之衛生技術機關。廿五年衛生署奉令改隸行政院，組織一仍其舊案十七年十二月一日國民政府公布全國衛生行政系統大綱，規定省設衛生處，市縣設衛生局，衛生行政系統，乃告確定。衛生部爲訓練衛生專門人才與教育部合作，於十八年設立國立第一助產學校，其後復設立中央助產學校。廿一年設立國立中央護士學校，此三校旋改隸教育部。爲改進我醫事教育計，衛生部十八年會同教育部，設立醫學教育委員會，旋增設護士助產教育等專門委員會。該會對於醫學教育之改進，如學制之釐訂，課程標準之訂立，均多有貢獻。廿二年七月衛生署復舉辦公共衛生醫師班，訓練公共衛生醫師，以應各地需要，後擴充爲公共衛生人員訓練所，以訓練各種衛生人員。我國海港檢疫，原由遜清於同治十二年委託外人辦理，至民國十九年由衛生部交涉收回，於上海設海港檢疫總管理處，并於各重要海港設置檢疫所，至是中央衛生機構漸形完備。十九年五月十五日，衛生部頒行中華藥典，舉國便之。廿三年成立西北防疫處及蒙綏防疫處。廿四年七月設置麻醉藥品經理處。廿六年成立衛生用品修造廠，及中央藥物研究所。

（二）地方衛生建設　衛生行政爲新興事業部門。民國十七年以前無一定制度，各省市縣均無衛生專管機構，自十七年十二月一日，國民政府公布全國衛生行政系統大綱，規定省設衛生處，市設衛生局，後省市衛生主管機關，漸次設立，本期經中央協助各省成立省衛生主管機構者，共七省：江西設全省衛生處；雲南湖南甘肅寧夏青海等五省，均設衛生實驗處；陝西則有衛生委員會之設。市設衛生局或衛生事務所者，計有南京上海北平天津廣州杭州南昌等七市。至抗戰前夕爲止，省衛生事業機關，五十二單位，市八十二單位，共計壹百卅六單位，其中省立醫院十五所，傳染病院衛生試驗所各三所，其他衛生機構卅一所，市立醫院十四所，傳染病院六所，衛生試驗所二所，其他共六十所。至於縣之衛生設施，初由中央及地方衛生機關，以及私人團體所倡辦，其性質不外兩種：一則重在實驗，一則根據各地實驗結果，推行衛生工作。前者爲各種鄉村實驗區，後者爲各縣之縣立醫院或衛生院。十八年秋，中華平民教育促進會成立衛生教育部，在河北定縣辦理鄉村衛生實驗工作，二十年內政部衛生署創辦湯山衞生實驗區，繼於廿二年七月與全國經濟委員會衞生實驗處合作，先後在江寧鎮上新河等七處，設立衞生所，旋協助江寧縣設置衞生院。同年十一月，山東鄉村建設研究院，與齊魯大學醫學院合作，創設鄒平縣政建設實驗區衞生院。廿一年十二月，第二次內政會議通過：「依照各地方情形，設立縣衞生醫療機關，以爲辦理醫藥救濟及縣衞生事業之中心案。」後由內政部通令各省民政廳分令各縣遵照籌辦江蘇浙江兩省，首先遵設縣立醫院，達數十所。廿三年四月九日舉行之衞生行政技術會議，通過縣衞生行政方案，將縣衞生機構，予以變更，決定縣設衞生院，區設衞生所，較大農村設衞生分所，每村設衞生員，使縣衞生行政成爲一整個系統，縣衞生工作得以展開。廿六年三月，衞生署復公布縣衞生行政實施辦法綱要，使各縣推行衞生事業，有所遵循，進展順利，截至抗戰開始時止，各縣設立衞生院或縣立醫院者，計江蘇卅五縣，浙江十四縣，江西八十三縣，山東二縣，河北一縣，陝西九縣，福建十八縣，共壹百六十二縣。廣西分十二區，每區設衞生事務所一所。

（三）西北及邊疆衞生設施　衞生署於廿三年設西北防疫處於蘭州，廿四年設蒙綏防疫處於綏遠，廿五年復於綏遠設蒙古衞生院，以促進西北及綏蒙一帶之衞生醫療防疫等項工作。

第三期：　自七七抗戰至卅四年勝利爲止，歷時八年有餘，因處於戰時狀態，沿海各省市大部淪陷，敵騎所至，破壞隨之，所有被侵佔之省市，原有衞生事業，大部停頓，原有設備損失甚重，所幸後方各省市因政府西遷，人才集中，衞生事業因而獲得發展之機會，醫事教育機關亦續有擴展，計新成立之醫學教育機關，有貴陽西北江蘇等醫學院，醫學研究機關，則有中央研究院醫學研究所，中央大學研究所醫學部，及江蘇醫學院寄生虫學研究所之設立。醫學學術團體之活動，因受戰事影響，不無遜色，是以本期學術水準較爲低落，但并未停頓，仍有多數專家利用退居後方之機會，埋頭於西北西南若干地方衞生問題之研究，如對於瘧疾，黑熱病，斑疹傷寒等病流行學上之研究，及四川樂山一帶之痺病，與夫國產藥等有効成份之究研，均獲有相當成就。本期主要衞生工作概述如次：

(一)中央衛生建制　廿七年一月中央調整行政機構，衛生署改隸內政部；同時全國經濟委員會撤銷，衛生實驗處改隸衛生署。廿九年衛生署再度脫離內政部，又直屬行政院。廿六年秋，中央醫院西遷貴陽，旋設分院於重慶，卅一年一月改組分設爲重慶貴陽兩中央醫院。溯自廿六年抗戰軍興，麻醉藥品經理處改隸全國經濟委員會衛生實驗處，廿七年七月改隸內政部衛生署衛生實驗處，廿九年四月改隸內政部衛生署。廿七年一月衛生用品修造廠改稱衛生用具修造廠，遷移四川合川。廿七年一月蒙綏防疫處撤銷。中央藥物研究所改隸教育部。廿七年設立戰時醫療藥品經理委員會，平價供應醫療藥品器材，因爲謀藥品器材自給自足計，其後增設西北及第一兩製藥廠，與衛生用具修造廠，製造供應藥品器材，使後方衛生醫療機關業務，得以維持於不墜者，兩廠之功爲不可沒。廿七年春，成立醫療防疫隊，協助地方辦理醫療防疫，以及一般救護工作。同年復於長沙設立戰時衛生人員訓練所，以訓練戰時工作幹部，此外并組織防疫大隊，協同國際聯盟派遣來華之防疫團，辦理戰區防疫工作。廿八年設置西北衛生專員辦事處，輔導西北各省衛生事業，并續設西北醫院及西北衛生人員訓練所。三十年衛生實驗處改組爲中央衛生實驗院。卅三年西北衛生專員辦事處改組爲西北衛生實驗院，從事西北衛生問題之實驗研究。又自廿八年起，後方公路交通，日趨重要，沿路缺乏衛生設施，乃創辦公路衛生站，最多時達七十餘站，分佈於後方各重要公路沿綫。其後又組織遠征軍手術隊，及外科流動醫院，分赴滇西湘西兩戰地，參加第一綫救護及手術工作。在本期間，尙有一事最値得吾人重視者，即廿九年中央决定以實施公醫制度，爲我國衛生基本政策。自卅年起，政府特撥推行公醫制度經費，派遣推行公醫制人員，分赴各省市，策劃推動，衛生署并計劃普設省市縣鄉鎮各級衛生機構，以爲將來實施公醫制度之準備。

(二)地方衛生設施　第二期已設置之七省衛生行政機關組織，名稱極不一致，廿九年六月廿一日，行政院公布省衛生處組織大綱，省衛生行政機關組織，乃獲有一致之規定。該項大綱規定省衛生處下得設省立醫院，衛生試驗所,初級衛生人員訓練所,衛生材料廠等業務機關,各省制度漸趨一致。至抗戰勝利止,全國已有十六省設立衛生處,市設衛生局,或衛生事務所者,計重慶成都自貢貴陽昆明西安蘭州等七市,省衛生事業機關二百四十四單位,市廿四單位,共計二百六十八單位。其中省立醫院五十三所,傳染病院七所,衛生試驗所十所,省其他衛生機關一百七十四所,市立醫院產院傳染病院共十所,市其他衛生機關十四所。戰時後方各縣衛生院,年有增加。廿九年五月十八日縣各級衛生組織大綱公布施行後,衛生院之增設益多,至卅四年底止各省已設衛生院者達一千零十三縣。

(三)邊疆衛生設施　中央於西康省境內設有西昌會理富林雅安四衛生院,蒙旂方面卅二年將蒙古衛生院改組,分設伊克昭盟烏蘭察布盟兩衛生所,另增設阿拉善旂衛生所,以分別辦理綏遠寧夏兩省蒙旂衛生工作。

第四期:　抗戰勝利後至卅六年底止,本期雖抗戰勝利結束,開始復員工作,　一切建設工作,遭受阻礙,衛生事業幸獲聯合國善後救濟醫藥物資之補助,尚見進展。醫事教育機關,亦續有增設,計有北平武漢浙江台灣等四大學醫學院,及國立瀋陽醫學院。至衛生事業,雖因八年長期抗戰,收復區原有一切衛生設施,遭敵人破壞無餘,恢復不易,而終經努力促進,尚呈蓬勃之氣象。此外并參加國際衛生組織,共謀國際衛生事業之發展。茲將本期主要衛生工作概述於后:

(一)中央衛生建制　衛生署於卅四年冬還都,卅六年五月一日改爲衛生部,內設醫政、防疫、保健、地方衛生、藥政、總務等六司。地方衛生、藥政兩司暫緩設置,其業務分別由保健、醫政兩司兼管。卅四年冬,恢復南京中央醫院,貴陽中央醫院交由貴州省接辦。卅五卅六兩年來增設天津廣州兩中央醫院,北平南京兩結核病防治院,南京精神防治院,東南鼠疫防治處,黑熱病防治處,西北醫院改稱蘭州中央醫院,中央衛生實驗院設北平分院,西北衛生實驗院亦改組爲該院西北分院,并成立東北分院,分別辦理各該地方衛生問題之實驗研究事項,恢復或增設上海廣州汕頭海口廈門福州青島津塘秦等八海港檢疫所，漢宜渝檢疫所改稱長江檢疫所，中央防疫處復歸北平原址改稱中央防疫實驗處，西北防疫處西北製藥廠，衛生用具修造廠合併改組爲中央生物化學製藥實驗處。戰時醫療藥品經理委員會改組爲藥品供應處，另設藥物食品檢驗局，痲醉藥品經理處，及第一製藥廠，亦隨政府還都。此外於復員開始爲辦理緊急醫藥救濟，將後方公路衛生站，合併改組八個流動衛生站，沿水陸重要路綫東下擔任工作。至卅五年底以任務達成，乃告結束。卅五年十二月廿五日公布之憲法，規定「國家爲增進民族健康，應普遍推行衛生保健業務，及公醫制度。」衛生政策更予確定，樹立百年大計，尤足令人興奮。

（二）地方衛生建設　勝利後，各省增設衛生處者，計有：江蘇河北山東山西綏遠熱河察哈爾台灣等省市恢復，或增設衛生局，或衛生事務所，或衛生院者，計：南京上海青島天津北平廣州瀋陽杭州汕頭太原長春徐州南昌濟南長沙台北等共廿九市。截至卅六年底止，省衛生處廿六院轄市衛生局八，衛生事務所一，省轄市衛生局六，衛生事務所，衛生院各十所，省衛生事業機關一百四十八所，包括省立醫院壹百壹拾所，婦嬰保健院所十一所，結核病防治院四所，傳染病院六所，精神病防治院二所，痲瘋醫院三所，衛生試驗所十二所，市衛生事業機關壹百零叁所，包括市立醫院五十六所，婦嬰保健院所十三所，結核病防治院四所，傳染病十九所，精神病防治院二所，痲瘋病院一所，衛生試驗所七所，戒煙醫院三所。縣衛生設施，亦頗有進展，縣設衛生院達壹千四百四十所，區衛生分院三百五十三所，鄉鎮衛生所七百八十三所。卅四年公布公立醫院設置規則，截至卅六年底止，設置公立醫院者，計：江蘇浙江等十一省共計四十所。

（三）邊疆衛生設施　西康省衛生處成立有年，衛生事業，亦漸形發展，衛生署遂於卅五年將雅安富林兩衛生院移交該省接辦，是該省境內中央設置之衛生院，尚餘西昌會理兩所。蒙旂方面則仍爲伊克昭盟烏蘭察布盟阿拉善旂三個衛生所。

檢討卅六年來我國衛生事業演進之史實，吾人可得三項之認識：（一）我國衛生事業在第一階段中，成就甚少，第二階段已有顯著之進步。第三第四兩階段，雖處於抗戰　　政府財力空前困難之際，衛生事業仍有極大發展，可證明惟有在　　之下，衛生建設，方能進步。（二）在第一階段，政府根本無政策之可言，自第二階段衛生部成立後，始漸有衛生政策之議。其後因受各國公共衛生思潮之影響，始確定普遍推行衛生保健事業，及公醫制度為衛生政策，并列入憲法，以樹立百年大計。（三）我國衛生事業雖較歐美國家落後，但持平而論，在此數十年中無歲不有　　有此顯著進步，已屬難能矣。（四）我國政治經濟文化如能日見進步，則衛生事業，亦必日有發展。將隨各國公共衛生事業發展之趨勢，而日趨於社會化，普遍為人民健康服務。

健康為達到個人與國家安全幸福之重要因素，而健康權又為人類基本權利之一，政府自應予以保障，衛生政策，憲法既經明文規定，吾人今後必須依此方案努力以赴，以竟事功。又衛生事業為各國人民間和諧共處的基礎之一，而與健康又屬不可分者，在此方面各國利害，正復相同，是以吾人除努力於本國衛生事業之發展，以增民族健康外，尚須參加國際衛生合作，共謀人類健康之增進，以促進世界大同，是則仍有賴於我醫學界同仁之繼續努力也。（附表格五紙，因篇幅關係，略。——編者。）

元槧經史證類大觀本草跋

丁濟民

宋，唐愼微撰。全書三十一卷，目一卷，內或題大全本草，實一書也。元大德壬寅宗文書院刊，半頁十二行，行二十字，此書元刊今世所存者，猶有數本，然非大家不能得，此本舊爲聊城楊氏海源閣所藏，有明善堂珍藏書畫印記，安樂堂藏書記，東郡楊紹和字彥合鑑藏金石書畫之印，楊氏海原閣藏，楊紹和藏書，諸印。則淸宗室弘曉之書也。此書楮墨精佳，而裝潢典雅，尙存乾隆之舊，蓋元刊方書中之尤物也。案怡府親王所藏醫書，余所見者，無不精雅，此書授受源流，可得而言者。陸心源跋宋槧婺州九經有曰，怡賢親王收藏，王爲聖祖仁皇帝之子，其藏書之所曰樂善堂，大樸九楹，積書皆滿。絳雲未火以前，其宋元精本，大半爲毛子晉錢遵王所得，毛錢兩家散出，大半歸徐建菴，季滄葦，徐季之書，由何義門介紹，歸於怡府，乾隆中四庫館開，天下藏書家皆進呈，惟怡府之書未進，其中爲世所罕見者甚多。又曰：怡府之書，藏之百年，至端華以狂悖誅，而其書始散落人間，聊城楊學士紹和，常熟翁叔平尙書，吳郡潘文勤，錢唐朱脩伯宗丞得之爲多云云。詳葉昌熾藏書紀事詩四，據盛伯希之說，謂怡府藏書，始自怡親王之子弘曉云。然則，是書爲弘曉所藏，至端華被罪後散出，爲楊氏所得者，確然無疑。楊氏藏書，自戰前王匪擾聊之役，已多喪失，幸宋元佳槧，事先已多移置津沽租界儲藏，丁丑倭變旣起，其後人乃將宋元明淸珍本，精抄與名人校勘之本，售諸存海學社，今由政府收歸國立北平圖書館之九十三種者，是也。其中有宋刊本經史證類備急本草三十一卷，目錄一卷，三十二册，其卷册之數，與寒齋此本正同，且知此本從宋刊翻印也。並知楊氏遺書宋元精槧，決不止九十三種，其散落四方者多矣。先是余嘗得此書同版元刊，僅存序目一卷，且中有抄補，雖亦似初印，而神氣完足，終不及此本也。

又案愼微此書，自宋刊外，雖有號稱金晦明軒刊本，而中附以寇宗奭本草衍義，已非愼微原書之舊，且所謂金之甲子，實則金亡已久，其時爲元世祖至元元年，下距大德壬寅才三十九年，故愼微書除宋刊外，當以此本最佳。

名醫傳的探索及其流變

范行準

（一）名醫傳的改題與撰人的年代

中國醫家之有傳記，實始於漢司馬遷的史記扁鵲倉公傳。左傳和國語國策諸書，雖已有涉及醫和醫緩及扁鵲等醫家之事，但都算不得傳。他們不過敘述政治方面時連帶及之，或爲寓言而已。

醫家的傳記，雖在史記中已有專傳，但集歷代以來的醫家傳記而爲一書的，要算唐甘伯宗的名醫傳了。這書始著錄於北宋慶曆元年王堯臣奉詔撰的崇文總目，其中載有：

名醫傳一卷　甘伯宗撰

新唐書藝文志同，惟作七卷。但宋史藝文志王應麟玉海卷六十三都已改爲歷代名醫錄。玉海「歷」上有「唐」字，並作七卷。案實僅一卷，作七卷皆據新唐志而誤的。此種改易書名，似非南宋以後人始，因北宋治平初林億等序傷寒論時，已作名醫錄了。且宋時許慎齋撰歷代名醫探源報本之圖時所據本也已改題爲名醫錄。明初熊宗立撰醫學源流時所據之本則爲許書。然傳錄二字，亦無準則；林億等進呈王叔和脈經劄子則作甘伯宗名醫傳，而卷數實以崇文總目作一卷爲正，因全書僅一百二十人，傳贊簡略，亦非每人有圖，當無七卷之理，故七字當是一字之誤。其誤實始於新唐志。名醫傳一書，大概在元明時已經不見了，我很疑心伯宗這一卷名醫傳因被宋張杲取入醫說而不行，所以元明以來的醫家，歷史家和藏書家都很少有引用甘氏的書名及他的文字的。

甘伯宗這人的事迹，因爲他的書早已佚了，所以現在我們很難考出他的爵里與事狀。據現在所知的文獻而言，他大概是中唐以後之人。淸姚振宗隋書經籍志考證說，梁時甘伯齊或與他爲羣從。（見姚書醫家類。梁甘伯齊療癰疽金創方下自注。）這在時間上，是不可能的。一個在梁王儉撰七錄時的人，決不能活到中唐以後，而他的成書，或在晚唐，那與甘伯齊時代相去更遠了。我們對作中國第一部醫史傳記的人，不能把他自己本身的歷史留傳下來，是一件最遺憾的事。因爲名醫傳成於晚唐五代時劉昫修舊唐書時，尚未著錄，這恐是唐末五代，還不大流行的緣故吧！

（二）　名醫傳的內容

名醫傳的作者，現在既然無法考出他的事狀，而名醫傳一書也因久佚，無從探索它的內容；就是引用此書文字的也很少。據我們現在所知，只有林億等在治平中序傷寒論時引用名醫錄，有這麼一段文字：

南陽人，名機，仲景乃其字也。舉孝廉，官至長沙太守。始受術於同郡張伯祖，時人言識用精微過其師。

除熊氏醫學源流間接引用甘書外，此或者是一段僅存的名醫傳中的文字了。但林億所引的名醫錄在宋時也有與它相同的書名；我曾從張杲醫說周守忠歷代醫學蒙求，養生類纂，養生月覽，及元人釋繼洪澹寮方，沈從先暴證知要與明初朝鮮梁誠之等修撰的醫方類聚等十數種書中所引的名醫錄緝爲二卷。但大多是記宋人的醫驗，其中有稱引徽廟的，則當是北宋末年或南渡以後的人所做，決不是甘伯宗的名醫錄。我屢欲考索宋人名醫錄的著述人而不得某次，偶檢光緒時薛福成的天一閣書目，果然給我找到了。在薛目卷三醫家類有下面這一條記載：

神祕名醫錄二卷。　宋黨永年撰。

我才知此書是永年所撰的。按宋史藝文志有党求平摭醫新說三卷，（祕書省續編到四庫闕書目錄作二卷。知紹興時祕省已無。）而又有黨永年摭醫新說三卷，當係複出。我想求平或是永平的字，或「永」「年」二字形近之誤。奇怪的是宋志一書複出，而日本丹波元胤醫籍考並失載。我疑心摭醫新說是神祕名醫錄的改題，只卷數與宋志不符。天一閣所藏此書的卷數，恰與我所緝的本子相同，可稱偶合。但原書之名還有「神祕」二字，這更可確定不是甘伯宗的書。但這書在民國二十九年出版的馮貞羣編天一閣書目中已不見了。

名醫傳的內容，據我所知的醫家中僅有二人提及：一爲醫學源流的作者熊宗立，一爲醫學入門的作者李梴。醫學源流說：

唐甘伯宗撰歷代名醫自三皇始而迄於唐代，繪列成圖。原書自跋

這是我們今日知道提起伯宗書內容的第一人。但熊說「自三皇始而迄於唐代」雖知伯宗書的斷限，而不知所著錄的有多少人，據明李梴醫學入門說：

甘伯宗撰歷代名醫姓氏，自伏羲至唐凡一百二十人。出輟耕錄。卷首歷代醫學姓氏儒醫類

但李梴說「自伏羲至唐凡一百二十人。」這十一字，實據王應麟的玉海。關於元陶宗儀輟耕錄卷二十四歷代醫師條下所列的歷代醫師，我早根據熊氏醫學源流的記載，就決定它是許慎齋歷代名醫探源報本之圖中的醫人姓氏。說它是甘伯宗名醫錄是完全錯誤的。因輟耕錄中的歷代醫師，自三皇時的僦貸季起至金袁景安止，共一百九十四人，甘伯宗既是唐中葉以後人，決看不見金源的人物，此其一。就依李梴之說至唐時止也有一百五十一人。多出三十餘人，此其二。所以我敢斷定，李說是錯誤的。

名醫傳中的文字，如除了林億序中引見外，只有熊宗立的醫學源流了。但熊書所引的也是根據李愼齋的書，可以說是更間接的材料。可是我們得因熊書而知甘伯宗的名醫傳不但有傳記的文字，而且還有「圖，」有「贊」；只少許愼齋所見的本子，是這樣的。大概原書是圖在文前，贊在傳後。傳後有贊之例，似爲班固所創的。

(三) 名醫傳的存佚問題

名醫傳中所留下來的文字內容，據我現在所知的，只有這一點，可謂所知甚少，要探索它的內容，是無可措手的。那末除此而外，有何方法可以探知它的內容，更進而研究它的流變呢？這不能不使我們從張杲的醫說一書想起了。因爲它是現在留給我們在醫史材料方面較富與較古的一部書。——雖然丹波元胤醫籍考把它列入宋人

方論中。

我很疑心張杲的醫說第一卷三皇歷代名醫，是根據甘伯宗的歷代名醫錄而來的，或竟是甘氏的原書而稍加刪改而成。這里我們可看下列幾節文字。

前面說過李梴說甘伯宗名醫錄所著錄的醫人爲一百二十人，他是根據玉海而來的，王應麟是南宋人，與李杲同時，或當猶見伯宗是書，或據王堯臣總目之敍，皆必確有所據的。（清初陳夢雷等撰之醫部全錄醫術名流列傳甘伯宗傳是據李梴書但刪去出醫耕錄四字。）今詳醫說首列三皇歷代名醫，也只收到初唐爲止，約一百十六人，說一百二十人，蓋據成數而言。惟醫說最後列許智藏巢元方玄珠先生王冰等四人，當非伯宗之文。因巢元方傳醫說引宋綬巢源序文，而王冰傳則引林億序素問次注之文。且許巢二人皆隋人，何得次於唐武后時之秦鳴鶴下乎？其爲季明續貂之跡灼然可見。惟吾人亦得賴此而判伯宗之書，尚存於醫說，並知伯宗的書是斷限於武后的時代。

醫說醫人傳中所引各書，南宋時多已亡佚，拿它同太平御覽引所書相較，多大不相同。其中也有唐人語氣的：如醫說神農傳引帝王世紀及本草論序多與今本不同（本草論序，即孔志約唐本序載大觀本草卷一序例中。）與唐本序略同的只有「去陶氏之乖違，辨俗用之紕紊。」二句。而其中有「逮于我唐統極。」這句也不見于孔序，顯然是伯宗櫽括帝王世紀及本草論序的文字，而自己加進去的。若是季明所作，決不用「我唐」二字。這可與醫學源流引伯宗書中的「大唐」二字，互相發明。

又以林億序引名醫錄的張仲景傳，與醫說的張仲景傳，僅有詳略的不同，其詞義並不大相逕庭。再詳周守忠粲庵的歷代名醫蒙求後序說：

愚偶詣醫生楊君之舍，話次出示所抄一書，曰名醫大傳，乃與名醫錄殊別。

我很疑粲庵所見楊氏抄本名醫大傳，是甘伯宗名醫傳的改題，因爲宋人也是好改古書的。但名醫蒙求所引的名醫大傳，僅有李密、伯高、少俞、張機、胡治等四條五人的傳。我現在姑把名醫蒙求所引的文字，依次錄出，與張杲的醫說相對照：

一、名醫大傳云：

刺使李密，慷慨有志節，母患積年不愈，乃習經方，遂盡其妙；多至全護。由是亦以醫術知名焉。名醫蒙求卷上引

醫說云：

……密方直有至行，母病積年不愈，乃習經方，遂盡其妙；多所全護。由是知名。案下即崔季舒傳注云：北齊書。知密傳亦出北齊書。

二、名醫大傳云：

伯高少俞，並黃帝時臣也，未詳其姓。輔左黃帝，詳論脈經，對揚問難，究盡義理，以為經論；故到于今賴之。名醫蒙求卷下引

醫說云：

伯高少俞，並黃帝時臣，未詳其姓。輔佐黃帝，論脈經，對揚問難，究儘其義理，以為經論；故人到于今賴之。出素問。

三、名醫大傳云：

張機字仲景，南陽人。受術於同郡張伯祖，善於理療，尤精經方。舉以孝廉，官至長沙太守。後在京師為良醫，時人言其識用精微過於伯祖。名醫蒙求卷下引

醫說云：

後漢張機，字仲景，南陽人也。受術於同郡張伯祖，善於治療，尤精經方，舉以孝廉，官至長沙太守。在京師為名醫於當時為上手。時人以為扁鵲倉公無以加也。原注：出何顒別傳及甲乙經仲景方論序。案可與前林億引名醫錄互為參照

四、名醫大傳云：

胡洽道士，性尙虛靜，心栖至道，亦以拯救爲事，以醫知名。撰經用驗方三卷，至今傳焉。名醫蒙求卷下引。

醫說云：

胡洽道士不知何許人。性尙虛靜，心栖至道，以拯救爲事，醫術知名。案此下有徐文伯徐嗣伯二傳，嗣伯傳下注云並出宋書。

這四條文字，與醫說對勘之下，便可知其同出一源。尤其林億節引的名醫錄與名醫大傳二者，可以斷定其爲一書。名醫蒙求引的名醫大傳，當然也是節錄的。雖有詳略的不同，因都是節錄的緣故。所以我很疑心：甘伯宗的名醫傳在宋時不僅改題歷代名醫錄，而且有人把牠改爲名醫大傳的。現在我姑假定醫說的歷代名醫，當從歷代名醫錄——名醫傳刪改而成。至二者文字時有歧異，那不僅因刪節時擅加文字以求銜接的緣故，而且做書的人，也往往好改古人成語。這只要做過緝佚工作或校勘工作的人，便可知道同引一書，其文字也多大有出入的。後舉異苑載王纂的事，便可證明。所以上文所引的這一點歧異，誠不足爲奇。案醫說歷代名醫傳中惟一可疑的，那便是隋唐醫人的傳記，有引唐史的。據我研究，唐史一書曾有言及唐僖宗時候的事，但絕不是宋孫甫唐史記。據宋史卷二百九十五甫傳，知是仁宗時人，但太平御覽太平廣記多已引用唐史一書了。而御覽七百二十三則引唐書

我們可以說甘伯宗的名醫傳所依據的材料，大概不出醫說歷代名醫傳的材料。那末，名醫傳一書雖佚，而牠的輪廓我們還大致可以推想得出來。若根據上文所述作大膽的假設：甘伯宗的名醫傳在醫說中尙保存牠的原本。換言之，名醫傳一書，誠如鄭樵所說「名亡實存」了。

（四） 名醫傳的流變

甘伯宗的名醫傳，我們現在很有理由的假定醫說第一卷，便是牠的原本。那今天就可依據此點，去考索此書的流變了。

名醫傳第一次改名的，是歷代名醫錄，而第二次改名的，爲名醫大傳（假定）；由歷代名醫錄而稱爲歷代名醫圖的，則見於熊氏醫學源流自跋。這是名醫傳一書改題的經過。案熊書內時亦有稱爲名醫傳的 至由歷代名醫錄一書所稱謂的，

有如下幾種：

依仿歷代名醫之名的，則有：

宋黨永年的神祕名醫錄（後人稱引此書的多簡稱名醫錄）又與神祕名醫錄內容相仿的則有：

（1）宋無名氏的醫餘（予亦有輯本）

（2）宋徐夢莘集醫錄（見宋樓鑰攻媿集卷百八〇直祕閣徐公墓誌銘。其書雖佚，但與集仙後錄同列，當亦名醫傳記驗案之屬）

沿歷代名醫之稱的，則有：

（1）宋張杲醫說卷一，三皇歷代名醫

（2）宋周守忠歷代名醫蒙求二卷（今有天祿琳瑯叢書本。明朱睦㮮萬卷堂書目，黃虞稷千頃堂書目並作一卷，倪燦補宋史藝文志沿之，並誤。盧文弨又沿倪氏未改）

（3）元陶宗儀輟耕錄卷二十四，歷代醫師

（4）明熊宗立歷代名醫圖姓氏

據歷代名醫錄而擴充醫家姓氏的，則有：

（1）宋許慎齋歷代名醫探源報本之圖

（2）明熊宗立醫學源流（案元許國禎亦有醫學源流一書，見徐春甫古今醫統大全，則清徐大椿之醫學源流之名，蓋三用之矣。又案清毛景義中西醫話卷五至六爲歷代醫學源流考，則假熊氏之書名，而又據陳夢雷的醫術名流傳而增損之者。）

（3）明徐春甫古今醫統大全卷一歷代聖賢名醫姓氏

（4）明李梴醫學入門卷首歷代醫學姓氏（原注云：據醫林史傳，外傳，及原醫圖贊而類編之云云。）

（5）清陳夢雷醫部全錄名醫術名流列傳

與名醫傳一書之名相類的，則有：

(1)元明人(？)醫林列傳　附見趙開美原刊仲景全書中的傷寒論之首。趙稱所刊傷寒論乃覆刊宋本，然內有成無已傳，係已金時醫家也。故知醫林列傳或爲元明時人所撰。

(2)明程伊醫林史傳四卷　引見醫學入門。又著錄於明趙開美脈望館書目，殷仲春醫藏目錄，千頃堂書目卷十四。

(3)明程伊醫林外傳四卷　同上

(4)明程伊史傳拾遺一卷　見醫藏目錄千頃堂書目卷十四。又脈望館書目作醫傳拾遺，疑本一書

(5)清程雲鵬醫人傳　見慈幼筏自序。案近人張孟劬孱守齋日記曾言夏閏枝撰醫人傳，不知已有程氏此書。

(6)清董恂古今名醫傳十一卷　在烏程董氏所著書內，予求之十餘年未得。

(7)清佚名醫林續傳　見陸以湉再續名醫類案引

(8)世界歷代名醫傳略十卷　清許昭傳撰，有宣統元年自序。稱：仿疇人傳例作名醫傳。並收泰西合信氏至古弗三十九人，蓋爲中國醫傳書收集西洋醫人最多之書。然玉石紛糅，時代參錯，全失著書體要。

以史爲名而實亦屬傳記體的則有：

(1)明王履醫史補傳　見古今醫統大全卷一名醫姓氏王履傳

(2)明李濂醫史十卷　川父藏書至富，萬卷堂及千頃堂書目並有他的李嵩渚醫書目四卷可證。而醫史一書至陋，中無一傳出于罕見者。

(3)明周恭增校醫史四卷　見千頃堂書目卷十四

(4)清王宏翰古今醫史七卷　案王爲天主教徒，故書中多黜神鬼之說，而申天教之義。

(5)清王宏翰續古今醫史一卷　清人僞託王氏者

然而從名醫傳以下這許多的書，只有擴充或刪改的傳記，而沒有改動他依據編年的體例。我們姑舉下列幾家史書的分類法，它的體例是這樣的：

(一)三皇歷代名醫　見醫說，無朝代標出。

(二)歷代名醫探源報本圖　輟耕錄二十四引作歷代醫師(1)三皇(2)五帝(3)周(4)秦(5)西漢(6)東漢(7)蜀漢(8)魏(9)吳(10)西晉(11)東晉(12)南宋(13)南齊(14)北齊(15)梁(16)

後魏 (17)後周 (18)隋 (19)唐 (20)五代 (21)宋 (22)金

（三）醫學源流 (1)三皇 (2)五帝 (3)殷 (4)周 (5)秦 (6)西漢 (7)東漢 (8)魏 (9)吳 (10)西晉 (11)東晉 (12)南宋 (13)齊 (14)梁 (15)後魏 (16)後周 (17)隋 (18)唐 (19)五代 (20)宋 (21)金 (22)元

見古今醫統大全卷首所引。

（四）歷世聖賢名醫姓氏 (1)五帝 (2)三代 (3)秦 (4)漢 (5)魏 (6)吳 (7)蜀 (8)晉 (9)南北朝宋 (10)齊 (11)梁 (12)隋 (11)唐 (12)五代 (13)宋 (14)金 (15)元

各家朝代的標舉，歷代名醫探源報本之圖與醫學源流相仿，但可注意的那是許愼齋是屬於朱子綱目一派的歷史觀，所以作蜀魏吳，而熊宗立則近司馬光通鑑一派的歷史觀，所以他作魏吳蜀。原不標出蜀代，但以唐愼微、韓保昇等置於董奉之下，知漏掉蜀代的名號。徐春甫據是體傳的，所以作吳蜀。

不過這幾家以朝代記事，雖有詳略先後之不同，總不離編年爲史之例；而特別値得提出的，那是李梴的分類法。他是以類相從，兼有縱橫兩體的。這是今日研究中國醫史學的人應當注意之事。他的分類法是這樣的：

（一）上古聖賢　（二）儒醫　（三）世醫　（四）德醫　（五）仙禪道術

他這種分類法，在當時不能不說是一種進步的方法，所以在醫史學上而言，李梴的分類法，近於馬遷史記之屬，其他都可歸于編年之屬。毛景義雖于歷代醫學源流考之外，別立歷代醫隱一門，仍不及他的完具。

至於周守忠的歷代名醫蒙求以四言爲對偶，便于蒙誦，那可歸於歷史歌括，或紀事詩之屬。周李二人的書，可說是名醫傳之屬的變體。此外以一人之傳著爲一書的，我現在所知，似乎只有朱彥脩傳。明葉盛菉竹堂書目卷五醫書類，有朱彥脩傳一册。不著撰人姓氏。除非乜是從戴良九靈山房集中抄出的丹溪翁傳的話，那可算是中國第一部醫家有個人傳記的書了。

（五）名醫著錄的升降表

我們現在可以將上列醫說，歷代名醫探源報本之圖，醫學源流，古今醫統大全，醫學入門所收的醫家姓氏，列表如下，陳夢雷的醫術名流列傳太繁不錄。以便省覽，則以姓氏的升降，而略知其人學說之盛衰。

醫說	歷代名醫探源報本	醫學源流	古今醫統大全	醫學入門
太昊伏宓羲氏		1.×三皇	1.×五帝	上古聖賢1.×(以下簡作上)
炎帝神農氏		2.×三皇	2.×五帝	上2.×
黃帝		3.×三皇	3.×五帝	上3.×
巫彭	1.×周★⊙		2.×三代	
巫咸	1.×五帝		12.×五帝	上12.×
岐伯	2.×三皇	4.×三皇	5.×五帝	上5.×
俞跗		7.×三皇	8.×五帝	上9.×
桐君	7.×三皇	10.×三皇	10.×五帝	上10.×
雷公	8.×三皇	11.×三皇	11.×五帝	上11.×
伯高	6.×三皇	5.×三皇	6.×五帝	上6.×
少俞	5.×三皇	8.×三皇	9.×五帝	上7.×
馬師皇	9.×三皇	12.×三皇		
	1.×僦貸季(三皇)		4.×五帝	上4.×
	3.×鬼臾區(三皇)	6.×三皇	7.×五帝	上8.×
	4.×少師(三皇)	9.×三皇		
		伊尹(殷)	1.×三代	上13.×
			12.×啇父(五帝)	
長沙君	1.×秦	3.×秦	1.×秦	仙禪道術(以下簡作仙)
醫緩	5.×周	1.×秦	5.×三代	明4.×
醫和	8.×周	2.×秦	4.×三代	
文摯	7.×周		7.×三代	明5.×
醫竘	6.×周		3.×三代	
鳳綱	10.×周		9.×三代	仙2.×
矯氏	2.×周			
俞氏	3.×周			
盧氏	4.×周			

★表中數字表示每書每朝醫人前後次序　⊙表中有「×」者表示本書亦有著錄

扁鵲	3.×秦	4.×秦	2.×秦	明醫 1.× (下簡作明)
子豹	2.×秦(作李豹)		6.×秦	
李醯	6.×秦		4.×秦	
崔文子	7.×秦	6.×秦		
安期先生	5.×秦	5.×秦 (作安期生)	3.×秦	
	9.×范蠡(周)	1.×周	6.×三代	
	4.×子陽秦		5.×秦	
			8.沈羲(三代)	
			7.壺公(秦)	
樓護	1.×西漢	3.×西漢	6.×漢	世醫1.× (下簡作世)
公孫光	3.×西漢		5.×漢	
陽慶	2.×西漢		4.×漢	
太倉公	5.×西漢	1.×西漢	1.×漢	明 2.×
秦信	4.×西漢		7.×漢	
王遂	6.×西漢		8.×漢	
宋邑	7.×西漢		9.×漢	
馮信	8.×西漢		10.×漢	
高期	9.×西漢		11.×漢	
王禹	10.×(作王偶)西漢		12.×漢	
唐安	11.×西漢		13.×漢	
杜信	12.×西漢		14.×漢	
玄俗	13.×西漢		15.×漢	仙 3.×
			3.蘇耽(漢)	
張機	1.×東漢	1.×東漢	17.×漢	儒醫1.× (下簡作儒)
郭玉	2.×東漢	2.×東漢	19.×漢	明 3.×
程高	3.×東漢			
涪翁	4.×東漢		18.×漢	
沈建	5.×東漢		20.×漢	

張伯祖	6.×東漢		16.×漢	
杜度	7.×東漢		21.×漢	
衞沉(注1)	8.×東漢(作魏沈)		22.×漢	
	9.淮南子(東漢)	2.×西漢	2.×漢	
華佗	1.×魏	1.×魏	1.×魏	明 6.×
李當之	2.×魏(作李當)	2.×魏	2.×魏	
吳普	3.×魏	3.×魏	3.×魏	
樊阿	5.×魏		4.×魏	
封君達	4.×魏	4.×魏	5.×魏	
韓康	6.×魏		6.×魏	
	1.呂博(注2)(吳)	1.×(博作廣)		
董奉	3.×吳	3.×吳	2.×吳	仙 4.×
負局先生	2.×吳	2.×吳	1.×吳	
李譔	1.×蜀漢			明11.×
	2.唐愼微(蜀漢)	4.×吳	1.×蜀	
	3.韓保昇(蜀漢)	5.×吳	3.×蜀	
	4.孟昶(蜀漢)		2.×蜀	
李子豫	2.×西晉	2.×西晉	2.×晉	
張苗	7.×西晉	4.×西晉	4.×晉	明10.×
王叔和	1.×西晉	1.×西晉	1.×晉	明12.×
趙泉	16.×西晉			
葛洪	1.×東晉	1.×東晉	13.×晉	仙 6.×
皇甫謐	6.×西晉	3.×西晉	3.×晉	儒 2.×
裴頠	9.×西晉		11.×晉	
劉德	10.×西晉		7.×晉	
史脫	11.×西晉		8.×晉	
宮泰	12.×西晉		6.×晉	

(注1)按千金方，御覽諸書多作衞汎　(注2)此避隋煬帝廣之嫌名。

靳邵	13.×西晉		9.×晉	
阮偘	17.×西晉	5.×西晉	10.×晉	
張苗	14.×西晉		5.×晉	
蔡謨	15.×西晉		15.×晉	
程據	3.×東晉		17.×晉	
支法存	5.×西晉		18.×晉	
仰道士	3.×西晉			
范汪	2.×東晉	2.×東晉	14.×晉	儒 4.×
殷仲堪	4.×西晉		16.×晉	儒 5.×
	8.裴頠(西晉)			儒 3.×
			12.許遜×(晉)	仙13.×
				殷浩(儒6)
				于法開(明3)
				幸靈者(仙5)
				單道開(仙7)
				施岑(仙14)
	1.少主元微(南宋)			
王顯	1.×後魏		9.×齊	儒 9.×
徐謇	2.×後魏		2.×齊	世 5.×
				徐踐(世6)
徐雄	3.×後魏		3.×齊	世 8.×
王纂	2.×南宋	11.×趙宋	37.×趙宋	明 2.×
徐熙	4.×南宋	1.×南宋	1.×南北朝宋	度 7.×
道度	5.×南宋		3.×南北朝宋	世 3.×
叔嚮	6.×南宋		4.×南北朝宋	世 4.×
薛伯宗	7.×南宋			
徐仲融	8.×南宋			
胡洽	3.×南宋			

徐文伯	9.×南宋	2.×南宋	5.×南北朝宋	德醫1.×(以下簡作德)
徐嗣伯	10.×南宋	3.×齊	6.×南北朝宋	德 2.×
僧深	11.×南宋		8.×南北朝宋	
劉涓子	12.×南宋		9.×南北朝宋	
羊昕	13.×南宋		7.×南北朝宋	
秦承祖	14.×南宋			
			2.徐秋夫(南北朝宋)	世 2.×
張子信	1.×南齊		7.×齊	
顯歆	1.×北齊			
李元忠	2.×北齊		14.×齊	
李密	3.×北齊		15.×齊	
崔季舒	4.×北齊		16.×齊	
祖珽	5.×北齊		17.×齊	
	2.馬嗣明(南齊)		8.×齊	
			9.李脩(齊)	
			10.日華子陳氏(齊)	
			11.周澹(齊)	
褚澄	6.×北齊	1.×齊	1.×齊	儒 8.× 褚該(世11)
鄧宣文	7.×北齊		16.×齊	
徐之才	10.×北齊		4.×齊	儒10.×
張遠遊			13.×齊	
	8.顏光祿(北齊)			
	9.龍樹菩薩(北齊)			
	11.徐林卿(北齊)			
	12.徐同卿(北齊)			
陶弘景	3.×梁	梁(作正白先生陶景)	1.×梁	仙 8.×
	2.蘇恭(梁)	5.×唐		

徐之範	1.×後周		5.×齊	世 9.×
	2.杜善方(後周)			
	3.姚僧垣(注1)(後周)		4.×梁	明14.×
				姚最(明15)
徐敏齊	1.×隋(齊作齋)		6.×齊	世10.×
甄權	6.×唐		1.×隋	世14.×
甄立言	7.×唐		2.×隋	世15.×
宋俠	4.×唐		3.×梁	
	4.楊善(隋)	2.×隋(作楊上善)	5.×隋(作楊上善)	
	1.金元起(唐)	3.×隋(金作全)	6.×隋(金作全)	
			3.莫君錫(隋)	明 9.×
許胤宗(注2)	3.×唐		6.×唐	儒16.×
孫思邈	2.×唐	1.×唐	1.×唐	儒11.×
張文仲	9.×唐		5.×唐	明22.×
孟詵	10.×唐	8.×唐	9.×唐	儒14.×
王方慶	16.×唐		4.×唐	
秦鳴鶴	17.×唐		8.×唐	
許智藏	2.×隋		7.×隋	世12.×
				許澄(世13)
巢元方	3.×隋	1.×隋	4.×隋	明17.×
元珠先生	14.×唐		7.×唐	明18.×
王冰	8.×唐	3.×唐	2.×唐	明20.×
	5.藥王韋慈藏(唐)	2.×唐	3.×唐	明18.×
	11.蕭炳(唐)			明23.×
	12.李虔縱(唐)			
	13.楊玄操(唐)			
	15.楊損之(唐)			明24.×

(注1)輟耕錄無此名，據醫學源流補。 (注2)太平御覽卷七百二十三作許裔宗。

18.許孝宗(唐)	6.×唐(宗作崇)		
19.陳士良(唐)			明25.×(僞唐)
20.李含光(唐)	9.×唐		
21.張鼎(唐)			明21.×
22.陳藏器(唐)	10.×唐	2.×梁	儒15.×
	7.李世勣(唐)		
	11.時賢(唐)		
	12.何若愚(唐)		
	13.周顧(唐)		
	14.梁新(唐)		
		12.狄仁傑(唐)	儒12.×
		13.紀朋(唐)	明 7.×
		14.王彥伯(唐)	
		15.劉禹錫(唐)	
			王績(儒13.)
			于志寧(明26.)
			甘伯宗(明27.)
			陸法和(仙9.)
			李筌(仙10.)
			馬湘(仙11.)
			賣藥翁(仙12.)
日華子(五代)	同(云姓陳氏)		仙禪道術1.×(下簡作仙)
		李雲卿(五代)	趙卿(明25.)
1.趙從古(宋)			
2.謝復古(宋)	39.×宋	30.×宋	
3.劉溫舒(宋)	14.×宋		
4.朱肱(宋)	21.×宋	26.×宋	明 4.×
5.孫用和(宋)		16.×宋	

6.紀天錫(宋)	38.×宋	10.×元	儒 3.×
7.劉元賓(宋)	13.×宋	10.×唐	明18.×
8.翟煦(宋)			
9.宋道方(宋)		41.×宋	明 9.×
10.許叔微(宋)	15.×宋	18.×宋	儒 1.×
11.王從蘊(宋)			
12.吳復圭(宋)		2.×宋	
13.張洞(宋)	6.×宋		
14.曹孝忠(宋)			
15.林億(宋)	4.×宋	13.×宋	
16.秦宗古(宋)	8.×宋		
17.丁德用(宋)			
18.賈祐(宋)			
19.蘇頌(宋)	5.×宋		
20.朱有章(宋)	9.×宋		
21.劉禹錫(注1)(宋)	3.×宋(注2)		
22.初虞世(宋)	18.×宋	24.×宋	
23.馬志(宋)	2.×宋	4.×宋	
24.龐安時(宋)		14.×宋	明 3.× (作龐時)
25.孫兆(宋)	10.×宋	36.×宋	明醫1.× (以下簡作明)
26.王惟一(宋)	4.×宋		
27.王光裕(宋)			
28.蔣淮(宋)			
29.安自良(宋)			
30.張素(宋)			
31.陳遇明(宋)	(引慎齋書 作陳明遇)	5.×宋(作陳昭遇)	

(注1)陶刊本輟耕錄劉禹錫作掌禹錫　(注2)日本刊本作掌禹錫

32.劉翰(宋)	1.×宋	1.×宋	世 2.×
	7.高保衡(宋)		
	12.范九思(宋)	17.×宋	
	16.鮑志大(宋)		
	17.錢乙(宋)	11.×宋	
	19.何澄(宋)		
	20.聶從志(宋)		
	22.張渙(宋)		
	23.陳承(宋)		
	24.裴宗元(宋)	28.×宋	
	25.陳師文(宋)	29.×宋	
	26.寇宗奭(宋)		
	27.陳言(宋)		
	28.湯民望(宋)		
	29.莊綽(宋)		
	30.李知先(宋)		
	31.楊倓(宋)		
	32.温太明(宋)		
	33.許洪(宋)		
	34.張松(宋)		
	35.王璆(宋)		
	36.詹端方(宋)		
	37.杜光庭(宋)		
	40.錢聞禮(宋)	32.×宋	
	41.郭稽中(宋)		
	42.陳文中(宋)	33.×宋	明 8.×
	43.陳自明(宋)	34.×宋	
	44.陳端友(宋)		
	45.楊士瀛(宋)	35.×宋	

46.黎民籌(宋)
48.朱佐(宋)
49.嚴用和(宋)
50.李駉(宋)

3.王光佑(宋)
6.洪蘊(宋)
7.馮文智(宋)
8.王懷隱(宋) 仙 2.×
9.趙自化(宋)
10.許希(宋) 明 6.×
15.僧智緣(宋) 明10.×
19.僧道度(宋)
20.吳源(宋)
21.楊文脩(宋)
22.吳廷紹(宋) 明 5.×
23.江嘉(宋)
25.蘇澄(宋)
27.張擴(宋) 世 3.×
31.張季明(宋)
38.張銳(宋) 明13.×
39.皇甫坦(宋) 明11.×
40.王克明(宋) 明12.×
42.直古魯(宋) 明31.×
43.耶律敵魯(宋)
44.史載之(宋)
45.程約(宋) 明19.×
46.唐與正(宋) 明21.×
47.趙峪(宋) 明24.×
48.王睍(宋) 明15.×

		49.楊介(宋)	明16.×
		50.郝兌(宋)	明14.×(兌作允)
			鄭樵(儒2)
			李惟熙(儒5)
			趙自化(明7)
			孫琳(明17)
			張濟(明20)
			僧奉真(明23)
			石藏用(明24)★
			江蘓(世1)
			張擇(世4)
1.成無已(金)	3.×金	2.×金	明27.×
2.何公務(金)			
3.劉守眞(金)	5.×金	3.×金	儒 7.×
4.侯德和(金)			
5.張子和(金)	4.×金	1.×元	明28.×
6.馬守素(金)	(引作馬宗素是)		
7.楊從政(金)			
8.李道源(金)	1.×金(作李源)		
9.張元素(金)	6.×金	4.×金	
10.袁景安(金)			
	2.竇漢卿(金)	1.×金	明26.×
	7.張璧(金)	5.×金	
	1.李杲(×元)	3.×元	儒 9.×
	2.王好古(元)	4.×元	儒10.×
	3.羅天益(元)	5.×元	明29.×
	4.吳恕(元)	6.×元	明30.×

★石藏用宋人也。而醫部全錄醫術名流傳亦沿作明人，並誤。

5.僧繼洪(元)		
6.胡仕可(元)		
7.陳澤民(元)		
8.孫允賢(元)		
9.李仲南(元)		明 6.×
10.馮道玄(元)		
11.薩謙齋(元)		
12.危亦林(元)		明32.×
13.滑壽(元)	15.×元	儒11.×
14.朱彥脩(元)	14.×元	儒16.×
	2.龐九疇(元)	儒 6.×
	7.李慶嗣(元)	儒 8.×
	8.范益(元)	
	9.潘璟(元)	明22.×
	11.王珪(元)	明 6.×
	12.許國貞(元)	明 5.×
	13.羅知悌(元)	
	16.徐文中(元)	明33.×
	17.葛應雷(元)	明34.×
	18.葛可久(元)	儒12.×
	19.王履(元)	明37.×
	20.趙良(元)	明36.×
	21.倪維德(元)	(引作明人)
	22.呂復(元)	儒13.(作明人)
	23.戴同父(元)	
		周眞(儒14)
		黃子厚(儒15)
		項昕(明35)

我們看了上表，不僅使我們略知每代醫家升降之跡，但亦發生兩種感想：一他們的取捨，很使我們不解。二他們對醫人時代觀念，極爲忽視，三皇五帝，隨意亂塡；前者如許愼齋書既著僦貸季與鬼臾區雷公諸人之名，而不著伏羲神農黃帝之名，那末僦鬼諸人便是醫家的始祖了。後者，則熊宗立在醫學源流自跋中，雖有如下的一段話：

雖顯名醫之名，而無傳文可考，未免不有年代差謬，姓名各別之患。如趙宋之王纂，列于南宋，大唐之蘇恭，贊於南梁，范汪作「注，」孝崇作「宗」之類，覽者豈無憾焉。予不揣庸愚，罔知固陋，竊以前圖詳加校訂，訛者正之，闕者增之。

熊宗立的話雖如此，但他只改正了一半，而一半却是誤校誤訂的。如范汪作「注，」原是篆隸之通行字，此點日本森立之父子在本草和名中已詳言之，他們並笑熊氏之淺妄。王纂善鍼石之事，確如醫說所言，出于異苑（醫說云出劉穎叔異苑，穎叔蓋敬叔之字，胡震亨爲劉作傳云字敬叔，誤。）今詳毛刻本異苑卷八載之，爲劉宋元嘉十八年事，走獺的故事，就出于此，歷代名醫蒙求卷下，亦引異苑，文俱較季明書爲詳且有不同。惟蒙求所引與醫說爲近。自熊氏誤改後，徐春甫，陳夢雷等，承譌襲謬，王纂這人，都改作趙宋時人了。至蘇恭原爲蘇敬，避宋人嫌名而改的，他們都還不知。孝崇作「宗」也不一定是誤，新唐志有許孝宗篋中方三卷。（案撰「新修本草」者，有許孝崇，未知即撰篋中方其人否？）但極可怪的，許愼齋誤把北宋的唐愼微，孟蜀的韓保昇，孟昶，都作蜀漢人，熊仍而不改，徐春甫承之；陳夢雷因知孟昶與韓保昇是五代的孟蜀人，而把眞爲蜀漢人的李譔，（三國志蜀志有傳。）與北宋人的唐愼微都拉到五代去了。此外，明汲古閣刊本輟耕錄引許書以陶弘景與貞白先生爲二人，這更是不可恕的錯誤。今據陶湘刊本正。他如徐春甫書以陳藏器爲梁人，劉元賓爲唐人等可笑的差誤，更不一而足。

（六）　名醫圖的探索

以上所說的，都是名醫傳一書文字方面的內容與其流變。現在要探索它的圖贊，及它的流變了。

據熊宗立醫學源流自跋，知道甘伯宗的名醫傳原是有圖，有贊的。圖是早已失去了，贊還有若干首保存于熊氏書中。但據熊說，伯宗書中之圖，也曾經許愼齋之手而摭充的。熊說：「唐甘伯宗撰歷代名醫，自三皇始而迄於唐，繪列成圖。宋許愼齋又錄唐及五季宋金數代之人，如通眞子劉元賓，潔古老人張元素等，序次以續乎伯宗所作，名之曰歷代名醫探源報本之圖。然究其圖，雖顯名醫之名，而無傳文可考，未免不有年代差譌，姓名各別之患。」按熊書時引「歷代名醫圖」，蓋即「歷代名醫探原報本之圖」之簡稱也。可知甘書原是有圖的。而許愼齋的書，僅摭充甘書之圖。但却將傳記文字略去，贊則仍保留下來。今熊書引的贊文，如韋慈藏贊有曰：「大唐藥王，德號慈藏。」這贊是甘書的原文無疑。案丹波元簡本草和名提要引熊書圖贊作甘伯宗名醫圖。不爲無見。但據熊書，似乎甘許二書，也並不是每人都有圖贊，而許書是人有一圖的。

現在甘伯宗的名醫圖，既早已不見了，許愼齋的歷代名醫探源報本之圖，也沒有了。考明毛扆汲古閣珍藏祕本書目子部醫家類有宋本醫家圖說一本，不著撰人，不知是否是愼齋書的簡稱。熊宗立雖學醫卜之術于劉剡，却也是明初建陽有名的書估，是很好事的人。他刊星卜一類書，多有圖象，獨對承襲甘許二家的名醫圖之醫學源流，不附一圖，是很令人惋惜的。我很疑心我所據的醫學源流的本子恐有兩樣，因我所據的二本，都是日本翻刊本，一爲日本寬永九年刊本，即明崇禎五年據刊景泰元年原刊者，是寒齋所藏之本。一即日本據此重刊之醫書大全本。現爲伍連德藏書。熊書原刊，尚未看到。

我這推測，果然給我猜到一半。我後來居然看到明萬歷及崇禎間翻刊的陳嘉謨圖像本草蒙筌兩種本子，實即崇禎刊的版子原是萬歷原版重印，只添了崇禎改元劉孔敦序文，前後幾個字而已。其卷首居然有歷代名醫圖姓氏一卷，收有伏羲神農軒轅岐伯雷公扁鵲淳于意張仲景華佗王叔和皇甫謐葛洪孫思邈韋慈藏等十四人的畫像。這一卷傳贊文字，都是寫刻體，與正文中的字體，即老宋字絕不相同。這顯而易見：是用另一種版子配上去的。我反覆紬詳，此卷圖文與熊刊其他書絕無異樣，我才恍然明白它的來源；原來這一部圖像本草蒙筌，是坊估先得熊氏第二次成化十二年重刊醫學源流醫學源流原附於醫書大全之首的舊版片而改題的。我也見過嘉靖原刊本草蒙筌，並無圖象。

這都是有力的證據。

熊氏醫學源流最早的刻本，是在景泰元年，有熊氏自跋可據，但確未說起有圖像。日本翻刻的即據此初刊本，至成化十二年，熊又重爲翻刻，才有伏義以下十四人的畫象，而且傳記的內容，也都有增損改變，尤其熊氏成化十二年跋此書的文字，其後半篇，竟大不相同。如初刻本跋文于「或搜求不及姑闕之矣」以下一百六十七字，成化本則作「或搜求未及而姑缺之，名曰醫學源流，附載於醫書大全之首，斯乃圖繪相名，具載傳文，餘則惟具姓氏而已，名之曰原醫圖。倘要窮究其出處事實，則詳究源流本傳云。」下署結「成化丙申春十二月。勿聽子熊宗立識。」而初刊本作「熊宗立拜手敬書。時景泰新元庚午歲也。」由此我們知道熊所據的必是許愼齋的探源報本圖，而許圖當必本之甘書。那末甘許二家之圖，雖不見得，熊圖固可慰情聊勝于無，或竟「不得中郎，猶見虎賁，」也未可知。因熊書有圖有贊，所以也有稱它爲原醫圖贊，醫學入門曾引用之。

自熊氏據許書作歷代名醫圖姓氏——原醫圖後，直至清初，坊間重刊張卿子傷寒論，始又附有扁鵲以下數圖，據我的觀察，當是根據原醫圖的，而粗獷僅具人形。（有人說張卿子傷寒論有明刊本，這是錯誤的。卿子名遂辰，明諸生貢。錢唐讀書社中人也。明亡，始隱于醫。事詳玉几山房聽雨集下。仁和縣志謂少因羸弱而習醫，蓋爲緣飾之詞。至丹波氏醫籍考以張氏書爲趙開明書，尤爲大謬。玄度卒于天啓四年（一六二四），張氏尚未學醫。今本會藏有卿子書原刊本，無圖。）遠不及熊刊之精美。

寒齋又有清末維揚名山堂梓行的巾箱本珍珠藥性賦一書，首亦有與重刊本張卿子傷寒論所插名醫圖相似，而剞劂更劣，難以入目，我原以爲坊估據張氏書摸刻的，但我猜錯了。據清初黃氏千頃堂書目卷十四醫家類有：

熊宗立原醫圖藥性賦八卷。

千頃堂所藏的書，都是明以前的。醫書方面大概或得之明朱睦欅萬卷堂。（今查萬卷堂書目醫家，十九與千頃堂書目同。世言西亭書沒於水，恐未必盡然。）清初的在醫書方面，可說很少。（杭氏補的書目收清初醫書，那是例外。）那末，翻刻本的張卿子傷寒論名醫圖，是根據藥性賦的原醫圖，我那部揚州坊刊的藥性賦，自然有它的祖本了。

我所看到有插圖的醫書很少，而繪有名醫圖一類的書，似乎只有這幾種！而且都是同出一源的。我根據前述，可以理出如下的一箇系統：

一、唐甘伯宗名醫傳中所附的歷代名醫圖。

二、宋許愼齋歷代名醫探源報本之圖。

三、醫家圖說。一本（不著撰人）

四、明熊宗立歷代名醫圖姓氏——原醫圖。（按萬卷堂書目，有熊宗立原醫圖一冊。）

五、明熊宗立原醫圖藥性賦。（後來據前書刻入，更後又有重刻者。）

六、清張卿子傷寒論附名醫圖。（據熊氏原醫圖藥性賦而來。）

我們看了這幾種書的名醫圖，水源木本，都屬同一系統。甘許兩家之書邈矣，我這次撏撦文獻，理出這樣一種史跡，倘能給讀者以「尙能想見」的概念，那那我這番工作，可算不是徒勞的了。

（七）餘論

中國的史書多是有文無圖的，此鄭樵所以有「實學盡化爲虛文」之惋歎！我是向來喜讀書本上有圖畫的人，尤其名醫圖象及其他所畫的故事，是我最歡喜的。所以我在十五年前編輯某醫刊時，便登出一則「徵求歷代名醫圖像書畫手蹟啓事」，可是成績非常的壞，沒有一箇人應徵。十數年來，腦子里所知道的醫事圖畫，也僅有三四百件，而且這些東西多數在人家手裏，以知單熱心搜羅而沒有錢，還是不濟事的。提倡醫史插圖，我雖是第一個人，但實行此計劃，而中國近來第一部醫史有插圖的，却要推王吉民伍連德兩位先生合撰的中國醫史（英文本）有九十餘的插圖。其後李友松先生用中文寫的醫學史綱，是一部世界醫學史性質的書，其中關於中國部分的插圖，也有四十多幅，諸先生的大著，可謂繼美前徽了。

關於醫史學的歷史，也是醫學史中不可少的一章。我所看見的日文醫史一類的書，遠的如光緒三十年卽日本明治三十七年（一九〇四）出版的富士川游日本醫學史，近的如民國三十二年卽昭和十八年的小川政修西洋醫學史，（袞齋曾他的泰西醫學史，古代中世篇，是昭和六年出版。此是小川氏補撰第三篇所改名的。）連篇幅並不怎樣多的石川光昭的醫學之史的展望，（全書共三百十四頁索引二十二頁昭和五年出版。我國有沐紹良譯本商務印書館出版，僅譯至一百八十八頁而將以下的附錄删去；實在附錄是正文很重要的參考資料，而譯者棄去，可謂買櫝還珠了。）也都別立醫史學這一章。可是至今我所看見用中文寫的幾種中國醫史，連醫史學三字都看不見，不要說有這一章了。（有的連廿伯宗名醫傳一書的存佚都弄不清楚；如有人做的醫史，書中既已列名醫傳已佚，而後又列它爲參考書。）就是我所看見的幾種中國史學史中，也沒有它的位置。

醫史學在外國已不是一門新鮮的學問，在我國一般研究醫史的人，却連它的名詞都少提及。（只有十年前我與余雲岫先生討論過這一問題。後來雖也有人做過「醫學史的意義和價值」的專文，而實際對醫學史與醫史學的意義，却全然不懂。）所以我這一篇文字，也算做提倡研究中國醫史學的大輅的椎輪吧！

三十六年十二月八日

醫史卮言

核堂

嚴昕卒中

丹陽胡嘉言教授，以醫事餘暇，精研明史，於晚明史事，耽之尤篤。嘉言好異書，與予有同者，數年前相識於闤肆，遂得投分。嘗言清代習史事者，以錢大昕最博洽，其廿二史考異尤精。凡朝典故文字異同，均有考正，遠非王鳴盛趙翼之流所幾及。予曾檢讀其書，嘉言之說非虛譽已。然智者之慮，不無一失。錢氏之書，固博雅矣，惟其闕略之處，正亦不少，如下述魏志中二事，卽屬一例，雖然其書苞舉二十二史，卷軸浩繁，其闕略蓋所不免。卽趙一清三國志注補，杭大宗三國志補注，皆爲專治一書之作，趙杭二氏並雅負博洽之名，二事乃亦失載，疎略如此，信乎作述之難也。

魏志華佗傳曰：「鹽瀆嚴昕共候佗，適至；佗謂昕曰：君身中佳否？昕曰：自如常。佗曰：君有急病，見於面，莫多飲酒。坐畢，歸。行數里，昕卒頭眩，墮車，人扶將還，載歸家，中宿死。」不知此案陳壽實採華他別傳之上半段，裴松之失注也。御覽七百四十一引華佗別傳云：「佗見嚴昕，語之曰：君有急風，見於面，勿多飲酒；座寵（案疑龍之誤）歸，昕於道中卒得頭眩，墮車，輿著車上，歸家，一宿死；佗便解衣到縣，令頭去地一二寸，濡巾拭體，令周匝，候視諸脈，盡出五色，令弟子數人，以鈹刀決脈，五色盡，視赤血出，乃以膏摩之，覆被，汗出，飲以亭歷犬血，散立愈。」詳其徵候，昕蓋患腦溢血也。此病在未死前放血，頗與科學療法相合，死後到縣其體而放血，則未之前聞，豈作者故神其事乎？持與陳書相校，蓋撮取華佗別傳死字以上半段，而范書則不着一字，裴松之，太子賢二家之注，並未採及；趙杭二家書，稱曰注補，曰補注，亦未補入；專書且然，更不必問錢氏廿二史考異諸史拾遺諸書矣。

華佗治司馬景王眼瘤

魏司馬景王之死，實死於眼瘤；晉書本紀曰「初帝目有瘤疾，使醫割之，鴦之來攻也，驚而目出，懼六軍之恐，蒙之以被痛甚，瘤被敗，而左右莫知焉。」按魏志二十八毌丘儉傳，注引魏末傳曰：「大目知大將軍一目已突出。」太平御覽七百四十引魏略亦曰：「晉景帝先苦瘤，自割之；會毌丘儉反而瘤發，及儉走，竟以自終。」皆其證也。而御覽卷七百四十引沈約宋書，謂景王目瘤，幼年曾由華佗割治，其言曰：「景王嬰孩時，有目疾，宣王令華佗治之，出眼瞳，割去疾，而內之以藥。」按今宋本，南北監本，及殿本宋書，均無此文。四庫全書提要，疑宋書唐以前其表已佚，而傳在宋初，亦有闕佚，後人多用南史與高氏小史補之。予案御覽成于宋太宗時，則北宋本宋書當猶有此文也。然有可疑者二：司馬景王之事何以入于宋書？雖曰他事可以牽引，亦殊不詞，此可疑者一也。據魏志卷四高貴鄉公紀「正元二年閏月，（案閏正月也，下同）大將軍司馬景王薨于許昌。」晉書本紀亦曰「正元二年閏月疾篤，使文帝摠統諸軍，辛亥崩於許昌，時年四十八歲。」案逆推景王生年，當在獻帝建安十九年，而華佗之死，范陳二書本傳，雖無正確年月可考，然魏志佗本傳曰：「及後愛子倉舒病困，太祖歎曰：『吾悔殺華佗，令此兒強死也。』」倉舒即鄧哀王沖之字也。據魏志沖傳云：「建安十三年疾病，太祖親為請命，及亡，哀甚。」合而觀之，沖病革時，佗已前死矣。沖死後六年而景王始生，然則安有華佗為景王嬰孩時割治之事？此可疑者二也。要之，此事如非後人依託，或御覽誤引書名，則隱候之失也。華佗治關羽箭創事，世固有議其傳會矣，此則未有人言之者。案景王死於目瘤，已如前述矣，而其弟趙王倫（宣帝第九子，即釀成八王之亂之戎首。）亦患目瘤，（見晉書本傳及五行志中）此與晉後王氏子弟之齇鼻，明宗室子弟之口吃，似並有遺傳性也。

頓子獻

范汪方云：「故督郵顧子獻，得病已瘥，未健，詣華旉視脈。」（巢氏病源卷八傷寒交接勞復候引）此文千金卷十勞復載之，不云出何書。外臺祕要卷三天行差後禁忌引集驗方，皆與范汪方同。又外臺卷二傷寒陰陽易，卷四溫病勞復，均引千金此文，與千金原書略同，而俱無顧子獻之名，蓋刪略也。然三國志華佗傳則云：「故督郵頓子獻，得病已差，詣他視脈，」二者姓氏不同，頗以為疑。予緝醫方，蒐采所至，亦涉字書，偶讀廣韻卷四第二十六頓字注引魏志華他傳作頓子獻，始知顧子獻卽頓子獻之誤，顧頓二字草書相近，傳寫易譌，宋世如林億輩校讎方書，又以頓爲稀姓，不爲細校，而不窮其爲誤也。古人以文字傳寫，誤一人爲二人者，亦此類耳。項羽曰：「書足以記姓名而已。」觀此，姓名亦豈易記乎？

常德

傷寒心鏡一卷，常德撰。[illegible]醫統正脈全書，及河間六書俱收之，亦著錄于四庫全書存目，而提要據明李濂醫史之說，曰：「儒門事親十四卷，蓋子和草創之，麻知幾潤色之，常仲明又摭其遺爲治法心要。子和卽從正之字，知幾卽爲麻革信之字，仲明字義與德字相符，常仲明者其卽德歟」。東人丹波元胤醫籍考既錄常氏是書，並引提要及汪琥傷寒辯證廣注說，而案之曰，「熊氏種德堂本題曰傷寒心鏡，門人鎮陽常悳仲明編，」又曰，「子和有治常仲明子患風痰醫案，見於十形三略，是可徵提要說矣。」予案，提要及熊氏丹波諸人之說，皆誤也。考金元裕之遺山先生集卷二十四眞定府學教授常君墓銘，有曰：「歲辛亥，(案宋淳祐十一年也，時金亡已十八年矣)九月，晦自太原來過仲明之門，而仲明下世十許日矣。孤子德，雅知予敬其先人，涕泗以墓銘爲請，予復之曰，此吾之志也，奚以請爲？乃作銘并論次之，君諱用晦，姓常氏，仲明其字也。」又曰：「春秋七十有四，實辛亥之九月十九日也。夫人劉氏，前君二十七年卒，繼室李氏。子德，彰德府宣課使，孫小字舉孫，尚幼。德以某年某月舉君之柩，祔於滹河西岸班家里之先塋，禮也。」是德爲仲明子，則仲明乃用晦字，已甚明矣。而紀昀以下諸人，皆以子作父，未之者也。詳提要之誤，誤於望文生義，謂仲明字義與德相符，又不察傷寒心鏡與治法心要爲二書，熊氏種德堂剞劂是書，無知妄作，見十形三療有仲明之名，而強爲添入，蓋以仲明名大，故冒之以速售，固坊社慣技也。乃通人如丹波氏兄弟，亦被其惑，據提要之說而信之。甚矣，名氏之難記也！

本草拾遺撰書年代

前記脚氣一文，引本草拾遺，謂其成於開元年間，(前文七四一年，誤植七三〇九年。)忽遽間未考定年月。嗣檢舊時札記，有錄宋錢易南部新書辛卷一條云：開元二十七年，明州人陳藏器撰本草拾遺云云。時稿擅被印刷所寄渝排植，不及追改矣。

會員動態

△齊魯醫學院侯寶璋教授，藉去年赴美講學之便，曾應霍布金大學醫學史研究院邀請，於四月廿八、三十及五月一日，作醫史演講三次。題爲：「中國梅毒史」，「中國天花史」，「中國糖尿病史」頗受彼邦人士之歡迎。按侯君於本年一月返國，路經上海，卽加入本會爲會員。

△上海巴斯德研究院副院長劉永純醫師，於研究狂犬病外，近十餘年來，致力於卡介苗（ＢＣＧ）之推展工作。今年六月，法京巴黎開第一次國際ＢＣＧ會議，劉醫師被聘請前往參加。聞將於五月中旬首途，並承其允許代表本會，與法國醫史學會聯絡云。

△聖約翰大學醫學院生理化學教授馬弼德醫師，除擔任英文中華醫學雜誌，及教會醫事委員會會刊主編外，復兼中華醫學會代理總幹事，近又被舉爲上海醫學會副理事長，足徵馬君能者多勞，熱心公益。

△滬西療養院院長王逸慧醫師，近購得中國產婦科及性學參考書多種，從事寫作，已完成中國性的哲學一文。刊登於印度出版之三月份婚姻衞生。

△蕪湖弋磯山醫院賴斗岩醫師，於五月中旬赴美進耶路大學醫學院進修深造。

△成都眼鼻耳喉科醫院陳耀眞院長，搜集中國眼科文獻，歷有年所，擬編中國眼科史一書，惟因工務甚忙，未知何時可以殺青。陳君曾托友人帶來中國眼科器械一盒，贈予本會醫史博物館。

△中華營養促進會副主席侯祥川醫師，前於二月廿一日赴菲列濱出席國際食物會議，於三月十一日返滬，旋又於四月廿一日赴美，約三個月後回國。

△本會會長王吉民醫師，前由國防醫學院林可勝院長聘爲該院醫學史室主任，但以體弱不能兼顧，婉辭。王君近頗勤於整理歷年所收集之資料，擬再編印一規模較大之醫史著述云。

△江蘇國立醫學院胡定安院長，與上海中醫師公會陳存仁理事，均被選爲本屆國大代表。

醫史雜誌

第二卷　第三·四期合刊　民國三十七年十月

編輯者　中華醫史學會編輯委員會

余雲岫醫師七十歲生日紀念論文專號

中華醫史學會出版

上海(九)慈谿路四十一號

·白页·

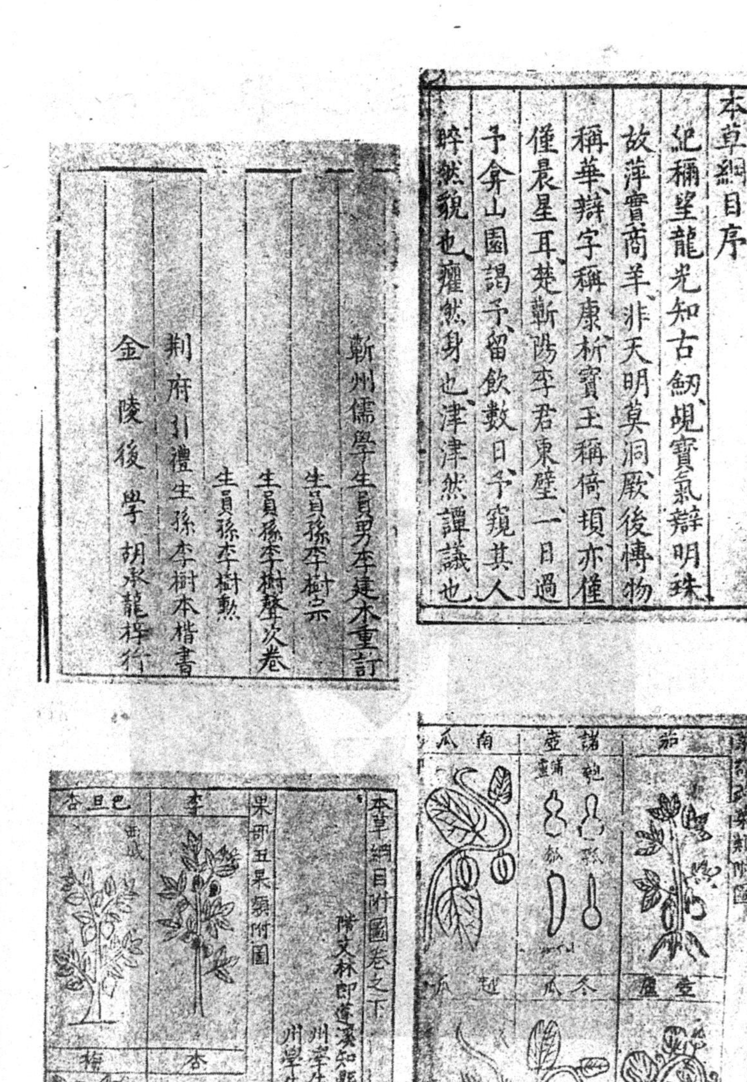

本草綱目序

紀稱望龍光知古劒，覘寶氣辯明珠。故萍實商羊，非天明莫洞。厥後博物稱華，辯字稱康，析寶玉稱倚頓，亦僅僅晨星耳。楚蘄陽李君東璧，一日過予弇山園謁予，留飲數日。予窺其人，睟然貌也，癯然身也，津津然譚議也

蘄州儒學生員男李建木重訂
生員孫李樹宗
生員孫李樹聲次卷
生員孫李樹勳
荆府引禮生孫李樹本楷書
金陵後學胡承龍梓行

本草綱目附圖卷之下
階文林郎蓬溪知縣男李建中輯
州學生男李建木圖
州學生孫李樹聲校

果部五果類附圖

伍余王三醫師壽辰紀念論文序

在民國三十七年中，我們有三位最敬愛的朋友，有的已經六十歲，有的已經七十歲了。那是夏歷戊子二月十八日伍連德先生七十歲生日；七月初七日王吉民先生六十歲生日；九月十四日余雲岫先生七十歲生日。這三位先生，在過去數十年中，對中國的醫學事業，都各有崇高的成就；但他們都盡瘁於中國醫學事業的啓發和改進，而從來不爲一己的利害打算；今天他們生日，我們都應該有一點敬意的表示！

伍連德先生自從民元以前，從迢遠的海外返國，爲國家服務。那時中國的醫權，猶如殖民地一般整個地操在外人手裏，不久東省發生嚴重的鼠疫，日俄兩國的醫家，都要把防治鼠疫的大權，抓到自己手中辦理，因爲他們都說我國沒有担得起這種重任的人才，並出種種威嚇的言詞，這眞是對中國醫家無比的侮辱。幸而那時有新從海外歸國的伍先生，挺身而出，爭回主權，以其學識，處理此事，眞是遊刃有餘；不久鼠疫便被扑滅了，外國醫家，無不斂手推服。其後他即着手建設種種防疫與醫學衛生上的機構：最著的如海港檢疫處，與中央醫院等，都是伍先生所手辦的。他擔任海港檢疫處處長，直到中日大戰後才告退休。他爲國家服務了幾十年，他退休了，政府沒有一個字褒獎他，社會沒有一個字安慰他；我們試想：像伍先生那樣的學者，國家原沒有一個錢培植過，而他却爲祖國爭回光榮，把人生最寶貴的一大段生命，消耗於自己祖國的醫學事業上；臨了，只落得投老炎荒，默默地仍要靠他本來的技術以求生。這可證明中國的政府和社會，對於學者，多數是不知尊敬的。

余雲岫先生早歲負笈海外，學成歸國後，深感我國醫學的不進步，是舊有醫學的不改進，故爲文字鼓吹醫學革命，並向政府有所獻替；因政府的無能，而未達目的，然志亦偉矣。余先生不僅是我國醫政史上第一位改革的功臣，並且他因學貫新舊，久負博洽之名，和富有實驗的精神。他這幾十年來，除爲醫學革命文字而外，同時又孜孜不倦地考索舊醫學的病名，並整理國產藥物的文獻；又爲試驗國藥起見，節縮衣食，購置器械，成立了一所余氏化學實驗室，時時將紙上的文獻，拖進實驗室裏去試驗，偶然亦有一二可喜的發見與發明。由此，我們知道余先生爲中國醫學革命的目的，是爲求中國醫學的獨立，和進步；並不是不愛中國醫學，相反地他是最愛中國醫學的。他對舊說研究的徹底，他對舊說整理與發揚，至今爲止，沒有一個中醫趕得上他。他之所以既斥舊說的荒謬，是韓非挫攡沐髮的主義。在中醫自已的理智上說，也應該這樣做的，所以近來有識的中醫，對余先生不但沒有惡感，而且都存十分敬意。這因爲余先生在做學問與行動上，都是廓然大公的。

王吉民先生民元前畢業於香港西醫大學堂，是提倡研究中國醫學史最早者之一。他早年和伍連德先生用英文合撰的中國醫史，風行國內外，中外的學術界交口稱譽，其價值已久有定評。其對於公益事業，如醫學團體等，亦最爲熱心而肯負責任。他除與二三同好組織中國惟一的中華醫史學會及醫史博物館外，自民國二十六年第四屆中華醫學會大會推選爲副會長後，並聘爲醫務幹事協助總幹事施思明先生，會務得蒸蒸日上，自東夷入寇，施君適已赴美，于是一切會務均落到王先生一人身上；那時正處敵僞毒燄鴟張之時，內困於會中經濟的窮乏，外處於敵僞魔掌的淩逼，他却始終勉力支持與抵拒，那時困心衡慮，不遑啓處的心情，我們今日還可揣摹得出的。王先生既將全副精力處理會務，自已一家生活，當然發生問題了。因此不得不把他數十年來在杭州行醫所積的房產等逐漸變賣以渡八年來危難的生活，等到勝利時，不但他的薄產賣光，蕭然只剩下一家人，而尤可念的是他的身體健康，也因撑拄艱困而悠遠地十年來的會務，致大受影響，其間雖屢次辭職而不能求得接替之人，不得不勉力撑支下去，直到三十五年底才卸仔肩。終于把具有光榮而悠久歷史的中華醫學會，及中華醫史學會與醫史博物館都被保存下來，沒有一毫的損失。那麼王先生也是爲中國醫學而犧牲了他一生的心血了。

由上面看起來，我們知道這三位先生，還有二點相同的地方；其一便是同受西方新文化而仍保持東方優良的舊道德，就是爲人；其二他們對中國醫學雖有如許的貢獻與犧牲，却始終默默地不在人前表揚過一個字，這是克己。今天逢到他們的大慶，我們固然不屑爲世俗所排演的那類慶壽的儀式，但我們以爲像這三位先生過去數十年間，在中國醫學都有貢獻的人，不應跟政府與社會上，對於學者採那冷酷無情的態度，——因爲他們只知戰爭與投機；今天他們大慶，我們應作一點有意義的敬禮，以表示崇敬這三位先生爲國家爲醫學上努力的微意。但用什麼做壽禮呢？我們都知道這三位先生對於中國醫學史，都有同好的，所以擬定今年逢着他們每一位的生日，就出一册醫史論文集，來紀念他。這論文我們就借醫史雜誌的地位刊行之。幸承海內外弘雅之士，寵賜鴻文，惜因印費高昂，篇幅遂陝，我們只能印成這樣薄薄的册子，作爲今天紀念這三位先生的華誕！

丁濟民　余新恩　金問淇　范行準　陳邦典　蔣法賢
刁信德　余濱　金寶善　倪葆春　陳耀眞　戴天右
王子玕　吳雲瑞　施思明　徐乃禮　富文壽　龐京周
王子傳　宋大仁　侯祥川　徐誦明　盛佩葱　顧毓琦
王以敬　李濤　侯寶璋　馬弼德　黃銘新　W. W. Cadbury
王逸慧　李樹芬　俞松筠　高鏡朗　楊濟時　E. H. Hume
朱恒璧　汪企張　姚文鏐　張孝騫　經利彬　L. G. Kilborn
朱章賡　林可勝　洪式閭　張維　劉永純　H. H. Morris
江秉甫　周誥春　胡定安　張錫祺　劉瑞恒　B. E. Read

中華醫史學會

執行委員會

王吉民 會長
李友松 副會長
侯祥川 祕書
宋大仁 司庫

編輯委員會

余雲岫 主編
王吉民 主幹
伊博恩 委員
李友松 委員
范行準 委員

伍連德醫史基金委員會

施思明 主任
王吉民 委員
李友松 委員

姚鈞石出版基金委員會

王吉民 主任
李友松 委員
伊博恩 委員
楊濟時 委員
魯德馨 委員

釋醫

范行準

一 醫字造端於毆癘

治病之術，固爲生物有生以來所同具；在吾人類則因時因地而異，初不互相爲謀。以言成爲共同研究之學，則必先有共同感覺與生命有威脅時始也。其對生命最感威脅之事，無過於「兵」「疫」。誠以二者威脅人類生存至巨，且互爲因果。古以疾疫爲鬼神所虐，故唐開會間日本釋空海篆隸萬象名義（卷第三之一）疫字云：

胡壁反。黃金四目，玄衣朱裳，揚盾毆疫也。驚歐疫癘鬼也。（大正十五年崇文院影印高山寺藏原寫本）

此蓋本唐釋慧琳一切經音義「疫，癘鬼也。」（見卷七十五）之義，竟以驅儺事作疫字之注脚；其文則本說文解字類字注文而倒用之，（說文又本周禮）殊有深意。夫疾爲百病之總稱，疫爲凶疢之代表。疾從矢，疫從殳，矢殳皆爲兵器。鄭玄注周禮疫字兩言疫癘之鬼，明疫癘之行，爲人被鬼排擊而病，故慧琳以爲有鬼行役，而空海以驅儺之事釋之也。驅儺必用弓矢之屬，則以古初之民，罹染疫癘，亦以爲鬼祟之兵器傷人所致；故巫師亦以其類逐之，其事則巫，其職則醫，此醫由巫而出之說也。故人類醫學，因「戰爭」與「疫癘」而發展。今觀醫字之構製，當知此說之非誣。

既有巫醫之名，則與醫必已分職；蓋無治病爲專職之巫，則醫字無由構製。巫醫二者何時分職獨立，今已不詳，且二者學說行動，亦未有判然界限。在有文字記載而言，二者在戰國前似已分治，惟史記扁鵲傳中雖有惛厭巫祝之言，顧所述扁鵲言行，仍不出陰陽家（巫）之說，醫巫之難分如此。若左傳所言醫和治病之神，更屬巫術家事矣。

惟有可注意者，治病之巫術，以勅勒之義居多，換言之神權時代之醫家，雖亦知使用有効藥物及其他療法，如灸砭及手術等，惟如遇有患者出於巫醫所有知識以外，及疫癘之時，即用毆鬼爲最後之策。故古之醫家是巫術成分多，而宗教成分少，醫亦求與鬼神相通；傳說中之名醫如扁鵲者，即飲長桑君麻醉性之毒藥，使神經錯亂而生異覺所云「飲其藥當知物矣」與「覩見垣一方人」者是也。其事絕類印第安巫人所飲之神聖麻醉藥「脫魯而西」(Toluachi)蓋欲以此通於鬼神。今詳神農本草上品麻蕡云「多食令見鬼狂走」下品螢火云「通神精。」索精卽鬼也，猶山精亦稱山鬼矣。史記留侯世家太史公曰「學者多言無鬼神，然言有物。」索隱云「物謂精怪及藥物也。」李時珍本草綱目亦謂服莨菪等能令人狂惑見鬼。詳綱目卷十七莨菪又參嘉靖四年武如香事 則知古時固有以藥物使人生幻覺而見怪物者。故有此索隱行怪之事也。按古之巫師，使人見鬼物者，大多不外催眠術，與毒藥兩端而已。又慧琳一切經音義卷九十云：「覡，人見神也。」蓋古本有此術。 卽以方書中所用之藥物而論，亦以含有厭勝成分多，如山海經所用藥物幾全爲厭勝者。卽神農本草仍多此義。 其含有宗教意義則極少。蓋中國民族素乏宗教觀念，東漢以後，因受西來象教刺激，及人民之兵疫，始有道教出現，但亦不過爲原有巫術與西竺象教之混合品而已。故天師敎既有符劍，復有赤章，魏武帝與吳大帝皆信天師道，故魏武爲愛子倉舒請命，吳主則爲寵臣呂蒙請命。 斯其證也。獨道教中之丹鼎派，以役使自然爲能事，故早有媚神者。葛洪抱朴子道意篇有云：

要於防身却害，當修守形之防禁，佩天文之符劍耳。祭禱之事，無益也。當恃我之不可侵也，無恃鬼神之不侵我也。

此與仙經「我命在我，不在於天，」之意同。唐許仁則亦反對以祈禱治瘧，其說爲純出於巫術思想，爲近於科學而不近於宗教，故葛氏終爲燒煉之術士，而不爲面壁之達摩，此思想爲中國所固有者。至周公與子路之禱，則本於人類在絕望時之哀鳴，雖近於宗教家，而終未如釋家之視爲教律也。

今詳醫字，蓋純爲巫術時代所構製，其原義爲苞舉巫覡以法術毆病而作。案爾雅「醫無閭，」唐陸德明經典釋文云：「醫李本作毉」惟毉醫實本一字，李本作毉，蓋古文也。古無醫字，其毉從巫，明爲巫屬。魏張揖廣雅云：

靈子，醫毉覡，巫也。上海大通書局石印王謨漢魏叢書本

是其證矣。

夫治病古屬巫職之一，故古但有巫字而無醫字，其後分職，而毉猶從巫。巫又蛻變而爲酋，故毉亦改爲醫。劉師培申叔古政原論總論君長之名稱曰：

上古社會，有巫無酋，洪荒以降，易巫爲酋，酋訓繹酒。蓋發明製酒之人，則人民報本反始，尊之爲君，此即君長之權輿也。案劉氏又有古政原始論於酋字更有發揮。又劉氏小學發微補亦有論及酋字之義。惟此較爲簡要。又案：章炳麟文學說例已論及尊酋之義與劉說合。其文載於民國二十四年六月華西學報第三期，其題下注云：壬寅。蓋即光緒二十八年，疑即國故論衡中文學總略之初槀。其光緒二十九年癸卯，與劉申叔書謂小學發微之說，正合其意，故有「此亦服鄭傳舍之遇也」之語。並於尊酋二字更有補充。詳劉氏小學發微補載于光緒三十一年國粹學報第十期，其發表在章氏後，疑原槀曾先爲章氏所寓目者。

則毉字易巫爲酉，作醫，當在酋長時代。惟蠻荒之世，酋長仍多以巫術治病者，說苑辨物篇以茀狗爲人治病之苗父，即爲部落人民以巫術治病之蠻族酋長。父本有尊敬之義，古以帝王，稱民之父母，或君父連稱。案南史始興王傳云：「始興王，人之爹。」即此義，荆土方言，謂父爲爹，見廣雅釋親。又三國志魏志烏桓傳之大人，即酋長爲其部落之民治病，即其例也。

劉氏以巫爲君之義在國學發微中言之更詳。其說有曰：

說文靈字下云：「巫也。以玉祀神，從玉霝聲。」靈字下云：「靈，或從巫。」案：楚辭九歌篇云：「靈偃蹇兮皎服。」王逸注云：「靈，巫也。楚人名巫曰靈。」又云：「怨靈修之浩蕩兮，終不察乎民心。」靈修，即指楚王言。靈與令通。靈修，猶言令長，足證上古之時，巫即酋長，楚沿夷俗，厥稱未改。又楚之長官稱令尹，令與靈通，尹與君同，令尹者，即神君之義也。故居其職者，司人事兼司神事。國粹學報乙巳年第五期

案靈字從玉，以玉事神說，劉氏並引尚書左傳執玉敬君敬神之禮同，而證酋出於巫。今詳羅振玉殷虛書契後編巫字正作𠁁。羅氏釋之曰：「此從冂，象巫在神幄中而兩手奉玉以事神。」其字可與靈字相發明。惟羅氏駁並許慎說文巫字從𠂇象兩褎舞形之說，而不知古之造字，多據事定形，造者亦不一其人，故字體紛歧。荀子解蔽篇云：好書者衆矣，而蒼頡獨傳者壹也。見巫之執玉事神者作𠁁，見巫之以舞事神者作巫，因動作而異其制；然其爲巫字，一也。故羅氏之說，執其一端而已。

今詳鐵雲藏龜巫字作𢍰，與說文小篆甚近。陳邦懷釋之曰：「從玉省作工者，是說文古文㒺字，及小篆巫字，從工之所由出也。」蓋猶調停羅氏之說耳。巫字果爲從玉省作工，則許君何解作兩褎舞形乎？蓋舞蹈之曼妙，多以衫袖作勢，後世伶官猶執其業，故無害其字之從工也。此靈巫之同巫異事，可與醫爲巫之一，及毉醫蛻變之跡相診發。

二　巫工醫之遞衍

醫字之製，據社會進化史而言，固在有酒發明後之酋長時代。但未能的知始于何時，尙書猶未有此字，甲骨金文，均無著錄。論語子路篇曰：「人而無恆，不可以作巫醫。」則此字已見於春秋時代。顧論語一書眞僞，尙未可決，惟其字在春秋時已見流行，似在事理之中。據近人硏究，商代猶未全脫部落時代，則此字或在殷時已出見，亦未可知。至諸書所載在帝堯已前已有此字，說文解字醫字曰：「巫彭初作醫，」此說蓋許君據世本也。案山海經海內西經郭注引世本此文無「初」字，蓋傳寫之脫略，或所據之本不同。世本又云：「巫咸以鴻術爲帝堯之醫。」太平御覽七百十二引今以尙書及國語楚語絕地天通說格之，則巫彭巫咸當爲顓頊以前之神醫。蓋巫彭巫咸在山海經曾預十巫之列大荒西經據山海經之言，此十巫曾與天神交往者，如果爲顓頊以後之人，已爲南正重犂「絕地民與天神相通之道。」韋昭國語解。何能復與天神交往乎？顧後人言巫者，多以巫咸稱之，蓋帝堯以後，巫師之通稱，故不能以「絕地天通」之說格之也。世本蓋爲戰國時人書，是時之醫，猶未遠於巫，而醫字之制，折衷衆說，當在殷周之交也。考西周以前，醫巫已有連類之詞，如曰：「武王旣勝殷，鄉立巫醫。」周書大聚解管子權修篇：「好用巫醫。」合論語巫醫之說而觀，其字似非春秋以後所造也。

由此觀之，醫字在春秋時代，或已用於治病之巫，以別於舞雩祈福之巫。故說文云：醫，治病工也。光緒三十四年秋月上海文盛書局影印本此工字先儒以爲巫字之缺文，若然，當云：

醫，治病巫也。

更以唐光化時日本僧昌住新撰字鏡證之字鏡云：

醫，於其反。治病王也。巫也。養病也。（卷四酉部日本□□影印法隆寺藏原寫本）

此王字據說文當爲工字之誤。然顧野王玉篇云：

淮南玄玉百工。許叔重曰：二玉爲工。（古逸叢書本工部第二七四）

則王工二字，有可互通之處。昌住撰字鏡時，或別有所據，不必謂其誤也。工與巫字又可互通。說文云：

巫，祝也。……與工同意。

更尋工字。說文云：

工巧飾也。……與巫同意。

玉篇引說文同。故昌住字鏡以醫訓巫，與廣雅相同。則醫，巫，工，靈，靈皆可互通，而方書中之上工、下工、粗工之工字，固可作巫字解，亦可作醫字解也。（楚辭卜居王逸注，又以卜人稱工。）

從巫彭初作醫，與巫咸爲帝堯之醫而言，醫之從巫而出，亦猶酉之從巫而出，皆爲確然無可致疑之事。則醫巫之分職，亦可藉此字而得確據。

三　殹何以訓惡姿

然古人何以造此醫字，別于劾鬼與祈福之巫？此則不能不仍求諸許君之書。說文云：

醫，治病工也。从殹，从酉。殹惡姿也。醫之性然，得酒而使，故从酉。王育說：一曰殹，病聲。酒所以治病也。（第十四編下）

此屬於合體象形字，亦爲依聲托事之假借字，故許君一字而作兩解，淺視之殊覺支離難瞭，未可謂其已得製字者之本意也。實則各有歷史之涵義存焉。

殹字似首見於石鼓文據諸家考釋，以爲卽「也」字，「兮」字之助詞。石鼓文諸家亦斷爲秦靈公時（紀元前四二四至四一五）物。然則，殹字何以有「惡姿」與「病聲」之兩訓乎？且所謂惡姿者，又何解乎？王筠說文句讀以爲醫人性惡，故作此訓。醫有割股之心，何嘗性惡？非皆性惡矜技如扁鵲華佗之流，卽以爲定論也。然在王氏前後注說文者，無慮數十家，于「惡姿」二字，多所闕疑。如段玉裁注之曰：

此說从殹之故。殳部曰：殹，擊中聲也。初不訓惡姿。疒部瘛，劇聲也。劇聲謂疲極之聲，此從殹者瘛之省也。

若膺捨貌取聲，亦未爲得，蓋爲說文注解者，皆拘于聲韻之末，而憚究象形。如醫字未合象形與聲韻而觀，宜其不得確解也。

許君訓殹爲惡姿，與引王育說之訓病聲，皆非漫爾而言，必有所據，尋醫之從殹從酉，而殹訓「惡姿，」及「病聲」二義，一以合體象形得名，一以形聲得名。案許君以殹爲「惡姿，」自二徐以下，均不得解。予謂「惡姿」卽醜惡之狀也。曷爲作醜惡之狀也？詳古初之民，既以病爲鬼神所祟，故必須治病之巫師逐之，尤其癘疫盛行之年，其畏怖鬼神尤甚，而其敺逐癘鬼，多用假面。周禮夏官司馬下云：

方相氏掌蒙熊皮，黃金四目，玄衣朱裳，執戈揚盾，帥百隸而事難。以索室敺疫。

注云：

冒熊皮者，以驚敺疫癘之鬼，如今魌頭也。

魌頭，猶假頭，字亦作頬倛。說文注云「醜也。逐疫有頬頭。」荀子非相篇云：「仲尼面似蒙倛。」注曰：蒙倛，方相也。難爲儺之本字，段玉裁周禮漢讀考言之甚悉。詳魌頭之制，相傳出於嫫母，琱玉集卷十四醜人篇引帝王世家云：「嫫母黃帝時極醜女也。鎚頟顑頞，形麁色黑，今之魌頭，是其遺像。」是魌頭，有取於「惡姿」之義矣！而殹復有蒙義，案：楊雄方言云：殹，幕也。卷十三 魏叢書本 漢郭注曰：「謂蒙幕也。」

此蓋據殹與毉通，故作是解。而毉古本作医也。医本疾字之誤，（說見後）蓋爲翳矢之楯屬。（說見後）許君解医爲臧矢弩之器者，蓋取引申之義，非朔義也。然方言郭注以殹爲蒙幕，正可與方相氏蒙熊皮及仲尼面似蒙倛之事相發明。然則說文殹訓爲惡姿者，非指逐疫巫師身披獸服，面蒙倛頭，手執長殳，形狀醜怪之狀乎？今喇嘛舞蹈，尚有類似之裝。

案魌倛類，皆本一字。魌字契文作㚇（見殷虛書契前編七）其字當出於倛鬼之假人。然蒙倛敺鬼，猶屬後起之事，其制蓋起于文身。此制自昔盛行於南方，山海經海內西經有雕題之國，雕題郭注曰：「點涅其面，畫體爲鱗采，即鮫人也。」即文身也。其國當在吳越。漢書地理志曰：「越人文身斷髮，以避蛟龍之害。」故文身，如山海經雕題之說，苞綜軀面，蓋古在面部，亦多刺各式圖案，楚詞招魂王注所謂「南極之人，雕畫其額。」即文面繡面是也。資治通鑑綱目，謂文面始於有苗。後世兩粵之地，猶盛行之。（見段成式酉陽雜俎卷八，范成大桂海虞衡志，張慶長黎岐紀聞，阮元廣東通志二十八。）實圖騰之遺跡也。中國曾有圖騰社會之歷史，已爲學者所公認，其歷史又在巫術之前。故蒙魌逐鬼，猶屬晚起事也。

惡姿之惡，義與醜同。左傳昭二十八年「買大夫惡。」杜注曰「貌醜也。」此惡亦可作大風惡疾，即癘，癩之屬解，然癩有獅子風之證，面貌可憎，仍具醜義，今詳惡古本爲亞，說文「亞，醜也。象人局背之形。」方相氏逐鬼時正作此狀，荀子所謂「傴巫跛擊」者。（見王制篇。擊與覡通。楊倞注：「古者以廢疾人主卜筮巫祝之事，故曰傴巫跛擊」。案楊注非是。此謂巫優背舞蹈之狀，非殘疾人主巫事也。棲霞郝氏，高郵王氏，德淸俞氏，長沙王氏，以下諸人，號稱有功荀書者，俱未發其覆。餘詳拙著中華醫學史。）

醜字蓋由古代酋長逐鬼而得名。說文鬼部醜字云「可惡也，從鬼酉聲。」案酉即酋也。（見說文酋字注）謂酋長蒙魌作醜惡之狀，以逐鬼也。東京夢華錄十除夕云：「教坊南河炭醜惡魁肥，裝判官之裝。」此除夕宮中儺禮也，亦可爲證醜字朔義當不外此。

夫鬼本無其物，故王充論衡訂鬼篇曰：

凡天地間有鬼，非人死精神爲之也，皆人思想存念之所致也。……鬼者，老物之精也。物之老者，其精爲人，亦有未老性能變化象人形。

仲任之言如此。今尋說文由部：

由，鬼頭也。凡由之屬，皆從由。

又案：鬼與畏同聲，而畏亦作怪獸解。說文由部云：

畏，惡也。從由虎省，鬼頭而虎爪，可畏也。

然則，鬼本大頭如熊虎一類之獸物通稱，以其可畏，故以爲鬼也。而畏與醜之義相同。說文由部字，原爲獸類，多作鬼怪解。故由部禺字云：「母猴屬。（母非父母之母，母猴即沐猴獼猴之同音異字。今通稱馬猴，見錢大昕聲類章炳麟新方言。）頭似鬼。」案：鬼畏同音，而與禺相類者，則有夒。說文云：「夒，貪獸也，一曰母猴似人。」今詳與夒字形相近，與鬼字音相近，亦爲怪獸者，則有夔字。說文曰：「夔，即魖也，如龍一足，從夊反，象一角獸人面之形。」世云，夔爲山㺐，㺐亦作臊作魈，即山鬼也。荊楚歲時記注引神異經玄黃經及本草引李畋該聞集（宋史藝文志小說類作該聞錄）並有爆竹之事。（詳宋大觀本草卷十三竹筍條）今爆竹起於此。山鬼即山精也。御覽八百八十六引晉郭義恭玄中記亦謂「山精如人，一足，長三四尺。」又引白澤圖云：「山之精名夔，狀如鼓，一足而行，」俱可爲證。與夔同音而亦訓爲母猴者，則有爲字。說文云：「爲，母猴也。」段氏曰：「凡有所變化曰爲。」此與論衡訂鬼篇性能變化象人之說，可互爲發明。今以言或以物卒然驚人之詞，曰「爲！」（俗作喂，乃六朝以後字。）即此。又與夔一聲之轉者，有鬽字。說文云：「老物精也。」抱朴子曰：「萬物之老者，其精悉能假託形以惑人」此皆可與訂鬼篇之說互觀。鬽今作魅，左傳文公十八年「投諸四裔以禦魑魅」服虔注云：「魅，鬼怪物。人面獸身而四足，好惑人。山林異氣所生。」（周禮春官疏引）蓋亦山鬼，及梵策所言夜叉羅剎之類，與俗以人死有幽靈之物爲鬼，異矣，而世乃以此傳之。

總之，凡頭大類獸者皆受醜名。今尋契文[illegible]字，正類此。故用其類以驚鬼，而驅儺必蒙熊虎一類之魌頭者，以熊虎爲獸類之頭大者，頭大則醜，百獸畏之，故作其形以表之也。爾雅釋獸有曰：

熊虎醜，其子狗。（商務印書館排印郝氏爾雅義疏本）

此云醜，正如上文所訓之可惡也。可惡，卽可畏，蓋由不美物所引起之情緒也。（案魋亦曰醜，亦以形惡得名。）況熊虎又爲百獸所畏，故蒙其皮以敺疫也。（後又以醜爲恥，蓋引伸義。）

由禺、夔、畏爲等字，多訓人形而性擾動之母猴。古卽以是類之物爲鬼，非說文所訓「人所歸爲鬼」也。又鬼物無不醜者，醜亦作丑。今戲劇中有丑角，古本作醜。明徐渭南詞敍錄曰：「丑以粉墨塗面，其形甚醜，今省文作丑。」可證。然丑字之義爲手指相錯，與内音義相近。爾雅釋獸云：「䝟洩多狃。」狃卽内，狃亦禺屬，爲母猴，性最騷動。（章炳麟文始說）

尋丑字說文亦有動義，今戲劇中脚色，亦以丑角最跳踉，是丑醜音義既同，而與禺亦相類。特醜之原意爲酋長蒙魌逐鬼而得名，後世巫師猶承其術，敺儺時背僂而手足舞蹈，是與母猴之屬如狃者相似；則殹訓惡姿，亦其義也。

殹既訓惡姿，凡從殹者多得此義，釋名釋長幼曰：「人始生或曰嫛。嫛娩，嬰兒也。」案英儒培根有言：「始生之物，其形必醜。」詳子在腹中曰褢子。蛹在繭中曰蜆，字並從鬼，表其醜也。初生之子，未脫醜形，故得嫛娩之稱，釋名雖未有釋，實含醜義。又案說文嫛娩，一曰婦人惡貌。（段氏謂此卽指娩字，然上文既云嫛娩合二字爲名，不容分裂，此似亦不能專指娩字解。）則亦可通於始生之嬰兒言矣。

凡物被掩蔽不明者，皆失本性，故亦得醜名。方言既訓殹爲幕，有掩蔽之義矣。引申之，目之有眚者曰瞖，車之華蓋者曰翳。他如物之醜黑者，皆從殹；面有黑志者曰黳，面之黑者曰黶，（墨子之徒有禽滑黳，見呂氏春秋卷二仲春紀當染篇，今日本刊宋邦乂等校本，及畢沅校引梁仲子說，作禽滑釐。黳一作黎，見卷四尊儒篇。案黎亦黑也。孫詒讓墨子閒詁作釐，未諦。）馬之黑色者曰驖，鳥之蒼黑者曰鷖。木之黑者曰檕，琥珀之黑者曰瑿，石之黑者曰䃜，土之塵埃者曰堅，戟衣之靑黑或赤黑色者曰繄，衣之𢅥褸者曰𧝎，此皆從殹訓幕，引申而得名，蓋物有掩蔽，則黑暗，因暗黑則受惡姿之訓矣。

殹，通作翳，而殹之本字作医，掩蔽也。然如醫字之殹從疾不從医，當無掩蔽之義，故殹字實後出之譌體。許君卽據此譌體而解之者，惟其字猶準當時巫師行狀而解，故尚可通。翳本車上華蓋，以毛羽爲之。案巫之事神，舞蹈亦其一也。劉師培舞法起源考謂：「巫𩁹從舞而得。」今案舞古文作𦏶，必頭戴毛羽與手執毛羽之物，始婆娑起舞，則覺體態輕盈，掩映生姿矣。而翳又爲巫舞時用具，說文曰：「翿，翳也，所以舞也。」而翌字云：「樂舞以羽翿自翳其首，以祀星辰也。」又翇字云：「樂舞，執全羽以祀社稷也。」則翌爲頭戴道具，而翿翇則爲手執道具也。蓋體之輕盈者，無過于鳥族，故巫師取其羽毛以助舞勢，後之霓裳羽衣舞，蓋取法乎此。若上溯其起源，則又圖騰社會之制也。

惟治病之巫——醫，——其術有異於娛神之巫，蓋治病之巫，以勅勒之義居多，所謂魔法醫學是也。說苑辨物篇記苗父治病之事，其刻畫巫醫之動作最眞，故驅疫逐儺之巫，無作媚神之飾者，蓋古初之民，以病爲鬼神所祟，非飾作鬼物所畏之物不足以驚逐之，故蒙魌逐鬼而姿貌醜惡也。若娛神媚鬼之巫，則貴妖麗，故多用姹女爲之。然則，殹雖可訓恭，與翳之義相同，顧于治病之巫，取逕不同也。

四　殹何以訓擊中聲

殹訓惡姿，訓恭，其義蓋起於医字，有如前述矣。其訓擊中聲，則又取義於殳字也。夫逐疫之巫，既有緣飾，即不能無行動，說文殳部，殹字訓爲擊中聲，卽巫之動作也。案說文殳部云：

殳，以杖殊人也。殳以積竹八稜，長丈二，建於兵車，旅賁以先驅。从又几聲。

釋名釋兵曰：

殳，矛殊也。矛字諸家皆云衍文。長丈二尺，而無刃，有所撞桎於車上，使殊離也。漢魏叢書本

案左傳昭公二十一年「張匄抽殳而下，射之。」杜注曰：「殳，長丈二，在車邊。」則殳爲衛護戰車之兵器，使敵人不敢迫近，用爲防禦者。然張匄既從車邊之殳抽射之，則亦可持以爲用者。故詩衛風曰：「伯也執殳，爲民前驅。」以殳亦如戈戟之類，可以荷之而戰者也。然方言卷九又以殳爲戟柄之名，其說曰：「三刃枝，南楚宛郢謂之匽戟，其柄自關而西謂之柲，或謂之殳。」據郭注三刃枝卽「今戟中有小子刺者，所謂雄戟也。」今詳殳字說文既云：「從又，几聲。」又字小篆作𠂈，而几字說文訓「鳥之短羽，」詳鳥之短羽作短刀形，故小篆作𠘧，二字合之，殳之小篆作殳。今

契文從殳字者之殳正作𠂇，則稱戟以三叉枝者，以器名，稱殳者以柄名，實則三叉枝無殳不能用，故亦爲叉戟之屬，爲五兵之一。（周禮夏官注五兵者戈、殳、戟、酋矛、夷矛。唐蘇鶚蘇氏演義下，據世本呂氏春秋謂此五兵皆蚩尤所作。惟荀子儒効篇五兵，楊注與此異，內無殳器。）殳之首既云三叉枝，則其器當作屮，與叉戟之形正同。今吾鄉湯溪巫師爲病人逐鬼，猶必用鋼叉也。又其門窗亦多安置鉄製形如屮或㞢之小戟于楣上，云可辟邪。猶存以殳逐鬼之風。

殳又用作毆疫辟邪之印文者，則有靈殳之名。（見後漢書輿服志下）韓詩外傳（卷十）有「桃殳，」桃爲鬼所畏，以之爲殳，必更爲鬼魅所憚，故用此物辟鬼，巫醫所用，當爲此類，按墨子明鬼下曰：「祩子杖揖出。」孫詒讓以祩子即楚詞靈子，揖當作投，投殳通，如桃殳爲巫所帶之具，殳字又與祋字通。說文祋字云：「或說城郭市里高縣羊皮，有不當入而欲入者，暫下以驚牛馬，曰祋。」段注云：「祋與咄義同。」然則，執殳者猶今鬧市警員手荷警棒指揮行人，口作呟喝也。故詩曹風曰：「彼候人兮，荷戈與祋。」注曰：「候人，道路送迎賓客者也。荷，揭也。祋，殳也。」斯其證矣。然其字從示，蓋初爲逐鬼之具，後用於迎送官員以逐路旁之人，如皂隸手中之鞭棒，其義猶祩子之用投也。（按殳原用積竹爲之。積竹，諸家無解，蓋合數竹片之謂，後亦用數條樹枝而爲之，故段注說文又有杸字。云軍中所持殳也。又引司馬法曰「執羽從杸」。此猶柲殳同物異稱。柲亦從木也。餘詳墨子閒詁。又作𣪠，後漢書馬融傳：𣪠殳狂擊。注云𣪠亦殳也。蓋本詩曹風毛氏傳。）官員出行皂隸例必執鞭前驅，口必呟喝，其動作手口相應，故祋義與咄同，而殹爲擊中聲，象巫師執叉戟以擊物，口念「斮」字也。咄殹本一聲之轉，（按石鼓文釋殹爲「兮」，本爲音。又釋爲「也」字則本咄音。）此以巫動作而得名者。而「靈殳」取義，或以此乎？（案靈巫二字互通。）要之，殳曾爲巫師用爲逐鬼之具，如墨子中祩子所執之揖（投，即殳）蓋無可疑者。由此孳乳而出者，則語之發端或歎聲曰繄，諸聲曰醫，病聲曰瘱，笑聲曰𧫦也。

五　医與侯疾之糾葛

殹既從殳医聲，而医字說文訓爲「臧弓弩矢器也。」弓矢固亦巫師逐鬼所用，然既有殳而復有矢，一字而備陳諸器，殊覺過贅，初頗疑医字之義，爲人受矢傷而疾，匿其人于室內，迎巫治之，巫守其旁，執殳逐之，以爲医乃疾字之誤，病者受創，故發呻吟之聲，因有癡字之聲。然此臆說，尙無左證可驗也。偶檢羅振玉殷虛書契後編下疾字作𤶋，羅氏釋之曰：

象矢著人肊下。毛公鼎「愍天疾畏之。」字作𤕫。與此正同，知此字亦疾字也。……按疾古訓急，訓速，最速者莫如矢，故从人旁矢，矢着人斯爲疾患，故引申而訓患，訓苦。其去大着疒，殆爲後起之字，于初形已失矣。

王國維曰：

……毛公鼎𤕫字，即說文医字，从匸。然石鼓文汧殹之殹，从医，其直上出乃𥎦之變形，篆文之医，則又由医而變，猶医之由𥎦而變矣。……

又曰：

𥎦，古文医字。說見上。疑疾之本字，象人亦下著矢形，古多戰事，人著矢，則疾矣。

案：據王氏之說，以医字爲疾之本字，殆可從也。其云「医乃𥎦之變形，」亦最可玩索。𥎦，卽侯字也。羅氏殷契前編卷二，卷四卷五，共收四侯字，而案之曰：「說文解字从人从厂，象張布矢在其下。古文作医，與此同。古金文亦均从厂。」今詳說文小篆侯字作𥎦，較契文古文多一𠂉字，此𠂉卽人字，據契文厂爲入字之例，則小篆作刀，殊贅。

案段注說文於侯字下，所注引周禮諸書陳義殊繁，而終未得其解。予謂射侯之禮，蓋起於巫術，爲絕無可疑之事也。尋侯之古誼，本爲射布，卽箭靶也。其製有用布者，皮者，而天子會諸侯時所射者，用熊、虎、豹、麋諸皮爲之，所謂皮侯也。侯之廣陝各有尺度，中設一鵠爲的；天子射熊侯、虎侯、豹侯；諸侯射熊侯，豹侯；卿大夫則共射麋侯，故所射之侯，依階級而定。

然何以受矢之鵠而稱侯乎？此諸家所未言者。予詳上古之世，以力爲酋，積威所至，羣酋又推有力者爲王，酋卽封建時代之諸侯，而王卽天子也。其後諸侯之賚，多爲天子內屬，或三公封於畿內者。見獨斷，及周禮司裘注。古者，諸侯之對天子也，咸行朝覲之禮，（案春曰朝秋曰覲。漢律有朝請之禮，謂春朝秋請（才姓反）。廣韻覲字云古朝請亦用覲，蓋不知請覲本爲覲字之誤。晉後有奉朝請，爲受祿而不隸事之閑職，猶今之坐領乾俸者，與原意迥殊。）敷奏以言，猶今之外員述職也。天子五歲巡狩諸侯，而諸侯亦每歲依四方分四季入朝。（如天子巡狩之明年，東方諸侯以春入朝是也。餘準此。詳見尚書堯典鄭注。亦有五年一朝者，見禮記王制。）至殷而天子之權益重，諸侯黜陟，皆操於其手，所謂山川神祇不舉者，削以地；宗朝不順者，絀以爵；變禮易樂者，流其君；革制度衣服者，討其國。（以上見王制）故射侯之禮，即所以診諸侯之逆順，及誇王室武功之威盛也。尋儀禮大射儀注有曰：「侯，所謂射布也。尊者射之以威不寧，卑者射之以求爲侯。」又曰：「射侯者，射爲諸侯也。射中則得爲諸侯，射不中則不得爲諸侯。……射中者，得與於祭，不中者不得與於祭，不得與於祭者，有讓，削以地；得與於祭者，有慶，益以地；進爵絀地，是也。」（禮記二十射儀第四十六）

表面固爲考驗諸侯武功，實際則爲考驗是否歸心王室，所以在春秋饗祭行射侯之禮，諸侯必須按時而朝；否則即爲逆命，故白虎通德解之曰：「侯者，候也，候逆順也。」（卷一爵）又春秋元命苞曰：「侯之言候，候逆順，兼伺候王命矣。」（明孫瑴古書微卷六引）是則古時諸侯雖受天子以方陝之寄，於義猶天子僕園也。因諸侯爲奉侍天子者，故必準時朝覲，如其後至，必受黜落，甚至誅戮：魯語曰：「昔禹致羣神於會稽之山，防風氏後至，禹殺而戮之。」夫防風氏，猶禹之諸侯也。後至而已，非不朝也，而禹殺之，以儆不廷之臣，然其已屆朝會而不至，又何如乎？則必畫其象而射之，冀不朝者之死也。故射侯發矢之前，必爲咒曰：

毋若不寧侯，不朝於王所，故伉而射汝也。（周禮梓人〇此據說文第五篇下侯字引，文與原書有異。）

然則，射侯之禮，固起於古時天子圖其不赴朝會之臣作爲矢的者。此事史記封禪書言之更詳。其說曰：

是時萇弘以方事周靈王，諸侯莫朝周，周力少，萇弘乃明鬼神事，設射狸首，狸首者，諸侯之不來者，依物怪，欲以致諸侯，諸侯不從，而晉人執殺萇弘。周人之言方怪者，自萇弘。（涵芬樓影印百衲本二十四史本）

按「不來，」徐廣注曰：「狸，一名不來。」漢書郊祀志上，據封禪書逕作「狸首」爲「不來。」（或言封禪書乃後人據郊祀志者，崔適史記探

原有此說

然則，射侯本作射狸首，射侯之名，或屬後起者，此事早已著之逸詩及諸家禮書，如儀禮七，大射儀有奏狸首之說，鄭注曰：「狸首逸詩……狸首之言不來也。其言有射諸侯首不來者之言，因以名篇。」然禮記射義云：「諸侯以狸首爲節。」而鄭君仍謂狸首逸詩，並云節者，歌之以爲節也。淸孫希旦禮記集注譏鄭注之謬，而謂狸首之詩，必不專爲射侯而作。又譏史記萇弘設射狸首之謬云：「是說也，蓋出於衰周之末，厭勝小術，而安可以證聖人之經乎！」希旦之言，可謂迂闊哉！儒本出於陰陽家，以聖門高弟如曾晳原憲之流，尚忿世爲巫，放志鬼道，況靈王之世，巫道未衰，萇弘居大夫之職，丁周室衰微之會，作此鬼道以警當時富有鬼神觀念之諸侯，亦事理之恆，其初設射狸首，不幸無驗，翻遭其禍；萇弘碧血，史家猶致悼言，其事播爲篇什，以存餼羊之禮也。然狸首之說，尚爲廋詞，射侯則明言無忌矣。惟予又疑射侯之侯，其初爲猴，猴與狸同爲狡獸，故用作射布之名。

據封禪書之說，知射侯本爲射狸而來，事在衰周，固有因時制宜者。惟予詳周初已用其術，按六韜曰：

武王伐殷，丁侯不朝，太公乃畫丁侯於策，三箭射之，丁侯病困；卜者占云：「祟在周。」恐懼，乃請舉國爲臣。太公使甲乙日拔丁侯脊頭箭，丙丁日拔着口箭，戊巳日拔着腰箭；丁侯病稍愈，四夷聞，各以來貢。太平御覽七百三十七引。又藝文類聚卷九十九，御覽七百三十九引太公金匱亦記此事，文有不同。

案太公，呂尙也。小說封神演義有子牙射殺趙公明事，當卽本此。尙蓋古之大巫師，故封禪書亦有記其妖妄事；六韜固不能視爲尙書，然其事當非虛構者。在草昧時代，實已有之；吾國中世以來如射象埋俑諸巫蠱之術，史不絕書，最著之事，如漢武帝時巫蠱之禍，實爲顯證。

如上文所述之射狸、射侯，皆屬於巫蠱之術，周禮春官有狸沈之祭，意同而異其形式。其事相當於西方之黑巫術；英儒民俗學權威佛累則（Frazer）氏在其偉著金枝中言之極詳，謂射殺敵人形象之巫術，遠在數千年前，已散布各地，並引印第安人加害某人故事爲證，即用某人形象爲一小木偶，用針刺其心，或頭；或以箭射之，則敵人即在同一部位受創，若逕欲處死，即將木偶焚之，或埋葬之，同時作咒云云。（詳李安宅譯交感巫術）此於太公射丁侯江充埋武帝象于太子宮中及晉顧愷之針鄰女之象以求婚，（事詳晉書本傳）宋徐秋夫針茅以治鬼病等，皆爲同型之巫術。

由上觀之，諸侯之侯，以侯朝得名，其後繪不朝者之像爲射布，此純爲巫蠱之術矣。所謂諸侯，猶侍中侍郎之類，雖非天子近臣，但爲天子之重臣，而仍以奴隸畜之也。此猶宰相之宰，取義於宰夫矣。（宰相之義詳章炳麟太炎文錄初編一，五朝法律索隱專制時代宰相用奴說。）

王國維以契文医字爲疾字之誤，而與侯字相混。予則以爲疾字與侯字相通；蓋一則矢射於人身，一則矢射於人象，惟其受創之義則一；古多信賴巫術，以爲人病亦必爲被敵人行使法術所致，如上文所述射侯射狸之事，可以致人於病死也。故殹字亦可從侯，然眞爲戰爭而被弓矢所傷者，則亦稱疾，故侯疾二字實可通用。蓋二字當時或可互寫，如碑版隸書醫字亦作醫作毉，而士字亦可寫作土字也。方書稱病狀曰病候，亦曰病疾，隋巢元方敘病源證象之書曰病源候總論。又論衡書虛篇曰：「三江時風，揚疾之波，亦溺殺人。」揚疾，即揚侯也。是侯疾固有相通者。（侯、爲今候則古字）

羅振玉以疾字去大着厂爲後起之字，予意侯疾二字可以相通之說如上。必欲陳其致誤之由，則以疾候医三字，不論契文篆體，正文形多相近，以言契文，則侯爲疾之初體，其後加厂，以別於射布之侯，而疾字將疒形加於矢腳，遂成医字，而不知匚字亦如契文㡿字之作𠂆（大），（人大契文相通）矢加人，即契文疾字矣。惟医契文作医，狀人持盾禦矢，故爲盾屬。是以医有掩蔽之義，加殳，恰又與方相氏「執戈揚盾」驅儺時情狀相符。故小學家釋爲「惡姿」，此無異爲「驅儺」之廋詞也。雖曰於殹字爲後起之義，顧猶不遠於事情耳。至疾字之見於契文者，才三數字，安知他日不發見與小篆相近之字，因人受矢被傷，倚匿室中，如篆體所示之疾字乎？古文因事定形，聞見不同，故字製各異，義亦兩岐，未可執一端論矣。

三十六年十一月二十五日

本草綱目拾遺引書編目

章次公

在清代本草書中，不泥古，無氣化之論，而一以實用爲歸者，當首推錢塘趙學敏本草綱目拾遺。此書所載，多切實用。蓋學敏對於本草，獨有異嗜，不僅廣稽古籍，博訪野老，且自闢藥圃，勤爲種植，辨其根葉，析其種類，試之病人，至老無倦；此不僅清代一人，即明李時珍亦當謝短，宋元諸家更無論矣。余嘗欲考其生平行誼，爲學敏年譜，惜奔於診務，所錄資料，猶未足爲年譜之用。惟拾遺一書，雖僅十卷，徵書至博，視時珍綱目五十二卷之巨帙，且猶過之。學敏此書蓋成於嘉慶初葉，至今不過一百五十年，其引用書已大半無存，時珍綱目有自列引用書目，而學敏是書闕焉，讀者恨之。余既擬爲年譜，會細誦其書，又本趙翼諸人撮錄裴注三國志，李注文選引見書目之意，先爲編目，並及人名焉，蓋皆爲他日撰年譜地也。本爲私便，未敢視人，而醫史編者范君，謂學問之業，惟自私之作，最有價值。鴛鴦與金針並陳，人知所實者，必爲金針而非鴛鴦矣。此編之製，若貽諸同好，則讀趙書者，與夫爲本草學史者，得益不已多乎？余愧其言而重違其意，因更爲編次如左方。戊子，人日記。

本草一 總類

本草　本草汪機　本草正張介賓　本草乘雅　本草原始　本草補石振鐸　家抄本草葉天士　本草匯　本草經疏
本草逢原　本草從新吳儀洛　得宜本草葉氏　祝西葊本草

本草二 別類(一)

珍異藥品蒼滌　海藥祕錄　山海草函　丹房本草　土宿本草

本草三 別類(二)

藥鏡蔣儀藥鏡(案或作拾遺賦)　藥鑑陳遠夫　藥性考龍柏　百草鏡　百藥備遺　李氏草祕　草寶　草藥鑑　草

藥方汪連仕（案一作釆藥書）　釆藥錄　採藥志王安卿（案採一作釆）　王安采藥方案疑即上書　藥辨　藥檢　辨誤鍋有良一　識藥辨微　品級考

本草四別類（三）

藏藥祕訣陳瑤　四時修合法高濂（案疑即珍異藥品之一部）　胡濳法製編

本草五別類（四）

廣和帖　金燦然帖　許帖　蔡氏藥帖　順寧售藥單

本草六別類（五）

飲膳正要　救荒本草周憲王　食物本草　食物宜忌陳昊堯（亦作陳芝山）　食品眞一　筍譜陳芝山　食物考　食物會纂沈雲將（案亦作食纂）　北硯食規童北硯　食物便覽雨養翁

花木類

陸機疏　南方草木狀　華夷花木考　羣芳譜　廣羣芳譜　菊譜馬伯州　花鏡陳扶搖　花經　草花訣傅滄萑　大觀錄張轍　圃事須知　大觀茶論　東溪試茶錄　茶譜毛文錫　茶疏橘錄　打棗譜柳貫　荔枝譜陳定九　廣菌譜潘之恆　甘薯錄陸燿　甘署疏

蟲魚類

介語　海味索隱　蠕史　蟲語　蛇譜陳鼎

內經

增補內經拾遺四卷

方論略以首字筆畫爲次。故以數字表之。下人名同。

(1)一盤珠洪氏　(3)三奇方　千金方孫眞人　千金不易方　大提藥方　小識小泉驗方　丸藥方　(4)不藥良方王站柱　中藏經　元升觀之祕方　仁惠方　仇氏傳方　文堂集驗方　太元玉格新書　王都官方　王氏祕方　王氏驗方　王永光方　王登南方　王聖俞手集　(5)古方八陣　古方選注　王子接絳雪方　古今良方　仙遺拾珠　末藥方(？)　永師方案亦作永壽傳方　玉局方　玉泉方　石室奇方　石室祕錄　立効方　(6)同壽錄　吉氏家方　回生集陳杰案亦作陳氏回生集　朱子和方　朱羅峯方　行篋檢祕方賀汝良　(7)妙淨方　妙應方俞佳士　妙藥方　妙靈方　何明遠方　沈氏効方　沈惠如傳方　汪氏方　汪子明方　汪偉公方　李氏方　李太守祕方　良方集要　良朋彙集　良方彙選　赤水玄珠　邢虎臣方　(8)事親述見奇効方　奇方類編　呂逸儒傳方　周山人方　周氏方　周氏家寶案以上兩種疑即家寶方　周氏傳方　周廷園方　和劑局方　延綠堂方　易簡方王立人　易堂驗方　杭士元方　東醫寶鑒　芷園憶草　邵仲達方　(9)保元方　保合堂祕方　保和堂祕方　便易良方吳興楊氏　俞曉園妙方　卻疫仙方　急救方王良生　姚伯玉方　扁鵲心書活人書　洪濤遠方　直指方楊仁齋　胡開甫方　秋泉家祕案又有王秋泉家傳祕方當是一書　茅昆來効方　郎興祖方　郁文虎傳方　(10)孫氏丹方　家寶方周益生　家寶眞傳　家傳醫要茅昆來　徐氏驗方　徐順之驗方　徐雲生方　殷仁趾傳方　柴氏獨妙方　海上方　海上名方　海昌方　祕方集腋　祕方集覽　祕方集驗　祝氏効方　祝穆効方案疑即祝氏効方　神隱經臞仙　神錦方　神方珍記　神醫十全鏡　躬行錄陳直夫　(11)張氏日抄　張氏傳方　張氏必効方　張氏必驗方　張菉漪方　張卿子方　張卿子妙方　卿子妙方　張卿子祕方一作張卿子祕集驗案以上四種疑爲一書別有張卿子外科祕方入外科類疑與此並爲一書　救急方王良生　救生苦海　救世青囊　許氏方　販翁醫要一作黃販翁醫抄　黃氏醫抄案以上二書蓋原爲一書　陳氏傳方　陳府祕方(梁湖人)　集効方　集驗　集驗方即文堂集驗　集驗方梁氏　集驗良方梁候瀛(案疑與上爲一書)　集驗方年希堯　集驗良年希堯(案疑與上爲一書)　集簡方　(12)傅氏方　傳記單方　博濟方王氏　景岳新方　普濟方　菉竹堂驗方　程林郎

得方　衆妙方　紫林單方　紫虛子吞豆法　(13)傳世方高元　傳効方　傳信方　傳習錄　彙集方　彙集闢沼聖方　敬信錄　楊氏驗方　楊氏經驗方　楊春涯驗方(案以上三書疑爲一書)　準繩　煙誠蘭上徐沁鑑　聖惠方　萬氏家抄　萬氏濟世方　萬邦孚家抄(案疑與萬氏家抄爲一書)　萬病回春　萬選方　葉氏方　葉氏驗方　葉天士方　葛祖方亦作葛祖遺方　經驗方年希堯　經驗方劉起堂　經驗方蔣莘田　經驗集毛世洪　經驗錄華氏錫山　經驗祕方劉啓堂案亦作經驗方　經驗單方錢峻　經驗廣集李炳文亦作李文炳　試効之方華玉先　雲谷醫抄　雲客傳方　雲溪方　(14)壽域方　廖永言驗方　廣筆記繆仲淳　德勝堂方　慈航活人書　種福堂方葉天士　趙氏集要　(15)劉氏驗方　劉氏得効方　劉羽儀驗方　蔣雲山傳方　養生注陳子靜　養生經驗方　養素園驗方　養餘月令戴羲　鳳聯堂驗方　(16)澹寮方　積善堂方葛表　積善堂良方疑卽與上書同　蔡毓晉方　蔡白雲方　選元方　選要方余居一作金居士　選奇方　盧氏仙方　(17)應驗方　應驗良方　簡便方楊起　簡便方王化九　義復方　濟世方　濟世良方陸氏　濟世養生集　濟世經驗方姚希周　濟急方　濟急良方　鞠子靜方　(18)嚴氏方　臨症指南　醫便王三才　醫鈴　醫通周賓生　醫奧王東藩　醫碥何夢王　醫鍵　醫方集聽　醫林集祕　醫宗彙編　醫學指南　(19)蘭臺軌範　寶生編　寶笈方　寶誌遺方　類聚要方　(20)顧錦州傳方　(24)靈祕丹藥

產科

產家要覽

幼科

活幼新書　慈惠方　慈惠編　慈惠小編吳興錢守和書　慈幼筏江夏程雲鵬　痘學眞傳葉大椿　痘科釋義翟良　救偏瑣言費建中

錫山衣德堂稀痘良方　種痘新書張琰

眼科

一草亭眼科 眼科要覽選陳嘉木

外科

外科正宗 張卿子外科祕方 外科全書 外科全生 薰痔仙方

結核

結核論 虚勞論

血證

治血證集驗 血崩集驗

旅行方

王氏檢祕 行篋檢祕沈氏 行篋檢祕黄汝良

雲旅抄 舟車經驗方

房中

演撲兒集

其他

游戲方祝士校 少林拳經

經部

易經 爾雅 說文 釋名 六書 古今注 通雅

史部

北史 唐書 史異纂 稗史 稗史彙編 楚庭稗球 方鎮編年錄 二申野錄 臥雲山人傳 大政記朱國禎

通志鄭樵
農家
氾勝之農書　齊民要術　農田餘話　學圃餘蔬
格物
博物志　物類相感志　物鑒　羣物奇制　物理小識方以智　幾暇格物編　格物須知　海上格物論　空際格
致知一齋
雜家
顏氏家訓　新語　酉陽雜俎　筆談　譚賓錄　演繁露　東坡雜記　學齋呫嗶　墨莊漫錄　湘水燕談　野
客叢書　苦齋記劉基　五雜俎　六研齋筆記　紫桃軒雜綴　湧幢小品　小辨詹景鳳　冷賞鄭仲夔　書影周櫟園
筆記陳氏　塗說張篆溎　瑣記張雲野　瑣語陳逵齋　說略　談撰　露書姚旅　人海記查慎行　今見錄陳所安　使緬
錄　赤俶集　凌雲集　啓蒙記　無顏錄　筆珠萃　傳習錄　辟寒錄柯氏　道聽集　談通錄　錄異記　醒
園錄李化南　瀚海記　讀書志佐涵芬　覲頤錄趙楷　三岡識略　月湖筆藪　玉鏡新談　戒庵漫筆　青藜餘照
居易錄王阮亭　池北偶談　香祖筆記　皇華紀聞　前溪逸志　柳崖外編徐昆后山　柑園雜識朱排山（案或作柑園小識）　海外
札記　秋燈叢話王械　茗水札記陳墨樵　茗陰札記　宸垣識略　海東札記　茶餘客話阮葵生　書影叢說袁棟
宦遊筆記常中丞案或作中丞筆記常中丞筆記　梧潯雜佩　雅俗稽言　遊宦餘談　椿園聞見錄　筆苑仙丹　聞見雜志　嵩崖雜
記　質直談耳　簪雲樓雜志　仁恕堂筆記黎媿曾　秋景盦雜記　關東韓子雅言　和羹園夜談隨錄　李觀王
日記　任城日抄朱蠖齋
類書

潛確類書 山堂肆考 代醉編 格致鏡原 留青日札 彙書 長物志 三才藻異 文房肆考
詩文詩評
范石湖集 蘇子瞻詩 珠輪絕句黃夢 金鑾草詩周唐王 程賦統會劉魁若 仙人掌賦黃明佐 帶經堂詩話 續
舊遊詩話
道家
天地運度經
地理及遊記
方輿志 方輿勝覽 輿地考 輿地紀 坤輿圖說 坤輿典 山川典以上二書疑即圖書集成二十三典之二典中 山川志 職方考
名勝志 南中紀聞包汝楫 西北域記 邊志 邊塞志 三邊紀略 邊州聞見錄 星槎勝覽 東西洋考 海
東札記 海外三珠 海外逸說 徐霞客遊記 西北遊記
方志
（江蘇）吳船錄
（浙江）咸淳臨安志 萬歷杭州府志 錢塘縣志 乍浦九山補志 嘉泰會稽志 弘治紹興府志 査浦輯
聞 成化四明志 定海縣志 象山縣志 嘉興府志 萬歷嘉善縣志 湖州府志胡承謀 湖州志 西吳里語
西吳枝乘 平湖縣志 永嘉縣志 甌江志 萬曆仙居志 臨海志 臨海異物志 處州府志 雁山志 玉
環志 東陽縣志
（福建）福建續志 福州府志 福寧府志 福清縣志福清志 泉州府志 漳州府志 閩志 閩小記周櫟園
泉南雜志

（臺灣）臺灣志　臺灣府志范咸　臺志　臺志略　臺海使槎錄　臺海采風圖

（廣東）廣東通志　肇慶志　韶州府志　廣志　粵語　粵志　粵錄　廣大新書　粵東小錄　廣東瑣語

嶺表錄異劉恂　嶺外雜記　嶺南記　嶺南果錄　嶺南雜記吳震方　嶺南隨筆關涵　南粵瑣記　粵山錄

廣東名勝志　粵草志　廣東錄　粵海香語　嶠南瑣記　澳門紀略　羅浮志　羅浮山志

（廣西）桂海虞衡志范石湖　粵西偶記陸祚蕃　粵西叢載　兩廣雜誌　交廣錄

（四川）四川通志　四川志略　峨嵋山志　益部談資　益部方物記

（雲南）雲南通志　雲南志　金沙江志　滇志　滇記　滇略　南詔志　南詔備考　滇南志　滇南記　滇南雜記　雲南土司志　滇南各甸土司記　滇程記　滇遊雜記　滇黔記遊

（貴州）黔囊

（西藏）衛藏圖識馬少雲　藏行紀程杜昌丁　西藏見聞錄蕭騰麟　松潘衛志

（回疆）回疆志

各省方志

盛京志　湘潭縣志　崖州志　黃山志　五臺山志　延綏鎮志　思恩府志　寧德縣志　諸羅志　連山志

琉璃國志周海山煌

以上學敏所引之書，其名繁省不一，有數書而實一書者，姑仍之。

人名

（2）丁憲榮　（4）尤佩蓮　王小靜　王子光　王士瑤　王用予　王沂堂　王怡堂　王桂舟　王翁　王鼓略　王巽初　王聖俞　王遜亭　王繹堂　毛達可　（5）永寧僧　平萊仲　史良宇　史長惺　白宇亮敷師

(6)全丹若(越醫) 安定臣 江獻祥 朱大畯 朱文藻 朱良楚 朱楚良(疑爲一人) 朱秋亭 朱退谷 朱問亭
朱樂只 朱醒莽(武源進士) (7)沈君士 沈良士 沈學士 汪玉于 汪杭葦 李氏 李成裕 李秉文 李全
什 宋春暉 吳玉保 吳秀峯 吳萊(元人) 余機 余曉園 余澹菴 (8)宓元良 周一士 周曲大 周
延園 周世臣 周開鄴 周愼庵 周維新 岳秀峯 杭士元 胡春 胡開甫 金士彩 金立夫 金御乘
金養淳 (9)俞友梁 俞曉園 俞潛山 茅翼 茅昆來 范志齋 范瑤初 (10)唐正聲 唐怡士 孫
玉庭 孫含懿 徐一士 徐若寧 柴又升 秦中用 翁有良 紀曉嵐 (11)寇宗奭 戚孔昭 淸慧(玉神庵尼)
張子元(扇店) 張子潤 張石港 張宇南 張若渟 張良宇 張佳時 張景岳 張聖來 張瑤實 張壽莊
張篁壬 張覲齋 曹閏亭 莫際華 許景尼 郭大林 陳彬 陳良士 陳良翰 陳水東 陳老醫 陳
延慶 陳述齋 陳海曙 陳確齋 陳毅齋 陳藏器 陶殿元 陶節菴 陸象咸 (12)單杜可 屠本畯
屠潤南 屠舞夫 曾玉瀛 盛天然 盛再華 程克庵 程豹文 程雲來 費容齋 項秋子 黃亮 黃廷
慶 黃雨巖 黃海若 黃雲盛 (13)僧鑑平 楊桐崗 楊靜山 萬近峯 葉東表 葉明齋 葉闇齋 葛
三 鄒道鄉 聞人遠達 (14)翟筠川 趙貢栽 趙景炎 趙際昌 (15)劉克中 劉怡軒 劉芳洲 劉挹
淸 劉霞裳 劉壽軒 蔡白雲 蔡雲白(疑爲一人) 蔡協德 鄭方升 (16)錢伯雲 (17)薛生白 薛客 謝天
士 謝雲溪 韓柳生 (18)魏良宰 (20)蘇恭 (22)龔太守 龔雲林

東漢以來方士與醫藥

天津　宋向元

一　方士之盛行及其原因

本文第一章，原爲「巫與醫」，說明兩者關係及其演變之過程。今讀范行準先生中華醫學史（醫史雜誌創刊號）所論及此者，既頗詳確，且多與拙見不謀而合。敬佩之下，爰決刪去大半，而輯其尚可併敍於此章者，以節篇幅，而免攘竊之嫌。

又，本文所引，祗凡稱某紀某傳者，皆指范曄後漢書；祗稱某志者，皆指司馬彪續漢志。述綴拙見，概用語體。附贅於此，聊以示例。唯是鄙人識短才拙，又復匆促改作，疵謬之處，自必不免；補充修正，請俟異日。如蒙海內通雅，進而敎之，幸甚！

卅七年元旦，於天津崇化學會

山海經裏面關於醫藥的記載，多存上古醫療狀況之眞面目，於醫史文獻上頗足珍視。（不特醫藥，即地理方面「海經證今」亦皆能確指其地，其俗，則其書尚非完全荒誕無取者。今北平有廖世功（敍疇）先生仍作繼續研究。）海內西經「開明東有巫彭、巫抵、巫陽、巫履、巫凡、巫相，夾窫窳之尸，（原作「尸」，華先生據古文改正。行準案：尸夷仁人四字古並通。仁夷篆體同，則夷爲晚出字。）皆操不死之藥以距之。」據天津宿儒華石斧學涑先生遺著海經證今之解釋，則所謂「六巫」者不但可以說明醫出於巫，並可藉知吾國醫術分科源流之所自。（案大荒西經尚有十巫採藥之記載，與此有異。清儒郝懿行氏謂「盼、凡或即一人……履即禮也……其巫相，疑即巫謝，……」但郝氏以爲「此下諸篇，大抵本之海內外諸經，而加以詮釋。文多淺雜，漫無紀統。蓋本諸家記錄，非一手所成故也。」言外頗有不甚信重大荒西經之意。所惜石斧先生生前僅成「海經」，餘篇均尚未成；今日已作古人，不得執經而問也。）茲錄其說：

王會：阼階之南，有爲諸侯有疾病者之醫藥所居。是古帝居之旁，必有醫以備疾病。按各民族之醫，多出於巫，吾族亦如之故古醫字作「毉」；廣雅：醫，巫也。論語：不可作巫醫。是古巫醫原一事，至後始分。六巫，皆各以其術世守之醫官；可知吾族醫術之本原及種類。

巫彭者，彭擊鼓之聲，今則傳爲巫姑（原注：俗謂跳神，亦謂頂香,一專以暗示治療者。依催眠術之說,凡聲之平衍而頻頻繼續者,皆能使人入催眠狀態;巫姑之用太平鼓,確依此法。賴人信仰之精神傾注,而以鼓吹(疑當作催字)之,再以跳舞迷亂其視線,使室內之人均入催眠狀態,方託鬼神,示以嚴厲之命令;則精神治療之法備,故亦有能收其效者。其原實出巫彭,世本云:「巫彭作醫;」後凡以擊鼓治療者,遂世名巫彭。此吾醫術之鼻祖也。　巫抵者,夏小正「抵蚳」傳:抵猶推也。漢書梁王楫傳注:抵距也。推拒者,按摩之謂。今之以推拿治療者,益本巫抵之術。內則云:而敬抑搔之。是身有不適,助使筋骨運動活潑,而精神渙發,亦有效之術也。　巫陽者,外科也;以鍼砭治療。陽古作昜,亦瘍古文;周禮天官有「瘍醫,」注:瘡瘫也;爾雅注:瘡。楚辭云「帝告巫陽,」是爲古醫之著者也。　巫履者,履禮步也,以所事神致福也。詩曰「步履致祥。」抱朴子有「禹步法,」以符籙禳禍祈福,以爲治者;今傳爲道家方士祝由之術,純利用人迷信傾注之力,亦精神治療之一也。　巫凡者,依氣化以立方劑者也。凡古作冂,風古文,亦方古文,象風來八方之指事字也。素問風論「風者百病之長也。」古留諸方劑,今傳爲醫家之術,以藥物治療者。　巫相者,相省視也。凡相人,相時,相地,相宅,相牛馬諸術,皆括其中,專掌審視於機先,以教人趨避者。今傳已分多派,凡麻衣青烏子平者流,皆屬之。　吾國醫術率盡於此;至今數千年無多進步,焉得與世界並論,良可慨矣!「夾窫窳之夷」者,言所處之地在昆侖東南喜馬拉雅山之東北麓也。「皆操不死之藥以距之,」言皆能操術以與死距而已。(據遺稿謄清本。)

巫與醫之分業,不知始自何時,史記載秦越人之爲醫,已有帶下耳目痺分科之目;則巫與醫之更業,當更早了。至漢代,則兩者不但分業顯然,且已有對立的形勢。史記扁鵲淳于意列傳有「信巫不信醫,六不治也」之語可證。方士雖亦由巫家的旁系演進而來,但他們對於鬼神的態度,和巫家卻大相同。素問亦有「拘於鬼神,不可與言至德」等語。此乃方士的一種特點,詳見後章但自「黃巾」潰敗而後,一部分方士蛻變而爲道教徒,此等特點,便漸漸消失了。

方士亦稱「道士」「術士」或「方術之士」卽「神仙家」一流；原也具有一些宗教意味。他們表面雖然稱說「黃老」，實際上卻是襲取墨家之學的一部分，詳見後章因楚辭以及莊子所論「神人不食五穀吸風飲露」等精神生活，方士遺說雖少稱說及此，但此等思想不無誘導之關係。老子玄「牝」及「長生久視」諸說均具有神祕性質，故易爲方士所依託了。同時又因漢代社會情形之適合，所以到了東漢便逐漸盛行起來。現在略述其所以盛行的原因如下：

【朝野之倡導】西漢，文帝，竇太后，景帝，宣帝都秉「黃老」以爲治術；將相如曹參，陳平，名臣如張良，汲黯，鄭當時，直不疑，班嗣等亦然。帝王們在上這樣倡導，於是民間學者也多聞風響應；處士如蓋公、鄧章、王生、黃子、楊王孫皆宗之。所以西漢一代，「黃老」之學極盛，而方士也依託「黃老」以爲藉重。

漢代上下富庶，而武帝侈功好大，做了皇帝還自不够滿足，更想做一番長生久視的「神仙」。於是方士李少翁拜文成將軍，欒大拜五利將軍，幷尙公主；當時可謂「貴震天下」。所以「海上燕齊之士，莫不搤腕而自言有禁方矣」。語見漢書東漢末季，桓帝亦信「神仙」之說，而屢次遣使到苦縣去「祠老子」。此種舉動必然又給民間以很大影響；因爲他這樣一來，卽無異於政府公布老子爲此派之教主了。

東漢逸民高鳳不願爲官，上書「自言本巫家，不應爲吏」。似漢代法制原有此等限制；宋均傳：均遷九江太守……乃下令曰：「自今以後，爲山娶者，皆娶巫家，勿擾良民。」則「巫家」與「良民」有別。果然當時有此限制，則一般「巫家」很可能的多數變成方士，以達到獲得文成五利的優遇的。此一點，頗可藉以說明其所以盛行的主因。

【儒術之反動】漢代的思想，在表面上看來，經學那樣發達，好像是儒家思想作代表的；但事實上卻不盡然。因爲漢代的經學，專重在訓詁方面，具有整理態度；而當時學者又多嚴守師法，寧願抱殘守缺，不敢有所發明。所以眞正儒家的思想中心，卻因之而消沈了。實則儒與墨在先秦本來並爲顯學，秦人重法治，儒墨之道遂暫時潛伏，而老子之說大行於世。西漢初年，此等餘勢還未衰滅。墨家學派因不得勢，先秦似已漸衍成三支幹流：一是名理，一是游俠，其一即是神仙方士一流。方士集陰陽術數之大成，隨俗而變。自秦始皇寵用之後，在社會上頗有聲勢。（其實他們早有相當聲勢，不然始皇不能輕易便寵信他們。）漢時，淮南王「招致賓客方術之士數千人，作為內書二十一篇，外書甚衆，又有中篇八卷，言神仙黃白之事。」可見其盛了。

大體說來：儒家既得勢，其他學派固不得逞，但也絕不肯便甘心放棄其宗派，遂漸漸衍變而成為一種反動的現象。所以當時的經學，有的便潛在的添進去「齊學」（皮錫瑞經學歷史：「漢有一種天人之學，而齊學尤甚：伏傳五行，齊詩五際，公羊春秋多言災異，皆齊學也。易有象數占驗，禮有明堂陰陽……。」）而漸含有方士的氣息了。東漢又特別迷信圖讖緯候之說，當時稱為「內學」。於是「士之赴趨時宜者皆馳騁穿鑿爭談之也。」這時的「內學」，居然便索性方士化起來。物極必反，矯枉過直，四百年來帝王宏獎儒術之收獲，乃竟如此，也是很可驚異的事呢！

【禮俗之迷信】儒家重禮儀，眞要像孔子「祭如在，祭神如神在」那樣態度，也還不失儒家本色。東漢建武二年，初制郊兆於洛陽，已經祀神凡千五百一十四位！（據說這是「祀典」，比王莽時已大減，但較西漢時已增了。）後來又漸增多，所以延光元年，（公元一〇六）鄧太后「詔罷祀官不在祀典者。」而民間往往因為感思州郡長官之德政，而「生為立祠，」（如後世之供奉長生祿位者）至延熹八年（公元一六五）桓帝又下令「壞郡國房祀。」可見當時祠祀之日繁了。

他如會稽牛祭，（第五倫傳）石賢士神，（風俗通義）與義神（魏志十一注，引邴原別傳）等，民俗趨奉，竟如騖逐；不但愚民如此，即是「宮殿之內，戶牖之間，無不沃酹。」（魏志黃初五年詔語）可謂淫祀！又「世間精物多有見怪，」狗蛇亡人魄，都能作變怪。（俱見風俗通義）當時社會中迷信的氣氛，論衡及潛夫論，述之甚詳，不煩枚舉。

陰子方祀竈神而致巨富，（見陰興傳）王少林義葬書生而得天賜，及為鬼報冤，（王忳傳）俱見史冊。充此迷信的社會心理，竟至連孔子居然也神格化起來；當時相傳夫子甕背有丹書，預知漢世之事。（見鍾離意傳注引意別傳。從此可見當時人士必多作如是觀，而後乃見之史傳。論衡中多嚴此類事）具有這些迷信環境，而方士卻會「呼神丞厭鬼魅召命安魂」的，則方士神卿之說，自易風行了。

■佛說之東來■ 東漢明帝永平八年（公元六五）報楚王英的詔書說：「楚王誦黃老之微言，尚浮屠之仁祠，（通鑑作慈）潔齋三月，與神為誓。何嫌何疑，當有吝惜？其還贖，以助伊蒲塞、桑門之盛饌。」（見楚王傳。而詔書之使用外國語文者，當自此始；可見當時的「尚奇文，貴異數」了。）這是佛經傳入我國之後，不但楚王好尚其書，連皇帝亦在堂堂詔書之中來湊趣一下的。至於「黃老」與佛家語浮何以相提並論？原來佛經初來，當時以其與「黃老」虛無之旨相近，故同等視之。并因當時有「或言老子入夷狄為浮屠」（見襄楷傳。李賢注曰：「或言，當時言也。老子西入夷狄，始為浮屠之化。」行準案：後有「老子化胡經」，即由此而出。）此說當然是傅會的。或竟由方士一流人物，因佛經之精微，不甘落後，而硬造出此說，亦未可知。

西漢已知「休屠祭天金人」（見漢書霍去病傳。「金人」，顏師古注曰：「今之佛像是也。」）武帝巫蠱之案，已有胡巫參與其事，不過自漢明帝夢見「金人」，中國始漸有佛經；直到漢末，佛說始大行於民間，而有大規模誦經浴佛之舉動。（如笮融等人，見陶謙傳中。）方士因而襲取佛家儀式，（如「叩頭首過」及「三表」等。）創為「太平道」或「天師道」，同時「胡方」（指法術的）亦漸流行於社會，方士的技術上，又因得觀摩而增進。大凡一種學術因受外來之類近學術的刺激，往往發生一股強烈有力之反應，而自行充實其所不足。佛說之來，不啻與方士以新血液；即在未有道教之前，方士一流亦必因其增強陣容，而盛行於世。這種情形，可謂必然之勢了。

■民困苦人心惶乍之寄託惑■ 漢治尚法，衰世乃至慘酷。「漢世外戚宦官之禍，連踵繼軌。兩漢后妃之家，著聞者四十餘氏，大者夷滅，小者放竄，其身家俱全者，不得四五。宦官弄權，殺人如草；一朝為董袁所殲，亦無孑遺。人人頓覺骨肉之間，皆有刀俎。若乃黨錮之禍，俊顧廚及，一網以盡；其學節冠一世，信望致三公，亦皆駢首闕下，若屠豬羊。」（梁任公「論中國學術思想變遷之大勢」語）這祇說到士大夫階級因政治上的傾軋，鬧成殺戮過甚，而人心因之惶惑不安的概況。

但東漢末葉，久遭羌患，國家財政已形支絀，而靈帝又專會愛錢，光和元年，（公元一七八）居然標價大賣官爵，（西漢以[illegible]賣官鬻爵之例，此則公卿之爵位，亦可以錢而得。故崔烈有「銅臭」之號。）貪污自上而起，則當時的官吏已可想知了。於是貪污橫行，孳權財利，（梁冀[illegible]）

議。侵掠百姓，竟至百姓有「冤無所告」的慘狀。（見張讓傳）又有各地方豪族，擅恣兼併，小民雖爲當作牛馬，反而代出租賦。（見食貨志一注引崔氏令）這是老百姓在經濟上擔着雙重的負擔。此外，地方官吏對待小民的手段，亦非常殘酷：往往「民無罪而覆入之，民有田而覆奪之。州郡官府各自老事，姦情賄賂，皆爲吏餌。……貧困之民，或有賣其首級，以要酬賞，父兄相代殘身，妻孥相視分裂」（見劉瑜傳）當時的小民，物質上被剝削，精神上被欺陵，生命也絲毫沒有保障，暗無天日，眞可謂「蒼天已死」了。（余嘗詳聚黃巾訛言「蒼天已死，黃天當立」等語之含義，知「黃天當立」云者，固爲當時學術界盛行的「承赤者，黃也」的理論，而「蒼天已死」云者，則並非此理論中之事。蓋爲當時小民的一種情緒之反應，由於交織着忿怒與絕望而來。此反應漸成普遍觀念甚或漸成流行成語，故黃巾取而連綴一起，利用爲宣傳之資了。）

當時民生困苦，政治黑暗既如此，則一般人欲求一片乾淨土，而享人生之樂趣，已不可能。因此遂有「超世」之想，以求其精神之解放。（如仲長統等人已有此表示。）此等思想極易流爲玄虛，而方士卻講「神仙飛昇」之說，故最易引人入勝；於是羣趨於此，以爲精神之寄託了。

【其他】自秦始皇和漢武帝時，方士藉着求神仙鍊丹藥以騙取富貴的把戲，後來雖被揭穿，但其用符呪以醫療疾病的信仰，卻已在民間打下了牢固的根蒂。不祇民間，皇宮之中亦常信用之，如馬皇后患病時之「不信巫祝小醫」（見明德馬皇后紀。「小醫」者或即兼用符呪藥餌之流歟？）可爲反證。

又如當時一般人對於「疫」之錯誤見解，以及醫藥設備之偏重於京都，（均詳後文）而方士卻又「莫不兼修醫術。」種種原因，在在均足以促成方士之盛行呢。

× × × × × × ×

東漢一代具備以上種種的特殊因素，所以方士最易盛行；甚至有些野心家利用此等特殊情形，以作政治或軍事的企圖，故東漢一代「妖賊」亦最多。今錄當時方士盛行之紀載數則，以見概況。

方術列傳裏面首先記些星占術數的方士，（不但後漢書如此，其他史册亦然。）其次便是郭玉和華佗兩位醫家，（據兩本傳所載而言，此兩前輩大師均尚未完全脫淨方士之氣息，詳見後章。再後便又是「神仙家」一流人物，徐登和費長房之類了。

費長房傳說：

費長房，汝南人也。曾爲市掾。市中有老翁賣藥，懸一壺於肆頭，及市罷，輒跳入壺中。市人莫之見，唯長房於樓上覩之，異焉。因往，再拜奉酒脯。翁知長房之意其神也，謂之曰：「子明日更可來！」長房旦日復詣翁，翁乃與俱入壺中。……共飲畢而出。翁約不聽與人言之。後乃就樓上候長房曰：「我神僊之人，以過見責；今事畢當去，子寧能相隨乎？」……於是遂隨從入深山。……長房辭歸，翁與一竹杖，曰：「騎此，任所之，則自至矣。既至，可以杖投葛陂中也！」長房乘杖，須臾來歸。自謂去家適經旬日，而已十餘年矣。……遂能醫療衆病，鞭笞百鬼，及驅使社公。……或一日之間，人見其在千里之外者數處焉。

這段紀載的眞實性如何，姑不論；要必爲當時社會中之傳說的。又徐登傳說：

徐登者，閩中人也。本女子化爲丈夫，善巫術。又趙炳，字公阿，東陽人；能爲「越方。」時遭兵亂，疾疫大起。二人……遂結言約，共以其術療病。二人……貴尚淸儉，禮神唯以東流水爲酌，削桑皮爲脯。但行禁架，所療皆除。

這二人和費長房都是以巫術替人治病的。所謂「越方，」據王先謙集解引孫汝澄云：「卽封禪書所謂『越巫越祝』者也。」因東漢時代，我國文化中心尙在黃河流域；吳越一帶之人民，對於巫鬼的信仰較甚。或因時當此等巫術多行吳越，故稱爲「越方。」所謂「禁架」據李賢注：「卽禁術也。」抱朴子說：「吳越有禁呪之法，能以氣禳災祛鬼，蛇蟲虎豹不傷，刀刃箭鏃不入；又能禁水使逆流，禁瘡使血止，禁釘使自出。」據此，大致爲一種催眠術，古之方士或有精於此者。

試看漢末的吳會人士對於巫術仍極信仰吳志一注引江表傳：

時有道士琅玡于吉，先寓居東方，往來吳會。立精舍，燒香讀道書；制作符水以治病。吳會人多事之。策嘗於郡城門樓上集會諸將賓客吉乃盛服杖小函……趨度門下。諸將賓客三分之二下樓迎拜之掌賓者禁呵不能止。策命收……斬之懸首於市。諸事之者尙不謂其死，而云「尸解」焉復祭祀求福。

這事是在建安五年，（公元二〇〇年）或其稍前。而中原人士，對於方士所擅長的種種伎倆，亦極醉心；曹丕說：

潁川郤儉能辟穀餌伏苓甘陵甘始亦善行氣老有少容，廬江左慈知補導之術，蘇爲軍吏。初，儉之至，伏苓價暴貴數倍。議郎安平李覃學其辟穀，餐伏苓飲寒水中泄利，殆至殞命。後始來，衆人無不鴟視狼顧呼吸吐納；軍謀祭酒弘農董芬爲之過差，氣閉不通良久乃蘇。左慈到，又競受其補導之術至寺人嚴峻往從問受奄豎眞無事於斯術也人之逐聲，乃至於是。（魏志二十九注引典論，依方術傳注酌改一二字。）

祇就這二段看來，可知當時的士大夫亦竟信仰如此若再就前述東漢之特殊情形推之，則一般人當必更甚於此了。

葉天士治瘧不用柴胡

葉勁秋

余既撥拾葉桂事略，及其學說，作葉天士的研究刋於中西醫藥矣。涉獵其書，頗有一事可記者，卽吾醫家所知天士治瘧不用柴胡是也。乾嘉以下醫家，有反對者，有贊同者，玆略述諸家對天士治瘧不用柴胡之反響如左：

（一） 反對者

李冠仙曰：「葉氏臨證指南治瘧之方，不下數百，而不用一分柴胡。夫瘧發少陽，豈能不一用柴胡？乃葉氏因毁薛氏有瘧疾不可用柴胡一語，以後治瘧，竟不復用。至今吳人患瘧，皆不用柴胡，以致纏綿難愈，有數月不起者。然則指南之方，又烏足用哉」（見知醫必辨論倪涵初瘧痢方）又曰「有患瘧疾者，曾經薛生白先用小柴胡不效，乃求天士診。葉薛素交惡，遂謂病家曰，柴胡吃差了，故天士治瘧，不用柴胡。」（仝上）

徐靈胎曰：「瘧疾，小柴胡之主方也。瘧象不同，總以此方加減。或有別症，則不用原方亦可，蓋不用柴胡而可愈者，固有此理。若以為瘧而不可用柴胡，則亂道矣。夫柴胡爲少陽經之主方，凡寒熱往來之症，非此不可，而仲景用柴胡之處最多。傷寒論云「凡傷寒之柴胡有數證，但見一證便是，不必悉具也。」（指南評批）

（二） 贊同者

仲昂庭云：「天士行醫半世，懼用柴胡，蓋惑於方書病在太陽，服之引賊入門等語，入門者入少陽也。故此解一本草崇原集註）專主少陽胆經。然傷寒論少陽篇，並無小柴胡湯，且有無太陽證不中與之訓，則柴胡非少陽主藥明矣。」（見本草崇原集註眉批）

光緒二十三年仲夏，曲阿韓善徵止軒氏自序瘧疾論云「癸巳夏秋，吾鄉瘧疾盛行，醫率投小柴胡湯，斃者接踵。詢諸醫，皆以此爲不祧之法。久之遊於外，歷質各郡之負盛名者，亦未能明其義，心實歉焉。嗣讀古吳葉香巖瘧案，若有所得。及見海昌王孟英著述，乃恍然於曩日醫家執正瘧之治，以療時感瘧，無惑乎輕病變重，重病至死也。於是潛心者又閱四載矣。」

其於瘧不專屬少陽論曰：「……惟古吳葉香巖論瘧，原本經典，不爲俗說所囿。嘉道間海昌王孟英發明葉說更暢。無如漸久相沿，積重難返，信者十二三，不信者十八九。即明如徐洄溪，猶以總以風暑入於少陽等語，妄議葉案之非。下此者，更無論矣。噫！醫道之難言，固非今日始也。」

（三） 兩派之得失

兩派所言，皆各持之有故，言之成理。然李冠仙謂天士治瘧方凡數百首而不用一分柴胡，其說未盡可信。今詳指南瘧疾門共一百八十二案，用鱉甲煎者三案，用補中益湯者一案，二方並有柴胡。又有用柴胡梢一案者，然則天士在久瘧中固有不諱用柴胡者矣。

冠仙一再謂天士之不用柴胡起於毀薛，余意恐未盡然。天士曾批陶氏傷寒全生集有曰：「先君子陽生公曰：「今世濫用小柴胡湯，動手輒用柴芩，死亡相繼，禍不旋踵」。可嘆也。」然則天士治瘧不用柴胡，經驗而外，亦半承過庭之訓耳。柴胡之不治瘧，核之文獻，亦未嘗無據。按本經、仲景、別錄、甄權等書，皆未有柴胡治瘧之明文；金匱瘧疾門所出之方，不見柴胡；千金翼瘧門，蜀漆圓、鱗鯉湯亦不用柴胡；千金六科準繩類方用柴胡僅佔少數；外台祕要僅於瘧母瘧發渴者，大鱉甲煎、烏梅飲各一見之，用常山者最多見。徐靈胎本草百種錄，亦未有柴胡治瘧之語，僅認柴胡爲腸胃藥耳。草菓、蜀漆，中醫界咸認爲截瘧藥，治瘧方劑中，較柴胡爲多見。惟李杲有「諸症之瘧，以柴胡爲君」之說，柴胡之多用於治瘧，其在東垣學說盛行之後乎？

諸贊同天士之說者，大多從臨證時經驗所得，以印證葉說之非誣，蓋以今學理證之，柴胡實無治瘧之功也。雖然，今證明有治瘧之功之常山，葉派醫家，又怵其峻烈，禁不敢用，執天士之方以治瘧，亦何嘗有効哉？

跋明金陵刊本本草綱目

丁濟民

明李時珍撰。此李氏書最初刻本，亦最初印本也。全書五十二卷，附圖二卷，半葉十二行，行二十四字，萬曆十八年庚寅，金陵胡承龍刊。前僅有萬曆庚寅王世貞序，無建中進表，此爲與通行本不同之處。序後即列輯書人姓氏云：勅封文林郎四川蓬溪縣知縣黃州李時珍編輯。雲南永昌府通判男建中，黃州府儒學生員李建元校正。應天府儒學生員黃申高第同閱。太醫院士男李建方，蘄州儒學生員男李建木重訂。生員李樹宗，生員孫李建聲，生員李樹勳次卷。荆州府引禮生孫李建本楷書。金陵後學胡承龍梓行。附圖分上下二卷，每卷首題階文林郎蓬溪知縣男李建中輯。州學生男李建木圖。州學生孫李樹聲校。持與萬曆癸卯張鼎思刊本，除圖爲摸撫此刊外，其行格字數悉不相同，張刊本附圖題稱：勅封文林四川蓬溪知縣蘄州李時珍編輯。張刊本有萬曆二十四年李建元進本草綱目疏，而胡刊本無之，時珍卒年，雖無確考，然建元表中有云生平篤學，刻意纂修，曾著本草一部，甫及刊成，忽值數盡，撰有遺表，令臣代獻云云，則金陵胡承龍剞劂此書時，珍猶及見其成也，故此本無建中進表。自夏良心重刊附表以行後，時珍此書無不附有遺表者，蓋皆從夏刊出也。此本據萬曆三十一年夏良心重刊時，已訝其字畫之漫漶者多也。而張鼎思序夏刊云，初刊未工，行之不廣。然與夏刊相較，則初刊本序文爲時珍孫樹聲所書，書法既婀娜多姿，而圖則時珍子建木所繪，亦刻意求工，在當時之藝術亦僅能至此，蓋胡氏之刊此書，幾於動員李氏全家人矣；而鼎思爲夏氏經紀剞劂是書之役，其圖全摹此刊，即以正文而論，夏刊亦遠不及此本遒媚，視覆刊之粗獷，殊不相侔也。

此書自夏氏翻刻後，又有張刊重印本，內有董其昌序，現爲寒齋所藏，崇禎庚辰錢氏本，太和堂本，十竹齋本，順治十五年張氏本，康熙甲子重刊本，雍正十三年重刊本，以迄光緒間合肥張氏刊本，其他石印鉛印本皆不勝計，惟其祖本皆不出夏刊本，蓋李氏書，因其本身價值之大，學者需要之殷，故代有重刊，不啻氏化身千萬矣。此初刊本因諸刊行而日就湮晦，幾成斷種。案日本國譯本草綱目卷端附有此本書影數幅，蓋美人 W. T. Swinel 氏在日本所攝之照片也。譯者並識之曰，金陵本中國久佚，此邦（日本）尚有數本云云。讀之不禁內愧于心，噫乎！號稱八十萬之中醫，空言保存，而不知保存其本身之文獻，日惟權勢是競，以其一己得失之榮辱爲榮辱，在學術上一任異邦人士訕笑而不知愧，此其保存云云，異於吾黨之所聞也。余既心識其言，求之十年而未得，今歲暮春，友人某君告余曰，久求不得之金陵初刊本草綱目，今正在某處拍賣矣，余亟偕往，則是書果赫然在焉，心目爲之開朗。場例凡顧客所買之書，則集議估價。是書舊爲銀行家謝某所藏，爲南北書估合資從其後人購得者之一。此類書估不乏錢聽默之流，多識善本，知此書之罕覯，故昂其值，與之偕價，往返數回，僅而成貿；蓋深恐失之交臂，如象罔之珠不可復得也。故忍痛購之。今得是本，既破日人所言中國久已亡佚之驕妄，并略贖吾輩不知保存文獻之愆責云。是歲丁亥夏筆記。

醫史碎錄

賴斗岩

糖尿病的考據　糖尿病爲一新陳代謝病，有關膵臟之病理作用，吾國古籍稱此病爲「消渴病。」茲引數書以證之如下：

金匱方論「男子消渴，小便反多，以飲一斗，腎氣丸主之。

後漢書司馬相如有消渴病。」

三國志引魏略「卞蘭得消渴症，時明帝信咒水，使人持水賜蘭，蘭曰：「治病當以方藥，何信于此，遂不肯飲，以至于卒。」

外台祕要方引古今錄驗方：「渴而飲水多，小便數，無脂似麩片甜者，皆是消渴病也。」上述病狀，極爲精確。

宋蘇東坡文集「眉山揭穎臣病消渴日飲水數斗食亦倍常，服消渴藥逾年，疾日甚，自度必死，予延蜀醫張肱診之，笑曰「君幾誤死，」乃取麝香當門子，以酒濡濕，作十許丸，用棘枸子煎湯吞之，遂愈。問其故，肱曰：「食果實酒物過度，積熱在脾，所以食多而飲水，水飲既多，溺不得不多，非消非渴也。」

白髮詩　白髮爲人生過程中「生老病死」之老的表現，但亦有例外者，相傳老子生時，頭髮即白，故有此稱，古人每有白髮之嘆，例如：

李白秋浦歌「白髮三千丈，離愁似個長，不知明鏡裏，何處得秋霜？」

但詩人中，亦有抱達觀者，例如：

說郛「勸君莫嫌鬢毛斑，鬢到斑時也自難，多少朱門年少客，被風吹上北邙山。」

行準案：此宋人[illegible]也。原文云：「勸君休[illegible]，鬢到斑時亦自難，多少朱門少年子，被風吹上北邙山。」元[illegible]曾[illegible]之。此引說郛未注書名卷數，且祇上[illegible]，未能[illegible]，故錄原詩于此。又案鬚鬢事故書所者亦有可哂者，宋彭乘墨客揮犀卷六云：「有一郎官，年六十餘，置媵妾數人，鬚已斑白，令[illegible]

互鑷之，妻惡其少，恐爲某妾所說，乃去其黑者，妾欲其少，乃去其白者，不逾月頤頷遂空。又進士李居仁與鄭輝爲友，居仁年逾耳順鬚鬢白，輝年少輕侮，乃呼之爲李公，居仁於是盡摘其鬚去之，輝一日見居仁，陽驚曰，「故日不見而風彩頓異，何也」？居仁整容言曰，「如何」？曰：「昔日皤然一公，今日公然一婆矣！」

某老人詩「人見白髮愁，我見白髮喜，父母生我時，始願不及此。」

白居易寄同病者：「三十生二毛，早衰爲沉痾，四十宦七品，拙宦非由他，面顏日枯槁，時命日蹉跎，豈獨我如此，聖賢無夸何，佪覩親舊中，舉目尤可嗟，或有終老者，沉賤如泥沙，或有始壯者，飄忽如風花，窮餓與夭促，不如我者多，以此反自慰，常得心平和，寄言同病者，迴歎且爲歌。」

不白之寃　陳太僕句山先生，年逾耳順，鬚尚全黑，裘文達公戲之曰：「若以年而論，公鬚可謂抱不白之寃矣。」（見兩般秋雨菴隨筆）余友王吉民先生儀容修美，近歲以來困於胃疾，遂見清癯。然今歲六十矣，鬚罔未蓄，而髮黑如漆，無一星之白，不白之寃，更勝於陳太僕也。

古代老人　據艾子後語所載，趙有方士，嘗云：「憶余童稚時，與羣兒往看宓羲畫八卦，見其蛇身人首，歸得驚癇，賴宓羲以草頭藥治余，余得不死，女媧之世，天傾西北，地陷東南，余時居中央平穩處，兩不能害，神農播厥穀，余已辟穀久矣，一粒不曾入口，蚩尤犯余以五兵，因舉一指，擊傷其額，流血被面而遁，倉頡不識字，欲來求教，其人愚甚，不屑也。慶都十四月而生堯，延余作湯餅會。舜爲父母所虐，號泣于皇天，余手爲拭淚，敎勉再三，遂以孝聞。禹治水，經余門，勞而觴之，力辭不飲而去。孔甲贈余龍醢一臠，余誤食之，于今日尙腥臭。成湯開一面之網，以羅禽獸，當面笑其不能忘情于野味。履癸强余牛飲，不從，置余炮烙之刑，七晝夜而言笑自若，乃得釋去。姜家小兒，釣得鮮魚，時時相餉，余以飼山中黃鶴。穆天子瑤池之晏，讓余首席，徐偃稱兵，天子乘八駿而返，阿母留余終席，爲飲桑落之酒過多，醉倒不起，幸有董雙成蕚綠華兩個丫頭，相扶歸舍，一囘沉醉，至今猶未全醒，不知今日世上，是何甲子也。」

上述方士之言，如果有點眞話，可說是天下之大老矣。

行準案：艾子後語所載趙方士之言，其意全襲抱朴子祛惑篇中之古强及蔡誕項曼都白和諸人之誕語，讀者可互參也。

楊梅瘡詩　巧對錄：「明代王山人伯穀，工撰句，其屬對尤妙，句云：「山上杜鵑花作鳥，墓前翁仲石爲人。」有輕薄子効其體嘲之曰：「身上楊梅瘡作果，眼中蘿蔔翳爲花。」聞者絕例。蓋王偶患惡瘡，而一目尤生障翳，故云。」按惡瘡大約係梅毒的別名。

行準案：巧對錄，似坊估所爲，多不舉出處。此所錄蓋據光緒初獨逸窩退士所編笑笑錄卷三嘲王伯穀條。實則此事本出明沈德符野獲編卷二十三有云：『王伯穀又有詩云：「牕外杜鵑花作鳥，墓前翁仲石爲人。」時汪太函介弟仲淹（道貫）偕兄至吳，亦効其體作贈百穀詩：「身上楊梅瘡作果，眼中蘿蔔翳爲花。」時王正患梅毒徧體，而其目微帶障，故云。然語雖切中，微傷雅厚矣。』至道光時，俞正燮癸巳類稿卷六以宋劉貢父之癘風爲梅毒，未引道貫此詩，光緒時徐士鑾宋豔卷三又引俞文，而和同其說，並誤也。詳王伯穀在隆萬間以山人清客身分，蕩佚歡場，與秦淮名妓馬湘蘭相昵。沈德符敝帚餘談有聊城傅金河與伯穀匿妓事，幾謂伯穀爲一無行文人云云。宜伯穀沾患梅毒也。以知明季梅毒已盛行於秦樓楚館，凡有床簀之辱者，半屬此病也。余屢欲考索明季名流文士如龔芝麓馬士英輩所患之病，迄未有暇。（龔納顧橫波、馬納邢淚秋，顧邢皆南都名妓也）今讀斗岩先生此文，略記所見如此。

中國古代人體寄生蟲病史

宋大仁

（1）引言

寄生蟲學，乃近代研究寄生蟲之專門學科。所謂寄生蟲，與植物性細菌，皆爲生物之一，依其生活需要，而寄生於他種生物之體內或體外。寄生蟲之賦有動物性質者，如腸蟲中之蛔蟲 Ascaris 及原蟲中之間日瘧蟲 Plasmodium Vivax 等。吾人今所敍述者，亦卽以此種賦有動物性質之人體寄生蟲爲限。查人體寄生蟲，受人注意，爲時甚早，如蛔蟲、蟯蟲、條蟲之自肛門排出，最易爲人發見，故無論中西醫籍，於數千年前，卽有記載。吾國古代於寄生蟲研究，因未視爲專門學問，尙無詳盡文獻可資考證，然有若干寄生蟲病，確已散見舊日醫籍。其屬於人體寄生蟲之主要者，約得九種， 隋巢元方病原候論所稱九蟲者：（一）伏蟲、（二）蛕蟲（或稱蚘蟲，蛔蟲，長蟲，亦稱食蟲，）（三）寸白蟲（亦作白蟲，）（四）肉蟲（五）肺蟲、（六）胃蟲（亦稱蝟蟲，）（七）弱蟲（亦作膈蟲、）（八）赤蟲（九）蟯蟲是也。更就上述各種蟲類之形狀生態、大小寄生器官，及致病證狀，加以考察，則蛕蟲當卽蚯蚓狀蛔蟲 Ascaris Lumbricoides ，寸白蟲當爲綵狀帶條蟲 Taenia Solium ，及肥胖帶條蟲 Taenia Saginata。肉虫或是旋毛虫，肺虫疑是肺二口虫，蟯蟲當爲蠕形住腸圓蟲 Enterobius Vermicularis。至於其餘各種，或則出於想像，或則雖屬實有該蟲之存在，而因記載欠詳，致在今日尙難考定其眞正學名，誠屬憾事。然吾國因地理上關係，及防治無方，故寄生蟲病特多，凡古籍所記諸蟲病證，亦有言頗中肯者，且治蟲藥方，證以今日科學研究，頗有相當價値。此外關於原蟲類之寄生蟲病，考之舊有文獻，雖有一二記載，但甚少能明指由於原蟲而致；如瘧疾感染，殊爲普遍，古人知之甚早，且有治法，然無「蟲瘧」之名，惟方書痢疾門，確有蟲痢證狀之記載；據此若謂古人已略知阿米巴之存在，似亦有相當理由，非出武斷耳。今爲明瞭往昔寄生蟲學發展之歷史計，先就古代寄生蟲病文獻，加以整理，草成專史；復爲行文之便利，因所得資料，多寡不一，僅能擇其性質重要文獻較多者，定其先後，而不據近世寄生蟲學分類之順序，以免影響文字之完整性，希讀者諒之！

（2） 中國古代寄生蟲之發見及其分類

近世寄生蟲學，分爲原蟲類，與蠕蟲類，兩大部門。其原蟲類，又分根足蟲綱，鞭毛蟲綱，胞子蟲綱，纖毛蟲綱各綱，並按生物學種類，分屬若干子目。至蠕蟲部門，亦分圓形蠕蟲、扁形蠕蟲、條形蠕蟲、環形蠕蟲等，分科尤多，均各詳其生活形態，及發育史，與寄生性質等，極盡研究之能事。吾國古時記錄，殊難與以對照，當時記述，亦僅限於吾人目力所能見及者，僅於長短形狀、色澤動態，略爲敍述，此與歐西未有顯微鏡發明以前，祇能作粗疎之推論，或簡略之說明者，初無二致。茲以古時關於九蟲形態之記錄，節要於后：

「九蟲者，一曰伏蟲，長四分；二曰蚘蟲，長一尺；三曰白蟲，長一寸；四曰肉蟲，狀如爛杏；五曰肺蟲，狀如蠶；六曰胃蟲，狀如蝦蟆；七曰弱蟲，狀如瓜瓣；八曰赤蟲，狀如生肉；九曰蟯蟲，至細微，形如菜蟲。伏蟲，羣蟲之主也。」巢氏病源卷十八九蟲候

「蚘蟲貫心則殺人；白蟲相生，子孫轉大，長至四五尺，亦能殺人；肉蟲令人煩滿；肺蟲令人咳嗽；胃蟲令人嘔逆、吐、喜噦；弱蟲又曰膈蟲，令人多唾；赤蟲令人腸鳴；蟯蟲居胴腸，多則爲痔，極則爲癩，因人瘡處以生諸癰疽、癬瘻、瘑疥、齲齒，無所不爲；人亦不必盡有，有亦不必盡多，或偏無者。」仝前

「此諸蟲依腸胃之間，若府藏氣實，則不爲害，弱則能侵蝕，隨諸蟲之動，而能變成諸患也。」仝前

上述九蟲，除蚘蟲、白蟲、蟯蟲外，其餘六種，實不明所指；蓋當時有此傳說，故巢氏病源亦僅在總論中見之，但在分論中，卽略未提及。自巢氏以下，予曾遍查唐孫思邈千金方卷十八，王燾外台祕要卷二十六，宋聖濟總錄卷九十九及日本康賴醫心方卷七，所載九蟲文獻，均據巢氏，別無更詳明之論述。而巢氏病源分論中，於蚘蟲、寸白蟲、蟯蟲

三種蟲之證候與病源，均有較詳盡客觀的說明，其十八卷中，所記三蟲形態，如「蚘蟲者，是九蟲內之一也，長一尺，亦有長五六寸，或因藏府虛弱而動，或因食肥甘而動。」「寸白者，九蟲內之一蟲也，長一寸而色白，形小褊，因府藏虛弱而能發動，或曰：飲白酒，以桑枝貫牛肉炙食，並生栗所成。又云：食生魚後，即飲乳酪，亦令生之。」「蟯蟲形甚小，如今之蝸蟲狀。」以上所記，尤以寸白虫最為真切，因條虫以牛肉或魚類為中間宿主，人體條蟲，確多因食牛肉或魚肉而致感染，故有實際文獻可考者，僅蛔蟲寸白蟲蟯蟲而已。

一、蚘蟲　吾國寄生蟲，最早之記載，乃為蛕蟲（即蛔蟲）首見於素問，而傷寒金匱以下，諸家著述，類有記載。蚘蟲異名甚多，見於內經者，有蛕（出邪氣藏府病形篇又見楊上善太素卷十五）蛟蛕（出厥病篇太素作蛟蛕）長蟲（出脈要精微論及欬論，說文：蛕腹中長蟲也，可證。）諸名。此外復有大蟲（出史記索隱云：即蚘蟲也。）消穀蟲（出神異經）食蟲（出直指方）修蛔（出柳宗元罵尸蟲文）之稱。其涉及蟲證者，如蚘厥（出傷寒論）疳蚘（見本草蘆薈、醋林子，豬肚諸條。）蚘咬（出施政卿續易簡方）石蚘、久蚘（並出南史）等；但有若干證狀，與蚘蟲殊無關係，此因古人辨證不的所致。日本文政朝喜多村直（子溫）撰蛕志，堪稱詳備，惟考證欠精，於諸蟲證治，並收入志。其「辨諸蟲」一篇云：「且如三蟲，驗之病者，一無所徵。」又云：「其他諸書，所載蟲之奇態異狀，不可方物者，尤怪誕無稽之說，縱有之，亦濕熱之所生，蚘蟲之為變態者，蓋千萬中之一二耳，存而不論可也。然則其曰蛟，曰蝸，曰蟯，或稱長蟲，或稱短蟲，其餘紛紜猥雜，要皆不過蛕蟲，而異稱呼耳」云云，未免言之過甚。古籍所記，誠多怪誕無稽之處，但謂諸蟲之證，並屬蚘蟲，其餘均為蚘之變態，益見喜多氏於蛔蟲一證，尚無真確認識，故立異說以自炫。但世俗或以蚘蟲為消食蟲，以為人皆有之；可見蛔蟲患者之多，故視蛔蟲寄生，乃尋常之事。惟清初張志聰否定此一傳說，首加駁正，所著侶山堂類辯有云：

「文嘗開人之藏府，與豬相似，余因見剖豬處，稍住足觀之，偶見一小豬，腸內有蚘蟲長尺許，盤旋於內，與人之蚘蟲無異。要知人病蚘蟲作痛，或常吐蚘，便蚘，多因脾胃濕熱而生，無病之人，未嘗有蚘也。俗人相沿胃中有蚘，故能消食，謬矣」卷下蚘蟲條

張氏之經驗固亦可佩，然以吾國從無屍體解剖，致張氏不得已而驗之於豬。況張氏雖已力辯世俗傳說人盡有蚘之謬，但所云「多因脾胃濕熱而生，無病之人，未嘗有蚘」似謂人體先有病，始能有蚘之寄生，與巢氏「因食肥甘而動」之說，同出推想。古時甘肥，多指肉食一類而言。吾人已知寄生人體之蛔蟲，與寄生於其他動物者，種類不同。寄生於動物之蛔蟲，如犬蛔蟲、貓蛔蟲等，能寄生人體之病例，佔絕對少數，貓蛔蟲寄生人體，僅得九例，見於歐洲及北美，犬蛔蟲則僅得一例，發生於埃及。據近今研究所知，豬體內之蛔蟲，與人體寄生者，形態雖完全相同，但生理各異，曾試驗以豬體蛔蟲之幼蟲，感染人體，及用人體蛔蟲之幼蟲，感染豬體，經多次試驗，迄未成功。則吾人因食豬肉而感染豬蛔蟲，終覺無可證明。況以吾國農民習慣，恆以糞便為蔬菜施肥之用，市販蔬菜，什九染有寄生蟲卵，就中以蛔蟲為獨多。就統計而言，實際上鄉村居民，感染此病者，遠較都市為多，尤以蔬食者為甚，因成熟蟲卵，入於人體，均以經口的感染為唯一徑路。在夏季時，亦由蠅類足部攜帶蟲卵，而散佈於食物飲料，亦為傳佈蟲卵之重要媒介。有謂藉吸入塵土中之蟲卵，或仔蟲直接穿入皮膚，並可感染；此外妊婦體內之仔蟲，常可由胎盤而傳染於胎兒。是古人對蛔蟲之一切認識，均極淺薄而不甚切要，並無可諱矣。

二寸白蟲：寸白蟲即為絛蟲，前人尙少論及，近人亦有指為蟯蟲者，實誤。巢氏謂白蟲子孫相生，長至四五尺，確為絛蟲無疑。至其長度，千金方作四五丈，恐為傳刋之誤，因各書引巢氏均作四五尺，但以吾人臨床所見，絛蟲長至二三丈者，並非不有。古量尺既較今尺為短，則四五丈長，似亦可能。此外證以文獻之最高紀錄，以宋洪邁夷堅志，唐志所記蔡戢之子康積，苦寸白為孽，後飲某醫之藥，「不兩刻，腹中雷鳴，急奔廁，蟲下如傾，命僕以杖撥之，皆聯屬成串，長幾數丈，尙蠕蠕能動」云云。描寫十分逼眞，今日讀此，猶如目覩。次於夷堅志所記，蟲之長度，當為明萬曆時某

醫所見者，據萬曆周暉二續金陵瑣事云：

「朱肇能圍棋，生一女，腹多蟲，偶在何矩所，談及一醫云：食榧子當愈。果食榧子下蟲，曝乾，尚有八尺長。」卷上八尺蟲條

淸魏之琇著續名醫類案卷三十六，曾引此，但之琇作續金陵瑣事，未言二續，蓋誤。惟此節記事，不若夷堅志之詳明得實，亦未明言何蟲，今以長度度之，當亦屬於條蟲一型耳。

三、蟯蟲： 巢氏病源謂：「蟯蟲居胴腸，」證以近今實地解剖，所見甚稱符合。蟯蟲寄生於小腸，其雄蟲與雌蟲交合後，雄蟲死體，即由大便排出，而雌蟲受精後，即移居直腸，每於夜間，逸出肛門，排卵於肛門四圍。肛門或陰部痒，爲蟯蟲必具證候之一。我國確在隋以前，已認識蟯蟲之存在，如巢氏病源卷十七，穀道蟲候云：

「穀道蟲者，由胃腸虛弱，而蟯蟲下乘之也。穀道、肛門、大腸之候。蟯蟲者，九蟲之一也，在於腸間，若府藏氣實，則蟲不妄動，胃弱腸虛，則蟯蟲乘之；輕則或痒、或蟲從穀道溢出，案出字原缺今從外台校補 重者，侵入肛門潰爛。」

仝上穀道痒候：

「穀道痒者，由胃弱腸虛，則蟯蟲下侵穀道，重者食於肛門，輕者但痒也。蟯蟲極細微，形如今日之蝸蟲也。」

此穀道蟲、穀道痒，亦爲蟯蟲之症狀，可見古人對蟯蟲認識之眞切。有關蟯蟲的病例記載，似以西漢淳于意所見爲最早，史記倉公傳有云：

意治一女，病甚，衆醫皆以爲寒熱篤，當死不治；公診其脈曰：蟯瘕，蟯瘕爲病，腹大、上皮黃麤，循之戚戚然，公飲以芫花一撮，即出蟲可數升，病已。……

此雖以蟯瘕名，但是否確爲蟯蟲所致，頗有可疑；因所述病狀，與蟯蟲所現症狀不合，又因記述欠詳，尤難推論。但以腹大，上皮黃粗等語詳之，或屬於今日之血吸蟲病一類，較覺近似耳！此外文獻所見，既無論及蟲之分類形態，

均屬證候，或雖已知有此病，而不知其爲寄生蟲所致，如瘧疾等病，與寄生蟲之發見史無關者，當於下節，分別論之。

（3）古籍所載寄生蟲之證候

（甲）一般蟲病之證候

黃帝內經所載蟲病證候有云：

「短蟲多則夢聚，長蟲多則夢相擊毀傷。……」又云：

「……人之涎下者，何氣使然？岐伯曰：飲食者，皆入於胃，胃中有熱，則蟲動，蟲動則胃緩，胃緩則廉泉開，故涎下。」又云「肘後麤以下三四寸熱者，腸中有蟲。」素問卷二及靈樞三，四，九各卷

醫學入門云：

「凡蟲證，眼眶、鼻下、青黑，面色萎黃，臉上有幾條血絲，如蟹爪分明。」第四卷

石室祕錄云：

「蟲病之證，得食則痛減，無食則痛增，以酸梅湯一甌試之，飲下而痛即止者，乃蟲痛，飲下而痛增重，或少減者，非蟲痛也。」又云：「蟲臌惟小腹作痛，即四肢浮脹，不十分之甚，面色紅而帶點，如蟲蝕之象，眼下無臥蠶微腫之形，此蟲臌也。」第三卷及第六卷

易簡方論云：

「如人有蟲病，則必面黃肌瘦，唇白毛枯，容顏不澤，臉多白印，時覺惡心，口吐清水，或心腹絞痛，飲食不爲肌膚，或頭髮猙獰，洒淅惡寒，或顏面生瘡，濕癢沿連，皆蟲症也。」第三卷乙部

張氏醫通云：

「蟲在肝，令人恐怖，眼中赤壅，在心心煩發躁，在脾勞熱，四肢腫急，在肺欬嗽氣喘。」

醫林指月云：

「胃脘痛，又有蟲痛者，亦不食，然痛必時發時止，痛則牽引手臂，或肩背上，俱如穿透，不可當，必唇紅，面上有白點是也。痛時不欲食，痛纔止，即可食。」

醫碥云：

「蟲證心嘈腹痛，或上攻心如咬，嘔吐涎沫清水，或青黃水，面色痿黃，或乍赤乍白乍青黑，或面有白斑，唇常紅，或生瘡如粟米，或沉默欲眠，臥起不安，不欲飲食，惡聞食臭，飢則痛，得食病更甚，飽即安，時痛時止，以手附擊則息，腹大有青筋，或腹中有塊耕起，下利黑血，體有寒熱，脈洪而大，皆其候也。」第二卷

醫學心悟云：

「心痛，蟲痛者，面白唇紅，或唇之上下有白斑點，或口吐白沫，飢時更甚。」第三卷

（乙）蚘蟲之證候

吾國醫籍，所言蟲病證候，以蚘蟲爲多。按脈經云：

「關上脈緊而滑者，蚘蟲。」又云：「關上脈微浮，積熱在胃中，嘔吐蚘蟲。」見第四卷

巢氏病源云：

「蚘蟲者，是九蟲內之一蟲也，長一尺，亦有長五六寸，或因府藏虛弱而動，或因食甘肥而動，其發動，則腹中痛，發作腫聚，去足上下，痛有休息，亦攻心痛，口喜吐涎，及吐清水，貫傷心則死；診其脈，腹中痛，其脈法當沉弱弦，今反脈洪而大，則是蚘蟲也。」卷十八蚘蟲候

他如錦囊祕錄卷十三，金匱要略卷九，幼科發揮大全卷二，簡明醫彀卷六，景岳全書卷四十一，釐正按摩要術卷第一及第四等所述，大多屬於蚘蟲之症，惟按摩要術所云「有物如蚯蚓隱然在手，」與「腹有凝結如筋，」驗

以今日之新說，不詳所指究爲何物也。

（丙） 寸白蟲之證候

脈經云：

「尺脈沉而滑者，寸白蟲。」見第四卷

巢氏病源云：

「寸白者，九蟲內之一蟲也。長一寸，而色白，形小褊，因府藏虛弱，而能發動，或云飲白酒，以桑枝貫牛肉炙食，並生栗所成。」「又云：食生魚後，即飲乳酪，亦令生之，其發動則損人精氣，腰脚疼弱；」「又云：此蟲生長一尺，則令人死。」第十八卷寸白蟲候

我國醫籍，於寸白蟲之認識，最爲眞切，但於寸白蟲之證候，獨無詳盡之記載，見於他書者，與上所引，亦大致相同，故不復引，或者混於諸蟲證治之內，並不指明寸白爲病，以致今日無可考證，殊可惜也。

（丁） 蟯蟲之證候

巢氏病源云：

「蟯蟲，猶是九蟲內之一蟲也。形甚小，如今之蝸蟲狀，亦因府藏虛弱而致發動，甚者，能成痔瘻、疥癬、癩、癰、疽、瘑諸瘡，此是人按此三字湖北崇文本原缺今據外台祕要及醫心方補體虛極重者，故爲蟯蟲，因動作，無所不爲也。」第十八卷蟯蟲候

外臺祕要云：

「蟯蟲，多是小兒患之，大人亦有其病，令人心痛，清朝口吐汁，煩躁，則是也。」見第二十六卷

蟯蟲其體至微，而古人能認識之，其功績誠不可忽，惟於證候記述不詳，或混於諸蟲證內，不加分辨，遂令今日研究病證史者，無法加以利用；若倉公傳之蟯瘕，殊不能以今日蟯蟲之病當之，說已詳前。

至巢氏病源九蟲中之胃蟲，僅見三國志華佗傳，有云：

「廣陵太守陳登，得病胸中煩懣，面赤不食，佗脈之，曰：府君胃中有蟲數升，欲成內疽，食腥物所爲也。即作湯二升，先服一升，斯須，更服之，食頃，吐出三升許，蟲赤頭，皆動，半身，是魚生鱠也。所苦便愈。」

此言陳登之病，因食魚生而致，亦猶粵人嗜食魚生，易得肝蛭蟲病者；惟此蟲屬何種類，則殊難推斷。此外鉤口圓蟲病 Hookworm disease，在吾國俗稱桑葉黃，或懶黃病等，惟不知其病原爲寄生蟲，更無特有治療可言，故古人眞正所能認識之寄生蟲病，實際上，亦祇蚘蟲、寸白蟲與蟯蟲三種而已。

（4）　中國古代所見之原蟲病

吾國本無寄生蟲學，且原蟲一類，更非肉眼所能辨，文獻缺如，固無足異；加以記載欠詳，考證尤覺不易，如日本分體吸蟲病，俗稱黃塊、痞塊病、黃腫病等，吾人習聞已久，但言其證治，殊無歷史文獻可考，不知其爲寄生蟲病，更無論矣！就今所知，惟瘧疾與阿米巴痢疾，則發生極早，固不能以古人不明病原，因而忽略病史研究也。今分述如下：

一、瘧疾：　瘧疾病原體，在歐西亦至公元一八八〇年，始由法人 Laveran 氏所發見，但在十九世紀以前，歐亞二洲，對此病病原，均無確切認識，吾國昔時，有瘧爲瘴氣之說，西南各省，尤見盛行；瘴氣之俗稱，異名甚多，如黃茅瘴、回頭瘴、青草瘴等，此與意大利稱瘧疾爲 Malaria 之義，頗爲近似。蓋謂此病由惡濁空氣而致，亦猶舊說瘴氣由池沼穢濁水氣蒸發使然。瘧疾之流行吾國，最早見於素問，已列有專篇，有寒瘧、溫瘧、癉瘧諸名，復以府藏區分爲肺瘧、心瘧、肝瘧、脾瘧、腎瘧、胃瘧六種，此後傷寒論、金匱要略以下諸書，均有論瘧文字；金匱並有「瘧母」一證，乃指因瘧疾而致脾藏腫大者言。巢氏病源對瘧病分類尤詳，有溫瘧、痎瘧、間日瘧、風瘧、癉瘧、山瘴瘧、痰實瘧、寒熱瘧、往來寒熱瘧、寒瘧、勞瘧、發作無時瘧、久瘧諸候，其中別出山瘴瘧候，是在隋時，已知瘴與瘧之關係，且於疫癘病諸候中，列有瘴氣一候，確知瘴氣之足以傳染，進步良多。可見古時醫家樸學精神，轉非近世時醫可及，雖未明悉瘧疾致病之原，及諸疰盡可傳染，然此乃時代所限，未足爲病，後此醫家，別無新解，多以陰陽五行之義，隨文敷衍，能勿愧對前賢耶？

二、痢疾：痢疾之病，隨症立名，歐西昔時，亦不知痢疾病原有蟲菌之別，至公元一八七五年，Losch氏始從痢疾病者大便中，檢出阿米巴變形蟲，至一八九四年，復經 Schaudium 氏作詳細研究，其意益明；其時僅知痢疾致病之源，確爲原蟲爲祟而已。迨日本志賀潔氏於一八九七年發見赤痢桿菌後，始知痢有蟲菌兩種。蓋痢疾初起，現症略同，故昔時僅知有慢性與急性之別，如以今日醫學知識，試加分析，則慢性者，多半屬於阿米巴原蟲性痢疾一類，就此可見古人對此病之認識如何矣。巢氏病源卷十七所載，有久赤白痢候、久赤痢候、久血痢候、休息痢候、蟲注痢候等，似均可認爲蟲痢之屬，尤以休息痢、赤白痢爲然。餘者雖未必盡爲阿米巴痢疾，但亦多由寄生蟲之屬所致耳。

至於巢氏論痢疾之色澤性狀有云：「赤白相雜，重者狀如濃涕，而血和之，輕者，膿上有赤脈薄血，狀如魚腦。」其實事求是之研究，具有科學精神，且其赤痢諸候中，有兩點頗足稱道者，即水穀痢與赤白冷熱痢對立，分明已知消化不良的下痢與赤痢有別。又休息痢，首見此書，而所述糞便所以赤白之原因，有云：「熱乘於血，血滲腸內，則赤，冷氣入腸，搏腸間津液，凝滯則白。」此與近代病理學說，頗爲近似。至唐王燾撰外臺祕要，其重下方，引張仲文曰：「赤白痢下，令人下部疼重，故名重下。」

又同書熱毒痢方，引千金云：

「熱毒下黑血，五內攪痛，日夜百行，氣絕。」

此於辨色以外，更將腹部疝痛、裏急後重及一日夜下痢次數，述之甚詳。明張景岳，對痢疾之認識，亦能形容盡致，如「痢疾即經所謂腸澼，古今方書因其閉滯不利，故又稱爲滯下，其所下者，或赤或白，或膿或血，有痛者，有不痛者，有裏急後重者，有嘔吐者，有嘔吐脹滿者，有噤口不食者，有寒熱往來者，變態多端。」云云，可見吾國醫家對於痢疾，頗有研究，且知鑑別，非如其他病證記錄，互相混淆，不知所指也。此外元時李杲蘭室祕藏，有如下一則：

「癸卯冬，白樞判家老僕……復下赤白痢，作裏急後重，日夜數十行，荏苒二月，不任其苦。」卷下瀉痢門

此亦原蟲性痢之醫案，當無疑問也。

（5） 中國古代所見之螺旋體病

螺旋體，亦爲生物之一，昔日分類係歸屬原蟲，近年生物學家頗以此種螺旋體，於其謂爲原蟲，不如屬之細菌，以與菌族更爲近似，故螺旋體之病，以今日目光，誠不宜列入寄生蟲範圍之內，近世寄生蟲學，且已刪除之。玆以昔時學說細菌原蟲辨別不清，而吾國文獻涉及於此者，更無法嚴格劃分，不得不姑從向例，附隸於后，以免罣漏，今就大致可考之少數病證，略述如次：

一回歸熱：本病流行於歐洲，初次發見爲 Otto Obermeier 氏於一八六八年，自患者血中檢得，何時傳入我國，史無明文，有謂傷寒論中厥陰證略可當之，予殊未深信；或謂舊時瘧疾文獻中亦混有回歸熱在內，此則不無近似，前據范行準兄見告，謂清道咸間京口蔣寶素問齋醫案伏邪部，有類似回歸熱一案，取檢其書，有云：

「反復三次，皆在七日得戰汗而解，猶轉瘧之意，內經瘧論，有間數日一發之瘧，仲景言病發於陽，七日解，戰汗如瘧之理，在其中矣。」卷四

蔣氏所云「反復三次，皆在七日，得戰汗而解，」確爲回歸熱所具之徵，而蔣氏引內經與仲景之說爲解，則未免附會。彼時海禁已開，連年兵燹，此病或由西方傳入，或因戰亂播遷，而愈見流行，頗有可能，但此病本與瘧疾相似，而蔣氏不以歸於瘧類，而屬之伏邪，亦有卓見。較早於此之文獻，因無相當證明，未敢妄引耳！

二黃疸：黃疸螺旋體之病源，公元一九一四年，爲日本稻田龍吉所發見，我國俗稱急黃病，黃疸之證，最早見於張仲景傷寒論，有云：

「鼻乾不得汗，嗜臥，一身及面目悉黃，小便難，有潮熱，時時噦，耳前後腫。」卷四

又巢氏病源黄病諸候云：

「一身盡疼，發熱面色洞黄，七八日壯熱，口裏有血，」卷十二

又外臺祕要引千金療急黄方云：

「熱氣骨蒸，兩目赤脈，地黄湯主之。」卷四

上列數條，俱爲黄疸之明證，可知此病古已有之。其他各書，論黄疸者，尚多，但詞義冗長，混淆龐雜，頗難分析，況黄疸之病，並非盡由螺旋體病原而致，自不能謂古時文獻中之黄疸，均爲黄疸螺旋體之病證，故不具引。

三、梅毒：本病在明代以前，不見記載，宋竇材瘍醫全書，有梅毒之說，但此書爲明弘治以後之人所僞託，不足爲據。蓋此病自哥倫布於十五世紀末發見新大陸後，因水手帶至歐洲，其後始彌蔓全世界，又未幾，而傳入我國之廣州，故當時有廣瘡之稱。明汪機石山醫案卷中，已有記述，有云：「近有好淫之人，多患楊梅瘡，藥用輕粉，愈而復發，久則肢體拘攣，爲癰漏。」又云：「濁痰瘀血，流注莖頭，乃發奸瘡，熱毒不解，復經兩腿，厥陰之經分，於是生惡瘡，其狀似楊梅，亦如豌豆，其毒微甚。」考汪氏行醫，當弘治正德之間，故知其時，梅毒確已流行吾國。嘉靖時，俞弁續醫說卷十，萆薢條亦云：「弘治末年，民間患惡瘡，自廣東人始，吳人不識，呼爲廣瘡；」「又以其形似，謂之楊梅瘡，」云云，可證。其後崇禎時，陳九韶著黴瘡祕錄，詳盡精當，爲梅毒專書，其中有云：「黴瘡一症，古未言及，究其根源，始於午會之末，起自嶺南之地，至使蔓延通國，流禍甚廣。」全書所載治驗數十例，於各種證狀，描寫頗切，今錄其一，以見一斑。

「一富室，季春患梅毒，如豆，至仲冬而愈，嗣發鵝掌風於兩手，又年餘，腰背生癬，痛癢交作，未幾復作筋骨疼痛，流注左右，慘苦無時，漸至着床不起，用人參、升麻、穿山甲、土茯苓及化毒丸而愈。」

據上記載，可見梅毒爲禍之烈，分佈之廣，而傳入吾國，確在公元十五世紀末，開始流行，故明清以前之醫書，未有關於此病之記載也。此外，尚有舊籍之蟲病治療，及歷代蟲病用藥考，與治蟲方藥統計等，以限於篇幅，故從略。

巴彬斯奇氏徵候之史評

劉永純

歷史家非有意於彰善癉惡，而祗知研究歷史之眞相，因研究歷史，不得不辨別是非，而讀史者，以此類是非即認爲史家有意續承春秋之緒，此雖舊日史家與讀史者之通患，而非可語於今日之史家也。

余以是有感於神經病學中巴彬斯奇（Babinski）徵候，與費佩楊（Vulpian）氏所記脊髓徵候，有雷同之處，論時間費氏固早於巴氏二十年也。然則，巴彬斯奇徵候一詞之定名，在歷史上固有可商榷者在也。

夫巴彬斯奇（Babinski）徵候，固爲醫家所熟知，即初學臨床者亦已詳知，巴氏關於此徵候之第一次報告在公元一八九六年，發表於生物學會彙報（1）巴氏此文瑩潔無比，用字精當，與氏生平其他著作，並足雁行，茲試譯其原文如次：

余嘗見人之患半身不遂，或下肢痲痺，而病在中樞神經機質者，足底皮膚反射呈異常狀態，其情可略述如下：足蹠部皮膚受針端擦劃之後，在無病之半體方面，下股各節，（股小腿足）向上曲，足趾則向下屈，此乃正常現象，病癱方面，如受相同刺激，下肢各節亦皆屈縮如前，獨足趾不下屈而向上伸展，有此異常現象之病者，或半身不遂，尚未多日，或病經數月，體已痙攣，足趾動作或尚能隨意，或已不能，但病癱者非人人皆有此徵候也。在中樞神經病患所引起之下半截癱瘓中，余亦驗于蹠部皮膚擦刺後見足趾上舉之現象，惟同一病人左右兩肢皆病，不能彼此相較，故徵候之存在不及上述之明顯。綜而言之，下肢癱瘓之屬於神經機質病者，足蹠部受擦劃後，反射異於尋常；其特點不僅限於動作程度之改變，而尤在於動作形態之不同也。

巴氏所述之徵候如此。然前於巴氏發表此文二十二年，有費佩楊（Vulpian）氏其人者，（2）略有相同之敍述。詳德鄉波 Dechambre 醫學大字典中「脊髓」篇內有下述一節，茲亦試譯如左：

人之脊髓，在肋椎中部，無論受任何原因壓迫，下肢各部雖已不能隨意動作，但其反射動作，可以由刺激而發生。足趾之蹠部，或背部皮膚，受刺激後，趾向上伸，同時足向上屈，如刺激加重，則小腿與股亦作屈曲之狀，此類反射動作單純一貫，似有意欲以刺激部份，與刺激物遠離者然。

以上兩文中之主要部份相同，爲「足趾于皮膚受刺激後之反射動作，」費氏以生理立場，不但描寫此項動作，而且假設動作之意義，巴氏以診斷立場指出此項反射有機之性質，增加其病理範圍，確定其尋求手術，巴氏發揮引申之功不小，但費氏之文發表在前，以巴氏之淵博，斷無不知之理，惜其文中未提費氏一字，而鑑定名詞者，又乏歷史觀念，遂以巴氏之名名此徵候耳。

雖然，巴氏爲神經學大師，小疵不足掩其大醕，所謂日月之過，人皆見之。其重要發明見甚多，若腱反射，小腦證狀，迷路神經證候，神經外科等，皆留下不朽之功業，而尤偉大者在於培植神經學人才，滿門桃李，多傑出之士，余憶其於一九二五年在市堡 Strasbourg 大學演講（3）時，曾以簡要數語予人以研究醫學方法，至今不忘，特譯之以結束此篇。

師生之間交換意見，雙方皆可得益，學生獲師長之經驗，師長得學生之熱誠及新穎見解，在一科學集會，與同輩切磋，固有裨益，但與後生交談，亦時有意外收穫，因新進者之觀點不同，可以見前此未見之事實，觀察時毫無成見，誠心以求眞理，對于超出經常範圍以外之事實，須特別加以注意；既經確定果然異常，則須將此類事實常在腦中縈迴，此後如見同樣現象，卽可比較而有所闡發，儘量利用批評及錯誤所得之敎訓，不求速效，不輕下斷語，依上所述原則而行之，可以使醫學進步，而作有益之新發見。

巴氏之襟懷，有同光風霽月，詞復肫摯而周詳，其奬掖後學，至矣！今世固鮮其倫，當時亦罕有其類，傑出之士所以多出其門，良非倖致，此學者所以不以徵纇而掩美瑜也。

文獻

1. Babinski, Sur le reflexe cutaire-plantaire dans certaines affections organiques du systeme nerveux central 1896. C. R. Soc. Biol. 22Fev. p. 207
2. Vulpian, Article Moelle in Dictionnaire Dechambre, Paris Asslin. Masson 1874. VIII p. 468
3. Allocution de M Babinski- p. Revue Neurol. 1925(I) 242

人身說概底本之發見

核　堂

杭縣方杰人司鐸豪贈余方豪文錄（注一）一書，乃麗然一十六開本三百五十頁之巨著也。其書緝自司鐸十餘年來有關天主教之中外史地之作。內有節譯裴化行著「靈采研究院（注二）與中國」一文，共四節，其第四節為「鄧玉函之研究工作」，頗多余前所未知之文獻。余於十年前所為明季西洋傳入之醫學時，考索鄧氏人身說概原本究據何人之書，迄未有得，而此文有曰：「鄧玉函一六二二年四月二十二日致法倍耳函中，曾經說明，湯若望準備一解剖學書，即指異日出版之包因（Gaspard Bauhin）解剖學原著，譯名人身說概者」。因丐王吉民先生尋求包氏事略，王先生為檢伽力森 GARRISON 醫學史，初附內有包因傳略，屬其女公子蕙蘭女士譯出，則知包因為一五六〇至一六二四年時人，（原作生於一五五〇年，王先生爲參考他書，知作一五五〇年者，誤）曾為瑞士巴塞（Basel）有名之解剖學、內科學及希臘文教授，其植物學著述，皆為當時學者所推重。在醫學方面有名而富于歷史價值之書有二：一為解剖學論（一五九二年出版），一為解剖學史（一五九七年出版）。後者文中曾有述及古代希伯來有趣之骨骼 Luz 神話，此一名詞為在希伯來文字以外之初次出現。

然則鄧氏人身說概，蓋以包氏解剖學論為原本者。吾人知鄧氏為醫家而精曆法，其醫學方面必繼承包因之緒無疑。（鄧氏亦有人身說概及中國本草書譯作）而天文學方面則與近代物理學之祖伽利略（Galileo Galilei）1564—1642 同為「靈采研究院」之院士，且彼此均甚相得，伽氏學說首被鄧氏介紹東方，則其受有伽氏之影響無疑。向疑人身說概與未塞利阿斯人體構造有關，僻未氏書於一五四三年出版，早於包氏書問世者幾五十年，其書或有受未氏影響，惜無人對此兩家之書加以斟研也。

注一　「方豪文錄」，北平西安門西什庫上智編譯館出版，六月份定價，報紙本六十萬元，道林紙本倍之。

注二　靈采研究院，Accademia dei Lincei 亦譯作「山貓學會。」取山貓目光遠銳，以象徵科學研究之意。為一六〇三年自然科學家栖西（Federico Cesi）所立，幾經遷革，至一九三六年，始由教皇庇護十一世改為「教廷科學研究院」。

四史中醫師職業考

陳邦賢

醫爲職業之一種，自古已然；初醫與巫相混，繼而醫與巫分立；故於漢時醫師之地位猶與卜者並列。賈誼曰：「吾聞古之聖人，不居朝廷，必在卜醫之中。」雖醫卜同列於方技之流，而其技術，則爲聖人所重視者，故范文正公有「不爲良相必爲良醫」之說。周秦以迄兩漢三國間，病家對於醫師信仰力之強，有非後世所能及者。例如扁鵲診虢太子病，虢君曰：「有先生則活，無先生則棄捐塡溝壑，長終而不得反。」眞所謂生死人而肉白骨。至於醫師之分科，周禮分爲食醫，疾醫，瘍醫，獸醫，此爲醫學分科之濫觴。又周禮醫師掌醫之政全，聚毒藥以供醫事，此爲醫學行政之創舉。不過周禮所述，乃後人所假託，乃一種烏托邦之理想政治書籍，雖非事實如此，然亦可見古代已有醫學分科之思想矣。觀於史記扁鵲傳有帶下醫，耳目痺醫，小兒科醫等，是周秦間已倡行分科之療治也。漢書中更有女醫乳醫之名稱，殆卽後世之所謂產婦科也。史記漢書後漢書中又有馬醫牛醫等名稱，殆卽後之所謂獸醫也。於此亦可觀醫學愈進化而科別亦愈爲精細也。至其酬報亦甚重視；如趙簡子賜扁鵲田四萬畝，漢高祖賜良醫金五十斤；孫權徵求能愈呂蒙疾者，賜千金；其酬報之數值，亦不爲尠矣。但當時亦有因醫師地位不高，而不願以醫爲業；或不願爲人治病者；如華佗本作士人，以醫見業，意常自悔；而倉公或不爲人治病，病家多怨之者，甚至因此而獲罪也。至其醫師所具之德性，則可爲後世醫師之規範。例如扁鵲之六不治，又如郭玉之四難，當時不獨醫師能負責任，盡心爲病者治療，並診斷其生死壽夭，卽賣藥者亦多不可及之處。例如韓康采藥名山，賣藥於長安市，口不二價。然當時亦有以醫而幸進者，例如義縱之姊姁以醫幸王太后，縱因而獲官。又如伍宏以醫技得幸，出入禁門，以危社稷。除伍宏外，更有以醫而作惡者，如淳于衍之毒許后等是也。其他如隨軍，如遣視，亦莫不使用醫者，此可見古代醫師職業範圍之廣矣。茲就史記漢書後漢書三國志四史中所見之材料，分爲科別，地位，德性，信仰，差遣，酬報，獲罪，幸進八節，分述於后。

一、科別

帶下醫

扁鵲名聞天下，過邯鄲，聞貴婦人，卽爲帶下醫。史記扁鵲倉公列傳第四十五扁鵲

耳目痺醫

（扁鵲）過雒陽，聞周愛老人，卽爲耳目痺醫。仝上

小兒醫

（扁鵲）來入咸陽，聞秦人愛小兒，卽爲小兒醫，隨俗爲變。仝上

女醫

女醫淳于衍者，霍氏所愛，嘗入宮侍（許）皇后疾。漢書外戚傳第六十七上孝宣許皇后傳

乳醫

私使乳醫淳于衍行毒藥殺許后。漢書霍光金日磾傳第三十八霍光傳

師古曰「乳醫，視產乳之疾者。」前傳「私使乳醫淳于衍行毒藥殺許后」內註

元延二年褱子，其十一月乳，詔使嚴持乳醫及五種和藥丸三送美人所。漢書外戚傳第六十七下孝成趙皇后傳

馬醫

馬醫淺方，張里擊鍾。史記貨殖傳第六十九

張里以馬醫而擊鍾。漢書貨殖傳第六十一

牛醫

世貧賤，父爲牛醫。後漢書周黃徐姜申屠列傳第四十三黃憲傳

其母問曰「汝復從牛醫兒來耶？」仝上

二、地位

醫卜並列

賈誼曰：吾聞古之聖人不居朝廷，必在卜醫之中。史記日者列傳第六十七司馬季主傳

方技

侍醫李柱國校方技。漢書藝文志

（去郎繆王齊太子）好文辭方技。漢書景十三王第二十三

伎，謂方技醫方之學也。後漢書桓馮列傳第十八上「今諸巧慧小才伎數之人」句註

又尚方工技之作。後漢書蔡邕列傳第五十下蔡邕傳

初成以方伎。後漢書黨錮列傳第五十七

技藝

又從默講論義理五經諸子，無不該覽，加博好技藝算術卜數醫藥弓弩機械之巧，皆致思焉。三國志蜀志卷十二李譔傳

三、德性

六不治

人之所病病疾多，而醫之所病病道少；註一 故病有六不治；驕姿不論於理，一不治也。輕身重財，二不治也。衣食不能適，三不治也。陰陽并藏氣不定，四不治也。形羸不能服藥，五不治也。信巫不信醫，六不治也。史記扁鵲倉公傳第四十五扁鵲傳

註一：董份曰：「醫之所病，蓋借前一病字而言，言醫之所短也，此甚易曉者，而注繆可笑。」又曰「病道少言

治病之道少也。」

四難

玉仁愛不矜，雖貧賤廝養，必盡其心力而醫療，貴人時或不愈，帝乃令貴人羸服變處，一針卽差。召玉請問其狀。對曰：「醫之爲言意也，腠理至微，註一隨氣用巧，針石之間，毫芒卽乖，神存於心手之際，可得解而不可得言也。夫貴者處尊高以臨臣，臣懷怖懾以承之，其爲療也，有曰難焉：自用意而不任臣，一難也。將身不謹，二難也。骨節不彊，不能使藥，三難也。好逸惡勞，四難也。針有分寸，時有破漏，註二重以恐懼之心，加以裁愼之志，臣意且猶不盡，何有於病哉？此其所以不愈也。」帝善其對。漢書方術列傳第七十二下郭玉傳

註一：腠理，皮膚之間也。韓子曰：『扁鵲見晉桓侯曰：「君有病在腠理也」。』

註二：分寸淺深之度：破漏，日有衝破者也。

藥不二價

韓康，字伯休，一名恬休，京兆霸陵人；家世著姓。常采藥名山，賣於長安市口，不二價三十餘年。時有女子從康買藥，康守價不移，女子怒曰：「公是韓伯休那？註一乃不價乎？」康歎曰：「我本欲避名，今小女子皆知有我焉，何用藥爲！」乃遁入霸陵山中。漢書逸民列傳第七十三韓康傳

註一：那，語餘聲也；音乃賀反。

四、信仰

信仰

（虢君）出見扁鵲於中闕，曰：「竊聞高義之日久矣，爲未嘗得拜謁於前也；先生過小國幸而舉之，偏國寡臣幸甚！註一有先生則活，無先生則棄捐塡溝壑，長終而不得反。」史記扁鵲倉公列傳第四十五扁鵲傳

註一：索隱：「謂虢君自謙，云已是偏遠之國寡小之臣也。」

吾亦咲子之病甚，不遭臾跗扁鵲，悲夫！漢書揚雄傳第五十七

師古曰：「（臾跗扁鵲）二人皆古之良醫也。」前傳「遭俞跗扁鵲」句註

時佗小兒戲於門中，逆見，自相謂曰：「客車邊有物，必是逢我翁也；」及客進，顧視壁北懸蛇以十數，乃知其奇。後漢書方術列傳第七十二下華佗傳

荀彧請曰：「佗術實工，人命所懸，宜加全宥。」仝上

小兒戲門前，逆見，自相謂曰：「似逢我公，車邊病是也。」疾者前入坐，見佗北壁懸此蛇輩，約以十數。三國志魏志卷二十九華佗傳

荀彧謂曰：「佗術實工，人命所縣，宜含宥之。」仝上△行準案：右四條當併作二條，下注參後漢書之名可也

佗死後，太祖頭風未除。太祖曰：「佗能愈此。小人養吾病，欲以自重，然吾不殺此子，亦終當不為我斷此根原耳！」及後愛子倉舒病困，太祖歎曰：「吾悔殺華佗，令此兒彊死也！」仝上

五、差遣

隨軍

呂蒙取關羽，稱疾還建業，以翻兼知醫術，請以自隨。三國志吳志卷十二虞翻傳

遣視

初疾微時，權令醫趙權視之。三國志吳志卷七顧雍傳

遣使

錯為太子時，愛康鼓吹妓女宋閏，使醫張尊招之不得。後漢書濟南安王康傳第三十二

六 酬報

診病酬報

董安于受言書而藏之，以扁鵲之言告簡子，簡子賜扁鵲田四萬畝。史記扁鵲倉公列傳第四十五扁鵲傳

（漢高祖十二年）高祖擊布時，爲流矢所中，行道病，病甚；呂后迎良醫，醫入見，高祖問醫；醫曰：「病可治。」於是高祖嫚罵之曰：「吾以布衣提三尺劍取天下，此非天命乎？命乃在天，雖扁鵲何益？」遂不使治病，賜金五十斤罷之。史記高祖本紀第八

救護酬報

已而論功賞羣臣，及當坐者各有差；而賜夏無且黃金二百鎰；曰：「無且愛我，乃以藥囊提荊軻也。」史記刺客列傳第二十六荊軻傳

按史記荊軻傳：「是時侍醫夏無且以其所奉藥囊提荊軻也。」是則謂救護之酬報也。▲行準案：無且雖醫人，此救護與醫無涉，此節當刪。

徵醫酬報

會（呂）蒙疾發，權時在公安，迎置內殿，所以治護者萬方，募封內有能愈蒙疾者賜千金。三國志吳志卷九呂蒙傳

七 獲罪

倉公不願爲人診病因而獲罪

（孝文帝前十三年）五月齊太倉令淳于公有罪當刑，註一詔獄逮徙繫長安，太倉公無男，有女五人；太倉公將行，會逮，罵其女曰：「生子不生男，有緩急非有益也！」其少女緹縈自傷泣，乃隨其父至長安，上書曰：「妾父爲吏，齊中皆稱其廉平，今坐法當刑，妾傷夫死者不可復生，刑者不可復屬，雖復改過自新，其道無由也。妾願沒入爲官婢，贖父刑罪，使得自新。」書奏天子，天子憐悲其意。史記文帝本紀第十

註一：索隱「名意，爲齊太倉令，故謂太倉公也。」

左右行遊諸侯，不以家爲家，或不爲人治病，病家多怨之者。文帝四年中，人上書言意以刑罪，當傳之長安；註一意有五女，隨而泣。意怒罵曰：「生子不生男，緩急無可使者！」少女緹縈傷父之言，乃隨父西，上書曰：「妾父爲吏，齊中稱其廉平，今坐法當刑，妾切痛死者不可復生，而刑者不可復續，註二雖欲改過自新，終不可得；妾願入身爲官婢，以贖父刑罪，使得改行自新也。」書聞，上悲其意，此歲中亦除肉刑法。註三▲行準案：此不注出處，審係史記倉公傳中文。文意與文帝本紀同，當倂一條述之。

註一：索隱「傳音作戀反，傳乘傳送之。」

註二：徐廣曰：「一作贖。」

註三：徐廣曰：「案年表孝文十二年除肉刑。」漢書刑法志云：「孝文帝即位十三年，除肉刑三。」孟康云：「黥劓二，左右趾一，凡三。」班固詩曰：「三王德彌薄，惟復用肉刑；太倉令有罪，就進長安城，自恨身無子，困急獨煢煢，小女痛父言，死者不可生，上書詣闕下，思古歌雞鳴，憂心摧折裂，晨風揚激聲，聖漢孝文帝，惻然感至情，百男何憒憒，不如一緹縈。」

華佗爲避免診病而獲罪

然本作士人，以醫見業，意常自悔；後太祖親理，得疾篤重，使佗專視。佗曰：「此近難濟，恆事改治，可延歲月。」佗久遠家思歸，因曰：「當得家書，方欲暫還耳。」到家，辭以妻病，數乞期不反。太祖累書呼，又勑郡縣發遣。佗恃能厭食事，猶不上道。太祖大怒，使人往檢：若妻信病，賜小豆四十斛，寬假限日；若其虛詐，便收送之。於是傳付許獄，考驗首服。荀彧請曰：「佗術實工，人命所縣，宜含宥之。」太祖曰：「不憂天下當無此鼠輩邪？」遂考竟佗。三國志魏志卷二十九華佗傳

八　幸進

因醫而幸進者：

（義）縱有姊姁，註一以醫幸王太后王太后問：「有子兄弟爲官者乎？」姊曰：「有，有弟無行不可。」太后乃告上，拜義姁弟縱爲中郎，註二補上黨郡中令。註三　史記酷吏列傳第六十二義縱傳　又漢書酷吏傳第六十義縱傳

註一：索隱：「李奇音吁，孟康音詡。」

註二：漢書音義曰：「姁音褫，縱姊名也。」▲行準案：右二條注文當併作一條

註三：索隱：「案謂補上黨郡中之令史，失其縣名。」

（賁赫）布所幸姬疾，請就醫，醫家與中大夫賁赫對門，姬數如醫家，賁赫自以爲侍中，迺厚餽遺從姬飲醫家，姬侍王從容語次譽赫長者也；王怒曰：「汝安從知之？具說狀。」王疑其與亂，赫恐稱病，王愈怒，欲捕赫，赫言變事乘傳詣長安，布使人追不及。史記黥布列傳第三十一黥布傳

上欲求非望，註一而后舅伍宏反因方術以醫技得幸，出入禁門。漢書蒯伊江息夫傳第十五息夫躬傳

註一：師古曰：「言求帝位也。」

周仁其先任城人也，以醫見，註一景帝爲太子時爲舍人，積功遷至大中大夫；景帝初拜仁爲郎中令。漢書萬石衞直周張傳第十六周仁傳

註一：師古曰：「見於天子。」

宏以附吳得與其惡心，因醫技進，幾危社稷。……又親見言伍宏善醫，死可惜也。漢書佞幸傳第六十三董賢傳

案：本文尙有數處注文，因篇幅關係故刪略之，實則所注不外史漢中小司馬與徐顏諸家，人盡得見，以爲皆可略也。至文與篇題不協，則以尊重原作者之意，不敢妄改，度覽者必自知耳。　行準記

本誌一·二兩卷論文篇目通檢 編輯室

例：粗體數字表卷數與期數如1:1；卽第一卷第一期也。2:3·4；卽第二卷第三·四期也，餘倣此。

·白页·

醫史雜誌

第三卷 第一期（復刊號） 一九五一年三月出版

編輯者 中華醫學會醫史學會編輯委員會

華東醫務生活社出版
上海(18)高安路五十二號 電話七九四九四號

· 白 页 ·

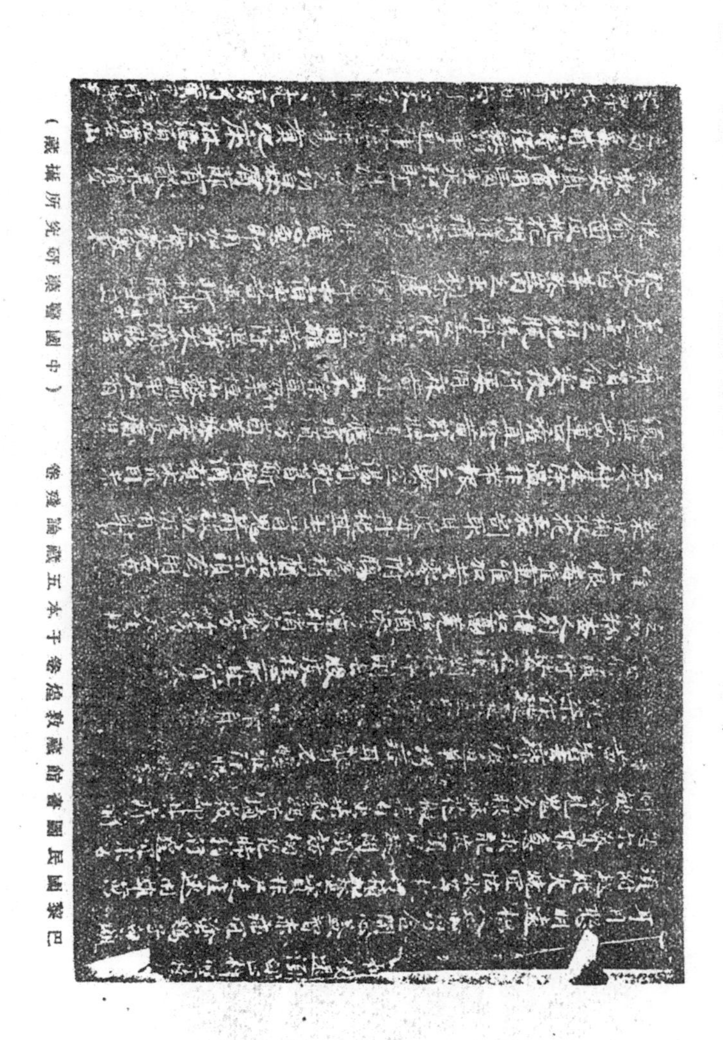

巴黎國民圖書館藏敦煌卷子本五臟論殘卷（中國醫藥研究所攝藏）

獨立禪師像

（據圖像大集成複製）

復刊宣言

醫史雜誌，是我們東方首出的第一個有關醫史的專門刊物；它創刊於一九四七年的春天，是中華醫史學會的機關刊物。當時預計這個刊物年出四期，以學會的全副力量去維護它，它是可以繼續生存下去的。但環境的變動，恰與這理想相反。因爲處在反動政權之下，一切人民的事業，尤其人民文化的事業，是不允許生存和繼續發展下去的。當那一反動時代，社會上一切政治、經濟的崩潰，已發展到最後的底層和邊緣；那時雖經我們幾個愚騃的負責者想盡種種方法，要延續下去，但歷史的發展，是不可抗拒的，我們雖盡力支撐到一九四八年出完了兩卷，不得不被迫的停刊了。

本誌雖出了僅僅的兩卷，但中外學者，對它都已有深刻的認識，因而它在學術界已奠下一定的地位；所以他們對於本誌的停刊，無不表示十二分的惋惜，他們一致地勉勵我們敦促我們要求復刊，但在那時以我們這幾個人藐不足道的力量，要在那個政治和經濟整個崩潰的洪流中把它支撐起來，是一件不可想象的事。我們只能抱歉地有負盛情地付之長歎而已。

我們眞想不到一個專門得這樣狹窄的學術性刊物，能得到讀者這樣地愛護，這種收穫，足以抵償那時我們因辦這刊物而發生的困難和痛苦而有餘了。雖然它的銷路並不大，但它在學術界的地位並不比那有成千成萬銷路的刊物來得小，如其以刊物銷路大小來定它的價值，那是庸俗的看法，我們根本不要爭取那類的讀者；我們知道醫史在任何的國家中，它都有無限的前途，尤其在我們和平陣營中的蘇聯，它早已被重視了。所以那時本誌雖已被迫停刊，我們仍有胆量地有信心地繼續工作下去，把這工作堅持下去。我們從歷史發展的道路看去，它必然重生！因爲一種應當生長的東西，有時雖遭遇挫折，但不能永遠被壓抑下去。

事實證明我們那時歷史的預見，是正確的；自反動政權被人民的力量掃出大陸以後，中國在毛主席領導下，人民建立自已的政權，對於各部門的文化事業，都不遺餘力的爭取早期建設成功。自第一屆全國衛生會議決定正確的三大衛生方針後，其中關於醫史部門，也强調地被重視着規定各醫校都應有醫史這一課程，但因了師資人才的關係，一時未能大力展開。華東醫務生活社首先響應政府這一正確的號召，願幫助本誌的復刊和發行，而編輯的任務，仍由本會負責；經過本會第二次執行委員會的議決，表示誠心的接受和感謝；我們不僅將這工作堅持下去，而且將這工作發展下去，完成建立中國醫史事業上這一艱鉅的工作。

在反動政權時代，一切的文化事業，都被絞殺了，而在人民自己握着政權時代，却把它解放復活轉來；觀於本誌復刊的例子，還不够證明這一句話嗎！

五運六氣說的來源

范行準

一九五〇年八月二十二日在北京中醫進修學校講

一

五運六氣這一名詞，凡是做中醫的，都能知道。它是支配中國醫學幾及千年的歷史，但我敢說很少有人肯去根究它的來源。就是宋元明清所有的名醫，雖著作滿家，對此問題，除了抄抄素問僞篇等說發揮空虛理論外，它的眞正的歷史來源，是毫不知道的。其實五運六氣，乃中醫理論發展到最高峯的產物，我們都知中醫的理論除了五運六氣之說外，更沒有超過它那樣繁奧的學說了。——雖然它的理論極端虛玄而不合實際，它是中醫氣化說的屬階。自從有了它，中國醫學便開始衰老下來，那都是另一問題。這也很像中國文學發展到八股文的同樣情形。

我們今天來研究五運六氣的根源是應當把它分開來研究的。因爲五運六氣，從歷史發展上說起來本屬兩件事，五運自五運，六氣自六氣，而且在中國第十世紀以前，尙沒有在一書中把它連類而言，到了十世紀後，才混合爲一；這好似讖緯本屬兩件事，後來才牉合爲一的。諸位或許以爲我說運氣在第十世紀以後才有，是不可靠的。黃帝素問自天元紀大論以下的七篇，不是專言運氣之說嗎？我以爲這話才是不可靠的。這且留待下面再說。

醫家的五運說，蓋本出於望氣家之言災異者，它的方法，不外於壬占一類的學說。若更遠溯其原，要不出乎戰國時騶衍「五德終始說」之緒餘了。但爲醫家所用的，其歷史似乎還遠在六氣說之後。六氣之思想，源出易緯，其名則昉於左氏，但莊子與離騷諸書，並有六氣之名。可是這三種書上的六氣說，都與醫家所說的不同，若更詳細說起來，左傳中所說的也有二種，一爲昭公元年醫和之說，一爲昭公二十五年子大叔吉對趙簡子引子產之說，而服虔鄭玄之徒，更有種種不同的解釋，這也可參考隋蕭吉五行大義卷三所引諸家之說的。大概說起來，左傳與莊子所謂之六氣，義說相同，而離騷之六氣，則屬於神仙家的話，更與醫家無涉。

二

我現在先說第十世紀以前還沒有五運六氣說的原因後，再來約略談談它的歷史。

運氣之說，唐以前是沒有的，到了唐末五代時候，它才出現。但宋初其說猶未盛行，北宋中葉只有沈括劉溫舒之輩言之。溫舒且有素問運氣入式論奧一書行世，到了徽宗時所撰的聖濟總錄，才大爲渲染起來。（總錄首六卷即運氣圖說）歷史家雖不信任運氣說出於黃帝，但一般而言，他們還相信唐王冰所僞託的。例如日人丹波元簡，他們父子的學識，在同時代的中土醫家，是無人可與抗手的；但他也相信運氣說出於隋唐，只是他還不敢確定是那一個人所創的罷了。可是他竟肯定地說「但至王冰闌入素問篇內，其說始顯，然竟唐代，猶未聞言之者。」（詳見醫賸卷上）這是丹波氏還相信僞天元紀大論以下七篇，是王冰補入的老話。他竟不去仔細考核素問全書的校注的文字。

那末王冰時代還沒有運氣說，究有何證據？證據當然是有的，而且很充分的，有本證與旁證；按宋林億序王冰素問次注有曰：

詳王氏玄珠，世無傳者，今有玄珠十卷，昭明隱旨三卷，蓋後人附託之文也。

這可證明王冰是沒有運氣之書傳世的，更沒有以運氣說竄入經文之罪證。王冰沒有做過玄珠密語，倘有他端可證。如今行世之玄珠十卷本（倘有十七卷本行世較多）前有大唐麟德元年王冰自序，又玄珠卷四古候氣運篇中，也有麟德元年的話。又自序中有「則天理位」及引陰符經諸說。我們如其證以王冰自序素問時爲唐寶應元年的話，那末上溯麟德元年，恰爲九十九年，一個人的著述生活，總不能繼續到一百年那樣長久的活動力。更何況以高宗麟德元年之序中，而有「則天理位」之說呢？至引及陰符經一書，更與年代不符了。（陰符經是唐開天時人李筌僞託的）

再以宋臣林億等在素問次注中的校語證之，更可明白王冰沒有作過運氣說。如陰陽應象大論中新校正云：

「神明之府也。」下新校正云：「詳陰陽至神明之府，與天元紀大論同，注頗異。」又云：「詳前岐伯對曰至此與五運行大論同，兩注頗異，當並用之。」

又云：

「此語已見天元紀大論，其說自異。」「風勝則動。」至此五句，與天元紀大論文重，要彼注頗詳矣。」「王注五運行大論云，火有別。」「至此與五運行大論同，兩注頗異，當並用之。」

又六節藏象論中校語云：

「岐伯曰在經有也」下，王注曰，「玉機眞藏篇已具言之五氣平和，太過不及之旨也。」新校正云，「詳王注言玉機眞藏論已具。按本篇言脈之太過不及，卽不論運氣之太過不及，與平氣，當云「氣交變大論五常政大論篇已具言。」

我們如其詳細體味林億等的校語，卽可證明王冰是絕對沒有創造或倡導過運氣說的，林億等强責王冰何不引天元紀大論五運行大論氣交變大論諸僞篇經文或僞注，而證彼此注文各異等話，是完全不知王冰爲素問次注時所見之本，與全元起楊上善等所見之本同爲沒有天元紀大論以下七篇之本。（王冰素問次注自序中文字，也有問題的。）那末王氏何能預先應用百數十年以後的僞帙呢？他的注文也何能與百數十年以後的僞注相同呢？我們更從這些地方可以看出宋臣等尙信素問自天元紀大論以下七篇的僞文爲王冰撰的。

也許有人說，素問自天元紀大論以下七篇，是宋初人竄入的，但素問六節藏象論，不是有下面一節文字是講運氣的嗎？

五日謂之候，三候謂之氣，六氣謂之時，四時謂之歲，而各從其主治焉。五運相襲而皆治之，終朞之日，周而復始，時立氣布，如環無端。

這確是五運六氣在素問中最早見的文獻，但不幸這一根據，仍是不可靠的。這是作僞者先將此僞文竄入以爲它的根據。關於此一節文字的問題，丹波元簡素問識卷二已具言之。他說：「篇內自歧伯對曰昭乎哉以下，至孰多可得用乎，七百一十八字，據林億說，疑爲王氏所補。又謂篇中多論運氣，他篇所異。且取通天論自古通天者云云，其氣三，三十一字，與三部九候論三而成天云云四十五字，湊合爲說，全襲左傳文公元年語，明是非醫經之文，故今除之。」丹波氏的話，是不錯的。但林億等疑爲王氏所補的話，丹波氏無一語駁正，是尚信王氏爲倡導運氣者之說。

更以旁證來說，宋初運氣說方興，但猶未大行，所以太平興國間王懷隱等奉敕撰的太平聖惠方，龐然百卷，各門具備，而獨無運氣一門。又當北宋雍熙元年，日本康賴撰醫心方三十卷，其中也找不出運氣的話。

以上這些話，還不够證明五代以前尚沒有五運六氣之說嗎？

三

然則，五運六氣究起於何時？創自何人？我對這一答案，雖還沒有十分正確的解釋，但可約略證明它爲第十世紀之初，即五代末年許寂之流所倡導的。案一種學說之興起，都有它的歷史與時代背景，本來氣候與生物之繁殺，是很有關係的，因此推步家對於一歲二十四氣的刻漏長短，以準一歲之盈虛，而緯候家又根據了漢時京房孟喜輩卦氣說，以準晷景長短，應與不應，氣候至與不至，作爲豫測一歲中人民安寧苛厲的標準。關於這一史實，後漢書律曆志中劉昭補注引易緯之說，尚可見之，今舉一則爲例：

冬至晷長一丈三尺，當至不至則旱，多溫病。未當至而至，則多病暴逆心痛；應在夏至。

易緯中的二十四氣都有這一類的話。此外還有易緯通卦驗中也有較此更詳細的話，今也摘引一條於下：

冬至廣漠風至，……每卦六爻，既通於四時二十四炁，人之四支二十四脈，亦存於期。故其當至不至，則萬物大旱，大豆不爲，行準案爲成也人足太陰脈虛多病振寒，未當至而至，則人之太陰脈盛，多暴逆，臚脹，心痛，大旱，應在夏至。

這全是運氣家所取材的話，本來易緯和易緯通卦驗的話。在運氣說未興之前，醫家已經使用了，如金匱要略卷上臟腑經絡先後病脈證第一，已有「未至而至，至而不至，至而太過」之說，以驗病情了。後來僞託扁鵲的八十一難經之第七難，又把它應用到脈候上去，在這點上，後來的運氣家，更把它廣爲應用了。

但源出望氣以覘災異之運氣，何以在唐以前還不出現呢？這或許時代背景尚不够它的條件吧？當五運六氣所取源的易緯諸說，雖早被醫家採用，可是還沒有人出來造成一種有力的學說，是因爲那時尚沒有這時代背景之故。

大家都知道五代宋初，是製造僞書最猖獗的時代，到宋天熙以後，僞書更加盛行了。其著名的有陳摶的先天圖，阮逸的關氏易傳，元經薛氏傳，及不知名的乾坤鑿度子華子等，都爲這些時代的產物，是完全由於時代背景而來的。因爲唐自安史之亂，到了僖昭達於極點，五代尤歲無寧日，更朝易朔的，不知凡幾，當時陶穀比之爲熱鏊翻餅。這時候的知識分子，其不得志的，多以讀易自遣，中國儒家有一傳統的觀念，即一向認爲易乃排悶而作，所以易繫辭下說：「作易者，其有憂患乎？」故文王、孔子、楊雄等，都在患難或寂寞中而玩易草玄的。在魏晉以下的文人又把周易竄入佛道兩家成了玄學，也是這個原因。

因此，吾醫家在五季以後，也有不少僞託之書出現，如許寂之啓玄子元和紀用經，蕭淵之褚氏遺書，鄧處中之華氏中藏經等，都是那時代的產物。就中許寂之僞造元和紀用經，爲現存最早有關運氣之著作，按舊五代史許寂傳略稱：「許寂字閑閑，會稽人，少有山水之好，汎覽經史，窮三式，尤明易象，梁攻襄陽，與国凝兄弟奔蜀，（行準、象凝投楊行密，凝弟明）（按蜀王建，寂卽與明浩弃者）淸泰三年六月卒，年八十餘。」云云。因寂能精究三式和易象，所以唐昭宗就召他赴闕，對於內殿。而五運六氣的本源，恰好根據於壬占，易象諸說而來的，因爲五運六氣，其說本取於易緯而推究方式，是用式占的。況蜀地自昔范長生，號蜀才者，精於易，自後代有傳人，到了宋初，雖篾叟醬翁，其於易說也雅有思致。一事詳宋史隱逸傳。）有了這等時代的背景和地理的關係，五代時才出現運氣說，這是很自然的。

再觀元和紀用經一書，共分三章，上章專言運氣用藥，其文也有與素問僞篇相同的，但並沒有引用素問之名。（案沈括夢溪筆談中也有談及運氣的，也同樣不引素問之名。）由此我們知道五代時運氣說尚未竄入素問，但到了宋治平後林億等校素問時，已有天元紀大論以下七篇僞帙之文被竄入之本了。

四

如前所述，五運六氣本屬兩事，但到了五代以後，就被那班精究三式易象如許寂之輩湊合一處，在醫學上成爲一種有力的學說了。

五運雖亦以天干配成，但牠配合的方法，是用納甲一類的方式的。淮南子天文訓說，「甲乙，東方木也；丙丁，南方火也；戊己，中央土也；庚辛，西方金也；壬癸，北方水也。」後來一般術數家，多據此說，就是醫家所言的五行，也是這樣的。可是醫家的運氣說，其分配五行就不完全這樣了。僞天元紀大論說：「甲己之歲，土運統之；乙庚之歲，金運統之；丙辛之歲，水運統之；丁壬之歲，木運統之；戊癸之歲，火運統之。」又僞五運行大論的五行分配法，也全與此同。所以我們如按淮南子與素問僞篇之說來比較，僅有二行相同，此等五行的分隸法，求之五行書，除了「納甲」一類之說外，（但牠也不全與納甲相同。）竟無所見。但我以爲牠是出於望氣家之說的。如僞天元紀大論僞注，於火運統之之下云：

太始天地初分之時，陰陽析位之際，天分五氣，地列五行，五行定位，布政四方，五氣分流，散支於十干。當是黃氣橫於甲己，白氣橫於乙庚，黑氣橫於丙辛，青氣橫於丁壬，赤氣橫於戊癸。故甲巳應土運，乙庚應金運，丙辛應水運，丁癸應木運，戊癸應火運。太古聖人望氣以書天冊，賢士謹奉以紀天元。

這裏的文字，是與玄珠密語中的五運玄通紀同出一源的。由此，我們可以說醫家的五運說出於望氣的。因其別有所本，所以與一般五行說不同。文中所說的「天冊，」似卽素問僞篇中屢次引用之太始天元冊文。如僞五運行大論說：

臣始覽天元册文，丹天之氣經於牛女戊分，黅天之氣經於心尾巳分；蒼天之氣，經於危室柳鬼；素天之氣，經於亢氐昴畢；玄天之氣，經於張翼婁胃。

此乃用五行分配諸宿，也是望氣家的話，拿它來同淮南子天文訓來比較，也不盡同的。

本來望氣之術也是出於巫覡，其法是用式占的，古之統治者專設這類官職，凡是政治之設施，軍旅之號令，稼穡之豐荒，都先要取決於他，其權力甚大。它的起源大概由於先民看見山川雲物之變幻無端，很容易引起他們疑懼之心，而加以推測，遂有占候之術。所以易經上有「天地定位，山澤通氣，雷風相薄，水火不相射」的話。漢孔融答虞翻書亦言，「又觀象雲物，察應寒溫，原其禍福，與神契合。」這都是五運說的基本理論，我們要知五運之本源，是不能不加以留意的。

不僅運氣家之用望氣說，即風鑑和後世的堪輿家，都有用望氣的方法的。現在存於世的運氣書，除紀用經外，要以玄珠密語一書較古與較詳備了。但其推遷運氣之法，幾全以望氣爲事，而侈談災異。這因言災異者，必準諸望氣的緣故。那末純粹的運氣說，從基本上說起來，它是不能離開望氣的，而它的學說，基本上也是屬於一種西漢時公羊一流之災異說。

五

五運出於望氣，已如前述，至於六氣，它既與左傳、莊子、離騷等書所言者，絕對不同，那末它究出於何家之說呢？我以爲出於推步之法，而其源又本諸易緯乾鑿度的。按素問六節藏象論中的僞文說：

五日謂之候，三候謂之氣，六氣謂之時，四時謂之歲，而各從其主治焉。

今詳易緯乾鑿度曰：

天氣三微而成一著，三著而成一體。

鄭玄注云：

五日爲一微，十五日爲一著，故五日有一候，十五日成一氣也。

案逸周書時訓篇也以五日爲一候，但無明文而已；惟據其文而推算之，則一歲爲二十四氣七十二候，此自呂覽月令諸書以下的推步家所同法的。唐僧一行的卦驗候也有「七十二候原於周公，較諸月令，頗有增損，然先後之次則同。自後魏始載於曆，乃依易軌所傳，不合經義，今改從古。凡五日爲候，三候爲氣，六氣成時，四時成歲」（據宋陳元靚歲時廣記卷首引。）的話。而宋時朱震卦氣圖說，又有「時訓以五日爲候，三候爲氣，六十日爲節」的話。這都是六氣說的本源。乾鑿度僞託蒼頡造，固不足信，但鄭康成既注其書，則至少是在東漢時的緯書了。（胡渭易圖明辨四以乾鑿度爲劉牧所託，未知所據。）至逸周書也是漢以下的書。蓋讖緯自宋均、鄭玄作注後，經緯相雜而不越，到了唐文帝詔諸儒撰定九經，多引讖緯，經緯益雜而不分了。到了五代之亂，高人畸士多淪隱以玩易自排，所謂「遁世而無悶」。故運氣之說，便產生於那個時代了。

六氣說之原本於易緯，至後魏始具條理，但那時還談不到成爲一家之言，所以素問陰陽應象大論中所說，尚僅有五氣——風、火、濕、燥、寒：

東方生風，……神在天爲風，在地爲木。……南方生熱，……其在天爲熱，在地爲火。中央生濕，……其在天爲濕，在地爲土。……西方生燥，……其在天爲燥，在地爲金。……北方生寒，……其在天爲寒，……在地爲水。

那時候尚沒有人湊足六氣。但這一段文字，實由五氣而至六氣的橋樑，是應當特別注意的。風、火、濕、燥、寒五氣，自呂覽而下，都已有這名稱，但後來不知何人在此五氣中又加一暑字。其最先見於記載的，似出於僞五運行大論：

燥以乾之，暑以蒸之，風以動之，濕以潤之，寒以堅之，火以溫之。故風寒在下，燥熱在上，濕氣在中，火遊其間，寒暑六入，故令虛而生化也。

怎樣是六入呢?據僞注說:

地體之中凡有六入:一曰燥,二曰暑,三曰風,四曰濕,五曰寒,六曰火。受燥,故乾性生焉;受暑,故蒸性生焉;受風,故動性生焉;受濕,故潤性生焉;受寒,故濕性生焉;受火,故溫性生焉。此謂天之六氣也。

這純屬根據自然界的現象而言。然地體六入之說,終亦不知其立說之源,疑卽六氣下降之意。按玄珠密語卷三有「陰爲味,味歸形,形歸於地,地稟坤元,六氣之所入也。六入者何?風入爲動,暖入爲喧,火入爲蒸,土入爲潤,金入爲乾,水入爲堅」。復由六入乃爲六化,如風化酸,火化苦之類是也。更由六化乃資六變,最後由六變乃生五穀,由五穀復爲五色也。於是六氣之風、寒、暑、濕、燥、火與五行之五運,互相聯繫而五運六氣之說,至此才告完成。

但細考六氣之概念,仍不出於五行,因爲要配合易緯六氣之數,所以强加一暑字,又燥火二字,它的意義,也並沒有怎樣判然的殊異。嚴格說起來醫家對於燥火暑三個字,有時並不怎樣去分別它的,就是說這三者的意義是大致相同的,這一來六氣中的三氣,已有重複了。至於何以要這樣做呢?大概術家只有對於式占上有便利,這些雷同的字義也不去管它了。這猶如飛九宮的配色,有幾種白幾種綠,都是相同的,它的意義是一樣吧!但我們必須注意這是五代以後醫家所創六氣說的最基本的觀點,我們更應當注意醫家所以不用左氏傳中之陰、陽、風、雨、晦、明,是因爲不能把它配入五行,以爲循環無端作爲式占之用的緣故。這是醫家六氣根本上與左傳等書六氣不同的基點。

六

現在再來約略談談六氣之分配六經及六氣之分配三陰三陽說之本源,和六氣推演法之殊異等。

六氣之分配六經,宋初已有二說,一卽醫家之六經,見於今本素問僞篇;一卽以六壬家之六神,見於沈括夢溪筆談。僞篇中之六氣配合六經,乃用地支的,如子午之歲,上見少陰;丑未之歲,上見太陰等,是用陰陽家所說對衝之位的，其源似出淮南子天文訓中的二繩說。因有對衡，故更造爲「正化」「對化」及「南政」「北政」等說。

六氣之分配三陰三陽，似首見於僞天元紀大論所說的太陽爲寒水，厥陰爲風木，少陰爲君火，少陽爲相火，太陰爲濕土，陽明爲燥金。其中於太陽寒水，陽明燥金最難解釋。僞注於此未有明文。太陽寒水之義，據劉溫舒運氣論奧所論標本說，略能道出它的原意：

水居北方子，而子者一陽之位，水本寒，而其氣當陽生之初，故標本異而寒水屬太陽也。

劉氏於此文中有引四問篇，此恐即其所本了。但他依然還沒有說出它的根源。據我的管見，它是根據黃帝九宮式經的：

九宮數一，起自北方，始者坎一正北，應天之始，始無二，故一；北方五行之始，所以五行在北方，故云陽氣之始，萬物將萌。（五行大義卷一第五九宮數引）

案易坎爲水卦，天一生水，水爲萬物之始，冬至後又爲一陽初生，所以蕭吉也說「天以一生水於北方，君子之位，陽氣微動於黃泉之下，始動無二，天數與陽合而爲一。水雖陰物，陽在於內，從陽之始。」（同上）這很可說出運氣家太陽寒水所取義了。關於這一問題，清代著名的尤其易學最著名的經學家江都焦循，他在易餘籥錄卷十三中也有對論。他以爲董子春秋繁露陰陽終始篇有：「陰之行固常居虛而不得居實，至於冬而至空虛，太陽乃北就其類，而以水起寒」的話，因而認爲仲舒之說本之素問六微旨大論，可謂本末倒置了。

至於陽明燥金之義，金元以下的醫家從未道出它的原意和來源。許多人恆以此爲問，他們遍檢秦漢以來的經籍，還未尋出。後來我在玄珠密語中才找出它的根源。玄珠說：

天生太白地生金，地生金時天生淸。（卷十）

注曰：

清金化燥者何也？庚之妹辛，三十嫁丙爲夫，庚旺歸時帶火氣歸，故金化燥也，即夫之令也。此淸化者，是金之本性也。

案原注文中「庚之妹辛，三十嫁丙爲夫」之夫字，似爲妻字之誤。故五行書曰「庚以女弟辛嫁丙爲妻，辛中有雜火，立秋金王，庚召辛還，辛懷火氣來，故仲秋棗熟朱也。」五行大義卷二引。亦卽此義。我們知道它是出於「納音」的。漢志已有「同類取妻，隔八生子」的話，知古來自有此說。

七

運氣家推演的方式，也與一般堪輿家不盡相同。雖然，運氣的推演，也用式占的，因一般陰陽書，以式推占，多爲陽左而陰右，卽河圖洛書也是這樣的。但是運氣家的推演法，恰與相反，卽陰左行而陽右行，所以我們看僞五運行大論說：

上者右行，下者左行，左右周天，餘而復會。

這就是說司天的間氣，從右至左，在泉的間氣，從左至右。也就是陰左行陽右行的說話。我們推測它所以陰左行，陽右行的原因，似乎起於尊重君火而來的，故此文下僞注有云：

天垂運氣，地布五行，天順地而左行，地承天而東轉，木氣之後，天氣常餘，餘氣不用於君火，却退一步，加臨相火之上，是以每五歲已退一位而左遷。故曰左右周天，餘而復會。

這也是僞六微旨大論所說的君火之右，退行一步，相火治之的意義，是全出於避忌君火之位而來的。如大衍之數五十而爲四十九，以其一爲北辰，又與飛九宮之避忌太一，都爲同樣的意義了。

八

上面所說的運氣的來源，不過僅舉其中的數端，如元泰定間（公元一三二四——七）程德齋在運氣中又造汗、差、棺、纂之法，其說今存傷寒鈐法中，（徐春甫以「鈐法」爲馬宗素程德齋撰，按宗素爲金源人，其說未知何據，但元至正乙巳（公元一三六五）西園余氏重刊本成氏注解傷寒論，已有汗差棺墓指掌圖明主一齋刊本卽據此本而有小異。）這些都因爲時間關係，就不能詳細講說了。而且這個歷史的題目，非常繁奧的。關於這一歷史課題，老實說，我雖寫好六七萬字的稿子，許多問題依然沒有圓滿解決；因爲這歷史的課題須有易、緯、壬、遁等專門的學問，而我恰好對於這些學問都準備得不夠的，也當然有錯誤的。所以我現在僅提出上面幾個問題向諸位共同商討，希望能有更好的指教！

此文與原來的講稿，稍有修改。 一九五〇，一二，五，行準附記。

在中國歷史上出現的眼角瞼緣結膜炎

余雲岫

(一) 名稱

「眼角瞼緣結膜炎」是眼病中結膜炎的一種,而其炎性病變多在眼瞼邊緣,尤其在眼角爲多,故有此名。眼角亦叫眥,(一)因亦稱「眥部瞼緣結膜炎」

(二) 病原細菌

眼角瞼緣結膜炎,是一種獨特的雙桿菌所造成的眼病,所以也叫做「雙桿菌結膜炎。」此雙桿菌是法人Morax(1896)和德人 Axenfeld(1897)所發現的,所以也叫做 Morax Axenfeld 氏菌,」而這雙球菌所惹起的結膜炎,也叫做「Morax Axenfeld氏菌結膜炎。」

這種雙桿菌,是喜歡血的,他的培養基中若是有血液或血淸在內,就會發育,若是普通肉汁石花菜的培養基,大致不甚繁殖。但在腹水所做的培養基裏也能繁殖。

這種雙桿菌,抵抗力極其薄弱,本身對健康組織無病原性毒害,但能分泌一種可以溶解蛋白質的酵素,對於上皮有浸潤作用,使上皮發炎。眼淚有抵抗這酵素的作用,所以常有眼淚潤濕的結膜部份,不會發生病變。只有眼淚不大容易達到的眼角的瞼緣,及其附近的眼瞼皮膚,會發生炎症,會被這雙桿菌所寄生,而成典型的眥部瞼緣結膜炎。其實只是瞼緣炎,其結膜的炎不過從眼瞼緣移行的,有時亦能夠發生角膜炎,但是很難得碰着。這雙桿菌是長的,兩頭鈍圓的成橢圓形,好像一隻腰鼓。兩個相連,所以叫做雙桿菌,但也有單一存在的。這種雙桿菌,對於實驗室所用的普通動物不能證明有害的作用。用這種雙桿菌塗在人類的眼角,就會發生獨特的症候。

(三) 證候

症候是怎樣呢？病眼的眼角瞼緣糜爛，充血，上皮微有剝脫，眼角的結膜同時也發赤。因此眼的內外兩眥有著明的發赤，很爲特別，大約可以一望而知。這是一種慢性眼病，有時鼻孔的口和嘴角，也會發生同樣的症候。因爲內外目眥的著明發赤，是這雙桿菌結膜炎的特殊形狀，所以這毛病若是有些小小流行，罹病的人稍稍多一點，就可以令人注意是一種特別獨立的毛病，不必要醫生，也會診斷得到，分別得到。

（四）釋名的問題

由上文所說，可以曉得眼角瞼緣結膜炎的特異病候，是眼的內外兩眥發赤，而其決定性的病源細菌是雙桿菌。至於中國歷史上對於這個毛病的記載有沒有呢？是幾時開始的呢？若說明白可靠的記載，要算是劉熙所著釋名(2)的書裏的記載最確實了。

我先把釋名這部書作個介紹。據范曄後漢書劉珍傳(3)說：「撰釋名三十篇，以辯萬物之稱號。」似釋名是劉珍所著，而內容是辯萬物之稱號。但陳壽三國志韋曜傳(4)（曜本名昭，就是注國語的韋昭，因陳壽是晉人，避司馬昭的諱，所以改昭爲曜。(5)）載曜在獄中上書，有「見劉熙所作釋名信多佳者」的話。顏之推顏氏家訓，音辭篇十八也說：「劉熹制釋名(6)」（劉熹卽劉熙。文選陶淵明歸去來辭「恨晨光之熹微」句，李善註引聲類說道：「熹亦熙字也。(7)」又漢成陽令唐扶頌碑說「致治廱熹，(8)」這「廱熹」普通都寫作「雍熙，」都可以證明熹卽是熙字，劉熹卽是劉熙了。）就這一點看來，劉珍實在沒有寫過釋名，明鄭明選秕言疑劉珍劉熙的釋名只是一部書。(9)遜清畢沅釋名疏證(10)也疑釋名這書是「兆於劉珍，踵成于熙，」這話恐怕不大靠得住，因爲一部書存在着三百多年，（劉珍是後漢安帝時人，(11)安帝是公元一〇七年卽位，范曄後漢書是劉宋文帝元嘉以後作成的，(12)元嘉元年是公元四二四年。）而且值得在史筆上一提，當然是有點價值的。但當時除范曄以外，竟沒有一個人提起，後來也沒有一個人引用，所以四庫全書提要說：「珍書久逸，不得以此書（指劉熙書）當之，(13)」這話有一部份是對的。但是還存着懷疑態度，還以爲劉珍實有釋名的書，不過是久逸罷了。照我上面所論，可說劉珍並沒有作過釋名。其實范曄是這樣寫的：「又撰釋名三十篇，以辯萬物之稱號云。」(14)末了一個「云」字，是不可以忽略滑過的！云字是「聽到人說」的意思，是「得之傳聞」的意思，也就是「人云亦云」的意思，可見得范曄並非肯定地說劉珍確實作過釋名，已經表示傳疑的意思了。

(五) 釋名的記載和解說

現在劉熙釋名這部書，已經介紹過了，上面所說對於雙桿菌瞼緣結膜炎的記載，是怎樣呢！他寫道：「目眥傷赤曰䁾，䁾，末也，創在目兩末也。(15)」這是釋名的條文。現在把這個條文研究和解說一下；

(甲) 眥的解說

眥是什麽東西！就是眼角。靈樞經說道：「目眥外決於面者爲銳眥，在內近鼻者爲內眥，上爲外眥，下爲內眥。(16)」靈樞這條的文意不對，楊上善太素說：「目眥外決於面者爲兌眥，在內近鼻者上爲外眥，下爲內眥。(17)」甲乙經(18)足太陽陽明手少陽脈動發目病第四，和太素完全相同。楊上善太素注說；(19)「人之目眥有三：外決爲兌眥，內角上爲外眥，下爲內眥。准明堂兌眥爲外眥，近鼻者爲內眥也。」可見靈樞癲狂篇所說的「近鼻者」下面「爲內眥」三字是多餘的。要不然眥字改做角字，似尚可通。因其可與楊上善太素注所說「內角上爲外眥，下爲內眥，」的話相同。其實內角沒有再分上下爲內外眥的必要，若照解剖而言，也不必把內角分上下爲內外眥。雖然中間有夾着淚阜，在生理和病理上，分別上下，沒有多大的好處。所以明堂家的人，把牠簡明化起來，說「兌眥爲外眥，近鼻者爲內眥，」很是切當，因此楊上善特別提出來。他在太素卷八(20)「至目兌眥……至目內眥」下注說：「目之內角爲內眥，外角爲兌眥，崖上爲上眥」這已經不主張上爲外眥下爲內眥的古說了。像針灸孔穴的瞳子髎；據甲乙經，(21)千金，(22)千金翼(23)外臺(24)都說「在目外去眥五分，」而銅人腧穴針灸圖經，簡直說：「在目外眥五分，(25)」這顯然認外角的銳眥當外眥，而不用內角上眥爲外眥的古說了。由此可以決定地說：眥就是外內兩個眼角。

(乙) 創的解說

創就是傷，近來都用瘡字，(26)在釋名的條文上，創字是指着糜爛說。

(丙) 末的解說

至於末字，說文說：「木上爲末，(27)」末是末端的意思，(28)也是終末的意思，(29)目兩末就是眼的兩端終處。這裏「䁾末也」的䁾字本來用蔑字表示聲音，(30)因此和蔑字意義也相通。方言說：「木細枝謂之杪，江淮陳楚之內謂之蔑(31)」「木杪」就是說文的「木上」說文訓木上爲末，而方言訓木杪爲蔑，又小爾雅說：「蔑末也。(32)」論語「末由也已」(33)史記引此作「蔑由也已。(34)」這點都可證明末和蔑聲近義同。因此釋名對襪字的解說道：「襪，末也，在脚末也，(35)」都是用同樣的方式來解釋的。

照上面的解釋，可知釋名這一條的文意，可翻做這樣說：「眼角糜爛和發赤這個毛病，叫做䁾。䁾字就是細小和終末的意義，也就是眼的糜爛部份是局限在眼裂邊緣兩頭細小而終末的地方，所以叫做䁾」䁾音蔑。(36)

(六) 在疾病史上的意義

這樣看來，釋名這一條，足以描寫眼角瞼緣結膜炎的外觀上的特徵了。因此，䁾字就是我國中古時代眼角瞼緣結膜炎的病名。因知眼角瞼緣結膜炎，在漢朝已相當的流行，故能引起一般人的注意，覺到它是一個獨立的特異的疾病，甚而至於特地製造一個專有的病的名稱，叫做「䁾」。

(七) 說文解字的記載和解說

但是䁾病的記載，不但出現在劉熙釋名上，逆推上去，在釋名以前的許愼的說文解字中，也已經有過。他把䁾字簡寫作「薎」就是把右旁蔑字，簡省了下部左邊的人字，而把左旁的目字，移到人字的位置上，成了薎字。說文解字有着兩條第一條這樣寫的：「眵，目傷眥也，从目，多聲，一曰瞢兜。(37)」第二條爲「薎，目眵也，从目，蔑省聲。(38)」這兩條和釋名所說的䁾，是同一個眼病。我且把這兩條約略說明幾句：(甲)第一條的眵音支傷眥，就是眼角有損傷。(乙)从目多聲，這是許愼解釋文字的作風。从目，就是把目字做偏旁像眼字，眥字，睡字，眩字，看字，都是从目，用來表示這些字都是眼目的類屬部門的事物。多聲，就是表眵字的聲音。但照現在韻書講起來(39)「多」在下平聲歌韻，「眵」在上平聲支韻，音支，相差似乎太遠，何以「多」可以表示「支」音呢？要解釋這個問題，先須解釋多字的古音；春秋左氏傳：「祇見疏也，」(40)陸德明經典釋文說：「祇音支，本文作多，音同(41)」，就是說「祇」字有的書本作「多」字。而且音支。孔穎達左傳正義說：「晉宋杜本皆作多」(42)這就是證實有的書是把「祇」字作「多」字的。正義又說：「古人多祇同音，張衡西京賦云：炙炮夥，清酤多，皇恩溥，洪德施，施與多爲韻，此類衆矣。(42)」這就是說多字古音和祇字一樣。祇亦音支，可見多字古音同祇，也同支，也同眵。近時更有唐寫本切韻，五支韻，支字帶頭的下，有多字(43)更可證多音同支。那末多字當然可以表示同音的眵字，是毫無問題的。(丙)說文這條的末了，還有「一曰瞢兜」四個字，其中瞢兜兩個字，很起了糾紛，這是玄應一切經音義所引起的。這部一切經音義，凡五次引說文這條，「瞢兜」都作「薎兜」(44)因此；清朝中葉的漢學家中研究說文解字（簡稱說文，下同）的學者就紛紛改說文的瞢作薎，認爲瞢字是錯誤的，應該作薎。(45)但另一部慧琳一切經音義，其中有自撰的，有轉載玄應書的，慧琳所自撰的音義，引說文都作瞢兜(46)和現今存在的仿宋刊本相合。而其所轉載的玄應音義，仍作薎字。(47)可見在唐時，說文書，起碼有不同的兩本，玄應所根據的本子是作「薎」字。慧琳的本子是作「瞢」字誰是誰非，頗難判決 這裏且不深究。因爲說文瞢兜之上，有「一曰」兩字，表示是另外一個意義，說文繫傳說：「瞢兜，目汁凝也(48)」就是眼病時候的膿樣或脂樣的分泌物。這另一意義和本論文無大關係，現在不一定要討論。雖然傷目眥和分泌物，大都是同時並現，但是我的論文主要點是「目傷眥」的一個意義。(丁)至於說文第二條：「薎，目眵也，从目，蔑省聲。」就是說薎字就是目傷眥的病名。若是照釋名正式寫做䁾，當然可以說：「从目蔑聲。」但說文把蔑字左下方的人字省却了，所以不能說蔑聲，嚴格地只好說「蔑省聲」。

說文這兩條合起來和釋名對照一下，也是指着眼角瞼緣結膜炎的毛病，但是沒有像釋名說得那樣詳明，就是沒有說到「發赤」的病候。

(八) 說文以前的記載

再溯上去在呂氏春秋有云「處目則爲矇爲盲」高誘注「矇，胗也，(49)」和說文相同。再上溯之文選宋玉風賦說道「中脣爲胗得目爲蔑，」李善注「蔑矇古字通。(50)」就是說風賦的蔑字和矇字是同一意義，也就是同一個毛病，是眼角瞼緣結膜炎。

（九）　在中國出現的年代

據畢沅釋名疏證序，知道劉熙大約是後漢末而且是曹魏受禪時候的人，(公元一九六)(51)許愼作說文始於後漢和帝永元十二年，(公元一〇〇)(52)呂不韋作呂氏春秋在秦始皇時，(公元前二四六)(53)宋玉作風賦在楚頃襄王時代，並宜在於楚懷王客死以後。(前二九六年)(54)但呂氏春秋的矇，宋玉風賦的蔑，雖然指說眼病，而未曾確指是眼角的病，然以「矇末也」的解說推之，當然也是指着眼角的病的，因爲蔑末同音，在戰國時候已經可以證明了。像荀子的唐蔑，(55)就是史記的唐昧，(56)楊倞荀子的註說道：「楚將唐昧，……昧與蔑同，(57)」就是很好的證明。這時代的「蔑」既有「末」的意義，那末這時代的「矇」字當然也是「末」的意義，也就是指眼角的病了。因此可以說：中國早在公元前二九六年的時代已經有了眼角瞼緣結膜炎的毛病，由此又可知專門惹起眼角瞼緣結膜炎的雙桿菌在中國戰國時已經存在了。

（十三）　結論

(1)眼角瞼緣結膜炎，在中國中古時代叫做「矇」。

(2)矇，這個病在中國公元前二九六年左右已經有過記載，以後在公元前二四六年左右也有過記載，但都簡略。到了公元一〇〇年許愼的記載稍加詳明，到公元一九六年左右，劉熙的記載出世，方才有更詳明的敍述，可以充當決定性的確實的典據。

(3)眼瞼角緣結膜炎的病原菌雙桿菌因其所引起的眼角瞼緣結膜炎的存在，而知道牠已經老早存在於中國謹慎一點說起碼在公元一九六年左右，中國已經存在，是確實可靠的。

文　獻

（一）中國之部

（1）參看下文眥的解說和末的解說

（2）釋名　商務書館四部叢刊初編本

（3）范曄後漢書卷百十上文苑傳上劉珍傳

（4）陳壽三國志吳志卷二十韋曜傳

（5）裴松之三國志韋曜傳注

（6）顏推之顏氏家訓下音辭篇十八

（7）胡刻文選李善注第四十五卷陶淵明歸去來辭注

（8）漢成陽令唐扶頌碑

（9）四庫全書總目卷四十釋名提要引

（10）畢沅釋名疏證序

（11）范曄後漢書文苑傳

（12）沈約宋書卷六十九范曄傳

（13）四庫全書總目卷四十釋名提要

（14）范曄後漢書劉珍傳

（15）釋名第八卷釋疾病第二十六

（16）黄帝內經靈樞卷五癲狂第二十一

（17）楊上善太素卷三十目痛條

（18）皇甫謐甲乙經卷十二

（19）楊上善太素注卷三十目痛條下

（20）楊上善太素注卷八經脈之一小腸手太陽之脈

（21）皇甫謐甲乙經卷三面部第十　瞳子窌穴

（22）千金要方卷二十九明堂三人圖第一人仰圖人面部第四行　瞳子窌穴

（23）千金翼方卷二十六仰人面穴第一　瞳子窌穴

（右二書並據日本江戶醫學館影印本）

（24）外臺秘要日本山脇尙德校刊本卷二十九膽人

（25）新刊補注銅人腧穴鍼灸圖卷一足少陽膽經瞳子髎二穴

（26）說文解字卷四下刀部刅字徐鉉注

（27）許慎說文解字卷六上木部末字解

(28) 淮南子卷四墬形訓「若木在建木西，末有十日，其華照下地，」高誘注
(29) 逸周書皇門解第四十九「丕承萬子孫用末被先王之靈光」孔晁注
(30) 許愼說文解字卷四上目部䁖字解
(31) 楊雄方言卷二「私策纖蓖稺杪小也」郭璞注
(32) 小爾雅卷二廣言第二「裔蔑末也」
(33) 論語卷五子罕第九
(34) 史記卷四十七孔子世家第十七
(35) 釋名卷五釋衣服第十六
(36) 宋濂跋唐吳彩鸞寫本王仁煦刊謬補缺切韻入聲十四屑作䁱，廣韻入聲十六屑作䁖都在蔑字帶頭下
(37) 說文解字卷四上目部䁖字解
(38) 說文解字卷四上目部䁖字解
(39) 佩文韻府
(40) 左傳襄公二十九年
(41) 經典釋文卷十八春秋左氏音義之四，襄六第十九「祇見」下注
(42) 春秋左傳注疏卷三十九「祇見疏也」的正義
(43) 唐吳彩鸞寫本王仁煦刊謬補缺切韻平聲五支宋濂跋本
(44) 玄應一切經音義（一）卷九大智度論第二十一卷（二）卷十八法勝阿毗曇第六卷（三）卷二十佛本行讚經第五卷（四）卷二十思惟略要經（五）卷二十五阿毗達磨順正理論第五十四卷
(45) 段玉裁說文解字注王筠說文句讀姚文田嚴可均說文校議沈濤說文古本考等
(46) 慧琳一切經音義卷三十六蘇婆呼童子請問經中卷，卷四十如意輪陀羅尼經
(47) 慧琳一切經音義卷四六慧琳重音大度智論第二十一卷　卷七十一阿毗達磨順正理論第五十四卷　卷七十二法勝阿毗曇新論第六卷　卷七十五思惟略要經
(48) 徐鍇說文繫傳卷七目部䁖字傳
(49) 呂氏春秋季春覽盡數篇
(50) 胡刻李善注文選卷十三宋玉風賦
(51) 畢沅釋名疏證序

（52）說文解字卷十五下敍
（53）呂氏春秋高誘序
（54）文選風賦序
（55）荀子議兵篇
（56）史記　楚世家　屈原列傳　樂毅列傳
（57）楊倞荀子注

（二）世界之部（參考書）

所謂世界，就是現代世界醫學的文獻之部，包括中國人研究報告和所寫現代醫學的書。

本論文眼角瞼緣炎的現代醫學記述，不擬深加搜討，因爲（1；）本論文是論述該病在中國出現的時代，不是把該病的現代醫學上智識具體地介紹給讀者諸君。所以所述的症候，不過舉其犖犖大者，及與本論文有關的幾點（2；）眼角瞼緣炎的病原菌，已經發明證實，而且細菌學方面，菌的性質和培養上的變化，也研究得相當完備，其他病理學和症候學方面，也研究得有相當了解的程度。加之治療方面，已經大家知道硫酸鋅是該病的特效藥，並且該病豫後是良好的，沒有什麼嚴重性的後果和痛楚性的現狀。所以世界學者，尤其是眼科學者，對該病有興趣的作更新一步研究，很不多見。因此，我想把世界醫學部份的文獻省去。

後來一想，我的固陋寡聞，豈可輕率，也許有很好的新見知，可以當本論文參證的，而我剛巧不知道，把他漏了，豈不是疏忽呢！於是託上海醫學院朱恆璧院長，請其轉訪該學院眼科教室，蒙給我一紙摘錄，再函詢給我摘錄的是那一位，並該摘錄所從出的書或報的名，要想編入參考書中。得到覆信，知道是郭秉寬教授，並且給我摘錄取材來源的書四種，照錄於後，並且對於朱院長和郭教授謝謝。

蒙東南醫學院院長張錫祺先生給我參考資料多種，謝謝。

蒙侯祥川先生給我中華醫學雜誌抽印的大著，曉得眼角瞼緣炎的治療方面，除特效藥硫酸鋅以外，尚有核酸黃素，着實有效。近來石原氏書也在提及。遂將侯先生大著編入參考書中，並且謝謝。

(1)侯祥川　核酸黃素缺乏病　中華醫學雜誌　第二十八卷第九期　291—30頁　(1942)
(2)Karl Lindner. Arehiv f. Ophthalmologie cr. 726 (1921)
(3)A. Pillat. Klinische Monats blätter für Augenheilkunde ixviii. 533, (1922)
(4)Ade Nip Gank Zas., xxix, 339, (1925)
(5)Duke-Elder Text-Book of Ophthalmology vol. II. P. 1550
(6)DR. ERNST FUCHS neu bearbeitet von DR. ADALBERT FUCHS "LEHRBUCH DER AUGEN-HEILKUNDE" Achtzehnte Uerbesserte Auflage (1945)
(7)ARNOLD PILLAT 著　莊司義治譯　軍陣眼科學 170頁 (1943)
(8)石原忍著　小眼科學 104頁 (1948)

結核病在中國醫學上之史的發展

蕭叔軒

目次

四　歷代結核病之病原學的變遷

1　晉以下癆病傳染的素因說

2　隋代尸蟲說和無辜鳥的細菌學概念

3　小兒結核病原學的寓言及授乳感染說

4　金元內因病原學的復古

5　元明肺結核病原出於想像的具體說明

五　唐代以來防癆運動的跡象

1　關於接觸患者的佩藥服藥的預防到千金方防癆法的溯源

2　古代積極的防癆的消毒和智識

六　結核病療法的演變之歷史過程

1　明末大氣日光療法和轉地療養

2　高價蛋白質葡萄糖鈣劑的應用及其思想源流

3　從晉代强壯療法上而產生的殺癆蟲論

4　明以來的營養療法及王清任喚起抗力的思想雛型

結核病在中國醫學上之史的發展

一 關於結核病觀念的最古的記載

1 內難虛勞之漢以前學說的反映

中國最早的關於結核病的記載，雖無明文可考，但相近於結核病的，有內經所載虛勞之症。素問玉機眞臟篇說：

大骨枯槁，大肉陷下，胸中氣滿，喘息不便，內痛引肩項，身熱脫肉破䐃。

下條又說：

大骨枯槁，大肉陷下，肩髓內消。

余雲岫先生中華結核病觀念變遷史中，認爲內經所述，已包括了肺結核的證狀，他說：

上列之證，凡慢性衰弱諸病，皆可有此現象。惟內痛引肩項，則近於肺結核。蓋肩胛緊張痠癔，實爲肺結核常有之證。而肩髓內消，王太僕以爲卽缺盆深，缺盆者，鎖骨上窩也。肺尖痿縮，則窩陷入，故此亦似近於肺結核。然究非肺結核特有之證也。

再看靈樞玉版篇說的：

欬脫形，身熱，脈小以疾。

還有難經的虛損之候，其論至脈之病，都頗有結核病的可能。十四難說：

從上下者，骨痿不能起於床者死。從下上者，皮聚而毛落者死。

對於靈樞所列的勞證，以及難經所說的離經奪精的脈搏，余雲岫先生認爲這已夠描敍出肺結核的主徵。至於難經的至脈，他說：

所謂至脈者，其脈速，損脈者，其脈遲。……今察其證候，曰皮聚毛落，曰血脈虛少，曰肌膚消瘦，曰筋緩，曰骨痿，皆是衰弱之狀。……今結核病之特徵，其脈多速，在難經爲屬於至脈一類，其骨痿筋緩等證，雖亦可勉强附會，然究非結核之特徵，不能謂其專指結核，但謂結核亦在其中，則可耳。

在這幾則較早的史料之外，稍晚的有東漢張仲景金匱要略的虛勞。當然，這虛勞雖也爲慢性衰弱病的總稱，但同樣的含有結核病在內。而在歐洲古代所稱 Phthisis 或 Tabes爲癆瘵之意，蓋亦同於仲景之虛勞。例如虛勞說「盜汗，」說「馬刀俠癭，」據尤拙吾引李氏，說挾癭是瘰串，這就與結核病相關連了。

2　由認識勞損的類別看漢魏以下結核病學之發展

漢時醫家既知道以瘰癧屬之於有盜汗的虛勞，則謂已認識其爲結核病之類，不言可喻。然陳方之先生著急慢性傳病學篇論結核病名，以爲唐人未知瘰癧爲結核性，這話似有於所見。他說：

中文結核二字，是日本人從 Tuberculosis 譯出來的，並非爲日人所創造，其來源則出於中文唐王司馬外台祕要中，有瘰癧結核的名稱，在當時未知瘰癧爲結核性，故未嘗入於虛損勞瘵的一類，所謂結核，不過爲瘰癧的形容詞；而日人以其與瘰癧相連，蓋因而觸機取義，乃採用之。至於中國原來的病名，古時稱作虛損，虛勞，隋唐時代，添上種種病名，即骨蒸，傳尸，尸疰，伏連，勞極等，均爲形容急性奔馬勞的名詞；宋以後，又多稱作虛損癆瘵，或作虛勞，而骨蒸傳尸，偶或用之，其他雜名，均不用了。

其實王司馬外台祕要引崔氏別錄，已載屬於結核性的無辜的症狀，爲「腦後近下兩邊有小結，多者乃至五六」及「無辜頭乾瘰癧」等語。蓋自漢以來，中土醫家早已認出瘰癧結核爲癆極之症。而勞極，骨蒸，傳尸，尸疰等名，其孳乳衍變，則關涉音韻訓詁小學，故於釋名必須個別提供以明確之概念，此固當望之對漢學研究有素之人。說詳本文第二章第三節及第三章，茲不贅述。

考中土醫學之史的發展，兩漢時代，其辨症演繹，頗有較高水準的成就，因之結核病學，演變至於東漢，醫家立說雖不十分明確，但似亦頗能認出它的類別，分析亦漸漸清楚。如張仲景在虛勞的盜汗、及馬刀、俠癭以外，就別有肺痿之說：

寸口脈數，其人欬。……肺痿之病，若口中辟辟燥，欬卽胸中隱隱痛，脈反滑數，此爲肺癰。

所述症候，很像是肺癆。又華元化中藏經論四虛症候：臟虛似慢性胃病，腑虛似慢性腸病，下虛似腎臟病，惟其似心臟病的上虛的一條，有語聲嘶嗄的見症，略近肺結核；引錄於下：

頰赤心忪，舉動顫慄，語聲嘶嗄，唇焦舌乾，喘乏無力，面少顏色，頤頷腫滿，

欬嗽不止，或胸膈脹悶，或肢體疼重，或肌膚消瘦，或飲食不入，或吐利不止，或吐膿血。

范行準先生說以爲這是屬於喉頭結核之類的證象。又中藏經另載有傳尸，與肺結核相近：

這都是相同於肺癆的證狀。中藏經世稱出自華佗，但實際是一部僞書。今按中藏經一卷，書錄解題稱：靈應洞主少室山鄧處中自言爲華先生外孫，莫可考也。清陽湖孫氏重刻本三卷序云：此書因夢得於石函。又云：文義古奧，似是六朝人所撰，皆謂其依託也。我初亦以爲這至少可以反映出六朝以前的醫家對於肺結核病認識的正確的程度。後來據范行準先生說：孫星衍的話，是靠不住的，中藏經一書，是北宋人所僞託，實無疑義。那我們應該把它移到第十世紀以後，該是沒有問題的。

3 結核病發生史之比較的研究

古代醫家對於結核病的明確的觀念，我們再找不出更早的文獻了。有之，當從內經開始。內經本來也是託名黃帝岐伯的僞書，但據歷史家的考證，大約爲秦漢時方士的作品。至少不能晚於西漢。而范行準先生却又有不同的意見，他說：「今行的黃帝內經，最早不會超過東漢的，而六朝以至北宋初年仍繼續有人把話依託上去。」但他也承認我所說的多少還保留了一部分上古醫學的思想，或者有着先民醫學遺產的承傳那些話。余雲岫先生的

話很對：

我中華國於天地四千餘年，斯疾之萌，遠在前古，先民之思想，頗有可驚喜者，載籍極博，散在各處，淹沒不彰久矣，雖有一二薈籍，如醫統圖書集成之類，裒集舊聞，略成條貫，然乏明劃之界說。

陳方之先生論結核之病史及舊醫學之回顧，名史考證，也都持相同的論點。

結核是與人類相終始的，故無論那一個民族，上古時代已有結核病，究其起源何從發生，何地，都不可考了。至於結核的研究史，則亦無論何國均知之甚早，其在歐洲，Hippocurates 氏的醫書已詳細說及 Phthisis，無疑地是結核病的一部份現象，與我國舊醫學之說虛損勞瘵骨蒸等病名相合，但到了十八世紀的下葉，歐洲的科學漸漸注重於實驗。

總絜的一句說：我國的結核是與文明各國同樣，有史以前即有其病，故其發生史不明。

希波克拉底斯（Hippocurates）為公元前五世紀時人，已知有肺結核之症，故這種「斯疾之萌，遠在前古」的看法，確有見地。

二　古代關於各部結核病之同源的認識及回顧

1　肺癆·喉頭結核的文獻

至於研究史，漢以前名曰虛勞，是指一部分慢性結核而言，晉唐以後有尸注、骨蒸、伏連等病名，以形容奔馬癆及早期浸潤等急性肺結核，可謂認識較廣。

陳方之先生急慢性傳病篇各論云：

但是，我覺得漢代以前的醫家在許多慢性衰弱病中，是已能注意到結核病的，而對於結核病，很早就體認到肺癆方面。靈樞玉版篇說：「欬，脫形，身熱，脈小以疾。」余雲岫先生稱之為「此則真近於肺癆矣。」張仲景於虛勞之外，另立肺痿之說：

又說：

寸口脈數，其人欬，口中反有唾濁涎沫者何？師曰：肺痿之病。若口中辟辟燥，欬即胸中隱隱痛，脈反滑數，此爲肺癰。

欬唾膿血，脈數虛者爲肺痿，數實者爲肺癰。

可見東漢時的醫家不但能認識肺癆，而且還能鑑別相同於肺癆症象的其他的肺部疾病。像仲景既知道咳唾膿血的肺痿，更分析出同樣有着咳唾膿血的肺癰。這說明他已相當的劃明了肺結核的界說。

隋代巢元方病原候論所敘五蒸中的骨蒸，可以說就是肺結核的證候：

夫蒸病有五：一曰骨蒸，其根在腎，旦起體涼，日晚即熱，煩躁寢不能安，食無味，小便赤黃，忽忽煩亂，喘細無力，腰疼，兩足逆冷，手心常熱。

王燾外台祕要將骨蒸勞熱，列入尸注門，而尸注即屬於肺癆之類。王氏更於尸注門引據諸家之論，如廣濟即以骨蒸肺氣連言：

骨蒸肺氣，每至日晚，即惡寒壯熱，頰色微赤，不能下食，日漸羸瘦。

既說是骨蒸肺氣，則其症候必還有欬逆等，故極有肺結核可能。張文仲骨蒸諸方案語亦云：

骨蒸苦熱，瘦羸，面目痿黃，嘔逆上氣，煩悶短氣喘急，日晚便劇，不能飲食。骨蒸，欬出膿。

也都是指肺癆而言。至蘇遊論更以古之肺痿，其病與骨蒸同源，而以虛勞、骨蒸、肺痿、傳尸，併爲一談。醫學上之言肺結核病，至唐人蘇氏，可謂已得到明確的定論了。

北宋人僞托的中藏經說肺病「語聲嘶嗄，」「喘乏無力，」這樣的症狀頗似喉結核。李中梓醫宗必讀說：

癆症聲啞者死。

則明人已認識喉頭結核的危重。李氏並論虛癆的死證有：「一邊不能睡者死，」「大肉去者死。」又論脈法：「久病沉細而數者死。」這種預後的判斷，都是很合乎近代學理的。

2 勞極的訓詁和結核性肋膜炎

A. 由方言看勞極的音義到金匱肺痿

仲景金匱要略指明「欬即胸中隱隱痛」，在肋膜炎和肺結核的聯繫上，不能說這種症象和肺病無關。而肺結核常有之證的肩胛緊張痠憊，在去古未遠的內經裏就已將「內痛引肩項」屬之虛勞。諸病源候論，其虛勞咳嗽，很可視為肺結核病：

虛勞而欬嗽者，臟腑氣衰，邪傷於肺故也。久不已，令人胸背微痛，或驚悸煩滿，或喘息上氣，或欬逆唾血。

這也說是「胸背微痛」。外台祕要引蘇遊之論：

假如男子因虛損得之，名為勞極，吳楚云淋瀝，巴蜀云極勞。

則唐以前，勞極亦名淋瀝。據晉代的葛氏肘後方所論屬於結核的尸注鬼注有這樣的話：

大約使人寒熱淋瀝，怳怳默默，不的知所苦，而無處不惡，積年累月，漸就頓滯，以至於死。

好像淋瀝是從結核病之消耗性的熱型而得名的。然靈樞寒熱篇有「寒熱瘰癧」，疑似即淋瀝，蓋同為L聲母！

B. 古代肺痨觀念與肋膜炎的聯繫

根據這個考證，就可以推論漢時所稱欬引兩脅下痛，可能和肺病有關。素問欬論篇說：

肝欬之狀，欬則兩脅下痛，甚則不可以轉，轉則兩胠下滿。

脾欬之狀，欬則右脅下痛，陰陰引肩背，甚則不可以動，動則欬劇。

這很顯然接近肋膜炎的證狀，基於古代已有之肺癆的認識，則對於結核性肋膜炎的症候，或者也會有這種觀念存在。

淸康熙時陳遠公著石室祕錄，有所謂縛治法論肺癰開刀。說是：

縛治者，乃肺中生癰，必須開刀。有不可內消者，必其人不守禁忌犯色而變者也。毒結於肺葉之下，吐痰即痛欲死，手按痛處，亦痛欲死。此等肺癰，必須開刀。將病人用綿絲繩縛在柱上，必須牢緊妥當，不可使病人知。手執二寸之刀，令一人以涼水急澆其頭面，乘病人驚呼之際，看定痛處，以刀刺入一分，必有膿出。如柱上，乃解其縛，任其流膿流血，不可以藥敷之。後以膏藥貼之，不可遽入生肌散。三日後加之可也。此縛治之法也

按結核性肋膜炎如遇有其他病原體自氣管枝吸入而合併時，則其瀦積的滲出液，往往有帶血性膿性者。此條話近誇詐。雖不必近似肋膜結核，然知用手術開刀排膿，以治肺部疾患，實爲一不可漠視的文獻。中土外科醫學的大手術，雖然很古就有，而肺部的開刀治療，似乎以此條爲僅見。這眞是治肺史上一段有趣的史話。據范行準先生明季西洋傳入之醫學一書，那末陳氏所記載的療法，似未免受了西洋醫學的影響。

（未完）

屠蘇酒

魯陽子

歲月易得，又快要到一九五一年的元旦了。在隋唐之際，新興了元日飲屠蘇酒的風俗。說：在這一天長幼早晨飲了屠蘇酒，可防一年的疫病，以代從前的椒酒。我說隋唐之際才有此風，不免有人拿梁宗懍荆楚歲時記來反對，是的，元日飲屠蘇酒的最早記載，當推荆楚記。這書所說「今人進屠蘇酒，膠牙餳，蓋其遺事」的話，這證明齊梁時已有此風。但宋趙彥衞雲麓漫抄所見的荆楚記，並沒有這一條，而隋杜臺卿的玉燭寶典，今尚傳有日本的卷子本，雖是殘本，但第一卷正月尚完整無缺，也沒有元日飲屠蘇酒這一條。至字書如魏張揖廣雅廜廯僅作菴解，到了唐人廣韻才有菴名，酒名之別。

在醫書上記載屠蘇酒之方的，首見於千金方和外臺秘要二書，宋本外臺卷四引廣濟方作瘏蘇酒，方後注云：「經心同」。下又有小注云：「千金延年有防風十二銖」。醫心方卷十四引玉箱方也載此方，玉箱方，經心錄等書，都是唐人方書，但明刻本的外臺秘要，却引作肘後方和小品方，這都是東晉人的書，因此淵雅如日人丹波元簡作的屠蘇酒考，引書數十家，全文二千餘字，（文附醫賸之後），但他也根據了這，而下魏晉已有此風的結論。

「屠蘇」兩字的原意，我據宋本外臺秘要引的廣濟方及醫心方引的玉箱方，知道是由服法而得名的。廣濟歲旦瘏蘇酒方後的服法云：

平曉出藥，浸酒中，屠蘇之，向東戶飲之。

玉箱方引此方文字雖稍有同異，但「屠蘇之，向東戶飲之」八字却是完全相同的。由此，我們可以證明屠蘇酒是由於服法而得名的。我感到前人那些從文字上來解釋它，都是多餘的。

但「屠蘇之」三字究作何解？一時很難斷定。我很疑心為「姑蘇啄摩耶啄」的簡語。「姑蘇啄摩耶啄」即解毒咒也，蓋為梵語。所謂「屠蘇之」，即「咒之」的意思，有如荆楚記引董勛說：「歲首用椒酒，咒飲之」之義。

所以我很疑心元旦飲屠蘇酒是西域傳來的一種風俗。可惜我不諳梵語，這一假設不能說是正確的，但總比前人所考證的為近於原意了。

一九五〇、一二、二六。

曼公事跡考

丹徒 章次公

一 引言

余爲明季遺民醫徵略，其中志節不乏可驚可愕可歌可泣者。然至錢塘戴曼公笠則不僅奇節偏砢感動心目，而其事之奇，其學之博，又非餘子所能比驂方駕者。然以如此人物，吾國史家宜有專文載之，而三百年來名氏翳如，尤其在吾國醫史及佛教史書學史上，並有相當地位如曼公其人者，而近代學人，除康熙時玉几山房聽雨集卷上，佩文齋書畫譜卷四十四並引桐鄉志外，渺無一字及之，不可謂非史氏之闕失矣。

二 曼公之籍貫

戴笠字曼公，明末錢塘人。國亡後寓嘉興濮院鎮，爲醫人。鄉居九年，始乘桴浮海至日本，剃染爲僧，易名性易，號天外一閒人。在醫學上傳痘科於彼邦池田正直，卓爲大家。自後，池田氏以痘學世其家，而佛學上之臨濟宗，書學上之王學，胥有地位。故日本之醫學史佛教史書學史並著其名，而吾國不僅醫學史上不著其人，即書學史上，亦罕有及之者。

不寧惟是，即偶有一二地方志書及詩文之類，稍有記錄，亦多錯誤或失其詳。蓋其時有二戴笠，並爲遺民，並爲僧人，時人弘博如朱竹垞曹倦圃之流，即已誤二人爲一人矣。

關於中國方志，雖有涉及曼公，多不翔實，如淸胡琢濮院紀聞云：

戴笠字曼公，杭州人。能詩，工篆隸，潛究素問諸書，嘗懸壺於鎮北横街。崇正（禎）中浮海至琉球，後其子訪之，彼國造祥麟院以居其父，尊爲戴夫子，隔水通問，乞父同歸，不許，其國厚貽其子而還。（錢淮濮川所聞紀卷三引）

此尚不知戴笠至日本也。惟嘉興府志謂崇禎末楚蜀亂，慨然曰，「此非君子避世時耶」？遂從番舶人航海至日本，不知所終。所云因崇禎末楚蜀亂而乘桴於海，蓋有所諱也。且其正確年月，及至日本後之行誼，依然不詳；雖民國初年濮院鎮人夏辛銘專攻鄉邦文獻者，仍僅能依據舊志；故夏氏在民國十六年出版之濮院志仍據所聞記中文字而不能有所增益也。至光緒桐鄉縣志據舊志並參紀聞混吳江戴笠而一之，更不足據也。說見下。

雖然，就余所知中國人知曼公至日本後剃染爲僧者，似獨有盛文焯也。文焯在其父楓（丹山）所輯嘉禾徵獻錄卷四十七曼公傳下作注，引釋本黃濮淙傳曰：

濮淙字澹軒。……淙四歲喪母，後母視之虐，弗令讀書，遂棄舉子業學詩。中歲賈於吳江，僑居山塘，所交皆名人碩彥。著澹軒集十一卷，百幻詩一卷。西泠戴笠浮海至日本，剃染法名性易，自號天外一閒人，向與淙友善，喜其詩，迨日本國王於江戶建祥麟院居之，遂以淙詩集刊行海外。

釋本黃未知何許人，疑其亦屬乘桴渡海至日本之釋子，今亦不詳。濮淙傳出於本黃何書中。至曼公所刊澹軒集百幻詩二書，未知存佚，今惟有濮州詩抄中有濮淙澹軒集一卷，視曼公所刊之書，不逮十之一也。（四庫著錄有澹軒集二種，一爲宋李呂撰，乃從大典中輯出者，一爲明馬愉撰。）

三　杭州戴笠與吳江戴笠

朱彝尊明詩綜云：

笠初名鼎立，字則之，改今名，更字耘野，又字曼公，吳江人，縣學生。（卷七十九）

此以吳江戴笠混錢塘之戴笠而一之。竹垞靜志居詩話卷二十所引戴笠之詩，當然亦屬吳江戴笠也。他如曹溶明人小傳卷二十四，陳田明事記事詩辛集卷十六，卓爾堪明四百家遺民詩卷十七等，均有曼公傳略，然其里第，悉系吳江。詳朱竹垞彝尊，曹倦圃溶並爲淸初之秀水人，論時間與二戴眉睫相接，而記載鄉賢名德，刺謬如此，可謂鹵莽滅裂，無知妄作者矣！

由於淸初朱曹諸人混錢塘戴笠，吳江戴笠而一之，故光緒桐鄉縣志惑於竹垞諸人之紀錄，遂奮筆改易舊文，併二人而一之：

戴笠字耘野，號曼公，吳江人。能詩、工篆隸、潛究素問諸書，懸壺於濮院鎭之北橫街。卷十九人物下寓賢類九。

而同書藝文載忠義事蹟，殉國彙編下按語云：

府志同時有兩戴笠，一字曼公，錢塘人，寓秀水，一字耘野吳江人，徙桐鄉，而明詩綜云：笠初名鼎立，字則之改今名，字耘野，又字曼公吳江人，縣學生。是耘野曼公實是一人，詩述依詩綜作一人，今從之。卷十九

可知光緒修桐鄉縣志者，其鹵莽滅裂，本諸竹垞矣。

按嘉興盛楓嘉禾徵獻錄明著二戴之事曰：

戴笠字曼公錢塘人。能詩、兼工篆隸，爲諸生、潛究素問諸書，寓秀水之濮院，崇禎末，楚蜀盜起，笠知時事方艱，有塵外之志，慨然曰：「此非君子避世時耶？」遂從番禺人航海至日本不知所終。

此記錢塘戴笠，其文蓋據濮院記聞者，又記桐鄉戴笠曰：

桐鄉又有戴笠初名鼎立字則之，改今名，字耘野，本吳江人。國破棄諸生爲僧，久之，返初服，隱朱家村。考甲申以後爲殉難彙編，又作寇志，紀流寇始末，以年月編次，此二戴皆奇士也，而又同姓同名同時。卷四十七隱逸。

盛楓紀二戴之事，蓋據舊府志者，而吳江戴笠則有諸稿坤所作高士戴耘野先生祠堂記見碑傳集補卷三十六備述棄海後耘野志節之事，由此觀之，二戴之事灼然判矣。

光緒修桐鄉縣志藝文類，以忠義事跡，殉國彙編屬之錢塘戴笠，不辨其爲吳江戴笠，抑爲錢塘戴笠所作，而日本木宮泰彥中日交通史（下册三八五頁）又以吳江戴笠所作永陵傳信錄，流寇編年，殉國彙編等書屬之錢塘戴笠，是木宮氏亦惟知耳學，不解目驗，故有此附會之說耳。據明季紀事與甲乙史附錄耘耕之書除前引者外，尙有聖安

譯法，行在春秋（案行在春秋爲黃宗羲撰。）魯春秋（案此書爲查繼佐撰，今在適園叢書第一集。）流寇長編，思文紀略，思文大紀，（案大紀有痛史本，不著撰人，楊秋室集云：「是書一名三山野錄，又名思文紀略，」則大紀、紀略實一書也，今尚行流行者。）甲乙史，晚明史籍考尚有殉國外編，骨香集，耆舊集，發潛集等可證前人之謬妄也。

案明末兩戴笠事與宋天聖中兩張先子野相似，見淸人張宗橚詞林紀事卷四引齊東野語。然二戴雖同姓同名同時同地，同爲詩人，同爲諸生，同爲遺民，同爲僧人，同有奇節，翻徧古今同姓名錄等書，其行誼事跡相同，無二戴若者，其易爲後人迷離莫辨固矣，然同中固有不同者在，原籍既異，在故國時一爲錢塘秀士，一爲吳江諸生，而宗國淪亡之後，一則蓋遯海外，落髻異國，一染緇舊邦，旋反初服；一則殷殷於活人度世之心，一則孜孜於闡幽發潛之業，是寒松幽壑之姿，高引冥鴻之概，志同而迹不同，較然可辨也。

雖然，昔仲尼弟子公孫龍與言堅白之公孫龍，地越千里，歲睽二百，而張守節以爲一人，今二戴事跡相類如此，則學者誤爲一人，曷足異乎，吾人推迹中日學者所以混二戴爲一人之致誤原因，蓋有二端：一爲錢塘戴笠自國亡東渡後，國人不知其事，故名在故國不著，而以當時適有同姓名之吳江戴笠亦在桐鄉，以詩名顯於士大夫間，爲竹垞僾園諸人所知，因疑舊史所記錢塘戴笠之籍貫有誤也，故逕改之。二在日本以醫學佛學書學喧在日人之口，而耘野之名在彼國寂然無聞，故木宮泰彥之流，又惟知錢塘戴笠不識吳江戴笠，遂以耘野之著作，歸之曼公也。

四　日人所記之曼公行跡

曼公渡海後之行跡，既非中土學人所知，故考其渡日後歷史，勢惟有求之日人著作。案康熙桐鄉縣志僅言曼公乘桴入海，不知所終，非有嫌諱，卽眞不知其浮海後之行迹矣。濮院紀聞則言其渡海止於琉球，疑亦有嫌詞。蓋二者胥不知其所終之地也。又知其醫矣，而不知其所擅之科，知其爲僧矣，而不知其所屬之宗，且其渡海之年，抽簪之日，與其學在日本之影響如何，則吾國之文獻不足徵也。故不得不求諸日本所遺之載籍矣。然予於役刀圭，又對海外交通未復之今日，不能盡得所需之文獻，茲僅就所知者疏記如左。

流寓日本之歲月　先哲叢談續編云：

曼公歲向五十，天下騷擾，滿目虜塵，不勝慘憤。乃往長水之語溪，晦養蹤跡，時有粵人招致曼公乘桴於海，快滌煩襟者。己巳（清順治十年公歷一六五三）上春發帆，三月直箸崎嵜，是爲承應二年（一六五三）鎮臺橘正述（甲斐庄喜請淹留於此馳書上右衛門）乞曼公在崎一年辭歸，是爲蹈海之一年矣。翌年甲午（一六五四）七月僧隱元應徵聘東渡，將大振錫黃檗宗旨於此土，曼公歎曰：「將至耳順，命有幾何，矢心脫白，以畢殘喘，」狀求出家，乃歸之薙髮。……曼公隨隱元總七年辭歸崎嵜，寓於興福寺，或居福濟寺，或寓廣壽，而數省隱元不減其初。寬文十二年（康熙十一年一六七二）壬子八日，省於菟道，而還，途中病起，……春秋七十七。……侍者護葬於菟道。卷一

關於曼公之行狀，其日本弟子高天漪尚有曼公墓誌，惜一時無從得見，據富士川遊日本醫學史亦有曼公傳略，茲摘譯如次：

戴曼公名笠，杭州仁和縣人，父某，有善行，母陳氏，六產而獲七子。其產雙男，曼公即其一也。實生於萬曆丙申二十四年（一五九六）天資穎悟，幼習舉子業，早登黌序，然不喜時文，年三十，未能爲詩。一日社友逼曼公賦詩，即應聲云：「我來溪頭坐，溪月留我宿，」祗二句，衆皆稱嘆。嗣後爲文下筆沛然，藻思秀發，洗盡糟粕，不襲陳言，年五十，北虜陷明廷，恥人心盡死，棄儒隱於醫，偕妻子鄉居九載，終至我國長崎，時承應二年也。（第八章江戸時代之醫學）

李世·痘科 p.472

富士川氏所據，疑出高天漪所爲曼公墓誌，及先哲叢談續編卷一，杏林雜話，淇園文集等書。先哲叢談續編引曼公詩，不止二句，其下尚有「晴景十分清，江山競俊秀」二語，說見後。吾人讀富士川氏之書，知曼公習醫實在明亡之後，此與傳青主李延是高鼓峯之流相似，吾人又知曼公流寓濮院有九年之久，後始出亡日本之長崎也。凡此記載，皆爲我中土書中所未見者。

五 曼公之醫學

甲 痘科

曼公之醫學，在我國方書所載，僅爲在濮院之北横街行醫而已。至其受授之源，精於何道，當未詳也。按曼公之醫學，獨精痘科，據日人記載實受學於雲林龔廷賢。杏林雜記云：

曼公杭人，小學舉子業，遊黌舍。時雲林龔廷賢年八十餘，尚强健爲醫，曼公從之遊，盡傳其術，明亂棄儒冠而隱焉；後歸我，在長崎應吉川氏之請，往來於長防之間。

先哲叢談續編云：

曼公嘗謂術同道廣，治不視方，濟人及物，內外本行。應機臨變，儒釋活路，方技又然，最長痘科。卷一

辻善之助中日文化交流史話亦云：

歸化之獨立，初名戴笠，字曼公，後從隱元之勸，改名獨立，此人於醫學上之功績頗爲顯著。深見玄岱、北山友松、池田七兵衛政直等爲其門下之錚錚者。其中以池田七兵衛爲最著。曼公自來至長崎以後，住周防之岩國。因其地與其鄉里吳國相彷彿，故長年滯留於此處。於其時，吉川氏之臣池田七兵衛，自曼公傳授治痘之術，傳受之，以爲其家法。至其孫池田瑞仙而名譽大著，遂列醫官（池田家治痘術傳來）。曼公所著痘科鍵一書，最爲有名。以此，池田流之治痘術爲本由於此。後清朝時代所輸牛痘之書，痘科之研究，漸進牛痘種苗法，在我國始有人加以研究，此種種痘之法傳來於我國，遠在西洋種痘法傳來之先，縱令在施行的普及方面，不

痘疹百死形狀傳
明 戴曼公 口授
日本 門人 周防 池田正直筆記
玄孫瑞仙再校
凡痘現一點血之日，以爲大極之根元，第二日……

湯溪范氏藏

足以徵證此事實，但此事實至後日西洋種痘法之傳來時，作成容易接受此種種痘法之張本，這是不容爭議的，而此種張本實爲曼公之所開創。一五九頁。

曼公痘科之書，據日本醫學史所著者，有如下九種：

痘疹百死形狀傳一卷

太極傳授一卷

太極傳授異本一卷

痘疹竹舌祕訣二卷

痘疹論一卷

痘疹竹舌圖訣一卷

唇舌口訣一卷

痘疹口訣一卷

曼公先生痘疹唇舌口訣卷之上

湯溪范氏藏

乙　本草

此並可見曼公之精於痘科也，然據淇園文集有書唐僧獨立批書本草綱目首有云：

鈴鹿生家藏獨立所貯本草一部，每卷有朱墨書批評，皆其蹟也。……卷一序。

丙　傳人

曼公精於痘學，其傳人爲池田氏。杏林雜話云：

曼公往來於長防間，其臣池田嵩山通稱七氏學書於曼公，曼公審其爲人，因謂曰：「我有治痘禁方書，欲悉授子，子學之三年必臻其妙。」嵩山拜而受焉，遂大著於世。其書大旨淵源於龔氏痘疹全幼錄云。

按日本皇國名醫傳後篇池田瑞仙傳云：

池田獨美，字善卿，通稱瑞仙，號錦橋，周防岩國人。世業痘科，曾祖正直，從曼公受治痘祕訣，作圖說藏於家，子孫傳以爲法。獨美幼孤，叔父詮應教而育之，及長，兼攻大小諸科，以荷蘭外治法，而獨美志在與隆家學。……然甚惜家法，非刺血誓神，誠心祈求，不敢輕傳，而經其指授者，皆見能名於世，蓋痘瘡之方，至獨美而備矣。……卷下

按日本醫學史引池田瑞仙墓誌稱：池田瑞英名大淵，字河澄，號京水，瑞仙之子，性放縱不羈，不能容人，終至多病無子。又有池田晉（柔行）亦入池田瑞仙之門。是瑞仙雖傳曼公之學，亦二世而斬，然其著作據日本醫學史所錄，則父子門人三家之書甚富，今簡錄三家之書如次：

一 池田瑞仙

國學痘疹戒草三卷 戴曼公痘瘡百死決傳一卷 治痘方函一卷 治痘方一卷 痘瘡舌鑑一卷 痘科辨要十卷 痘瘡看病禁戒十六條一卷 痘科鍵刪正補注六卷 戴曼公治術傳一卷

二 池田晉

痘瘡養生決一卷 續痘科辨要三卷 治痘要訣一卷 種痘辨義一卷 古今痘疹類編大成五十卷 精選痘疹良方一卷 痘疹辨疑金鏡錄纂註五卷 祕法痘疹唇舌試考一卷 痘瘡唇舌圖一卷 治痘

痘疹治術傳目次
總論及[illegible]
辨二日三日
辨三日四日
辨四日五日
辨五日六日
辨六日七日
辨七日八日九日
辨九日十日
辨十日十一日十二日

湯溪范氏藏

要方一卷　痘科輯說一卷　痘瘡唇舌祕訣一卷　疱瘡食物考一卷　痘瘡唇舌圖一卷、治痘口訣二卷　治痘論一卷

（三）池田瑞英

痘鑑一卷　痘科要二卷　痘科方意解二卷　護痘要法一卷　痘科鍵私衡五卷　考池田家痘瘡治術口授一卷　祕傳痘科唇舌前傳一卷

案富士川氏書江戶未葉所著錄之痘科書，凡八十三種，而曼公及池田氏三家之書，通計四十一種，蓋佔二之一焉，可謂盛矣！非中士所能及也。其中瑞仙所著戴曼公痘瘡百死證傳，戴曼公治術傳二卷，實曼公口授瑞仙曾祖正直筆記者，富士川氏以爲瑞仙所作，實誤。蓋富士川未睹其書，漫據簿錄家言以實其書也。又皇國名醫傳後篇稱錦橋倘有治驗錄及遺稿等，富士川之書未錄。至池田晉之古今痘疹類編大成，龐然五十卷，其卷帙之繁，亦爲中土醫家所未有，信乎曼公之醫學貢獻於日本之鉅矣！

曼公名既不爲國人所知，是以其書亦尠流故國，近惟湯溪范氏淸約堂藏有曼公及池田氏書數種，並係倭抄本，余幸均得見之，卽痘疹百死形狀傳一卷，痘疹唇舌口訣二卷，並曼公授池田正直筆記。痘疹治術傳一卷，題稱曼公著。據日本醫學史所載，蓋池田瑞仙固有治痘方一卷，知卽瑞仙書也。其中痘疹唇舌口訣，乃虞山針科名醫顧坤一先生戰中得之地攤，舊爲滿淸墨吏盛宣懷所藏，有愚齋圖書館朱印，今歲九月，無意中見行準已有曼公與池田氏書，遂持贈行準，亦藏書家之佳話也。

然池田三氏而後，雖著錄已微，而流傳未熄，行雲樓遺稿有曰：

自夫痘疹流傳於我邦，雖名醫輩出，未有能究其治術者也。而斯人歸化傳治痘術，爾來援受有人，則有功於赤子，宜祠而祭之。蓋赤羽子光治痘之術，受之於先考俊勝翁，俊勝翁授之於池田氏，池田氏之祖受之於斯

人，斯人爲誰？朱明遺民姓戴名笠字曼公，號天間獨立，寓於黃檗山，其傳詳於康熙書畫譜云。卷下書戴曼公書後。

惟赤羽氏之著作無聞，終不及池田家之美盛也。又青囊瑣探之作者片倉元周，亦欽池田氏之學曰：

余嘗著痘疹徵義未上木，寬政初，門人佐藤中節游京師，得痘疹唇舌口訣一本，此書係於黃檗山僧戴獨立號曼公所著，而門人池田正直筆記，曾孫瑞仙所撰次也。余讀之，診候精密，治法詳審，勝於余之撰遠矣。速呼門弟子謂曰，自今一往，欲精乎痘疹治法，舍余而從池田氏學焉，卽以余之草稿本焚之。

其見善如不及之態度，亦非中土後世醫家所及，蓋有感於曼公學行之弘深云。

曼公之醫，痘科而外，亦有傳人。淇園文集題鈴鹿生家藏獨立手批本草綱目而涉及生之世業刀圭實傳曼公之學，有曰：

蓋生家世業刀圭，其祖以皆翁師北山壽菴叟，叟以良善治術鳴於一世，叟乃傳其業於獨立，是故家得傳此書，又傳獨立醫方學之冀雲林皆奇聞也。卷一序唐僧獨立批本草綱目首。

此外高玄岱亦傳曼公之醫學，而獨以書顯於公卿詞客之間，說見後。

按曼公醫學，諸書皆以爲受之雲林龔廷賢，丹波元胤醫籍考卷七十七胡廷訓補遺痘疹辨疑全幼錄下，辨胡書本陸道元之補遺痘疹金鏡錄，而陸書又襲龔廷賢痘疹辨疑全幼錄云云。謂「是說聞之於醫官池田柔行，皆精確可喜，蓋其祖嵩山翁正直，受治痘法於歸化人戴曼公笠，而戴在明嘗從雲林龔氏而講醫術云。其學有所淵源，宜乎柔行之表章是書以詒後世矣。」是曼公在醫學上得諸雲林，蓋衆口一辭矣。

惟余考曼公在故國時之行跡，似不出於兩浙，而廷賢爲江西金谿人，父信以醫顯，官太醫院。廷賢隨父居京，授大醫院目，又因治效，賜「醫林狀元」，足跡似未涉江左，且其序古今醫鑑時，爲萬曆四年，序種杏仙方時，爲萬曆九年，蓋在中歲之後。至撰萬病回春時，爲萬曆四十三年，有名公巨卿且贈言歸里，似又在晚年矣。而曼公生於萬曆二十四年，科目止於諸生，當無北上公車之機會，四十歲後，國亡隱居濮院九年，即去國東渡，故以時間空間言，皆無受學於雲林之可能也。惟余於龔氏行跡，所知甚少，亦不敢決其二人無遇合之緣，記此以爲存疑。

六　曼公之佛學

曼公痛故國之淪亡，慨人心之已死，乃避地日本，以醫濟世，是安身立命，已有歸宿，何故皈依佛門，事隱元歷七年之久，其動機何在，吾人因長崎志及獨立禪師碑銘一時無從搜集，殊難考信，考鮚埼亭集卷七錢忠介公神道第二碑銘稱：錢公殯瑯江者六年，福清葉文忠公之孫尙賢進晟謀爲葬之海寧故職方姚翼明，時披緇海上，力助之，乃乞地黃蘗山僧隆琦而修塋道焉。全紹衣先生且贊隆琦亦異僧，既葬公，棄中土居日本焉。按隆琦隱元字也，爲天童密雲圓悟之再傳，而費隱通容之嗣法傳人，費隱與木陳道忞同門，木陳貫和尙中之無恥小人，日後趨附新朝，貴爲淸僧順治之國師，隱元以順治十一年赴日，事前曾往天童祖庭掃塔，木陳斥隱元不孝，痛撻之，事詳丈雪紀年錄順治十三年，丙午條，凡此記錄，隱元之爲人可知。然則曼公之學佛，意不在爲宗門龍象，而在崇仰隱元之志行高潔，乃北面稱弟子也。隱元爲日本宇治黃蘗山萬福寺開山，二代爲木庵性瑫，三代爲慧林性機，四代爲獨湛性瑩，而曼公雖法名性易，而不與嗣法，蓋曼公雖入空門，仍以醫爲度世具也。杏林雜記曾記其事云：

曼公晚年慕僧隱元，遂爲徒弟，更爲性易，而爲醫如舊，是濟物是佛心，道本廣大，無濟不在。

其言雖如此，曼公不得爲黃蘗之承祧者，恐亦坐是故耳！至曼公薙染後改名性易，字獨立，又號天外一閒人，天外老人等，則爲彼土所熟知，朱之瑜舜水先生東渡後與獨立亦有交誼，獨立著駁三教平心論，舜水稱其不偏不徇，爲儒釋立一標的，固不朽之作也。又執政松平信綱欲聘獨立卓錫江戶，恐獨立不願往，託舜水向獨立勸駕，俱詳朱舜水文集卷四與釋獨立書三通，夫舜水非輕許可人者，於獨立推重如此，則曼公於佛學之造詣，不難窺見一斑矣。

七　曼公之文學

曼公本爲儒者，其文學在故國卽已有名，故方志諸書，並有記錄，而不及日人記載之詳備也。先哲叢談續編曰：

曼公天資穎悟，過目成誦，幼肄擧子業，早登黌舍，（案淇園文集一，亦言曼公爲明浙江杭州府學秀才，以恥虜陷明廷，人心盡死，棄儒隱醫云云。）而不喜時習八股之文，歲二十五，罹府城災，又遭魏竪亂於朝政，竟棄呫嗶，放遊西湖，欣欽山水，比歲三十，未專志韻語，一日諸友使適作詩，卽應聲云：「我來溪頭坐溪月留我宿，晴景十分淸，江山競俊秀。」衆皆敬畏之。自是以後，寄情聲律，長篇巨作，下筆立成，以詩歌名於時。

杏林雜記亦言曼公在長崎逢舊，每喜賦詩，而釋本黃濮淙傳中所言獨立在日本刋濮之澹軒集百幻詩具徵曼公之愛好文學；至其傳人，高玄岱亦其一也。

八　曼公之書法

在日本曼公之醫名，其初猶被書名所掩，故池田嵩山原爲受書法於曼公而去，後始改學醫者，曼名書法，亦如文學在未去國之前，已著名於國內，所謂博學能詩，兼工篆隷者是也。故其名爲佩文齋書畫譜所著錄，自亦有因也。顧今所見曼公之書，惟行草耳。而曼公在書學上師法何人，中土載籍，亦未及之。先哲叢談續編云：

曼公書法出於長州王寵履吉，正鋒遒古，獲其片張隻字者，珍而重之，猶文薑之遺墨，不啻拱璧。曼公以其法傳之於細井廣澤天漪，傳之男灝齋，灝齋傳之澤田東江，向後廣澤，東江雖有異論，至其執管五法，把筆三腕，撥鐙等說，皆淵源於曼公之所授。且用水筆，麝墨，吾土先是無嘗知之者，又流漫於曼公之所敎示云。卷一

按曼公之書法，既本於王寵，寵字履吉，其行楷宗法伯施，而實淵源於逸少大令父子，則曼公之行楷，亦山陰之雲孫也。惟其書法雖傳於細井廣澤天漪諸人，而天漪之名最著。據原善公道先哲叢談載天漪與朝鮮聘使李東郭詩序有云：

東都高玄岱字子新，自號天漪，本中華族，祖渤海福建彰郡人，航海蔭摩州寓焉。後歸明，父大誦跡祖入明，……

殆十有餘年矣。一日，慕母之念不歇，輒登商舶，直到長崎時，寬永六年。父歲二十有七，僕即長崎之產也。從幼師事曼公戴先生者，先生浙之杭州西湖人，明之遺士也。明亡航海寓長崎二十有餘年，僕之親炙也。

卷五

叢談又曰：

天漪自幼有瑰才，其居長崎學於僧獨立，注明傍通醫術，乃以醫事遊薩州，亡幾，去復任長崎，以學藝爲事，久久聲名馳遠邇，遂與室鳩巢宅觀瀾同應天府之召，來江戶列儒員。

關於天漪棄醫而爲藝事，鳩巢席間贈詩天漪有「一復良工醫國手，翻成詩客掞天才」之句。蓋其書法與當時林道榮齊名，時人有「榮死子新獨步天下」之語。又據當時人評語，林與高俱以善草書知名，林筆法無變化，故不及高，然林兼擅諸體，而高非草字不能作，時人以此甲乙二人之書品。然如日本之名儒物茂卿徂徠，震於玄岱之書名，而求與締交，冀得其書也。

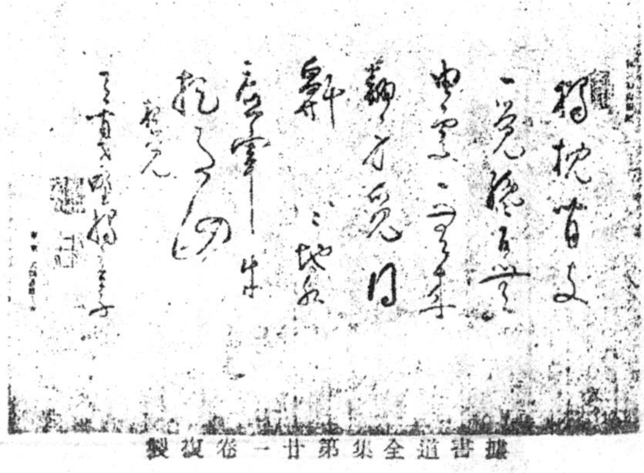

據書道全集第廿一卷複製

由此可知曼公書法在日本地位之高遠矣。且據叢談之言，日本之水筆，麝墨，皆自曼公輸入，尤見曼公在書學上貢獻之鉅也。

論曰：曼公以魯連蹈海之心跡，嘉遯東夷。其弘法與講授醫學、詩文、書法等於彼土，則又類鑑眞上人，是曼公所造於彼土之文化，豈不偉歟。顧彼國自明治以來，與歐美帝國主義者表裏爲奸，先撤我藩籬，繼又寇我腹地，封豕長蛇，相隨塞路，致吾生民罹空前未有之刼，斯豈先賢名德如鑑眞獨立諸人所及料哉！

中華醫學會醫史學會

執行委員會

李濤 主席
王吉民 副主席
余雲岫 副主席
范行準 祕書
朱恆璧 會計
劉永純 委員
金寶善 委員

編輯委員會

*余雲岫 主任
*范行準 負責人
*王吉民 委員
李濤 委員
宋向元 委員
*章次公 委員
陳耀眞 委員
*侯祥川 委員
楊濟時 委員
*劉永純 委員

注：有*者爲常務編輯委員

經濟委員會

朱恆璧 主任
王逸慧 委員
丁濟民 委員
耿鑑庭 委員
蕭叔軒 委員
李濤 委員
余雲岫 委員

尹端模傳略

王吉民

尹端模字文楷，粵之東莞人，生於遜清同治八年九月初六日。其家奉信基督教。父諱維清，爲博羅倫敦會宣教師，早歲入香港皇仁書院習英文，年十五即赴津肄業於直隸總督李鴻章所設立之醫學館，即北洋醫學堂之前身也。光緒十五年畢業，即充海軍醫官，惟以當時主事者對於新醫多所歧視，頗爲不滿，於甲午中日戰事前即辭職回粵，從廣州博濟醫院嘉約翰醫師辦理醫院及醫校，自一八九一至一八九七共計八年，執教之餘，復與嘉氏編譯醫書，其自撰之著作亦富。

氏與孫中山先生交至篤，當中山先生亡命海外之日，其夫人寄居尹氏家中，歷十年之久。中山先生於一八九二至一八九四年曾與氏同賃一室於廣州中西藥局，懸壺行醫，時氏猶兼理博濟醫院醫務也。光緒二十四年氏移港開業，聲譽鵲起，就醫者多富商巨紳，家庭延爲顧問者尤夥。氏於行醫之外，尤熱心教會事業，歷任自理會道濟會堂長老之職。氏深知欲推行基督教義於智識階級之中，唯有藉報章之力，爰有創辦日報之決心，擘劃多時，終於民元問世，定名大光報，在吾國教會中可謂首屆一指者矣。該報創辦十週紀念之日，中山先生適在粵，特親書「與國同春」四字以贈之，可謂殊榮也。

氏不僅爲吾國醫界之先進，且爲新醫期刊始創者之一。世人多知嘉氏於光緒八年曾創辦西醫新報，爲最早之漢文醫刊，而不知純爲國人主編之醫學什誌，當以光緒二十年尹氏在廣州所創辦之醫學報爲嚆矢，祇以當時國人習新醫者寥寥，曲高和寡，故出版不久，即告停刊，殊爲可惜。氏於行醫授徒譯著之暇，雅好收藏書畫及漢醫典籍，所獲甚豐，惜逝世後其家人不知愛護，散失不少，其餘一部份存於杭州西湖自建別墅中，其精品均爲日寇刼去，誠文化界之損失也。

尹氏爲人溫文爾雅，恂恂儒者，通曉國學，善操英語，嘗一度爲香港雅麗氏醫院駐院醫師，光緒三十一年渡英深造，民元香港大學創立，氏爲籌備委員之一，襄贊擘劃，深著勞績。一九二七年，偶攖流行性感冒，竟告不起，享年五十有八，遺夫人及二女五子，其二子留英習醫克紹箕裘，一子爲化學師，一子爲牙醫師。氏生平譯著有病理撮要、胎產撮要、兒科撮要、病症名目、體質窮源、醫理略述等數種。

醫家訓蒙書——五藏論的研究

范行準

一　前記

中國舊有的醫學，向無循序漸進的基礎醫學那一類的書，但訓蒙一類的書是有的，除了陳修園醫學三字經以外，平常我們所習見的醫書，大概不外藥性賦湯頭歌訣之類。更詳細一點的，那便是蕭纘緒的方證聯珠李宗源的醫綱提要，洪金鼎的醫方一盤珠那類書了。至於明李挺醫學入門名義上雖說是入門，實際却是一部繁重的醫書，至於南宋周守忠的醫學蒙求，那更深奥而且是歷史一類書，可不必望文法訓而說它是訓蒙書。其實如其考究這些書的內容，依然是平面的而非梯階的書。所以要眞正了解這類醫家訓蒙書的內容，仍得要讀通了神農本草經黃帝內難甲乙張仲景的傷寒金匱及金元諸家之書，或許才得明白。這也是中醫本身不能科學化的一個證明。

通常我們所看到的有雷公藥性賦解，及珍珠囊指掌補遺藥性賦，都題作元李杲編輯，坊間所出的藥性賦，還有方脈等文字附在上面。我所見的有明錢允治刊本，前有弘治十四年（公曆一五〇七）元山道人序及天啓二年（一六二二）錢氏自序，第一、二卷題李杲編輯，但第三、四兩卷並題鼇峯熊宗立道軒編輯。有的書又都題李中梓之名，我們知道李東垣是沒有做過這部書的。只有張元素做過一部潔古珍珠囊，元杜思敬把它刊入濟生拔粹，寥寥數葉，恐怕是個節本。明隆慶時又有曹灼把它刊入東垣十書（即殷仲春醫藏目錄所載古本東垣十書）那我們可以決定藥性賦是熊宗立所僞託的了。（醫藏目錄有勿聽子東垣珍珠囊一卷）宗立爲明初建陽的書賈，但他自己曾研究過醫、相、星、卜一類的學問，所以他出版的都有關這些部門的書。這好比同光時南京李光明莊刊的醫學提綱一類之書相同。——目的在於牟利。

二　隋唐經籍志所記載的醫家訓蒙書

但這類醫家訓蒙書，決不是元明以來書賈作俑，因爲自從敦煌石室發見五藏論後，我們已得到它的線索，遺在隋唐時代,已有這類書了。所謂醫家訓蒙書者,是指隋唐經籍志醫家類五藏論一類之書是也。現在且把隋唐諸志有關醫家五藏論之書錄出於下:

五藏論一卷 隋志舊唐志同
亡名氏五藏論一卷 舊唐志
五藏論應象一卷 吳兢撰 新唐志
五藏論一卷 裴璡撰 新唐志
神農五藏論一卷 崇文總目
黃帝五藏論一卷 崇文總目
張仲景五藏論一卷 崇文總目
耆婆五藏論一卷 崇文總目
五藏論一卷 張尙容撰 崇文總目
小五藏論一卷 不著撰人 崇文總目
連方五藏論一卷 不著撰人 崇文總目
諸家五藏論五卷 通志藝文略
玄女五藏論一卷 藝文略
岐伯五藏論一卷 菉竹堂書目

案隋志引七錄有五藏決三卷,不著撰人,這是診病之書。素問五藏生成論說:「診病之始,五決爲紀。」王注:「謂以五藏之脈,爲決死之紀綱也」。故隋志七錄入於辨病形證下可知。丹波元胤醫籍考卷十六把它入于藏象,這是錯誤的。

這類書宋時尙有流傳而且尙有託古僞製的。所以隋志僅有五藏論一家,舊唐志載一家,新唐志則有具名的一家了。可是宋王堯臣崇文總目鄭樵通志藝文略等簿錄之書,却有託名神農黃帝岐伯玄女張仲景等人的五藏論一類之書。這與坊間刊行的藥性賦解者相同。眞如淮南子所說的爲道者必託諸神農黃帝而後入說了。

五藏論一類之書,雖有如上述數家,但多已不傳了。一般人所能知道的似乎僅有宋陳自明婦人良方引之。今不如證以敦煌發見的五藏論殘卷,及尙不爲國人所知的朝鮮醫方類聚中的五藏論,眞不能明白它的內容了。我們所知敦煌藏的五藏論與醫方類聚中引的五藏論實卽耆婆五藏論,其內容乃一醫家訓蒙之書。隋唐以下簿錄所著錄的五藏論雖不能說它的內容全與耆婆五藏論相同,但內容同屬簡單的醫書,可無疑義的。

本來,我發見五藏論爲古時的醫家訓蒙書之一,也是偶然的。一九三九年前北平圖書館出版的圖書季刊新二卷四期,有袁同禮先生的國立北平圖書館現藏海外敦煌遺籍照片目錄醫家類有巴黎國民圖書館藏的明堂五藏論一卷四頁注「放大照片。」當時沒有機會去探悉它的究竟。

一九四二年我承北朝鮮金泰斗先生向其國故太傅洪宅柱先生借得其家藏朝鮮醫方類聚（此爲美濃紙本乃日本嘉永五年（公曆一八五二）江戶醫家喜多氏用活字版翻印由日本政府送給朝鮮政府的日亡朝鮮後遂歸於洪宅柱家）一書，歸，輯得類聚中所引的五藏論一卷，校以婦人良方引的五藏論，才知是耆婆五藏論。一九四三年，余雲岫先生長中國醫藥研究所，叫我担任文獻室的工作，我即向余先生建議，到當時的北平圖書館複攝敦煌藏的醫書照片，後來託趙萬里先生攝歸。其中巴黎藏的二七五五號的醫書，袁同禮先生擬爲藥性歌訣，因爲我已從醫方類聚中輯得的五藏論，校核之下，定爲耆婆五藏論，袁先生的擬題，是錯誤的。抗戰勝利後，袁先生來上海參觀中華醫學會圖書館，順便到寒齋看我的書，我便將這錯誤告知他了。

三　五藏論的內容

敦煌本的五藏論殘卷，起於「和使還須白芷，」終於「徒勞喪命者矣。」計存五十二行又二個半行。持校從醫方類聚輯出的五藏論，頗多違異。今將校記另詳於後。

我從醫方類聚中輯出的五藏論，核以崇文總目所載的卷數，大概已爲全帙了。我把這書定爲耆婆五藏論，是根據陳自明婦人良方卷十妊娠總論第一所說「又五藏論有稱耆婆者」的話，丹波氏醫籍考亦云。

按醫方類聚所載五藏論篇首生育說，與陳氏婦人良方所引同…… 且有黃帝爲醫王，耆婆童子，妙述千端，又稟四大五常，假合成身等語，則所謂託名耆婆三藏者，而崇文總目所載是也。……卷十六藏象

敦煌本的五藏論和醫方類聚的五藏論，同屬一書——耆婆五藏論，大概已無問題了。至其成書年代，雖然不能確定，但書中有：

雷公妙典，略述炮炙之宜，弘景奇方，備說根莖之用。

弘景是梁時人，且其書有避唐高宗諱，及有底野迦之名。（底野迦即雅片，首見唐蘇敬新修本草）知它不會是唐高宗以前之書了。

五藏論全書雖然不滿五千字，但它的內容，已包涵了如下的幾個部門：

一　胚胎學　二　生理學（五藏六府）　三　病理學　四　診斷學　五　藥理學

全書文體則有如下幾種：

一　散文　二　詩歌五言　三　賦

我們看了一本不滿五千字的醫書，居然包涵了基礎醫學，和應用醫學；而所用的文字，又包涵了散文、詩、賦之屬，眞够得上醫家的訓蒙書了。如其從它的內容看來，今日通行的藥性賦歌及湯頭歌訣一類的書，僅得其偏而不得其全，只有坊間流行的湯頭歌訣及醫學提綱一類的書，差可望其項背，在朝鮮有方藥合編亦屬此類之書。不過在它所用文字方面而言，依然遠不相及，因爲五藏論全書不滿五千言，而包涵的內容却相當的完備。這種編製的方法，可說極其經濟的。象湯頭歌訣那類的書，動輒數萬言，這不是上了年齡才去學醫的人記憶力所能勝任的。這樣，我們便不能不佩服做五藏論的人編輯手腕的高强了。——雖然，從形式上言，五藏論似從各書中拚湊而成的。

我們再從五藏論一書思想內容去研究它，覺得此書雖然是託名耆婆，但實際思想，還是不出素問及六壬一類之書，譬如開篇胎教的話，是取義於產經（醫心方時引其書）而藏腑相配說，是取於素問，六神配五藏，則用螣蛇、帝王、將軍、尙書、列女、大夫等六神，即六壬家的話。記得唐孫思邈千金方第一卷太醫習業中，孫氏有教人學醫的這幾句話：

又須妙解五行陰陽，祿命，諸家相法，及龜灼五兆，周易六壬，並須精熟，如此乃得爲大醫。（據眞本千金方引）

耆婆五藏論一書，正包括了上面這幾門學問，我覺得過去那些國粹式的中醫，對於這幾門學問，全未留意。即稽之歷代名醫，很少有合孫氏擬訂學醫的條件的，以現在言，在我的師友間固然沒有這類「全材，」而二十年來那些斐然有作號稱名醫的，更絕無其人。這對過去自稱國醫的覺得名實有些不符；因爲他們實際的學問，還趕不上這部訓蒙的五藏論呢。——雖然現在它僅有歷史上的價値了。

中華醫史學會第三屆大會紀要

王吉民

查中華醫史學會每屆大會,向係與中華醫學會大會同時同地舉行,此次本會第三屆大會因故未能與中華醫學會第八屆大會於一九五〇年八月下旬同時在京舉行,乃於九月間改在上海召開。此次大會較以前二次更爲熱烈,出席會員人數亦打破以往之紀錄,誠爲醫界對醫史研究興趣及認識增加之好現象。謹將大會情形約略報告於後:

日期 一九五〇年九月十六十七日。

地點 上海慈谿路四十一號中華醫學會大禮堂。

出席會員 上海方面爲顏福慶王吉民朱恆璧余雲岫劉永純范行準吳紹青章次公吳雲瑞宋大仁王逸慧王玉潤姜春華汪愼之丁濟民茹十眉十八人,北京方面爲金寶善李濤方石珊,嘉善爲夏以煌,楊州爲耿鑑庭,南昌爲蕭叔軒。此外香港、成都、重慶、天津、懷遠、鎮江、杭州、吉安等處均請到會會員代表,連來賓二人出席人數共計三十八人。

會議日程 九月十六日(星期六)下午四時至六時報到,六時公宴外埠會員。九月十七日(星期日)

上午九時　開會式(一)會長致歡迎詞(二)本會會務報告(三)衛醫當局提倡醫史研究之報導。

十時至十二時　宣讀論文。

下午十二時一刻　全體攝影。

十二時三十分　會員聚餐。

一時三十分　參觀中華醫學會醫史博物館及圖書館等。

二時至五時 會務會議（一）交換經驗（二）修改會章（三）提案及臨時動議（四）選舉職員。

五時正 閉會式。

會議紀要

十七日上午九時正式開會，主席王吉民紀錄葉勁秋，首由王會長致歡迎詞，及報告會務（詞另錄）次由余雲岫朱恆璧金寶善顏福慶李濤方石珊瞿紹衡先後簡述各方提倡醫史研究之報導，旋宣讀論文：

1. 中國的口齒科簡史 李濤
2. 在中國歷史上出現的眼角瞼緣炎 余雲岫
3. 中國製造及使用卡介苗的元勳——王良先生 劉永純
4. 五運六氣說的來源 范行準
5. 中國古代軍醫史略 吳雲瑞
6. 中國醫院發展史 王吉民
7. 中國的物理療法 葉勁秋
8. 中國醫史考古 宋大仁

此外尚有論文多篇，因限於時間或本人未出席，故僅將文題宣讀如下：

1. 王任清一百二十年祭 宋向元
2. 曼公事跡考 章次公
3. 我對於傳靑主內科眞僞問題的一種看法 耿鑑庭
4. 澳門與新醫之關係 王吉民

5. 醫家用五行始於鄒衍　余雲岫

6. 二十年前德國呂城事故之眞相及其對於卡介苗推動之影響　劉永純

下午十二時三十分至二時全體攝影，會員聚餐，參觀中華醫學會醫史博物館，牛惠生圖書館，及湯溪范氏醫史藏書室。二時繼續開會，由李濤主席，除修改會章外，通過下列各提案：

1. 決將本會出版之醫史雜誌復刊，至如何組織編輯委員會等事，交由下屆理事會辦理。

2. 組織經濟委員會，推朱恆璧王逸慧丁濟民耿鑑庭蕭叔軒李濤余雲岫七人爲委員。

3. 設立醫史教材編輯委員會，推李濤王吉民范行準余雲岫朱恆璧五人爲委員。

下午四時特請老前輩姜文熙醫師講話，詳述北洋軍醫學校創辦時之情形，最後選舉職員，至五時三十分正式閉會。

下屆職員　大會選出理事余雲岫李濤王吉民范行準朱恆璧劉永純金寶善七人，復由理事互推職員如下：理事會主席李濤，副主席王吉民余雲岫，祕書范行準，會計朱恆璧，理事劉永純金寶善。

會務報告

（一）前言

本會自一九四七年在南京舉行第二屆大會迄今，已三載有餘，在此期內，以時局盪動及經濟拮据等種種關係，會務雖無顯著發展，然幸賴各委員之努力與會員之協助，仍能繼續向前進行，差堪告慰，茲謹將各項工作略述於後：

（二）集會

1. 第二屆大會：一九四七年五月八日在南京中央衛生實驗院舉行，出席會員廿二人，來賓四人，收到論文廿二篇，重要決議除修改會章外，有推選斯格里伍連德姚鈞石三人爲名譽會員，及呈請教育部通令各醫校規定醫史爲必修科等大會并選出王吉民李濤爲正副會長，侯祥川爲祕書宋大仁爲會計。

2.演講會曾先後舉行學術演講四次如下：

一九四八年八月三日，王子鴻講「醫藥的郵票。」

十月廿八日吳雲瑞講「幾種草藥標本之採集」及宋大仁講「近代史學進展與醫史學之關係。」

一九四九年七月三日侯祥川講「在美國醫史有關之見聞。」

十月卅日，劉永純講「中國金鍼治療法在法國之概況」及葉勁秋講「鍼灸學的幾個基本問題。」葉勁秋之文已在新中國醫藥第一卷第一期發表，劉永純之文已在中文中華醫學雜誌第卅六卷第十一、十二期合刊之醫史專號發表。

3.執委會計先後舉行十次，主要決議案爲修改會章，通過新會員，舉辦兩次募捐運動。第一次在一九四八年七月，爲刊行醫史雜誌及舉辦醫史展覽會籌募經費。第二次在一九四九年九月，爲編印中文醫書目錄之費，成績頗佳。

4.聯誼會共舉行兩次，一在一九四八年三月廿八日，舉行會員春季茶話會，到會員十餘人，并遙祝伍連德博士七十華誕，一在同年八月三日爲王吉民會長六十華誕，出席會員及來賓三十餘人，除恭祝壽辰外，同時歡送馬弼德會員出國。

5.展覽會一九四七年十二月二十日至廿一日，與中華醫學會合辦醫史文物展覽會，成績至佳。本市各大報均有特寫，頗爲社會有識人士所注意。查本會舉行醫史展覽會前後共三次；第一次在一九三七年，第二次在一九四六年，此爲第三次，其出品之富，規模之大，皆遠勝以前二次。

自本會首創此類展覽之後，漸有起而仿效者，實一好現象，如一九四八年三月十一日，上海中醫院舉辦一「歷代醫藥文物展覽會」曾向本會商借陳列品十餘件。一九五〇年七月，華東區衛生展覽預展特闢醫史展覽一門，其中大部份文物係由本會及本會會員供借，共計三百五十餘件之多，會畢該會曾選擇精品運京參加全國衛生展覽會，此亦本會之光榮也。

（三）出版

1.醫史雜誌共出兩卷計五冊，其中三冊爲伍連德余雲岫王吉民三醫師壽辰紀念論文專號。本誌每期除分寄與會員外，與各大圖書館均有交換，歐美各國亦有訂閱，故在國際學術界上，已漸露頭角。惜嗣因經費支絀暫停，誠爲憾事。餘稿旋交中華醫學雜誌發表。中文醫誌於一九四九年二月份出醫史專號一期，英文醫誌則於一九五〇年一月份出醫史專號一期。

2.圖書目錄：本會原設有姚鈞石出版基金，曾刊行明季西洋傳入之醫學一書，頗獲佳譽，後因幣値崩潰，餘款損失殆盡，致無法印行他書。顧歷年由王吉民伍連德等捐贈之書爲數甚多，種類既夥，查檢不易，乃請范君行準代爲編目，由本會與中華醫學會合資刊印牛惠生圖書館中文醫書目錄，於一九四九年十月出版。

（四）會員

本會因係專科學會，研究斯道者不多，故三年來新添會員僅得二十二人，計正式會員六人，贊助會員十三人，名譽會員三人，現會員總數共有七十二人，但其中四人已去世，二十五人在國外，負責之會員實數爲四十七人。

（五）博物館

醫史博物館之物品及附設醫史藏書室之書籍以限於經費，三年來甚少添置，僅賴會員捐贈。圖書方面，既經編目，人多稱便，故解放後借書人數漸增，惟博物方面，各陳列品之說明，尚待專人整理，然皆忙於他事，無暇顧及，祗得俟諸異日耳。

承伍連德吳雲瑞陳耀眞耿鑑庭陳永梁王吉民章次公倫敦寶威醫史博物館巴黎聯合國文敎科組織，美國霍布金醫史研究院，祥生製藥廠，德國拜耳藥廠等贈送圖書文物至深感謝。此外尚有柯爲良海深德伊博恩諸先賢遺物甚多，由其後人熱心捐贈，彌足珍貴，尤令人肅然起敬而生人琴之感。茲將各物數量分類如下：

圖書四百廿四册，手蹟二件，畫像廿四張，照片十張，書畫五件，玻片二十張，標本五十件，物品十件。

（六） 經費

本會素無基金，亦無任何機關補助，所收會費，尙不敷文具郵資之用，而印行醫史雜誌圖書目錄，及舉辦醫史展覽等之經費，皆由會員踴躍捐輸或代募，熱心可感。但此實非長久之計，必須另籌善策，由一較大團體撥助的款，以充基金，會務方能進展也。

（七） 結論

溯自本會創立迄今，已逾十三載，中經八年對日抗戰，三年解放戰爭，慘淡經營，備嘗艱苦，幸蒙全體會員協力合作，熱誠愛護，始有今日。惜余才疏學淺，雖歷年忝長斯會，愧無建樹，祇知埋頭苦幹，因不擅交際，未獲得會外更有力之援助，致使本會不能如理想之發展，至以爲歉。然精誠所至，竟獲得今日社會人士對醫史之重要，漸加認識，而人民政府，亦有提倡醫史研究之趨向，至堪慶幸。際茲第三屆大會開幕之始，謹將三年來會務簡述如上，以作結束。本會職員，行將改選，此後必有新方法，新精神，新力量，新發展，本會前途，實無限量。敬祝大會成功。

王吉民 一九五〇年九月十七日

醫史雜誌

第三卷 第二期 （復刊版） 一九五一年六月出版

編輯者 中華醫學會醫史學會編輯委員會

插圖 王清任遺像 居延漢簡木人圖
敦煌發現唐本曆卷

原始社會的醫學 李濤 （一）
王清任先生事蹟再探 宋向元 （六）
中國預防醫學思想史 范行準 （九）
結核病在中國醫學上之史的發展（二） 蕭叔軒 （二九）
王清任傳 王重民 （四一）
醫學讀書志（續） 王重民 （四三）
本會會員動態 編輯室 （四四）
傷寒書目 [illegible]良寄 （四五）
中華醫學會醫史學會章程 資料室 （五七）

華東醫務生活社出版

上海(18)高安路五十二號 電話七九四九四號

·白 页·

王清任遺像 (據道光庚寅原刊本)

原始社會的醫學

李濤

(一) 由猿到人的疾病

猿人　生物發育到一定程度便腐壞，更由腐壞而死滅。所以生長腐壞和死滅是生物必循的途徑。疾病是腐壞程序的一種，因此生物也不免於疾病。據地質學家的研究，古生物中如中生代的恐龍遺骸內，有患骨膜炎，壞死，齒槽膿溢和關節炎者。Dubois 氏相信漸新世始有猿人，鮮新世始由猿變成人。據 Dubois 氏(1891年)在爪窪 Trinil 掘出一立行猿人，計時當在五十萬年以前，發見其大腿骨生有外生骨瘤。由這個證據，知道最初的猿人都不免疾病的侵害。

鮮新世　到了鮮新世始有人類。那時人們處在非常困難條件中與自然界鬥爭。人類在幾萬年的時期內，只使用了石塊和木棍一類粗簡工具。人類當時隨時隨地都能遇見各種極多的危險。人們還不知道自然界的規律，差不多無力對付自然界强大的力量。1926 年在周口店發現了五十萬年前「北京人」，他們知道用火，同時又知道用石製和骨製工具，所以說「北京人」不是猿人，已經進步到人，而且且進步到野蠻時代中期了。

新石器時代　由於弓矢的發明，過渡到漁獵，使人的食物擴大了，才結束了人類的這種幼年時期。接着野蠻人學會製造陶器，供給使用器皿，於是人類更開始一個新階段。最初的馴養家畜和耕種田地是有莫大意義的，畜牧業和農業就是這樣產生起來。地質學家稱這個時期爲新石器時代。1907 年德人在西歐 Heidelberg 附近發見這個時代的人骨一具，患脊椎結核，可見結核病很早便是人類之患了。

後來冶金術發明了，人類所用的工具日益進步，於是日用物品和武器漸漸都用銅或鐵代替了，這是未開化時代晚期的特徵。以後象形文字發明了，人類才走入文明時代。

（二） 醫學的起原

動物本能 動物在熱季知入水沐浴，冷時知向日取暖。更知撲滅虱蚤蠅蚊等以除去皮膚的刺激。貓狗有瘡傷時，用舌舐瘡面，使其清潔。四足動物一足受傷則用三足跛行。猴用掌止血並知用爪拔除異物。這些都是動物克服痛苦的本能。所以可稱之爲動物醫學。（4）

原始人的疾病 原始人的食物不經過火化，容易發生腸胃病，住在樹上或穴內容易發生皮膚病，以羽毛樹葉爲衣，不足以蔽風寒，容易引起寒暑一類的病。在這種衣食住的情况下，人類多災多病，醫治的需要比文明時代迫切多了。人類爲生存起見自不能不與疾病鬥爭，正是醫學的起來。

經濟上要求 人類在原始羣的時代，由打獵牧畜或耕種所得的食品，僅够人們簡單生存之用，尙無餘剩可言，那時老年人和病人是被遣棄的。後來知識進步，經營的方法改善，共同勞動所得稍有盈餘，因此小兒，老人病人以及殘廢人全由氏族扶養。（2）在這種原始共產社會內，病人不能勞動，需要氏族扶養，實在是很大的累贅。人們要解除這種共同的負担，也是醫學起源的一種原動力。

羣居互助 原始人在集體漁獵的時候，常常招致損傷，遇有損傷，同伴爲之敷裹，是必然的現象。此外婦女分娩，老人小兒，病人都需要他人來照顧衣食。這種敷裹照顧，全從人類同情心出發。所以說人類醫學是在羣居互助之下滋長起來的。

（三） 經驗的醫學

辨別毒物 原始人最初以果實，核仁，根莖爲食料，後來火發明了，才用肉類魚類以及種種水產動物充作食物。隨着火的發明植物食料的範圍也擴大了。在這種開闢食料的過程中，漸漸認識了何種物品吃了以後便起嘔吐，何種物品能致下泄，以及種種中毒現象，甚至死亡。於是人類有了辨別毒物的能力。人們在氏族公社時期對於藥物的知識已經有了相當的基礎。我國相傳神農嘗百草,一日而遇七十毒,正表示人們由多年的經驗,體驗了植物的毒力和他治療的效力。所以說藥物的知識來自多人多年的經驗。這種經驗更隨着各部落彼此接觸的頻繁而積累了更多的知識。石器時代的北美印第安人所用的藥物已達 144 種,可見原人對於藥物已有豐富的經驗了。

醫療工具　人們最初所用的工具,是由燧石,骨片,獸齒,海貝所製成的。近年在北京周口店掘出很多骨針,骨製割切器,更有東北沙鍋屯出土的石錐和石刀。原人便利用這些日常物品作爲外科器械。例如用燧石切開膿腫,施行劃痕等,用棘刺或骨針放血,用夾板固定骨折。鍼砭是中國古代的一種治病法,這種鍼砭在起初都是用石製造的。砭是將石片燒熱以治病。鍼也是石製的,遇有膿瘍,加以刺破。山海經內有「高氏之山,有石如玉,可以爲鍼」可見古時是用石鍼治病了。

此種石器製造日漸精巧,於是石刀石斧石鑿之外,更有石鋸出現。原人便利用這些工具來施行穿耳鼻術,斷肢術,閹術。甚至能行剖腹產術和卵巢切開術。穿顱術也是原人常行的一種手術,他們遇有嬰兒痙攣,腦壓過高,頭痛癲癇等,便以爲魔鬼所致,於是穿通顱蓋以放出魔鬼。據 1899 年 Muniz 氏調查一千個原人頭骨,其中曾行穿顱者 19 個,可見此種治病法的普遍。後來冶金術發明,有了金屬工具,無疑各種手術也進步了。

原人時代,用自己的經驗爲人治病,並傳授自己的經驗於他人。在公元前 3500 年蘇麥瑞人 (Sumerian) 常安放病人於公共處所,遇有過路的人,便問詢他們的經驗治法。黑羅多塔斯氏 (Herodotus) 說巴比崙人,斯特略普氏 (Strabo) 說葡萄牙人亦有類似的習慣。可見原始社會道醫學知識是積累經驗而成的。

(四)　魔術的醫學

萬物有靈　原始社會的人類,還不知道自然界的規律,差不多無力對付自然界強大的力量,隨時隨地都能遇見極多的困難。關於致病的原因,他們首先所能想得到的,是他們每日所接觸的自然界,例如天上的星辰,空中的飛鳥地下的蛇虫因爲他們不能解釋自然界的奇異和威脅,於是發生一種幻想,認爲自然物和自然現象都是神靈,漸漸形成萬物皆有靈的信仰。

圖騰　人類有了定住生活,才能在自然環境內的特殊自然物選出崇拜的對象,於是發展爲圖騰主義。圖騰主義是原人希圖藉助魔術的儀式,祈求自然予以恩惠。經過長期的發展,這些特定的動物,漸漸人格化,成爲尊神。

祭神　原人對於疾病的解釋是神譴天罰,所以需要祭祀和禱告,請求赦免。在氏族社會內,主持祭祀的,便是氏族首長,也許有專管祭祀的巫覡。尚書金縢篇載武王有疾,周公祝告三后,請以身代。儀禮載「病禱五祀。」可見禱告是古人有病以後常用的方法。

打鬼　原人認爲疾病是仇人的報復,鬼怪作祟,所以想用種種方法來克服。第一是用木棍石塊擊打。中國古人用錐逐鬼,周禮考工記稱錐爲終葵,後來天中記更訛爲鍾馗,現在所說鍾馗辟鬼,其實是原始社會用棍棒打鬼的遺風。

這種驅鬼方法,因爲人類知識進步,漸漸演成極複雜的儀式。在舉行時,常伴有各種舞蹈音樂,歌唱來進行。中國古時有芻狗說法,就是用草束成狗形,飾以文彩,禱告畢,便將他踐毀和燒滅,也是一種驅鬼方法。蒙古人每年舉行一次喇嘛打鬼,儀式很複雜,意在預防傳染病的發生。現今中國鄉村內,普遍存在着巫婆治病,焚香,舞蹈,歌唱……,原意也是驅鬼。

符咒　原始人第二種征服自然的方法是希望用咒術實現其不能實現的幻想。咒術是人類無力征服自然的反應,也是宗教的一種儀式。與咒術不能分開的是符。符是一種防範惡魔的方法。起初是利用各樣圖畫威嚇禽獸,或者喝望自己生羽翼,有神力來克服自然。後來演變成爲符。符就是借助神力,保護自己。各原始民族的文身術也是以防範惡魔爲目的，可說與符同類。與此相似的還有美索不達米亞人的門前驅鬼像，中國人的門神。這種用符防病的舉動，到了殷朝銅器上刻饕餮紋，宋朝初生兒帶厭勝錢，現在端午節門前懸掛硃砂判官都是人類打算制勝惡魔方法的演變。

逃避　原始人第三種應付自然的方法便是逃避。他們想病由惡魔所致，假使病人換了名字，或衣服等，自然惡魔便找不見了。由此更想到災禍疾病可由別人或他種動物或植物代替受災難。這種代人害病的方法，中國人和印度人都可以見到，例如左傳記載楚子有禍，周太史說可移之於令尹司馬，便是很明顯的例。後來還記有移病於柳樹或青蛙的故事。

巫醫職業化　由上邊的記載，我們知道原始人與疾病鬥爭的方法，是祭神，打鬼，符咒，逃避等。這些事最初是由族長來執行，以後因爲社會進步，漸漸就有專司這種儀式的巫覡。他們依靠自己的才智，解釋星相，預言休咎。更加上若干經驗的醫學知識，略識草木之性，辨別毒物，以博得民衆的信仰。還有法器奇裝異服等使技術神祕化起來，這種巫醫也就是人類社會內最早的醫生。

問題

1. 現在用什麼方法推究原始社會的醫學狀況？
2. 原始公社時代病人由誰扶養？

參攷書

1. Arturo Castiglioni, A History of medicine, 1947.
2. 李濤　醫學史綱　1939.
3. 解放社編　社會發展簡史第四版頁 30，1950.
4. 翦伯贊　中國史綱第一卷史前史，第一版，1950.
5. 呂振羽　中國社會史綱，第一卷第二版，

王清任先生事蹟瑣探

宋向元

清代醫家王清任先生在「國醫學革命的具體實踐上曾起過帶頭作用的。一百五十多年前，我國尙停留在封建社會的階段，他竟自以醫家的立場去「訪驗臟腑，」並著醫林改錯二卷，反對古書記述臟腑的傳統錯誤。這樣革命的勇氣和實驗的精神，在我國的醫史裏面是沒有前例的；這照理無疑的會給他同時和以後的醫療界一個巨大的影響。但實際上信奉他的人極少，相反地卻遭到很多人來惡意攻擊他。而中國原有醫學的變動，必待十九世紀西方醫學傳入以後。這在我們後世的歷史家覺得非常遺恨的！

作者早就想寫一篇文字專論這一點，奈因資料不够，除了醫林改錯、玉田縣志以及近人零星的有關論述之外，我們對於王清任先生的事蹟幾乎是一無所知，尤以不悉他的卒年，實在是一大遺憾。因此我曾屢次託人探詢，但都沒有甚麼收穫。

去年夏天，我特地寫信給玉田縣人民政府衛生科，請其代爲調查。嗣後果承該科負責同志覆函（附註1），因而得悉王清任先生的生卒年月甚詳。這樣服務的精神眞是令人非常高興的。於是我便匆匆地寫了王清任先生一百二十年祭一文（附註2）。

去年八月間，根據了玉田縣衛生科調查的線索，我寄函懇請王茂堂先生代爲蒐集關於清任先生的事蹟，遺著和遺書等。不久，承王茂堂先生回信供給了許多的珍貴資料，這又是値得慶幸的。但原函的文字質樸，敍述亦錯綜紊雜，而所述清任先生身後的譜系與玉田縣衛生科的調查亦有不同（附註3）只好約取大意，並參拙作前稿，補成此篇。

公元一七六八年（前清乾隆三十三年，歲次戊子）六月三十日（夏曆五月十六日）卯時，王清任先生在直隸省（今河北省）玉田縣鴉鴻橋河東村裏誕生了。

先生一名全任，字勳臣。他是長門，武庠生，捐資得千總銜（武略騎衛）。爲人性情磊落，精於醫術，嘉慶初年（一七九七——一八一一）歷遊灤州，奉天府等地。後在北京行醫，很有名聲。

他在北京設一藥鋪，名知一堂。生平與四額駙（附註4）那引成交好，「是義友弟兄。」因此，在四額駙府中住居數十年之久。（附註5）

他替人治病與當時一般醫生大不相同，他非常注意人體的構造和生理。他認爲「治病不明臟腑，何異於盲子夜行」因此他除了經常留心於生理和病理現象的差別之外，又曾屢次親自到野塚或刑場（附註6）去觀察尸體的臟器。根據這些實驗，並參證了獸畜的臟器，又經過殷勤訪問，他在一八三〇年（前清道光十年）著成了醫林改錯二卷。

醫林改錯刻成了不久，這位偉大的醫學革命的先鋒便在北京病歿了（附註7。）古詩有云「春蠶到死絲方盡，」恰好可爲王清任先生寫照。

他是在一八三一年（道光十一年、歲次辛卯）三月二十九日（夏曆二月十六日）戌時病歿的。——到今年三月，正是一百二十週年。

附註

1. 玉田縣人民政府衛生科的來函，節錄於下：

「……王清任，字勳臣，行一，係玉田縣鴉洪橋河東村人。前清例授武略騎尉，一世醫生。生於前清乾隆戊子年五月十六日戌時生人，終於前清道光辛卯年二月十六日戌時卒。

其子王作義，生於嘉慶十五年，終於光緒十年，一世農人。其孫王希，生於道光二十四年，終於民國十四年，一世農人。王希係絕嗣，過繼子王茂堂，現年七十七歲，現仍爲中醫，在中西醫聯合會任組長。該王茂堂妻，亦是中醫。……以上一切，不够詳細，因日寇「掃蕩」損失一部。……」

嗣後，又蒙谷濟生醫師（玉田縣人）代爲調查，結果和上文大致相同，祇是「王希」作「王錫，」這一點微有不同。今據王茂堂先生函，應作「王錫」爲是。

2. 這原是中華醫史學會第三屆大會的拙作論文，已在拙編天津醫藥月刊第三、四期合刊（去年九月出版）發表了一部分。關於事蹟和年表的部分尚未發表。

3. 據王茂堂先生來函說：「余曾祖乃同胞弟兄五人，長名王清任、次名王清佐、三名王清明、四名王清臣、五名王清標。其王清任鈌嗣無後，過繼王清標之子，名王作義，此人讀書最少。王作義之子，王錫，所謂王錫者目不識丁。王錫之子名王振德，此人不知一字。王振德之子，長名王長春，次名黑頭，三子無名，今只一歲。只黑頭知幾個字。……」

又王茂堂先生乃王清明的四世孫，並非王錫的過繼子。

4. 額駙，滿清官名，滿清呼皇帝女婿爲額駙，四額駙者，尚第四公主之人。

5. 本段文字完全根據王茂堂先生來函。

6. 詳見醫林改錯臟腑記敍。

7. 據王茂堂先生來函說：「至道光年，王清任病卒於那府，其妻扶柩回鄉。當時只帶回隨用衣物……其遺書籍、好方法，何從拿的出來……因那引成亦是通醫之人，以藥書爲重。……所有王家各戶未見此其遺書。大約其書籍、藥本與專方，萬不能少，而不想失落於北京矣。」

一九五一年，一二十二。

中國預防醫學思想史

范行準

一 緒言

甲 奴隸主君主地主及帝國主義者所留給人民的災害

今日中國預防醫學的中心問題，首先在如何很快地來消滅各種重大的傳染病？這問題從有文字記載而言，已有幾千年的歷史。實際這問題自從有了人類便已存在了。——雖然預防醫學的含義並不限於消滅幾種傳染病，但無疑地消滅各種傳染病是預防醫學的中心問題。所以本篇文字的重點也就放在這裏。

人類自從有了傳染病，卽已有消滅它的意圖，我們知道從原始共產社會中卽已發生鬼神觀念的歷史，一直到了悠長的封建社會制度，和近百年來半封建半殖民地時代，人民自己都向這一方面進行的。這過程中由於奴隸主、君主和地主等嚴重剝削及破壞，極大多數的人民，得不到必須有的健康，整郡整戶的人民的生命，都被這些兇橫的傳染病所吞噬；我們只要讀第三世紀初陳思王——曹植說疫的那篇文字，便可明白了。他們在這樣悠長歲月中，同病魔鬥爭下所留傳下來的成績，除了極小的一部分外，只有一堆一堆的迷信，可知他們的預防醫學的歷史，始終停留在迷信這一階段的。到了第十六世紀末年才有鼻苗，和在鴉片戰爭前三十年牛痘傳入中國之後，才有足敍的預防醫學的歷史。但也由於從那時起，中國封建社會被帝國主義打破了一小部分，成爲半殖民地的緣故，這種預防天花的歷史範圍，是仍有限度的，這就是說限於東南及河北數省和比較重要的幾個省市的少數人民才能受到這種恩惠，因封建制度的君主和地主，只能在剝削人民的膏脂中，抽出極微小部分來辦理這種防疫工作，以資點綴。至那些侵略我國主權的帝國主義者的臣民，又以此做爲傳教和做生意——文化和經濟侵略的工具，或爲實際的策動侵略者，也不是眞爲中國人民解決此病的威脅而來的。所以牛痘傳入中國已有一百五十年的歷史，但天花至今始終沒有絕迹。舉此一例，可概其餘。

中國也和其他的國家一樣，自從原始共產社會，到封建制度社會的廣大農民，成爲這些奴隸主君主地主的剝削對象，除了對他們剝削之外，他們的疾病痛苦，是漠不相關的，有時由於這些會說話的生產工具失去生產力的緣故，用殘忍的方法去消滅他；如蔣介石反動統治時期，廣東的麻風病員，會被他們驅去集中一地加以槍殺，便是一例。

本來貧與病是割不斷的連索，何況又加上一個愚字，更把這連索拉得緊緊了。中國廣大的人民，在這悠長的封建社會中受奴隸主、君主、地主、和近百餘年帝國主義者所賜的貧、病、愚三個字磨折而死的何可勝計！其罪惡眞有「罄南山之竹，書罪難窮，決東海之波，流惡無盡」之慨！我們更由此明白他們的痛苦，絕不是單純疾病的痛苦，他們由貧窮而發生疾病，由疾病而加深他們的貧窮，又由於他們的貧窮，得不到教育，以致愚昧，和加上封建時代農民的保守性，他們應付疾病，始終徘徊於迷信這一道路，所以他們的死亡，並非單純由於疾病的原因，他們的致死率，不能用今日的醫學上的致死率去衡量它和確定它。

歷史告訴我們，傳染病是可亡國的，羅馬亡於瘧疾，埃及亡於住血吸蟲病，中國也有金、明、兩個朝代亡於鼠疫。若中國古代南方的民族，（蠻族）本來是一强大的民族，後來漸漸被北方民族所征服了，我很疑心他們被一種傳染病所削弱的，自晉室南遷，南方原有的民族，仍是火耨及耕，當然都是農民，因爲要供奉那些「南渡衣冠」——貴族淫侈的生活，他們生活也比例地益發惡劣了，到後來史書上似乎只提到王謝諸家，因他們是重門第的，他們忘了養活自己的勞動階級，所以連人民影子都不見了。

歷史上所見的蠱及瘴癘，乃南方最嚴重的地方病，山海經中且有「蠱疫」這一名稱。蠱後來有種種不同解釋，但多指腹中蟲病，似乎也了解蠱脹這一名稱的由來。後來臌脹，則從象形得名的，蠱脹很可能多屬末期的日本住血吸蟲病。我們今知長江流域及閩廣滇蜀等處，有三千萬以上的人民（絕大多數是農民）患着日本住血吸蟲病，在解放前，友人吳雲瑞教授等在寶山之楊行等村莊診療日本住血吸蟲病時，很多農民都患着嚴重的住血吸蟲病，有的村莊因此病而沒有人了。這病我們知道它早已存在的，絕不是日本藤井於一八四七年在日本片山地方才發見此蟲而有的病，這猶埃及紀元前二千年前已有此吸蟲病，到紀元後一八五一年（Bilharz）氏才發見此蟲蟲體一樣。兼以南方瘧疾向來十分猖獗，雲貴等地在二十年前尚整村整村的人口被瘧疾所毀滅，弄得城廓空虛。我很疑心原有南方民族的衰微，是由於日本住血蟲和瘧疾這兩病所造成的。歷史上許多治病和預防傳染病的迷信，多在南方，特別是防治蠱疾和瘴癘最爲詳細。巫也以南方人做的最多，這在論語、山海經、荊楚歲時記等書中已經明白告訴我們了。我們可以拿它來證實古代南方民族的衰微，是歷史上一大悲劇，是北方統治者及士族——封建地主所造成的。它也影響到政治，例如東漢馬援征交趾，遇疫而歸，我們知道它是瘧疾，但在二〇八年三國時率領水步八十萬人攻略孫吳的曹操（魏武帝）敗於赤壁，和二二一年伐吳連營數百里敗歸白帝城的劉備（先主），這兩次的失敗，史書都說它由於周瑜陸遜用火攻而得勝，其實是與瘧疾一類之病有關的。（注）這兩次的失敗比起南方民族的衰微，自然是兩個小悲劇，不過曹劉之敗與十五世紀時法王加爾第八 Karl VIII. 征意大利圍攻那不拉斯時，軍中忽發生「性疫」——梅毒——而倉惶解圍宵遁的情形，却很相似。

乙　巫術的兩面——迷信的科學的

中國比較有正確文字記載的歷史，一般都推到商代，而近來一般學者又都同意殷代尚處奴隸社會時代，到了西周便入封建時代了。（有的人以爲周秦仍是奴隸社會，如郭沫若先生等主之。）在生產力和生產關係說起來，奴隸社會的文化水平固然要比原始共產社會來得高，但又不能和封建社會來比擬了。不過近代醫學的進步，實開始於資本主義時代的勞動人民，因爲那時已發明顯微鏡等，用此利器，能探微窺隱，若果象他們那時才能謀得溫飽的奴隸社會和封建社會的技術，對於這類肉眼所看不到的細菌及原蟲侵入構造奧妙的人體中而發生不同的疾患，這顯然超出那時人智慧以外的，於是他們只好仍舊依賴過去那一套驅逐鬼神的手法，來防止可怕的傳染病了。因爲他們認爲病的原因，是由鬼神作祟。

本來人們對於未來的災害，是永遠懷着恐怖的心情的，他們總是想盡種種方法來逃避這種人人可以碰到的災害，因而構成了他們趨吉避兇的心理。但由於知識的限制和恐懼的心情，那時（包括原始社會和奴隸社會）的技術解決不了季節性的傳染病及一般傳染病的蔓延，於是便從他們所認爲已經明白傳染病的原因——鬼神——這一問題上着手，而發生種種迷信的舉動。

到了封建時代，他們對於病情雖有若干了解，治病也積了若干經驗，本來可以進一步去研究的，但由於封建時代的專制和廣大農民的保守性，技術上限制它不能向這方面發展。殘酷的統治者，蒙蔽了人民的智慧，他們因勢乘便，又借了具有濃厚的原始鬼神觀念的人民做出表面上爲迷信而實際上有時近於科學的方法，這方法我們通常叫做巫術，也是廣大人民所共有的，作爲預防醫學，如驅儺（打鬼）這事，又如四時纂要（歲時廣記卷十七引）說：「在清明前二日鷄鳴時，取炊湯灑井口飯甕四面」說是可「辟馬蚿百蟲。」這其中都有一部分是合理的。但古之統治者猶沿用神權時代的巫術以申其禁，這裏淮南子氾論訓說得最爲明澈：

夫見不可布於海內，聞不可明於百姓，是故因鬼神禨祥而爲之立禁，總形推類而爲之變象，何以知其然也？世俗言曰，「……相戲以刃者，太祖軵其肘；枕戶橉而臥者，鬼神蹠其首。」此皆不著於法令，而聖人之所不口傳也。

按：御覽七百三十九引風俗通義：「俗說臥枕戶砌，鬼陷其頭，令人病癩。」這是淮南子引用俗言的根據，接着即說明立禁的原因：

相戲以刃，太祖軵其肘者，夫以刃相戲，必爲過失，過失相傷，其患必大，無涉血之仇，爭忿門而以小事，自內於刑戮，愚者所不知忌也，故因太祖以累其心。枕戶橉而臥，鬼神履其首者，使鬼神能玄化，則不待戶牖之行，若循虛而出入，則亦無能履也。夫戶牖者風氣之所從往來，而風氣者陰陽粗捔者也，離者必病；故託鬼神以申誡之也。（行準案，醫心方卷三引錄驗方略訓：古維陽市有一土貼家，每一貨主周年必病死，遂成空廢；後來有一乞兒發見貨主坐的背後有一蟲大的空穴，風射得病死的。即把它閉塞，便不再病了。疑即據此演成。）凡此之屬，皆不可勝著於書策、竹帛，而藏於宮府者也，故以禨祥明之。爲愚者之不知其害，乃借鬼神之威以聲其教，所由來者遠矣。而愚者以爲禨祥，而狠者以爲非，唯有道者能通其志。

這眞拆穿封建時代君主以神道設教的內幕情形了。我們從山海經所食所佩的事物，和後來在季節所藏的事物，並不能說它完全是迷信，他們不過利用迷信的手法而已。所以幾千年來傳染病與鬼神成爲一件分割不開的事情，古代預防醫學便盡情地向這方面發展，所以他們對傳染病的預防，多重於禁禳。這禁禳後來多流行於荆楚諸地——即長江流域和閩粵及珠江流域——我們也可以從這方面體會到傳染病流布的地域了。不過後來這些地區都漸漸開化，這許多禁禳辦法也漸漸地發展而爲娛樂的事情了。

當然，由於人類固有的本能，和中國醫學歷史的悠久，這種本能醫學和廣泛而悠長的歷史經驗相給合，它是有若干近乎科學的預防醫學的原則的。譬如春秋襄公十七年（公元前五五六年）傳說「十一月甲午國人逐瘈狗，瘈狗入於華臣氏，國人從之。」

唐孫思邈千金方猘狗說「凡春末夏初，犬多發狂，必誡小弱持杖以預防之，」也是這個理由。猘是瘋狗，牠要害人的，人自然要從本能上去消滅牠，至怎樣能知牠是瘋狗呢？這裏淮南子卷十三氾論訓已說了「狂馬不觸木，猘狗不投河。」狂馬怕木我不知道，但猘狗不投河是怕水，因爲患狂犬病的人怕風怕光怕聲，尤其是怕水的，所以狂犬病一名恐水病，就是這個理由。（關於狂犬怕風中國醫書上也有記載如清人洗冤錄詳義拾遺補經驗方類有用蒲扇向病人搧之以斷其是否爲患狂犬病。）

但在預防醫學上最值得大書特書的那便是天花的接種法之發明。其次便是狂犬病的防治法了。近代免疫學的發端實以英人秦拿的牛痘接種法爲首功，而法人巴斯德發明的瘋犬病接種法後，免疫學才正確成立。這兩大免疫學上的歷史，中國人早已有了，前者天花的接種，中國似乎在十六世紀末已有鼻苗種痘法從印度等地傳入（一說十三世紀已有此術，於史無徵，很難逕信。）至狂犬病的接種法，遠在東晉即第四世紀時葛洪的肘後方已有殺犬取腦傅於創口之方，這幾乎全與巴斯德瘋犬接種法相同的了。但因中國自然科學的不發達，此引而未發的免疫學上的功績，不能在世界醫學史上首占發明之席，我們研究歷史的人是感到一椿十分惋惜的事。

注

魏武帝在建安十三年（公歷二〇八年）赤壁之敗，由於疫癘，而不是敗於周瑜的火攻；實有歷史的根據。按陳壽三國志吳志周瑜傳注引江表傳載曹操給孫權的信說：「赤壁之役，値有疾病，孤燒船自退，橫使周瑜獲此虛名。」我們知道江表傳是吳人的宣傳品，對曹魏多有醜詞，但這却是事實如此。所以周瑜傳也有：「時曹公軍衆已有疾病」的話。再證以魏志武帝本紀說：「公至赤壁與備戰不利，於是大疫，吏士多死者，乃引軍還。」又十四年（公歷二〇九年）七月辛未令曰「自頃以來，軍數征行，或遇疫氣，吏士死亡不歸。」這是指上年赤壁之役遘疫而還的事。又魏志賈詡傳裴松之對此也十分惋惜地說：「至於赤壁之敗，蓋有運數，實由疾疫大行，以損凌厲之鋒，凱風自南，用成焚如之勢。」又蔣濟傳說：「建安十三年孫權率衆圍合肥，時大軍征荊州，遇疾疫，唯遣將軍張喜單將千騎，領汝南兵以解圍，頗復疾疫。」都可證明那年曹操赤壁之敗，是由於疾疫（瘧疾？）的。又劉備之敗先主與陸遜二人之傳雖不言軍中有疾疫之事，然魏志夏侯尙傳裴注引魏略黃初三年（二二二）伐吳，尙與曹眞共圍江陵，城未破，因大疫而還的話。黃初三年，便是劉備伐吳的一年，備兵止今之宜都，距江陵不甚相遠，疑其敗也與大疫有關，劉陸二人之傳未載，亦史之闕文。至於鼠疫在金天眷皇統間（公歷一一三八——一一四九）已鬧得很凶了，到了「天興元年（一二三二）五月辛卯大寒如冬，汴京（開封）大疫幾五十日，諸門死者九十餘萬人，貧不能葬者不在數。……六月辛未，後修汴城以疫後園戶、僧、道、醫師、粥棺者擅厚利，命有司厚征之，以助其用，」（據金史哀宗紀上第十四至十五葉）那時的鼠疫凶惡得使統治者的捐稅加到僧道醫師頭上，可是不久金源便因此病而亡國了，這與明末鼠疫的流行而亡國，先後如出一轍。我另有中國大疫記一文將在本誌發表，故不多贅。

二 結不成胎的預防醫學

甲 由趨吉避凶而來的預防醫學的思想

如前所說，人們對於未來的災害是永遠懷着恐懼的心情的，那自然要發生趨吉避凶的預防思想了。中國人對於防患於未然的觀念，當然不會例外而早已存在的。漢書霍光傳中引用了一件故事說：「曲突徙薪無恩澤，焦頭爛額者爲上客耶？」這一動人故事，就充分說明中國人對於預防災禍之不當忽視。所以古人對於預防災害的思想，是早已存在的。如易下經：

君子以思患而豫防之。既濟

這是「預防」二字在中國經書上首次應用的歷史。對於防止禍害未萌的思想，秦漢以來的人都有伸說的，如管子說：

惟有道者能避患於未形，故禍不萌。

漢賈誼諫政事疏也說：

貴絕惡於未萌，而起教於微眇。漢書賈誼傳

稍後司馬相如諫獵書又總伸諸家之義曰：

蓋明者遠見危於未萌，而知者避危於無形。漢書司馬相如傳

這都是古人對於預防一般禍患的思想，是十分明確的。然疾病乃人之大患，他的思想很自然地會結合到預防醫學這一原則的。淮南子說：

良醫者，常治無病之病，故無病；聖人者常治無患之患，故無患也。卷十六說山訓

文中子亦云：

北山黃公善醫，先寢食（按宋邵博聞見後錄卷四，引司馬文正文中子補傳，作「先飲食起居」。）而後針藥。卷八魏相篇

宋邵雍作的下面這首詩，我以爲是從文中子的話而來的：

爽口物多終作疾，
快心事過反爲殃；
與其病後能加藥，
孰若事先能自防！（厚生訓纂卷六引。今匆檢伊川擊壤集及邵氏聞見前後錄，均不載此詩。）

這類的思想，或者都從道家那方面出發的。它僅有消極的個人衞生思想，而沒有積極的公共衞生思想，而且這思想成了空洞的原則，故尋不出具體的辦法來。因而中國預防醫學的思想，遂停留於此而不能復進了。反之，在巫術方面，却有若干實際而近乎科學的辦法出來。這種巫術是從歷史很久的廣大人民那裏保存下來，這功績是不屬於醫家的！

乙　名實不符的預防醫學

在中國醫書本身方面說來，它的預防醫學的思想，也從未眞能應用到實際上去，雖然看了下面引用的幾條文獻，表面上似很合乎預防醫學的原則的。素問四氣調神大論說：

是故聖人不治已病治未病，不治已亂治未亂，此之謂也。夫病已成而後藥之，亂已成而後治之，譬猶渴而穿井，鬭而鑄兵，不亦晚乎？（參楊上善內經太素卷二順養篇。）

素問這話的思想，好像從淮南子而來。不過我以爲它實際是含有五行生剋的思想的，因爲不治已病治未病在靈樞、金匱要略、八十一難經等書，都有大致相同的話。靈樞順逆篇說：

上工刺其未生者也，……中工刺其方襲者也，……故曰上工治未病，不治已病，此之謂也。

難經第七十七難也有這話，今不具引。怎樣能證明它原意是出於五行生剋的呢？且看金匱要略的話吧：

夫治未病者，見肝之病，傳脾，當先實脾，四季脾王不受邪，勿卽補之；中工不曉相傳，見肝之病，不解實脾，惟治肝也。（卷一藏腑經絡先後病脈證第一。）

程林注云：

治未病者謂治未病之臟府，非治未病之人也。

程氏這話說得很對，足可表達它的原意。因爲金匱原文的意義是說肝病傳脾，是木能剋土的意思，治未病就是趁肝木未復剋脾土之前先充實脾臟，那就是預防脾臟出毛病，這才算得是上工（工卽巫字，古醫巫並稱。）了。這些都只能說是早期治療，而不能說是預防醫學，是很顯明的！

中國最古方書治未病的技術，實際是不符合預防醫學的原則的，因爲病已上身，不能說它是能預防病毒之不侵入，所以它們所說的上工治未病，僅能說它提倡早期治療而已。這原則是與史記扁鵲傳中所說扁鵲見齊桓侯的話是相同的，扁鵲說：

君有疾在腠理，不治將深；……君有疾在血脈，不治恐深；……君有疾在腸胃間，不治恐深。……後五日扁鵲復見，望見桓侯而退走。……今在骨髓，臣是以無請也。後五日桓侯體病。……桓侯遂死。

這一治腠理的病易愈，治腑臟的病難瘳的原則，醫書上所說的也多根據這裏的。如素問陰陽應象大論說：

故善治者治皮毛，其次治肌膚，其次治筋脈，其次治六府，其次治五臟。治五臟者半死半生也。

王叔和撰次的傷寒論序例說：

時氣不和，便當早言，尋其邪由，以時治之，罕有不愈。患人忍之，數日乃說，邪氣入臟，則難可制。

爲什麼不能在封建時代建立預防醫學。

這裏有二個主要原因，其一細菌學未發明，不可能有符合完全預防醫學的原則，這暫且不說。其次便是封建時代不能產生出這種醫學。因在那封建時代的王侯貴族要叫他們在未病前防病，實在做不到的事情，所以司馬遷記了扁鵲診視桓侯的醫案之後，感歎地說：

使聖人豫知微，能使良醫得早從事，則疾可已，身可活也！

因而將「驕恣不論於理」那句話列於病有六不治之第一項。靈樞師傳篇也說：

且夫王公大人血食之君，驕恣縱慾，輕人而無能禁之！

我們看過社會發展史的人，都知道醫生在奴隸社會中也算奴隸成員之一，這些醫生，在初期封建時代，還沒有完全脫離奴隸社會的氣息。雖然你手中拿了牛痘苗、霍亂苗或卡介苗那一類的預防藥品，封建主們是不易接受的。但不論封建時代的醫生和資本主義的醫生，他們確實多數是愛錢如命，否則中國古時已有「破家求醫」的話是那裏來的？所以在扁鵲告訴齊桓侯有病退出之後，桓侯便憤然對他的左右說：

醫之好利也，欲以不病者為功！

這雖是寓言，但也可證明在那時社會中人，對於一般醫生嗜錢若命的印象，的確已深刻到鄙夷的程度了。也不知何人在鶡冠子中，託龐煖對卓襄王的話，造出下面一個寓言：

煖曰：「王獨不聞魏文王之問扁鵲耶？曰『子昆弟三人，其孰最善為醫？』扁鵲曰：『長兄最善，中兄次之，扁鵲最下。』魏文侯曰：『可得聞邪？』扁鵲曰：『長兄於病視神，未有形而除之，故名不出於家。中兄治病，其在毫末，故名不出於閭。若扁鵲者，鑱血脈，投毒藥，副肌膚閒，而名出聞於諸侯。』」世賢第十六

這樣在不能不要錢而能生活的封建時代，和又在那些「驕恣不論於理」的王侯貴族之門的醫生，那個肯做扁鵲的長兄、中兄呢？當然個個醫生都要想做名利雙收的扁鵲了。我以為在那時的社會，醫生多敲有錢有勢人的竹槓，並不算是一件壞事，問題是他也用在貧窮人的身上去，那眞是為有錢人服務了。

在那樣社會中間，不要說預防醫學建立不起來，就是早期醫療都不能推行無阻！所以要從中國醫學歷史上說，在醫生本身方面，他們對預防醫學是從未建立過一個原理的。因為事實上雖人類對未來災害有恐懼心理，足具建立為預防醫學的因素，而因環境時代關係，不許他們有預防醫學的結胎和產生，何況那時以病人為生活來源的醫生，他們根本不想建立預防醫學，以自絕生路

——這里也可拿資本主義國家如英美等國家的醫生作證，他們多是桓侯口中說的「欲以不病者爲功」的好利醫生，所以他們多反對公醫制度，也自然談不到徹底的預防醫學政策了。

三　人民自己創造的預防醫學

甲　山海經中所記載的預防醫學

在中國醫學史上說從醫家本身方面去觀察尋不出預防醫學的史跡，是無容諱言的，但我們如其依照一切人類文化不是帝王將相所創，而是勞動人民所創造的這一原則，那末中國如其有預防醫學這一史跡的話，既不是神農黃帝岐伯盧醫扁鵲等人所創造，更不是張仲景王叔和孫思邈諸人所發明，自然應該歸功於勞動人民的。——雖然這類史跡有的也從醫書那方面來的。（以今日言醫家固然也算是腦力勞動者，但在古代醫書方面他們不過裒集了廣大人民的驗方而已。所以張仲景傷寒論自序中說：「博采衆方」那句話是眞的。但醫書中的驗方，大多是搜集了廣大人民的經驗，這點與金元醫家自己所造的醫方」無相同之處，也可證明醫生是根據人民自己創造的經驗的。）我們只要翻檢北宋以前的方書和北宋後除了後世醫家所侈言的「金元四大家」那一系統的方書外，（注意凡一入那類系統的名醫，根據他們理論組織的醫方即無實際治病的價值！）在治療方面都有研究價值。

中國方書最古的要算神農本草經了，但其成書年代不出東漢人收集以前羣衆遺留下來的各種經驗方藥，而加以方士化的書，已不能算是完全的朴素醫書了。比較神農本草經更古的以藥防治疾病的專書是沒有了。但我們如從山海經中去尋求它的防治傳染病那類方法，材料反而較神農本草來得豐富和具體，而且這方面的用藥多是巫術一類的。山海經一書大概是周秦遺留下來的傳說而經西漢劉秀那類方士式的儒家所裒集的，雖不能說它是完全上古時代的遺書，但多少還可考見較原始社會流傳下來的廣大羣衆防治疾病的方法。這書內容龐雜，近似中國最早的百科全書，它在醫學方面而言，可說是占中國醫學史上最重要的地位，尤其在預防醫學思想史上它是占更重要的地位的。因爲近於原始時代的中國廣大人民預防醫學的方法，在此書中比較可以得到一個具體的概念，雖然它的方法是屬於巫術而且經過西漢如劉秀之流有所改動的。今將有關預防醫學方面的方法，列做一表：

山海經*中的防病藥物

防　　蠱**

其中多育沛，佩之無瘕疾。	南山經1b
有獸焉，其狀如狐而九尾，其音如嬰兒，食者不蠱。	南山經4b
其名曰鯥，冬死夏生，食之無腫疾。	南山經3b
有獸焉，其狀如狗，席其皮者不蠱。	北山經3b
其獸焉……名曰耳鼠食之之睬，又可以禦百毒。	中山經2b
帝臺之石所以禱百神者也，服之不蠱。	中山經25b
其中多鰯魚……食者無蠱疾，可以禦兵。	中山經26b
有木焉名曰亢木，食之不蠱。	西山經8a
其中多三足鱉，枝尾，食之無蠱疫。	中山經44a

** 北山經云：「有獸焉，名曰耳鼠，食之不睬」。郭注：「睬，大腹也」。疑或蠱脹之屬。

防　　疫

其中多箴魚……食之無疫疾。	東山經2a
其中多鱉魚……食之無癘(郭注：無時氣病也)	東山經5a
有鳥焉……名曰青耕，可以禦疫。	中山經43a
其中多三足龜，食之無大疾(疑疫字之譌)	中山經24a

强　　壯

其名曰鵸鵌食之無臥。	南山經4a
其中多鯩魚……食者不睡。	中山經24b
有木焉，其狀如穀而黑理，其華四照，其名曰迷穀，佩之不迷。	南山經1b
其音若呵，名曰灌灌，佩之不惑。	南山經5a
有木焉……其名曰蒙木，服之不惑。	中山經23a
有草焉，名日菵草……食之不愚。	中山經26b
其中人魚，服之無癡疾。	北山經13—4
其上多櫾多櫔……其實如楝，服之不忘。	東山經10a
有草焉，其狀如韭而青華，其名曰祝餘，食之不飢。	南山經1
其上多丹木……食之不飢。	西山經16b
其中有鳥……是名曰鶌鶋，食之不飢。	北山經4b
有木焉……食者不飢，可以釋勞，其名白㮘。	南山經13a
爰有嘉果，其實爲桃……食之不勞。	西山經16b
上有木焉……名蓟柏服者不寒。	中山經28a
有草焉……其名曰蘀，服之不夭。	中山經28a
有草焉……其名曰牛傷……服者不厥。	中山經23b
其名曰猼訑，佩之不畏。	南山經4a
有鳥焉……曰橐𩇯，冬見夏蟄，服之不畏雷。	西山經6a
其中多飛魚，服之不畏雷。	中山經9a
其上有草焉……其名曰嘉榮，服者不霆。	中山經24a
其名曰類，自爲牝牡，食者不妒。	南山經3b
其上其木焉……其名曰楠，服者不妒。	中山經25b
其上有木焉。其名曰帝休……服者不怒，	中山經25a
有鳥焉……名曰鵸鵌，服之使人不厭。	西山經29a
有草焉，名曰鬼草……服之不憂。	中山經3a

* 據郝懿行山海經箋疏，光緒還讀樓刊本。表中數字表示葉數，a表葉之上面，b表葉之下面。

防五官病

其鳥多當尾……食之不眴目。	西山經30b
有鳥焉，名䳋鸓，食之不䁆。	北山經17b
是多冉遺之魚……食之使人不眯。	西山經33b
有草焉，名曰植楮……食之不眯。	中山經2b
有獸焉……名曰龍蚔，食之不眯。	中山經6a
其中有鳥……名曰鴒䳋，其名自呼，服之不眯。	中山經17a
其名曰葶草，服之不眯。	中山經26a
其名曰旋龜，其音如判木，佩之不聾。	南山經3a

防皮膚·外科諸病

其中多赤鱬……食之不疥。	南山經5a
其中多鱟魚……食之不驕(郭注或作騷騷臭也。)	北山經10a
其中有虎蛟……食之不腫。	南山經11a
多騰魚·……食者不癰。	中山經24b
有鳥焉……名曰鵁鶌……食之不疽。	北山經12b
其中多鱃魚……食之不疣。	東山經9b
有草焉員葉而不實曰無條，服之不癭。	中山經22—3

防臟器諸病

其中多鱟魚……食之不㞙（郭注孚謂反，止失氣也。懿行案：廣韻云㞙同屁，氣下洩也）。	東山經10a
其上有木焉名曰天楄……服者不噎(噎)。	中山經23a
帝臺之漿也，飲之者不心痛。	中山經41a
有獸焉……其名曰獜……食者不風。	中山經43a

避　　孕

有草焉……名曰𦽗蓉，食之使人無子，	西山經7b
其上有實焉，名曰黃棘……服之不字。	中山經22b

防獸病

其中有流赭，以塗牛馬，無疾。	西山經3b

乙　可注意的上古預防日本住血吸蟲病的史踪

從山海經中摘出防治的藥物而言，它有兩項最可值得注意之處：一爲蠱病，一爲目眯。蠱字在殷墟甲骨文已著錄了，所以我們已知最遲在紀元前十五、六世紀已發見此病。易有蠱卦，周禮的庶氏就是掌除蠱毒之官，所謂蠱究是什麽病？解釋紛紜，但據我個人所知的文獻而言，大概不外二途，一爲精神方面的變異，此說是根據周易蠱卦而來的，成爲後來巫術之一種，漢江充造的巫蠱案可歸這一系統。一是腹中蟲病，它是根據許愼說文而來的。在醫書如巢氏病源蠱毒諸病候所說的，似又合二者而一之，所以旣言腹中蟲病，同時又說患者精神上如何變態，它的病原和症象說得神奇怪誕，莫可究詰。

其實蠱乃多屬日本住血吸蟲病，醫書中的臌脹本作蠱脹，多指此病，（當然由瘧疾和薑片蟲病等也有此症的，不過較少。）爲今日流行於長江流域和閩粵滇蜀最烈的原蟲病。但山海經記述的事跡，多涉西北地理，東南方面比較的少。今住日本血吸蟲多在東南江河湖沼之處。西北比較少見。我想這因爲地理變易之故，易稱「天以一生水，故氣微於北方而爲物之先也。」語本酈道元水經注序這證以墨子兼愛篇中和尸子的話，都說在禹沒有治水之前，黃河由晉而北，並不經過今之河北山東河南諸省的。後來經過悠長時間才漸變爲後來的河道，而西北水源乾涸了。（如春秋時八百里浩瀚的雲夢湖早已湮沒了，而今日六七百里大的洞庭湖，在當時尙係淺瀨呢！）這眞應詩經所說：「百川沸騰，山冢崒崩，高岸爲谷，深谷爲陵」那句話，由於古代西北方面多江流池沼之故，便成爲日本住血吸蟲病發祥之地了。後來河道遷革，北方氏族向南侵佔，這病也就逐步向南移動，而北方高旱之地，當然不容日本住血吸蟲託足了。山海經雖爲西漢時人所裒集，而其傳說實起於上古，所以山海經中對於防治蠱病較防治其他的傳染病爲特別多而積極。我們從山海經中山經中所說「蠱疫」兩字，足見那時西北方面日本住血吸蟲病流行的慘烈了。

大概日本住血吸蟲病在秦漢以前，西北方面是很嚴重的，所以周禮設有庶士氏剪氏作爲專掌預防毒蠱的官衙，它的防治之藥，便是嘉草；一說卽蘘荷。史記封禪書「磔狗以防蟲菑。」這蟲菑卽蠱疫，漢應劭風俗通義卷八引太史公記說：「秦德公始殺狗磔四門以禦蠱。」案風俗通又有東門鷄頭以禦蠱的話，知不盡用狗。這都是秦漢以來政府在每年正月預防蠱毒——日本住血蟲病的證據。到了晉宋六朝蠱毒在黃河長江的二江南北流域已鬧得更兇，如在晉時有蟲行病的諸傳，（見晉書五行志）這可說明它的背景爲蠱毒的流行。干寶外姊夫蔣士先中蠱毒，後來以蘘荷做蓆子才知是張小所下的蠱毒（據搜神記及玉燭寶典引）這種傳說疑與山海經西山經所說「有狗焉，其狀如狗，席其皮不蠱」同出一源，隋代因這蠱毒屢演慘案，隋文帝之妻文獻獨孤皇后因那時的蠱毒流行得很厲害，而鬧貓鬼案；這案着實害了許多人。（事見隋書獨孤陁傳文獻皇后傳貓鬼就是蠱的一種，見巢氏病源卷二十五。據我的考證獨孤后乃患更年期的臟躁證。）後來文帝的第三子秦王俊他是一個奢縱好色的青年，後來患癆病死了，也誣指楊俊的妃子崔氏行蠱，因而賜死。這樣我們不難推測那時民間對於蠱毒的震懼的情形，宜乎當時御醫巢元方做病源候論時，把它連篇累牘地記載。但遺憾的是多把它變做妖異的怪病了。唐宋以後從各家文獻所記載觀之，蠱毒已由長江流域蔓延到福建兩廣雲貴四川等地，而蠱的名目繁多，有金蠶蠱、蜣蜋蠱、疳蠱、腫蠱等一二十種，其中金蠶蠱一名，自宋徐鉉稽神錄記載後，傳播尤廣。

其次山海經中說到防止目眯的方法也很多，我們都知西北高旱，自古爲風沙之地，沙塵最易眯眼，這在出外旅行的人，是一件很苦惱的事。所以汲冢周書也有「奇幹善芳頭若雄雞，佩之令人不眯」的話。不過目眯的眯，其義是否僅有沙草等物入目的眯（見說文解字，韻英（慧琳一切經音義八十六引）廣韻莊子天運篇文子上德篇新序等。）及與夢魘的眯字同義的眯（見莊子天運篇淮南子精神訓）的兩種解釋。我以爲眯字或指砂眼一類之病，這病也以朔漠之地爲多，據今天的調查西北那些地方的人民，患着百分之百的砂眼。但這里却一時找不到證據，無徵不信，只能作一假設而已。

丙　季節方面的預防醫學

禮記月令記四季的流行病，說多由氣候的反常。誠的，傳染病的流行，與氣候很有關係。例如冬季的白喉，夏季的痢疾，秋季的瘧疾。這因爲細菌的繁殺，與氣候及人的飲食起居，都很有關係的緣故。所以周禮天官說：

四時皆有癘疾，春時有痟首疾，夏時有痒疥疾，秋時有瘧寒疾，冬時有嗽上氣疾」

這話是不錯的。我們皆知古時的人民，由於每年經常在某幾個季節中患那種幾種病，而得到經驗的教訓，更從統計的觀念上求出如周禮天官中所說的四時那些癘疾的結論。

因爲先民得到這樣地結論，每年遂有種種不同預防方法。他們所用的方法，是迷信的，也是巫術的。古人所謂時節的節，含有關節之意，過節猶過關，故每逢時節必舉行種種儀式，它的原意是辟災求祥，而實際多是對於傳染病的預防。我們都知民間每逢元旦、端午、重陽、除夕等四大季節尚流行各種不同的儀式。總之這許多儀式，對殺滅細菌，有的是起一定作用的。

（一）飲食　元旦飲椒柏酒、屠蘇酒、桃湯、五辛盤、：端午雄黃酒、艾葉酒、：重九茱萸酒、臘酒、椒酒等，這是以酒類避疫之例。這類的例子很多，我不想多所徵引，也不想把每一事物的典據寫在這裏。（下同。）

（二）焚燒　元旦燒丁香，放爆竹（除夕同，）端午焚廢藥（除夕同。案端午日後來多焚蒼朮白芷一類辛味芳香的藥）除夕的燒皂角，燒骨骴，焚辟瘟丹等。

（三）厭勝　這裏我姑引用如下幾事為例：（1）埋石與懸磚　鴻寶畢萬術說：

埋圓石於宅四隅，追桃核七枚，則鬼無能殃也。（歲時廣記卷四引。）

按這禮節是用在每年的除夕的。梁宗懍荊楚歲時記說：「十二月暮日，掘宅四角，各埋一大石為鎮宅。」大概即據鴻寶畢萬術的。古人認為傳染病是鬼神作祟，埋石四隅使鬼無能為殃，當然便是辟疫的意思。

與上面法術用法相反的，則有唐人陳藏器本草拾遺說：

正月朝早，將物去塚頭取古磚一口，禱咒，要斷一年無時疫，懸安大門也。（政和本草卷四引）

（2）象徵　巫術中有同類相感的法術，這在民間也很盛行的。它是與呂望射丁侯的意義相近。看下例自明。歲時雜記說：

京師人以麵為虵形，又以炒熟黑豆煮熟雞子三枚，於元日四鼓時，用三姓人掘地，逐件以鐵釘各釘三下，咒曰：「虵行則病行，黑豆生則病行，雞子生則病行。」咒畢，遂掩埋之。（歲時廣記卷五釘麵虵條引）

這種巫術，真是「匪夷所思」的。他們創造這種厭勝法，以為如其要把疫病流行的話，也要把這麵粉做的虵，炒熟的豆子，煮熟的雞子三件東西活起來才行；他們這種向疫鬼要挾的條件，似乎也太無賴了。

（3）符咒　符咒也是民間很普遍流行的防疫法，如上述許多季節時使用禁物，多連帶用咒的；它的起源很古，史記扁鵲傳中已有禁方、越方的記載。符，通常是用字厭勝的方法，最初是用單字的，漢時天師道的太平經中便是這樣。後來才用雙字和數字相併的草字。已經是那些騙錢爲業的野道士的勾當，民間還是用單字的多，譬如民間除夕那天門上多貼「天行已過」四字於門楣，或豬圈上，據說是可以防止人畜的瘟疫的，且看法天生意的記載：

除夜有行疫使者，降於人間，宜以黃紙朱書「天行已過」四字貼於門額，吉。月令廣義卷二十引

又云：「貼於豬圈柵棧間，吉。」這是想用詭詐的手段來欺騙行疫使者，以期達到預防人畜傳染病的符術之一。

至於禁術，也有多種，其中以行氣持想的方法，在東漢時術家如左慈、徐登、趙昞之流最所專擅。抱朴子至理篇已引仲長統昌言的話，說「行氣可以不飢不病，」又說，咒法可以免疫與病人同床。抱朴子論持想行氣之法，是這樣的：

仙人入瘟疫祕禁法，思其身爲五玉，五玉者隨四時之色、春色青、夏赤、四季黃、秋白、冬黑。又思冠金巾，思心如炎火，大如斗，則無所畏也。又一法，思其髮散被身，一髮端輒有一大星綴之。又思作七星北斗，以魁覆其額，以罡指前。又思五藏之氣從兩目出，周身如雲霧，肝青氣、肺白氣、脾黃氣、腎黑氣、心赤氣，五色紛錯，則可與疫病者同床也。

按古人有云：「思之思之，神鬼通之，」又管子心術篇說：「故曰思之，思之不得，神鬼教之」又管子內業篇亦有相似的話。那些話，便是這裏行氣持想的根據吧；行氣持想法，有時在某種場合可能得到生理上的變化，但如抱朴子所說那樣大的防疫功效，尙待研究！而王充論衡、王符潛夫論、荀悅申鑒諸書所說，知兩漢時民間男女都習於巫事，所以這里持想行氣的防疫方法，那時或已家喻戶曉了。

丁　燎火和桃木

（一）　燎火

火是人類文明的原動力，它的發明，當在十萬年以前，是偶然發明的東西。其初或擊燧石。或鑽薪木，或森林被電擊燃燒。因此不能倉卒取火，必須時常保持火種。如偶然被水冲滅了，依然要過茹毛飲血的生活的。因火能燃燒，能改進人的生活，同時也能燬滅生物的東西，所以古人以爲它是有神主持的，因而各國都有崇拜火神的傳說。它在預防醫學的歷史上，是居重要的地位的。

保持火種，尙流行於現在沒有開化的民族中間，在中國有換火那類禮節。我想，當初必是流行於民間的。到了封建時代，才由統治者設官專掌其事。據周禮說：

司爟掌行火之政令，四時變國火，以救時疾。夏官司爟

唐賈公彥的解釋：

四時變國火以救時疾者，火雖是一，四時以木爲變，所以禳時氣之疾也。

這種變火是以五行的木色不同而異的，其說本出時戰國的鄒衍，詳見論語陽貨篇，詞繁不錄。這種變火，兩漢猶是流行，我們看了漢丙吉奏改火表（詳居延漢簡考釋卷一第三葉（重慶版））證明那時政府已不甚注重它，據隋王劭說：到了晉室南渡，尙帶它的火種渡江南來，到了隋初此爟火之禮幾於廢絕，所以他在請火表上根據周禮的話說：

火不數變，時疾必興；聖人作法，豈徒然哉。隋書王劭傳

我們現在尙知清明的寒食節，便是改火的一種遺跡。它的歷史根源，與晉文公紀念介子推焚死綿山，是不相涉的。由於這種改火防疫的禮節，漸次誤會演成民間寒食節這一故事；據後漢周宣光的弔書和魏武帝禁止寒食的手令都說，北方嚴寒的地區，老少羸弱的人因了不堪冷食而死的很多，這是多末殘酷的迷信。

關於民間以火爲防疫之舉，除了除夕照虛耗和打儺時的火把，煙火、爆竹及至今流行的香火、生盆等多少對於消滅細菌及取煖方面有若干作用外，在喪家也多有用之，顏氏家訓風操篇說「喪出之日門前熬火，戶外烈灰，祓送家鬼，章斷注連」。雒陽伽藍記卷二龍華寺下說：崔暢聽到亡兒涵回家，便「門前起火持刀」。是與顏氏家訓所說同一意義的。至風操篇的「章斷注連」的話，趙曦明和盧文弨二家的注也未注出，案日本源順倭名類聚抄卷五調度部（曙社本P. 466）引作「注連章斷」，狩谷望之也沒有把它箋注出來。詳倭漢三才圖會卷十九說「神前及門戶引張之以辟不潔，其繩用稻藁每八寸許而出本端，數七五三莖，左編之，故名。」知它是宗教儀式上用作圈地，和掛在神社或人家入口處，不使邪鬼進來的草繩一類的東西，那末叫人不要進入停留屍柩的

地方，於防疫上說起來，它是有意義的東西。火能消滅細菌，喪家之門前煞火戶外烈灰，雖沒有今日消毒方法的周密，但在那時代這種迷信畢竟有它的意義。在十七世紀歐洲傳入一種用火撲滅鼠疫的文獻也是值得一提的，據明季西士艾儒略職方外紀說：

亞細亞之地中海，有島百千，其大者一曰哥阿島，行準案蓋卽今法屬之科西嘉島　曩國人多患疫，內有名醫依卜加得不以藥石療之，令城內外遍舉大火，燒一晝夜，火息而病亦除矣。蓋疫爲邪氣所侵，火氣猛烈，能盪滌諸邪，邪盡而疾愈，亦至理也。卷一地中海諸島條

這裏所說的疫顯係鼠疫。我們讀過歐洲醫學史的人，都知歐洲在十四世紀中葉，鼠疫大爲流行，一三四八年，法王路易下詔防此惡疫，曾在街道焚火爲預防法的一種。中國在十三世紀鼠疫已很盛行了。記得抗戰時，日本沒有人性的軍閥，他們悍然違背人道，用細菌戰爭，在寧波放散百斯篤菌，因之鼠疫大行，那時，寧波尙在反動政權手裏，就放火把疫區房屋付之一炬，後來其他地區也有類似情形。反動政府用這種落後無能的，消極的治法，固覺可恥，尤其是日本的細菌戰犯所虐殺中國人民的仇恨，更是百世難消！

二　桃木

桃木可以壓鬼的歷史，最早出於山海經，後來漸漸變成桃符，以至今天流行的春聯。論衡訂鬼篇引山海經說：

滄海之中，有度朔之山，上有大桃木，其屈蟠三千里，其枝間東北曰鬼門，萬鬼所出入也。上有二神人，一曰神荼，一曰鬱壘，主領閱萬鬼，惡害之鬼，執以葦索，而以食虎。於是黃帝乃作禮，以時驅之，立大桃人，門戶畫神荼、鬱壘與虎，葦索，以禦凶魅。參續後漢書禮儀志，太平御覽九百六十七，風俗通義卷八並引之，文有同異。

此外，風俗通義引黃帝書今本風俗通無此據藝文類聚八十六引　也有此說，它用的時間是在臘月除夕那天的，這自然是比較後來的話，神荼鬱壘便是後來的門神。他倆是用葦索縛鬼的猛神。但以上還僅有桃人、神荼、鬱壘、葦索等事，到了括地圖所說的，又將雞收入了：

桃都山有大桃樹，盤屈三十里，上有金鷄（玄中記作天鷄）日照，入此鷄則鳴，於是晨鷄悉鳴，下有二神，一名鬱，一名壘，執葦索，以伺不祥之鬼，得而毀之。（玉燭寶典卷一荆楚記引，又引玄中記文稍異。御覽廿九引括地圖文亦有異。）

玄中記又說：「今人正朝作兩桃人立門旁，以雄鷄置索中，又以此象勇也。」（同上御覽廿九引作：「以毛雄鷄毛置索中，蓋遺勇也。」）

他們以爲這種桃木做的人,是能鎭鬼的,後來漸由桃人變做桃板了,如淮南萬畢術說「造桃板著戶」便是此意。這種桃板據今天所見漢人在居延地方遺下的木簡,許多木簡牘上畫著獰猛的人物(見圖一)敦煌掇瑣第九十三所收的「護宅神曆卷」(見圖二)據陳槃先生說也是桃符的一種。其上有神荼鬱壘有雞首在神荼鷄頭鬱壘下都有山鬼似含有厭勝之意。山鬼卽山魈使人患寒熱病的惡鬼也可用爆

第一圖 居延漢簡木人圖式 黃慶樂摹本 1/2

第二圖 敦煌掇瑣九十三 護宅神曆卷 潘懿摹本 1/2

竹逐宅(今日之爆竹卽起源於此。詳荊楚歲時記神異經及大觀本艸卷十三引李畋該聞集。)如其我們更參考括地圖玄中記二書,便更可明白這桃符的眞相宅在古代人民視作一種重要的防疫工具。

但到了荊楚歲時記的作者梁宗懍所見的文獻又添上火而把灰炭的事除掉用鷄的方法也不同了,而且十二月用這種桃符的意義,是專於逐疫的歲時記說:

魏時人問議郎董勛云「今正臘月門前作烟火、桃人、絞索、松柏、殺鷄著門逐疫禮也」勛答云「禮十二月索室逐疫釁門戶,磔鷄漢火德行,故作火助行氣。桃鬼所惡畫作人首,可以收縛不死之祥。」御覽卷二十九引

據此知此等桃符逐疫的風俗是在西漢火德說行之後。因爲漢是火德所以不用葦灰那東西了。這點,我們知道封建時代的統治者,已知把民間風俗之事與當時政治結合起來了。至「畫作人首」那卽是「護宅神曆卷」中的人首了。

關於桃木所演變的事，是很多的而且是很古的，戰國策上也有土偶桃梗的話，宋王觀國學林卷四說，這桃梗就是山海經的桃人。而禮記檀弓的桃茢、左傳的桃弧、漢書王莽傳的剛卯、續後漢書禮儀志中的桃印，都是以桃有驅鬼作用而用它的。所以喪家更爲常用，北魏楊衒之雒陽伽藍記卷三有洛陽人崔涵母魏氏，手把桃枝，臨門拒涵入家的記載。又「桃湯」原是元旦辟疫的飲料，而伽藍記所載也有以「桃湯」爲人名的，如卷一永寧寺條有河內太守元桃湯，卷四宣忠寺條閹官王桃湯，這好似王猛的孫以五月五日生名爲鎮惡之義相似。又好似信佛的名僧彌，信基督的名約翰若瑟。

桃符到了五代面目又變了，蜀主孟昶太子親題桃符曰：「天垂餘慶，地接長春。」見江休復茅亭客話卷一蜀先兆一條，（按宋史五行志四把這聯語作「新年納餘慶，嘉節賀長春」與客話不同。）似乎已不畫上山鬼雞頭那一套，而代之以吉慶字句，漸成裝飾物而人的風雅之途了。不過事實上桃符這類的遺風至今還是存在的；我們不是還時常看到人家門前掛着畫有虎頭的木板叫做虎頭牌嗎？它倘是山海經度朔山的遺風呢！

至於荊楚記又加上松、柏枝的事，那是與方書唐人延年祕錄辟溫方中在正旦取東行桑根懸門相同的。詳見外臺祕要卷四。按此蓋本漢書息夫躬傳咒盜的故事而來的。他若荊楚記和蘇氏演義的元旦掛楊柳（按今在清明，）陶隱居決的佩楝葉，政和本草卷十四引續齊諧記之插茱萸御覽三十三引等，不一而足，這都有去惡避疫之意義的。

結核病在中國醫學上之史的發展（二）

蕭叔軒

3　瘰癧和無辜病的考證

A. 馬刀俠癭的釋名

金匱所論虛勞，已包括結核病在內。如「盜汗，」如「馬刀俠癭，」就明是結核的見症。而馬刀俠癭，昉見於靈樞癰疽篇，但字作馬刀挾纓。按挾纓卽是俠癭。原來俠與挾同，癭與纓同。這裏可以看下述的例證。詩大明：「使不挾於四方。」韓詩外傳挾作俠，左傳隱九年「挾卒，」穀梁作「俠卒。」漢書禮樂志「俠嘉夜，」叔孫通傳「殿下郎中俠陛，」注都說「俠與挾同。」

而纓呢，山海經海外北經：「拘纓之國。」郭璞注謂：「纓宜作癭。」劉熙釋名：「癭，嬰也，在頸。嬰，喉也。」這些，是挾纓俠癭音義相同的證據。然照日本丹波元堅氏金匱述義據潘氏醫燈續焰的考證，則癭當作纓，以其病發於頸側結纓之處。丹波氏說：

靈樞經脈篇少陽所生病云：「腋下腫，馬刀俠癭。」而癰疽篇云：「其癰堅而不潰者，爲馬刀挾纓。」潘氏醫燈續焰釋之云：「馬刀，蛤蠣之屬，癰形似之。挾纓者，發於結纓之處，大迎之下頸側也。二癰一在腋，一在頸，常相連絡，故俗名歷串。」義尤明顯。知是癭當依癰疽篇而作纓。馬刀俠癭，卽靈寒熱篇所謂寒熱瘰癧及鼠瘻寒熱之證。張氏註云：「結核連續者爲瘰癧，形長如蜆蛤者爲馬刀。」又張氏六要云：「馬刀，小蜆也。圓者爲瘰癧，長者爲馬刀，皆少陽經鬱結所致，久成癧㾼。」是也。蓋瘰癧者，未潰之稱，已漏潰而不愈者爲鼠瘻；其所由出於虛勞，癭者，攷巢源等，瘤之生於頸下，而皮寬不急，垂搥搥然者。故說文云「癭，頸瘤也。」與瘰癧迥別，癭乃纓之訛無疑矣。

如此說來，馬刀是蛤蠣之屬，一種小蜆的名稱。見本草。而病結核之形長相似，故名叫馬刀。圓而未潰的，稱爲瘰癧。而瘰癧潰漏久而不愈的，又叫做瘺瘻。靈樞寒熱篇：

寒熱瘰癧在於頸腋者，此皆鼠瘻寒熱之毒氣也，留於脈而不去者也。

尤在涇金匱心典及引李氏，相同於日人俠癭在頸，馬刀在腋的考據：

若腸鳴馬刀俠癭者，陽氣以勞而外張，火熱以勞而上逆。陽外張則寒動於中而爲腹鳴；火上逆，則與痰相搏而爲馬刀俠癭。李氏曰：癭生乳腋下曰馬刀，又夾生頸之兩旁者爲俠癭。俠者挾也。馬刀，蛤蠣之屬，瘡形似之，故名馬刀。癭一作纓，發於結纓之處。二瘡一在頸，一在腋下，當相聯絡，故俗名癧串。

原來瘰核之形串聯，所以又有癧串之名。此與上潘氏之言相同，其全同者必一人之言，惜尤氏所引李氏不知何人？與潘氏孰先孰後？未知誰作誰述？

按挾纓、俠癭之纓、癭字，其先只作嬰；嬰，貝飾也。故與貝屬之馬刀相提並論。嬰之作癭，猶如利之作痢，蓋其初亦但作利耳。至作纓則狀其病象，究非朔義。十餘年前范行準先生曾作極精詳之考證：

上略。按嬰古作賏，是貝殼編製之物，古時用作項圈者。說文賏部：「賏，頸飾也。」其从女作嬰者，以此物多爲女人頸間所佩之粧飾品也，實則佩帶此項之物古時男女無別，此事驗之今日未開化之民族尙然也。故其始只有賏字，其後始爲女子專用品，故作嬰。——與岫翁論學書

按古時用爲項圈，乃貝屬編製之物，故名賏，郭沫若先生謂朋、拜，皆是其物，爲頸飾之象形者。余先生在釋名病釋爲繞其一義也。但最初之義當爲編貫成物之貝殼，觀字之從重貝可知。范先生說：

貝爲中國古時之貨幣，後至銅器時代，則又以銅爲貨幣，而嬰又以銅爲之者，故穆天子傳屢有賜神「黃金之嬰」，亦作罌，嬰罌古可通叚，而郭璞注「盂也，徐州謂之罌」，則誤矣。因傳中之嬰屢與「黃金之環」「貝帶」二物並稱，可證也。原來嬰古時又爲獻神之物，此事在山海經五藏經中屢見之，其嬰多爲玉製也。按羅振玉唐風樓隨筆有云：「北方離海較遠，貝不易得，

有用骨爲之者」則山海經中之嬰用玉製當亦貝殼不敷用之故然其用玉爲嬰之時代當晚於貝而早於金（青銅）要之，貝原有小孔可以編貫作爲頸飾以若干枚編貫成者古謂之朋朋字在甲骨文作拜拜，近人郭沫若云：皆頸飾之象形也。「骨文朋字更有連其下作爲環形者如𤣩若𤤴者……此更顯而易見矣」阮元積古齋鐘鼎彝器款識有四象形文字釋爲「子荷背貝二貫」或「孫荷貝一朋」，郭氏並謂「朋與貝實一物而異名朋之爲貝猶貝之爲連（今人爲之鍊）」（以上略見郭沫若著骨甲文字研究上册釋朋及卜辭通纂攷釋頁一百後。）曾憶詩經有錫我百朋之語，此百朋猶百嬰也。此外，民國二十二年十一月廿八日世界日報曾記青島山東大學教授之劉咸說謂曾發見一出土女骨，「頸下有貝殼五枚各個上方，均有空，相係以線穿連，帶於脖項，用作妝飾之用」云云。是劉熙釋癭嬰也之嬰謂癭之病狀纍纍然有如貝殼編成之鍊圈佩於頸也。——同上

范先生以爲癭是狀甲狀腺病，馬刀狀淋巴腺病。此論良是。但據釋名嬰與咽通，則挾纓卽挾咽之兩側，仍是結纓之處。故象甲狀腺病是其一義，謂之癭。象頸淋巴腺結核病，亦其一義，謂之挾癭。說文云：「癭瘻，頸腫也。」巢源方諸病源候論載諸瘻皆在頸，潰而成瘡。又癭候云：

癭者初作，與瘿核相似，而當頸下也皮寬不急，垂搥搥然是也。

外台祕要引小品方云：「癭病喜當頸下，當中央，不偏兩邊。」日本掖齋狩谷望之箋注倭名類聚抄卷二疾病部瘡類癭瘻條：「然則癭者，頸下懸疣，不與瘻病同。」則頸淋巴腺結核當爲巢氏病源之瘻瘡瘿核之類，而癭者當頸下中央之懸疣，皮寬不急，狩谷掖齋所謂不與瘻病同者，此則純屬甲狀腺病矣。范先生又說：

癭之病甚早，山海經西山經中已有杜衡已癭之語，而其病名之來，當先有嬰之一物，後加疒爲癭，準因以嬰狀甲狀腺病，而連憶以馬刀狀淋巴腺病。夫旣以嬰釋繞而下「在頸嬰喉也」之嬰字，仍釋作繞字之義，亦非。按此處之嬰與咽字通，釋名釋形體第八云：「咽所以咽物也，或曰嬰，嬰在頤下，纓理之中也，」……又釋車第二十四云：「鞅，嬰也，喉下稱嬰，言纓絡之也」……

…皆可爲與咽字相通之證，而無繞字之義。故釋名癭，嬰也之嬰字，是形容癭病狀之名詞，而下之嬰字，是癭病所在之範圍。換言之，卽癭病在頸前之咽喉部位，而不在頸後項脊之部位。故高誘注有「癭咽疾」之語。蓋嬰之飾物，想是僅在咽喉部位垂有貝殼，而項後則無也。……若謂嬰之義爲繞，則項後亦有癭病矣。——與岫翁論學書

按癭、纓，太素皆作嬰，且注云：頸前曰嬰，嬰卽賏字，古謂之朋，與馬刀同爲貝屬。以爲女之頸飾，夾頸而下，故頸前卽謂之嬰。挾嬰則狀其病發於頸側結纓之處，故纓、癭字實由此孳乳，均假借字。那末，挾纓的說法，與瘰癧瘻瘡，該是肺癆以外淋巴腺結核的最早的史料。但明言與癆病相關，則始賴外臺。

B. 無辜病的疏證及其在世界結核病史上之價值

現在，我們再看看古代醫學家對於瘰癧症候的觀察是怎樣的？外臺引崔氏別錄：

骨蒸病者，亦名「傳尸」，亦謂「殗殜」，亦稱「伏連」，亦曰「無辜」。……嬰孺之流，傳注更苦。其爲狀也，髮干而聳，或聚或分，或腹中有塊，有腦後近下兩邊有小結，多者乃至五六，或夜臥盜汗，夢與鬼交通，雖目視分明，而四肢無力，或上氣食少，漸就沈羸，縱延時日，終於溘盡。

這裏說的，完全是今日的結核病的症狀。所稱「腦後近下兩邊有小結，多者乃至五六」的這種骨蒸病的「無辜，」按外臺引崔氏纂要方有無辜方二首，說：

崔氏無辜閃癖，或頭乾瘰癧，頭髮黃聳分去，或乍痢乍差，……諸狀既多，不可備說。

又療無辜腦後兩畔有小結者方。

按崔氏方已指明「腦後兩畔有小結者，」爲「無辜，」爲「瘰癧，」很足以與挾纓之說相印證，也更可以確定卽是淋巴腺結核病。余雲岫先生於一九二八年刊行之余氏醫述有云：

腦後近下兩邊小結者，瘰癧也，頸腺結核也。此我國言瘰癧與結核同源之始。西土論此者始於林匿克 (Laennec) 氏乃在

十八世紀。崔氏別錄，或以爲唐中書侍郎崔知悌所撰。知悌當唐高宗時，在第七世紀，前於林氏者千餘年，而已倡此論，豈非英偉？今林氏名聞學界，傳之不朽，而知悌之言湮沒不顯，寧非後學不事搜求，不能表彰之過歟？然溯而上之，仲景之馬刀俠癭已發其端矣。

按：余雲岫先生稱唐中書侍郎崔知悌，當唐高宗時，在第七世紀。前於林氏千二百年，此論曾使第六次東方熱帶病學會之滿座學者，驚爲創聞。如余先生所云：

余於民國十四年，出席第六次東方熱帶病學會於日本，曾演說「中國結核病之歷史的研究」一題，於崔氏大加表揚。其中有曰：「今代醫家，不知林匿克之名者，幾無一人；而崔氏已於千二百年前發同樣之論。對於此事，西洋人不必論矣，卽日本恐未及周知者，亦必有人，卽我國醫家，不知崔氏偉論者，亦尙不少！對於古人，抱辜良深。」此言一出，滿座學者，驚爲創聞，鼓掌雷鳴。演說既終，東京帝國大學醫科部長林春雄氏，尙就余座殷殷尋問崔氏詳情，乞余演稿，余以尙未完善，靳而不與。今春大阪有馬賴吉博士結核研究所落成，函乞余之演稿爲陳列品，不得已與之；且爲登諸「結核」雜誌中。其實余尙以爲未善，再加研究而後發表，登之結核雜誌，非余志也。然此舉實足以爲我國醫界吐氣，而發崔氏千年之潛德也。

攷崔知悌字行功，爲唐以前四世紀時人。我在無辜考裏已有關於崔知悌的討論。茲摘錄一段如后：

據范行準先生的考證纂要方的著者卽崔知拂，一作知悌，一名行功。范先生起初說知拂是西晉末東晉初四世紀時人，但聽說他近來又發現新材料，對於崔氏的年代，將有所修正，故現尙難確定其切實的年代。

據范行準先生跋醫籍考，則崔知悌實爲崔知拂之誤，似無可疑者。唐書有崔行功傳，不言其知醫，其書雖有後人羼入的文字，但無礙其爲西晉末年人，猶兵書有託名諸葛亮兵書者，不能謂諸葛亮非劉蜀之人耳。醫籍考跋：

纂要方舊唐志作崔知悌撰，多紀氏本之以入醫籍考。新唐志作崔行功，而多紀氏既知舊新唐書本傳均未作度支郎中等職，而又不信爲晉人著，……其實失考。崔知悌乃崔知拂之誤，而行功其字也。外臺卷十三灸骨蒸法圖下注云「崔氏別錄灸骨烝方圖并序，中書侍郎崔知拂撰。」蘇沈內翰良方卷一作「唐中書侍郎崔知悌撰。」則誤矣。原來拂與弼音義相通，孟子：「入則無法家拂士，」（孟子卷十二告子）荀子：「功伐足以成國之大利，謂之拂。」（荀子卷九臣道篇）說苑臣術篇引此作「弼，」賈子保傅篇，大戴禮傅傳篇，「拂」「弼」皆互用，名知拂而字行功，義正相符也。更以外臺增損理中丸一方，內翰良方卷三亦引此，作「西晉崔行功」則行功知拂爲一人無疑矣。乃舊新唐志一署其名，一署其字，遂誤爲二人矣。雖以元胤兄弟之明，猶不能識別。惟元胤既引灸骨蒸下注語，豈亦以「拂」爲不可解，而爲「悌」耶？原來弟字唐人寫本多作弗，以拂爲悌，既由形似而誤，復見舊新唐書有崔行功崔知悌傳，遂不辨其爲一人也。

故如以崔氏方爲晉時的作品計之，似又較余先生所說要早三百年了。

4 腹膜結核的疏證

崔氏別錄論無辜病：「或腹中有塊，或腦後近下兩邊有小結，」則古代之所謂無辜病，已包括有頸淋巴腺結核與腹膜結核。故其病屬之於傳尸骨蒸病之類。今按結核性腹膜炎之成因：有血行性的，有淋巴性的，有自鄰近結核病灶向周圍擴大蔓延而成的。血行性的多先有肺結核；淋巴性的多先有腸結核；而來自鄰近結核病灶的，即肋膜、腸間膜、後腹膜以及其所屬淋巴腺，多先患結核之故。古人之認識此等結核病，余先生於一九三七年發表我國醫學革命之破壞與建設一文，言之綦詳。而於「腹中有塊」則以腸間膜淋巴腺之結核解釋之，其言云：

> 又如外臺秘要骨蒸方，引崔知悌別錄曰：「骨蒸病者，……無問少長，多染此疾，嬰孺之流，傳注更苦，」以今日言之，骨蒸即癆瘵，即今之結核病；其傳染之初，多在小兒之期，且小兒最爲危險。唐代崔氏，已觀察及此矣。又曰：「其爲狀也，髮乾而聳，或聚或分，或腹中有塊，或腦後近下兩邊有小結，多者乃至五六。」此言大有價值。蓋自今日學者所研究言之，結核之傳染，多在小兒之時，結核菌既入體內，即營成初期病竈；初期病竈多在肺表面膜下，此爲傳染之第一期。隨即蔓延於血液道淋巴道，能令淋巴腺腫大成小結（小兒瘰癧，即屬此症，）故謂之結核。迨此期總熄，爲全身過敏期，最爲危險。結核性腹膜炎，腦膜炎，符發於

此時者也；是爲第二期。至第三期，則全身之傳染終熄，獨歸於肺，而爲肺結核之初期，卽成肺癆。故癆瘵與瘰癧，其病同也。崔氏所謂腹中塊者，腸間膜淋巴腺之結核也。所謂腦後近下兩邊之小結，卽瘰癧也；頸淋巴腺之結核也。而與骨蒸同論，是唐時已知瘰癧與癆瘵同源矣。歐西之言此者，始於林匿克（Laennoe）氏（法蘭西人一七八一至一八二六）姓名煊赫，知醫者誰不仰慕？而崔氏別錄，乃能發之於千二百年前；雖林氏以解剖而得，崔氏以觀察而知，然慧眼慧心，自足千古！此疾此論，崔氏當得優先權也。

這是余先生所舉關於腸間膜淋巴肥結核的疏證。至小兒疳疾腹大，亦每有因慢性的結核性腹膜炎而發生腹水徵候者。故小兒疳症肚大青筋之文獻，恆與結核性腹膜炎有關。看玉函關無辜論，則小兒身體枯羸，寒熱盜汗，若日久不瘥，往往形成龜胸鋸脊，肚大青筋的症候。如云：

又有文（？）寒溫不常，乳食不節，傳作疳疾；狀類無辜。面黃髮疎，身體枯羸，齒腥血出，頭鼻生瘡。寒熱往來，夜臥多汗，便瀉泥土，藏腑不調，似結似痢，糞中蟲出，尿如米泔……若久不差，手足如筒，龜胸鋸脊，肚大青筋，肉乾骨露，項細喉出，喘促不常，溫潮漸作，寒競無時，口含青涎，乳食向減，漸成疳癆惡瘦之候。

右據宋劉昉幼幼新書卷二十四辜疳第一第三頁引，范先生已有考證。按無辜論所云，與錢乙小兒藥證直訣論諸疳，其證相同。其肚大青筋，病原固不一，而由於結核病者亦非鮮見。今檢巢元方諸病源候論四十七卷有傷飽，哺露、大腹、丁奚諸候，皆由「哺食不消……致肌肉消瘠，其病腹大頸小黃瘦是也。若久不差，則變成穀癥傷飽，一名哺露，一名丁奚，三種大體相似，輕重立名也。」這雖然指的是因消化障礙而起的營養不良的慢性衰弱病及寄生蟲病，但應該還包括了結核性腹膜炎。因爲從玉函關及小兒直訣所敘一系列的證狀中，含有顯明的結核性的徵候一點來說，這似乎是很可能的。

5 骨結核的文獻

玉函關說小兒傳作疳疾，狀類無辜，舉述了：寒熱往來，夜臥多汗，馴至手足如筒，龜胸鋸脊，肉乾骨露，項細喘促，成爲疳癆惡瘦之候。這所謂龜胸鋸脊，巢氏病源卷五腰背病諸候有背僂候，云：

若虛，則受風，風寒搏於脊膂之筋，冷則攣急，故令背僂。

范先生謂：龜胸卽今之鷄胸，史記秦始皇本紀已有言始皇爲鷙膺之說，則秦皇固夙有鷄胸之證，但此證亦見於佝僂病，爲缺乏維生素D或因維生素原製造維生素D的減少，至其可屬之於骨結核者，則有巢源卷三十三癰疽病諸候下所言著於嬰孩髆肘背脊而成胸背隆曲畸形之附骨疽候，如云：

附骨疽者，由當風入骨解，風與熱相搏，復遇冷濕，或秋夏露臥，爲冷所折，風熱伏結壅遏，附骨成疽。喜著大節解間，丈夫及產婦女人，喜著鼠髅髂頭䏚膝間，嬰孩嫩兒亦著髆肘背脊也。其大人老人著急者，則先覺痛，不得轉動，挼之應骨痛，經日便覺皮肉生急洪洪如肥狀，則是也。其小兒不知字名，抱之纔近，其便略喚，則是支節有痛處，便是其候也。大人老人著緩者，則先覺如肥洪洪耳，經日便覺痺痛不隨也。其小兒則覺四支偏有不動，不動搖者，如不隨狀，看支節解中，則有洪洪處，其名不知是隨骨疽，乃至合身成膿，不潰至死，皆覺身體變青黯也。其大人老人皆不悟是疽，乃至於死也。亦有不別是附骨疽，呼爲急賊風，其緩者，謂風腫而已。

其論看支節解中洪洪處，是附骨疽，頗近結核性關節炎，按千金診附骨疽法，其言亦仿此，而文首有云：「凡附骨疽者，無故附骨成膿，故名附骨疽。」外臺卷三十四附骨疽方引備急療疽瘡骨出，用黃連、牡蠣爲末粉之，與本篇第六章第二節所言治結核病之藥理相符合。據巢源卷三十四瘻病諸候有骨疽瘻候，云：

骨疽瘻者，或寒熱之氣，搏於經脈所成，或蟲蛆之氣因飲食入人府藏所生，以其膿潰侵食於骨，故名骨疽瘻也。初腫，後乃破，破而還合，邊傍更生，如是或六七度，中有膿血，至日西發痛，如有針刺。

後世外科上寒濕流注之證，俗謂之貼骨流痰，屬於骨結核病。又巢源卷四十八小兒雜病諸候四有鶴節候，云：「小兒稟生血氣不足，卽肌肉不充，肢體柴瘦，骨節背露，如鶴之膝節也。」今世所稱鶴膝風，相當於脊髓癆（Tabes dorsalis）之 Charcot 氏所謂脊髓性關節病，然此則以異性梅毒爲其主因耳。

6　結核性痔瘺溯源

結核性痔瘺，在隋以前，似已有此病，巢氏病源卷三十四痔病諸候有云：

> 名爲諸痔，非爲諸病共成一痔，痔久不瘥，變爲瘻也。
> 肛邊腫核痛，發寒熱而血出者，腸痔也。
> 肛邊生鼠乳，在外者時時出膿血者是也。

這裏說的是所謂腸痔牡痔，惟痔瘺而有寒熱，就和結核性者相近。按晉人崔知悌有云：

> 若肛邊有核痛及寒熱者名腸痔也。

此據外臺卷二十六五痔方引，很相近於結核性痔瘺。又外臺引深師方亦論及痔病「有鼠乳附核者，三五年皆殺人。」所謂有寒熱及三五年內能因本病而致死，那末認爲屬於結核性痔瘺的記載，似乎不算是牽强。至痔之文獻有金匱五藏風寒積聚病脈證篇「便血有熱者必痔」，上溯於莊子列禦寇「秦王有病，召醫破癰潰痤者得車一乘，舐痔者得車五乘。所治愈下，得車愈多。」故王充論衡有吮癰舐痔之說。朱熹注論語陽貨亦引之。下卽後也，謂下部，按說文「痔，後病也。」四聲字苑云「痔，蟲食下部病也。」劉熙釋名「痔，食也，蟲食之也。」外臺卷三十六小兒雜療方引劉氏「小兒野雞，下部癢悶」，程敬通云「野雞未詳」，尙德按「野雞卽痔。」按丹波廉夫醫賸據草木子云「漢呂后諱雉，改雉名野雞，人患痔者，名野雞疾，因知本草拾遺蛇婆治五野雞病，卽五痔爾。」范準行先生告我趙學敏本草綱目拾遺之「穀道生瘡，俗呼偷糞老鼠」（卷五草棉條）這「偷糞老鼠」亦卽「痔漏」的俗稱，蓋卽巢源所說「肛邊生鼠乳，在外者」的證象。今按醫史引朱右攖寧生傳載元滑壽有痔瘺篇，查丹波元胤醫籍考卷七十，謂其書已佚。而明王肯堂以黃連治痔瘻，襞以近代藥理，是昔時之所謂痔瘻，已包括有結核性者。又焦竑國史經籍志有王伯學痔瘻論一卷，醫籍考卷七十一云未見。然則自元以來，已有涉及肛門結核一類的專書了。

7 腸結核的史料

前錄外台引崔氏「骨蒸病者，……亦曰無辜。」無辜之爲癆瘵，已無可疑。而無辜病的證狀，並有下痢，及幼科書中所言疳痢，亦大抵屬於腸結核。這從敍述結核症象最詳細的救急論骨蒸（外台引）裏面可以得到證明：

漸漸瘦損，初著盜汗，盜汗以後，卽寒熱往來，寒熱往來以後，卽漸加欬，欬後面色白，兩頰見赤，如胭脂色，團團如錢許大，左臥卽右出唇口非常鮮赤，若至鮮赤，卽極重，十則七死三活。若此以後，加吐，吐後痢，百無一生，不過一月死。

觀乎此文，不但肺結核的證候悉具，且其所稱之痢，更顯示了肺癆末期的腸結核的危險性。外台又引蘇遊之論，以說明肺結核末期，多有腸癆下痢的轉歸：

其源先從腎起，初受之氣，兩脛痠疼，腰脊拘急，行立脚弱，食飲減少，兩耳颼颼，欲似風聲，夜臥夢洩，陰汗萎弱。腎旣受已，次傳於心，心初受氣，夜臥心驚，或多忪悸，心懸乏氣，呼吸欲盡，夢見先亡，有時盜汗，食無滋味，口內生瘡，心常煩熱，惟欲眠臥，朝輕夕重，兩頰口唇悉紅赤，如傅胭脂，又時手足五心皆熱。心旣受已，次傳於肺，肺初受氣，時時欬嗽，氣力微弱，有時喘氣，臥卽更甚，鼻口干燥，肌膚枯竭，兩目膜膜，面無血色，兩肋虛脹，食不消化，有時渴利，有時肚痛，腹脹雷鳴，擡肩喘息，利赤黑汁，至此候者，將死之證也。

晚明李中梓著醫宗必讀，謂「癆證久瀉者死。」這當然是因仍唐人所說的到了「利赤黑汁」時，「將死之證也」之舊。其所指無可否認的是腸結核症。古代醫學論結核之精當，至唐代蘇氏實創疾病史上最生動的一頁。

8 同病同源史觀與不咯血的肺癆的理解

急慢性傳染病學中冊論結核，說：「若乃肺以外的各部結核病，在舊醫學，始終未知其爲同源而同病。」又說：

「若徐靈胎葉香巖等大名家，聆其虛勞的議論，不過與先代類似而已；清代已過了唐以後千載，不能將唐人所已述的骨蒸尸注等急性結核，與虛損癆瘵等慢性結核，明辨其同源同病，遑論乎他。」這話似欠斟酌，因為凡能治史者，若排比如前引載籍各條，即可看出古代醫家不但能明辨瘰癧肺癆之類別，並且能深切地知道它的同源而同病。崔氏云：「骨蒸病者……或腹中有塊，或腦後近下兩邊有小結，」這已經把腸間膜淋巴腺的結核及頸淋巴腺的結核，與骨蒸的肺癆相提並論，就顯然表徵了唐代醫學上已確知瘰癧和「腹中有塊」是與癆瘵為同出一源的。而且如救急：「漸漸瘦損，……盜汗以後，……吐後痢，百無一生。」及蘇氏「利赤黑汁，」「將死之證」的觀察，都說明了唐人已體驗出這種下痢，與急慢性痢疾不同，而是癆瘵進行到了最後階段的危險症候。唐以上金匱論血痺虛勞，其候如脈虛，面色薄，喘悸，瘰削羸瘦不能行，目眩，髮落，盜汗，腸鳴，甚則溏泄，馬刀俠癭，婦人失產，男子失精等，也正好刻劃出漢季結核病學的丰姿。蓋張機已將瘰癧腸癆，屬之於喘悸及盜汗的結核病之類，同時，對於婦人的小產，亦認出其與結核的關係。並且那時候，虛勞、肺痿、肺癰，分立專名，很可以使我們想像到三世紀醫學之於結核病，區別漸趨於嚴密。隋唐以來，論症又更見精緻。而宋代勅撰的聖惠方及聖濟總錄，分虛勞及骨蒸傳尸而立論，予後世醫家以鑑別診斷的準繩，這自然是醫學的進步的表現。余氏醫述說：

聖濟總錄亦以虛勞與骨蒸傳尸分別而論，更於骨蒸中別立骨蒸肺痿之目，與肺藏門中之肺痿，似不相涉，其用方無一同者。是其知結核之為病，種類多端，而欬嗽痰唾之肺結核，特其一種。故於骨蒸中，特立骨蒸肺痿之目。又知肺中慢性病，不止結核一病，有證候極與肺結核相似，而實非肺結核者。故於骨蒸之外，別在肺藏門中，立肺痿之目也。然其兩種肺痿，敍證頗有相似，恐仍有混淆，蓋肺結核與肺癌、肺放線蟲等病，亦必待顯微鏡、細菌學、血清學發明而後，始有確實鑑別之法；固非所望於當時也。

的確，「自素問，八十一難，以至有宋諸家所論之結核病，代精一代，歷然可攷。」故宋代肺病的研究，就其史的發展，可說已達高潮。此後金元四家既泥古而又作僞，結核之學，遂瀕於空疏窳敗的境地。迨追癆方出，雖漸復舊觀，而道教怪誕之說，亦甚可嗤。明末李士材於虛勞咯血以外，更有所謂「欬白血」之辨，亦納之與肺癆爲同源。其言云：

吐血淺紅色，似肉似肺謂之欬白血，必死。

此說爲傅青主男科所本。如論吐白血：

血未有不紅者，何以名白血？不知久病之人，吐痰皆白沫，乃白血也。白沫何以名白血？以其狀似蟹涎，無敗痰存其中，實血而非痰也……苟不速治，則白沫變成綠痰，無可如何矣。

今攷其書二卷，題淸傅山撰，行文用藥，與石室祕錄面目雷同。當係僞託之書。按青主少爲明末諸生，於淸康熙中卒。而石室祕錄爲康熙丁卯（一六八七）陳士鐸托古之作，雖晚於青主，然托名之傅氏男科，實多因襲陳氏之言。所論欬白痰名「吐白血」，就顯然指出這和慢性氣管炎及氣管枝炎有着分別，是淸初的醫家，已能夠明瞭肺癆欬逆不一定會有咯血的情形，而窺知日久「白沫變成綠痰，無可如何矣！」這種病程經過確與肺結核同源，於是稱此種不欬血的咯痰而爲吐白血。按淸人所稱吐白血，卽宋代聖濟總錄所指出的骨蒸肺痿之症。原來宋時把咳嗽痰唾的虛勞，稱做肺痿，以便和肺癆性的有欬血的骨蒸相區別。而對於具有結核性的僅是咳嗽痰唾並無咯血的肺痿，則加以骨蒸肺痿的名稱，認其與肺癆爲同一淵源。但漢時金匱已有近似的說法。這實在是古人關於結核的同源同病的認識的較著的證例。

王肯堂傳

王重民

王肯堂字宇泰，一字損仲，號念西居士，江蘇金壇人。明贈太子少保王樵子也。萬曆七年領鄉薦，（第五十九名舉人。）次年上春官不第，十七年始成進士。選庶吉士，散館授檢討。時倭寇朝鮮，揚言內犯，肯堂疏陳十議，願假御史銜練兵海上，留中不報。會京察降調，引疾歸，時萬曆二十年也。肯堂幼好博覽，並究心醫術。嘉靖四十五年，母氏忠病，常澗名醫莫能斷，因益銳志於此。隆慶四年，起妹弟於垂死，自是稍稍知名矣。父恐其有防舉業，時時阻勸之。自成進士，入史館，讀中祕書，課藝之外，與館生暢談時務以及星曆太乙壬遁之學。肯堂又與郭澹論數緯，與董其昌論書畫，與利瑪竇論曆算，與紫柏大師參禪理。自請告歸里，遂纂述舊業，次第刊行。萬曆二十五六年，先成證治準繩八卷，（原或作冊，或作帙，茲並改爲卷。）三十年刻訖。三十二年輯刻傷寒準繩八卷，三十五年輯刻幼科準繩九卷，女科準繩五卷，三十六年輯刻瘍科準繩六卷。（四庫本總題爲證治準繩，凡百二十卷。）明史藝文志著錄醫論四卷，（行準案曾見原刊本醫論，分四類而不分卷。）醫鏡四卷，則爲肯堂下世後蔣儀在崇禎末年所刊，前有崇禎辛已年柯元芳序。儀自謂得其本於張玄暎，玄暎得自肯堂，或疑即儀所僞選者。肯堂既以醫名世，故坊間校刻醫書又多託其名，如產寶百問五卷，童嬰百問十卷是也。他所撰述，有明書要旨三十卷，承其父樵所撰尚書別記而推演之，以備剌經訓故之用，纂成於在翰林院學習時，從兄爾祀爲刻於天津。又論語義府二十卷，續輯儒先語錄及說經之書，凡數百家，蓋亦少作。律例箋解三十卷，（明志刑法類。）參禪要訣一卷（明志釋家類。）鬱岡齋筆麈四卷，法帖若干卷。萬曆三十四年，吏部侍郎楊時喬薦補南京行人司副，三十六年撰瘍科自序云：「余既以便差還故山，例得支俸，」即官行人時事也。四十年轉福建布政使司右參政。福建通志列肯堂官參政於天啓初，據筆麈自序，萬曆三十年似肯堂年正五十，然則其罷官時，已年近七十矣。

附論肯堂與利瑪竇關係

鬱岡齋筆麈第三冊，載利瑪竇說三則：（一）日體大於地，月體小於地，此說疑出乾坤體義，惜書不在手，未能檢驗。（二）交友，卽交友論。（三）近言，卽二十五言。又第四冊載利氏贈西洋印書紙十餘番事。攷利瑪竇於萬曆二十六年隨王忠銘由南京赴北京，翌年復還南京，二十八年又赴京，遂不復返。而肯堂則於萬曆二十年告歸，其父樵，不久起爲南京太僕寺少卿，肯堂當卽隨父寓居南京。二十七年丁父憂，似歸葬後仍居南京，至三十四年，遂補南行人司副。然則肯堂與利瑪竇相晤，必在萬曆二十七八年間矣。筆麈前三冊刻成於萬曆三十年，卷內最晚記事爲萬曆二十六年，此三條雖不著年月，以其載於第三冊內，更依二人行跡推之，其爲萬曆二十七八年間事無疑也。又第四冊內所記年月，爲萬曆三十一年至三十五年，則付梓應在三十五年以後，是時利氏既已奠居北京，肯堂似無赴京機會，西洋紙一條，似爲追記往事。二十八年以前，友論已付梓，二十五言方脫稿，（徐光啓跋，謂爲成於居留都時。）乾坤體義似尚未成書，瑪竇輒以稿本及筆記相質證，於以知二人行跡之密矣。

一九四三年一月八日

醫學讀書志跋

王重民

清曹禾撰。禾字嶠菴，武進人。有呂佺孫汪本銓莊受祺趙曾向四序。汪序稱：「禾好讀書，工吟咏，澹欲寡交，非治病足跡未嘗至鄉里，故聲稱不及於遐遠。」呂序稱「所著有瘍醫雅言十三卷，豆疹索隱一卷，醫學讀書志二卷，附志一卷。」余見本僅二卷，蓋闕附志。志依撰人以時代編次，帝王在前。每撰人下，先依各史志，比次其著錄之異同，次記述撰人事蹟，溯其師承，以論其書之當否。於傳刻原委，辨證尤詳。全書得作者百許人，爲提要九十九篇，凡列朝勅撰之書七十一部，三千八百四十四卷，歷代名醫四百一十六部，三千八百七十三卷。如元危亦林世醫得効方，禾言曾於會稽梁氏見元刻本；清鄒澍所撰本經疏證續疏等，禾於澍卒後，以錄稿寄湯用中刻之，原書湯跋未言及。是禾更雅有鑒別收藏之好。是書之成，後於多紀元胤醫籍攷約二十年，詳博不及多紀氏，討論似過之。元趙良有金匱衍義二十二卷，多紀氏未見，是書據刻本著錄。刻本題趙以德，且署爲宋人，禾不能考辨羣書，不爲傳本所惑，是其學力亦有足多者。

一九四〇年十二月十九日

十月，范行準先生把他新購得醫學讀書志全套叫我看，十多年來想看而看不到，我是非常感謝的。這個印本不但有「附錄」一卷，還有劉汝航的跋，更能多知道一些曹禾的事蹟。跋云：「嶠菴業師，初習金元劉張李朱立齋損庵東壁之學，久悟其非，乃轉求醫經經方，傷寒本草。」這是說他早先是習近代的醫書，後來就專讀古醫書。「附錄」一卷，包括他的醫學論文六篇，這六篇論文，都是考據訓詁的作品，就是他後來讀古醫書的心得了。「傷寒序例考證」一文，證明了今本序例的十四章，二千三百九十二個字，有一千三百九十六字，是鈔襲巢元方的諸病源候論，孫思邈的千金方，王燾的外臺祕要，那能是王叔和的原文呢？但范行準先生對此却有相反的見解，他說巢源千金外臺諸書，本掇集前人之說而成，不能謂序例之文抄襲諸書。

一九五一年六月四日又記。

本會會員動態

編輯室

▲名譽會員斯格拉前年辭去霍布金醫史研究所所長職，遄返瑞士家鄉專心寫其大作「世界醫史」，其第一册「上古醫史」現已出版，計五百餘頁，插圖五十餘幅，內容極爲豐富，印刷裝潢亦美，第二册爲「印度醫史」，第三册爲「中國醫史」。計劃全書共分八册，每年出版一册，他日書成將爲醫學史中最偉大之著作。

▲名譽會員伍連德僑居馬來亞，除仍從事醫務外，極熱心社會公益事業，最近提倡火葬甚力，已成立一火葬會。又發起建築公共圖書館，於四月舉行奠基禮，伍氏雖年逾古稀，然精神矍鑠，昨接其來信，謂今夏將往日本觀光，六月初已抵香港云。

▲中央人民政府衛生部衛生教材編審委員會共分三十餘組，內有醫史一組，聘余雲岫爲組長，李濤、王吉民、范行準爲特約編審，惟范會員因事忙，尚未決定接受中央此聘。

▲胡美近著有「勇敢的醫師」一書，敍述非亞兩洲科學醫先哲之事績，其中一章專論新醫輸入中國時之先進史傳。

▲江晦鳴在一九五〇年十二月出版之東南醫刊復刊號發表其「醫學發展簡史初稿」第一篇，以後當陸續刊出。

▲宋向元所主編之「天津醫藥」第三期內有「醫史特輯」一欄，宋氏前在本會去年九月第三屆大會提出之論文「王清任一百年祭」，卽在該刊發表，惜全文未完而該刊停版。

▲黃雯在香港開業之餘，頗留心詩詞，編有「詩詞譯選」一書，中英對照，內有解放新歌十數首，該書于一九五〇年四月由香港建設出版社出版。

▲魯德馨前歷任中華醫學會編譯出版幹事，後在華西成都行醫。去年應中央衛生部之聘，在衛生教材編審委員會任職。

▲陳耀眞前在成都華西大學醫學院担任眼科教授，服務多年，該院給例假一年，陳氏利用良機，遄返廣州，在嶺南大學孫逸仙博士醫學院研究深造。

傷寒書目

汪艮寄

爲了研究傷寒處方，把傷寒文獻曾經小小的調查了一下。關於這類的綜合書目，廖溫仁氏（一九三二）支那中世醫學史中有「傷寒論及其註解書目。」他這書目，除遺漏了唐千頃漢長沙原本傷寒論註疏，傷寒治要，盧祖常擬進活人參同餘議三部書外，是全照醫籍攷抄錄的。（同書方論一至方論十三）其與醫籍攷卷數不同的有：

閔芝慶 傷寒明理論刪補三卷（原作四卷）

朱肱 傷寒百問六卷（原作三卷） 南陽活人書十一卷（原作二十卷）

許知可 註解傷寒百證歌五卷（原作三卷）

馬宗素 傷寒醫鑑二卷（原作一卷）

戈維城 傷寒補天石七卷（原作二卷）

脫去卷數的有：

顧行 傷寒心印一卷

姓名錯誤的有：

○田誼卿之作因誼卿○ 程迥○之作程迫○ 李樫○之作李樫○

童養學○之作黃養學○ 吳綬○之作吳緩○

書名不同的有：

王實 傷寒證法（原作傷寒證治）

宋迪陰毒形證訣（應作宋迪陰毒形證訣）

廖氏之外，一九三五年上海中西醫學研究社發行的中西醫藥雜誌上，（同誌一、二兩號連載，該年九月十月出版）周莎君發表了一篇歷代研究傷寒的文獻底統計他也是以醫籍考作根據，而加入了近時著作和日本文獻，所以在數量上，比之廖氏所錄，自然增加了不少，又經他一番整理，看起來也比較明白一些。不過他省略了「書名出處」和「存」「佚」字樣，重複之處又很多。如

原號	4	8	69	65	135 136	3	22	39	44	49	50	70
重複	28	24	99	119	173	256	266	298	300	320	323	324

83	117	89	90	87	107	108	61	92	88	91	188	81
326	333	346	347	349	368	371	377	376	378	381	382	385

皆係一見再見。自28至173五種，一切記載皆與原號4至135—136相同，當是重複。又自256至385號二十種，著者朝代都屬不明，但試檢閱其原號，又都註明了的。（例如376傷寒家祕心法著者姚能朝代不明，但92同書，姚能明時人。）這都是編者一時疏忽所致。

此外本篇清代書目中有張隱菴(163)無求子(164)的著作，其實張隱菴即張志聰，無求子乃朱肱，係宋人，故書名恐亦重複。又傷寒辨證(293)的著者，本爲陳堯道，周君將其作陳堯中，並於附註之中說明係照受古齋書目按陳堯道字素中，此處乃混名字爲一，亦應更正。

在次年（一九三六）正月裏上海中國醫學院發行院刊春季號，載有曹炳章君歷代傷寒書目考一篇，他所列的書目，雖比前二種不同，但數量上與周莎君所錄，仍相彷彿，並且仔細讀去，也有多少重複和錯誤。例如

宋朝有：傷寒百問二卷，宋李知先次韻成歌，名活人書括。

明朝有：傷寒活人書括二卷　明李知先

又宋朝有：傷寒鈐法十卷　宋李浩撰

明朝有傷寒鈐法十卷　明李浩撰

和宋朝的：傷寒證類要略二卷　宋汴人平堯卿

元朝的傷寒證類要略二卷　元汴人平堯卿

書名卷數，全都相同，而獨異著者的朝代，必是一書兩錄，否則決無如此湊巧的事。

還有：宋朝　傷寒治例一卷　宋劉醇撰

明朝　傷寒治例一卷　明劉純撰

劉醇就是劉純。同樣清朝的

孝慈備覽傷寒論論卷　清汪惇士撰

傷寒孝慈備覽一卷　清汪純粹撰

著者汪惇士與汪純粹，也是一人，書當然也是一書。

還有，元朝傷寒內外篇的著者滄洲呂元膺與明朝長沙傷寒十釋的著者呂復，也是一人，因明呂復（鄞人）字元膺，晚年自號滄洲翁，李濂醫史，明史卷二百九十九並有他的傳。若把「滄洲」兩字糊亂作地名解，那就錯誤了。元朝雖然也有名呂復的，但不字元膺。呂元膺也確另有其人，但是唐人而非元人，與此不涉。曹君把一人分作兩朝，用名復用字，就易使讀者疑為兩人了。

還有一個有趣的錯誤，就是：

宋 傷寒救俗方的著者羅適正，是羅適之誤。

金 傷寒心要的著者梁錙洪是錙洪之誤。

前者，我們可以看陳振孫書錄解題，他在救俗方條下有這幾句話：

「寧海羅適正之尉桐城，民俗惑巫不信藥，羅以藥施人多愈，遂以方書召醫參校刻石，以救迷俗，紹興中有王世臣彥輔者序之以傳。」

我們在這裏，得知此書的來源，但古人向不分句，一不留神，就易錯誤，其實羅適字正之，並非羅適正。

後者原來是都梁人錙洪撰，而非梁錙洪撰。其間脫了一個「都」字，「梁」字就似乎變成姓了。

此外，如傷寒泝徵（清李栻撰）之一朝兩見，李浩之身列三朝（宋、元、明、）趙嗣眞之分作兩處（元、明、）朱肱、朱奉議原係一人（朱肱官居奉議郎，）陸彥功生於弘治，當非宋人，劉完素傷寒標本，乃傷寒標本心法類萃之簡稱，名異而實相同，重複錯誤，爲數頗多，此處爲篇幅關係，恕不一一枚舉了。

上述廖周曹三氏所收書目如下：

廖溫仁 256 種（未分朝代）

周 莎 425 種（起自後漢，迄於民國，外加日本文獻）

曹炳章 492 種（上起成湯，下至民國，旁採日本文獻）

（周曹兩氏，重複書目未除）

我們從上面三個書目裏，既發見了這許多疑點，並且以中國幅員之大，傷寒文獻，決不至此，爲改正錯誤，增補書目，使吾人得更進一步明瞭過去的情況，因再參攷下列各書，重寫本篇。

【參攷文獻】

各省府縣志
文淵閣書目
文瀾閣書目
四庫全書總目提要
寧波范氏天一閣書目
八史經籍志
古今圖書集成
陳振孫：書錄解題
馬端臨：文獻通攷
鄭　樵：通志
焦　竑：經籍志

錢　曾：述古堂藏書目
尤　袤：遂初堂書目
錢謙益：絳雲樓書目
葉　盛：菉竹堂書目
周中孚：鄭齋讀書記
孫星衍：孫氏祠堂書目
廖溫仁：支那中世醫學史
陳邦賢：中國醫學史
謝　觀：中國醫學大辭典
商務版中國人名大辭典
多紀元胤　醫籍攷

【傷寒書目】

書名	卷數	朝代	著作者	存佚	附註
傷寒卒病論	十卷唐志、宋志	後漢	張仲景南陽	存	
傷寒論	十卷唐志、通志藝文略	晉	王叔和高平	存	即叔和撰次仲景書者
金匱玉函	八卷宋志、文獻通攷	晉	王叔和	存	書錄解題作金匱要略三卷　亦叔和撰次仲景書
療傷寒身驗方	一卷隋志七錄、藝文略	晉	王珉臨沂	佚	
辨傷寒	一卷七錄、藝文略	南齊	徐文伯錢唐	佚	隋志作徐方伯

Title	Volumes (sources)	Dynasty	Author	Status	Notes
傷寒總要	二卷 隋志、藝文略、明志	南齊	徐文伯		隋志作徐方伯
巢氏傷寒論	一卷 藝文略、焦竑國史經籍志	隋	巢元方	佚	
千金傷寒方	二卷 新唐志	唐	孫思邈 華原	存	千金方之一
外台傷寒方論	二卷	唐	王燾 郿縣	存	外台祕要之一
傷寒方	二卷 藝文略、焦竑經籍志、明志	宋	孫兆	佚	
傷寒脈訣	醫籍攷	宋	孫兆	佚	
南陽活人書	二十二卷 醫統正本全書	宋	朱肱 吳興	存	
	二十卷 文獻通攷、宋志			未見	菉竹堂書目作無求子活人書二冊　遂初堂作朱肱活人書
	十八卷 書錄解題			未見	
	十一卷 書錄改題			未見	支那中世醫學史作如是云不知何所據？
傷寒百問	三卷 讀書後志、今本六卷	宋	朱肱	存	文獻通攷、明志、絳雲樓作三卷，題無求子郎朱肱
百中傷寒論	三卷 藝文略、崇文總目、明志	宋	陳昌允	佚	通志(圖書集成)及焦竑皆作陳昌引
傷寒證辨集	一卷 宋志、藝文略、焦竑經籍志	宋	南陽公主		
傷寒發微論	二卷 醫籍攷	宋	許叔微 眞州	存	
傷寒歌	三卷 文獻通攷、書錄解題、揚州府志、甘泉縣志、焦竑經籍志、明志	宋	許叔微	未見	江南通志作二卷
傷寒論	三卷 武進陽湖縣志	宋	許叔微		
翼傷寒論	二卷 武進陽湖縣志、書錄解題、江南通志	宋	許叔微	佚	
傷寒九十論	一卷	宋	許叔微		

書名	卷數・出處	朝代	著者	存佚	備考
註解傷寒百證歌	五卷讀書敏求記	宋	許叔微	存	絳雲樓書目無卷數、菉竹堂作一冊無作者，醫籍考引書錄解題作三卷
翼傷寒	十卷揚州府志	宋	許叔微	未見	
治法八十一篇	揚州府志、江南通志	宋	許叔微	佚	書錄解題作「傷寒治方八十一篇」未見
仲景脈法三十六篇	揚州府志、江南通志	宋	許叔微	未見	
傷寒類要方	十卷藝文略、焦竑經籍志、明志、揚州府志	宋	許叔微	佚	藝文略作無名氏
辯類	五卷武進陽湖縣志、書錄解題、醫籍考、揚州府志	宋	許叔微	佚	
傷寒百證歌	四卷孫氏祠堂書目作「傷寒百問歌」	宋	錢聞禮	存	醫籍考於傷寒兩字上有「類證增注」四字
傷寒百問方	一卷宋志	宋	錢聞禮	佚	遂初堂亦載此書
傷寒總病論	七卷湖北通志、藝文略、黃州府志、焦竑經籍志、明志	宋	龐安時蘄水	存	湖北通志作六卷附音訓一卷，黃州府志作九卷附音訓一卷，醫藏目錄作六卷
傷寒微旨論	二卷四庫總目、郡齋讀書記、焦竑經籍志、明志	宋	韓祗和洪川	未見	天一閣書目無「論」字，文獻通考無作者
傷寒救俗方	一卷書錄解題、文獻通考、台州府志	宋	羅適寧海		宋志作王世臣作、其實王序而已，菉竹堂作一冊
醫經正本書	一卷書錄解題、宋志餘姚縣志	宋	程迥睢陽徙餘姚	存	餘姚縣志作八卷
活人書辨	醫籍考	宋	程迥	佚	
傷寒明理論	四卷宋志	宋	嚴器之洛陽		行準案此書今存，實金成無已撰，宋志、作嚴書或見嚴氏之序成氏傷寒論註而誤也
傷寒論方	一卷宋志	宋	東旦		
朱氏傷寒論	一卷藝文略	宋	朱旦	佚	宋志作東旦，行準案：疑與宋志所著錄者爲一書。
傷寒補亡論	二十卷醫籍考	宋	郭雍河南	存	

書名	卷數及出處	朝代	著者	存佚	附註
傷寒論脈訣	醫籍攷、宋志、盱眙縣志、安徽通志、王圻續文獻通攷	宋	楊介 泗州一作盱眙	未見	
四時傷寒總病論	六卷 宋志	宋	楊介	佚	
傷寒論註解	安福縣志	宋	劉元賓 安福		江西通志作傷寒論無註解兩字
傷寒括要詩	一卷 藝文略、明志	宋	通眞子	存	即劉元賓、醫籍攷作傷寒括要二卷
傷寒訣	一卷 讀書後志、文獻通攷	宋	通眞子	佚	
別次傷寒	一卷	宋	沈括 錢塘	佚	見張蔵活人書序
活人總括	七卷 宋志補作十卷、福建通志	宋	楊士瀛 懷安	存	元志作傷寒類書、活人總括七卷、福建通志同，今本附於仁齋直指後方，簡稱活人總括
傷寒指微論	五卷 醫籍攷	宋	錢乙 鄆州	佚	
傷寒辨疑	一卷 讀書敏求記	宋	何滋	未見	
傷寒奧論	醫籍攷	宋	何滋	佚	
醫傷寒慈濟集	三卷 宋志、藝文略	宋	丁德用 濟陽	佚	
傷寒玉片集	三卷 宋志	宋	盧昶 大名	佚	
傷寒十勸	一卷 醫籍攷	宋	李子建	存	
曾氏傷寒論	一卷 藝文略、焦竑經籍志、明志	宋	曾誼	佚	明志無曾氏兩字
傷寒要旨	一卷 宋志、安徽通志、江南通志	宋	李檉 當塗	佚	明志、馬端臨、焦竑、書錄解題，安徽通志、江南通志均作二卷行準案：此書今有宋本。
傷寒直格	五卷 國史經籍志、宋志補、焦竑經籍志、明志	宋	劉開 星子	佚	南康府志作元人
傷寒式例	一卷 藝文略焦竑經籍志、明志	宋	劉君翰	佚	
傷寒證治	三卷 讀書志、文獻通攷焦竑經籍志、明志	宋	王實	佚	宋志作二卷

局方續添傷寒證治　一卷宋志　宋　王　賓　佚

傷寒要論方　一卷藝文略、明志　宋　上官均邵武　佚

證辨傷寒論　一卷藝文略、焦竑經籍志、明志　宋　石昌璉　佚

傷寒手鑑　二卷藝文略、焦竑經籍志、明志、崇文總目　宋　田誼卿　佚　宋志作三卷

傷寒類要　四卷宋志　宋　高若訥榆次　佚　活人書序作傷寒類纂

陰毒形證訣　一卷藝文略、焦竑經籍志、明志　宋　宋　迪　佚

孫王二公傷寒論方　二卷藝文略、焦竑經籍志、明志　宋

傷寒證類要略　二卷宋志、文獻通攷、明志　宋　平堯卿汴　未見　鄭樵作三卷

傷寒玉鑑新書　一卷宋志　宋　平堯卿　佚　明志、文獻通攷、書錄解題作二卷

四時治要　一卷讀書後志、永嘉縣志、文獻通攷　宋　屠　鵬永嘉　佚　書錄解題作「四時治要方」永嘉縣志亦同

傷寒集成方法　胎產救急方序　宋　李辰拱　佚

擬進活人參同餘議　宋　盧祖常　佚

傷寒論　一卷徽州府志　宋　王　炎婺源

傷寒瀉痢要方　一卷書錄解題、文獻通攷、焦竑經籍志、明志、福建通志　宋　陳孔碩長樂　佚

傷寒辯疑論　四卷醫籍攷（缺卷）絳雲樓書目　宋　吳敏修　佚

活人書括　三卷醫籍攷　宋　李知先隴西　存

傷寒解惑論　一卷焦竑經籍志、明志、國史經籍志　宋　湯尹才　存

傷寒百問　二卷　宋　張　松

書名	卷數及著錄	朝代	著者	存佚	附註
局方續添傷寒證治	一卷宋志	宋	王實	佚	
傷寒要論方	一卷藝文略、明志	宋	上官均邵武	佚	
證辨傷寒論	一卷藝文略、焦竑經籍志、明志	宋	石昌璉	佚	
傷寒手鑑	二卷藝文略、焦竑經籍志、明志、崇文總目	宋	田誼卿	佚	宋志作三卷
傷寒類要	四卷宋志	宋	高若訥榆次	佚	活人書序作傷寒類纂
陰毒形證訣	一卷藝文略、焦竑經籍志、明志	宋	宋迪	佚	
孫王二公傷寒論方	二卷藝文略、焦竑經籍志、明志	宋			
傷寒證類要略	二卷宋志、文獻通攷、明志	宋	平堯卿汴	未見	鄭樵作三卷
傷寒玉鑑新書	一卷宋志	宋	平堯卿	佚	明志、文獻通攷、書錄解題作二卷
四時治要	一卷讀書後志、永嘉縣志、文獻通攷	宋	屠鵬永嘉	佚	書錄解題作「四時治要方」永嘉縣志亦同
傷寒集成方法	胎產救急方序	宋	李辰拱	佚	
擬進活人參同餘議		宋	盧祖常	佚	
傷寒論	一卷徽州府志	宋	王炎婺源		
傷寒瀉痢要方	一卷書錄解題、文獻通攷、焦竑經籍志、明志、福建通志	宋	陳孔碩長樂	佚	
傷寒辯疑論	四卷醫籍攷(缺卷)絳雲樓書目	宋	吳敏修	佚	
活人書括	三卷醫籍攷	宋	李知先隴西	存	
傷寒解惑論	一卷焦竑經籍志、明志、國史經籍志	宋	湯尹才	存	
傷寒百問	二卷	宋	張松		

辨惑論　三卷、補遼金元藝文志、元志、畿輔通志正定縣志　金　李杲　鄭齋讀書記作內外傷寒辨、四庫全書著錄辨下有惑論二字補遼金元藝文志及元藝文志俱作辨惑論畿輔通志作內外傷寒辨惑論孫氏祠堂書目亦同

內外傷寒辨　三卷焦竑經籍志、絳雲樓書目、元志、明志、畿輔通志　金　李杲　元志辨惑論外復載此書

註解傷寒論　十卷國史經籍志、明志　金　成無已聊攝　存　焦竑作圖解傷寒論元志作成無已注傷寒論。行準案實與前爲一書。

傷寒論集註　十卷元志　金　成無已

傷寒論　一卷宋志　金　成無已　佚　菉竹堂作二冊

傷寒明理論　三卷宋志、元志、明志　金　成無已　存　明志焦竑經籍志作四卷

方一卷

傷寒心要　一卷孫氏祠堂書目　金　鎦洪都梁　存　鄭齋讀書記作河間傷寒心要不著時代一作明劉洪著

傷寒心鏡　一卷補遼金元藝文志　金　張從正睢州考城　存　又名心鏡別集鄭齋讀書記作張子和心鏡別集、金、常德編

六門三法　一卷　金　張從正

傷寒遺方家祕　二卷絳雲樓書目、無卷數　金　述古堂作一卷上冠「陶氏」兩字

傷寒語　一卷　金

活人節要歌括　醫學源流　元　王好古趙人　佚

陰證略例　一卷讀書敏求記　元　王好古　未見

此事難知　二卷畿輔通志　元　王好古　存

傷寒醫鑑　一卷、補遼金元藝文志、元志、畿輔通志　元　馬宗素　存　鄭齋讀書記作劉河間傷寒醫鑑一卷，四庫全書無劉河間三字見前

活人實鑑　十卷江山縣志、浙江通志　元　伍子安衢州

傷寒鈐法	十卷焦竑經籍志、國史經籍志、明志、江西通志	元	李浩滕縣	佚	江西通志作宋李浩、李浩傳見古今圖書集成醫術名流列傳作元人
傷寒鈐法	古今醫統	元	程德齋	存	
傷寒一覽方	醫籍攷	元	吳光霽	佚	
傷寒大易覽	一編續文獻通攷、黃岡縣志、黃州府志、湖廣通志、湖北通志	元	葉如菴黃岡	佚	
傷寒生意	吳文定公集、江西通志、補遼金元藝文志	元	熊景先崇仁北耆	佚	
傷寒歌括	醫籍攷、山西通志、陽城縣志	元	王翼陽城	佚	
傷寒金鏡錄	一卷醫籍攷	元	杜本清江	存	敖氏原著、杜本補註、吳縣志收一卷、係明薛已編、爲薛氏醫案之一
傷寒論辯	補遼金元藝文志、浙江通志	元	朱震亨義烏一作休寧		元志作辨疑
傷寒摘疑	一卷讀書敏求記、元志	元	朱震亨	未見	孫氏祠堂書目作朱丹溪、九靈山房集丹溪翁傳作傷寒辨疑、宋濂丹溪石表辭作傷寒論辨故上兩者恐是一書
傷寒發揮	續文獻通攷	元	朱震亨	佚	
傷寒補亡論	三卷古今醫統、醫籍攷	元	徐止善	佚	
傷寒類例	一卷醫籍攷	元	胡勉	佚	
活人書辨	吳文定公集	元	戴啓宗	佚	
傷寒活人指掌圖	三卷錢塘縣志、元志	元	吳恕錢塘	未見	浙江通志作五卷、述古堂作三卷今惟通行十卷本
傷寒論賦	仁和縣志	元	吳恕		述古堂有傷寒賦一卷未知是否即此、杭州府志吳恕作明人。
傷寒紀玄	十卷醫藏目錄	元	尚從善	佚	補遼金元藝文志、及元志均作傷寒紀元妙用集。

（未完）

中華醫學會醫史學會章程

一九五〇年九月大會通過一九五一年四月執行委員會修正

第一章 總綱

第一條 本會定名爲中華醫學會醫史學會。

第二條 本會以鼓勵醫史研究整理醫學文獻保存醫學文物爲宗旨。

第三條 本會爲中華醫學會專門學會之一在該會舉行大會時，主持醫史組議程。

第四條 中華醫史博物館及中華醫史圖書館均爲本會與中華醫學會共有之資產雙方組織委員會共同管理之。

第五條 本會地址暫設於上海市。

第二章 任務

第六條 本會之任務如下：

(一)聯系醫史研究工作者，加强團結通過學習貫徹政府醫學衛生政策建立服務人民大衆觀點。

(二)交流醫史研究之經驗提倡醫史學術之研究，舉辦學術座談會及演講會。

(三)調查和蒐集醫史資料及文物。

(四)辦理編輯及出版工作。

(五)管理及擴展中華醫史博物館及中華醫史圖書館。

(六)其他與醫史有關事項。

第三章 會員

第七條 本會會員分爲下列四種：

(一)正式會員 凡中華醫學會會員對於醫史研究有興趣者，經本會正式會員二人之介紹由執行委員會審查通過後得爲本會正式會員。

(二)特別會員 凡非中華醫學會會員，對於醫史研究有興趣贊同本會宗旨者，經正式會員二人之介紹，由執行委員會通過得爲本會特別會員。

(三)學生會員 凡在醫學專科以上學校肄業，對於醫史研究有興趣贊同本會宗旨者，經正式會員二人之介紹，由執行委員會通過，得爲本會學生會員。

(四)榮譽會員　凡對於醫史研究有特殊貢獻者，由執行委員會提名，經會員大會通過，得爲本會榮譽會員。

第八條　凡申請入會須塡具志願書，並應提出有關醫史之學術論文一篇（學生會員可改爲寫自傳和學習醫史的願望。）交執行委員會審查。

第九條　本會特別會員及學生會員，如入會已滿五年以上，曾有醫史著述或有專門論文二篇以上之發表，經本會執行委員會審查提名於大會通過者，得爲本會正式會員。

第十條　本會各種會員之權利如下：

(一)對本會決議工作及各項設施有討論，批評，建議之權。

(二)有提案，發言，選擧之權，

(三)有被選擧及表決權，但以正式會員爲限。

(四)凡本會擧辦之各項事業，及圖書館、博物館各項設備，各種會員均有利用之權。

第十一條　本會各種會員之義務如下：

(一)遵守本會會章及決議。

(二)協助本會推進會務。

(三)接受本會指定之調查，蒐集與撰稿等事宜。

(四)繳納會費（榮譽會員可免繳納）

第十二條　本會各種會員有下列情事之一者，取消其資格：

(一)自動聲明退會者，

(二)違反會章決議案或妨害本會信譽者。

(三)有反動行爲受法律之判決褫奪公權者。

第四章　組　織

第十三條　本會採民主集中制，以會員大會爲最高權力機關。

第十四條　本會設執行委員會，爲會員大會閉幕後之執行機構，由會員大會產生執行委員七人組織之，並由執行委員互選主席一人，副主席二人，處理日常事務，對外代表本會，其任期均爲二年，連選得連任。

第十五條　本會執行委員會設祕書一人，組織，會計，出版，編審各組，每組至少三人，其人選由執行委員會共同協商通過聘任之，爲義務職。

第十六條　本會於必要時得設特別委員會，其章程另訂之。

第五章　集　會

第十七條　本會會員大會每二年舉行一次，其日期，地點由執行委員會決定召集之，必要時或由會員三分之一提議均得召集臨時大會。大會之職權如下：

（一）聽取執行委員會工作報告。

（二）修改會章。

（三）改選職員。

（四）決定本會工作方針及中心任務。

第十八條　本會會員大會以國內會員過半數出席舉行之。各地會員如因事不能到會者，得書面委託其他會員爲全權代表。除本人另有提案外，其建議，選舉，表決之權，均由代表負責代行之，但每一代表只能以代表另一個會員爲限。

第十九條　本會會員大會亦得於中華醫學會大會期間同時舉行，以資聯繫。

第二十條　本會執行委員會每三個月舉行一次，由主席召集之，必要時經執行委員會三分之一聯名得召集臨時執行委員會。

第廿一條　本會執行委員當選後因在另一地區不能經常參與會議者，得委託其他會員爲代表。

第廿二條　本會各種特別委員會除向執行委員會報告工作外，並得由本會正副主席召開臨時會議。

第六章　分　會

第廿三條　凡每一地區有本會各種會員十人以上者，得設立分會，直屬本（總）會爲基層組織，其章程由各分會以民主式參照本（總）會章程自行訂定，經本（總）會執行委員會批准之。

第廿四條　分會之設置，須由各該地區會員之聯名申請，並經本（總）會執行委員會通過後，方爲有效。

第廿五條　分會如有利用會的名義對外行動時，須事先徵得本（總）會同意，或按照指示執行之，每半年應將工作狀况報告於本（總）會。

第七章　經　費

第廿六條　本會經費以基金利息會員會費公私捐款或補助費及售賣什誌圖書等收入充之。

第廿七條　凡熱心贊助本會自動以款項地產圖書文物等捐贈者，其保管或動用另設特種委員會處理之。

第八章　出版

第廿八條　本會出版之圖書刊物，其原稿須先經編審組審訂之。

第廿九條　本會各種醫史刊物圖籍叢書之發行事宜，由出版組負責辦理之。

第九章　附則

第三十條　本會辦事細則，由執行委員會另訂之。

第卅一條　本章程如有未盡事宜，得由會員五分之一提出修正意見，經大會決議修改之。

第卅二條　本章程經會員大會通過，函送中華醫學會備案後施行。

稿約

（一）本誌以登載中外醫學歷史之譯著為宗旨。

（二）譯文請附原書或原文一段，以便參考，否則請指明原書書名及頁數。

（三）文體不拘，但以白話為原則，各文請用標點。

（四）圖表請用黑墨水繪製，以便製版。

（五）已發表過的文稿，請勿惠寄。

（六）來稿本誌有修改權。

（七）來稿刊出後，概酬本誌五冊，如作者欲添印單行本，請於來稿時聲明添印數量，印費照成本計算，由作者自理。

（八）來稿請寄上海（9）慈谿路四十一號，中華醫學會醫史學會

·白页·

醫史雜誌

第三卷第三期（復刊版）一九五一年九月出版

編輯者 中華醫學會醫史學會編輯委員會

華東醫務生活社出版
上海（18）淮海中路南新邨十二號，電話七九〇七八號

·白页·

右晉尚書令謚獻穆王元琳書紙墨發
光筆法遒逸古色照人望而知為晉
人手澤經唐歷宋人主崇尚翰墨收
括民間珍祕歸于天府不知其幾矣而
尚有遺逸如此卷者即賞鑒家如
米芾輩亦未之見吾於此有深感焉
元琳書名當時頗為弟珉所掩故為之
語曰法護非不佳僧彌難為兄法護珣
小字僧彌珉小字也此帖之遺能為遺世
至寶鬱岡山人雖藏其[illegible][illegible]乃東得焉
謂是丁巳冬十二月[illegible][illegible][illegible]吳新宇中
秘書不留賞信宿書此歸之
延陵王肯堂

明王肯堂墨蹟

伯駕利用醫藥侵華史實

王吉民

一、引言

帝國主義對我國的侵略方式，眞是花樣百出，無孔不入的，有軍事的，有政治的，有經濟的，有文化的，有慈善的，有宗敎的，亦有醫藥的。其中有很多關於醫藥侵略的史蹟，但爲一般人所忽略。像美帝侵華的前驅者——彼得伯駕（Peter Parker）醫師卽係其中最重要主角之一，在過去反動統治階級學者，因爲政治認識的不夠，只片面地看問題，以爲伯駕是介紹西醫來中國的先進，功績偉大，備受推崇，而不知他是具有幾重人格的，他靠着敎會醫師出身的資格，假借醫藥傳道的外衣來我國，取得了各處的內情，幹他調查情報等工作，抹殺醫德，違反敎義，甘作帝國主義的工具，實行侵略，以期達到升官發財的途徑。我近數月來，爲了參加籌備揭露美帝利用基督敎侵略中國控訴大會的工作，又係專攻中外醫史者，故關於宗敎醫藥方面的事情，一向留心，先後已搜得若干具有歷史性的資料，這裏特先把伯駕的罪行，寫在下面，他日有暇，當更把美帝怎樣利用醫藥來侵略中國的史實，再寫一文發表。

二、伯駕事蹟的瑣探

彼得伯駕在一八〇四年生於美國馬薩諸塞州之弗蘭明罕城，他的父親原是一個農夫，生一子三女，伯駕係他的獨子，家道貧寒，中學時半工半讀，全家信奉基督敎，初就讀於安姆斯特大學，旋入耶魯大學，一八三四年三月八日畢業，得醫學博士學位，同年五月十日復被封立爲牧師，於十月廿六日乘「馬禮遜」號輪船抵廣州，爲美國基督敎醫師奉國外宣敎會派遣來華的第一人。他先到了星加坡學習華語，次年便回廣州，在新荳欄廠地開了一間眼科醫局，到了一八五六年，這所醫局被燬於火，乃遷地方重建新院，這所新院卽日後遠近名聞的博濟醫院的前身。

在一八四一至一八四二年這所醫院因受鴉片戰事的影響，業務停頓了，伯駕回美國去，但不久由美洲而至英倫，向英美兩國的有名人士，演講遊說，有很多的人響應他，於是輔助會紛紛成立，愛丁堡醫藥傳道會至今尚存，它也是其中最著名的一個傳道會。那時伯駕很快地也到巴黎覲見法王腓立比，與之暢談中國事務，頗邀注意，後遄返美國，被舉爲斐拉德爾非外科學會和內科學會的會員，後來到華盛頓向當局建議在中國設立公使館，以利辦理交涉事宜，這是伯駕第一次準備侵華的言行，惟因時機未熟，未被採用，這時他雖碰壁回來，但却交了一步好運，就是這時忽然遇到美國國務卿威勃司德的姪女，一見傾心，未幾娶她爲妻。鴉片戰事結束後，他念念不忘中國，乃至一八四一年十一月重回廣州，繼續行醫，一時大官富紳和一般老百姓多向他求醫，因醫術高明，聲名大著。一八四四年，美國派顧塱公使來華，訂立中美條約，聘伯駕任譯官，這是他第一次正式踏進政治圈中，次年升參贊，又代理公使，但捨不得博濟醫院的職務，仍繼續担任，直到一八五五年由嘉約翰醫師接替爲止。一八五五年他被任爲駐華正式公使，至一八五七年告退返美，在中國共計二十三載，他晚年居華盛頓，一八八八年死去，年八十有四。

伯駕是科學醫輸入中國的先鋒，他在醫藥界的事蹟很多，主要的有下列三項：

（甲）創辦醫院　他在廣州所創辦的博濟醫院，不僅是一所最早及歷史最悠久的醫院——自一八三五年成立到現在有一百二十五年——而且係西醫的發祥地，影響所及，遍於全國，如醫校的設立，醫書的編譯，護士的訓練，新藥的介紹等，多係博濟首先提倡實行的。早期的名醫，如威廉洛克、合信、麥高雲、嘉約翰和黃寬等皆先後曾在博濟服務，他除博濟外，還親自在星加坡、香港、澳門設立過醫院，而海南、台灣、廈門、寧波、上海、北京等處的醫院，都由博濟出發先後成立的。

（乙）組織醫會　伯駕很有眼光和遠見，他知道如欲使一種事業的基礎鞏固，必須有一個強大而有實力的機關，以作後盾，乃與哥利文和裨治文發起組織一個教會醫師團體，經兩年的努力，終於一八三八年在廣州成立了「廣州醫藥傳道會」。一般人以爲這是伯駕獨特的偉績，亦屬全球的創舉。這個傳道會名聞遐邇，對於早期基督教醫藥事業的發展功效很大，所以後人稱伯駕爲教會醫藥事業的鼻祖。

（丙）介紹學術　伯駕早在一八三八年即主張遣派學生出洋習醫，亦獲得海外人士的贊助，但因當時風氣未開，不能實現，祇得廣收生徒，加以訓練，這是我國醫學校的雛型。他精擅外科，首先施行膀胱截石，四肢截斷，腫瘤除去等手術，又係以脫和哥羅仿麻醉劑首先輸入中國的介紹人。這藥初次在中國應用係在一八四七年，僅距在歐美發現後數載。一八五〇年有一病人死於膀胱結石，他獲得家屬的許可，執行第一次屍體解剖，是一件不容易獲到的事。

三、伯駕政治的陰謀

基督教醫藥事業從開始即與資本主義帝國主義結不解緣，美帝在中國教會的團體，曾有如下的主張：「欲介紹基督教於中國，最好的方法是通過醫藥；欲在中國擴充商店的銷路，最好的辦法是通過教士；醫藥是基督教的先鋒，而基督教又是推銷商品的先鋒。」裨治文牧師在他家書中曾說過：

我等在中國傳教之人與其說是由於宗教的原因，毋寧說是由於政治的原因。

伯駕係此中一個特出的人才，一身兼具三種資格，牧師，醫師，官吏。確係一個最典型的侵略者。他一切的動作都以「開放中國」使美帝經濟政治勢力侵入中國爲出發點，在鴉片戰爭前即建議於兩廣總督林則徐，謂欲解決中外糾紛最善的辦法惟有與各國訂立條約，因此得到裨德爾極力推崇：

泰西大砲不能舉起中國門戶的一橫木，而伯駕醫師以外科小刀即大開其門。

的確，裨德爾的話，並沒有半句誇大，値得我們反覆體味的。

一八四二年英國强迫中國簽訂不平等「南京條約」，美國遂趁火打刼，即依伯駕的條陳進行，遣派顧聖公使來華，一八四四年該使團抵澳門，伯駕與裨治文都充當了該使團的祕書及和議專員，爲美國侵略策劃得異常週到，在他們二人慫恿下，中國又被迫締結了比「南京條約」更爲苛刻的「望廈條約。」這是一個廣泛賣身契，因美國不僅得到在五個口岸傳教的「合法權利」並且獲得了嚴重損害中國主權的所謂「領事裁判權，」他們這時躊躇滿志，興高采烈是完全可以想像的，伯駕也情不自禁地說過：「一個嶄新時代現已到來」的話。

在此我還要提供一段祕史，這「望廈條約，」簽訂如此迅速爽快，都是伯駕利用他行醫聲勢所獲得的，因爲中國方面的代表多是從前受過他治愈的病人，在他本人日記中，也把這事記入：

這一班大員的本人或親屬曾請教過我看病，所以一切交涉進行甚爲便利，在這條約中他們自動的加上准許外人有教堂，醫院，墳場，租地等的權益以表示感謝之意。

再特將這條原文照錄如下：

第十七條：合衆國民人在五口貿易，或久居，或暫住，均准其租賃民房，或租地自行建樓，並設立醫館，禮拜堂，及殯葬之處。

在此足見伯駕披着宗教外衣，實行侵略陰謀，是不打自招，同時又可見滿淸官場的腐敗了。他們只顧個人的小利益，不惜拿國家主權奉送外人，是一件極可痛心之事。

「望廈條約」締結後，伯駕因使華有功，於一八四五年被派爲駐華使館祕書，後升參贊。在數年前，他原娶到美國國務卿威勃司德的姪女爲妻，他靠着裙帶關係得以在外交界漸露頭角，終於一八八五年升任正式公使，担負起使華的總責了。這個「牧師醫師公使」的伯駕，野心實在不小，在未來華就任前的途中，他特地繞道歐洲與英法兩國政府協商，提出建立美英法三國同盟，來對付中國，幸那時英法在歐洲的戰事尚未結束，故不表贊同。伯駕來華登台第一砲，就向兩廣總督葉名琛提出修約的要求，但葉名琛對他連面也不願一見。次年他去福建，又向閩浙總督王懿德提出同樣要求，仍沒有結果；他再到上海和兩江總督怡良交涉，又遭拒絕，伯駕幾次碰了釘子，於是撕下假面具，一八五六年十二月十二日向美國政府提出一「最後手段」的惡毒建議，主張由美國去佔據台灣，法國佔據朝鮮，英國重佔舟山。條呈如左：

此次英美法三國各赴天津要求修約仍被拒絕，則英國可暫行佔據舟山，法國可暫行佔據朝鮮，美國可暫行佔據台灣。設中國能對過去種種使各國滿意，並對於將來予各國以正確的諒解，則各國卽將上述各該地退還中國，若能如是，則將來會議必不致再生波折而一切最有利與合意之結果必唾手而得。

國務卿麥西回答說：

美國海軍力量現在還不許這樣做，最好忍耐些，不要嚴重損害中美間的友誼關係。

因此，他的建議，未被採用。

伯駕的侵略表演，一幕一幕的揭開，猙獰面目，暴露無遺。當時美國皮爾斯總統行將滿任，伯駕自知不久將要去職，因急於在卸任之前造出一番「英雄事業」以博主子的歡心，於是異想天開於一八五七年二月十二日建議美國政府，把台灣獨霸，眞是荒謬絕倫了。他說：

台灣在目前已經成爲我們許多商人的一個極有興趣的題目，它理應從這個偉大的西方商業國家得到比過去更多的注意，才對；切盼合衆國政府不要在這個關係人道文明航業及商業各方面利益的關於台灣的行動上退縮不前。

因國務院未有回答，他急死了，在三月十日再上一次公函，標明「祕密」字樣，更露骨地表明了他的野心，他寫道：

我國如欲創辦加利福尼亞，日本和中國間的航綫，則台灣實爲供給燃料最優越的根據地，台灣不久或將不歸中國統屬，乃可能的事，此島在政治上和地理上將在中國分離，則爲尊重均勢原則，美國亟應佔領該島。

接着他更狂妄地說：

英國在大西洋據有聖哈連拿島，在地中海有支波羅特和馬爾泰，在紅海有阿丁，在印度洋有麻六甲，錫蘭，庇能，星加坡，在中國有香港，如果合衆國能設法攫取台灣，英國斷無反對的理由。

他明明只爲了美國資本主義和帝國主義的利益着想，硬要說爲了維護「人道」增進「文明，」眞不知天良何在？美國歷史家丹尼在他所著的「美國人在東亞」一書內評論伯駕的政策說得好，說他二十餘年來被滿清當局委落並目爲洋鬼子，故有此主張而洩憤恨云。他本有更大的陰謀，但這一年因爲美國的總統更迭，他被調回國去了。使他的毒計不能貫澈，此則不能不算那時中國的幸運了。

四、結語

彼得伯駕固然是一個科學醫輸入中國的先鋒，對於早期醫藥貢獻的功勞，也不能完全否認的，可是他披着醫藥傳道的外衣，實行政治的陰謀，眞是罪大惡極了。在此我們聯想到在中國外籍醫師爲數甚多，據一九三七年教會醫事委員會的統計，總共有二百九十七人。其中有多少伯駕這樣人，是不可不注意的。我們從事醫務工作者，不得不坦白承認從前思想的糊塗，麻木錯誤，總以爲醫本仁術，以服務人民爲宗旨，斷不至被人利用，又以爲是「純技術」的，「超政治」的，「無國界」的，到現在方始認識美帝的毒計。

一九五一年九月廿二日在上海醫史學術座談會講

參考文獻

一、美帝侵華史 李大[illegible]
二、美國初期侵華史話 于藍
三、一八五八年以前美籍傳教士在中國侵略的活動 余繩武
四、美師是怎樣利用宗教侵略中國的 艾學
五、美帝怎麼利用宗教侵略中國 劉良模
六、美國在歷史上怎麼侵略中國 胡繩
七、宗教問題專輯（幹部學習資料第33輯）
八、The Life and Letters of Peter Parker. G.B. Stevens.
九、Americans in Eastern Asia. T.Dennet
十、The History Between the United States and China. K.S. Latourette.
十一、The History of Christian Missionaries in China. K.S. Latourette.
十二、History of Chinese Medicine. Wong and Wu.

醫家五行說始於鄒衍

余雲岫

甲　鄒衍以前之五行說

（一）五行之往舊造說

五行的論題，不知什麼時候提出來的，文獻不足，已經不可考了。據荀子說：

略法先王，而不知其統，然而猶材劇志大，聞見雜博，案往舊造說，謂之五行。甚僻違而無類，幽隱而無說，閉約而無解，案飾其辭而祇敬之曰，此眞先君子之言也。子思倡之，孟軻和之，世俗之溝猶瞀儒，嚾嚾然不知其所非也，遂受而傳之，以爲仲尼子游爲茲厚於後世。是則子思孟軻之罪也。（註一）

【註一】荀子卷三非十二子篇第六。「然而猶」在楊倞注本作「猶然而」，楊注：「猶然，舒遲貌。」盧文弨校說：「宋本正文作然而猶材劇志大，無注。」余所據古逸叢書本正是這樣，郝懿行也說「猶然而當依宋本作然而猶，此誤本也。」那末「猶然舒遲貌」的楊注，恐怕也是後人僞造的了。盧氏郝氏的說，見王先謙荀子集解。

「溝猶瞀儒」有二解；其（一）盧文弨郝懿行都以爲溝猶瞀儒四字是疊韻，皆是愚蒙的意義。（王先謙荀子集解引）

（二）王先謙以爲溝瞀兩字連接，在荀子儒效篇可證，不應中間有「猶」字。「溝猶瞀儒」應只讀做「溝瞀儒」三字。

據上面荀子的話，五行是子思孟軻所倡導的，但又說他們是「按往舊造說。」可以曉得思孟以前的往舊，已經有了五行說的雛形了。漢儒講五行的，都以洪範爲出發點，說是周武王克商，訪問箕子的時候，箕子所說的。（註二）

【註二】尙書周書洪範序，僞孔傳說「洪，大，範，法也，言天地之大法也。」

近來學者，大都認洪範這篇文字，是戰國時代作品，而不是箕子作品。（註三）

【註三】侯外盧杜守素紀冰玄著中國思想通史第一卷第十一章第二節思孟學派的儒學放大節。

周禮也不可靠，禮記亦是思孟的後輩所記，只有左傳、國語，還靠得住是東周貨色。尋左傳襄公二十七年，宋子罕說：

「天生五材，民並用之。」杜預解：「金、木、水、火、土也。」

又左傳昭公二十五年，鄭子太叔論禮，述子產之言：

「生其六氣，用其五行，氣爲五味，發爲五色，章爲五聲，淫則昏亂，民失其性。」杜預解說「五行」又云：「金、木、水、火、土。」

左傳昭公元年，秦醫和說：

「天生六氣，降生五味，發爲五色，徵（聽）爲五聲，淫生六疾。六氣曰：陰、陽、風、雨、晦、明也，分爲四時，序爲五節，過則生菑（災）」

醫和、子產所言，大致相同，可見醫和這套議論，也有五行在內，但沒有像子產明明提出，也許是書有脫漏！子產說「用五行，」子罕說「用五材，」知五材卽是五行，卽是金木水火土，那末杜預的五材的解釋是對的。子產說：「生其六氣，……氣生五味，」醫和說：「天生六氣，降生五味，」都是說天之氣降而生味，意義全同。我以爲子產、醫和這套議論，是當時的哲學思想，不是醫和獨得，也不是子產倡說。再尋國語單襄公論子周說道：

「天六地五，數之常也，經之以天，緯之以地，經緯不爽，文之象也。」韋昭解「天有六氣，謂陰、陽、風、雨、晦、明也，地有五行，金、木、水、火、土也。」（國語卷三，周語下。）

若韋昭之解爲不誤，則六氣五行的造說，在子產、醫和之前三十年已經出現了。（天六地五的話，是單襄公留其子頃公之遺囑。韋昭周語下注說「魯成十七年，單襄公與晉厲公會於柯陵，後三年而單襄公卒，其歲厲公弒。」按晉厲公弒在成公十八年，乃會柯陵之明年，而不是後三年，三字恐有誤。這年魯成公也死了，其子襄公在位三十一年，方纔到昭公元年而有醫和的說。由魯昭公元年上溯魯成公十八年，首尾相隔三十有三年。）自此以上，我的老耄，不復記憶有五行之說，可以做相當的根據。至於六氣何以降生五味，杜預對於昭元年醫和言論只說：

謂金味辛，木味酸，水味鹹，火味苦，土味甘，皆由陰陽風雨而生。

孔穎達的春秋左傳疏云：

物皆有本，本自天來，故言五者皆由陰陽風雨而生也。是陰、陽、風、雨、晦、明合雜共生五味。若先儒以爲雨爲木味，風爲土味，晦爲水味，明爲火味，陽爲金味，而陰氣屬天，不爲五味之主，此杜所不用也。

可見先儒有五味六氣相配的說。而杜預棄置不用，所以疏又明白地解說：

氣皆由天，故言天有六氣也，五味在地，故云降生五味也，五味是五行之味，六氣共生五味，故杜解五味皆由陰陽風雨晦明而生，是言六氣共生之，非言一氣生一行也。

孔疏一再說「六氣合雜共生五味，」說：「六氣共生五味，非一氣生一行，」可以推知杜對於五行、五聲，都以爲是雜合共生，非一氣生一行。漢儒陰陽家所分配的爲「雨爲木味，風爲土味」等那一套煩瑣的話，是被杜預所反對而棄置的。杜預這種觀念，和王弼注易，棄置漢儒易學，是有相同的行爲。同是把謹守師法的博士式的殺拘煩瑣之學，一筆勾消，而用名流的淸談的機變詭辨。這是因爲博士作風，是有利於守成的帝王，籍以鞏固其洪業，而名流的玄論，是有利於簒奪的英雄，籍以掩護其行檢。都是合乎時代的要求而生產的。但我以爲陰陽五行說的初期，恐怕是相當樸素，一定不能配合精緻，通過漢朝儒學和讖緯合流之下的「後期五行說，」才有煩瑣的配合工作。杜預解六氣五味，和王弼的注易，不用漢儒的煩瑣，而返原始的樸素，是還元，也是復古。所以杜王的見解，倒反和初期六氣五行說及原始的易說相近，就是不加人工，勉任自然。孔疏的「六氣雜合共生五味，非一氣生一行」的見解，恐怕猜着了杜預的復古思想和還原行動，也就是否定的否定。

（二）子思孟軻之五行說

章太炎師說道：

「荀子非十二子譏子思孟軻曰：『按往舊造說謂之五行。』楊倞曰：『五行，五常，仁、義、禮、智、信也。』五常之義舊矣。雖子思始倡之，亦無損，荀卿何譏焉？尋子思作中庸，其發端曰：『天命之謂性。』注曰：『木神則仁，金神則義，火神則禮，水神則智，土神則信，孝經說略同，（王制正義引）是子思之遺說也。沈約曰：『表記取子思子，』今尋表記云：『今父之親子也，親賢而下無能，母之親子也，賢則親之，無能則憐之，母親而不尊，父尊而不親，水之於民也，親而不尊，火尊而不親，土之於民也，親而不尊，天尊而不親，命之於民也，親而不尊，鬼尊而不親，』此以水火土比父母於子，猶董生以五行比臣子事君父。古者鴻範九疇，舉五行傅人事，義未彰箸，子思始善傅會，旁有燕齊怪迂之士，侈搪其說以爲神奇，燿世誣人，自子思始，宜哉荀卿以爲譏也。」（註五）

【註五】章叢氏書文錄卷一，子思孟軻之五行說。　按章師此文，有幾處應加注釋！（一）「子思作中庸。」按禮記中庸，陸德明經典釋文卷第十四，中庸第三十一，說道：「鄭云：『孔子之孫子思作之。』」孔穎達禮記正義引鄭目錄也這樣說。（二）「水神則智，土神則信。」中庸注：「水神則信，土神則智。」此恐是注誤，章師校正之，故不同。但董仲舒春秋繁露五行相生篇第五十八，則說是木尚仁，火尚智，土尚信，金尚義，水尚禮，其說和中庸注庾蔚說（見下）各不相同。（三）「沈約曰：表記取子思子」，按隋書卷十三，志第八，音樂上，載梁武帝天監元年，（公元五〇二）下詔整理禮樂，沈約奏答云：「案漢初典章滅絕，諸儒捃拾溝渠牆壁之間，得片簡遺文，與禮事相關者，即編次以爲禮，皆非聖人之言，月令取呂氏春秋，中庸、表記、坊記、緇衣，皆取子思子。……」又玉海卷五十三，引沈約同。又史記卷一百十二公孫弘傳，弘上書曰：「臣聞天下之通道五，所以行之者三。」索隱云：「案此語出子思子，今見禮中庸。」洪頤煊經典集林卷十九子思子說：「據索隱以爲子思子本有中庸篇。」把洪氏的論推展起來，中庸、表記、坊記、緇衣，都是子思子中的篇名了。沈約所見的子思子或眞是這樣。（四）「孝經說略同。（王制正義引）」按禮記王制：「天子將出，類乎上帝。」鄭康成注說道：「帝謂五德之帝。」孔穎達疏引庾蔚說：「謂大微五帝，應於五行，五行各有德，故謂五德之帝。木神仁，金神義，火神禮，水神智，土神信，是五德也。」章師所云王制正義引，恐即是此。但並未說是孝經說，而中庸注在土神則智下引孝經說，却是解釋性命，不是解釋五行。我對「孝經說略同」五個字，只好說：「未詳」了。（五）「猶董生以五行比臣子事君父。」按董仲舒春秋繁露五行之義篇第四十二，有這種論調。（六）旁有燕齊怪迂之士，侈搪其說。」按史記封禪書云「鄒衍以陰陽主運顯於諸侯，而燕齊海上之方士傳其術不能通，然則怪迂阿諛苟合之徒自此興，不可勝數也。」章先生所說，當根據於此，侈是大，搪是張，侈搪就是張大的意思。

章先生把表記的話，當做子思「舉五行傳人事」的思想證據，是不錯的。但孟子的說五行，到現在還找不到證據，孟子外書雖然很不可靠，但要論列孟軻，自不可不展開讀一遍。可惜架上沒有這書，祇能留待日後再說。

乙　鄒衍之五行說

（一）鄒衍時代之學術

周人無論西周東周，都喜歡講「禮，」從修身、齊家、到治國、平天下，一切都用禮制。詩經也有禮字，左傳更多，略舉數條以見梗概；

禮人之幹也。（左傳昭七年孟僖子說。）

禮國之幹也。（左傳僖十一年內史過說，又襄三十年子皮說。）

禮身之幹也。（左成十三年孟獻子說。）

幹，就是基本的意思，可見他們很重視這禮。其實禮是東西二周統治階級的工具，周公因了殷民反動之後制禮，和漢初叔孫通因了功臣橫蠻而制朝儀，動機是差不多的。所以說：

禮之可以為國也久矣。（左傳昭二十六年晏子對齊景公說。）

因此貴族統治者一切都用禮來限制，學校的制度也在禮的範圍內，既是「禮不下庶人，」（禮記曲禮一）當然學也不下庶人。直到春秋之中葉，學還是王、侯、卿、大夫和士的所有品，庶人是沒有份的。這個氏族專政時代的周，是只有「官學。」（註六）

【註六】周禮地官司徒下師氏：「以三德教國子。」鄭注：「國子，公、卿、大夫之子弟。」（班固前漢書禮樂志也說：「國子者，卿、大夫之子弟也」與鄭注同。）賈公彥周禮疏：「案禮記王制云『春夏教以禮學，秋冬教以詩書，』下文云：『王大（太）子、王子、羣后之大（太）子、卿大夫、元士之適子，皆造焉。』故知國子之中，有卿大夫之子也。鄭不言王太子及元士之適子者，略言之，其實皆有也。王制惟言大子、適子，不言弟，鄭知兼有弟者，大司樂及此下文皆云：『教國子弟，』連弟而言，故鄭兼言弟也。」太平御覽一百四十六引尙書大傳曰：「古之帝王者，必立小學、太學，使公、卿太子，大夫、元士適子，十有三年，始入小學，」其說和禮記王制略同。（王制說見上周禮疏引。）

禮記燕義第四十七：「古者周天子之官，有庶子官，庶子官，職諸侯、卿、大夫、士之庶子之卒，（倅，副也。）掌其戒令與其教治，別其等，正其位。」此文和周禮司馬下之諸子的職掌之文相同，所以鄭注燕義說：「庶子猶諸子也。」而注諸子，引鄭司農說：「國子，諸侯、卿、大夫、士之子也。」就是根據燕義「諸侯、卿、大夫、士之庶子」的文句。

照以上所引文獻，從王太子到士之子，都可入學，但沒有一字說到庶民。這就是「學不下庶人」的證據了。

至於所學的東西，當然是和貴族的利害安危有直接關係的東西，拿來首先學習。例如紀時，（歲、月、日、時等。）制器，（生活工具、戰鬥工具等。）技術、（卜筮、祝史、樂工、外交等。）防患、（射御等）之類。後來把累積經驗，作爲成法，守而不失，就成了一部門專科學術。此等專門學術，當時貴族統治的人，很爲看重。如

「敏而好學，孔文子所以爲文也。」（論語公冶長第五。）

「卻穀可，臣亟聞其言矣，說禮樂而敦詩書。」（左傳僖公二十七年。）

「卻穀行年五十矣，守學彌惇，夫先王之法志，（韋注：志，記也。）德義之府也。」（國語晉語，文公問元帥節。）

「范獻子聘魯，問具山、敖山，魯人以其鄉對，（韋注：「言其鄉之山也。」按說是某鄉之山，不舉具敖之名。）獻子曰：『不爲具敖乎？』對曰：『先君獻武之諱也。』（獻公名具，武公名敖。）獻子歸，徧戒其所知曰：『人不可以不學，吾適魯而名其二諱，爲笑焉，唯不學也。』……」（國語十五晉語。）

「公至自楚，孟僖子病不能相禮，乃講學之，苟能禮者從之。」（左傳昭公七年）

「吾他日，未嘗學問，好馳馬試劍，今也父兄百官不我足也。」（孟子卷五滕文公上）

可見當時貴族是重視學的。但有點專門學術，一部份是世守其事，如：

晉侯召鍾儀而弔之，……問其族，對曰：『伶人也。』公曰：『能樂乎？』對曰：『先父之世職也，敢有二事！』（左傳成公九年）

且昔而（汝）高祖孫伯黶司晉之典籍，以爲大政，故曰籍氏。及辛有之二子董之晉，於是乎有董史女（汝）司典之後也，何故忘之！」（左傳昭十五年周景王對籍談說）

可見那時候專門學術的一部份，是有「世職」的，也叫做「世官」。後來氏族貴族統治者墮落，不學的人愈多，需要世職那樣人材來幫助愈切，於是乎有幾套專門學術的人，就喫香了。例如左傳：

「公至自楚，孟僖子病不能相禮，乃講學之，苟能禮者從之。及其將死也，召其大夫曰：『禮，人之幹也，無禮無以立。吾聞將有達者曰孔丘，聖人之後也。……臧孫紇有言曰：『聖人有明德者，若不當世，其後必有達人。』今其將在孔丘乎？我若獲沒，必屬說與何忌於夫子，使事之，而學禮焉，以定其位。故孟懿子（何忌）與南宮敬叔（說）師事仲尼。」（左傳昭七年）

以魯國統治者三家之一之孟氏，派其兩子到仲尼處去學習，這是從來所沒有的事。可以曉得這個時候，學問通達的人（達人）是擡頭的好機會，開始爲貴族所認識了。經這一提倡，孔門弟子就濟濟一堂了。韓非子叫做「顯學。」（韓非子卷十九顯學第五十）這是「學術下私人」的破天荒。從此以後；孔子開端，墨翟繼起，當時稱爲儒墨，再後有楊禦，（孟子滕文公下）有儒墨楊秉（莊子徐无鬼第二十四）再後名家、法家、陰陽家、縱横家，如雨後春筍，一齊出來了。

每一件事物新出現的時候，就會有一番轟轟烈烈的研究，五花百門的新業績跟着出現。用我們醫學來講：最近抗生素發現後，就有青黴素、鏈黴素、綠黴素、金黴素等等，一連串出現。磺胺製劑發現後，就有磺胺噻唑、磺胺地亞淨、磺胺脈等等，連續出現。細菌發明時候，就有各色各樣細菌和毒素及血清等等出現。細胞發見時代，各方面植物細胞、動物細胞、生理細胞、病理細胞等等的研究，興盛一時。文藝復興時代，人體解剖開禁以後，解剖學、生理學的一連串發見，獨冠一時。在我國則五代以後，五運六氣說混入內經（本誌復刊號范行準五運六氣說的來源）以來，風起雲湧，就瀰漫地流行了醫學的運氣說。在「學下於庶人」的時候，除了懶惰沒落的世家子弟以外，都欣欣然向着新開放的博物館進去逛逛，來擴大見識。於是乎隨着個人的才性、環境、立場、利害的背景，和各種角度的觀察，其意識形態，生出各色各樣的感想，發出各色各樣的議論。因此；「孔墨之後，儒分爲八，墨離爲三，」（見韓非子顯學第五十）同時儒、墨、楊、秉、堅白、異同，一齊出來了。莊子的天下篇，和荀子的非十二子篇，確實有了十八人。（註七）

【註七】莊子天下篇，有墨翟禽滑釐宋鈃尹文彭蒙田騈愼到關尹老聃莊周惠施計十一人。荀子非十二子篇有它囂魏牟陳仲史鰌墨翟宋鈃愼到田騈惠施鄧析子思孟軻計十二人。共計二十三人，其中墨翟宋鈃愼到田騈惠施五人重出，計得十八人。

此外像縱橫家的蘇秦張儀，兵家的孫臏吳起，法家的申不害商鞅韓非，爲我的楊朱，離堅白的公孫龍，（說就是莊子徐无鬼篇之秉）又有無數的孟嘗君、信陵君、平原君、春申君、呂不韋的門客，齊稷下的談士，淳于髡荀卿之流，邉奇門異，不知多少，而陰陽家的鄒衍也產生在這個時代。

（四）鄒衍的五行說

史記載騶衍事較詳，今取其與本論文有關者，節錄如下：

齊有三騶子；……其次騶衍，睹有國者益淫侈不能尙德。……乃深觀陰陽消息，而作怪迂之變，終始大聖之篇十餘萬言。其語閎大不經，必先驗小物，推而大之，至於無垠。先序今以上至黃帝，學者所共術，大並世盛衰，因載其禨祥度制，推而遠之，至天地未生，窈冥不可考而原也。……稱引天地剖判以來，五德轉移，治各有宜，而符應若茲。……王公大人初見其術，懼然顧化，其後不能行之。是以騶子重於齊，適梁，梁惠王郊迎，執賓主之禮；適趙，平原君側行撇席；如燕，昭王擁彗先驅，請列弟子之座而受業，築碣石宮，身親往師之，作主運。（史記卷七十四孟子荀卿列傳）

自齊威宣之時，騶子之徒，論著終始五德之運，及秦帝，而齊人奏之，故始皇採用之。而宋毋忌正伯僑充尙羨門子高最後，皆燕人，爲方僊道，形解銷化，依於鬼神之事。騶衍以陰陽主運顯於諸侯，而燕齊海上之方士傳其術不能通，然則怪迂阿諛苟合之徒自此與，不可勝數也。（史記卷二十八封禪書）（註八）

【註八】騶衍的「騶」字有四種寫法，（1）史記寫作「騶」，（史記卷七十四孟子荀卿列傳第十四）（2）又寫作「鄒」（史記孟子荀卿列傳「齊有三騶子，其前鄒忌」。）戰國策齊策一，也作「鄒」字，漢書藝文志及古今人表，也作「鄒」字。（3）周禮夏官司爟，鄭司農注作「鄹」子，陸德明經典釋文卷三「九州」下，引鄹子亦寫作「鄹」字，（4）左傳、襄公十年傳，偪陽之役，有郰人紇，襄十七年有郰叔紇，清阮元十三校勘記云：「岳本「郰」作「鄹」，」陸德明經典釋文卷十八出「鄹叔」二字，是「郰」亦寫作「鄹」。又釋文卷十一檀弓第三「郰」字下云：「又作鄒。」根據這些，可知「騶」「鄒」「鄹」「郰」，四個字相同，騶子鄒子和鄹子，其實是一個人。

據以上太史公的記載；我們可以注目者，是「深觀陰陽消息，」「先序今，以上至黃帝，學者所共術，大並世盛衰因載其禨祥，」「稱引天地剖判以來，五德轉移，（詳見下文）治各有宜，而符應若茲。」騶衍深觀了陰陽消息，從現代一直上溯到黃帝，爲當時學者所共稱述的各世代，廣博周徧地（大）比較研究（並）其世代的盛衰，而記載其災異吉凶的事。他就以爲：「自從天地開闢以來，各世代中五德轉移，各不相同。轉移到某一德，那王者就應該用某一套法式去治天下。至於究竟是轉移到某一德呢？這是有符瑞應驗表現在目前，（若茲）可以明瞭的。」我對於史記的文意，是這樣解釋的，不知對不對？還請各方面大家指教。若是還不大錯，那末騶衍這一套作風，和漢書五行志、宋書符瑞志差不多，及漢初伏生洪範五行傳，董仲舒推陰陽講災異，（漢書五行志）和劉向洪範五行傳論，（漢書

三十六楚元王傳）的作風相同，又是漢儒講讖緯的起源。（註九）

【註九】「學者所共術。」術與述通用。禮記祭義：「結諸心，形諸色，而術省之，」鄭注云：「術當作述。」漢張表碑：「方伯術職，」術職即述職。又韓勑後碑：「共術韓君德政，」共術與史記此文同，即是共同稱述的意思。

「大並世盛衰，」索隱解說道：「言其並大體隨代盛衰，觀時而說事。」這個解釋，有點不順調，我以爲「大」是廣大周徧的意義，「並」是比方的意義，詩經魯頌泮水：「大賂南金，」鄭康成箋說：「大，猶廣也。」禮記郊特牲：「大報天而主日也，」鄭注說：「大，猶徧也。」這是大字的義。又荀子儒效篇：「俄而並乎堯舜，」楊倞注：「並，比也。」禮記禮運：「並於鬼神，」注：「並，幷也，謂比方之也。」這是並字的義。所以這「大並世盛衰，」可以解做「廣大地周徧地比方世代的盛衰。」

上面所說五德轉移，究竟是什麽樣呢？現在把書本上所記載的話，引證幾條，來說明這事，七略說道：

「鄒子有終始五德，從所不勝，木德繼之，金德次之，火德次之，水德次之。」（文選李善注卷六魏都賦「察五德之所位」注引。）

上文所引史記封禪書載：「自齊威宣之時，騶子之後，論著終始五德之運。」如淳解說道：

今其書有五德終始，五德各以所勝爲行，秦謂周爲火德，滅火者水，故自謂之水德。（史記卷二十八封禪書集解引。）

封禪書又說道：「騶衍以陰陽主運顯於諸侯，」如淳解說道：

今其書有主運，五行相次轉用事，隨方而爲服。（史記卷二十八封禪書集解引。）

這個「隨方而爲服，」就是「觀時而說事，」索隱解說道：

「主運是鄒子之書篇名。」（史記封禪書司馬貞索隱）

「劉向別錄云鄒子書有主運篇。」（史記孟子荀卿列傳索隱）

據上文所引史記孟子荀卿列傳，曉得主運篇是鄒衍在燕昭王受業時所作的。而看了如淳所解釋五德終始和主運兩條，已經大體可以明白，但是要再進一步求其詳明，已不可能，因爲鄒子書早已亡佚了。清朝馬國翰玉函山房輯佚書之中，有鄒子一卷，載呂氏春秋卷十三有始覽二，「應同」篇中的話：（史記封禪書也有這話，但較簡略。）

凡帝王之將興也，天必先見祥乎下民；黃帝之時，天先見大螾大螻，（高誘解說「螻，螻蛄。螾，蚯蚓」皆土物。）黃帝曰土氣勝，故其色尙黃，其事則土。（高誘注：則，法也，法土色尙黃。）及禹之時，天先見草木秋冬不殺，禹曰木氣勝，木氣勝，故其色尙靑，其事則木。及湯之時，天先見金及生於水，湯曰金氣勝，故其色尙白，其事則金。及文王之時，天先見火赤烏銜丹書。（王念孫說：「火赤烏」衍火字。）集於周社，文王曰火氣勝，故其色尙赤，其事則火。代火者必將水，天且先見水氣勝，水氣勝，故其色尙黑，其事則水。水氣至而不知，數備，將徙乎土。（註一〇）

【註一〇】代火者必將水以下，至數備將徙乎土，俞樾解說道：「呂氏之意，以爲周以火德王，至今七百餘歲，則火氣之衰久矣。其中間，天已見水氣勝矣，但無人起而當之耳，故曰『水氣至而不知，數備，將徙於土。』言後之有天下者，又當以土德王也。……厥後秦始皇有天下，推五德之運，以爲水德之始，此由其時不韋已死故也，若不韋猶在朝用事，則必以爲水數已備，秦得土德矣。」（俞曲園春在堂全書，諸子平議卷二十三，呂氏春秋二。）

這一段文字，馬國翰根據文選魏都賦注引七略說鄒子終始五德從所不勝的文，（見上文引）以爲與這段文字論調相同，定這段文字是鄒子的佚文。馬氏這個意見，我很同意，但玉函山房輯佚這部書，有人說是山陰章宗源稿，馬據爲已有，近人已辨其誣，此別一事，與本論文無關，不暇論。但論這段文字，的確和如淳所述的鄒子終始五德陰陽主運的論調相同，而且更加詳明，是値得重視的。前漢書藝文志論五行家說：

「其法亦起五德終始。」

不知撰人的漢書疏證有云：「攷證曰：歷書，鄒衍明於五德之傳，而散消息之分。沈約曰：五德更生，有二家之說，鄒衍以相勝立體，劉向以相生爲義。」（漢書疏證卷十二藝文志第十下，引王應麟藝文志攷證。）

可見上文所說鄒衍五德終始主運之說，和董仲舒劉向等五行災異說，有淵源的話，不至於有大錯誤吧。（未完）

中華醫學會醫史學會

執行委員會

李濤　主席
王吉民　副主席
余雲岫　副主席
范行準　祕書
朱恆璧　會計
劉永純　委員
金寶善　委員

編輯委員會

*余雲岫　主任
*范行準　負責人
*王吉民　委員
李濤　委員
宋向元　委員
*章次公　委員
陳耀眞　委員
*侯祥川　委員
楊濟時　委員
*劉永純　委員

注：有*者爲常務編輯委員

經濟委員會

朱恆璧　主任
王逸慧　委員
丁濟民　委員
耿鑑庭　委員
蕭叔軒　委員
李濤　委員
余雲岫　委員
王玉潤　委員

結核病在中國醫學上之史的發展（三）

蕭叔軒

三　虛勞的傳染性及其流行病學的認識和病名的演變

我們要想知道古代醫家所稱虛勞一類的慢性衰弱病，是否就是結核病？那末，那些載籍裏有沒有說到它有傳染性這一點，倒是最好的尺度。中華結核病觀念變遷史說：

欲將結核病與諸慢性衰弱病相分離，有一要件不可不備。一要件何？卽有傳染性是也。慢性衰弱病而有傳染性者，厥惟結核病。而上文所引諸家之說，得以滿足此條件者，惟中藏經傳尸之候足以當之。餘皆有慢性衰弱性之候，而無傳染之明文。巢氏病源之尸注，確指傳染病而言。大抵以急性傳染病爲尸，以亞急性、慢性傳染病爲注。然其諸注之中，求其慢性衰弱病之證候，又了不可得。蓋古人對於結核，其傳染徑路明瞭者，屬之尸注；否者屬之虛勞。尸注爲諸急慢性傳染病之混合物，而結核在其中；故其所敘之候，或近結核，或不近結核。虛勞爲諸慢性衰弱病之混合物，而結核亦在其中；故其所敘之候，亦或近結核，或不近結核也。其不近結核者，論他病也。

仲景書之虛勞，雖無傳染的明文，但旁證上，仲景傷寒論是一部傳染病學的專書。由於仲景書對傳染病的深入的認識，則虛勞之證，要說他或亦有所體味其傳染性，固非失之臆說。（按傷寒金匱二書，並題仲景撰。但其書實集衆方，且果屬仲景之書，亦屬可疑。）晉葛稚川肘後方謂此病能「傳之旁人」。如治尸注鬼注方下云：

其病變動，俗傳有三十六種，九十九種之多，大約使人寒熱淋瀝……積年累月，漸就頓滯，以至於死。死復傳之旁人，乃至滅門。

則晉人已深知結核病有强大而可怕的傳染性。隋巢元方病源候論，其說虛勞諸病候，凡五十七論，分證極詳。至於注病三十四論，則不及葛洪之精賅。惟六朝二百年，因五胡之亂，本多妖異之言；當時醫家，於思春期奔馬癆的恐怖，不免彙收俗說，每涉玄思。然巢氏病源，乃裒集隋以前書，爲中國古代病原學與病理總論的要籍；其所論尸注，確指傳染病而言。這正足反映隋代以前的醫學注意及結核病的最好說明。

到唐代時，孫思邈千金方以尸注隸於肺臟，辨症尤爲明晰。「孫氏蓋以爲古人相傳尸注之病，多遇之於肺癆，故以爲肺屬之病。」肺結核病的學說至此已可說是相當地成熟了。

至於巢氏病源的骨蒸，屬虛勞門，外台祕要採之而冠以尸注，就認爲它應屬於傳染性的慢性衰弱病。按外台所分門類多本於病源，故兩書實爲綜隋唐以前病證的結集。蘇遊論合骨蒸肺痿爲一病，亦引見外台且尸注卽傳尸，亦名爲轉疰，均指有傳染性的結核病：

> 傳尸之疾本起於無端莫問老少男女均有斯疾；大都相尅而生內傳毒氣，周遍五臟。漸就羸瘦，以至於死。死訖，復易家親一人，故曰傳尸亦名傳注（亦作傳疰）。以其初得半臥半起，號爲殗殜。氣急欬者名曰肺痿。骨髓中熱，稱爲骨蒸。內傳五臟名曰伏連。不解療者乃至滅門。

據此，傳尸、轉疰，都是結核病的總名稱。晉葛洪稱鬼注、尸注，蓋以與癆瘵者相接觸，卽漸染其病，而一變其健康之常態爲羸尩痼疾，有似鬼神之客注也。公元一八三九年 Schönlein 氏所創 Tuberculosis 其語根爲拉丁字 Tuberculym 有突出突起之義。與中土鬼注之名，其義略相仿。至殗殜、肺痿、骨蒸、伏連，則爲其部分證候的稱謂。而崔氏別錄又列入無辜之名，爲頸淋巴腺之結核症。凡此，晉唐人皆屬之於結核病的傳尸，並特描敍其傳染性之烈，如崔氏：

> 骨蒸病者，亦名傳尸，亦謂殗殜，亦稱伏連，亦曰無辜……無問少長，多染此疾，嬰孺之流，傳注更苦。

故晉唐醫家，既能確知各種結核，實爲同病，而能辨識其爲傳注之疾患及其傳染性有滅門之慘者，則並非始自唐人，蓋關於傳尸癆的流行病學。早在其三百餘年前，晉時葛稚川卽已有此種認識也。北宋人僞託華元化之中藏經論傳尸，傳尸之名，卽得之傳自尸氣。我看自兩晉六朝以來，醫學上實已明確了解肺結核病具有傳染的性質。中藏經敍述此病的發生，且又很明白地說它會傳染：

鍾此病死之氣，染而爲疾。

至宋嚴用和濟生方，將非傳染性的慢性衰弱病，和傳染性的慢性衰弱病，劃然分開。我們看他論非傳染性的虛損是這麼說的：

醫經所說諸虛百損，難經所有五損，不過因虛而致損也。

及論五癆六極「非傳尸骨蒸之比」說：

醫經載五勞六極之證，非傳尸骨蒸之比，多由不能衞生，始於過用，逆於陰陽，傷於營衞，遂成五勞六極之病焉。

而其所論癆瘵，則絕對與此類慢性衰弱病不同，因爲癆瘵傳變不一，其傳染性「甚至」能夠使人「滅門」。他說：

夫癆瘵一證，爲人大患。凡受此病者，傳變不一，積年染疰，甚至滅門，可勝嘆哉？大抵合而言之，曰傳尸，別而言之，曰骨蒸，殗殜，復連，屍疰，勞疰，蟲疰，熱疰，冷疰，食疰，鬼疰是也。

有明愼柔五書，亦以虛損癆瘵，分而言之。卽是以慢性衰弱病，分爲傳染性與非傳染性二種，這當然也是依彷嚴氏的學說而立論的。

所以，古人論結核病雖是意見紛歧，但有傳染性却是共同一致的原則。

四　歷代結核病之病原學的變遷

1　晉以後癆病傳染的素因說

自晉以來，中國古代醫學上，對結核病發生之原因，其立說頗與今日新醫學說相同。認爲構成發病的條件有二：第一，因結核病有傳染性質，所以知道有一種自外而至的物質，爲病的根源。第二，又知道染患此病，必有一種素因，如營養不佳，抵抗力不足，適合於那種自外而至的物質的染注，於是這病才能成立。我們看晉時肘後方，說感染結核的成因就分爲二。雖嚴格言之肘後之書，隋後已佚，即外台所引，亦非原帙。但多少反映了當時的醫學思想。如卷一論急性奔馬癆之類的治尸注鬼注方下說：

其病變動……死復傳之旁人，乃至滅門。

按肘後撰人的年代爲公元三一七左右，距今約一千六百三十餘年。所論當然係指病死之氣的傳染，這裏范行準先生又出示元李鵬飛的三元延壽書（明胡文煥壽養叢書本）一書，有引張承節據勞經的話言及肺瘵有蟲而能傳染之說：

勞經言：瘵證有蟲，患者相繼，有是理。卷二思慮條

勞經不知誰撰的，張承節也不知那時人。但延壽書前有至元辛卯（二十八年一二九一）鵬飛自序，那應當是宋以前人了。是結核病之有傳染性，誠是古今相同。這是一。肘後卷四治虛損羸瘦不堪勞動方下云：

凡男女因積虛損或大病後不復常若四體沉滯心中虛悸面體少色飲食無味陰陽廢弱多臥少起久者積年速者百日漸至瘦削，五臟氣竭，則難可復。

這裏指的是慢性肺癆。並申說了體力過於消耗，營養不良，大病後抵抗力減退等「五臟衰竭」的素因，中藏經亦明言此二者爲構成傳尸的條件：

人之氣血衰弱，臟腑羸虛……鍾此病死之氣，染而爲疾。

古人認定這病的根源，是「病死之氣」「染」之「而爲疾。」但一方面却有着由於人體本來衰弱之故的素因，這是二。晉以前醫學上似乎尚未注意到外來的「病氣」之感染而只着重在「人之血氣衰弱，臟腑羸虛」的素因方面。內經靈樞各篇雖無說結核的專文，但其散論之「虛」似不無與結核有關。如脈細，皮寒，氣少，泄利前後，飲食不入，是爲五虛。先貴後賤病脫營。先富後貧病失精。脈虛，氣虛，心虛，是爲重虛。陳方之先生以爲「尚未認定虛字

爲一病之專名。」但據我的看法，漢時金匱已言「虛勞，」可以聯繫到內經的「虛，」也可以聯繫到結核。金匱論虛勞的病原是：

夫尊榮之人骨弱肌膚盛重因疲勞出汗臥不時動搖如被微風遂得之。

雖然「夫尊榮之人」云云，近似痛風消渴等病，和內經的「先貴後賤病脫營」「先富後貧病失精」云云，近似神經衰弱疾患，對於結核相距甚遠。但同時我們知道，環境對於結核病的影響是十分重要的。而且內經的「失精」及「脈虛氣虛」在金匱的「虛勞」裏也有同樣的證候。那末從這上面推論，古代的重虛五虛，是和漢宋包括了結核的所謂虛勞，同屬一症。從而知道了：結核的病源，在晉以前的醫學家是只注重衰弱和羸虛的素因的。

2 隋代尸蟲說和無辜鳥的細菌學概念

自肘後起頭，醫家才從結核病傳尸的互相染注上，發現必有自外而至染注於人的一種物質，卽是所謂「病死之氣。」這種學說，至隋而大盛。如巢氏病源論尸注之候，說人身內自有三尸諸蟲，與人俱生。在這一段時期內，一種實有的物質的病原說，大爲流行。故從晉六朝的病死之氣的生物物質，演變而爲尸蟲，應該是有史以來三千二百餘年醫學上生物病源說的一種進步。按巢氏於隋大業中（約公元六〇七）奉詔撰諸病源候論，固哀集前人之書。尸蟲之說，雖或濫觴於漢人托古的內經之所謂長蟲，但結合於結核病則晉以後始漸露端倪。因之，中國醫學上的「癆蟲」之說，實起源於距今一千三百四十年之前。

後世說骨蒸傳尸者，多謂有蟲，但這蟲是從何而生的？古代醫家很少有人去研究。而巢元方採源出道家尸蟲說，却認爲尸注之作，人身自有三尸諸蟲。此點似與染而爲疾的外來物質的病原說相刺謬，但我們曉得：所謂尸注，就是傳尸，根據唐人：「骨蒸病者，亦名傳尸……亦曰無辜……無問少長，多染此疾；嬰孺之流，傳注更苦」的線索，再翻看巢氏論染注「嬰孺」的無辜病：

小兒面黃髮直，時壯熱，飲食不生肌膚，積經日月，遂致死者，謂之無辜。言天上有鳥名無辜，晝伏夜遊，洗浣小兒衣席，露之經宿，此鳥即飛從上過而取此衣與小兒着，并席與小兒臥，便令兒着此病。

今攷無辜病，周秦時已可推見無辜鳥神話的源流，至於漢魏，其說漸盛。迨隋代始眞正與結核的病原說凝固成一體。按骨蒸傳尸癆，原屬於「無問少長多染此疾，」惟因「嬰孺之流傳注更苦，」於是在傳尸癆中分立無辜病，雖然不是作爲小兒頸腺結核之瘰癧的專名。然而自病源候論以迄千金外台，隋唐五百年間，無辜病說，確實引起醫學上極大的注意。不僅是流傳於中土，並且還東播扶桑，日本康賴著醫心方亦引巢氏無辜之說。查醫心方係康賴撰的，約成於中國北宋時。我的無辜攷曾論及之。按無辜攷長約十萬言，中西醫藥已刊三分之一。本年中華醫史學會席上與紹靑君徵及此文，始知亦欲研究「無辜」之史。蓋中國小兒結核病史上，無辜病說實一值得重視的史料也。

病源說小孩穿了被無辜鳥「飛從上過」的衣服，「便令兒着此病，」是巢氏以前不特認傳尸癆爲由於「諸蟲」的爲病，更肯定了有一種外來的物質，染在衣席上而傳入小兒體中，成爲結核病的「無辜」。這自然較「鍾此病死之氣」的說法又進一步，大概這種理論的產生，是因爲有時無辜的感染，不一定有很明顯的和傳尸癆死者直接的接觸的緣故。但却由此看出隋代以前醫家之論結核無辜，似乎已然有着一種細菌學的概念。

3　小兒結核病原學的寓言及授乳感染說

淸乾隆時醫宗金鑑論無辜的病原學，愈見詳審而具體，認爲無辜鳥飛過時，必有一種有毒的物質如羽毛之類落下，所以才會致小兒得病。此爲淸人以結核來自外界毒物的說法之一。同時，在這樣的傳染之外，還有一種原因便是乳母有「病」（傳尸）而傳染給小兒。此爲淸人以接觸患者爲直接傳染的根源說法之二。這兩個原因，都能使「蟲」進入兒體成爲有蟲的頸核，並漸致「蟲食臟腑，」而爲癆症的無辜。這種病原學的認識，可以說不僅僅是能得細菌學的𪻇髴了。現在，引錄金鑑的記載：

> 無辜病者，其病原有二：或因浣衣夜露，被無辜鳥落羽所汚；兒着衣後，致成此證。或因乳母有病，傳染小兒，以致此疾。其證頸項生瘡；或項後有核如彈，按之轉動，軟而不疼——其中有蟲如米粉。不速破之，使蟲食臟腑；便利膿血，身體羸瘦，面黃發熱也。

又千金方有魃病，即本草之繼病，謂母有孕而仍乳其子，令兒病，微微下痢。頗似乳子腸結核之屬。又小兒方書論無辜病，大抵有下痢之證，故兒科書又有疳痢之說。

不過金鑑所說，是根據明人薛立齋的醫案。薛氏亦以核內「有蟲如粉……若不速去，則蟲隨氣走，內蝕臟腑。」（見中西醫藥二卷九期拙著無辜攷）至於無辜鳥落毛使小兒染病的傳說，溯而上之，唐時的千金方、外台祕要等書，均早已言之。惟據外台稱：係引自小品；按：即小品方，其書已佚。今檢隋唐諸志，均載陳延之撰小品方十二卷，則陳延之固爲隋以前人。（據范先生考證：陳氏爲東晉時人。）由此觀之，隋巢元方雖未明說鳥羽汚衣的話，然由小品方所記，知隋以前的醫學，早就有着關於小兒染鳥羽而患無辜的信念。那末所謂𪻇蟲的病原學說，就不必是完全由於道家的尸蟲的信念及醫家因見人體寄生蟲而產生「自有尸蟲」的見解而來，應該是從臨床上各個不同的角度，又配合着寄生蟲的觀察才形成了這種病原理論的。

今據小品稱：其說係本自玄中記。玄中記乃晉人小說，而此傳說出於民間，雖非醫家之說，然在當時已不免涉及醫學。（中西醫藥二卷十一期無辜考）金鑑謂無辜鳥落羽汚衣，語本薛氏；至玄中記則只云此鳥飛從上過。故所謂落羽，是後世說者又增入想像之詞耳。宋人劉方明幼幼新書引玉函關無辜論，有鳥「夜出撮蚤，毛翅有毒蟲，如毫末，遺於衣上，入肌膚毛孔中，致寒熱不常，作疾，狀類疳，」之語。於病源之認識似較進一步。玉函關論云：

> 自永徽四年，有鳥焉自西域而來，摶於海內，形如鵰鶚（鶚？）又名伏翼，不知其何物也？亦無能識者。晝隱石室中，夜出撮蚤，毛翅有毒蟲如毫末，遺於衣上，入肌膚毛孔中，致寒熱不常，作疾，狀類疳。若襁褓嬰兒不慎於衣服，或洗或浴，夜張於簷欞，則致

毒蟲，而作是疾。病由無辜而得，故號曰無辜疾。凡浴衣服，濯以蘭湯，烘以軟火，永無害焉。

范先生說玉函關或即五關貫珍珠囊，幼幼新書卷四十引五關貫云：「不載所作之人，得之長沙醫工毛彬。」似亦北宋以前之兒科書矣。范先生謂玉函關貫所言，似出於莊子。他說：

行準案：永徽，唐高宗年號。此所云形如鵂鶹（原作鵰誤），似出莊子秋水篇謂鵂鶹夜中眼明，能撮蚤，使人不祥。然則玄中記中之夜行遊女，似本出莊子之鵂鶹，蓋此乃不祥之鳥也。

據玄中記之言，則無辜鳥說已起於一千八百多年前；而據玉函關謂鳥毛翅有毒蟲如毫末，遺於衣上，入肌腠毛孔中，致嬰兒於病。又自其所言症狀包括有結核性者觀之，則中土之結核病原學，在一千三百年前，卽已有近乎細菌學之認識。雖亦係想象之說，但在概念上確乎有由一種爲肉眼所不能見之自外而來的物質，所謂蟲之微生物的傳染，而致生蟲生病也。

4　金元內因的病原學的復古

我看，晉以前此種生物的病原學說，民間或亦有涉於神話的想像，可是醫學上却並未被人十分注意。譬如上溯至金匱、而八十一難，而內經，論結核的根源，均莫不偏重於衰弱與羸虛的素因方面。而後世肘後病源以下及唐宋諸家，則皆注視外來生物之結核病氣的傳染，立說愈精，界限也越嚴。然宋儒昌言理學，「無極太極之說，與河圖洛書之僞書，尊而氣運之學大盛；於是乎陰陽消長五行生剋之論，紛然雜陳；士大夫好爲虛空幽渺之辭，以附會事實，而金元四家，承其弊而起矣。」（余氏醫述）醫學蒙受了宋儒空言易理，盲目傅會的惡影響，於是昉於五代的五運六氣之說，大肆活躍於世。例如劉河間「倡復古之論，於病原式宗內經，於虛勞宗難經；既宗難經，又不守其說，橫插胃損，藏變而臟，五增爲六，各極於三，大非難經本文。而喻嘉言醫門法律，直以是爲越人之論，其誣甚矣。凡此皆宋以後醫家之病，務爲空論，不徵事實；醫學之壞，自河間始。」原來：「難經之論虛損也，其自上而下者：一損皮毛，其主肺也；二損血脈，其主心也；三損肌肉，其主脾也；四損筋，其主肝也；五損骨，其主腎也；至腎而極。其自下而上者：反此，至肺而極。」（醫述）河間舉難經三損之脾，而橫加一胃腑；難經上損至腎而極，而河間極於胃。下損至肺而極，而河間極於脾。歸重脾胃，這是李東垣專主脾胃論的先導。金元四大家，以漢代以前的醫家論虛勞者，既無外來傳染的明文，且皆偏重內因；於是侈言幽渺，竟致完全抹殺晉以來的生物傳染的學說，而巧附宋儒之理學及倘論五運六氣的玄理，從此，遂造成了中國醫學上無可諱言的致命的厄運和敗局！

5 元時肺結核病原出於想像的具體說明

但元時有危亦林得效方，載六代尸蟲圖，尸蟲說其思想本出道家，此點范行準先生已言之。危氏之書，亦掇集前人之說而成，此所綴未知何人之言。其書並重綴唐人外來傳染的結核病原觀念的餘緒，繪圖以爲具體的說明。後世薛立齋亦主此說，認爲「染而爲疾」後，其「核內有蟲如粉。」明洪武間（約十四世紀）劉氏入紫庭追勞方，承危書之舊，而舉外來傳染之物，又合之內因，說血氣凝結，變而成蟲。其後愼柔虞天民徐春甫李士材喻嘉言輩，都宗尚此說，認爲熱毒積久所生。這又深中了易說的「天地絪緼，萬物化生」的化生說的毒素。這種自無至有的信念，有莊子薰成菌說，醫學上也瀰漫了這類玄學的氣氛。

劉氏追勞方更混合病源論尸注的三尸九蟲而爲一體，這又就是根據傳尸的「死後傳之旁人」的一種肉眼看不見而又似實有其物的外來傳染的迹象，與自排泄物中所見之人體寄生蟲加以理想而產生者。紫庭依得效方謂勞病由二十餘種大蟲所傳染，並按病之輕重分爲六代，且復虛構六代之形。此亦踵事增華者。李濤先生醫史綱要謂：「此蓋首先認識肺結核由微生物傳染者。」他這論斷，是可商榷的。讀者如看了前述的史迹，即知勞蟲乃導源於尸蟲之說。而尸蟲全出道家幻想，無科學上的價值，原不足引重。然而圖形具體如是，却不能不推危氏書爲先河也。得效方諸書，醫家多有此。僅錄上清紫庭追勞方之說如下：

傳屍癆瘵，皆心受病，氣血凝結，故有成蟲者。蓋由飲食、酒色、憂思喪眞，遂至於此……悉由不正其心，發思業緣所致。三尸九蟲之爲害，治者不可不知其詳：九蟲之內而六蟲傳於六代，三蟲不傳者，蛔、蜖、寸白也。其六蟲，或臟種毒而生，或親屬習染而傳。疾之初發，精神恍惚，氣候不調，切在戒忌酒色，調節飲食，如或不然，五心煩熱，寢汗忪悸，如此十日，頓成骨瘦，面黃光潤，此其證也。妄信邪師，祈禳求福，庸醫用藥，延蔓歲時，方知病重，苟非警戒，禍福反掌。此人死後，兄弟子孫，骨肉親屬，綿綿相傳，以至滅族。

紫庭所說九蟲之內，有三蟲與傳屍無關，大約古人因見蛔蟲及寸白蟲（今之絛蟲）等，爲常有之消化器寄生蟲，所以有此種理解。又從這方面聯想及「親屬習染而傳」之故，於是悟出所謂六代癆蟲的存在了。兹錄危氏得效方所載的尸蟲圖如下：

六代諸蟲形狀圖

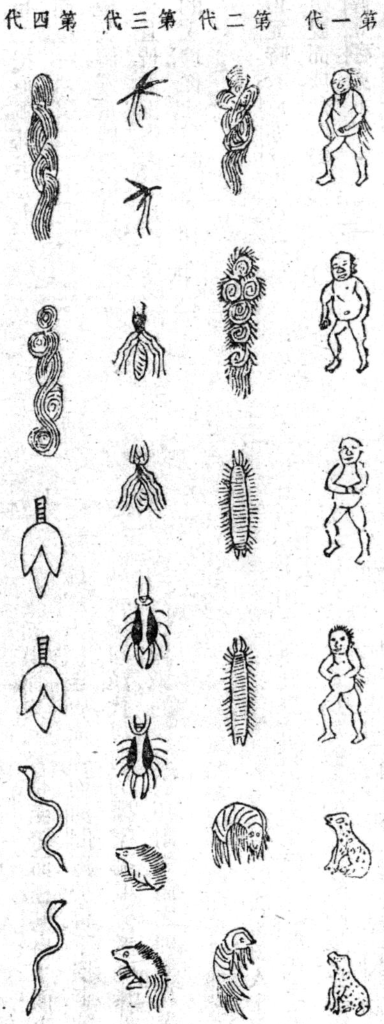

第一代

第二代

第三代

第四代

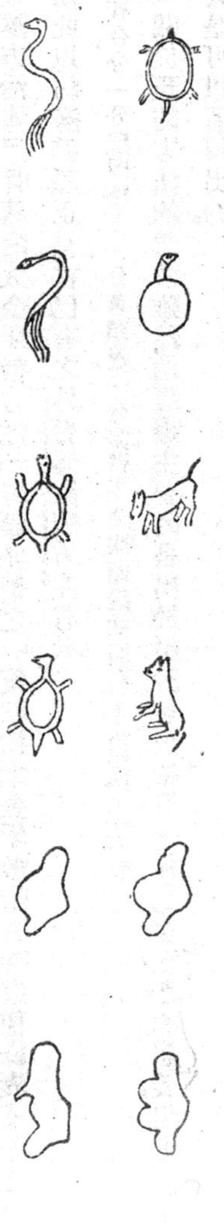

第五代　第六代

據元刊危氏得效方攝製　湯溪范氏藏

其實元明人對這類六代傳尸蟲的圖，並不止此。去歲我因出席中華醫史學會大會之便，在行準處看到明周履靖刊的金笥玄玄，這是夷門廣牘原刊本，記得是與修真演義同訂一冊的，其次冊即既濟眞經，這二部都是房中之書，故商務印書館影印廣牘未敢印入。又有海外三珠，續易牙遺意等多種，並爲商務原本所缺者，他日似宜補印 既有九蟲圖，亦附有傳尸蟲形圖，而注云「蟲有九種，除胃（蟲，）回（蟲，）寸（白蟲）三蟲不傳，今止圖六蟲之圖於後。」益信六代尸蟲圖出於道家的了。

紫庭追癆方並說明六代所傳蟲狀病證，每一代說明蟲的形狀，及病狀，多牽强附會可笑，余雲岫先生說，「四庫提要譏其語怪，良是也。」這類的文獻，自危氏得效方以至追癆方及王肯堂的證治準繩並載之，文字各有不同，諸書俱在，我這裏不必徵引了。

五　唐代以來防癆運動的跡象

1　關於接觸患者的佩藥服藥的預防到千金方防癆法的溯源

明崇禎間（一六三七）李中梓醫宗必讀虛勞證治說：

其證蒸熱咳嗽，胸悶背痛，兩目不明，四肢無力，腰膝痠疼，臥而不寐；或面色脫白，或兩頰時紅，常懷忿怒，夢與鬼交，同氣連枝，多遭傳染，甚而滅門，大可畏也。……能殺其蟲，雖病者不生，亦可絕其傳疰耳。凡近視此病者，不宜饑餓，虛者須服補藥，宜佩安息香及麝香，則蟲鬼不敢侵也。

中古之結核病的處理，其最可貴的，是從消極的醫治，變爲積極的預防。當時醫家的意見是：即使治療無效而患者歸於死亡，但必須要通過這種藥物治療，以謀致癆蟲的殺滅。因爲這至少可以使屍體獲得消毒，免除傳染之禍。但這種防癆理論，却並不昉自李氏醫宗，而是早於李氏八十年前，徐春甫古今醫統即有此記載（防止尸蟲傳染之說，千金外台已有之，不始於徐氏醫統）其論五癆六極七傷之由說：

能殺其蟲，則雖不生，亦可以絕後人之傳疰耳。

故凡親近之人，不能迴避，須要飲食適宜，不可着餓，體若虛者，可服補藥，身邊可帶安息香，大能殺勞蟲，內有麝香，尤能辟惡，醫者不可須臾無也。

徐氏以爲：凡因看護上的需要而無法迴避的親屬，就得注意預防。要飲食適宜，尤其不宜受餓。身體虛的還得進服補藥，以防止病毒的乘虛而入。當時結核病學者的傾向，已進一步將治療放在第二位，而以預防爲主。例如佩帶安息香及麝香，就是取義於防免接觸傳染的空氣消毒的作用。這種佩藥防癆的方法，衡以今日醫學的尺度，雖則已成爲醫學史上的陳跡，可是一方面却透示了古代防癆學上的一種意境。若夷考載籍，則其淵源却是頗古遠的：

絳囊盛帶之……一方寸匕，省病問孝，夜行途中，晨昏霧露亦如此。

按：此爲千金翼方治傳尸骨蒸的大金牙散方注。「絳囊盛帶之」藥，即指大金牙散。隋唐時，這種絳囊盛藥之風很盛行；然則用此以防癆辟惡，正是古已有之。外台傳屍癆方注有云：

其藥和合，分一分懸門額上，一分著頭邊，一分繫臂上。先服頭邊，次服臂上，次服門上，大驗。

這也是唐人關於預防方法的記載。雖然這裏邊主要的是出於壓勝，多少帶有一種 Magie 的意義，但是防癆的積極意識還是可以看得出的。

中國預防醫學思想史（二）

范行準

四　在神道設教下的預防醫學

甲　隔離

要想避免傳染病的蔓延，在預防接種法未發明以前，與病人隔離，雖然覺得有點消極，但不能不說是最徹底的預防法。我們今天所能使用預防接種法的，仍覺有限，除了天花、霍亂、傷寒、鼠疫、狂犬病、白喉、結核病、百日欬、赤痢等幾種傳染病外，其他的傳染病幾乎都沒有方法爲之預防。所以能做到與病人隔離兩個字，在今天說來，仍屬重要，何況今天尙未有普遍使用上述各項接種方法的地區，和沒有預防接種的人民，則與病人隔離的辦法，仍占頭等重要的地位！

預防接種的免疫法，當然是近代才有的事；但這就不能說從前沒有合乎隔離防疫的原則的方法之存在。由於人類的本能，對於趨吉避凶之事，已成了本能的行動，對於許多殺人如莽的凶惡疫癘，固然避之若浼，卽對一般不十分嚴重或與生命沒有什麼出入的傳染病，也借了各種迷信的手法，以達到隔離的目的。

誠如本文緒論中乙項所引淮南子氾論訓的話，今日一般人所認爲迷信的舉動，很多是覺得可笑的，但研究歷史的人，便不能與他們同一的看法，把它一筆抹殺。必須和氾論訓所說的那樣辨證的看法，因每一事物的發生，必有它的歷史背景，它往往能結合到日常生活或當時實際情況；到了「約定俗成，」便通行無阻，在歷史這方面而言，不能不說是它的好處——雖然在這方面，固然也有許多毫無意識的迷信，譬如龍魚圖（褒魚下疑脫一「河」字）說：「以賣馬錢娶婦，令多惡病。」（御覽卷五百四十一引）便看不出有何防病的意義了。所以我們必須把它分開來看。

但反過來說，這類迷信，在那時的預防醫學上，固然也起過一定的作用，可是後來有了比前更進步的方法，由於封建時代的「約定俗成」之故，要他們「移風易俗，」採用更進步的預防方法，也相對的感到困難了。但無論如何，它過去是盡過預防醫學這一任務的這一功績，我們當然不容抹殺！

由於古人對於神權觀念極其濃厚之故，有識者對於有危害大衆生活的事物，就利用神權這一觀念，想出種種辦法來提倡禁忌，這裏的禁忌包括日常生活的觸染和逃避，這在總的方面說，是合於今日隔離傳染病的原則的。

乙　從禁忌上看古人對傳染病的隔離法

怎樣叫人與傳染病隔離？就是上文所說的古人對於日常生活，都有種種不同的禁忌，這種禁忌，在表面上看去，都披着迷信的外衣，而在實際上，有不少的禁忌，是很合於今天的隔離傳染病的原則，我們知道禁忌是古代陰陽家（巫）所修言的。他們原來的意義，亦是以避免危險爲目的，所以極易與隔離傳染病的原則相結合；這是我們研究中國預防醫學思想史上所不應忽略的問題。還褱姑擧下面幾種記載爲例。

（一）　擇吉除爪

大家皆知十個手指是創造人類文化的功臣，沒有它，便不能由猿變人。但同樣地世界上一切罪惡之事，也都是這十指所造成，所以它也是闖禍胚子。別的不說，單在人類的十個指甲而言，它是藏垢納汚之所，也不知藏了多少不同的細菌，中醫書上所謂疔瘡、發背和被人視作不足輕重的瘑疥之疾，十九由它而來；所以人類被自己十指的動作而喪失生命的，眞是巧歷難計。這種禍事，古人亦早見及此，而以宜忌的迷信方法出之。雜五行書說

前（剪）手脚爪，皆有良日。此月四民多因沐浴剪之。（玉燭寶典卷十十月條引）

爪甲既是藏垢納汚之地，故宜勤加修剪；但徒託空言，人不見重，於是由陰陽家創爲剪甲宜忌之說。古人對於剪除手脚爪甲與沐浴等，都按一定日期實行的。其說見於五行一類之書。我們更從現存最古的歷本上看來，也都有明文規定。如唐天成元年（公元九二六）殘歷，其中雖無除甲的吉忌日，但澡浴、洗頭的吉忌日却是有的，因爲這是殘歷，不能斷言沒有除爪的吉忌日。再證以後晉天福四年（九三九年）殘歷，除有沐浴日之外，卻有除足甲和手甲的吉日。而宋淳化元年（九九〇）殘歷也同天成元年殘歷有沐浴

日而無除爪甲日。（以上據歷書撰要燈石室碑金本）。但宋寶祐四年丙辰歲（一二五三）會天萬年具注歷（宛委別藏本）却有除手甲除足甲的吉日，而且除手甲足甲的期限定得很短很密，有的僅隔了一天便是除甲的吉日。甚至定出接連了剪除爪甲的吉日。這些在後世的陰陽家固然異以爲剪除手爪脚爪，都應「視歷」而行，但推其原意，並不如此。宋莊綽雞肋編（卷下）也有「歷日中有截除手足甲，又有除手足爪甲爪之異，必自有說，而未能辨之者」。這是季裕不懂得這一禁忌本意之故。但他又把爪甲分爲兩物說：「或謂附肉爲甲，則甲何可除也？」實則爪甲同屬一物，不過因部位不同而異其名稱而已。

雜五行書接着又說剪下的爪甲如何安置的辦法。據說應把剪下的爪甲以絳裹之，埋於戶內，否則，如被鵂鶹拾去，相其吉凶，那對爪主便不吉利了。這種無稽之談，雜五行書，博物志，纂文（並玉燭寶典卷十引）感應經（太平廣記卷四百八十五引） 唐劉恂嶺表錄異等書，並載之，而鵂鶹即莊子（秋水篇）之鵋鵂也。其實爲恐鵂鶹把人們剪下的爪甲拾去以相吉凶，而有埋爪的傳說，與人髮爲狐魅所截的傳說，都相類似的。考其原意，多少與衛生有關。因爲我們知道人們丟了的爪甲，都是不潔的東西，不能隨意拋棄。例如人的棄髮，隨便丟了，容易混進食物內，巢源已有「髮癥」的記載，便是髮能致疾之由（我想這是不會有的事）。但古書如風俗通義，雒陽伽藍記，魏書靈徵志等，都有狐魅截髮的傳說。其始不過欲人把這些廢物好好安置，免人們着了這類不潔之物而發生厭惡的心理或傳染病，故借鵂鶹拾爪，狐魅截髮的話，以爲警誡。

（二） 不共一器洗手

這也是有關防止由手傳染疾患的禁忌。風俗通義說：

俗說二人共澡手，令人鬥爭。（御覽卷四百九十六引）

這很顯明地是叫人們不要兩個人同在一隻盥器內洗手。因爲人的手總是不潔的，或者知道對方的手是有傳染病的，或知對方的手比自己的手來得髒，但又不好明言，因借鬥爭之禁，以免互相傳染。這可說是很好的隔離方法。可是風俗通義接著又說了下面的話：

良無異器，共當澡者，其祝曰：「人相愛，狗相齧。」言狗鬥時洒之以水，便自解也。（同上）

便覺得有點扯淡了。不過如其爲了洗一次手便要舉行這種儀式——祝——且把他們兩個人貶低做狗，我想他們是不樂意這樣做而寧願不洗手的。那末它的結果仍可達到不同一器洗手的目的。——雖然，不洗手不一定是衞生，但不致彼此傳染却是確定的。

（三）　日蝕和月蝕時的飲料迷信

在日蝕和月蝕的時候，也正是人們在這時的行動必須特別仔細的時候。古人多假迷信的說話，來達到防止這時所發生的事故；他們在飲水方面特別提高警惕。風俗通說：

俗說：日月薄蝕而飲，令人蝕口。（御覽卷八百四十九引）

在日月薄蝕，則天地失明，水之清濁，目力難察，所以對飲食必須謹慎，以免吞下蟲毒之物。所說「蝕口」，就是在這時汲取不潔的飲料以致口生瘡瘍一類之病。當然更容易發生其他的傳染病的。但應劭對當時的「俗說」作這樣解釋：

日月太陽之精，君之象也。日有蝕之，天子不舉樂。里語「不救蝕者出行遇雨」，恐有安坐飲食，重慎也。（同上）

這解釋，完全沒有表達民間相傳救蝕的本意。至民間遇日月薄蝕時即敲打鉦鼓的「救蝕」行動，蓋其初必因防止行路時互撞傾跌，故擊敲相警，猶今在江河城市舟車相遇時，各鳴笛相告之意。這種「救蝕」後來便變成村童的戲耍，全失當時本意了。

（四）　避煞

避煞乃是一種很好的傳染病隔離法，是古時北方很流行的風俗。在南方亦有流行，惟不若北方之甚，有的地方，喪出之日，其家人麕集一室，屏息片時，算是避煞，僅可說是愛禮存羊而已，說不上避煞了；當然更說不上隔離傳染病的作用。南方且有接煞之舉，其說淸翟灝通俗編卷九，接煞條已詳言之。南方接煞，多由道士行之。又在浙東喪家多請道士手執桃鞭和敲擊法器，說是遣煞，通常亦在殯出之日晚上行之，小孩未生齒而死者則無煞。「遣煞」即驅逐「煞鬼」，似較「避煞」來得積極，但已沒有隔離傳染病的意義了。古時北方避煞的記載，據魏志陳羣傳，載羣諫諡皇女淑平原公主疏中已有「避衰」之說。「避衰」即「避煞」也。其事顏之推家訓有云：

偏傍之書，死有歸煞，子孫逃竄，莫肯在家；書瓦畫符，作諸厭勝。卷二風操篇

顏氏家訓的作者是五世紀末六世紀初之人，書中多記北方風俗，而沒有說到此俗起於那一時代。宋俞文豹吹劍錄外集也說：

避煞之說，不知出於何時。

今看清盧文弨（弓父）龍城札記卷二煞神條引周禮春官司巫說是周時已有，但弓父的話非常支離，我以爲這是民間早已有了的風俗，在記載方面較爲明白的，則見諸漢人書籍。王充論衡說：

鬼者甲乙之神也。甲乙者天之別氣也。人死，甲乙之氣至矣。假令甲乙之日病，則死見庚辛之神矣。何則甲乙鬼庚辛報甲乙，故病人且死，殺之至者，庚辛之神也。何以致之？以甲乙日病者，其死生之期，常在庚辛之日。卷二十二訂鬼篇

按仲任的話，蓋本之俗說，而此用五行相勝之義，爲世俗七七說之所本。因爲十干中的甲子，到了第七日爲庚午，甲與庚相剋，又十二支之一日子到七日午爲衝，一日子到七日未亦衝。且陰陽家以人初生七日爲臘，人死七日爲忌，一臘而一魄成，故七七四十九日而七魄具；一忌而一魄散，故七七四十九日而七魄滅；這是七日一殺說的來源。但後來避煞的日期別有推算的方法，不與此同。

按浙東有許多地方尚以七日爲一煞，猶存漢代之風。

一個人如其患了傳染病而死的話，室中當然留下很多的細菌，古人不知細菌，當然不知消毒，但假了人畏鬼神的心理，創造避煞之說，使「子孫逃竄，莫肯在家」了。而且有許多死過人的房子，永遠空著，這也是成爲凶宅原因之一。又我們讀過各國古代民俗文化史的一類之書的，往往可以看到有的民族親屬死了，便棄室他遷一類的事情，這類事情在中國古代也曾發生過的。隋書地理志說：

漢中之人，質朴無文，不甚趨利。……好祀鬼神，尤多忌諱，家有死人，輒離其宅。崇重道教，猶有張魯之風焉。

後來被陰陽家之道教所利用，便約定俗成，而有避煞一事。——至少成爲避煞一事的背景。

以上所說的是舉家避煞的歷史和產生這歷史的背景。可是舉家避煞，後來人事上緊，當然有所不便，於是陰陽家又想出折衷

的辦法，卽何日死的人則限屬於某些甲子和形色或姓氏的人應當避煞，這種有條件的避煞，對於喪家在人事方面說來是很有便利的。吹劍錄外集說：

按唐太常博士呂才百忌歷載喪煞損害法：如巳日死者，雄煞四十七日回煞，十三歲女，雌煞，出南方第三家，殺白色男子，或姓鄭潘孫陳，至二十日及二十九日兩次回喪家；故世俗相承至期必避之。……而俗師又以人死日推算，如子日死則損子午卯酉王姓人，犯之者入殮時，雖孝子亦避之。

其事與顏氏家訓「子孫逃竄莫肯在家」的嚴重情形已比較的緩和多了。把死過人的病室空閉了三五十天，我想對於病菌的減少是很可能的。何況一般喪家回來後，照例有打掃一番的工作呢！

但由於人文的進化，人們對於鬼神觀念已漸漸淡薄下來，對於死人也不甚可怕，這是韓非所說輕恬鬼神之故。因而有繁縟的禮節，所謂弔喪問疾那一類的事日益加劇；人多了，則傳染病的傳染旁人機會也多了，聰明的陰陽家便從時日生剋方面想出限制辦法，因有「批書」一類的勾當。(這類批書通常在殮尸入棺之日揭於殯宮的牆壁上的)以減少含有看熱鬧一類的弔客。這類批書，呂才的百忌歷似乎已有規定了。到後來有號稱白鶴先師者又造作六輪經一書，它規定得更明白。六輪經說：

凡子日死者，煞傷北方三十以上四十以下之男子，甲子日死者，殮時煞傷辛丑年所生之男子。(李秋調眞辨妄第五十九叢避煞條引)

這類規定，今民間尙有行之，卽喪出時，俗師批出屬於某些生肖的人必須避之，這樣可以減少不必有的傳染，對於預防和隔離病毒的意義，是相當重要的。所以在那個時代說起來，我們眞不忍斥責他們這種舉動是迷信的了。至於唐宋以來書中對於煞神的形狀，敍述得像牛鬼蛇神般的嚇人，以今日觀之，固覺荒唐可笑；但我們也可這樣地解釋：他們的原意，不過叫人提高警惕而已。

可是這類避煞的風俗，顏之推在家訓中已有「儒雅之罪人，彈議所當加也」，拉長面孔的駡，算是衛道的了。到了宋元鄧班諸學先生眼前，更看不過去，做了長篇大論的文字來反對避煞之事。這里又用吹劍錄外集的話作證：

越人趙東山希㚬，淳祐庚戌(十年，公歷一二五〇)丁父，會稽郡王夔。其居喪有可記者三，不避煞，不用僧道，不信陰陽。因參稽前哲之言，推廣二者之說為世鑒。

在今天看來趙希棼的見解，是很正確的。但在那個尙沒有嚴密消毒方法的時候，我還是贊成少到停過尸體場所的「避煞」這一迷信，較為妥貼。我這見解，眞不免如莊子所說的「絕聖棄智」的了。

此外在喪家又有「門前煞火戶外烈灰」及「章斷注斷」那類消滅細菌，和限制生人接近停過尸柩的地方，這在環境衛生方面說來，可謂十分重要的。這事前文已有提及，所以不須再說了。

丙　從禁忌上看古人對急病的預防法

（一）　五月不上屋

夏天是多病的季節，傳染病固不必說，就是器官方面的疾患，也以夏天為多，如消化器官的腸炎，排泄器官的痢子，是最恆見之病。這些也都各有它們迷信的傳說作為預防；但都無性命關係。獨中暍之疾，存亡定於呼吸，所以今天也把它列入急救醫學範圍之內，故卽舉中暍一病為例。風俗通義說：

五月蓋屋，令人頭禿。（據初學記卷三十，御覽卷九百十八引。）

這是漢人對於五月忌上屋頂的說法，這里僅說到五月上屋令人頭禿而已，到了唐代，問題似乎更加嚴重了。段成式酉陽雜俎云：

俗諱五月上屋，言五月人蛻，上屋見影，魂當去。（卷十一廣知）

這似乎暗中已說出中暍的原因了。因古人以魂魄為人的知覺本體，魂魄失落了，人當然要昏到的。不過，五月非酷熱的天氣，何以禁其上屋？為不可解耳。此或古時偶因有人五月上屋而突罹中暑昏倒之事，遂立此禁。我們今知中暍的原因，是人在乾燥高亢之地，日光照射，致腦中樞神經失去了控制而突然昏厥的。屋頂原是高亢而無遮掩之處，如逢天熱久旱，較在他處容易構成中暍之證。古人深知其事，故假五月上屋令人頭禿，或人蛻失魂之說，以為預防中暍耳。

其實古人著月的禁忌，原不止此。四時纂要說「三伏嫁娶傷夫婦」又陰陽大忌云「伏日切勿迎新婦，犯之大凶」（並據月令廣義卷十一引）

伏日忌婚嫁，至今無改。今浙東之俗有「五月不娶妻，六月不孵雞」之諺，如根究它的思想淵源，在漢已然了。而宋溫革瑣碎錄（此書陳振孫書錄解題作陳曄撰）又以「立秋日不可浴，令人皮膚麤燥，因生白屑」（據歲時廣記卷二十五引）的話，或因暑後驟入涼水，易致感冒諸疾，而發生白屑之症，以申其禁乎？

（二）防止傾溺

由傾跌和沉溺而來的傷害，也是今天急救醫學範圍的要目。關於這類禁忌的迷信，北魏酈道元水經注已有言之：

翁水口已下，東岸有聖鼓杖，……橫在川側，雖衝波所激，未嘗移動，百鳥翔鳴，莫有萃者；船人上下，以篙擿者，輒有瘧疾。（卷三十九洭水條）

這是禁止船人不要用篙擊聖鼓杖以防墜水。但如其眞這樣坦白地說，人家反而不注意，乃以使人害怕的瘧疾，以申其禁。

同樣防止傾跌的，又有出之以另一的形式。本來傾跌除了小兒外，比較地以年老人最易遭遇。但小孩大多有人照顧，老年人除了有錢者之外，其生活也比較地孤獨而寂寞者爲多。所以古之封建時代的統治者就有欽賜鳩杖這一類的恩典。後漢書禮儀志：

三老五更杖玉杖，八十賜玉杖，長九尺，端以鳩爲飾。（據玉燭寶典卷一引）

這話大致不錯的。但禮儀志接着解說：「鳩者不噎之鳥，欲令老人不噎」，那就錯了。這里還有一種傳說，據風俗通義的話，杖端所以用鳩爲飾的原因，是因鳩曾救漢高祖的性命之故。風俗通義大致是說高祖被項羽打敗了，逃到叢密的樹林中，而項羽的追兵因鳩鳴其上，便以爲其中沒有人了，高祖因而得脫。後來他做了皇帝，便作鳩杖以賜老人。（原文詳見水經注卷七、藝文類聚九十二、御覽卷七百十又九百二十一、太平寰宇記卷五十二引風俗通，但與玉燭寶典所引之文少異。）似乎寓有紀念之意。但這些話連風俗通義的作者應劭也不相信，他引用周禮有羅氏這一官名專掌獻鳩養老之職作證，不過漢時不設羅氏之官，所以只有作鳩杖以扶老了。至玉燭寶典引董勛以鳩安聚人民至老的話，那也是根據風俗通義少皞五鳩的話而來。這些都不是原來的意義。

其實老年人執杖而行，原是很古之事，禮王制已有「六十杖於鄉，七十杖於國」的話。不過杖端以鳩爲飾的鳩杖之名，或起於漢，亦未可知。但說老人用了此杖可以預防噎病，也不過是「醫者意也」的那一套玩意而已。

費拉托夫院士傳略

陳邦賢

費拉托夫院士，Vla dimis Petrovich Filatov 生於一八七五年二月二十八日。他是生在蘇聯中部噴柴省一個村子裏。十七歲在中學畢業，二十二歲時在莫斯科大學醫學院畢業。

畢業以後，在莫斯科做了五年醫師，就到了敖德薩。因爲他的父親是一個鄉村的醫生，當他決心研究醫學以後，不久就選定眼科做他終身的專門事業。他在決定以前，很受他父親的影響，因爲他父親老早就使他對於眼科發生了興趣。因此他在大學畢業以後，非常喜愛他所選擇的眼科專家的職業。他從畢業以後，一直到成爲全世界最有名的眼科專家，他始終是重視眼科這個職業，所以他能盡全力使眼科有所發展。

他曾經說過：「你們不要說在那邊長着美麗的樹木，懸着奇異的果實，有數學的種種公式裝飾得輝煌美觀，所以應當做眞正的科學看待。不錯！我們隣人的科學，如生活學和形態學等等，在研究服務其它部分的時候，似乎非常美麗而富於成果的。可是不能以爲眼科醫生的科學是狹窄的。生理學者們走着另外一個路綫，能够掌握他們自己的專門，可是他們只能這樣做。他們做研究的時候，應用高等數學，使你們深受迷惑，可是他們能使盲人重見天日嗎？對於你們，眼科似乎是狹窄的，因此想尋覓科學研究更廣大的天地。然而比盲人重見光明的任務，有更重要的事情嗎？」

他抱了這樣的信念，在寫作和說話的時候，都發表他這樣的意見，這是不違反眞理的。

他在一九〇八年，曾發表一篇論文，叫做「眼科的細胞毒」，很受醫學界重視。

一九〇九年他任敖德薩大學教授，並曾訪問歐洲各地。

一九一一年他升任敖德薩醫學研究所眼科主任，一眞到現在。

他在一九三一年最先發明利用屍體的角膜來行角膜成形術，使許多失明的患者重復光明，也給眼科工作者開闢了光輝道路。

他在一九三三年，發明了組織療法以後，更引起世界各地的注意和敬仰。

一九三五年，蘇聯政府曾爲他建造了很大的實驗研究所，並委托他訓練大批眼科醫師。

一九四一年他榮獲了斯大林元帥獎金。

到了一九五一年，他已經七十六歲了。綜計他的功績，約有兩點：一點是能使瞎子重放光明。一點是發明組織療法應用到廣大疾病中去。

他具有忠誠熱烈爲人民服務的精神，堅強不屈的意志，勇往邁進的熱情，終於在眼科學方面，完成角膜移植術的技術，成爲全世界眼科最大專家之一，爲世界盲人增進了莫大的幸福，並爲蘇聯的科學爭取了絕大的名譽。

他在科學上初期最大的成績，便是醫治眼翳方法的完成。他從一九二二年就開始做角膜移植術的工作。但在十月革命以後，他的研究才有積極的收穫。從一九二三年起到一九五〇年止，費拉托夫及其學派所施行的角膜移植術，共一千七百個以上。其他蘇聯專家所施行的角膜移植術，已經一千五百次。總計共達到三千二百的數字，遠超過近百年來全世界各國所做的角膜移植術的數字。

費拉托夫在角膜移植術完成方面也有很重大的貢獻。一是角膜移植用的器械改良，他費盡種種苦心，致慮十三年之久，有一天在電車上偶然想出一種新的器械，就是費拉托夫式穿鑿器，這是比較最安全的手術器械。二、是他想出一種安全良好的方法，可以免去玻璃體冲出的危險。三、是用屍體的角膜做移植的材料。他費了千辛萬苦，才能有這種偉大的貢獻。

組織療法也是由於他觀察力的銳敏和研究心的堅固而成功。他在臨床診療和實驗的結果，他確信：一、用於組織治療的組織材料，可以採取人類或動物的任何組織。二、所用的組織材料，在解剖學，並不需要與有病的組織相同。三、該醫療用的組織，並不一定需要移植於有病部分的附近。四、所有的組織材料，如果是冷藏的，其效力比新鮮組織的效力還更大。他又更進一步研究證明在植物組織裏有同樣生物原性刺戟素的產生。

他由於這些研究的資料，達到一個很重要的結論，就是一切活的組織，人的，動物的，植物的，從該個體分離以後，如果被放置於不利的條件之下，只要該不利　並非對於該組織是毀滅性的，就會發生生物化學的變化，構成特殊的物質，卽構成所謂生物原性刺戟素。如果將這種生物原性刺戟素用移植或注射等等的方法，引入於其它的生物個體裏，就會刺戟該生物的生活力，使生活力加强。

蘇聯醫務工作者報導應用組織療法，已經獲得進一步的成果。目前組織療法已經有了四個主要路綫一、採用儲藏組織（費拉托夫和許多門人，就中特別的盧免澤夫。）二、採用經過化學處理的組織。三、採用新鮮組織，四、採用新鮮組織的水浸出物。因此知道組織材料的來源：一、取自動物方面的：如角膜，鞏膜，脉絡膜，視網膜，晶狀體，玻璃體，房水，脊髓液，腹膜，黏膜，肌肉，皮膚，骨，軟骨，神經，腦髓，肝，脾，睪丸，卵巢，胎盤，甲狀腺，副腎腺等。（動物組織材料，可從人體或有角家畜之活體或屍體上取得。）二、取自植物方面的：如蘆薈，甜蘿卜，車前，龍舌蘭等植物葉子及豌豆芽及棉花幼芽等。

使用技術有移植法（包括皮膚移植，角膜層板移植，黏膜移植等；）種植法（包括皮下種植，結膜下種植，等；）液狀製劑注射法（包括皮下注射，結膜下注射，肌肉注射等。）

組織療法適應症範圍更廣，如眼科，內科，外科，皮膚科，小兒科，婦科等，均有顯著之成績。費拉托夫內科臨床上治療之成績：如枝氣管性喘息，胃及十二指腸潰瘍，皮膚性黑熱病，狼瘡，紅斑性狼瘡，其它皮膚病，末梢神經系疾病，非結核性骨及關節疾患，小兒赤痢後營養不良等，都獲多數優良的效果。

費拉托夫出版了二百幾十種科學著作。他是烏克蘭共和國科學院的院士，又是蘇聯科學院的院士。他因爲發明角膜移植手術和其它組織治療法獲得了斯大林獎金。又獲得列寧勳章，紅旗勞動勳章，和衛國戰爭等勳章。他在蘇聯人民中是很有威望的，一九四七年二月，被選爲烏克蘭共和國最高蘇維埃的代表。他現在是敖德薩眼科研究所所長，烏克蘭共和國衛生部研究會眼科部主席，敖德薩醫學研究所教授會主席，又是其他許多科學協會名譽會員。

我國自一九四八年起，對於組織療法，首先在東北中國醫科大學試用，此後哈爾濱、瀋陽、北京、天津、上海、西安等地前後相繼研究應用，亦獲得不少的療效與經驗，現已展開全國性的研究與應用；我中央人民政府衛生部於一九五一年三月三日有關於組織與推行「組織療法」的指示，正如全蘇聯、俄羅斯、烏克蘭保健部號召全國採用組織療法是一樣的。我們希望一般醫務工作者在中國共產黨及中國人民領袖毛澤東主席領導下，學習費拉托夫院士五十年以上在醫學上不斷的努力，和一種堅强不拔求眞理的精神。

參攷文獻

一九五一、一二、二八解放日報戈紹龍費拉托夫院士在醫學上偉大貢獻
蘇聯科學家醫治瞎眼的費拉托夫
第一卷第四期醫務生活王進學組織療法概述
第一卷第六期中華新醫學報組織療法的基本問題
第三卷第七期內科學報會華彬組織療法綜述及其在內科臨床上之應用
第七卷第一期蘇聯醫學蘇聯醫務工作者報道應用組織療法獲得進一步成果
第一卷第三期華東衛生中央人民政府衛生部關於組織與推行組織療法的指示

趙學敏傳

王重民

趙學敏字恕軒，號依吉，錢塘人。父某，總鹺下砂鹽場，會海水溢淹，斃甚衆，秋擴繼作，爲捐俸延醫，活人無算。又請修築海塘，身董其役，塘成，名曰利濟。後生二子，又以利濟爲其乳名，長卽學敏，次名學楷。父欲一子業儒，一子業醫，故經史而外，兼課靈素諸書。家有養素園，闢地一畦，爲栽藥圃。學敏兄弟寢食其中，皆斐然成一家言。學敏自髫齡好博覽，日不給，焚膏繼之，凡星厯醫卜方技諸學，意有所得，卽欣欣忘倦。鄰人黃販翁藏醫書萬餘卷，學敏盡讀之，至是父所望於學楷者，學敏尤成絕學矣。乃擇醫方之屢驗者，參以江閩祕本，乾隆十九年，成醫林集腋十六卷。又就游篋所得，咸好所睑諸方，編爲養素園傳信方六卷。次年春，見湖南汪子師有祝由一本，因借錄焉，後又得張氏本及儒門事親，萬薛二家抄，刪其妄而存其效，成祝由錄驗四卷。二十一年秋，患目幾廢視，因作囊露集四卷，自謂鶴踏函，銀海，龍木論，明鏡箋諸書而上之。二十三年，讀禮家居，有宗子名柏雲者，走方南北，是年歸，授剌來謁，出其歷游方術頂串諸法相質證，因合養素園簡驗方彙編之，成串雅內外編各四卷。二十五年讀書西山寺同峯精舍，與何竹里相晤，得聞制伏鼎火諸說，竹里聞之鏡水居士隱元上人者也。學敏用其法於諸科升降藥中，體不耗而功倍捷，因集古來升降諸方，參以製法，爲升降祕要二卷。又以藥性之奇制者，爲藥性元解四卷。彙導引卻病之方，爲攝生閒覽四卷。昔高濂有珍異藥品，而搜奇未全；李時珍著本草綱目，而後出未補。況名隨俗改，藝以途分，博物辨名，尤賴夫賢者，則有奇藥備攷六卷，本草綱目拾遺十卷，本草話三十二卷，花藥小名錄四卷。總凡百卷，乾隆三十五年最而序錄之，顏曰利濟十二種，遵父遺意也。今惟串雅內外編及本草拾遺存。串雅有咸豐初餘杭某氏刊本，版旋燬，光緒十四年榆園許氏刊內編四卷，並吳庚生平格補注。余又見協和醫學院所藏外編鈔本，亦有吳氏補注。拾遺有同治十年張應昌校刻本，又有翻本，最通行。學敏序拾遺在乾隆三十年，而卷內記事至嘉慶八年，蓋補苴罅漏，死而後已者也。余愛其淵博，紬繹一遍，凡邊防外紀諸書，西洋教士所述，以至藥房藥方，商號廣告，莫不採摭。又或得之耳聞，驗之目見，與夫手所栽植者，有異必書，頗有實驗精神。學敏晚年事蹟無攷，幸於其所記實驗，可得其梗概焉。致兩浙輶軒續錄卷七，稱學敏爲錢塘歲貢生，候選訓導，蓋終未授官，只假館餬以自給。拾遺所述，乾隆四十年館剡川，五十二年館奉化劉明府，五十四年館臨安，五十八年在上虞，嘉慶八年寓西溪吳氏。總前後事蹟觀之，學敏約生當於雍正間，至嘉慶八年，亦應年近八十矣。輶軒續錄載其書李蘇鄰明府蕭山遺愛錄長律一首，蘇鄰名庭蘭，嘉慶七年去蕭山，則詩亦當作於八年。其詩爾雅，是文學與岐黃並臻絕詣，特其詩文不傳，醫名遂掩其文名耳。鮑氏知不足齋叢書有乾隆五十二年學敏序，集文選句成之，尤覘其沈酣古籍者甚深。又有火戲略一卷，嘉慶十八年楊復吉刻入昭代叢書，學敏當已前卒矣，二子長名景炎。 一九四五年二月十四日。

三年前，有人得鈔本火戲略，來詢學敏事蹟，余適閱本草拾遺因據其利濟十二種總序以對。及參閱杭州府志，亦僅據此序作傳。學敏稱其弟爲「楷弟」，府志遂以趙楷名之，而不知應作趙學楷也。學敏稱其父「總鹺下砂由永春司馬宰尤溪，」余欲知其名字，歷檢川沙廳志永春州志及尤溪縣志，均無所得。又學敏所著十二種，雖寫定於乾隆三十五年，而嘉慶間猶續有增補，余就綱目拾遺一書已徵之矣；其串雅自序云「予幼嗜岐黃家言，老而靡倦，」末署乾隆二十四年，時學敏尚未四十，焉得云「老而靡倦，」則其書其序，亦經後來改定，而年月則未改故也。 越日又記。

此稿存篋笥已六年矣，近檢出請正於范行準先生，始知范先生擬爲學敏作年譜長編已粗具矣。亟勸范先生完成之，乃范先生反將拙稿付印，並指出學敏著述尚有鳳仙譜錦里新談各一卷、應補入。鳳仙譜與火戲略同在楊復吉所輯昭代叢書別集中原稿在傅氏藏園，今不知流入何人手。別集輯成於嘉慶二十一年，學敏當已前卒，疑復吉或直接得稿本於學敏。今據鳳仙譜自序，知學敏更有灌園雜志諸輯。後來存者僅有蔬藥志，絲桃雜編，七七祕傳數種。而秋花盆玩諸志，已無剩葉。知學敏著述，其亡失者多矣。錦里新談見竹崦庵傳鈔書目子部小說家， 一九五一年，七月，十六日。

傷寒書目（二）

汪艮寄

讀傷寒論抄	二卷黃氏書目、補遼金元藝文志，浙江通志	元	滑壽		江南通志作傷寒論抄元滑壽著、元志缺論字作讀傷寒抄。
傷寒例鈔	三卷醫籍考	元	滑壽	未見	
活人釋疑	醫籍考	元	趙嗣眞	佚	
金鏡內台方議	十二卷醫籍考	明	許弘建安	存	按許弘以傷寒論爲內台方、雜病論爲外台方
集註傷寒論	十卷醫籍考	明	趙開美	存	行準案：醫籍考作趙開美誤、其書實明趙民張卿子集
傷寒祕用	醫籍考	明	彭浩仁和	未見	浙江通志作祕間
傷寒五法	四卷海鹽新志嘉興府志	明	石楷		天一閣書目作清石楷
傷寒選錄	八卷徽州府志、江南通志、安徽通志	明	汪機祁門	存	
傷寒篇	一卷	明	汪機		汪氏醫讀之一
傷寒活人指掌圖說	十卷福建通志明志	明	熊宗立建陽		福建通志無「說」字、明志作「論」字行準案共書今存
傷寒運氣全書	十卷福建通志、明志	明	熊宗立	存	
長沙傷寒十釋	醫籍考	明	呂復鄞縣	佚	鄞縣志作長沙論傷寒十釋
傷寒內外篇	二卷	明	呂復		
傷寒五治		明	石涵玉海鹽		
傷寒論辯		明	吳綬錢塘		
傷寒蘊要圖說	四卷浙江通志、杭州府志錢塘縣志	明	吳綬	存	醫籍考作傷寒蘊要全書、醫藏目錄作八卷

傷寒立法攷 一卷 崑新兩縣合志、太倉州志 明 王履 崑山 未見 菉竹堂作一冊，元志、太倉州志均作元人

傷寒溯洄集 一卷 明 王履 存 太倉州志作醫經溯洄集二卷王履、崑新兩縣合志作明人

傷寒治例 一卷 國史經籍志、咸寧縣志、明志、陝西通志、湖北通志 明 劉純 咸寧 存

傷寒祕要 一卷 焦竑經籍志、明志、國史經籍志 明 劉純 未見

傷寒典 山陰縣志 明 張景岳 山陰 存 景岳全書之一

傷寒指掌 十四卷 杭州府志、四庫提要、浙江通志 明 皇甫中 仁和 未見

傷寒指掌詳解 新昌縣志 明 邢增捷 新昌 未見

傷寒金鏡疏鈔 醫籍攷杭州府志 明 盧之頤 錢塘 未見 杭州府志作傷寒論疏鈔金鎞五十二卷明盧之頤撰。行準案：今有抄本行世其書僅十二卷

仲景論 浙江通志 明 盧復 未見

傷寒要約 嘉定縣志太倉州志 明 史寶 蕭山 未見

傷寒要格 醫籍攷古今醫統 明 史寶 未見

傷寒要訣 武進縣志 明 霍應兆 武進 未見

傷寒家祕心法 浙江通志、海鹽縣圖經、嘉興府志 明 姚能 海鹽 未見

傷寒類編 七卷 醫籍攷 明 胡朝臣 存

傷寒論註 十四卷 醫籍攷 明 史闇然 越人 未見

傷寒類證 十卷 醫籍攷 明 黃仲理 蘄溪 未見

傷寒論類證便覽 十一卷 安徽通志、明志、國史經籍志、江南通志、徽州府志 明 陸彥功 歙縣 存 安徽通志作傷寒便覽、明志、焦竑、作傷寒類證便覽十卷

傷寒捷徑書	醫籍攷	明	孫在公新安	未見	
傷寒闡要編	七卷醫籍攷	明	閔芝慶	存	
傷寒明理論刪補	四卷醫籍攷	明	閔芝慶	存	支那中世醫學史作三卷
傷寒指南書	六卷醫籍攷	明	葉允仁	未見	
傷寒五法	五卷醫籍攷	明	陳長卿	存	汪琥以爲陳養晦著實誤
傷寒六書纂要辨疑	四卷醫藏目錄	明	童養學	存	
傷寒活人指掌補註辨疑	三卷醫籍攷	明	童養學	存	
傷寒捷法歌	潞安府志	明	中　相長治	未見	
傷寒備覽	松江府志	明	吳中秀松江	未見	
傷寒彙言	杭州府志	明	倪洙龍杭縣	未見	
傷寒會通	崑山縣志、崑新兩縣合志	明	沈　貞崑山	未見	
傷寒準繩	八卷醫藏目錄、江南通志	明	王肯堂金壇	存	中國醫學史作傷寒證治準繩
傷寒補天石	二卷醫籍攷	明	戈維城吳縣	存	吳縣志作二集四卷，支那中世醫學史作七卷
傷寒論條辨	八卷醫籍攷安徽通志徽州府志鄭堂讀書記	明	方有執歙縣	存	
傷寒論痙書	一卷徽州府志安徽通志	明	方有執	存	附條辨後
傷寒論本草鈔	一卷徽州府志安徽通志	明	方有執	存	附條辨後
傷寒論或問	一卷徽州府志安徽通志	明	方有執	存	附條辨後
傷寒翼		明	程宏賓		

書名	卷數・出處	朝代	著者	存佚	備考
張長沙傷寒論註	江西通志	明	王　宣 金谿		
傷寒纂例	二卷 松江府志上海縣志奉賢縣志	明	徐　彪 松江	未見	中國醫學史作一卷
續傷寒蘊要全書	四卷 醫藏目錄	明	彭用光 廬陵	未見	行準案今存
傷寒纂讀		明	王宏翰 華亭徙吳縣		吳縣志作傷寒參讀淸王宏翰著
傷寒摘錦	二卷 湖北通志醫藏目錄千頃堂書目、黃州府志	明	萬　全 羅田	存	黃州府志無著者
傷寒百問	嘉定縣志	明	唐　椿 嘉定	未見	
傷寒全集	太倉州志	明	陳　汪		
傷寒要訣歌括	鄞縣志	明	張世賢 寧波		
傷寒鈐領	一篇 青田縣志	明	陳　定	佚	
傷寒辨論	崑新兩縣續修合志	明	晉　驥		
傷寒運氣或問	一卷 吳縣志	明	鄒　彬 臨洮流吳縣		
傷寒統會	七卷 江南通志	明	馮　鸞 通州		
河間六書	二十七卷 徽州府志安徽通志	明	吳勉學 歙縣		行準案此叢書也、非皆傷寒書今存
陶節菴傷寒六法註	麻城志、湖北通志黃州府志	明	劉天和 麻城		
增補傷寒金口訣	芷江縣志湖南通志	明	毛世鴻 沅州		
傷寒全書	二卷 天一閣書目醫籍攷	明	張鶴騰	存	
傷寒書	福建通志醫籍攷	明	方　炯 莆田	未見	
六經證辯	吳江縣志	明	盛　寅 吳江	未見	一作傷寒六經辨證

傷寒發明　二卷　菉竹堂書目、文淵閣書目　明　張兼善　未見

傷寒類症書　江南通志　明　趙道震（定遠，一作金華）　未見，支那中世醫學史作「傷寒類症」無「書」字，出定遠縣志，未見。醫籍攷作傷寒類證。

傷寒心要　黃岡縣志、湖北通志黃州府志　明　李大呂（黃岡）

傷寒探微　松江府志南匯縣志上海縣志　明　劉道深　一作道源

傷寒六書　清苑縣志、畿輔通志　明　王軒（清苑）　保定府志作清王軒

傷寒指南　湖南通志　明　萬拱（監利）　未見

傷寒舌鏡　三卷　明　王景韓（寧化）

傷寒餘論　一卷　明　朱榮（海寧）

傷寒啓蒙　六卷　明　黃昇

傷寒指南　二卷　明　王乾

傷寒綱目　明　王乾

傷寒心法大成　四卷　明　龔太宇（會稽）

傷寒世驗法　八卷　明　張春台　行準案：今存，作傷寒世驗精法。

傷寒鈐法書　一卷　明　高昶

傷寒原理　四卷　明　王仲禮

傷寒直指　四卷　明　馬雲龍

傷寒撮要　四卷　醫藏目錄　明　繆存濟　存　今本作六卷

傷寒書	一卷 傷寒正宗序	明	方廣	未見	
傷寒祕笈方	四卷	明	錢鴻聲 無錫		
傷寒全書	五卷 浙江通志、明志、國史經籍志絳雲樓書目焦竑經籍志	明	陶華 餘杭	未見	
陶節菴傷寒九種書	九卷 焦竑經籍志、明志	明	陶華	存	即傷寒六書加傷寒治例直指一卷傷寒治例點金一卷傷寒直格標本論一卷、焦竑作節齋誤
傷寒全生集	四卷 醫籍攷	明	陶華	存	題陶華原著朱映璧訂正，何熿重校
傷寒明理續論	一卷 浙江通志	明	陶華	存	簡稱明理續論，爲傷寒六書之一
傷寒家的祕本	一卷 仝上	明	陶華	存	仝上
傷寒一提金	一卷 仝上	明	陶華	存	仝上
傷寒證脈藥截江網	一卷 仝上	明	陶華	存	仝上
傷寒家祕殺車搥法	一卷 仝上	明	陶華	存	仝上
傷寒瑣言	一卷 仝上	明	陶華	存	仝上、浙江通志總稱傷寒六書明志同
傷寒直格標本論	一卷 浙江通志	明	陶華	未見	
傷寒段段錦	醫藏目錄	明	陶華	未見	
傷寒治例點金	一卷 浙江通志	明	陶華		醫藏目錄作點點金，支那中世醫學史作二卷，未見。今湯溪范氏栖芬室藏有明抄本。
傷寒治例直指	二卷 仝上	明	陶華	未見	
傷寒實錄	吳縣志	明	吳有性 震澤	未見	
傷寒正宗	仁和縣志杭州府志浙江通志	清	吳嗣昌 仁和	未見	

書名	卷數及出處	朝代	著者	存佚	附注
傷寒括要	二卷 江南通志松江府志上海縣志南匯縣志	清	李中梓華亭上海	未見	鄭齋讀書記作傷寒括要三卷方一卷
傷寒近前集	五卷 醫籍攷	清	陳治	存	
傷寒近後集	五卷 醫籍攷	清	陳治	存	
傷寒論註	醫籍攷、揚州畫舫錄	清	戴震	未見	
漢長沙原本傷寒論註疏	醫籍攷、嘉定縣志上海縣志	清	唐千頃江寧	未見	
傷寒正宗	八卷 醫籍攷	清	史以甲江都	存	江南通志、甘泉縣志、江都縣志均作[illegible]
傷寒論集註	見金匱要略直解凡例	清	程林	未見	行鑴案：今存
傷寒論註	八卷 嘉興府志	清	沈明宗攜李		
傷寒述微	三卷 醫籍攷	清	李杖	存	
傷寒論註	醫籍攷	清	陳亮斯武陵	未見	
傷寒論類疏	醫籍攷	清	張孝培	未見	
傷寒意珠篇	吳縣志、徐乾學憺園集序	清	韓來鶴吳縣	未見	
傷寒一百十三方發明	一卷 醫籍攷	清	徐彬嘉興	存	
傷寒圖說	一卷 醫籍攷	清	徐彬	存	
傷寒論註		清	徐彬		又名傷寒論繭解
註許氏傷寒百證歌	醫籍攷	清	徐彬	未見	
葉天士傷寒附翼	二卷	清	葉天士吳縣		
傷寒論讀	四卷 嘉興府志	清	沈又彭		

傷寒辨證集解　八卷　清　黄寶臣

傷寒正醫錄　十卷　清　邵庸濟

傷寒提鈎　一卷　清　程文囿新安　見醫述內

傷寒析義　一卷　清　程文囿　見醫述內

傷寒尙論篇　四卷四庫全書綱要　清　喻　昌西昌　未見　四庫全書著錄作八卷、醫籍攷作「尙論張仲景傷寒論重編三百九十七法四卷存清喻昌」行準案：今存

傷寒尙論後篇　四卷　清　喻　昌　未見

迴瀾說　清　王　丙吳縣

傷寒論註　六卷　清　王　丙　吳縣志作十二卷

傷寒論附餘　二卷　清　王　丙　附傷寒論註後

傷寒例新注　一卷　清　王　丙　吳縣志作傷寒序例新注

續傷寒論心法　一卷　清　王　丙　吳縣志作讀傷寒論心法

傷寒撮要　四卷　清　王夢祖

傷寒捷徑　一卷　清　羅東生

傷寒三字經　一卷　清　劉懋勳

舒注傷寒論　四卷　清　舒馳遠進賢

再重訂傷寒集註　十卷醫籍攷　清　舒馳遠　存

傷寒六經定法　一卷　清　舒馳遠　在藏修堂叢書中

書名	卷數及出處	朝代	著者	存佚	附註
傷寒辨證錄	十四卷	清	陳士鐸山陰		
百家註傷寒論	十六卷	清	吳考槃海門、		
傷寒大白	四卷醫籍攷	清	秦之楨松江	存	
傷寒分經	十卷鄭齋讀書記嘉興府志、四庫存目	清	吳儀洛海鹽	存	
傷寒心法要訣		清			醫宗金鑑之一
訂正傷寒論註	十七卷	清			仝上
傷寒合璧後集	三卷嘉興府志	清	姚鑑		嘉興府志作傷寒合璧二卷傷寒集方一卷
傷寒約編	一卷	清	徐大椿吳江		醫略六書之一
傷寒類方	一卷四庫著錄嘉興府志	清	徐大椿	存	鄭齋讀書記作傷寒論類方四庫著錄無「論」字
傷寒兼證析義	一卷長洲縣志	清	張倬吳江	存	
傷寒舌鑑	一卷長洲縣志	清	張登長洲	存	
傷寒緒論	二卷鄭齋讀書記長洲縣志	清	張璐吳江	存	張氏醫通之一
傷寒纘論	二卷長洲縣志	清	張璐	存	張氏醫通之一
傷寒大成	江南通志長洲縣志	清	張璐		
傷寒辨證	四卷陝西通志	清	陳堯道三原		
傷寒或問	見本草綱目必讀類纂	清	何鎮京江	未見	
傷寒辯略	醫籍攷	清	邵三山	未見	
傷寒辨證廣註	十四卷長洲縣志	清	汪琥長洲	存	醫籍攷作張仲景傷寒辨證廣註

書名	卷數及出處	朝代	著者	存佚	備注
辨注傷寒中寒論	三卷長洲縣志	清	汪琥		
增補成氏明理論	見傷寒論辨註凡例	清	汪琥	未見	
傷寒醫訣串解	六卷	清	陳念祖長樂		
傷寒論淺註	六卷福建通志	清	陳念祖	存	
傷寒方論	四卷福建通志	清	陳念祖		
傷寒眞方歌括	六卷福建通志	清	陳念祖	存	
傷寒晰義疑	四卷	清	柯琴慈谿	存	
傷寒論註來蘇集	六卷醫籍攷	清	柯琴	存	
傷寒論翼	二卷醫籍攷	清	柯琴	存	
傷寒古方通	二卷	清	王子接長洲		一作六卷
傷寒溫疫條辨		清	楊璿	存	即寒溫條辨
重編張仲景傷寒證治發明溯源集	十卷醫籍攷	清	錢潢常熟	存	鄭齋讀書記作溯源集原名重編張仲景傷寒論證治溯源集
孝慈備覽傷寒編	四卷安徽通志	清	汪純粹歙縣新安	存	安徽通志、徽州府志均作傷寒論編
傷寒答問	二卷醫籍攷(無卷數)徽州府志、安徽通志	清	程雲鵬歙縣	未見	
傷寒心印	一卷浙江通志杭州府志	清	顧行錢塘	未見	
傷寒捷書	二卷海寧續目仁和縣志杭州府志浙江通志	清	陸圻錢塘	未見	
傷寒第一書附餘二卷	四卷	清	車宗輅會稽 胡憲豐		
傷寒尋源		清	呂震名錢塘	存	

傷寒補例 二卷 清 周學海建德 存

傷寒說意 十一卷醫籍攷 清 黃元御昌邑 存

傷寒懸解 十五卷醫籍攷、四庫全書總要 清 黃元御 存

傷寒審證表 一卷 清 包誠涇縣 存

傷寒心法大成 四卷 清 陳法昂 存

傷寒經註 六本 清 程扶生 存

傷寒論三注 十六卷吳縣志 清 周揚俊吳縣 存

傷寒折衷 十二卷證類八卷、杭州府志、浙江通志 清 林瀾杭州 存

傷寒論直解 六卷醫籍攷 清 張錫駒錢塘 存 杭州府志作傷寒直解一卷傷寒附餘一卷張錫駒撰

傷寒論後條辨直解 十五卷醫籍攷 清 程應旄新安 存

傷寒論贅餘 一卷醫籍攷 清 程應旄 存

傷寒論條辨續注 十二卷四庫全書總要、安徽通志、徽州府志、揚州府志、江南通志 清 鄭重光儀徵一作歙縣 存

傷寒論證辨 三卷徽州府志、揚州府志、江南通志 清 鄭重光

傷寒論淺注補正 七卷 清 唐宗海四川

傷寒貫珠集 八卷長洲縣志 清 尤怡長洲 存

傷寒論陽明病釋 四卷 清 陸九芝元和 存 世補齋醫書之一

傷寒論集註 六卷杭州府志醫籍攷 清 張志聰錢塘 存

傷寒論宗印 八卷醫籍攷 清 張志聰 存

傷寒論綱目 醫籍攷 清 張志聰 未見

傷寒論綱目 十六卷鄭齋讀書記 清 沈金鰲無錫 存 沈氏尊生書之一

傷寒論本義 十八卷醫籍攷

九卷中國醫學大辭典 清 魏荔彤柏鄉 存

十九卷二酉書店目錄

傷寒指掌 四卷 清 吳坤安 見冷廬醫話

傷寒準繩輯要 四卷武進陽湖縣志 清 黃德嘉 佚

傷寒彙通 四十卷仝上 清 吳宗達 佚

傷寒辨證 二卷仝上 清 法徵麟 存

傷寒尙論商榷編 十二卷仝上 清 蔣衡 佚

傷寒一得篇 十卷仝上 清 丁琮 存

傷寒通解 四卷仝上 清 鄒澍 佚

傷寒金匱方解 六卷武進陽湖縣志 清 鄒澍 佚

傷寒祕要 文淵閣書目 清 蔣曦

傷寒經條 一 衡陽縣志、湖南通志 清 湯一旦衡陽

傷寒集註 清泉縣志、湖南通志 清 曹士蘭清泉

傷寒來蘇辨論 新化縣志、湖南通志 清 楊士傑新化

書名	卷數及出處	朝代	著者
傷寒六書	澧州志、湖南通志	清	孫承恩澧州
傷寒直指	十六卷鄭齋讀書記、上海縣志	清	强　健上海
傷寒論箋	十卷湖南通志	清	陳賢書長沙
傷寒源流	五卷仝上	清	陶之典寧鄉
傷寒秘要	湖南通志	清	黃在鼎寧鄉
傷寒辨疑	仝上	清	夏逢論益陽
傷寒雜症歌賦	一卷湖南通志	清	湯明峻衡陽
傷寒集錦	黃岡志、湖北通志	清	陶宜炳
傷寒類編	枝江志、湖北通志	清	張　培枝江
傷寒新編	黃州府志、湖北通志	清	鄧　錦黃梅
傷寒辨論	二十卷湖北通志、黃岡縣志、黃州府志	清	邱　翔黃岡
傷寒綱領	黃岡志、湖北通志、黃州府志、	清	蕭鳳翥黃岡
傷寒論正宗	上海縣志、松江府志	清	陸敬銘
校正傷寒全生集	四卷松江府續志	清	沈忠謹
傷寒說約歌	一卷吳縣志	清	包興堂
傷寒補注	一卷仝上	清	姜森玉
傷寒集註	吳縣志	清	繆遵義
傷寒三注	吳縣志	清	繆遵義

書名	卷數及出處	朝代	著者
類傷寒疾補	一卷吳縣志	清	張泰
傷寒經正附餘	一卷吳縣志	清	薛承基
傷寒易知	十二卷吳縣志	清	潘時
讀傷寒論	二卷崑新兩縣合志	清	潘道根
仲景醫論正解	臨海縣志、台州府志	清	洪瞻陛
仲景傷寒補遺	太平續志台州府志	清	方聖德南山（太平）
傷寒晤室明燈論	保定府志	清	陳籲正安州
傷寒辨誤	蘭谿縣志	清	徐大振
傷寒論註	十一卷南昌縣志江西通志	清	劉宏璧
傷寒輯要	江西通志	清	曾秉豫南豐
何氏傷寒纂要	奉賢縣志、松江府志	清	何汝闞
傷寒雜氣辨論	二卷九江鄉志廣東南海縣	清	關文炳
傷寒夾注	潛江縣志	清	王三錫
傷寒津要	四卷烏程縣志	清	汪廷業
傷寒要義	寶山縣志	清	黃惠疇
傷寒論全書本義	十三卷鄞縣志	清	許宋珏
傷寒對	湖北通志	清	劉興湄沔陽
傷寒禹鼎	仝上	清	李應五漢川

傷寒選方解	二卷	清	沈晉垣
傷寒要旨	二卷	清	商日霞 無錫
傷寒典要	二十四卷	清	徐國麟 鄞縣
傷寒雜病論	二卷	清	張畹菴 寳命眞詮之一
傷寒擇要敲爻歌	一卷	清	李承倫
傷寒醫宗承啓	六卷	清	吳人駒 歙縣
傷寒經綸集	十卷	清	蕭壎 攜李
傷寒已任編	二卷	清	高鼓峯 鄞縣
傷寒擬論	二卷	清	王殿表 無錫
傷寒翼	一卷	清	蔣示吉
傷寒證治明條	六卷	清	吳澄 歙縣
傷寒編	一卷	清	董西園 錢塘
傷寒論近言	七卷	清	何夢瑤 南海
傷寒集論註	十卷 外篇四卷	清	徐赤臣
傷寒活人心法	五卷	清	王文選
傷寒辨集解	八卷	清	黃珏
傷寒論註	四卷	清	朱咏清
傷寒辨證抉徵	四卷	清	鄭伯壎 仁和

本會會員近訊

資料室

▲馬雅各係前中華醫學會副會長及雷士德醫學研究院職員，本早已退休，前年應杭州廣濟痲瘋院之聘，主持該院，擴充院務，成績頗著，原定今秋期滿退職，不幸於八月十日患急性肺炎逝世，聞者惜之。馬氏生平著作甚多，除論文外，著有「華人病症編」及「痲瘋槪論」二書。聞杭市醫衞兩界將發行專刊，以資紀念云。

▲陳邦賢已由鎭江調往無錫南門外虹橋蘇南行署衞生處衞生建設委員會供職。最近見惠作品兩篇，其蘇聯組織學專家費拉托夫傳一篇，將在本誌第三期發表。

▲侯祥川為響應「六一」號召，捐獻飛機大砲，共捐一千一百萬元，為上海軍醫大學個人捐款之最多者，希望醫工同志向侯醫師看齊。

▲章次公在新中醫藥刊二卷第一二三期有「中國醫學史話」，又葉勁秋在該刊二卷七期有「評中國醫學史話」。

▲已故會員伊博恩為研究中國藥物學有名之專家，曾將李時珍本草綱目譯成英文，先後刊行問世，祇有蔬菜草木類一部，尚未出版，該遺著早已準備印行，嗣因種種困難，未能實現，茲聞已接洽妥當，不日卽可付印云。

▲王吉民應中華醫學會上海分會之聘，擔任牛惠生圖書館及醫史博物館館長之職。

▲伍連德於四月至七月曾往香港日本一遊，現已返馬來亞，最近來函謂有該處扶輪社社長梁君欲得中國牙科歷史文獻，請代為搜集。

▲中華醫學會圖書博物委員會係由上海各專科學會推派代表組織而成，上海市中醫學會推舉丁濟民為該會代表。

▲本會經濟委員會在七月初召開經濟會議，在會上議決加聘會員王玉潤為經濟委員會委員。

▲李濤在北京內一區開業醫師學會演講：「從祖國發展上看醫師開業」，該文業在中華新醫學報一九五一年七月第二卷第七期醫學史話欄發表。九月初，又應中華醫學會濟南分會講學二星期，預計農歷中秋節可返京。

·白页·

醫史雜誌

第三卷 第四期 (復刊版) 一九五一年十二月出版

編輯者 中華醫學會醫史學會編輯委員會

華東醫務生活社出版
上海(18)淮海中路南新邨十二號 電話七九〇七八號

·白页·

醫家五行說始於鄒衍（續完）

余雲岫

（五）改火

論語「鑽燧改火，」馬融說道：

「周書月令有更火之文春取楡柳之火，夏取棗杏之火，季夏取桑柘之火，秋取柞楢之火，冬取槐檀之火，一年之中，鑽火各異木，故曰改火也。」（何晏論語集解卷九陽貨第十七引馬融說）（四部叢刊本）

周禮司爟「掌行火之政令，四時變國火，以救時疾。」鄭司農引鄹子說，和周書月令同。賈公彥疏以爲鄒子的話，是出於周書。但據宋邢昺論語疏之說「周書，孔子所刪尚書百篇之餘也。晉成康中得之汲冢，有月令篇，其辭今亡。」按邢疏不足據。周書是孔子刪書之餘，本出顏師古注漢書藝文志引劉向之說，而得之汲冢的話，則出於隋書經籍志。然文獻通考引李燾跋，陳振孫書錄解題，和商務四部叢刊本汲冢周書所載元順帝至正甲午(1354)黃玠敍，都說是戰國處士所作。又李燾跋，四部叢刊本所載宋寧宗嘉定十五年(1222)丁黼跋，黃玠的敍，和清四庫全書提要，都說不是始出汲冢。所以這部周書尚有問題，難可作據。儘管賈公彥說「鄹子書出於周書，」還是放棄周書，抓住鄹子，比較靠得住。

改火是什麼一回事？梁皇侃論語疏：「四時所鑽之木不同。」這是解說馬融「鑽火各異木」之說。但問題來了；（第一）爲什麼四時要異木（第二）鑽燧的方法（第三）改火的意義。關於（第一）皇侃解之曰：

「改火之木，隨五行之色而變也。楡柳色青，春是木，木色青，故春用楡柳也。棗杏色赤，夏是火，火色赤，故夏用棗杏也。桑柘色黃，季夏是土，土色黃，故季夏用桑柘也。柞楢色白，秋是金，金色白，故秋用柞楢也。槐檀色黑，冬是水，水色黑，故冬用槐檀也。所以一年必改火者，人若依時而食其火，則得氣又宜令人無災厲也。」（論語集解義疏卷九陽貨第十七古經解彙函本）

按楡柳青，故春用之，棗杏赤，故夏用之云云，邢昺論語疏和孔穎達禮記禮運篇疏，皆支持此說，賈公彥周禮疏不贊成他說：

「言春取楡柳之等，舊師皆以爲取五方之色同，故用之今按棗杏雖赤，楡柳不青，槐檀不黑，其義未聞。」

孫詒讓周禮正義，也表示懷疑，說：

「變火之政後世廢絕，五木更取莫詳厥義。淮南子時則訓謂春爨萁燧火，夏（季夏）秋爨柘燧火，冬爨松燧火，五時三木，與鄒子所說絕異，亦所未詳也。」（卷五十七司爟正義）

總之，改火之木，除「舊師皆以爲取五方之色」以外，沒有一人提出較爲近於事理的解釋。但從當時各方面類似的「用火」記載來比擬，取五方之色的說，似爲合乎當年時代的風氣。我且舉幾個鑽木以外的「用火」記載如下：淮南子天文訓：

冬至甲子受制，木用事，火烟青，七十二日，戊子受制，土用事，火烟黃（按冬至甲子後七十二日是丙子，當在戊子之上添加「丙子受制，火用事，火烟赤，七十二日」。今此四句誤脫在下文，當訂正。）庚子受制，金用事，火烟白，七十二日，丙子受制，火用事，火烟赤，七十二日。（按此四句應移在戊子受制上）壬子受制，水用事，火烟黑，七十二日而歲終。」

據此，大約以節序說起來，從冬至到驚蟄，是春木用事，從驚蟄到小滿，是夏火用事，從小滿到立秋，是季夏土用事，從立秋到霜降，是秋金用事，從霜降到冬至，是冬水用事。但其烟青、烟赤、烟黃，是燃燒何種木柴，不得而知，而其取四時之色，則和鑽木改火同意。又董仲舒春秋繁露卷十三，治水五行第六十一，有云：

「日冬至七十二日，木用事，其氣燥濁而青，七十二日火用事，其氣慘陽而赤，七十二日土用事，其氣溼濁而黃，七十二日金用事，其氣慘淡而白，七十二日水用事，其氣清寒而黑，七十二日復得木。」

淮南子說烟，董仲舒說氣，似乎不是用木柴燃燒生烟，而是一班講災異者「望氣」的勾當，這都無從追究。但其以五色分配五時的思想，是相同的。此外像管子幼官說：

中方本圖　五和時節，君服黃色，……以倮獸之火爨。
東方本圖　八舉時節，君服青色，……以羽獸之火爨。
南方本圖　七舉時節，君服赤色，……以毛獸之火爨。
西方本圖　九和時節，君服白色，……以介蟲之火爨。
北方本圖　六行時節，君服黑色，……以鱗獸之火爨。

尹知章注說：土生數五，「五和」是土氣和。木成數八，「八舉，」是木氣舉。火成數七，「七舉，」是火氣舉。金成數九，「九和，」是金氣和。水成數六，「六行」是水氣行。至於土數何以五？木數何以八？等等，這是漢儒五行生成一套唯心論的宇宙觀，（禮記月令孟春之月「其數八」注疏）在這裏不必解說了。

又其春用羽獸之火，查禮記月令說「夏，其蟲羽，」蟲獸可以通稱，羽獸即羽蟲。春何以改夏火？上面所引淮南子天文訓，驚蟄已是夏火用事，驚蟄正在仲春之初，已改用夏火，和管子春用羽獸之火相合。其餘毛獸，（秋其蟲毛）介蟲，（冬其蟲介）鱗獸，（春其蟲鱗）之火等等，依同一路線去解釋，都和淮南子相合。（注十）

【注十】王念孫讀書雜志第五管子二引其子引之對「以介蟲之火爨」說道：「上文言倮獸、羽獸、毛獸，下文言鱗獸，則此亦當言介獸，後人多聞介蟲，寡聞介獸，故改獸爲蟲也。不知羽、毛、鱗、介、倮皆可謂之蟲，亦皆可謂之獸。月令曰：『其蟲羽，其蟲倮，其蟲毛』，是羽者、倮者、毛者，亦謂之蟲也。其羽者、介者、鱗者，亦皆可謂之獸，故此言羽獸、介獸、鱗獸。曲禮曰：『前朱鳥而後元武，左青龍而右白虎』，鄭注曰：『以此四獸爲軍陳。』正義曰：『元武，龜也。』龜爲四獸之一，卽此所謂介獸也。淮南天文篇亦曰：『北方其獸元武。』」

但依照淮南子的說法，改木取火，所謂春取楡柳之火，應該在冬至以後，卽便施行。今攷宋敏求春明退朝錄卷

中有云:

「周禮四時變國火,謂春取榆柳之火,夏取棗杏之火,季夏取桑柘之火,秋取柞楢之火,冬取槐檀之火,而唐時惟清明取榆柳之火以賜近臣戚里,本朝因之,惟賜輔臣戚里。」

據此可以見唐宋時代,四時改火,已是成了裝飾品。在春天清明舉行一次,夏、季夏、秋、冬,不再改木易火,而且僅僅賜及近臣戚里,其餘人家有沒有改火,不得而知。但杜甫在湖南時,清明詩,有「人家鑽火用青楓」之句,(商務四部叢刊初集分門集注杜工部詩三卷,清明二首。)可知唐時湖南也在清明改火,但不用榆柳,却用青楓,這是風俗習慣的不同了。可見楓也能取火,高誘注淮南子時則訓說:「木不出火,惟櫟爲然。」(季冬,「十二月,官獄,其樹櫟,」注。)可見餘木都能出火。

可見改火到了唐宋時,取榆柳春火,在於清明,不在冬至,和淮南子董子所說不同。但續漢志(後漢書卷十五禮儀志)說:「日冬至,鑽燧改火。」是東漢時代,在冬至施行改火,其餘節序,改火不改火,我沒有考得。而其冬至改火,依照淮南和董子的話,是應該取榆柳之火了,不知唐宋何以移到清明,我也不能得知其詳,我希望博通的同志,教我不知!

至於(第二)鑽燧的方法問題,莊子已有其說:

「木與木相摩則燃。」(外物第二十六)

淮南子也說:

「兩木相摩而然。」(卷一原道訓)

揭暄璇璣遺述則謂:

「榆剛取心一段爲鑽,柳剛取心方尺爲盤,中鑿眼,鑽頭大傍開寸許,用繩力牽如車鑽,則火星飛爆出竇,薄煤成火矣。」

照揭氏的話，就是莊子木與木相摩則燃的事實，古代鑽木取火，或者也是這樣，楡柳啦，棗杏啦，桑柘啦，都用兩種木頭，大約是一種用來做鑽，一種用來做燧（燧即是揭暄所說的盤。）的。

以上不過根據「木與木相摩而燃」的話，及揭氏實驗的記載，來和「鑽木取火」的故事相結合，想像地以爲古人取火，是這樣做的。現代新的史學家，對於古代取火的推研，也是這樣想像。

還有（第三）個問題，是改火的意義，就是爲什麼要改火，改火不改火有什麼利害關繫的問題。據周禮之說：

「掌行火之政令，以救時疾。」（夏官上司爟）

這裏所云以救時疾，賈公彥疏：「所以禳去時氣之疾也。」但不曾說明變火何以可禳去時疾，孫詒讓正義以爲：「時氣太盛，則人感而爲疾，故以異木爲燧，而變國中公私炊爨之火，以調救之。時疾者，疾醫云『四時皆有癘疾，』是也。」（註十一）

【注十一】周禮春官下，疾醫掌養萬民之疾病，四時皆有癘疾，春時有痟首（頭痛）疾，夏時有癢疥疾，秋時有瘧寒疾，冬時有嗽上氣疾。

孫疏比賈疏說得稍爲詳細，但孫氏說時氣太盛，人感受了會成疾的思想，在孫氏之前，尹知章注管子，曾經說過，現在先把管子的文句寫在下面：

「當春三月，萩室熯造，鑽燧易火，杼井易水，所以去玆毒也。」（卷十七禁藏篇第五十三）

「以冬日至始數四十六日，冬盡而春始，……………敎民樵室鑽燧，墐灶泄井，所以壽民也。」（卷二十四輕重己篇第八十五）（按杼字各本皆誤，當作抒，玄應一切經音義卷九大智度論卷五引通俗文：「汲出謂之抒。」）

這兩節文字，頗有難解的地方，（註十二）但都有鑽燧易火和泄井易水的事，這個風俗，到東漢還存在，清續漢志說：「日夏至，……浚井改水，日冬至，鑽燧改火。」就是證據。其所以要易水易火等等，管子說是「去玆疾，」說是「

壽民,」和周禮司爟「救時疾」相近而「茲毒」兩個字,照管子尹知章注:(商務四部叢刊初編本和浙江刊二十二子本都寫作房玄齡注,經過學者考量,說這是假託的。)

「四時易火,春取榆柳之火,春時之井,又當復抒之以易其水,凡此皆去時滋長之毒。」

劉寶楠說道:

「蓋四時之火,各有所宜,若春用榆柳,夏仍用榆柳,便有毒,人易以生疾,故須改火以去茲毒,卽是以救疾也。」(劉恭冕論語正義卷二十,陽貨第十七,「鑽燧改火」疏)

看劉氏的話,也以爲茲毒是滋長之毒。以上尹氏劉氏孫氏的意見是一致的,這都是醫和「過則爲菑」的思想的繼承者。而首先應響這個思想者,是鄭康成關於「儺」的注解。(見下文)總而言之,改火的意義,是爲了要想達到驅逐疫癘,保護健康,和防止疾病的大任務。

【注十二】王念孫讀書雜志五,管子第九,解禁藏篇「荻室」,謂卽輕重已篇的「樵室」,謂用火攻之。「熯」卽古之「然」字,然字也是火燒,「造」卽灶字,「熯造」卽以火燒灶,與「樵室」同意。輕重己篇的「墐」字是「熯」字的誤字,「瑾灶」卽禁藏篇的「熯造」,用普通文字寫起來,就是「燃灶」。

(六)關於醫藥

(1)醫

上文已經說過,鄒衍的改火目的,完全是對付疫癘,支持健康,和避免疾病,而其手段是制止太盛的時氣,其原理是「過則爲災。」(左傳昭公元年醫和所說)所以陰陽禁忌家和養生家,對於太盛的時氣,頗生畏懼,要想設法解除乜。這事在古來相傳的「儺」的行動中,可以完全看得出來。

論語說道:

「鄉人儺，朝服而立於阼階」（鄉黨第十）

可知道春秋時候，已經有這種把戲了。但這個把戲怎樣扮演的呢？據呂氏春秋高誘注說道：

「周禮方相氏掌蒙熊皮，黃金四目，玄衣朱裳，執戈揚楯，率百隸而時難，（儺）以索室驅疫鬼，此之謂也。」（註十三）

【註十三】論語的「儺」字，和周禮「時難」的「難」字，是同一字。周禮春官下占夢：「遂令始難毆疫」注說道：「故（古）書難或為儺，杜子春儺讀為難問之難，其字當作難。」注又解說難為「難卻」其注夏官下方相氏，同譙周論語注：「儺，卻之也」卽是「除卻」之意。

「蒙熊皮」是用熊皮作帽。「黃金四目，」孫詒讓正義說，是鑄黃金作假面具，為目者四，特意作可驚怪的形狀，來嚇癘疫的鬼。

高氏所據的周禮，當然不見得是西周的官政，但這部書恐怕是戰國時代的作品，或者竟是鄒衍一流派的人所造，禮記月令，恐怕也是這樣，這個問題，現在尙無法確實證明，且不詳究。現在單說「儺」的意義。

月令有三個時節行儺，季春三月，（夏曆，下同。）仲秋八月，季冬十二月。

季春　國儺　鄭康成注說道：「此難，難陰氣也，陰寒至此不止，害將及人。」

仲秋　天子乃難　鄭注道：「此難，難陽氣也陽暑至此不衰，害將及人。」

季冬　大難　鄭注道：「此難，難陰氣也。……為厲鬼將隨强陰出害人也。」

這裏厲鬼，鄭氏以為另是害人的因素之一，今且不去論他。而所云：「陰寒不止，」「陽暑不衰，」和「强陰」的話，都是「太甚」的意思，都是對於太盛的時氣，發生警戒，畏其害人。所以鄭氏以為儺卽是去其太甚，後來尹氏注管子「去茲毒」和「壽民，」劉氏疏論語「改火，」孫氏疏周禮司爟「以救時疾，」都支持這個意思。總而言之都是根據「過則為菑」的思想。

呂氏春秋季春、仲秋、季冬的三個「難」字都作「儺,」淮南子時則訓也是作儺。（見上注十三）高誘注呂氏春秋「國人儺」說道:「以禳木氣,盡之。」（季春紀）注「天子儺」說道:「儺以止之也,以通達秋氣,使不壅閉。」（仲秋紀）壅閉即是鬱積也是過盛的意思。其注「大儺」則云:「逐盡陰氣,爲陽導也。」（季冬紀）他在淮南子時則訓的注說是:「今之逐陰驅疫,爲陽導也。」和注呂氏春秋的文字同一意思。却也和鄭康成一樣,把「儺」看做制止時氣太盛的行動,高誘和鄭康成年代略同,對於儺都是這樣看法,而且都是與「過則爲災」的原則相合,我想當時的思想大概都是這樣的吧。

既然「改火」和驅除時疾有很大的關係,就是對於醫事有很大的關係了,這是醫和以後醫家應用五行說的一步新發展。醫和川在理論上,鄒衍却實用到豫防上去。不但如此,照上所引皇侃的話,以爲「依時而食其火,得氣又宜。」這是說「改火」對於榮養上,更加適宜。不但把改火用於豫防醫學上,而且關涉到治療方面的榮養學了。（皇侃的話,見上文第五章改火中,「又宜」就是更宜。）

(2)藥

史記封禪書說道:

「自齊威宣之時,騶子之徒論著終始五德之運,及秦帝,而齊人奏之,故始皇采用之。而宋毋忌正伯僑充尚羨門高最後皆燕人,爲方僊道,形解銷化,依於鬼神之事。騶衍以陰陽主運顯於諸侯,而燕齊海上之方士,傳其術不能通,然則怪迂阿諛苟合之徒自此興,不可勝數也。自威宣燕昭使人入海,求蓬萊、方丈、瀛州,此三神山者,其傳在勃海中,去人不遠。……諸僊人及不死之藥皆在焉。……」

看了太史公這一段記載,戰國時遣人入海求三神山奇藥之事,獨有齊燕之王,而方士也獨爲齊燕之士;騶衍却先居齊,後去齊居燕。我以爲方士求藥、採藥,終而至於自己鍊藥,這也是從鄒衍的路徑而發展的。太史公明言「

怪迂阿諛苟合之徒自此興,」就是說這班脚色,是從鄒衍以後生出來的。并且漢書楚元王元孫劉向傳,有「鄒衍重道延命方」之語。我以爲神農本草經說:上品的藥,喫了長久不妨,而且可以「輕身、益氣、不老、延年。」(本草例)這種話,多是鄒衍和那班方士所創造的。研井廖平說山海經是鄒衍及其門弟所作,這話我很同意。因爲山海經裏面多說到藥,並且說不死之藥。(海內西經)所以我以爲巫醫的用藥,和鄒衍有相當的血統關係。

(七)討論

五行的觀念,不始於鄒衍,不倡於子思孟軻,而是老早有其歷史了。但究竟始於何時,在現時發掘工作考古材料,還在芽萌時期,因文獻不足,殊難探測。以我耄荒的所見來說,在魯成公十八年有單襄公「天六地五」的話,韋昭認天六是陰陽風雨晦明的六氣,地五是金木水火土的五行。這是最早的出現。鄭子產秦醫和次之。

春秋時代的五行說:只說天的六氣,降生地的五味。是六氣合雜而共生五味,不曾說某一氣生某一味。可以知道那時候,還沒有漢儒煩瑣的分配作風。但是五味、五色、五聲相隸屬,已經有了分配作風的初步了。

子思孟軻的倡導五行說,不過憑着荀卿一句話。章先生找出中庸篇的注,和表記的話,來證明一下。此外再沒有明確的材料。把章先生的話研究起來,似乎子思的五行說,已經比春秋時期放大一點,進展一點,更有組織,有分配的模樣了。

鄒衍承孔墨私學之後,百家朋興之時。一方面氏族貴族衰落,而統治者不學無術,淫侈無度,更加併吞戰亂,危機日益迫切。當其時;世主正是朝夕不安,忽然得到了鄒衍「終始五德」說,說是「有命在天。」當然可以安魂定魄,和孔子在被桓魋迫逐的時候,說:「天生德於予,桓魋其如予何!」(論語述而第七)王莽見漢兵燒宮殿,說:「天生德於予,漢兵其如予何!」(漢書卷九十九下,王莽傳下,)一樣得了安慰。所以大爲將沒落的氏族貴族所歡迎和尊敬。看下而史記的話,就可以明白了。

史記天官書說道：

「天子微諸侯力征，五伯代興，更爲主命自是之後，衆暴寡大倂小秦、楚、吳、越，夷狄也，爲彊（强）伯，（霸）田氏篡齊，三家分晉，並爲戰國爭於攻取兵革更起城邑數屠因以饑饉疾疫焦苦臣主共憂患其察禨祥候星氣尤急。」

在這裏可以見禨祥占驗的事情是當時的投機貨品。（史記天官書正義引顧野王說：「禨祥，吉凶之先見也。」）但因「疇人（知星人）子弟分散，……是以其禨祥廢而不統，」（史記曆書的話。）「是時，獨有鄒衍明於五德之傳，而散消息之分，以顯諸侯。」（亦史記曆書的話。）似乎鄒衍能講災異，又會察禨祥，在引起漢儒災異讖緯之外，好像還能候星氣。對上，繼述了春秋時子韋裨竈的傳，對下，開了漢景帝時皋唐甘石的路。（四人都見史記天官書。）

周禮這部書，喜歡說四，說五，說六，說九。（以四爲名者九十八物，以五者九十四，以六者百二十四，以九者八十一。）四時，五行，九州，是鄒衍所說，而六是秦的水德之數。（史記封禪書「度以六爲名」）就這一點看來，好像這部書是鄒衍的後輩所作，而且在秦倂六國之後。

禮記郊特牲：「鄉人禓，孔子朝服立祚階，存室神也。」注：「禓或爲獻，或爲儺。」是「儺」和「禓」根本是一件事，解者紛紛聚訟，大可不必。本篇既已說儺，就省却禓不說，以免煩複。

醫和言六氣五味而不說五行，（漏略）子產言五行而不是論醫，而用五行生尅的一套思想來說明改火，而且和「時疾」「茲毒」「壽命」等等醫事上發生了重要關係的，自鄒衍始。

鄒衍改火，用春、夏、季夏、秋、冬五時，是木生火，火生土，土生金，金生水的相生法。其五勝，（見史記曆書）則用五行相勝（尅）法，如「秦以周爲火，以水勝之。」（歷書「五勝」集解引漢書音義。）王應麟漢書藝文志考證，引沈約說，以爲鄒衍以相勝立體，劉向以相生爲義，恐不確。

（八）結論

照上文種種推測看來，有下列幾點，可以約略推定：

（一）五行的觀念不是起於子思孟軻的倡和，而有其往古的歷史。

（二）醫和的論雖然沒有明白提出五行，但把子產的話來對照一下，知道醫和話中有五行在裏面。或被脫漏，或係簡略，所以看不見「五行」字樣。

（三）鄒衍上溯黃帝，下至當世，深觀陰陽消息，載其禨祥，著終始五德之運，當疇人子弟分散的時候，他獨自延續墜緒，顯於諸侯，開了漢儒傳洪範、講災異和望星氣的道路，是伏生董仲舒的祖師。

（四）改火的意義，是除去過盛之毒，救時氣之病，在當時思想上，是對於預防醫學上發生了重大關係，並且說可以壽民，這是對於保健上也有了意義了。並且照皇侃所說：「依時食其火，又得氣之宜，」這樣，是對於榮養上、食療上，都有了相當重要的關係了。而改火用五行五色的木，是鄒衍所首先稱述的。

（五）醫和把五行用在病理上，以為和病的原因有關係。鄒衍却更進展一步，滲入到防疫、保健和食療上去，實地把五行參加了醫務工作。

（六）燕齊海上方士，是傳鄒衍之術的，後來求藥、採藥以及自己鍊藥，這條道路也是鄒衍所開導的，而一切海上仙方，不死奇藥，都從這裏生出來了。

著者老而且病，耄荒日甚，思想上的錯誤，文字上的錯誤，和記憶上的錯誤，無疑地是很多的，切望閱讀的同志們教我不逮！

一九五一年十月廿三日時年七十三

鹿麋茸夏至解角考正

曹炳章

麋冬至解角謬說流傳之沿革　鹿麋雌者無角，雄者之角，每年夏至解角，神農本經及宋以前本草方書，鹿麋二茸，氣味既同，效亦不殊，本無不合。自宋沈存中筆談云：禮記月令冬至麋角解，夏至鹿角解，陰陽相反如此。又云，麋茸利補陽，鹿茸利補陰。今人（宋時）麋鹿茸作一種，（在沈蘇前本作一種）殊疏也。又沈蘇（蘇東坡）內翰良方云。鹿陽獸，見陰而角解；麋陰獸，見陽而角解；故補陽以鹿茸爲勝，補陰以麋茸爲勝。李時珍之說，與沈存中相反，以理與功用推之，以蘇東坡說爲是。熊氏禮記月令疏云：鹿山獸屬陽，夏至陰生而角解，麋澤獸屬陰，冬至陽生而角解。此宋儒理想臆說，從此鹿麋二茸效用，始分補陰之誤矣，然皆根據月令傳訛也。明繆仲淳亦云：鹿山獸屬陽，夏至解角者，陰生陽退之義也。麋澤獸屬陰，冬至角解者，陽生陰退之義也。是以麋茸補陰，鹿茸補陽，角亦如之。其他盧氏之繇等。皆宗蘇沈月令之說，以訛傳訛也。

鹿麋二角解於夏至麈角解於冬至之考據　自謬說流傳，至清乾隆朝，經目覩鹿麋二鹿，皆解於夏至，麈角解於冬至。張眉大海南日鈔云：本草鹿屬陽，夏至解角。麋屬陰，冬至解角，恭讀御製麋角解說冬至解角爲麈，非麋也。此可訂正千古之訛云。又讀王士雄歸硯錄云：本草據月令强分麋鹿二角，有補陰，補陽之別。純廟謂木蘭之鹿，吉林之麋，角皆解於夏至，惟麈角解於冬至，曾於南苑見之，特正其訛。於乾隆三十三年改時憲書，仲冬月令麋角解改爲麈角解。後之修本草者。遵奉改正之云。蓋月令之誤，誤以麈爲麋，而不在冬至有解角之獸也。

綜上所述。鹿麋解角於夏至，乾隆鹿角記已考正之，麈解角於冬至，丁亥麋角解說又證明之；其他誤指麋爲澤獸屬陰，妄以山澤分陰陽，前文亦辨正之。

惟至同治光緒間之時憲書，因交通阻梗，麈不恆見，根據月令仍以麋作麈，以仲冬爲麋解角之時，作爲麈之解角時，不免仍踏襲前人之誤矣！

結核病在中國醫學上之史的發展（續完）

蕭叔軒

2 古代積極的防癆的消毒和智識

古今醫統更提示了許多具體的防癆知識，他主張：除了必要的服侍患者的親人外，最好「不入癆瘵之門」，故凡關於癆病人家的問疾弔喪，一律避免。特別要注意的，是死者的一切衣服器用，千萬不要接觸，因爲：——

人將氣絕，（蟲）則從九竅膚腠飛梭而出，著於怯弱之人，日久亦成癆瘵之證，此所謂傳尸也……弔喪問疾，衣服器用中，皆能乘虛而染觸……則其勞氣隨入，染患日久，莫不化而爲蟲。

按今民間習俗相傳，及說部如紅樓夢寫病瘵而死者，輒有取鷄卵煎餅掩蔽死者之口，以防止癆蟲飛揚外出，並火焚其一切衣物用具的說素，這也即是反映此種尸蟲病原的信念之遺留。蓋從醫統「人將氣絕，蟲則從九竅膚腠飛梭而出」一變衍而來。據此書嘉靖丙辰序，則癆蟲飛出之說，實已起於四百年之前，眞是「其由來也久矣」。范行準先生以爲今民間人死必覆以面紙，即儀禮士喪禮之目幎也。相傳起於吳王臨死時愧見伍員，實則有預防傳染之意存焉。則其說舊矣。

然而伴隨此說而起的，則是服用某類藥品，往往會使癆蟲排出體外，其起源却又更早。如仁齋直指一書，謂服鱉甲生犀散「殺癆蟲」後，病人的分泌物及排泄物中，即有細蟲，故須先用火焚，再埋入深山土中。這是何等嚴密的消毒的方法？其所言如后：

五更空心溫服，即以被覆取汗，恐汗中有細蟲，軟綿拭之，即焚其綿。少時必瀉，以淨桶盛，急鉗取蟲，烈火焚之，並收入磁瓶中，雄黃蓋之，以瓦油盞鐵線紮定，泥固，埋深山中絕人行處。

著者楊士瀛，宋人，故這是七百多年前的記述。但北齊顏之推家訓，風操篇已有喪家以火防病之說。至所謂細蟲，舊

稱傳染肺病的微生物;即是癆蟲。此並想象之說,在歷史上地位不高。按前於楊氏,又有唐朝太常卿段成式異疾志所載的:

河南劉崇遠有妹爲尼,常有一客尼寓宿,病癆瘦甚且死。其妹省之,衆共見病者身中有氣如飛蟲,入其妹衣中。病者死,妹亦病云,

茶香室叢鈔謂「此卽今俗所謂癆蟲也。」至於說「見病者身中,有氣如飛蟲,」可見不必實有其事。所以癆蟲云云,都不過是由於此病的傳染性方面,而產生此一病原的想像,湊假而構成這類醫學的寓言了。

因爲唐人注重這樣的病原學說,所以醫學上積極推行防癆運動,居家遠行,莫不知道佩藥服藥。從此預防的知識日見進展,醫家更精心研究,於是關係着防癆的節制淫慾及平素保養,成爲日常衛生的要件。古今醫統說:

凡人平素保養元氣,愛惜精血,瘵不可得而傳。惟夫縱慾多淫,苦不自覺,精血內耗,邪氣外乘,是不特男子有傷,女人亦不免矣。

然而氣虛血痿,最不可入癆瘵之門。

原來氣虛血痿,已經就是癆瘵的素因。推之於金匱的虛勞血痺及內經泛論的虛,都是着重素因方面而言,所以當時的虛勞,常與結核不分。內經素問上古天眞論篇說:

上古之人……飲食有節,起居有常,不妄作勞……今時之人不然也,以酒爲漿,以妄爲常,醉以入房,以慾竭其精,以耗散其眞。

這雖不必是就結核的「虛」立論,但古代學者認勞損的形成,是以躭於酒色耗散體力爲主因的。所以,徐氏醫統昌言注意生活之有規律的防癆學說,實以秦漢時醫家持滿却衰的攝生理論爲其源流。

六　結核病療法的演變之歷史過程

1　明末大氣日光療法和轉地療養

樓英醫學綱目,認爲肺癆的治愈,並不能倚靠藥劑,而須注重療養。在他看來,醫學上似乎還沒有這樣的專藥,卽使有殺蟲之品,但服之人亦將同時中毒而亡,這和近代理論,頗相符合。醫學綱目虛勞:

傳尸蟲瘵之證，父子兄弟互相傳染，甚者絕戶……然蟲去人亡，亦未爲全美。若平素保養，則自愈矣。

其後萬曆時，李梴醫學入門，亦主此說，並謂如果不加意療養，就是服藥也不會見效。雖事出道家，然在肺病的療養上亦頗足令人注視。他主張空氣、環境、靜休等條件都要够，或者適宜於山地、野外的療養。入門諸虛說：

不幸患此病者，或入山林，或居靜室，清心靜坐，焚香叩齒，專意保養，節食戒慾，庶乎病可斷根。若不遵此禁忌，服藥不效。

是則中國結核病學上的轉地療養，明人已提倡於四百五十年之前。元末，姑蘇葛可久氏，力主防癆於未病，則莫要於攝生。且以休息爲急務。蓋調養與治療，貴在兼籌而並重。此從葛氏認不養眞元爲成癆之本，而窺見其消息者。葛氏云：

若曰不養眞元，不守根本，病卽生矣……予得先師之教，萬病無如癆症之難……不能守養，惟務酒色，豈分饑飽？日夜耽慾，無有休息，以致耗散精液，則嘔血吐痰，骨蒸煩熱……

這是葛氏十藥神書的自敘。按此書非可久之書，但元人已托可久之名而行矣。明徐春甫愛惜精血，療不可得而傳的話，與元人說同。然內經上古天眞論既唱不時御神而致衰弱，羸虛於前，那末，十藥神書以癆症得之於酒色耗眞的說數，固是有所本的。

2 高價蛋白葡萄糖鈣劑的應用及其思想源流

十藥神書，醫史綱要頗爲推重，認爲：——

關於結核專書，則有葛乾孫之十藥神書，作於十四世紀，偏重於治療方面。

惟此論殊未能盡其書之所長。今檢自敍，其年代爲公元一三四五。敍云：「余蒙師授此書，吳中治癆，何止千萬人？未嘗傳與一人。今此書恐就泯失，重次序一新，名曰十藥神書。」然則元人神書追癆方及得效方之著者，固歷史上所僅見之治肺癆的專家，若神書得自師授之言不誣，那末，元時結核病學之研究，可以說是成績昭著。蓋自其時不乏肺病專科一事觀之，足證十三、四世紀此學之發展了。

神書治肺病，頗符合近世之學理。並創用防制喉結核的口咽消毒的含化專劑。今中醫治癆的藥物療法，多偏向單純的內服，以視此法行之於六百餘年前，該有瞠乎其後之感。茲檢神書所用主藥，如白鳳膏之用白鴨，及補髓丹之用猪脊髓、羊脊脊、團魚、烏鷄等，皆取意於高價之蛋白質的補給。清葉天士臨症指南亦仿其意而用燐劑如牛、羊、猪骨髓於强壯藥中。潤肺膏之羊肺、蛤粉同用，此臟器療法而加鈣劑者。又潤肺膏及太平丸有白蜜、黃連等品，白蜜之葡萄糖含量的豐富，早為營養學者所公認。人參雖亦能起類似之生理作用，然其治療價值則似更高，李士材論虛勞說：

故葛可久治癆神良素著，所垂十方，用參者七。丹溪專主滋陰，所述治癆方案，用參者亦十之七；不用參者，非其新傷，必其輕淺者耳。

按此法亦昉於東漢。金匱薯蕷丸方，即用人參，阿膠等。舊來醫家皆有近似今代之凝血及增加心臟營養之論。據藥理學者毛瀞先生報告人參之成分為 Aetherextract 及 Methylakoholextract Saccharose Saponin Glykoside Wasserextract等質。日本シマコ提取參之精華以飼鼠，未二月，即有顯著之强大。德國E.Olwaner 發長期的分析，發現補血糖素之存在。（廣濟醫刊四卷十二號）而黃連一藥，其用於結核病，並非始於十藥神書，宋初開寶（公元九六八）時大明日華本草，即有止盜汗的記載。而上溯至唐開元（公元七一三）時陳藏器的本草拾遺，亦有治羸瘦氣急之說。後世治癘管如明王肯堂臟連丸及頸腺結核如救急經驗良方治瘰癧痰核丸方，皆用黃連，故當以唐時醫家為其開端。據一九五〇年五月十一日協和醫學院的協醫半月刊載張乃初先生的報告，黃連對於結核桿菌，在體外有抗生作用。又同年八月第一卷第四期中華新醫學報有劉國聲先生中藥抗生力研究第二報：以稀釋法試驗中藥對於細菌抑制生長之最高稀釋度，以確定各藥之抗生力。黃連對於抗酸性菌，人型結核菌(H 37),爲1:2560。

至潤肺膏之有機鈣的蛤粉,神農本草經已用爲治肺病的要劑,其書雖或魏晉時人僞托,但亦多有漢時藥物學的傳承。此藥與牡蠣同爲動物性鈣質,梁人已用之於虛熱(名醫別錄)唐千金方用治氣虛盜汗。宋許叔微撰本事方治虛勞盜汗。姚寬西漢叢語稱叔微精於醫,載其論肺蟲上行一條,以爲微論!可見許氏亦研幾肺癆之學。元明以來,如婦人經驗方及李時珍本草綱目,均以牡蠣治盜汗瘰癧。而自時珍以後,遂愈加成爲瘰癧痰核的要藥了(見普明子瘰癧要方)惟此種含鈣之藥品,在煎劑中其成分未必能出,但古人亦有知用之於丸散中者。

惟古人用鈣劑治癆,不祇牡蠣、海蛤,唐孫思邈千金翼方大金牙散治傳尸骨蒸,及宋楊士瀛仁齋直指(公元一二六四)所謂「殺癆蟲,取下惡物」之鼈甲生犀散,並用鱉甲;明時樓英虛勞服獺爪屑末;這都是古人在結核病治療上認識鈣劑的例證。

3 從晉代强壯療法上而產生的殺癆蟲論

樓英醫學綱目:

……爲蟲食其肺系,故令吐血聲嘶。師掠之曰:此蟲還得長生否?久而無語。再掠之,良久云:惟畏獺爪屑爲末,以酒服之,則去矣。患家如其言,得愈。此予所目見也。究其患亦相似。獺爪者,獺肝之類歟。

獺爪和獺肝的藥理作用,迥然各異。古人所以會有「獺爪者,獺肝之類歟」的話,則因在病原方面已有癆蟲的認識,故治療上也就產生了「殺癆蟲」的觀念。而對於治傳尸癆有時曾奏過功效的藥品,遂被認做殺癆蟲之劑。獺爪屑,便是根據這樣的理解而用以治療「蟲食肺系」的結核病的。范先生謂晉人王逸少已有狸骨散治癆之方,與獺爪、獺肝之治癆,蓋同出壓勝之義。叔軒按:狸骨散治廉瀝,乃勞之謂,余於晉韻上別有詳細考證,當補入本文第二章勞極的訓詁中。肘後方以獺肝治冷勞,和獺爪屑一樣,也正是這種思想的產物。肘後方:

覺知是候者急治獺肝一具,陰乾,取末水服方寸匕,日三服。效未知,再服。此方神良。

余先生以爲獺肝治惡性貧血有效,蓋是肝之作用。范先生說:岫翁謂獺肝補血,是合於近代學理而已;但古人立方原意,實出壓勝,此吾輩史家與一般醫家觀點相異之處。急慢性傳染病學舊醫學之回顧:「晉葛稚川肘後方中,說結核的主要處有二……比諸漢代金匱尤詳且添上尸注之名,以形容其急性,更形容其傳染之烈。可爲進步良多。又其於冷勞下方用獺肝散,與今之補血劑相暗合。誠可稱爲一代醫聖。」雖說今代治癆方法日進,然猶不廢魚肝油或肝臟製劑。中土醫家知用此品認識雖有不同,但其法頗相近似。而中土千餘年前已有此發現,却是值得後人稱道的。康熙中陳遠公氏爲有淸以治癆自稱者,所用獺肝、鱉甲等藥,據其方注,亦取殺滅癆蟲之義。陳氏石室祕錄論治癆蟲的方注說:

更有一方治癆蟲神效……腹中似蟲非蟲,盡行從便出。天師乃治癆蟲已成之神方,而余乃治癆蟲將成之妙藥也。

惟遠公之獺肝與鱉甲同用,則係直接得之外台,因外台傳屍勞方中已有此兩種藥品。蓋治癆欲撲殺癆蟲,實爲中外結核病學者一種共同的理想。今新醫學界之抗生治療劑,其思想雛型殆亦與此種理想相近。故歷來中土治癆者所謂殺蟲之說,其實效如何?可以不論。但古人思想上有此境界,且發於千載以前,則其史的價值,固未可以等閒視之。陳氏於主張殺蟲外,兼注意所謂强壯療法,他說:

癆病已成,人最難治,蓋癆蟲生之,以食人之氣血也。若徒補其氣血,而不知入殺蟲之品,則飲食入胃,止蔭蟲而不生氣血矣。但止殺蟲而不補氣血,則五臟盡傷,又何有生理哉?予方於大補氣血之內,加入殺蟲之藥,則元氣旣全,眞陰未散,蟲死而身安矣。

崇禎時李中梓虛勞證治,卽以體力之强壯與病原之消滅並重:

法當補虛,以復其元;殺蟲,以絕其根。

然此說亦有所本,因徐春甫已倡之於前:

則生異物惡蟲食人臟腑……爲狀不一，不可勝紀。凡人有此證，便宜早治，緩則不及事矣。治之法，一則補其虛，以復其眞元；一則殺其蟲，以絕其根本。

那末，十六世紀時，中國結核病療學的理論，可說已漸臻完善。

4　明以來的營養療法及清人有關癆證的著述

也有專主營養療法，以謀體力恢復，而使自然治愈者。自仲景書薯蕷丸以下，則有明代孫光裕血證全集，此書專論癆證，如小引曰：

夫血證之難言也久矣，患此而死者，十有六七；治此而生者，十無二三。豈不誠難乎矣哉？是何以故？良繇或冒風、寒、暑、濕、燥、火六象之外感，或由喜、怒、憂、思、悲、恐、驚，兼之飲食、房勞、七情之內傷，而又每患於讀書攻苦之輩，淫慾好色之人……故必延之歲月，勿妄想，勿妄動，勿多言，勿暴怒，勿嗜酒、房勞，勿過飽損胃。靜坐養神，緘嘿自持，飲食有節，調理無間。藥餌和平，閒心葆攝，則五火平復，而不能爲害。陰血自生，而內火不熾，自得萬全。

故其雖以血證名書，卻完全說的是勞證失血的療法及護理。關於療養方面，他提出主要的八個字：「調理無間，藥餌和平。」可知孫氏於治癆立說，並不看重以大量的强壯劑或劇藥冀求急進，而主張採取滋養性的藥餌及營養療法以圖緩功。這種方法，自然和朱丹溪及張景岳肆用大劑補藥者，完全不同。蓋其特點，在與今代營養之學相似也。

陳方之先生說：「清醫雖多專述一病之書，如痧疫，如白喉，如痧痘，如霍亂，如梅毒等均有之，其進步甚有足多。而獨不及於最複雜而最有研究價值的結核病，甚屬可惜！若徐靈胎、葉香岩等大名家，聆其虛勞的議論，不過與先代類似而已。」然而唐容川仿孫氏而作血證論，卻是清代醫家有關於癆證的專書。宗海受近世新醫學說的影響，認爲唐宋以後，醫學多謬，西洋則詳形迹而略氣化。故其血證論雖有附會之處，而每有新說，自非陳陳相因者可比！

又清人王伯學痔漏論，亦有關結核病之專書，則其與血證論二書，亦可稍彌陳先生之缺憾矣。

5 王清任喚起抗力之思想雛型

縱觀結核病治療史上，其觀念變遷之大要，有可得而尋者：若生物的病原之撲滅，昉於晉而盛著於唐，元明人復張大其說，至於有清初葉，流風未艾，此其一。丹溪依金匱薯蕷丸方意，巧附宋人氣運之說，又值時難年荒之世，遂主進大隊滋補，此其二。自十藥神書以至血證全集，立論重在生活有規律及營養療法。此其三。陳士鐸謂：「癆病用不得霸藥，宜用通身清火之品，」其說本於薛立齋，而溯源至劉完素，蓋主用抑制其病勢的亢進之所謂涼藥。此其四。之外，清代王清任著醫林改錯，治「婦人乾勞」及「男子勞病，」一反舊來專事補養等法，而創血瘀之論：

> 初病四肢痠軟無力，漸漸肌肉消瘦，飲食減少，面色黃白，咳嗽吐沫，心煩急躁，午後潮熱，天亮多汗。延醫調治，始而滋陰，繼而補陽，補之不效，則曰虛不受補。無可如何？可笑著書者不分別因弱致病，因病致弱，果係傷寒瘟疫大病後，氣血虛弱，因虛弱而病，自當補弱而病可痊。本不弱而生病，因病久致身弱，自當去病，病去而元氣自復。查外無表症，內無裏症，所見之症，皆是血瘀之症。

王氏所說，似有改善血循，旺盛新陳代謝及喚起抗力之意。所用通竅活血湯如桃仁、紅花等藥，似師治乾血癆之仲景書中大黃䗪蟲丸方。日人有治新醫而復究心漢醫之湯本求眞氏，亦重視瘀血之說，於科學固屬無徵，甚有可議，但亦足見其影響之大。按改錯原序題道光戊申，其年代爲公元一八四八。王氏處方不論有無如是療效，在理論上，可稱爲獨樹一幟。陳方之先生以爲清醫虛勞的議論，不過承襲先民的唾餘。此殆未能深考。蓋若由改錯以觀之，則王氏不僅爲有清能「獨出心裁」（自敍）之治結核病的醫者，並且還是癆病療法史上一位「大抵補前人之未及」（知非子醫林改錯序）「另立方法」（自敍）的人。

參考文獻

1 余雲岫：余氏醫述中華結核病觀念變遷史

2 余雲岫：中國醫學革命之破壞與建設

3 范行準：明季西洋傳入之醫學

4 范行準：與岫翁論學書（一九三八年手稿本）

5 陳方之：急慢性傳染病學結核舊醫學之回顧

6 李 濤：醫史綱要

7 蕭叔軒：無辜考（中西醫藥月刊第二卷第九期，第十一期）

8 蕭叔軒：瞑眩考（杏林醫學月刊）

9 毛 瀞：與黃守經君論人參之功效書（廣濟醫刊）

10 張乃初：中國草藥抗菌作用之初步研究（協醫半月刊。一九五〇，五十一。）

11 劉國聲：中藥抗生力研究（第二報）（中華新醫學報第一卷第四期）

12 邱 倬：邱氏最新內科學

13 屠耳著·朱濱生譯：佝僂病（А.Ф.ТУР－РАХИТ）

14 佩文韻府

15 姚際恆：古今偽書考

16 多紀元胤：醫籍考

17 狩谷棭齋：箋注倭名類聚抄

18 柳田國男·關 敬吾：日本民俗學入門

19 康 賴：醫心方

20 丹波元堅：金匱述義

21 丹波元簡：金匱輯義

22 林 億校：黃帝內經素問

23 陳修園：靈素集注節要

24 徐靈胎：難經經釋

25 舊 題：華元化中藏經

26 尤拙吾：金匱心典

27 葛 洪：肘後方

28 巢元方：諸病源候論

29 孫思邈：千金要方

30 孫思邈：千金翼方

31 王燾：外台秘要

32 楊士瀛：仁齋直指

33 劉昉：幼幼新書

34 劉完素：河間六書

35 朱震亨：丹溪心法

36 危亦林：得效方

37 舊題：葛可久十藥神書

38 古今圖書集成：博物彙編藝術典醫部彙考

39 李時珍：本草綱目

48 唐容川：中西醫學滙通

40 薛立齋：薛氏醫按

41 王肯堂：六科證治準繩

42 李中梓：醫宗必讀

43 舊題：傅山撰傅青主女科

44 陳士鐸：石室秘錄

45 徐靈胎：蘭台軌範

46 錢斗保：醫宗金鑑

47 王清任：醫林改錯

中國預防醫學思想史（三）

范行準

五　環境衛生在預防醫學史上的地位

子　水源的衛生

要想把預防醫學搞好，當然非先要把公共衛生搞好不可。但是中國對於公共衛生一類的文獻，非常貧乏。比較可以當得上公共衛生歷史條件的，似乎祇有二點，一爲飲料，一爲死人的安置；此外則爲糞便等的清潔而已。大體說來，這幾件事對於預防醫學是很重要的，即在今日公共衛生方面而言，依然歸於要政之類。

水源對於傳染病的關係，是十分密切的，因爲許多傳染病多從不潔的水源中得來。我們知道印度之俗，人死了，先把屍體在恆河裏洗了一個澡，然後把它火葬；所以過去恆河流域的傳染病，如傷寒、霍亂等特別多，亦即此因。中國人死了，雖也有浴尸之禮，但在室中舉行，且「棄水於坎」（見禮記大喪禮）所以中國人對於水源清潔，比較地注意，有時且有道德爲之維繫，這也可算是風俗醇美之一了！

中國人日常食用的水源，大概分爲河水、井水二類。北方因水源缺乏，多鑿井而飲，故從口而入的傳染病較少。南方地勢卑下，河流縱橫，隨處可汲飲料，這也是南方傳染病比較多的原因之一。——雖然事實上南方的村落中，仍以鑿井而飲的爲多。所幸中國自古以來，即好以沸水爲飲料的好習慣。自第一世紀以來，又有飲茶的習尚，漢王褒僮約，吳志韋曜傳，並有茶事的記載，（案爾雅已有茶字，有人以爲即是茶字，然尚未有定論，而山谷雜記引晏子春秋的「茗菜」，今檢原書實爲「苔菜」之誤。）而世說又載王濛好以茶待客，客厭其煩，因有水厄之說。到了第五世紀，北魏王肅又把南方吃茶的風俗傳到北方，故雒陽伽藍記卷三亦有蒼頭水厄的讜言，及唐之陸羽，宋之蔡襄輩，提倡茗飲甚力，其風遂遍於國中，旋傳於海外。今知茶中所含的成分，雖沒有殺菌的作用，但茗飲既成爲一種風俗，那末對於危害人類的細菌，自然可以減少傳染的機會，這不能不說對預防方面可起一定的作用的。

中國在紀元以前二世紀時，已知水源與疾患有關，如呂氏春秋說：

輕水所，多禿與癭人；重水所，多尰與躄人；甘水所，多好與美人；辛水所，多疽與痤人；苦水所，多尪與傴人。卷三

這裏自有不可解的地方，但如水質缺碘的地方，多罹甲狀腺腫（癭），千金方卷二十七道林養性，也有久飲塲水能作癭病的話。如西北諸民族間有不少的人因缺碘而患此病的。今政府正用碘質摻入鹽中，此病可望消滅了。此外巢氏病源已有三吳水毒之候，可知已注重水的傳染病了。

丑　訂立水源安全的護井公約

中國人民很早地已知鑿井而飲，所以廣大地區的人民，都是依賴井水生活的，凡有烟火之處，就有它的踪跡；我們可從這些地方明白「鄉井」二字用意的眞切。同時也可印證人類很早卽已聚族而居，過其集體生活了。

井既是每一居民飲料所依賴的場所，必須保持清潔，據魏劉熙釋名，井的本身便是清潔的場所：

井，清也。泉之清潔者也。卷五釋宮室第十七

井的水不但要清冽，而且要經常保持清潔，必須訂立共同遵守的公約，所以中國的刑法，按刑本作刑，從刀井。春秋元命苞引說文曰「刀守井也。」今通作刑，剄也，非本義。卽由此而起。易說：

井者，法也。據許愼說文井部，及晉司馬彪後漢書五行志卷十三五行一引

風俗通又伸其義：

井者，法也；節也。言法制居人，令節其飲食，無窮竭也。徐堅初學記卷七地下井第六，御覽卷一百八十九居處十九井條引

今按應劭的話，蓋本諸春秋元命苞：

刑者，侀也。說文曰「刀守井也。」飲水之人，入井爭水，陷於泉，用刀守之，割其情也。初學記卷二十刑罰九引

這正是易說和風俗通諸書所說刑字的起源於人們爭用井水，故立法令，并有持刀者在井旁執行這一法令，以節制用水之人。近儒章炳麟文始亦主此說。但清段玉裁說文解字注五下，對於元命苞的話有所懷疑，他說，「夫井上爭水，不致用刀。」其實井上爭水，在

後世亦是恆情，如高士傳載管寧處理所居爭井的故事。但在八家一井（御覽一百八十九引說文。案八家一井，亦古之井田制。）和墨子所說二舍合一井的太古時代爭井的事恐不會多，用不到持刀守井的人。其初所以出人執刀守井者，必是爲了保守井水的清潔與安全，因爲古人已明白井水的清潔與否能影響那一氏族人民的安危很大，且在氏族的部落時代，彼此都是聚族而居，難免有與鄰族鬥爭的行爲，他們既知水源爲人類生命所託，如能把敵方的井水加以破壞（包括放毒）即可立置敵人的死命。這也可從古代流傳下來的兵書中可以證。明所以說文諸書：「㓝，刀守井也」一類的話，尚可反映原始時代保衛水源安全的情形。

我們從易說和劉熙釋名的文字而言，不難推測在很古的時候，中國人對於飲料已有訂立保障水源清潔安全的公約，於是「井」便成了「法」的原始名稱。到了氏族時代，人口多了，鬥爭的情形也多起來了，乃有擔任井水的清潔和防止鄰敵對井水的破壞的兩種任務之人——持刀守井者，——井又成了「刑」的原始名稱了。

所以今天的「刑法」，實際濫觴於那兩個時代的「公共衛生法令」——護井公約。

寅　護井的工作

井水既然爲每一部落中的人民重要飲料來源，他們很早已訂立這種保養井水的安全公約，成爲大家遵守的法令。我們今日固然不能詳知他們那時所訂立公約的弘綱細目，然而這公約的精神想來不外於如周易所說的那一類的事情：

井泥不食，舊井无禽。（案禽有獲字的意義，無禽謂井淤了，無水可汲。）

井渫不食，爲我心惻。

井甃無咎。　象曰「井甃無咎，脩井也。」

井冽，寒泉食。（以上並出周易下經巽下坎上卦）

應劭風俗通義又把周易這些話，加以具體的說明：

久不滯渫滌爲井泥；不停汚曰井渫；滌井曰浚；井水清曰冽；井甃，聚塼修井也。（初學記卷七，御覽卷一百八十九井條）

這裏是包括了濬井、修井、和澄清井水的三種工作。我想這都是護井工作中最重要的目標，他們的公約上也該有這幾項條文的。或者周易的文字，竟是摘了那時這公約上的條文，亦未可知。

上面所推測的幾種護井公約中的浚井一項，後來又被封建時代的統治者，通過神道設教這一類儀式，由政府號召，每年在一定時期，普遍加以濬井工作；這濬井工作，當時叫做「改水。」後漢書禮儀志云：

夏至日浚井改水，冬至日鑽燧改火，可去温病。御覽卷二十三夏至日

又管子說：

當春三月，萩室熯造，鑽燧易火，抒井易水，所以去滋毒也。禁藏篇

又云：

冬盡而春始，……教民樵室鑽燧，墐竈泄井，所以壽民也。輕重已篇

這裏的萩室卽是樵室，造卽竈字，熯卽墐字之譌，所謂墐竈就是封竈，抒井泄井，就是淘井。王念孫讀書雜志管子第九反謂墐乃熯之誤，可謂巨謬。據宋蘇軾夢中誦參寥子詩有：「寒食淸明都過了，石泉槐火一時新」之句，則宋時淸明尚有淘井的風俗，可知當時這種「改水」之禮，是與「改火」之禮並重的。這其間當然還含有原始時代「拜水」的意義。至說「改水」「可去溫病」「去滋毒」「壽民」，我以爲尙有若干可取的地方，不能因它是迷信而貶落內在實際的價値。因爲挖去了汚泥，連帶那類原蟲和細菌也多被消滅了。所以「改水」雖是迷信，但有它歷史上的地位。又據宋吳自牧夢粱錄所載，南宋都市中已有專門淘井之人了。

卯　以道德來維繫水源的安全

但是上文所說的這種保持井水清潔的公約，不免「日久玩生；」於是有心人便假道德兩字來維繫它。唐蘇鶚的蘇氏演義說：

金陵記江南按九家集注杜詩卷三十六，分類集注杜工部詩卷十三並引作日南，蓋形近而訛。計吏，止於傳舍，及時就路，以馬殘草瀉於井中，而謂己無再過之期。不久，復由此飲，遂爲昔時莝刺喉死。後人戒之曰，「千里井，不瀉莝。」卷下

上面故事如非有心人編造的話，我想這位計吏誠是充分暴露損人而不利己的惡少行徑；所以到頭還是自食其果。

這「瀉莝」的故事，唐時已有不同的解說，除了蘇鶚引杜詩「千里不唾井」注：諺云，「千里井，不反唾，」疑唾字無義，當作莝，謂「爲莝所哽也」，外唐李匡乂（濟翁）資暇錄亦言：

諺云「千里井，不反唾。」蓋由南朝宋之計吏瀉剉殘草於公館井中，且自言相去千里，豈當重來。及其復至，熱渴汲水遽飲，不意前所棄草，草結於喉而斃。後因相戒曰，「千里井，不反剉。」復訛爲唾爾。卷下

濟翁的話，顯然與金陵記同出一個傳說，而稍加放大和糾正當時已有「反唾」的話。但這裏濟翁也有兩點錯誤應予指出：一、此故事發生的時間，一、是瀉莝而不是反剉。金陵記不知何時人書，而資暇錄謂係劉宋計吏的故事。那這故事當發生於第六世紀，但如其確實「反唾」乃「反莝」之誤的話，則在第二世紀時已有此故事的流傳了。因爲陳徐陵的玉臺新詠已有魏時劉勳妻王宋見出，在路上做了二首詩給她那位薄倖的夫壻——劉勳。其第二首詩有云：

誰言去婦薄，去婦情更重；千里不唾井，況乃昔所奉。卷二雜詩二首之二。案蘇氏演義作曹植代劉勳妻王氏見出而爲之詩。

按劉勳字子臺，瑯琊人。中平末爲沛國建平長，後爲廬江太守，建安四年（一九九）降於曹操，他曾因對魏武帝勸進而有功。他的女兒膝瘡生蛇，也曾經華陀治好的。據玉臺新詠本詩序說，勳悅山陽司馬氏女，以王宋二十年來無子女的罪名而被出。其夫原是一個很壞的人，他在建安四年齊王宮中與優人淫亂，故終以驕縱被誅。據吳志孫策傳注引江表傳的話，孫策克皖城，獲袁術和劉勳的妻子，不知這位王宋是否已被遺棄？要之，「不瀉莝」的故事，必在第二世紀已見流傳，故爲這位棄婦之詩所收。

至莝，說文解做「斬芻，」而徐鉉說文繫傳引詩小雅說：莝是飼馬的草，若剉便無此義。雖顧野王玉篇「以剉草命細餵飤牛馬」的話，見慧琳音義卷六十引 亦以疊文而言，終非本義。今詳莝之誤唾，蓋爲形近而誤。莝篆文作[illegible]，而唾作[illegible]，王宋詩中所以用反莝的故事，是心中極爲悲楚，希望她的良人收回覆水，勿要像這位計吏那樣鹵莽，遽爾瀉莝，把這口好井壞掉。否則，唾了一口涎沫在井中，何致引起人們這樣嚴重的譴責？但自玉臺新詠作「反唾」之後，唐人詩中多引用之，如李白平虜將軍妻詩有「古人不唾井，莫忘昔纏綿！」

分類補注太白詩集卷二十五杜甫在風疾舟中伏枕書懷三十六韻奉呈湖南親友詩中也有「畏人千里井」見九家集注杜工部詩集卷三十六之句，蓋並本王宋之詩也。

井是應當保持清潔的，不論「瀉瀣」和「唾井」都是破壞水源的清潔而妨害羣衆的衞生，確應加以嚴重的譴責和警誡的！

由於後來一般人公德的墜落，及軍事上的化學戰爭的破壞行為，人們對於井水溪流的安全，時刻引起警惕，而神經衰弱者如唐李蟠之徒，遂有「鎖井而飲」之事。見國史補卷中 若佛家又以施人美水與覆井泉，避免毒蛇墜井為功德事。見法苑珠林卷四十五引正法念經 這都是古人在環境衞生中的飲料方面公約失效後，道德起而彌縫的史迹，它的背後，當有說不完的陰暗故事，江南計吏被葅結喉而死的悲劇，僅其一端而已。

附　造疫的迷信

古人不知傳染病多由原蟲或細菌等原始細胞生物作祟，推過於不能捉摸的鬼神，他們既認為井水與人的生活，是一日不可斷絕關係之物，所有疫癘的發生，亦多疑其病源由井水而來。當然這裏所說的病源是指鬼魅，既然是它，他們以為就有方法可以驅逐它。下面幾個例子，多是在一定時間行之：

（1）椒豆撒井　養生要論曰：

臘夜令持椒臥房床旁，無與人言，內井中。除溫病。齊民要術卷四種椒第四十三引

龍魚河圖曰：

歲暮夕四更中取二七豆子，二七麻子，入家頭髮少許，合麻豆著井中，咒井「勑使其家竟年不遭傷寒！」避五方疫鬼。

雜五行書曰：

常以正月旦，亦用月半，以麻子二七顆，赤小豆七枚，置井中，辟疫病，甚驗。齊民要術卷二小豆第七引

（2）種茱萸於井上　術曰：案此術曰當指淮南萬畢術

井上宜種茱萸，茱萸葉落井中，飲此水者，無溫病。同上卷四種茱萸第四十四引

如從上引的文獻而言，他們在除夕或元旦所用爲厭勝之物，不外椒、豆、麻、髮、與茱萸等物，認爲這些東西都能逐鬼，而這些疫鬼偏又多匿在井內，所以便把這許多東西撒在井中，或種在井邊；他們自以爲旣有這許多鬼魅所驚畏之物，遂灿然生太平觀念！然而事實却正相反，因爲這些椒、麻、赤豆及茱萸葉之屬，如撒落井中，容易腐化，反而把井水搞溷，且作爲細菌一類下等生物的培養基了。若頭髮之類，不愼落入井中，人們汲水飲了之後，說不定，要重演江南計吏莖草結喉而死的慘劇。迷信之害人，卽此點亦可證明！

爲什麼歲時令節，對井的厭勝法術，會這樣多呢？我想這或出於舊題蔡邕獨斷所說的顓頊氏的三個孩子，逃去作害人的疫鬼一類傳說的故事：

帝顓頊有三子，生而亡去，爲鬼；其一者居江水，是爲瘟鬼；其一者居口水，是爲魍魎；其一者居人宮室樞隅處，善驚小兒。卷上。今按：後漢書禮儀志上劉昭注補引漢舊儀文稍異。其口水作若水。

大家都知顓頊是古時聖王之一，而他養出這羣孩子，何以這樣刁鑽古怪？不知顓頊在古時傳說中，是南方酋長之一，又是一個大巫師，所以他養出這羣淘氣的孩子，正是爲他們的父親做幫手。我們如其讀過呂氏春秋知接篇的人，常之巫卜齊桓公之薨日，有這樣準確，便知古代巫覡之神驗，實際多是他們手下所養的一批暗殺的特務，準時活動的結果。像顓頊的孩子這樣四出搗亂，正不難窺見古時術士行徑之一班。所苦的是人民每逢歲時令節，不能快快活活地享受，而必要作些麻煩的勾當，反而眞的造出瘟疫來，遂令這三個豎子成名，無數人民遭殃。我想千百年來，在撒豆種萸等風俗中，不去注意水源的清潔，與失去研究有效防疫方法的時間，眞不知犧牲多少人的生命。這在預防醫學思想史上，是必須秉筆特書的一件事！

辰 古代的下水道

在城市環境衞生方面，據歷朝都邑考之，也以市民汲取井水者爲多，在下水道的歷史，則幾無可考。我們今知印度在公元三千年前已有磚砌的下水道，而羅馬在紀元前六世紀，也有良好的磚製下水道，在五世紀中，且有鉛製水管，能每日有三萬萬加倫之水，以供市民之用。

（一）石製下水道　然中國載籍雖無下水道之名，而早有其實，禮月令鄭注云：「古者溝上有路，」蔡邕月令說：「水行地中曰溝瀆，」（玉燭寶典卷三引）這都指陰溝無疑，卽下水道也。且陰溝而外，又有陽溝，約在紀元前二世紀左右，已有甃石爲溝的記載。三輔黃圖說：

未央宮有石渠閣，蕭何所造，其下甃石以導，若今御溝，因爲閣名。……

這種以巨石甃成的溝渠，實卽今日所說的下水道，其堅固遠勝磚類結成的。我們推想公元前三世紀秦始皇造而尚未完成的阿房宮，規制弘麗，當時必有很好的溝道，否則，必不能排除那樣大的建築物之潦水的傾泄。不過中國的陽溝，亦有數說，三輔黃圖又云：

長安御溝謂之楊溝，謂𣏌高陽於其上也。

此卽陽溝也，爲晉崔豹古今注所本，置作植，陽作楊。但古今注對於御溝又別有解釋，他除引用三輔黃圖原文之後，又說：

一日羊溝，謂羊喜抵觸垣牆，故爲溝以隔之，故日羊溝也。

可是五代馬縞的中華古今注，除引了崔氏古今注之文外，又添了下面一段文字：

亦曰「禁溝」引終南山水，從宮內過，所謂「御溝。」（卷上長安御溝條）

似乎長安的御溝，又不僅排泄地道汚水而設的下水道了。然五代時邱光庭的兼明書對崔氏古今注作了如下的解釋：

明曰：凡溝有露見其明者，有以土塡其上者，土塡其上者，謂之陰溝；露見其明者，謂之陽溝，言陽以對陰，無他說也。（卷五楊溝條）

光庭的話，可說直截了當。七修類藁（卷四十一羊溝鷄宗）對中華古今注的話也有批評。按荀子之「央瀆」明方以智以爲卽「陽溝，」見通雅。（卷三十八宮室門）「陰溝」二字，實首見漢王延壽魯殿靈光賦，今俗猶有陰溝陽溝之稱。我想當時長安的御溝——也可說御河，或者亦如今日北京故宮中的金水河，它的水源是從西山來的；這情形恰好與馬氏古今注所說「引終南山水，從宮內過，所謂御溝者」相似。但這種御溝不一定都是陽的，也不都是接承山水的，同時也必爲從宮中各處陰溝所排出汚水的尾閭。因此，我們可以了解宋計有功唐詩紀事詩所載唐天寶末（公元七五六　）和宣宗朝（公元八四七——八五九）的二位宮娥的題詩。其宣宗朝的宮娥詩云：

「水流何太急，深宮盡日閑；殷勤謝紅葉，好去到人間！」（卷七十八）或爲好事者所託，未必實有其事。但它已畫出一羣久被封建的暴君禁錮深宮失了自由的宮女因性的飢餓，急切找尋出路的呼號景象。而唐宋以來御溝之有明有暗，和溝水的湝湝地流，亦得此詩而證明。基於呂覽「流水不腐」的話，這種御溝的作用，不僅可以宣洩都市中各方面陰溝流出的穢水，而且對於蚊蚋一類的害蟲，是大可減少的。所以我以爲這類的溝道，在環境衛生方面的貢獻，未必遠遜於單純的下水道。

（二）銅鑄的和巨石甃成的下水道　然而到了十五世紀後，中國却有傲視印度和羅馬的下水道出現，那便是明宮廷內有生銅鑄成的和巨石甃成的下水道。清昭槤嘯亭雜錄說：

明代歲入帑金不過數百萬，然其國用十倍於今。……其宮殿一切鳩工取材，皆倍於今。……又康熙中（公元一六六二——一七二二）通溝澮，其溝皆以巨石築之，其中管粗數尺，皆生銅所鑄也。（卷十，明用度奢費條）

（三）磚結的下水道　方以智說：「今以塼甃下溝曰陰，明作溝曰陽。」（通雅卷三十八）據近日蘇聯專家調查北京的下水道，知是用磚結成的，尚係明代的建築物，距今已五六百年了。經過蘇聯專家下去看察，研究溝磚的侵蝕程度，證明再使用幾十年，也沒有問題。（詳一九五一年十月二十八日「亦報」蘇聯專家在北京）我想明以前都市下水道，恐也用磚石結成的。以上所述，都是限於都邑和宮廷方面的記載而已。

（四）下水道的通浚　古代政府對於溝渠的通塞，也很注意，故每逢雨季之前，就命水利官員加以疎浚，以免汎濫。呂覽說：

季春之月，……是月也，命司空曰：「時雨將降，下水上騰，循行國邑，周視原野，修利隄防，道達溝瀆，無有障塞。」（卷三季春紀，又禮記月令同。）

根據禮記月令鄭注與蔡邕月令對溝瀆二字的解釋，在都邑中溝瀆的通浚，與原野上隄防的修利，是並重的。至都市中的下水道，實在很容易被淤塞，這事在南宋的臨安，政府也每逢春節，例雇專門通陰溝的人，疏浚一次，我想這尚是呂覽諸書所說的遺意。夢粱錄說：

遇新春街道巷陌，官府差顧淘渠人沿門通渠；道路汙泥，差顧船隻搬載鄉落空閒處。（卷十三諸色雜貨條）

最後關於溝渠的通塞，也知與傳染病有關，故中國人很早已注意這一點。周書祕奥造宅經爲了防疫，指出溝渠必須通濬的話：

溝渠通浚，屋宇潔淨，無穢氣，不生瘟疫病。（居家必用事類全集丁集宅舍條引）

這書並以神道設教的手法警誡人們：「勿塞溝瀆令人目盲。」在那時候，我同意這種說法，但那時相信這種說法的人，我想不會多

巳 路上塵埃的防禦和垃圾的掃除

許多傳染病多從塵埃中得來，最著的如結核病，沙眼等，在朔方之地，風沙尤甚；所以古人以「風塵」兩字來形容行路之苦。而「洗塵」「接風」又都是慰勞親友遠道回來之詞。我們在書本上看到麈尾，就是用馬尾之毛紮成大鹿一類尾巴形狀的擔子，專爲拂拭塵埃之用的。只要讀過世說新語的人，都知道它也是那班有閒階級清談時所用的一種工具。

據宋周煇清波雜志的話，我們才知唐宋以前男女服飾和飲食的特別多是爲了避免風沙之故：

士大夫於馬上披涼衫，婦女步通衢以方幅紫羅障蔽半身，俗謂之「蓋頭」。蓋唐「帷帽」之制也。籠餅蒸餅之屬，食必去皮，皆爲北地風埃設。卷二涼衫條

又云：

亦嘗用紗爲「眼衣」障塵，致反閉悶。同上卷五朔塵苦寒條

這「眼衣」很像今日西洋女子所用面幕似的，但此爲美觀，而彼爲防禦沙塵，其幕布必密，故用時感到「閉悶」。

風沙膠擾，使行路者爲之裹足，那末路上的灰塵，應用水洒之，使塵埃不揚，以減少行旅之苦，同時尤可防止一般由沙塵傳染疾病的危險。這事據後漢書張讓傳所載，靈帝三年（一八六）掖庭令畢嵐所造的「翻車」和「渴烏」二車，是爲噴洒路面而設的：

又作翻車渴烏，施於橋西，用洒南北郊路，以省百姓洒道之費。

這位畢嵐，就是十常侍之一，後因共殺何進而被袁紹所誅。「翻車」據李賢注云：「設機車以引水。」「渴烏」李注：「爲曲筒以氣引水上也。」據此，則翻車爲今之「引水車」，而「渴烏」似爲今之「抽水機」，合之作爲「洒水車」；惜固定而不可移動耳。

據清波雜志的話，當北宋的汴都（開封），凡中貴出行，車前是有人洒水的。清波雜志說：

舊見說汴都細車，前列數人，持水罐子，旋洒路過車，以免埃壒蓬勃。江南堦衢皆甃以磚，與北方不侔。卷二涼衫條

其實卽今之南方柏油馬路，晴時還是塵埃扑面，須要洒水車洒水的，不過沒有像北方那樣塵埃迷天，定須洒水而已。總上面所看到的文獻而言，中國的在第二世紀都市裏已有洒水車的設備，雖然車是固定的，但它在環境衛生的意義上，也是相當的重要的史跡。

此外應特別值得一提的，那就是梁時遂安縣令劉澄為了叫百姓清除城郭街道的垃圾溝瀆中水草蟲穢而丟了官。南史說：

劉澄為性彌絜，在縣掃拂郭邑，路無纖草，水翦蟲穢，百姓不堪，命坐免官。（卷七十一何佟之傳）

在今天看來，劉澄實為一位注重環境衛生的好縣長，但在那時卻因此丟了官。據佟之傳說：澄為人「甚貞正，善醫術，與徐嗣伯埒名」，那他不僅是一位好官，而且是一位良醫。在南宋臨安市「亦有每日掃街盤垃圾者，每支錢犒之」（夢粱錄卷十三諸色雜貨條）的記載，這不會南宋時才開始的事。此外太平天國有「營盤內俱要潔淨打掃，不准任意運化作踐，有污馬路」的禁律。（見太平天國野史刑法志。）

午　沐浴

沐浴的含義，通常是指洗頭和澡浴而言，這裏是側重澡浴一方面的。沐浴的功能，我們都知它有清潔皮膚，促進血行，和使新陳代謝機能的加速，除了冷水浴有預防感冒及海水浴使皮膚抵抗力增加；溫泉浴有防治許多皮膚病及神經衰弱外，其他的沐浴似乎對於預防方面沒有什麼重大關係，至佛教徒處誇「七華之水，八德之池」，以為「洗沐是清昇之本」，與除諸種病苦，因而激勸世人多造溫室（浴室），說詳溫室經，十誦律，阿含經，僧祇律，（也見法苑珠林四十五洗僧部引）那末中國人的好浴，一部分或受印度影響。

但中國人對於沐浴，向有彈冠振衣的習慣，所以有「新沐者必彈冠，新浴者必振衣。」（楚辭漁父）實際新浴者必更衣，不止振衣已也。我們現在已知許多傳染病有不少是從虱子而來的，最著的如牢獄熱，（斑疹傷寒）回歸熱，至由鼠虱而來的鼠疫，那更不必說。至沐浴為扑滅虱子的良好機會，故淮南子有「湯沐具而蟣虱相吊」的話。以一般而言，歷史上斑疹傷寒回歸熱等病，多流行於無產階級的貧民區，不過中國的歷史上，有一時期，虱子猖獗於士大夫階級之間，那便是第三世紀左右的魏晉名士中之服寒食散者。

（一）沐浴的時間　關於沐浴，古時我國政府曾制定一定的時間的。詩云「予髮曲局，薄言歸沐。」這「歸沐」是後來「休沐」的濫觴，也與今天「星期日」相類似。（今之星期日乃猶太人之安息日）只是詩尚未言日數，據禮內則，大概漢以前是每三日為「歸沐」之期五日則燂湯請浴，三日具沐。

這是古代政府以三天定一休沐期的文獻，休沐的日子也不能說它定得太疏，——雖然澡浴已是五天一次的。到了漢代，這三日一休沐的例假，已有改爲五日一休沐了。漢律說：

吏五日一下沐，言休息以洗沐也。初學記卷二十政理部假第六引。史記日者列傳注引漢官儀說「五日一假，洗沐也。」

漢制中朝官，五日一下里舍休沐，三署諸郎亦然。其義蓋本取禮記內則三日具沐之義，以三日太密，故加二日爲五日耳。唐劉禹錫詩「五日思歸沐」，即據詩與漢律的話的。漢律所以改五日爲休沐者，據天香樓偶得之言，說內則的休沐假期定得太密：

這種休沐的期限僅是政府定的休息假期，實際亦未必眞能每一休沐之日沐頭洗浴也。但中國很早的時候，沐浴與剪甲已同入陰陽家的宜忌的圈子了。（按禮玉藻所載的沐浴儀式，已有點近乎迷信。）論衡譏日篇引沐書說：「子日沐，令人愛之，卯日沐，令人白頭」的話。這是勸人在一定時候宜沐之意。論衡既引沐書，那漢時已有沐浴宜忌之說了。南齊書簡文帝紀有沐浴經三卷，隋志有沐浴書一卷，今方書中亦雜有這類宜、禁的話，而現存各種曆書各有這類沐浴宜忌的記載。到了清代因有剃髮之令，故自協記辨方書以下的曆本，又有剃頭宜忌之說。——雖然論衡也有「浴亦治面」與顏氏家訓「剃面」的話，但剃頭是沒有的。古人所以沐頭，除了去垢而外，還含有長髮的作用。故韓非子引古諺「爲政猶沐也，雖有棄髮之勞，而有長髮之利也」可爲證明。

（二）浴室的設備　澡浴的方法很多，而中國通常所見的約有三種，一爲冷水浴，一爲熱水浴，一爲溫泉浴。冷水浴一般多在川河中不須設備。而溫泉之浴，在中國秦始皇時已有記錄。秦漢以來這類文獻很多，這裏因限於篇幅，故略而不詳，只說及室內湯浴的設備。大概湯浴很早已有記載，這因爲沐浴是人們生理上的需要之故，所以古時已有關於浴室的設備。據禮記說：

五日則湢湯請浴。……外內不共井，不共湢浴。內則

鄭玄注云：

湢，浴室也。

據明羅頎物原之說，湢是高辛氏造的，這是後人據禮內則文字而附會之說，不足據爲典要。大概封建時代帝王宮內都有浴室的設備，自秦漢以來，略可考見。如禮內則：王之寢中有浴室，逸周書王會篇爲諸侯而設之浴盆。唐之長安武德西門爲浴堂門，內有浴堂殿，又有浴堂院。見宋敏求長安志卷六，宮四，東內大明宮章。

（三）浴室用具　上文所說的，是指浴池。這裏必須說到當時澡浴的用具，蓋浴池乃固定之器，其初或僅有浴盆。鄴中記之「玉盤」，即玉製的洗澡的浴盆。據魏武上雜物疏中有容五石的銅製澡盤，大概盤多用金（銅）玉製成的。宋王楚（黼？）宣和博古圖所載，也有銅製的浴桶。但也有用木製的，叫做杅，禮玉藻「出杅，履蒯席」，說文云，杅，浴器也，今叫做「浴桶」。荀子勸學篇亦有「杅圓則水圓，杅方則水方」的話。一般人民澡浴的工具，是用木桶的，夢粱錄載，臨安市有浴桶出賣。至其他用品，禮玉藻中已備言之。

（四）封建時代的暴君浴室　從文獻上所能看到古代帝王浴室的華麗，似推晉陸翽鄴中記所說石虎之后的浴室爲第一：

石虎金華殿後有虎皇后浴室三間，徘徊及宇，櫨檘隱起，彤采刻鏤，彫文粲麗。四月八日，九龍銜水，浴太子之像。又武殿前溝水注浴時，溝中先安銅籠疏，其次用葛，其次用紗，相去六七步斷水。又安玉盤受十斛，又安銅龜，飲穢水，出後脚，入諸公主第，溝亦出建春門東。

又顯陽殿後，有皇后浴池，上作石室，引外溝水注之；室中臨池上有石牀。御覽卷三百九十五引

又王子年拾遺記也有關於石虎浴室的記載：

石虎於太極殿前，又爲四時浴室，用瑜石珷玞爲提岸，或以琥珀爲柄杓，夏則引渠水以爲池，池中皆以沙縠爲囊，盛百雜香於水中。嚴冰之時，作銅屈龍數十枚，各重數十斤，燒如火色，投於水中，則池水恆溫，名曰「燋龍溫池」。引鳳文錦步障縈蔽浴所。……浴罷，洩水於宮外。……

從上面二書的記載，我們知道那時的浴室中的水，已知用紗葛一類之物濾過的，故水很瑩潔。又有銅的龜龍一類奇異製作，以爲換水設備。在冬天有銅的火龍浸於水內，以保持它的溫度，這種燋龍有如今日的熱水汀。至於水中浸以香藥，雖大戴禮有五月五

日浴蘭湯的記載，但趙石是佞佛的，他們浴池中放置香藥，恐受佛教香華浴佛的影響。事詳譬喻經。（見法苑珠林卷四十五洗僧部引）這些香藥有無消毒作用，未能懸斷。總之，像石虎的浴池，是夠得上衛生條件的。至其規制的弘麗，卻遠非唐時驪山華清池所得比擬了。

雖然有這樣合乎衛生的浴池，也僅限於淫暴的帝后一二人所享有，廣大人民是沒有分的。所以它的意義藐不足道。但這裏我們必須提起的，是過去建造這種浴室，還是我們勞動人民的功績，不應把它埋沒。這種先民的智慧，可說超過同時任何的西方民族。

（五）釋典所載外國的浴室　據十誦律說：

外國浴室，形圓猶如圓倉，開戶通煙，下作伏瀆，外出內施，三墼閣齊人所及處，以瓨盛水，滿三重閣，火氣上升，上閣水熱，中閣水暖，下閣水冷，隨宜自取用，無別作湯，故云「淨水」耳。（珠林卷四十五洗僧部引）

這裏所指的外國，不知那一國，也不知中國有沒有這種浴室？查了日本藤浪剛一的東西沐浴史話，也無所見，只好留待將來的考證。

（六）寺院的浴室　古時凡是有寺院和學校的場所，多有浴室設備的。尤其釋家以穿井與造浴池為福田中七法之二法，見佛說福田經（據法苑珠林卷四十四興福部引）及譬喻經。（同上卷四十五）據伽藍記所載，晉時的寶光寺中的井與浴堂遺跡，至拓拔氏的時代猶存。伽藍記說：

隱士趙逸曰，「晉朝三十二寺，盡皆湮滅，唯此寺（寶光寺）獨存。」指園中一處曰，「此是浴室。前五步應有一井。」衆僧掘之，果得屋及井焉。井雖填塞，磚口如初，浴堂下猶有石數十枚。（卷四寶光寺條）

據北宋釋惠思所作於潛明智寺的浴堂記，自嘉祐癸卯到治平丙午，（一〇六三——一〇六六）竟作了四年，這幾間浴室才告完成，備述堂廡之明麗，鼎器之周備。（詳見臨安志輯逸四卷）

（七）學校的浴室　南宋時的學校，也有浴室。周密癸辛雜識云：

賈似道之為相也，學舍纖悉無不知之。雷宜中長成均也，直舍浴堂久圮，遂一新之，或書其壁云，「碌碌盆盎中，忽見古盎洗。」雷未之見也。一日見賈，語次忽云，「碌碌盆盎中，」雷恍然不知所答，深用自疑，久之，入浴堂見之，乃悟云。（別集卷上成均浴室條。成均古時大學的通稱）

這是當時的學生以校長雷宜中的姓名作謔。從謔語中可以探知當時的浴池是用磚石壘砌而成，與伽藍記趙逸指出寶光寺中的浴堂之用磚石結成者相同。

（八）都市的浴室　都市中因爲商旅無家可以入浴，於是遂有人開設浴室俟人洗滌。此事未知起於何時，但據宋吳曾能改齋漫錄之言，在宋時已有浴室，又凡浴室門前，並有挂壺爲商標：

今所在浴處，必挂壺於門，按周禮挈壺氏掌挈壺以令軍井。……乃知俚俗所爲，亦所有本。卷一浴處掛壺於門

宋耐得翁都城紀勝吳自牧夢粱錄並以浴堂爲香水行。夢粱錄又有浴室門前賣面湯事。卷十三天曉諸人出市條 至明中葉，此風猶在。見七修類稿四十四浴肆避亂

（九）浴室擦背人　據宋蘇軾如夢令之詞，則宋時浴室中已有代客擦背的人：

寄語揩背人，盡日勞君揮肘。褚人穫堅瓠集卷四淨浴詞條引

這浴室中的擦背者，金元以來，依然存在的。金元裕之續夷堅志說，澤州有一針工，爲救一走卒送他洗浴的錢，叫他不要往齋中洗澡：

城中有浴室，請以揩背錢相助。詳見卷二溺死鬼條

我想浴室中的擦背者，他們之成爲這種職業，並不偶然的；是從禮教中演變出來的人物。禮內則說：「其間面垢，燂潘請靧，足垢燂湯請洗。少事長，賤事貴，其帥時。」而僧徒也有爲其師揩背之事，見僧祇律。珠林四十五引 浴室中的擦背者，原來在奴隸和封建社會中的奴隸或孝子，代他們的君父洗滌身體而來的。到了浴室發展爲商業之後，他們便出賣這種勞動力來維持生活了。

其實這類浴室伏侍浴客的揩背者，在封建時代的豪門，他們正屜有很多這種人員來伏侍他。明謝肇淛（在杭）文海披沙說：

宋資政蒲傳正有大洗面、小洗面、大濯足、小濯足、大澡浴、小澡浴。小洗面，一易湯，用二人，頮面而已。大洗面，三易湯，用五人，肩頸及焉。小濯足，一易湯，用二人，踵踝而已。大濯足，三易湯，用四人，膝股及焉。小澡浴，湯用三斛，人用五六。大澡浴，湯用五斛，人用八九。每日兩洗面，兩濯足，間日一小浴，又間日一大浴。卷八洗浴條

按傳正名宗孟，閬州新井人，宋史卷三百二十八有傳。據本傳，他原是一個貪污的酷吏，用度奢汰，荒於酒色。本傳也載他大小洗面濯足澡浴之事，而不及在杭之書詳備。據本傳之言，伏侍他的是侍婢。這種四肢不勤專以剝削別人勞力的人，他的勤於洗澡是爲

求快樂，並不爲了衞生，但可反映出浴堂揩背者這一職業歷史的背景。

（十）浴室的按摩　商業的浴池，到了清初，揚州等地已有按摩的了。十八世紀末年，張斗的揚州畫舫錄亟稱揚州浴池之盛：「浴池之風，開於邵伯鎮之郭堂，後徐寧門外之張堂效之。城內張氏復於興教寺效其製，以相競尚，由是四城內外皆然。……並以白石爲池，方丈餘，間爲大小數格，其大者近鑊水熱，爲大池；次者爲中池；小而水不甚熱者爲娃娃池。貯衣之區，環列於廳事者爲座箱，在兩旁者爲站箱，內通小室，謂之暖房，茶香酒碧之餘，侍者折枝按摩，備極豪侈。……」（卷一草河錄上）畫舫錄不僅說明揚州浴室之構造和等級，而且還說明浴後有侍者折枝按摩等工作人員，這與過去在帝國主義統治上海租界時代的「土耳其浴室」情形，似乎沒有兩樣。

（十一）藏垢納汚的混堂　浴池發展到商業化後，一般有「水淫之癖」的和行旅之人，多以浴池爲消遣之地，但他們或因經濟關係，只要價廉，池水的清濁，可以不問，惟利是視的商人，就在這種客觀環境下來應付浴客，於是有所謂「混堂」的出現。這名稱一直爲今日上海人所熟聞，但它至少已有三四百年的歷史了。明郎瑛（仁寶）說：

「混堂天下有之，杭最下焉。有好事者借喻爲記，頗得箴規之義，錄以告不知恥者。記云：『吳俗甃大石爲池，穹幕以磚，後爲巨釜，令與池通，轆轤引水，穴壁而貯焉。一人專執爨，池水相吞，遂成沸湯，名曰『混堂』，榜其門則曰『香水』。男子被不潔者，膚垢膩者，負販屠沽者，瘍者，疕者，納一錢於主人，皆得入澡焉。旦及暮，袒裼裸裎而來者，不可勝計。苟𧾷之則泥滓可掬，臭其體穢氣不可聞，爲士者每亦浴之，彼豈不知其汚耶？迷於其稱耶？習俗而不知怪耶？抑被不潔者，膚膩者，負販屠沽者，瘍者，疕者，果不相免耶？抑經其浴者，目不見，耳不聞耶？嗚呼！趨其熱而已也。使去薪沃釜，與溝瀆之水何殊焉，人孰趨之哉？』」（七修類藁卷十六義理類混堂條）

從仁寶引的這篇混堂記而言，原作者是爲諷刺人們趨勢附熱而已。但從這篇混堂記中，可以看出種這低級浴池的存在，還是經濟關係，他們並不是不愛清潔，而是無力更求高尙的浴池。至混堂門前榜曰「香水行」，已見都城紀勝，夢粱錄諸書，蓋自宋已然。

但由於當時都市尙沒有公共衞生的機構，對這類有傳染病的浴客，自然無法取締或檢查和管制。像混堂記所說的吳越地區的混堂，簡直都是皮膚傳染病的媒介地；與爲了清潔而到浴堂去的目的，恰好相反。

（十二）病態的好浴者　歷史上自有許多好潔與不好潔的人，好潔的當然勤於沐浴，但從歷史上看來，好潔的人他們的沐浴，未必便是勤勞的人，他們只開了一句口，侍從們便爲他們安排湯沐了。如北宋蒲宗孟之流卽可爲例。然如南齊何佟之，庾仲文，殷冲，及明倪瓚等，他們對於淨浴簡直成了病態的了。雲林好潔，大家所知，可以不說。如南史何佟之傳稱「佟性好潔，一日之中，洗滌者十餘過，猶恨不足，時人稱爲水淫，」又南史殷仲文傳亦稱：「仲文素無學術，不爲衆望所推，性好潔，士大夫造之者，未出戶輒令人拭席洗牀，時陳郡殷冲亦好潔，小史非淨浴新衣不得近左右。士大夫不甃潔每容接之。仲文好絜（潔），反是，每以此見譏。」

惟何佟之傳中的劉澄，他是那時的遂安令，據說，爲了淸除街道而「免官，」已如前文所述。佟之傳中雖沒有說出劉澄的好浴，但他掃除街道，扑滅蟲類，對於公共衞生是有益的行動，不像庾仲文蒲宗孟倪瓚之流，只知拿別人的勞勳力，來潔其一身者，是不可同日而語。

（十三）成爲風尚的不好浴者　魏晉的名士，多落拓頹廢。他們對於浣衣和淨浴，大有忘記了這回事之概！這流人物，我要首推嵇康（叔夜）及王猛二人爲代表。叔夜他雖做過養生論，照理應知淸潔的重要，但他在讀書的時候，連小便都不願意起來排洩，更不必說沐浴了。王猛往看桓溫時，居然當他面前「捫蝨而談，」當然也是一位不淨浴主義的代表者。

但當時名士還有一種吃藥（服寒食散）的風氣，他們吃了藥例行冷水淋浴的習慣，可是雖浴而並不更衣，因爲他們服藥後發熱，皮膚容易被衣服擦破，所以那時人的衣服，多是褒衣博帶的，而且還歡喜穿舊衣；洗過和新的衣服，因爲容易把皮膚擦破，故不爲他們所歡迎，雖在新浴之後，也是如此。世說稱：桓仲浴後拒穿其妻送他的新衣，就是這個原因。舊衣不洗，當然容易生蝨子，魯迅說那時「蝨子的地位很高，」這話是不錯的。我想那時萬一發生斑疹傷寒或回歸熱，怕這類吃藥的名士，將無噍類了。

（十四）禮教上的禁浴　還有一種禮節上不淨浴的人。如唐柳公綽因他的母親崔氏之喪，竟「三年不沐浴。」（見舊唐書卷一百十五新唐書卷一百六十三文苑異）古代的喪禮，真是吃人的。

（十五）由於水源缺乏而不得常浴　許多地方因水源缺乏，所以在客觀條件上對於澡浴之事，不能如瀕水地區洗浴之便利。明陸容（文量）菽園雜記有此事的記載：

禮不下庶人，非庶人不當行，勢有所不可也……又如內外不共井，不共湢浴。不共湢浴，猶爲可行，若鑿井一事，在北方最爲不易，今山東北畿大家，亦不能家自鑿井，民家甚至令婦女沿河擔水。山西少河渠，有力之家，以小車載井綆出數里汲井，無力者以器積雨雪水爲食耳，亦何常得羸餘水以浴？……卷二

像文量所說的山東山西缺水的地方，要叫他們如南京和蘇州等處有閒階級者下午「水包皮」的情形，是不可能的。

（十六）風俗習慣的不浴　不過有許多地方，因風俗習慣之不同，對於沐浴一事，並不怎樣重視，與水源的盈絀，是無關係的。據癸辛雜識說，宋時的四川人，一生僅有二次沐浴的機會。就是生時一次，死時一次：

蜀人未嘗浴，雖盛暑不過以布拭之耳。諺曰「蜀人生時一浴，死時一浴。」續集上

這與斷髮紋身一天多在水中過活的吳越之民，恰居相反地位。我想公謹引的蜀諺，或有過甚其詞之嫌。但也可反映那時的四川人不勤於沐浴的事實。像這種地方，陰陽家沐浴的吉忌日、對他們是不會發生關係的。

未　豪侈者的陳設物——唾壺

中國人對於痰唾，向少合理的處置，所以有「隨地吐痰」的情形。在封建時代宗法社會中，父母唾洟不見，禮內則似乎要兒女來處理的。雖然在紀元初有用唾壺來收拾痰涎的記載，如漢官儀和孔臧與子琳書中，誇耀他的從弟安國替當時帝王執痰盂罐爲無上光榮。據夢粱錄說，南宋時統治者出巡時，猶有執金花唾盂的侍從。那時的統治者或貴族們所用這類唾壺，多用金玉製成的。例如魏武帝上他的傀儡皇帝——獻帝的雜疏中，便有「純金北堂書鈔卷一百三十五作純銀唾壺一枚，漆圓油唾壺四枚，純銀參帶唾壺三十枚。」詳見御覽卷七百三西京雜記也有漢廣川王發魏襄王之墓，得玉唾壺一枚的記載，而王子年拾遺記屢言玉唾壺爲那時統治者的寵姬們承唾之物。

其次有以銅爲唾壺的，馬融遺令見御覽卷七百三引及續齊諧記，高僧傳卷三等書並載之。至於瓦唾壺，那是貴族們的殉葬物，故晉賀循葬禮

及修復山陵故事（並見御覽卷七百三引）都記得很明白。當然金玉一類的唾壺在那時的陵寢中也有，如前文所述廣川王發魏襄王墓中所得之玉唾壺，但較爲少見而已。

據我們今日所知唾壺一物，雖說在中國第一世紀時已有較明白的記載，但或非吾國原有之物，我很疑心它從波斯那些地方傳入的。據交州雜事說：「太康四年（公元二八三年）臨邑王范熊獻紫水精唾壺一口，青白水精唾壺各二口。」（御覽卷七百三引）梁書也載天監中（五〇一—五一九年）中天竺奉表獻琉璃唾壺五枚。（見梁書天竺國傳）所以我很疑它爲外來之物。據近人韓槐準先生所說，唾壺是南洋那邊土人嚼檳榔時承唾其渣必用之器，在中國南方也很流行。（詳見南洋雜誌第一卷第一期「波斯古唾壺發見記」）

這許多金玉水精琉璃做的唾壺，無疑地都是帝王貴族的陳設品，在那時平民所不能看到的，而他們却可隨便把它拿來殉葬或當樂器來打破它。（按晉王敦在失意時，「每酒後詠魏武帝樂府歌曰『老驥伏櫪，志在千里，烈士暮年，壯心不已』。以鐵如意擊唾壺爲節，壺邊盡缺」，見晉書本傳及世說新語中之下。）

因此，中國雖然很早已有唾壺的記載，但在防止結核病蔓延這方面，除了有時眞爲用作承痰的，如高僧傳所說床頭的唾壺外，似乎沒有發生過什麼大的作用。充其量不過在帝王那裏或許起過微小的作用。若言在一般人民中間對於痰的處置，只好如糞便一般地「隨地吐痰」了。

帝王貴族所用的唾壺，他們根本在於擺設賞玩，與防止傳染病如肺癆病等的觀念是不會發生聯繫的。據宋趙與旹賓退錄說：「謝景仁居宇淨麗，每唾必唾左右人衣」（卷七好潔）這種以奴僕的衣服來作痰盂，已覺怪事了，但有更甚於此的，試看下面二個「肉唾壺」的故事，卽可爲證：

苻堅從兄朗，初過江，……謝安常讌請之，朝士盈坐，並機褥壺席，朗每事欲誇之，唾則令小兒跪而張口，旣唾而含出，頃復如之，坐者以爲不及之遠也。（晉書卷一百十四苻朗傳）

到了明代，那位窮奢極慾的權相——嚴嵩之子世蕃，較苻朗更進一步，却以美人之口爲唾壺了。淸姚駰之元明事類鈔引明雜記說：

嚴東樓唾吐，皆美人以口承之。方發聲，婢口已巧就，謂之「香唾盂」。（卷十七美人條）

東樓，世蕃號也，這種「肉唾壺」「香唾盂」比起唐楊國忠在冬天以肥妾爲「肉陣」（詳見天寶遺事。按遺事又載申王的「妓圍」，亦類此。）的作風，自然來得更下作了。他們放棄現成精好的金玉唾壺不用，而偏要小兒的或美人的口爲「痰盂罐」，以示誇耀，在我們今日觀之，可說是十足的惡少的行徑，但那時人反而服其奢縱，播爲美談。

總之，在封建時代，一切好的東西，在他們的手裏，有時便變爲無意識的東西，甚至變了質而爲傳播傳染病毒的厲階。像苻朗、嚴世蕃那種以人口爲「唾壺」的，簡直是奴隸主對待奴隸的殘酷行爲了。

申　糞便的處置

許多傳染病多從糞便痰涎等物而來，而古代對於糞便和痰涎的處置，極少記載，但事實上這種穢物必然有它處置的方法。今案太平天國野史刑法中頒有「不准在無羞恥處潤泉」（原注：此是禁人在熱鬧處小便。）的禁律，這確是空前的德政。不過在封建時代的統治者，他們家中，倒設有這一類官衙爲之執掌的。周禮卷二玉府「掌王之燕衣服、衽席、牀笫，凡褻器。」鄭注：「褻器，清器，虎子之屬。」

（一）奴隸社會流傳下來的清潔員　據應劭漢官儀之說，漢代的侍中一官，便是職掌帝王這類排泄物的：

侍中左蟬右貂，本秦丞相史，往來殿內，故謂之侍中。分掌乘輿服物，下至褻器虎子之屬。武帝時，孔安國爲侍中，以其儒者，特聽掌御唾壺，朝廷榮之。（御覽卷二百十九職官部侍中）

我們誠想不到千多年來今古文論爭的古文家之祖——孔安國，（字子國。）竟執此賤役，還有人以爲光榮的而羨慕他。這大概封建主免了安國不供褻器之故，所以安國的從兄孔臧，給他的兒子琳的信上，得意的好像沾了很大光榮似地說：

侍中子國……故雖與羣臣並參見侍崇禮，不供褻事，猶得掌唾壺，朝廷之士莫不榮之！此汝所親見。（孔叢子連叢上，藝文類聚卷五十五引。）

觀此，孔安國之爲武帝掌過唾壺（痰盂）的事，是千眞萬確的。這本來是奴隸之事，竟煩一代大儒爲之，在後人看來，是不可索解的。但從社會發展史上看來，並不足怪。本來在封建社會的酋長，其初臣妾都是俘虜過來的，所以說文的臣字，象屈服之形，而春秋傳稱「男爲人臣，女爲人妾。」（詳見章炳麟的文始卷三，陽聲眞部乙。）又據章炳麟說，宰相原來是由廚子蟬變過來的。（詳見章炳麟太炎文錄卷一，五朝法律索隱，專制時代宰相用奴說）那末叫孔安國執瘯盂以從，並沒有小覷了他。案郝懿行證俗文卷三以執噬壺爲孔光事，誤。

所謂褻事，就是褻器，卽楲窬總名；楲音威。卽虎子，今馬桶之屬也。虎子之得名，見西京雜記。言李廣兄弟射虎斃之，鑄銅象其形爲溲器也。窬卽周禮鄭注之淸器，亦卽行淸，說文云，「楲窬，褻器也。」史記萬石君傳及漢書石奮傳，並載石建取父親的裏衣洗之，又爲父親滌廁牏。倭名類聚抄卷六引說文國語注窬並作㢌；窬牏窬並音投；三者字異音同，實一物也。而自來學者對於廁牏，有不同的解釋，詳見宋王朝英靖康湘素雜記卷七，明陳繼儒羣碎錄卷二，胡侍眞珠船卷五，淸段玉裁說文解字注六上，郝懿行證俗文卷三。大概說來，以漢書石奮傳注引賈逵解周官以牏爲行圊，而孟康以「廁，行淸，圊一作淸窬中受糞函者也」。可知廁牏是馬桶一類之物無疑了。但段玉裁以爲虎子專爲小便用，行淸專爲大便用，鄭司農以行淸爲路廁，那末虎子是尿壺，行淸是坑缸了。

（二）宮內的公坑　但周禮別有匽字，據鄭衆之說，這是宮中的路廁。周禮：

宮人，爲其井匽，除其不蠲，去其惡臭。卷二天官冢宰下

鄭司農云：

匽，路廁也。

據王念孫廣雅疏證卷七上之說，井匽之井，當是幷字之誤，故燕策有使待屏匽的話，幷、屏、庰古通。「井匽」亦卽廣雅的「庰廁」也。匽又與偃通，詳莊子庚桑楚司馬彪注。並參孫詒讓周禮正義卷七(萬有文庫本第三册 P.100) 唐書百官志宮中掌匽廁的，爲校署令丞。從上面這許多文獻看來，古人處置大小便的方法，在家則有尿壺馬桶，路旁則有公坑了。不過如論衡所說：「如廁之室，可謂臭矣」的話看來，則漢以前室內已有固定的排泄大小便之坑缸一類的設置，是毫無可疑的。如史記汲黯傳「上踞廁而視之」的廁，據如淳另一說，就是床邊的茅坑。那連臥室中也有廁所了。

（三）都市中的公坑　自漢晉以來，都市中已有公坑了。據後漢邯鄲淳笑林曾記某「甲買肉過入都廁」按魯迅輯笑林(魯迅全集古小說鉤沈本)收作「甲買肉過都入廁」，誤。蓋校者不解都廁之義所妄改。失肉的笑話。魏志司馬芝傳也有「有盜官練置都廁上者。」這「都廁」便是都市中的公坑。唐宋以來，「都廁」這一名稱已入詩家，大概是很普遍的了。

（四）佛教徒所設的公坑　釋家以行方便爲號召，這點在中國的社會事業上，有許多可以值得提及的。如病坊，卑田院等可不說，即以環境衞生方面而言，他們在那封建時代，也有若干有意義的措置。據唐釋道世法苑珠林說：

昔有母子三人，常作三事，一、作大船，置於河中，以渡百姓；二、於都市造立好井，以供萬民；三、於四門各作圊廁，給人便利。（卷四十五引譬喻經）

今按北涼曇無讖譯大般涅槃經已有這類記載：

須達長者，七日之中，成立大房足三百間，禪坊靜處六十三所，冬屋夏堂，各各別異，廚坊、浴室、洗脚之處，大小圊廁，無不備足。（卷二十七師子吼菩薩品第二十三之三）

這是寺廟中佛教徒很早的已知環境衞生之重要了，但却以宗教的意義出之。

（五）淸潔　廁所是應該淸潔的。所以說文「廁，淸也，」與釋名釋井同一的解釋。而圊也本作淸。畢沅釋名疏證：「圊亦俗字，據一切音經義御覽皆作淸。」再看釋名釋廁的本文：

廁，雜也。言雜廁在上，非一也。或曰溷，言溷濁也。或曰圊，言至穢之處，宜常修治使潔淸也。（卷五釋宮室第七）

這樣，在衞生方面說來，古人對於排泄大小便的場所，不論尿壺，馬桶，坑缸，尤其像釋名所說的廁所，——好似公坑的場所，都知應當力求淸潔，這是大可注意之事！

（六）南宋都市已有淸除糞便的行業　這也是對都市境環衞生方面值得大書之事，據夢粱錄的話，南宋的杭州，已有專門向都市中包辦糞便這一行業之人。夢粱錄說：

杭城戶口繁夥，街巷小民之家，多無坑廁，只用馬桶，每日自有出糞人灑去，（按學海類編本灑去作收去，此據知不足齋叢書武林掌故叢書本。）謂之「傾脚頭。」各有主顧，不敢侵奪，或有侵奪，糞主必與之爭，甚者經府大訟，勝而後已。（卷十三諸色雜貨）

上述的話，與今天各大都市處理糞便的情形，仍然是相同的。過去上海在帝國主義統治的租界時代，也有姓馬的以淸除上海市的糞便起家，稱「糞大王焉。」且亦有因包辦淸除便糞而興訟，其情形又絕類宋之臨安。足見南宋的都市在衞生上，對於糞便的處置，已很注意了。

在南宋之杭州，不僅有人包辦糞便，而且還有專「倒泔脚」的人。夢粱錄又說：

人家有泔漿，自有日掠者來討去。（同上）

「泔漿」即「泔脚」，今都市各里街中置有陶甕破器，以備里街中人倒置殘羹腐炙或腐敗了的食物之用。亦有專人每晨來收去爲飼養家畜之用。這類泔漿之有人收去，對都市衞生也很重要的。

（七）廁所的制作　至於廁屋的制作，與路廁不同。據釋名說：「廁，或曰軒，前有伏似殿軒也。」王先謙的釋名疏證補引證了孫詒讓據後漢書李膺傳及論衡幸偶篇的話，並稱溷爲軒。我們知道軒是沒有窗子空氣很流通的明敞房子，那末廁屋將也是僅前有屏掩的版片的屋子。不過如據李膺傳的話，這種廁所也有造得很奇巧可愛，所以羊元龍這貪汚的郡守，他罷官歸里時，連這廁所也「載之以歸」了。

（八）豪門和地主的廁所　這種廁所，任貴族家中把它布置得十分瓌麗，有如繡閫，簡直認不出是一個出恭的地方。晉孔衍的語林和宋劉義慶世說二書甚稱石崇家中廁所的弘麗，據說有絳文爲帳，並有茵褥，藻飾得好像洞府，且燒甲煎沉香一類的香藥，以錦囊爲拭穢之物，備有乾棗以爲塞鼻，華麗的新衣可以更換，其中並有漂亮的侍婢十多人手擎金澡盤盛水，琉璃椀裝澡豆，（洗手用的）東西接待出恭的客人。相傳劉實和少年時代的王敦二人曾入石崇家如廁，劉實老實以爲進了石崇老婆的閨閣，惶遽地退出，後經石崇解釋，雖勉强進去，厠了半天依然厠不出來，只好拉着一副苦笑的臉退出另到他廁，才得解決。至於王敦，他原是跅弛的人，便不這樣了，他面對這羣佳麗的侍婢，驕傲地脫了舊衣換新衣，把塞鼻棗子吃光不算，還把澡豆當乾飯吃，真把這羣侍婢笑死了。她們都說這人必能作賊，他也不顧而出。（以上參見語林（魯迅古小說鉤沉本。）世說（即今之世說新語，有燉煌卷子本，此據明宴殷刊本。）二書。）　此外歷史上有名的潔癖者——倪瓚，他的廁所造得十分古怪。據雲林遺事說：「其溷廁以高樓爲之，下設木格，中實鵝毛，凡便下則鵝毛起覆之，一童子俟其旁，輒易去，不聞有穢氣也。」難道他家的童子是應該以屎塗手的，不當清潔嗎？這種建築在別人痛苦上的幸福，我們應當唾棄的，而歷來的文人品藻雲林的人物，好象雲中白鶴一樣地高潔，而不知他是有名的地主。不過我以爲倪瓚的這種廁所，他或是根據陳宛的廁所建造的。據洛陽要記說，陳宛的廁所是有槐版覆蔽糞穴的（格致鏡原卷十九引。）瓚則改以鵝毛覆之，覺得陳宛的廁所爲最合理。

至於溺器如虎子之屬，據諸書所載，後蜀孟昶的溺器，和明嚴世蕃所用的虎子，都以七寶嵌金裝成的。嚴又有用銀鑄婦人形的虎子，事見明斬史（元明事類鈔卷十七引）而夢粱錄記載南宋臨安市上所賣的「馬子」當然是木製的了。因這是平民所用之物呢！

像石崇倪瓚家的廁所，及孟昶嚴世蕃家的虎子，我想他們根本不從衛生方面做出發點的，也失了衛生的本意，正因爲這少數人生活的荒淫、糜爛，反映出廣大人民連一只木頭馬桶都辦不到，致有「隨處大小便」而造成不衛生的情形。

（九）拭糞的廁籌　許多肛門部分的寄生蟲病，多由不潔的拭糞之物而來的。例如用粗硬之物拭糞，也可爲痔瘡發生之誘因。我們今日大便皆用紙爲拭物，但紙到東漢時蔡倫才發明的，在蔡倫以前究用何物，文獻不足，莫可考索。惟據流傳下來的文獻而言，多用瓦礫的。明胡應麟甲乙剩言說，他的朋友嘗客安平，「其俗如廁，男女皆用瓦礫代紙。」據郝懿行證俗文之言，到了清代中葉以後，西北方面的宣化大同和兩川的地方，都用瓦礫的。（詳見證俗文卷三）我想明清以來，紙非難得之物，何以仍用瓦礫？然而依然用之者，除了習慣之外，必是因了生產力和生產關係，即當時紙張的產量不敷大衆需要，或人民無力購買草紙。若在富室如石崇之廁，則自有錦囊爲廁籌，害得劉實出不了恭。明代宮中也用絲織品爲廁籌。（見李廣天香樓偶得引五雜俎）那都不是一班衣不蔽體的廣大窮苦人民所能想像的。不過據劉宋時劉義慶幽明錄的話：「建德民虞敬上廁，輒有一人授草，手內與之，不覩其形，如此非一。」後來才知是死奴與死婢「爭進草」之故。這雖是封建時代的小說家對勞動者殘酷的揄揶，但可知民間也有用草爲廁籌的，故今尚有「草紙」之稱。

本來所謂廁籌，亦稱廁篦，廁簡，或廁簡子，原是用竹、木片削成拭糞之物，用了可以洗淨再用，最爲經濟，但如洗之不淨，而與人互用，難免有傳染病患之弊。廁籌本是印度拭糞用的，自佛教傳入，此物亦同入中土。據甲乙剩言說，「三藏律部宣律師上廁法，亦用廁籌。」今見僧祇律卷三十四作篦廁，（據慧琳一切經音義卷五十八引）所以陶宗儀的輟耕錄說，「今寺觀削木爲籌，置廁圊中，名曰廁籌」（見卷十二廁籌條）我們今知南唐李後主，他與梁武帝並以佞佛而亡國的君王，據馬令南唐書說，他親爲僧徒削製廁籌，工作精細：

後主親削僧徒廁籌，試之以頰，少有芒刺，再加修治。浮屠傳

江南野錄也有類似的記錄。郝懿行證俗文三，作爲齊東昏的事，是錯誤的。後主削製這種廁籌時，居然不惜以帝王的「龍顏」擬僧徒的「穀道」，也可見這位風流而佞佛的帝王之無聊，和倒盡統治者尊嚴的架子了。至於帝王也用廁籌拭糞，蓋始於北齊宣文帝，甲乙剩言說楊愔曾爲宣文執廁籌，看這情形，與孔安國爲武帝執唾壺相去不遠了。

我們單從廁籌的種類而言，不僅可以看出一時的風尚，還可看出一般社會的經濟情形。許多貧苦地區的人民，他們何以多罹肛門的疾患，也不難據此以消息之。

西　屍柩的處置

許多傳染病，多由屍體處置失當而來。例如兵燹之地暴屍遍野，往往爲疫癘叢生之原因。古人所說的大兵之後，必有凶年，這凶年是應當包括疫癘在內的。古又有喪亂死多門之諺，過去由於疫癘死亡的，較之直接死於刀劍的多得多。於是古人就有掩骼埋胔的仁政，文王葬死骸而九夷順，這也是澤及枯骨說的由來。中國人對付死人雖風俗不同，但大多如人死後，有面紙、落帳等手續。面紙就是儀禮士喪禮的幎目，通常是用帛的，雒陽伽藍記所說奉終里爲專售喪物的店舖所在地，這類面幎亦必有賣，但今通用紙了。這與防止細菌的棉栓有同一意義，落帳和焚化屍衣，都有徹底滅菌作用。（周書卷五十突厥傳有焚化死者服用諸物的記載。）至中國的統治者，他們重視本身死後的屍體，遠超過活人之上，例如奴隸主或封建主的死亡，要有成千成萬的活人陪他殉葬，雖良臣亦然，故詩有黃鳥之篇。後來比較好一點，他們死了之後，以泥俑爲殉，但如其屬於他們的寵嬖和近臣，還是逃不了殉葬的命運。

不過以一般而論，中國人對於屍體的處置，還是重視的。他們既不像有些民族把屍體掛在樹上，叫鳥啄去吃了，完結的天葬；也不把屍體投入江心，給魚鱉爲糧的水葬；更不會把自己衰老的父母，趕他上樹而搖撼之，使其墜地，與親友分食其屍的人葬。（事見魏覺鐘的南荒民族P，79人類中的梟獍——巴克巴克據恩格斯說：「柏林祖先維拉特人或維爽人，在十世紀時，還有剝食父母的。見自然辯證法，從猿到人 P.424」那末巴克巴克人的分食父母之屍，毫不足奇。）至火葬實最乾淨的葬法，是值得提倡的，但因爲它是浮屠之風，並

不流行。中國人很講究屍體的保全，使它長久不壞，所以棺內多有石灰、木炭及朱砂、雄黃、礬石等，或竟置有許多香料之物，其情形大類埃及的木乃伊。按元陶宗義的輟耕錄卷三木乃伊條，乃記回回木乃伊事，與埃及人製木乃伊的操作不同 據水經注卷十五說，潯水之側，有僵人穴，穴中有僵尸，尸歷數百年而不壞。又卷十七有夏亭水歷僵人峽的話。

我想要使成爲僵尸的條件，除了在冬天死亡的瘦人和葬在高燥寒冷之地外，棺木的堅固與棺內有石灰等物，也不無關係。這種保存屍體於不壞，在那些搜刮天下的人民血汗以奉一人的封建暴君，多以水銀浸其尸體。像春秋時的吳王闔閭墓中重傾水銀爲池，池廣六十步。見藝文類聚卷八引吳越春秋 到了秦始皇益發奢侈了，據史記秦本紀說：秦始皇葬於酈山，「墓中以水銀爲百川江河大海。」但遺憾的是始皇不崩於寢殿而崩於沙丘，且適值暑天，雖兼程而返，到了九原（勝州），轀車已發臭了，乃不得不與鮑魚同載，以亂其臭。其實尸身已腐爛了，與齊桓公死了十一日未殮，蟲出於戶的情形沒有異樣，使這位暴君從即位後即用七十萬工人經營了三十六年功夫做成的皇陵，失去意義了。但秦始皇墓中之有水銀，據魏皇覽所說，「關東賊發始皇墓，中有水銀，」御覽卷八百十二引也可證明是有這一事的。至於元之刺嘛楊連眞伽掘發宋陵，把理宗之尸倒懸樹間，瀝取水銀，還把理宗的顱骨拿去做缽盂，事見宋遺民周密癸辛雜識別集上楊髡發陵條，而清萬斯同的南宋六陵遺事言之尤詳。

我想屍棺中有石灰、雄黃、水銀等物，是有殺菌的作用的。如其葬在瀕水的墳場，和水路交通方便的地方，多以船隻載運尸柩的時候，對於飲料方面，當起若干有益的作用。此外中國人對於屍棺也很注重，棺的種類很多，我別有中國的棺史一文，故不細贅。

中國史書上對於安置死人這一方面留下的文獻，非常貧乏，只有爲活人面子打算的禮記那類的書，在政府和社會方面，我們知道漢元初二年（公元一一五年）已有義塚，唐大歷初（七六六）有鄉葬，宋元豐間（一〇七八——一〇八五）又有漏澤園，作爲掩骼埋胔一類的機構，這些行動，都以安慰死人，討好活人爲出發點。甚至爲了個人來世福德的打算，才有這種行動。自然也有能體會到這樣做法，對於防止疫癘是有很大作用的。他們利用社會的心理，以宣揚仁政和道德爲手段，而期達到防止疫癘的目的。

不過自有形法（風水）之說以來，子孫爲了希望福祿於泉壤的枯骨，故或浮厝丙舍，或暴棺原野，這對公共衞生方面，非常有害的。遠的不說，即以過去在上海的郊區而言，尚見屍柩縱橫，塞於阡陌，此最爲陋俗，是應及早革除的。

傷寒書目（續完）

汪艮寄

傷寒類方　二卷　清　董恕雲
傷寒證辨　一卷　清　董恕雲
傷寒醫驗　六卷　清　盧雲程
傷寒心法　清　戚聖俞江陰
傷寒論補註　六卷　清　顧觀光金山
時病慈航集　四卷　清　王於聖
傷寒雜病論正義　十八卷　清　孫楨會稽
傷寒宗印　六卷　清　嚴嶽蓮渭南
傷寒論本旨　九卷　清　章楠會稽　醫門棒喝本
傷寒雜病錄　十六卷　清　胡嗣超武進
傷寒集註　九卷　清　馬良伯
傷寒類編　八卷　清　馬良伯
傷寒集註辨誣篇　十卷　清　秦克勳畢節
傷寒尙論篇辨似　四卷　清　高學山會稽
傷寒方經解　二卷　清　姜國伊四川
傷寒恆論　十卷　清　鄭欽安蜀南

仲景歸眞　清　陳澳堂

傷寒點睛　一卷　清　孟承意　上海醫學書局改（一傷寒綱要）

傷寒辨證直解　四卷　清　張兆嘉

傷寒法眼　二卷　清　飛駝山人嶺南

傷寒類證　十卷　清　關耀南清江　澄園醫類初集本

傷寒諸證　二卷　清　羅國綱湖南

傷寒問答　一卷　清　沈　麟江蘇

傷寒祕旨　一卷　清　趙　惇陽湖

傷寒三說辨　一卷　清　汪必昌休寧

傷寒會參　四卷　清　張拱瑞常德

傷寒釋義　六卷　清　李纘文吳縣

切總傷寒　一卷　清　廖雲溪　醫學五則之一

傷寒伏陰篇　二卷　清　田宗海漢川

傷寒彙註精華　九卷　清　汪蓮石婺源

加批傷寒集註　三卷　清　陳蓮舫　清張隱菴原註陳批按

傷寒雜病論章句　十六卷　清　孫鼎宜湘潭

傷寒雜病論讀本　三卷　清　孫鼎宜

傷寒雜病指南　二編　清　葉隱衡

仲景三部九候診法 一卷 清 廖平成都

傷寒講義 二卷 清 廖平

傷寒總論 一卷外補正一卷 清 廖平

傷寒平義 四卷 清 廖平

傷寒古本攷 一卷 清 廖平

傷寒新元編 四卷 清 王立庵瀏陽

傷寒講義 六卷餘論一卷 清 鄭兆年長沙

東垣先生傷寒正脈 十二卷醫藏目錄 王執中 存

傷寒補遺 醫籍攷 王日休 未見

家寶傷寒證治條明 九卷醫籍攷 王震 存

傷寒彙編 嘉定縣志 王楫汝

讀來蘇集傷寒論註筆記 二卷上江兩縣合志 王鳳藻

傷寒論襯 青浦縣志 屠錦

傷寒心鏡 嘉定縣志 湯哲

傷寒十劑新箋 十卷嘉定縣志 陳日壽

傷寒明理論贅言 續纂揚州府志 陳輅

明時政要傷寒論 三卷藝文略、宋志、焦竑經籍志、明志 陳昌祚 佚

甦生的鏡 八卷醫籍攷 蔡正言 存 支那中世醫學史作蔡正玄

書名	卷數・出處	著者	存佚
傷寒解惑	醫籍攷吳秀醫鏡序	許兆禎	未見
傷寒觀舌心法	一卷醫藏目錄	申拱辰即斗垣	存
傷寒舌辨	二卷	申斗垣	
傷寒神鏡	一卷醫藏目錄	劉全德	未見
傷寒集要	醫籍攷	劉會	未見
傷寒論編	七卷醫藏目錄	胡南金	未見
傷寒辨微	安徽通志	胡潤川	
傷寒輯要	安徽通志	胡應亨宿州	
傷寒集成	安徽通志	田廷玉阜陽	
瘟疫集成	安徽通志	田廷玉	
傷寒權	安徽通志	戴炳文蒙城	
傷寒類證辨疑	一卷醫藏目錄	吳時宰	未見
重訂離句傷寒來蘇集	四卷	吳義如	
類傷寒辨		吳友石	
傷寒心法	嘉定縣志	唐欽訓	未見
傷寒會要	上海縣志	唐爾貞	
傷寒類書	上海縣志	唐玉書	菉竹堂文淵閣書目均載此書名，不知是一是二。
闡明傷寒論	醫藏目錄	巴應奎	未見

傷寒明理補論　四卷醫籍攷　巴應奎　存

傷寒方論　二十卷宋志　李涉洛陽　佚

治傷寒全書研悅　一卷醫籍攷　李盛春　存

家傷寒指南論　一卷宋志　李大參　佚

傷寒辨證　安徽通志　李承超

釐正傷寒六書　六卷醫藏目錄　趙心山　未見

傷寒釋疑　傷寒治例、醫籍攷　趙慈心　佚

傷寒宗陶全生金鏡錄　醫籍攷　楊恆山　未見

傷寒撮要　醫藏目錄　楊珣　未見

傷寒準繩　咸陽縣志　楊仙枝

傷寒指要　二卷醫藏目錄　翁先春　未見

傷寒纂要　二卷醫藏目錄　閔道揚　未見

傷寒經綸　嘉定縣志　方文偉南翔

傷寒一得　四卷嘉定縣志　朱士銓

傷寒訣　安徽通志　饒塤

傷寒變論　安徽通志　饒塤

新纂傷寒溯源集　六卷醫籍攷　顧憲章　存

傷寒尋是　山西通志　石中玉高平

書名	卷數/出處	作者	存佚
傷寒發明	建安縣志、福建通志	雷竣	
傷寒捷徑		羅東生	
傷寒崇正論	六册	梁庶留	
傷寒大旨	仁和縣志	潘楫	
尚論篇傷寒論醫案	廬州府志	宋鈞 合肥	
傷寒百問	廬州府志	金本田 無爲	
傷寒百問增注	廬州府志	金玉音 無爲	
傷寒知要	廬州府志	翼萬麒 無爲	
傷寒錄	廬州府志	查宗樞 巢縣	
傷寒論	鄱陽縣志	章穆	
傷寒辨	武昌縣志	易經	
傷寒脈訣	嘉興府志	卜祖學	
傷寒直格	揚州府志	郭忠	
傷寒易知錄	嘉興府志	祝貽燕	
傷寒總要	三卷 元志	黃大明 臨川	
傷寒溫疫條辨	二十四卷 元志	于遲春	
傷寒辨惑論	醫籍攷，醫學源流論		佚
傷寒通義	醫藏目錄		未見

書名	卷數·出處	存佚	附注
解傷寒百證疑證	一卷 醫藏目錄	未見	
傷寒總要	二卷 醫籍攷、七錄	佚	是書諸家失載惟王冰素問次注成無已傷寒論註解引之
正理傷寒論	醫籍攷	佚	
張果先生傷寒論	一卷 藝文略、崇文總目、宋志、明志 醫籍攷絳雲樓書目	佚	畿輔通志作唐張果撰
傷寒語錄		未見	
傷寒一掌金	古今醫統	未見	
傷寒或問	一卷 醫藏目錄	未見	
傷寒證法	醫籍攷遂初堂書目	佚	
仲景或問	醫籍攷、滕縣志	佚	
傷寒抉疑	一卷 醫籍攷	存	
傷寒類證	八卷 醫籍攷	未見	
傷寒辨證集	一卷 崇文總目	佚	
傷寒蠡測	醫籍攷	未見	
傷寒集驗	醫藏目錄	未見	
傷寒論翼	醫籍攷	佚	遂初堂書目亦載
玉川傷寒論	一卷 藝文略、焦竑經籍志、明志	佚	
傷寒論後集	六卷 藝文略、明志、	佚	
傷寒須知	建康志		

書名	卷數	著錄	存佚	備註
仲景詳辯	一卷	醫學源流論醫籍攷	佚	
解仲景一集		醫學源流論醫籍攷	佚	
傷寒祕要	一卷	國史經籍志	未見	
傷寒集義	二卷	文淵閣書目、醫籍攷菉竹堂書目	未見	
傷寒撮要	一卷	菉竹堂書目、文淵閣書目	未見	與醫藏目錄所載不知同否
傷寒捷要		菉竹堂書目、文淵閣書目	未見	
傷寒遺法		醫籍攷遂初堂書目	佚	
傷寒要法	一卷	宋志	佚	
傷寒治要		醫籍攷	佚	
傷寒集論方	十卷	藝文略、焦竑經籍志明志	佚	
鄭氏傷寒方	一卷	藝文略、焦竑經籍志	佚	
傷寒類書		醫籍攷、文淵閣書目	未見	
傷寒論大全	一卷	醫藏目錄	未見	

附記

這一篇書目，寫於一九三六年二月，一擱至今，瞬息十年，在這十年中戰亂相尋，不遑寧處，復員之後，又因參攷書籍借閱爲難，以致不能再多搜集材料，稍事補充，實屬遺憾。不過這十年以來，還未見有較爲完善的書目出現，上面這點材料，雖說不上如何精確，但也集之不易，棄之未免可惜，因此於去年夏天（一九四七）重又把他整理出來，送請余雲岫先生審閱了一次，因爲我初稿之中有：

傷寒鈐法十卷鄭樵通志　元　李浩
傷寒解惑論一卷通志　明　劉醇
傷寒全書五卷通志　明　陶華
陶節齋傷寒九種書九卷　明　陶華

這樣的記載，所以余先生就提出了兩個疑點：

（一）李浩是元人，劉醇、陶華均是明人，何以書名出處都會註上了鄭樵通志？因鄭係宋人，無由將此類書目，載入所撰通志也。

（二）陶華字節庵，所以陶節齋傷寒九種書的「齋」字必誤。

關於第（二）點，我當時想，或係筆誤；第（一）點，同時有幾處錯誤，必有所本而非虛造，不過在那本書裏一時記不起來，為明瞭這點，因又把所有文獻，重復檢閱一過。結果在中華書局影印古今圖書集成經籍典第452卷（第592册48葉）裏發見了，其所載傷寒書目如下：（鄭樵通志立醫方下）

張仲景傷寒論	十卷晉王叔和編次	傷寒證辨集	一卷
療傷寒身驗方	一卷	張果先生傷寒論	一卷
徐文伯辨傷寒	一卷	百中傷寒論	三卷太常主簿陳昌引撰
傷寒總要	二卷	傷寒論後集	六卷
巢氏傷寒論	一卷	石昌璉證辨傷寒論	一卷
玉川傷寒論	一卷	傷寒百問經絡圖	一卷
傷寒手鑑	二卷田誼卿撰	傷寒集論方	十卷

孫王二公傷寒論方　二卷
傷寒微旨論　二卷
傷寒證治　三卷王實撰
傷寒要論方　一卷上官均撰
傷寒論　一卷朱旦撰
明時政要傷寒　三卷
傷寒運氣全書　十卷熊宗立撰
傷寒活人指掌圖論　十卷熊宗立撰
圖解傷寒論　十卷成無已撰
傷寒明理論　四卷成無已撰
傷寒類證便覽　十卷陸彥功撰
鄭氏傷寒方　一卷
孫兆傷寒方　二卷
傷寒鈐法　十卷李浩撰
傷寒解惑論　一卷劉醇撰
又治例　一卷劉醇撰
傷寒論　一卷曾頔撰
陰毒形證訣　一卷宋迪撰
傷寒括要詩　一卷通眞子撰
傷寒歌　三卷許叔微撰
傷寒類要方　十卷
傷寒要旨　二卷李檉撰
傷寒武例　一卷劉君翰撰
傷寒總病論　七卷龐安時撰
傷寒瀉利要方　一卷陳孔碩撰
傷寒慈濟集　三卷
傷寒類證要略　三卷平堯卿撰
玉鑑新書　二卷陶華撰
傷寒全書　五卷陶華撰
傷寒六書　六卷陶華撰

右傷寒四十三部一百五十五卷按原本自孫王二公傷寒論以下俱闕頁，今照焦竑經籍志補之

其中確有李浩劉醇陶華所撰的書名，不過他最後註着「按原本自孫王二公傷寒論以下俱闕頁，今照焦竑經籍志補之」兩行小字，大概我當初編寫書目的時候，未加注意，所以會鑄成這個大錯。

圖書集成既說通志傷寒書目後半，是照焦竑志補的，那末我們且看焦竑原來的書目，於孫王二公傷寒論以後如何寫法？

圖書集成第五五九册二七葉明焦竑經籍志

孫王傷寒論方	**二卷**	內外傷寒辯	三卷李杲
傷寒微旨論	二卷	傷寒祕要	一卷劉醇
傷論證治	三卷王寶	又治例	一卷劉醇
上官均傷寒要論方	一卷	曾誼傷寒論	一卷
朱旦傷寒論	一卷	陰毒形證訣	一卷宋迪
明時政要傷寒論	三卷	傷寒括要詩	一卷通眞子
傷寒運氣全書	十卷熊宗立	傷寒歌	三卷許叔微
傷寒活人指掌圖論	十卷熊宗立	傷寒類要方	十卷
圖解傷寒論	十卷成無已	傷寒要旨	二卷李檉
傷寒明理論	四卷成無已	傷寒式例	一卷劉君翰
傷寒類證便覽	十卷陸彥功	傷寒總病論	七卷龐安時
鄭氏傷寒方	一卷	傷寒瀉利要方	一卷陳孔碩
孫兆傷寒方	二卷	傷寒慈濟集	三卷
傷寒鈐法	十卷李浩	傷寒證類要略	二卷平堯卿
傷寒解惑論	一卷湯尹才	玉鑑新書	二卷平堯卿

陶節齋傷寒九種書 九卷陶華　　傷寒六書 六卷陶華

傷寒全書 五卷陶華

右傷寒

大體上，這書目雖與上述通志所載相同，不過仔細校去，在李浩劉醇陶華這一段，却有出入，今列表如下：

通志補目中作	焦竑原作
傷寒解惑論一卷劉醇撰	傷寒解惑論一卷湯尹才
又治例一卷劉醇撰	內外傷寒辯三卷李杲
玉鑑新書二卷陶華撰	傷寒祕要一卷劉醇
傷寒全書五卷陶華撰	又治例一卷劉醇
傷寒六書六卷陶華撰	玉鑑新書二卷平堯卿
	陶節齋傷寒九種書九卷陶華
	傷寒全書五卷陶華
	傷寒六書六卷陶華

即：

(一)傷寒解惑論，通志補目作劉醇撰，但焦竑原作湯尹才，這是很明顯的補目中脫去了內外傷寒辯與傷寒祕要兩種書，而將傷寒解惑論的書名與傷寒祕要的著者連在一起了。

(二)玉鑑新書，也與上述的情形一樣，因通志補目，脫去了，傷寒九種書，以致張冠李戴，平堯卿的著作，被劉醇頂替了去。

所以通志小註謂因闕頁照焦竑志補，但一經對比，事不盡然，這或由排印錯誤，亦未可知。不過因這錯誤，通志所載書目就與其總計發生參差，不是上面說過，通志傷寒書目的總數是四十三部一百五十五卷嗎？但實際計算爲四十四部一百五十八卷，與前數不符，此外，該書目印錯的地方還多，如將傷寒式例作傷寒武例，傷寒類證要略作三卷，依焦竑應作二卷，而尤堪注意的，就是焦竑係明人，其書目中有李浩劉醇陶華的著作，原無足異，鄭樵是宋人，亦如是云，未免有失檢點了。總之，這一個書目，支離破碎，錯誤百出，其不足採信，不說可知。

那末陳夢雷何以要多此一補呢？推想起來，不外兩途，其一是因爲圖書集成編纂當時，鄭樵通志已無完本，其二是雖有完本，而陳未得見，爲求全計，好容易找到了與鄭樵書目相彷的焦竑經籍志，就給補上了，却沒有注意到著者朝代的差別，其實這是大錯。

我們試再翻閱現行本通志卷六十九藝文略七醫方下，有一個傷寒書目，錄書共二十七部七十五卷，該書目在孫王二公傷寒論以前，除百中傷寒論的著者作陳昌允與圖書集成不同外，其餘均與前記通志所載相同，「孫王」以後則作：

孫王二公傷寒論方　二卷

上官均集傷寒要論方　一卷

朱旦傷寒論　一卷

明時政要傷寒論　三卷

鄭氏傷寒方　一卷

孫兆傷寒方　二卷

曾誼傷寒論　一卷

陰毒形證訣　一卷宋迪撰

傷寒括要詩　一卷通眞子撰

傷寒類要方　十卷

傷寒式例　一卷劉君翰撰

傷寒總病論　七卷龐安時撰

傷寒慈濟集　三卷

與圖書集成所載，顯不相同，所謂李浩劉醇陶華的著作，並不見於該書目之中，這當然比較合理些。所以我以爲現行本鄭樵通志倘還是本來面目的話，那末圖書集成自以照此更正爲是。

最後我們要談到余先生所提問題(二)陶節齋的「齋」字，我上面雖說或由筆誤，但後來在對比圖書集成中通志傷寒補目與焦竑原作的時候，發見焦竑就這樣寫法(當然又是刋錯，)那末我初稿錯誤，大概是轉錄該項書目的關係，不難想像，因在此附帶說明，並以答復余先生。(完)

本稿承余雲岫范行準周夢白諸先生多所指正和贊助，謹此誌謝。

一九四八年秋完稿

中華醫學會醫史學會工作報告

王吉民

醫史爲一比較新興之學科。吾國研究此道者人數不多。本會成立迄今雖有十五年之歷史，然會員總計僅七十餘人，散居各地，故尚無分會之組織，祇有總會設在上海，一切活動多集中於此。自去秋中央衛生部全國衛生會議通過醫史爲醫校必修科後，國人對此乃開始注意，而本會任務遂突然加重，但因人財兩乏，尚鮮發展。茲將本年度工作簡述如下：

一、組織　本會組織下列各委員會分掌本會一切事務。

（甲）執行委員會

（乙）編輯委員會

（丙）經濟委員會

二、出版　本會刊行之醫史什誌季刊，爲遠東僅有之醫史專門雜誌。創刊於一九四七年，曾出兩卷共計五册，在國際已有相當地位。嗣因經費支絀暫時停版。去歲荷蒙華東醫務生活社協助，於本年三月復刊，已出三期，每期印五百份，組織編輯委員會主持一切。

因鑒於醫史文獻散載中外什誌者甚多，不易檢閱，特將歷年有價值之論文十數篇彙刊成册，以便學者參考研究，由王吉民選編，定名醫史論文集，爲本會發行之醫史叢書第二種，現在排印中。

三、集會　執行委員會曾舉行會議三次，編輯委員會開會三次，經濟委員會開會一次。此外曾召開醫史學術座談會一次，於九月廿二日假上海慈谿路中華醫學會牛惠生圖書館舉行，由王吉民講「伯駕利用醫藥侵華史實」，章次公講「高鼓峯的事略」。

四、會員　本會自去秋舉行第三屆大會後，共新添會員六人，計顏福慶、金寶善、方石珊、瞿紹衡、范日新、朱中德。現會員總數共有七十二人，內上海會員計廿六人。

馬雅各會員不幸於八月十日患急性肺炎在杭州逝世。馬氏生平著作甚多，除論文外，著有「華人病症篇」及「麻瘋概論」二書行世。

五、博物館　醫史博物館，爲本會與中華醫學會共有之資產，雙方共同管理，一向未曾指定專人負責。本年七月乃成立圖書博物委員會，委員共十二人，推定衛生局王聿先副局長爲主任，中華醫學會上海分會蘇祖斐理事長爲副主任，並聘王吉民爲館長。本館現已從事整理編目數月來收到各方捐贈書物甚多計物品有十二件，圖書有三十册。想將來發展方興未艾也。

六、其他　本會會員參加醫史研究運動者，據所知有下列各人中央人民政府衛生部教材編審委員會醫史組，聘余雲岫爲組長，李濤、王吉民、范行準爲特約編審，上海醫學院聘請顏福慶、朱恆璧、余雲岫；同德醫學院聘請范行準爲醫學概論教授。中醫進修班聘請章次公爲醫史講師。

名譽會員斯格里氏，爲世界醫史權威，自前年辭去霍布金醫史研究所所長職後，遄返瑞士專心寫其「世界醫史」大作。預計全書共分八册，每年出版一册。其第一册「上古醫史」已於本年初出版。第二册爲「印度醫史」稿已寫就，不日將付印第三册爲「中國醫史」現在預備中。他日全書完成，則爲醫史中最偉大之巨著。

江晦鳴著有「醫學發展簡史初稿」其第一編已在東南醫刊復刊號發表。本會主委李濤，於九月初應中華醫學會濟南分會講學二星期。又在北京內一區開業醫師學會演講「從社會發展上看醫師開業」及在其他學會演講醫史有關題目。

在一九五一年十二月八日中華醫學會上海分會暨各專科學會上海分會聯合大會上報告

世界醫史界動態

資料室

▲世界醫史協會於一九五〇年八月十八在荷蘭國姆士打担舉行第十二屆大會時，執行委員會提議恢復以前辦法，每兩年召開大會一次，並主張一九五二年下屆大會在加尼斯奈斯，或滿拿高舉行。

▲南美洲巴西國於一九五一年七月十四至廿一日在巴京舉行第一屆醫史大會，總題爲「巴西開國至十九世紀之醫學及科學史。」大會議程共分醫學史，藥物學史，牙科學史，化學史，獸醫學史及其他科學史六組。

▲一九五〇年十一月五日至七日在印度達拉喜舉行南亞科學史座談會，討論題中包括醫學史一項，印度軍醫上校曹拿氏宣讀論文一篇：「醫史研究在印度。」並強調組織一印度醫史學會以研究此問題。

▲美國醫史界對於中國醫學甚感興趣，黃帝內經一書現已全部譯成英文，由威廉士威金士書局出版，編譯者韋夫係支加哥大學醫史講師，他於一九五一年四月十日在該大學醫史學會演講「中國的金針學。」又費城內科學院醫史組，於一九五一年三月十五日開會時，有前中國廣州博濟醫院嘉惠霖院長演講，「中醫演進至新醫，」參加討論者有前上海聖約翰醫學院馬立斯及麥嘉根二君。

▲比利士國勞宏大學醫史教授羅雅氏自一九二五年就職迄今共廿五載，現已告退，由山德和氏繼任，山氏係世界醫史協會總幹事，而羅氏則係協會前任會長。

▲英國憶定堡大學醫史講師加德理氏於一九五一年一月，作四個月之南非洲訪問，在各大學演講醫史題目。

▲中央衛生部衛生教材編審委員會醫史組主任余雲岫因病辭職由部聘請李濤繼任。又該組醫士學校醫學概論教材大綱，業已通過。

▲中央衛生研究院各學系室一九五一年工作計劃中在中醫研究所內有中醫研究室之設，其研究題目中有編製醫學發展史一項。

本會消息

資料室

▲醫史雜誌主編余雲岫因舊病復發,堅請辭去主任本職,昨經編輯委員會詳加考慮以余君年高不可過勞,准如所請,並推舉王吉民繼任。又該誌自明年第四卷起決改為橫排以迎合科學潮流。

▲「國際科學及醫史季刊」第三卷第一期將本會第二屆大會報告全篇登出計三面,頗引起各國醫史界注意,旋有英國劍橋大學及德國蓬姆大學來函索取本會所出各書刊。

▲瑞士國醫史學會每年舉行年會除宣讀論文外,有各國醫史界一年來之動態一節目,今年九月間召開年會時,本會名譽會員斯格理氏報告本會工作頗詳。

▲本會經濟以歷年積欠頗鉅,經經濟委員會議決向會員勸捐,現收到或認捐者,有王玉潤王逸慧各五十萬,丁濟民余雲岫各三十萬,侯寶璋三十六萬八千,王吉民朱恆璧侯祥川各二十萬,范行準五萬。並望各會員踴躍輸將,俾債務得早日清償。

會員近訊

資料室

▲金寶善李濤兩執委先後參加土改,金君現已滿期返京,李君則須明年一月方能完成任務。

▲沈仲圭已應西南衛生部中醫科之聘,其通訊處為重慶健康路國際村西南衛生部中醫科。

▲王吉民於本年十月曾有港粤之行,在港時曾訪問本會侯寶璋梁寶鑑黃雯陳存仁會員,並應香港大學醫學院之請演講醫史。在穗時與陳耀眞姚文鏐等商談組織廣州分會事,至十月終返滬。

▲侯祥川近被上海軍醫大學全體工作人員評選為該校教職中一等功臣,並由華東區後勤政治部發給獎狀。侯君十一月間有汕頭之行,路過廣州時,曾應嶺南大學醫學院演講組織療法。

▲中華醫學會總幹事方石珊於十一月初來滬出席上海分會暨各專科學會聯合大會,現已公畢返京。

▲中央衛生部衛生教材編委會魯德馨十一月中旬因公來滬,曾到會參觀醫史博物館及圖書館,十九日返京。

本卷篇目索引

編輯室

例：本索引中粗體數字代表卷數與期數，如 **3:2**；卽本誌第三卷第二期；P.31 卽第三十一頁也，餘倣此。

·白页·

醫史雜誌

第四卷 第一期 一九五二年三月出版

編輯者 中華醫學會醫史學會編輯委員會

華東醫務生活社出版

上海(31) 淮海中路中南新邨十二號 電話七九〇七八號

·白页·

廣東省城博濟醫局刊

每年收銀壹錢每本收銀叁分

西醫新報

大清光緒七年　月

耶穌降生一千八百八十一年

第肆號

論西醫公會聚集之益
論止瘟疫傳染之法
眼球各肌肉功用圖說
西醫用藥撮要畧述
胎產奇症畧述
論醫痔誤藥肛門生窄
解熱藥方　生髮藥方
風濕藥方　消頸癧方
論戒鴉片烟良法
論肺內傷成膿瘡圖說
西國聰耳器具圖說
西醫眼科告白

中國最早第一種醫藥期刊西醫新報之封面
（中華醫學會醫史博物館藏）

·白页·

中國法醫學史

陳康頤

南京大學醫學院法醫學研究所

我國法醫學發達極早。迄今已有一千餘年。當五代晉高祖（九三六——九四二）時。卽有和凝疑獄集一書。先著二卷，其子㠓增爲四卷。由杜震序。及陳振孫書錄解題。稱疑獄集三卷。上一卷爲凝所著。下二卷爲㠓所續。今本四卷。疑後人所分也。是書所記平反寃濫摘姦匿之事。可知我國在第十世紀，卽已注意於檢驗刑事傷證矣。

宋（九六〇——）興。對於檢案。益知注意。還有無名氏之內恕錄趙逸齋之平寃錄結案式。皆言之甚詳。惜已失傳。不可復得。淳熙元年（一一四七）鄭興裔之檢驗格目。其檢驗之法亦備。鄭堯以疑獄集一書，未能詳盡。因採摭舊文，補直其缺，撰成折獄龜鑑，共計八卷，分二十門，內主尙德緩刑，而時或偏主於寬。所輯故實。務求廣博。多有出於正史之外者。嘉泰四年（一二〇四）湖南廣西刋印檢驗正背人形圖。嘉定四年（一二一一）桂萬榮采和凝父子疑獄集及鄭克折獄龜鑑。聯成七十二韻、一百四十四條。稱曰棠陰比事。（其標題爲向相訪賊、錢推求奴、曹攄明婦、裴均釋夫、程[illegible]詰翁、丙吉驗子、李崇還泰，黃霸叱姒、歐陽左手、惟濟右臂、沈括頳喉、南公塞鼻、程淋灶竈、強至油幕、姜吏酖宋、玉素毒郭、彥超虛盜、道讓詐四、孫甫春粟、許元樊舟、宗元守辜、魏濤證死、桑懌閉柵、蘇秦衒市、任城示靴、楊津獲絹、李傑買棺、重榮咄箭、蘇請柑柩、賈廢追服、子產知姦、莊遵疑哭、思競詐客、佐史誣裴、季珪雞豆、張舉猪灰、定牧認皮、滄州市脯、張受越訴、裴命急吐、王質毋原、馬亮悉貸、允濟聽葱、彭城書菜、呂婦斷腕、包牛割舌、崔黯搜孥、張輅行穴、杜鎬毀像、次翁戳男、傅令鞭絲、李惠擊鹽、楊牧笞巫、薛向執賈、程戡仇門、仲游師宇、符融沐枕、獄吏滌屧、宗裔卷紬、高防校布、江分表裏、章辨朱墨、胡質集鄰、高柔察色、蔣常覘嫗、思彥集兒、劉相鄰證、韓參乳醫、袁滋鑄金、孫寶稱散、程簿舊錢、王璩故簡、公綽破柩、元膺擒盜、柳寃搭奴、王申狂嫗、李公驗櫸、王臻辨葛、穎知子盜、孫科兒殺、鄭躬明誤、希亮救亡、商原詐服、竇阻免喪、薛綰互爭、侍盜並走、蕭儼虞牛、懷武用狗、文成括書、郎簡校券、孝肅杖吏、周相收掾、方偕主名、宋文墨迹、陳議捍取、胡爭竊食、御史失狀、國淵求牋、偉冒范祚、虔傚鄧賢、次武各驅、憲之俱解、張昇窺井、蔡高宿海、劉湜焚尸、高防劾病、王鍔匿名、至遠憶姓、希崇並付、齊賢兩易、王珣辨印、尹洙檢籍、孫登比彈、德裕模金、梁適重詛、袁家惡淫、曹駁坐妻、孔議罯母、孫亮驗密、杜亞疑酒、傅隆議絕、漢武明繼、戴爭異罰、徐詰緣例、刑曹絞財、左丞免讁、從事函首、乖崖察額、無名破冢、行成叱驢、王曾驗稅、司空省書、章皋劾財、趙和贖產、柳設榜牒、陳具飲饌、朱詰隸民、孔察代盜、崇龜認刀、司馬視鞘、張鷟搜鞍、濟美鈎篋、承天議射、廷尉訊獄）是書雖略於疑獄集。但敘述明白，較㠓等所著者為扼要。至淳祐七年（一二四七）宋慈採取疑獄集內恕錄及近世諸書，薈萃釐正。成為二卷，稱曰洗冤錄。後參插已見，另為一篇，定名洗冤集錄。後來檢驗諸書，大抵以是為藍本。

元大德八年。（一三〇四）復將尸圖插入洗冤錄內。此書遂益加俱備。至大元年。（一三〇八）王與引用平冤錄、洗冤錄二書，稍加駁正，著成二卷。是為無冤錄。上卷係官吏章程，下卷皆尸傷辨別，是書先傳入朝鮮，在足利末世。再轉入日本。譯成無冤錄述二册。至德川時代，猶用以檢驗尸傷。

明（一五五〇）末，吏治廢弛，檢驗諸書，竟成廢棄，所刊行者，僅張景之補疑獄集六卷、與王肯堂之洗冤錄牋釋二三十條而已。

至清康熙十三年（一六七四）王氏作讀律佩觽。陳氏作洗冤集說。曾愼齋作洗冤錄彙編。王明德作洗冤錄補、並急救各法。康熙年（一六六二——）間。律例館彙萃成編，總為四卷乃成全書。乾隆三十五年（一七七〇）又增添檢骨圖格附於洗冤錄後，而書以大備。嘉慶元年。（一七九六）王又槐於尸傷之疑似難明者。參攷成歘，綴於各篇之末，名曰洗冤錄集證。此書內容，第一卷為檢驗總論、驗傷、及保辜總論、尸格、尸圖、驗尸、洗罨、初檢、覆檢、辨四時尸變、辨屍眞僞、驗婦女尸、白僵、已爛尸、驗骨、檢骨、論沿身骨脈、滴血、檢地。第二卷為毆死、手足他物傷、木鐵等器甎石傷、踢傷致死、殺傷、自殘、自縊、被毆勒死、假作自縊、溺水、溺井、焚死、湯潑死。第三卷為疑難雜說、尸傷雜說、論中毒、服毒、諸毒、意外諸毒。第四卷爲急救方、救服毒中毒方、治蠱毒及金蠶蠱辟禨方。同年，李觀瀾以情僞萬變、曖昧疑似、非可以意計測度。又增加汪歙（雍正十一年）（一七三三）咨部之洗冤錄補遺三則。國拙齋（乾隆四十二年）（一七七七）所訂之洗冤錄備攷十一則。並檢驗雜說三十餘條。摘錄於洗冤錄集證之後，是名洗冤錄彙纂補輯。道光十二年。（一八三二）阮其新又錄裘恕齋手批洗冤錄數條。將坊本之訛錯者。逐一更正，各條之後。附以經驗成案。並將所集寶鑑篇，附於篇末，名爲洗冤錄補註。十七年（一八三七）間，張錫蕃更加道光十六年（一八三六）仲振履所刊之石香祕錄一篇。讎校攷訂。合成五卷。總稱重刊補註洗冤錄集證。又道光七年（一八二七）瞿中溶原撰之洗冤錄辨正，郎錦麒原輯之檢驗合參。道光十一年（一八三一）姚德豫原著之洗冤錄解，均附刊於後，共計六卷，卽今書坊內所售之洗冤錄也。其他以洗冤錄爲藍本之檢驗書籍，有咸豐四年（一八五四）許槤所撰之洗冤錄詳義四卷，光緒二年（一八七六）葛元熙增補之摭遺二卷，剛毅所著之洗冤錄義證四卷等。書目繁多，指不勝計。吾國之法醫學，雖有悠久歷史。但研讀者多係官吏，操作者均爲仵作，且檢驗案件，認爲賤業，一般儒醫，均不願爲；故千餘年來，毫無進境。至同治年（一八六二——）間。沈葆楨總督兩江，嘗奏請解除仵作禁錮，予以椽吏出身，是誠改良刑法之先聲，惜事經部議，例格不行。光緒二十五年。（一八九九）江南製造局出版法律醫學原書爲英國該惠連與弗里愛同撰，由英國傅蘭雅口譯，徐壽筆述，趙元益校錄；是爲我華輸入外國科學法醫學之導始，至三十四年。（一九〇八）王祐楊鴻通二人合譯日本石川貞吉所著之實用法醫學。改名東西各國刑事民事檢驗鑑定講義。於日本某書店印行。洎宣統元年。（一九〇九）法部長官，始元東督之奏，定議於高等審判廳內，附設檢驗學習所。定具教授課程曰洗冤錄、法醫學、生理學、解剖學、理化學、法律大意、醫學大意等，畢業後，照刑科給奬，褒以出身，惜困於人材，亦未能實現。

民國（一九一二——）以來。國事蜩螗。各種科學。乏人提倡。檢驗手續，咸用舊法。法醫學書籍，僅有民國三年（一九一四）萬青選編纂之新法檢驗書。又名新洗冤錄。於廣益書局發行。民四年。（一九一五）國立北京醫學專門學校始列有裁判醫學。浙江省立醫藥專門學校醫科亦列有裁判醫學、藥科則列有裁判化學。五年(一九一六)前司法部首派江爾鄂赴日調查法醫事宜。八年(一九一九)十月後,北京天津及山西各地檢察廳審判廳。始送驗是否人血,鴉片嫌疑犯,及妊娠月數。委托國立北京醫學專門學校病理學教室及附屬醫院之東西各國刑事民事檢驗鑑定講義。十年(一九二一)二月。商務印書館出版檢驗必攜法醫學。即王佑楊鴻通所譯檢驗,是爲我國應用法醫學於司法檢案之開始。十三年(一九二四)七月,上海地方檢察廳委托同濟大學病理學教室。辦理法醫疑難案件,爲期一年,由德人 Oppenheim 氏主持,杜克明氏充當助理,單德廣氏專任法醫。惟期滿之後,因廳方拒絕剖驗,未能繼續,實爲憾事。又 Oppenheim 氏曾著有對於洗寃錄之意見一文,內分一,洗寃錄之優點。二,洗寃錄之誤點,三、洗寃錄之缺點三節,以科學之眼光,作正直之批評,極有價值。十四年(一九二五)五月,北京醫專派林幾赴德研究法醫學。十五年(一九二六)一月,上官悟塵編譯近世法醫學。原著爲日本田中祐吉之法醫學講義。於商務印書館出版。同年九月,丁福保徐蘊章合譯近世法醫學,原本亦爲田中之法醫學講義,於醫學書局出版。民十六年。(一九二七)英國 E. J. Stuckey 編譯基氏法醫學,原著爲英國 G. H. Giffen: Medical Jurisprudence 由中國博醫會藏版印行。北伐後。司法各界,圖謀改進,十七年(一九二八)六月,前內政部公布解剖屍體規則,凡前教育部有案之醫學校院或設備完善之醫院,對於一、爲研究死因、必須加以剖檢之病死體。二、生前有合法之遺囑、願供學術研究之屍體。三、無親屬收領之刑屍體。四、無親屬承領之病死體或變死體。認爲有對學術上研究之必要者。得執行解剖屍體。同年十月。林幾譯著法醫學講義三卷,作爲法官訓練所之教材。十八年(一九二九)春。浙江高等法院委托浙江醫藥專門學校。附設法醫專修班。將醫專卒業之學生施以短期訓練後,分發該省各地方法院服務,是爲法醫。同時江西高等法院亦委托江西醫學專門學校,附設法醫專修班。同年七月,前司法行政部爲使法院改用科學方法檢驗、及培植法醫人才以改進法醫事業起見,通飭各省高等法院,仿照浙江高院等辦法,籌設法醫專修班,俟學員畢業後,分發各法院服務。十一月內。前法部派孫逵方在上海籌設法醫研究所，以備江浙兩省法院解決疑難案件之用。同時江蘇高等法院奉令委托上海同德醫學專門學校。特設法醫講習所，招收醫科畢業之學生，入所肄業，授以刑法大意、刑訴大意、犯罪學、化學、病理學、裁判化學、法醫學、精神病學、及法醫臨案實習等。訓練一年後。派赴江蘇各級法院、及訟事繁多之各縣政府。担任法醫及監獄、看守所醫生職務。十九年（一九三〇）春，國立北平大學醫學院首創法醫學教室，聘請林幾爲主任教授。同年七月前司法當局以各省高等法院，仍未普遍籌設法醫專修班，不足以應現代檢驗之需要，特重申前令，飭各高院尅期籌辦，終因經費困難，師資缺乏，致已設者相繼停辦，未設者亦不籌備，法醫事業，又趨停頓。二十一年（一九三二）四月。前司法行政部訓令冀、魯、晉、豫、各高等法院，參照蘇省成案，共同委托北平大學醫學院籌辦法醫人員養成所，以養成低級法醫檢驗人員，藉供各級法院檢驗人員之需，惜在籌辦期內。卽行中輟。同年八月。前法部派林幾爲法醫研究所所長，執行全國各級法院等疑難檢案。二十二年（一九三三）一月。鄧純棣編纂最新法醫學，於改造與醫學社發行。同年七月，前法部法醫研究所招攷醫科畢業之醫師爲研究員，以培育法醫專門人才。二十三年（一九三四）一月，前法醫研究所第一屆研究員研究會出版法醫月刊。同年前教育部始規定國內各大學及高等專門以上學校教育科目內，將法醫學一科，列爲醫學院之必修科、及法律系之選修科。同年十二月。前法醫研究所第一屆研究員研究期滿，經試驗及格者，由前法部授以法醫師資格證書，分發各省高等法院服務，是爲我國有正式法醫師之開始。二十四年（一九三五）春，林幾辭去前法醫研究所所長職，由孫逵方繼任，（林改任前國立北平大學醫學院法醫學教室主任教授，）並將法醫月刊改爲法醫季刊。由所方負責出版。八月招攷第二屆法醫學研究員，並爲事實上需要，增設檢驗員訓練班，以培植低級法醫人才，招攷高級中學畢業生爲學員，俟訓練一年後，攷查成績及格者，由前法部發給檢驗員畢業證書，分發各地方法院及公安局服務，担任初級檢驗及收集證據（檢材）等工作。二十五年（一九三六）七月。張崇熙編輯最新實用法醫學，由新醫書局發行。同月，前法醫研究所第二屆研究員及第一屆檢驗員畢業。八月招攷第三屆法醫學研究員。同年十月，前北平冀察政務委員會審判官訓練所，亦附設檢驗員訓練班，調集各地方法院及司法處原有檢驗員，訓練六個月後，再回原處工作。同年、前法醫研究所法醫季刊停止出版。二十六年(一九三七)六月，余小宋譯成法醫學最近之進展。原本爲英國 Sydney Smith John Glaister 合著之 Recent Advances in Forensic Medicine 於商務印書館發行。同年七月，前法醫研究所第三屆研究員畢業，此後即行停止招生。同時、司法當局，對於法醫事業，仍未重視。法醫師待遇，亦未改善。且法院組織法內，迄無關於法醫師之條文，一般有志於法醫者，均裹足不前，而已造就之法醫師，亦相率離去。同年八月，日軍侵襲淞滬，前法醫研究所原址屋舍，盡毁於炮火，成爲一片焦土，其一部份人員及物資，在遷往重慶途中，再經日機轟炸，損失殆盡。迨至重慶辦公時，因器械藥品缺乏，無法執行鑑定，徒負虛名而已。三十一年(一九四二)第一次高等攷試時，亦將法醫師列入，凡一、公立或經立案之私立大學獨立學院或專科學校修習醫學四年以上畢業得有證書者。二、教育部承認之國外大學獨立學院或專科學校修習醫科四年以上畢業得有證書者。三、有大學或專科學校醫學科畢業之同等學歷經高等檢定考試及格者。四、確有醫學專門學術技能或著作經審查合格者。五、由醫院出身並執行醫務三年以上得有證明書者。皆得報名應試。攷試科目有國父遺教、中外史地、憲法、醫化學、解剖學、病理學、藥物學、診斷學、法醫學、精神病學等十門。經初試及格者，訓練一年六個月後，攷核成績及格者，始取得法醫師資格，派至各省法院服務。惟此次錄取者，全國僅有二名，同時舉行第一次普通考試時，亦有檢驗員一項。凡一、公立或經立案之私立高級中學舊制中學或其他同等學校畢業得有證書者。二、有前款所列學校畢業之同等學歷經普通檢定考試及格者。三、曾在衛生醫藥機關服務三年以上有證明書者。四、曾任法院檢驗事務三年以上有證明書者，皆能報名應試。考試科目有國父遺教、中外史地、憲法、法醫學、化學、生理學、解剖學等七門。經考試及格，訓練一年六個月後，其成績優良者，始取得檢驗員資格，而被正式任用，但未有人應攷。三十二年(一九四三)秋，前國立中央大學醫學院創設法醫學科，聘請林幾爲主任教授。三十四年（一九四五）一月，前國立中央大學醫學院開辦高級司法檢驗員訓練班，招考高中畢業生爲學員，訓練二年半後，分發四川省各地方法院工作。同年四月，法院組織法內始置有法醫師之規定。迨三十五年（一九四六）春。前行政院頒定法醫人才五年訓練計劃。（由林幾擬訂。前法教兩部會呈前行政院核准。）以栽培一、各醫、法、憲、警、學校所需之法醫學師資。二、各高等法院所需之法醫師。三、各地方法院所需之司法檢驗員。四、法醫學各分科研究員。惜困於經費，未曾完全實現。三十六年（一九四七）春。前法部法醫研究所自重慶遷回上海，另租房屋一幢，執行法醫檢案。同年四月，俞叔平編著法醫學，於遠東圖書股份有限公司發行。同年八月，前國立中央大學醫學院自川回寧後，續招第二屆高級司法檢驗員。同年十月第二次司法人員攷試時，高等考試內復將法醫師列入，訓練期間改爲一年，普通攷試內亦將檢驗員列入，訓練期間改爲六個月，攷試科目均將中外史地改爲國文。惟報名應考者，仍寥寥無幾。三十七年（一九四八）八月，前國立中央大學醫學院成立法醫學研究所，籌設法醫學師資研究班、及法醫師訓練班。並奉前教部令，將高級司法檢驗員訓練班改爲司法檢驗專修科，定二年半畢業。同時，國立中山大學醫學院亦奉前教部令，同樣創設司法檢驗專修科。三十八年（一九四九）八月。前國立中央大學醫學院司法檢驗專修科。因教員缺乏，經濟困難，經教務會議議決，暫緩招生。三十九年（一九五〇）春，國立中山大學醫學院司法檢驗專修科，因教員缺乏，將該科學生歸併醫本科肄業。同時，前法部法醫研究所附屬在上海市人民法院內，改爲法醫檢驗所。同年七月。中央人民政府衛生部衛生教材編審委員會。聘請林幾爲法醫學組主任委員，復加聘陳安良及作者爲特約編審。同年八月，國立南京大學醫學院司法檢驗專修科，奉華東區教育部令，繼續招生。同時、中南區衛生部擬委托南京大學醫學院訓練法醫人員六七十名，正在商洽中。同年九月中央人民政府衛生部頒發解剖尸體暫行規則、其中有關法醫者。爲第二條第三款法醫剖驗限於司法機關、及醫學院校附設法醫檢驗機構、作死因分析時實行。第三條第四款涉及刑事案件必須經過尸體剖驗始能判明死因時。（本款之尸體應以先取得其親屬或機關負責人之同意爲原則。）第四條爲研究死因必須加以剖驗的病尸體、其無主承領者、除由人民政府交付者外，須向該管地方人民政府具呈報書、經過三小時方可執行解剖、如該管地方人民政府認爲必要時，在據報後三小時以內得令其停止解剖。第六條有關法醫上檢驗死因的剖驗須會同公安人員進行。現全國各醫學院校內、僅國立南京大學醫學院設有法醫學研究所及法醫科。故按現實需要情形，國內實在需要加緊培植法醫學師資及司法公安部門的初級中級法醫人才，以供全國醫法警各校專門師資與各地檢案的需求。

稿約

（一）本誌以登載中外醫學歷史之譯著爲宗旨。

（二）譯文請附原書，或原文一段，以便參考，否則請指明原書書名及頁數。

（三）文體不拘，但以白話爲原則。各文請用標點。

（四）圖表請用黑墨水繪製，以便製版。

（五）已發表過的文稿，請勿惠寄。

（六）來稿本誌有修改權。

（七）來稿刊出後，概酬本誌五册，如作者欲添印單行本，請於來稿時聲明添印數量，印費照成本計算，由作者自理。

（八）來稿請寄上海（9）慈谿路四十一號，中華醫學會醫史學會。

中國眼鏡史

聶崇侯

眼爲五官之一，往往因屈折而有異常，以致視力欠佳，幾千年來沒有方法來矯正這個缺點，直到最近二三百年，才能補救這一缺點。中國雖有五千年文化，對於人類貢獻甚多，但眼鏡一物，是否爲中國人所發明，中國在何時，才有眼鏡。均爲我人探討的問題。惟收集上項材料，很不容易，身邊參考書籍不夠，錯誤一定很多，抛磚引玉，旨在引起同道們的興趣，多多發掘新材料，藉以明白究竟。本篇僅就個人一得之見，並希望各同道指正爲荷。

在未述中國眼鏡史以前，略談各國有關眼鏡史事項數則，藉以溯源而追其根。

Plinius 是羅馬時代史官，(生於紀元 23—70 年)據其所紀錄事項，在巴比倫，有用蘇打與 Belus 河邊砂石所製成之廚房用具，如果此事確實，則製造玻璃，遠在紀元之前。

在埃及由帝王坟墓中，發掘出來的空心玻璃，以及裝盛骨灰等物，都是紀元前1800年之物，其他如水晶棺材，Sarkophage 及像架等，均製自玻璃。其式樣以現在眼光來看，仍爲新穎。

在歐洲十二至十三世紀，已有無色門窗玻璃，至有色玻璃，爲時更早，在歐洲，至今尙有千年以前建築教堂，五彩玻璃，鮮豔奪目。甚至現在不能製造。(天然顏色)

亞洲方面，中國文化久遠，何時始有眼鏡，至今猶不明瞭，據 Oppenheimer 氏云，「中國人，及蒙古人所帶眼鏡，多爲大而圓形的眼鏡，兩端繫線，掛於耳背，鏡片多爲茶晶。」Jopas 約在二百年前，惟中國文化發達甚早，可能在更早以前有眼鏡，又據業師 Adam 教授語我，中國有眼鏡，始於明朝，由西班牙人傳入。

希臘及羅馬時代，用水盛於玻璃球內，可以擴大倍數，以視細小之物 又如 Lu-pen，見於歷史，惟近視眼鏡則未聞及。

羅馬皇帝Nero,見其參觀鬥人爲戲事, Gladiatoren—Kämphen(又如鬥牛爲戲,此時鬥人,有奴隸、或武士,)常以走馬綠寶石(Smaragd, Emerald 置於眼前。據 Plinius 云, Nero 是近視。Lessing 云, Nero 是遠視。是非無從判斷,據 Bock 氏云, Emerald 非用於看物,取翠綠名貴,以示吉祥,乃同情鬥士之意,非用於增加視力也。Nero 死於紀元 68 年,否則以後千年,何以眼鏡一事,竟無人提及。

在中古時已有 Lupen, 亦非眼鏡, Franziskanermönch 修道士,多能學之士,1276年,及英國牛津 Roger, Becan 氏 1214—1294 已有平面凸鏡 Konvexe 此時在比國,德國,亦知有眼鏡,比是 Alexander, Von Humboldt, Komos 諸位之報告。

在意大利 Florentiner 地方, 及中意大利 Pisa 地方,有二位 Salvino degli Armati, 及 Allessandro della 在 1285 年,其墓碑上刻有發明眼鏡事項,如果此兩人是眼鏡發明人,其功績不可埋沒。

由上看來,眼鏡竟是近一千年才有的保目工具,但沒有被人重視,故未普及,這或因技術問題和交通困難,價昂之故。

在歐洲初有眼鏡時,作爲變戲法或玩具之用的。使人看了滑稽可笑,同時眼鏡價值昂貴,三百年前,柏林市上的一副眼鏡,要賣三百馬克。

Maurolycus (Von Messina) 死於 1575,此君對眼及光學,已有初步認識,1571—1630年 Kople 君,在其作場中,已定出屈光率。Dioptrie 1611年。此時仍即知有老視凸鏡, Konvex 而不知有近視凹鏡也。據一般學者意見近視眼鏡的發明,約在十六世紀的後期,較晚於遠視眼鏡。

圓柱鏡 Cylinder 最初發明者,爲光學家 Me. Allisten 氏,在 Philadelphia(1828年),當時英國天文學家 Airy 氏,矯正其散光眼睛,較遲一年(1829)其實 Sir David Brewster 氏在 1758 年,已明瞭散光原因,至 1851 年,德國東普魯士首府大學,物理教授 Helmholz 氏, 已發明透視眼底鏡, 不但光學的屈折理論明瞭,即對於整個眼科學,貢獻之大,非言可喻,其發明時期, 恰好距今爲一百年,我輩同道,應特別重視此事, 而深致敬意。其第一次發明看眼底鏡,現尚存柏林大學眼科學院歷史博物館,我也親自看到的。

中國究竟何時有眼鏡,淮南子泰族篇「欲知遠近,而不能,教之以金目,則快射。」注「金目,深目。」疑卽今之眼鏡。惟不足憑信,宋時已知用水晶映物,故史沆爲獄官時,凡案牘紙渝墨淑以水晶承日照之。但尚沒有眼鏡。援鶉堂筆記中又云:「相傳出自西域,明時始行於中國,亦名靉靆。」甌北詩鈔有用眼鏡詩云,「相傳宣德年,(1426)來自番舶駕,初本嵌玻璃,薄若紙新呀,中土遞仿造,水晶亦流亞。」又明張靖之方州雜錄云:「向在京師,於指揮胡豅寓,見其父宗伯公,所得宣廟賜物,如錢大者二,形色似雲母,而質甚薄,以金相輪廓紐之,合則爲一,岐則爲二,老人目昏不辨細書,張此物於雙目,字明大加倍。」又於「孫景章參政處,試之復然,」景章云:「以良馬易於西域,賈胡,名曰僾逮,」由此以觀,則明宣宗(1426)時,已有此物,當時價値連城,故爲御賜之物,孫景章得自賈胡,故仍用其原名僾逮,而不稱眼鏡。又明嘉靖(1522)間仁和郎瑛撰七修類藁云:「少嘗聞貴人有眼鏡,老年人用以觀書,」吳匏庵尙書家藏稿有謝屠公送西域眼鏡詩云:「此鏡從何來,眾者不可詰,圓與夾錢同,淨與雲母匹,又若台星然,兩比半天出,持此近眼眶,偏宜對書帙,蠅頭細瑣字,明瑩類椽筆,」匏庵吳人,官成化(1465)弘治(1492)間,屠公爲吳縣屠康僖公。這時已有眼鏡之稱,就是郎瑛所說,貴人有眼鏡,或指屠吳諸公而言,清呂藍衍云:「明提學潮陽林某,曾得眼鏡一具,每目倦,以之掩目,能辨細書,來自番舶滿加剌國賈胡,名曰靉靆。」旣譯其音,又臆造二字之形以象之。惟明至清,眼鏡仍未普及,又珍貴異常,清高宗(1736)時,曾以眼鏡爲細帖題,以試翰林得他字,時阮文達公卽阮元,中首選,中有句云:「聖明安用此,臣眛必須他,」爲高宗所賞拔。知這時眼鏡尙屬珍貴之物,所以把它做爲詩題。

在外國初有眼鏡時,如有人帶眼鏡,認爲滑稽可笑,在中國亦然,屈伯剛先生語余,(屈老今年已七十有六,)彼少時,有塾師劉驥雲孝廉,曾誦一眼鏡詩,以一字至七字爲句,俗稱寶塔詩,首句一字「俺」(吳人名鄉曲之士,曰俺,此謂帶眼鏡爲鄉曲之士也)二句二字「無邊」三「水晶片」四「兩個連繂」五「耳朵上背繂,」六「鼻頭上掛區,」七「隔了一層倒看見。」玩其體態,與近代上通行者不同,似清中葉時所撰也。以上是凸鏡,用於老人。至近視眼鏡,則近百餘年始備,上海吳良材眼鏡公司,據說蘇州老店成立於康熙五十八年(1719),此次開會,承其攜帶古式眼鏡多種,以供展覽,對於眼鏡史方面,頗有價值,深爲感謝。惟中國爲世界歷史最久國家之一,在歷史上,中國人民,具有高度的智慧,中國人民,在生產上,科學上,藝術上,都有很多偉大的發明,不但對自己民族上,有巨大貢獻,即同時對世界各民族也有巨大貢獻。中國人民,對於祖國歷史文化,應有明確認識,當用科學的方法,和態度,發掘我們豐富的歷史文化寶藏。中國眼鏡史尚待研究之處,很多希望有關各部門同道,同志,多多探討,爲我們祖先優秀傳統而努力吧!

一九五一國慶前一日於上海五原路165弄3號

印度的醫史和卡爾提阿(Chaldean)及波斯的醫史

C. G. Cumston 著　賴斗岩　朱席儒譯

印度的醫史　印度爲世界古國之一,其醫史頗有可觀。考其最古典籍,可資吾人研究者,有吠陀經(Vedas)多集:第一集名梨俱吠陀經(Rig Veda)又稱讚美詩歌集。其著作時代,約在紀元前一千至二千年之間,內容純屬讚美神明的詩歌,間有涉及醫藥者,如醫師,痲瘋,結核病,草藥和水療等等,惜多略而不詳。第四集名阿達婆吠陀經(Atharda Veda)又稱符咒學(Science of Charms)於紀元前七百年左右寫就,其中所述,多關於醫藥問題,大可作我們的探討。該書所列醫神病魔,名目繁多,如搭克曼(Takman),乃係熱病之神,凡欲降災於首陀(Sudra)賤女輩者,即對其禱拜,其他類此之事,不勝枚舉。此經所載醫法,頗爲玄奧;如當紀元前六百年左右,有摩揭陀(Magadha)國王俾畢沙薩拉(Bimbisara)的太子,患失神之症,當時所用醫療方法,即滿儲牛酪六桶,將病者一再放置其中,後移入檀香桶內,聞照此法,太子竟獲痊癒,且承襲王位云。

阿達婆吠陀經(Atharda Veda)中所載各種祈禱文,固亦爲婆羅門人(Brahmins)所習用,但他們仍多輕視醫師,不願與之爲伍,蓋印度階級界限極其嚴格,惟醫師不顧一切,每與異級同婚,因此,不免遭人擯棄。照古代曼娜法律(Laws of Manu),即喪葬禮儀,醫師亦不能參加。然醫師大多仍隸於中等階級,即所謂吠舍人(Vaisyas)是也。(該級除醫師外,尚有一般商人和農夫)。自後,醫師地位逐漸增高,除首陀人(Sudra)外,各級人士,均可習醫,增加力量,誠非淺鮮。

除上述各書外,印度尚有一種較近典籍名烏柏吠陀經(Upa Vedas)者,其內容所述,多屬於人生問題,如音樂,醫藥,和建築等類,第一集叫做阿於吠陀經(Ayur Veda)又稱「生命學,」內謂各種醫術,係由神靈所授;如沙拉加(Charaka)的醫書,則藉哲人利喜(Rishi)的媒介,由印德拉(Indra)神,親自指教;至於塞斯羅太(Susruta)的著作,則由醫神達梵泰利(Dhanvantari)降世口傳云云。

關於這個印度醫神誕生情形,據一般傳說,頗稱奇特,茲節錄其故事如下:

「某時,世界忽生災禍,諸神不堪其擾,羣至天神維什努(Vishnu)處,祈求解救。維氏答謂欲免此患,必須掀動牛奶洋,以期獲得長生水名阿姆賴脫(Amrita)者,方克有濟。於是諸神魔悉聽其計,立釋前仇,一致努力此項工作。

「維什努自已變爲巨龜,沉於牛奶洋底,一方有巨蛇發蘇基(Vasuki)環繞曼達拉(Mandara)山。由神魔共執該蛇之首,俾得旋轉曼達拉山於維什努之背上。」

「如是工作歷時頗久,其近蛇首之神魔,因受噴出毒氣燻染。致永成黑色。久之大功告成。明月,寶樹與神牛(代表仁愛,旨酒和美麗之神,)相繼呈露於洋面。最後出現者爲醫神達梵泰利氏(Dhanvantari),身衣白袍,手執滿注阿姆賴脫長生水之杯。」

達梵泰利氏鑒於世人所受疾病的痛苦,乃本其仁慈之心,投身人世,爲培那累斯(Benares)王太子,藉以傳道於人。氏嘗隱遁山林,將其醫法口授於名將與哲人維斯樊美楚那氏(Visvamitra)之子名塞斯羅大(Susruta)者。塞氏即據以成阿於吠陀經(Ayur Veda)。此書和沙拉加(Charaka)氏的著作,爲印度有名的醫籍,較諸往古,大有進步,足與希臘醫聖希保克拉提斯叢書(Hippocratic Collection)先後媲美。該書特點,爲重視外科手術,塞氏之言曰,「在治療學中,外科手術,可算爲首要之舉,蓋其方法,爲上天所厚賜,純潔永固,凡善用之者,必能揚名於世。」

同時,塞氏復謂醫學是整個的,不可忽略全體,凡僅精通一科者,好像單翼之鳥,萬難高飛遠方。氏又主張理論與經驗並重。嘗云,「凡熟讀醫書,無實際經驗者,一旦臨症,必致手足無措,不知所爲。反是,不先讀醫書,而貿然行醫者,必難得人民的尊敬,應受君王之譴罰。惟嫺於典籍,兼具豐富經驗者,始可勝治病之重任。」

然而，過分重視書本，亦爲塞氏所不許，其言曰，「學者之知識，僅由書本獲得者，有如背負檀香之驢，不知其價値，惟覺其重量耳。」觀此，可見塞氏議論之一斑矣。

關於印度的軍醫和一般醫療情形，茲引阿於吠陀經第三十四章中數段如下，即可知其一二：

「凡遇君王於役之際，應有醫師隨行，此種人選，除學識湛深外，且兼有高尙道德爲神明所喜悅者。

「行軍所至，醫師必詳勘食物，水源，山林與營地，以防敵人散佈毒物。倘遇毒物發現，則隨時加以掃除，以保軍隊安全，故軍醫必熟讀毒物學，方免隕越之虞。」

「又醫師對於神明，宜存敬畏懺悔之心。時常祈禱，藉以除去各種障礙物，使被壓者的痛苦，得以消滅，犯罪者的恥辱，得以減輕。」

「設遇軍隊中發生疾疫，爲醫師者，迅即設法撲滅，對於君王個人的健康，尤須特別注意，誠因君王爲兆民之首，地位至形重要，諺謂「國無君王，民相殘食，」信不誣也。因此，醫師的蓬帳，必與君王相近，並懸特別旗幟，以資識別。又醫師的藥料和書籍，亦宜近在咫尺，藉免急救時束手無策。」

至醫師的地位，塞氏亦有論及，茲述其大意如下：

「醫師，病人，藥物和護士可算是醫學中四大柱石，但其中最要者莫如醫師，蓋醫師對於治療厲害疾病，固有賴其他三者，然彼等苟無醫師主持其中，則亦無能爲力，結果和婆羅門人當獻祭時，僅知念梨俱與薩馬吠陀經（Rig and Sama Vedas），而不誦阿於吠陀經（Ayur Veda）的故事一樣，同屬無益之舉。

「良好醫師可以單獨治療病人，正如掌舵者，無需水手之助，可以駕舟入港。所謂良好醫師者，其人必深知醫學精義，嫻於治療方法，臨事審愼周詳，膽大心細，愛護眞理，兼富於經驗與判別力，並且隨身攜帶必用器械與書籍，蓋非如此，不足稱爲醫學最要的柱石。

「病人應有生活能力,克已精神和信任醫師等等,方有痊癒之可能。

「所用藥品,必產地優良,採摘合宜,劑量適當,服用得時和品質新鮮等等。」

「良好護士的品格爲心地仁慈,忠實可靠,和聽從醫師的命令等等。」

上列各端,可謂深得其要。

印度外科手術,素以鼻部整形見稱,此項手術,至今仍有採用者,考其發達原因,乃由當日印度之暴君,與虐夫,往往割裂臣民和妻子的肢體,故一般醫師,得有種種機會,改進鼻部技術。

塞氏的醫書中,復載有切斷脏下神經術和剖腹與縫合腸臟手術,前者爲治神經痛,後者爲治腸臟便塞和其他腸部疾病而施。該書所述醫藥器械有千餘種之多,但塞氏以爲外科技術最要者,就是醫師之手,所有器械僅可作爲輔助之用。氏更述及十二種水蛭療法,足供後人的參考。此書頗負盛名,第八世紀時,有數段已經譯成阿剌伯文,極爲阿剌伯國家醫師所推崇。

綜觀以上所述,印度的醫學,頗有價值,現我們所要調查者,即該國醫學昌明,究竟何年開始?關於此點,論者頗不一致,如以阿剌伯人之譯著爲根據,則約在紀元後七五〇年左右。但古代學者以爲塞斯羅太(Susruta)與沙拉加(Charaka)二人之名,曾見於馬黑哈拉他(Mahabharata)詠史詩中,故推論二者之著作,當與希臘荷馬詩(Homeric poems)同時產生。殊不知馬黑哈拉他詩,屢經後代學者的修改與增補,故亦不足爲憑,近世梵文學家多認塞氏和沙氏的著作,約在紀元前三六七年亞歷山大(Alexander)侵略以後,方才出版。上列各端,都有片面理由,但我們所可相信者,即紀元前三二七年與紀元後七五〇年之間,印度佛教極其盛行,此百年中,印度醫學亦達於黃金時代,不無充分證據。

佛教素以仁愛慈悲見稱於世,這種精神,適與婆羅門教的階級與形式觀念相反,最有利於醫學之勃興。因此,一般佛教徒對於醫師極其尊崇,嘗謂貧民之最大不幸即不能享受醫藥之利益。又認爲君王,河流,富戶,教師和醫師並重,凡地方無此五者,切不可久旅其中。觀此可知佛教重視醫學之一斑。

於紀元後二五〇年,印王阿索卡(Asoka)採奉佛教爲國教,其熱心不亞於基督教之君士坦丁(Constantine),故有佛教君士坦丁之稱。當時阿刺伯國王曾頒佈敕令多種。中有兩種頗與醫學有關。其一云,「凡仁慈之人爲上天所眷佑者,定不殘殺生物。」關於這點,塞氏著作中,亦有述及獵人與殘殺生物者,不得享受醫藥之救濟。其二云,「現設兩種治療機關,一爲人類,一爲動物。」按治療機關之意,殆指醫院而言,更有所謂醫學校者。阿王復在國內外,採集各種藥草植物,以爲遍植之用。當第五,六,七世紀時,中國佛教徒開始前往印度。觀其遺留筆記,所見各處醫院頗多,其中有一獸醫院設在蘇拉特(Surat)地方,大約係阿王時代所創辦。

關於印度醫院設施情形,星加利斯編年史(Mahavansa Singalese Chronicle),也有很多記載,如當紀元前一六一年印王都沙加馬尼(Dutha Gamani)將要駕崩之際,曾令侍臣將生平所有政績,一一宣讀,中有一段如下:「在十八處醫院中,朕每日必使病人得適當之飲食,醫師有完備之藥劑,以便利疾病之治療。」

當紀元後三四一年,印王名佛陀的薩(Buddhadisa)者,素有豪富良善之稱,他的生平,可算是親賢嫉惡,遇病者,輒施捨醫藥,並常親事治療,據一般傳說,「有一牧者口渴飲水,不知水中含有蛙卵。忽遽之際,有一卵由鼻腔入於頭部,嗣後該卵即在腦內孵化爲蛙。每值天雨,蛙必在頭內長鳴與咬嚙,牧者苦之。印王乃將患者顱骨剖開,將蛙取出,復行縫合,病卒告瘳。」以上故事,雖屬無稽之談,亦可見佛陀的薩王的醫術,受人推崇之一斑。

另有印史一段關於佛王醫學之記載,似屬可靠,據云,「佛王愛民如子,嘗下詔各地建立醫院,並遣派醫師爲鄉民服務。自己復著作醫書多種,以供醫師臨床之用。又下令每十個鄉村,必聘醫師一人,並劃皇家釆邑二十鄉村爲醫師俸祿之資。此外,更任用獸醫與軍醫,以完成醫藥設施。對於國內各處沿主要幹道,則設立盲廢救濟院,以收容此等病人。又王巡遊各地時常親帶外科手術器械箱,以爲急救之用。」

除佛王外,印度君主負有醫學榮譽者,厥爲大巴拉克拉馬王(Parakrama the Great),他在位由紀元後一一六四年起至一一八九年止。嘗建巨大星加利斯(Singalese)醫院一所,其設立情形如下:「此王曾建可容病人數百名之巨廈一所,一切設備,無不俱全。院內每一病人有男女僕役各一,晝夜看護。所有病人飲食,由王親自酌訂。王又建儲藏室若干,所以爲醫療物品放置之用。凡國內學識豐富之醫師,王必極力收羅培養。每月四天,王必親巡該院,以期有所改進。

「王賦性仁慈,深憫病者的疾苦。且自己復精通醫理,往往召見醫師,詳詢他們所施醫治方法,如覺有未善之處,則指示錯誤所在,和按照醫理應循之途徑。他對於若干病人有時親自開方處理。」

「王常與病人接談並垂詢一切。復賜彼等新衣多襲。因此病人受其恩惠早日告瘳者,不知凡幾。至於王的個體,則極健康云。」

「更有軼事一則,足資紀述者,卽關於渡烏鳥患病之舉。該鳥面部發生潰瘍,不堪其苦,似感王的仁慈,特棲某醫院之中,哀哀長鳴,停留不去。後由該院醫師所見,乃由王命代爲醫治。待痊癒後,王又命侍從將此鳥由象負至城中,並縱其飛去。此種恩愛,實世所罕有。」

基伏迦(Jivaka)爲印度古代名醫之一,其傳記極有趣味,吾人當詳述之,以明當時外科手術之一斑。

(1)基伏迦的家史 基氏之母名杧果花(Mango Flower)。此命名之來源,蓋由其誕生情形,異乎常人,其傳說如下:某婆羅門人有杧果樹一株,終身盡力培植。日用牛乳灌溉。產此乳之牛,曾飲過其他百隻母牛之乳液,故滋養料極其豐富。久之此人果獲佳報,該樹開花纍纍,中有一花,附有一少女,他見後卽收來撫養,並叫她爲杧果花以誌其異。該女日漸長大,容貌美麗,舉世無雙,印人因此,亦名她爲阿姆拉巴里(Amrapali)。

有七國君王,因慕此女之美,爭往求婚,相持不下,其養父婆羅門人乃延彼等聚會一處,討論其女婚事,正值商議之際,有一王名俾畢沙拉(Bimbisara)者,最爲狡獪,乃離席而去,私與此女結婚。

翌日女謂俾王曰,「蒙陛下殊恩眷顧,誠爲萬幸,但陛下行將遠離,設妾夢占熊羆,將來撫育之責,應何人任之?幸即見教。」王答曰,「如生男孩,朕當自撫育之;倘係女孩,卿可留下自養。」王乃賜與戒子一顆,作爲信物,隨即他往。

後杧果花果如所料,懷妊九月,卒舉一男,該孩眉清目秀,貌殊不凡,當呱呱墮地之際,即手帶針囊一個。某婆羅門人聞悉此事,乃喟然曰,「此孩乃係國王之子,生時即攜外科器具,將來定能醫國醫人,其前程正未可量。」此孩生下不久,其母即在通衢,陳示於衆。適遇俾王之長子名阿布海耶(Abhaya)者,路過其間,見而愛之,收歸撫養並名其爲基伏迦(Jivaka)。

按西藏甘經(Kandjur)所載,俾畢沙拉王(Bimbisara)有子二人;一爲某妓所生,以木匠爲業;一爲某商之妻所生,以醫爲業,想後者即係基伏迦(Jivaka)氏亦未可知。

又據哈爾提(Hardy)氏的考證,阿布海耶(Abhaya)實係基伏迦親兄,故其愛護基氏之心,非外人所能比。

以上各說,究屬何者爲眞,殊難確定,但基氏出處特異,則爲吾人所能相信者。

(2)基伏迦的教育　基氏天資穎悟,與衆迥異,八歲時,即嶄然露頭角,但每爲朋輩所譏,謂爲「無父之子。」氏心頗不服,歸詢其母後,始悉其父乃係俾畢沙拉王(Bimbisara),並有戒子作證。氏立攜此信物出外尋父。見及俾王時,即被封爲繼位皇太子。其欣喜不言而喻。但氏對此尊榮,謙遜有加,並謂,「吾家已有異母長兄,儲王之位,愧未敢當,惟生平唯一志願,即欲深究醫術,以利人羣。」俾王深韙其說,即聘國內名醫爲之教授。

基氏就學後,光陰荏苒,久之似無一成;其師責之曰,「醫非力學無由精通。汝貴爲太子,對於此業,恐非所宜,但王命又不可違。今汝從吾等學習後,業已數月,所授諸方,一無所知,萬一國王問及成績,吾等將何詞以對!」基氏立應云,「孤生時即手持醫箱,蓋生平唯一志願,乃從事醫業,因此,儲王之尊,力辭不就,然孤所以不孜孜於處方者,誠因君等學識尚淺,不足開吾心智也。」基氏乃將書中難題,質問彼輩,一時在座諸人,均不能對,惟有叩首致敬而已。

基氏既不滿於國內一般醫師的學識，乃私往泰克薩克拉地方(Taxacla)，改從名師平加拉氏(Pingala)，以求深造。

當晉謁時，平氏詢及學費一節，基氏答之曰，「生實有志向學，但因私適異邦，一時囊空如洗。倘蒙見教，雖執勞役，亦樂為之。」平氏感其誠意，即收為弟子。基氏得此機會，益自淬勵。待工讀七載後，自覺對於醫道，頗有心得，乃問其師何時可以卒業，其師置之不答，僅令其往某地，遍尋所有在醫藥上無用之植物。基氏信以為真，但調查結果，一無所得。其師乃讚之曰，「余在查姆布狄柏(Jambuddipa)地方，素負先覺之責，余死後，汝足傳余之衣缽矣。」觀此，可見印人應用植物藥品之多。

(3)基伏迦的醫術　基氏卒業後，即開始行醫，所有病人受其診治者，莫不獲痊。據軼傳所載，「基氏對於各種植物，用法頗有不同，有時僅用一種植物，亦能治一切疾病，但有時非用多種植物不能治一病者。故在其手中，世無無用之植物，亦無不治之病。」故基氏逝世後，各種植物似有同悲之概，良因世人知識淺陋，對於彼等，濫用無方，偶有失敗，卽咎其無靈，殊可恨也。

基氏一生遇見奇蹟頗多，有一關於木醫王(Wood, the Physician King)軼事一則，足資紀述，其大要如下：

「某次，基氏因事進宮，將入門時，遇一童子負柴兩捆，經過其間。氏凝視之際，忽窺見該童的胃腸，當初深覺可異，繼憶及某植物學內有一段述及木醫王能照見人體內臟之事，始恍然大悟，即向此童購買其物，並給其代價印幣六枚。待柴木放置地上時，此童的腹，就變為不透明體。氏乃將所購柴片，一一實驗，惜久無所成，幸至最後兩片，卒能透視人體，氏因此，不勝其喜，即將此二片留下，其餘悉還彼童。」

薩卡他(Saketa)國有一貴族婦人，患劇烈頭痛病，達十二年之久，雖曾聘過各地名醫，但無有能治之者。基氏適過此邦，甚欲代其診療，以獻其技。無如患者對於一般醫師，久已失其信仰，況基氏新從外來，年紀又輕，安得滿其期望？幸基氏勸慰有加，並稱診金無須先付，其數目多寡，亦可聽便，經此番解釋後，該婦始有再行就醫之意。

基氏先將各種病狀及其發現日期,一一詳詢,繼用牛酪熬煎之藥,傾入患者的鼻腔,後見牛酪夾雜涎沫由口腔流出,一時障礙盡除,病遂告痊。

該婦素主節儉,病愈後,對於從口中流出之牛酪,仍不忍遺棄,乃令除去涎沫後,剩下之油,可留爲燃燈之用。基氏覩此情形,心中以爲所得酬金,定必菲薄,深悔事前未曾議定,致有此舉,然天下事竟有大不然者,該婦所給診費,實超過一般富豪之上,計有黃金四十萬兩,與無數的奴、僕、車、馬等等,大出基氏意料之外。

基氏獲此厚禮後,深感其兄阿布海耶(Abhaya)撫養之恩,乃悉以轉贈之,其慷慨觀念可謂得未曾有矣。

自後基氏臨牀工作,日益增多,第二次所診之病,據軼乘所載,其神奇不亞於上述者:有某男子患腸臟結節之症,腸腔阻塞,飲食不進,身體日趨瘦弱,病已垂危,當基氏抵達時,有謂病人業已無望,其家人正預備喪事,無庸診視,但氏素抱救人主義,一見之下,認爲病者尙有生機,但亟宜施用手術,方保無虞。氏乃命閒人均離病室,僅留病者妻子一人在內旁觀,復將室門鎖閉。於是用布包裹病者上身,並以枕覆其首面,不使得見。繼即用刀剖腹,取去腸臟,將扭結病理,示諸病者之妻。一轉瞬間,復將腸臟納入原位,腹部縫好。繼命病人服食燕麥粉漿,三日後,病狀完全消滅,病者即能起床。而且開刀處之瘢痕,逐漸痊癒,與附近皮膚竟絲毫無異,其技術之妙,可謂無出其右者。

病者感激之餘,立送基氏黃金二十萬兩,以報萬一。氏得此巨款後,仍不自私,悉數轉贈其師平加拉氏(Pingala)。平氏初尙卻辭,後經他堅持,始行接受。

又某次基氏得診費黃金五百兩,亦以贈與其師平氏。當基氏接受此次診金時,曾對某病人言曰,「設汝必欲酬我之勞,可給我黃金五百兩。我所以要此款者,實欲藉此圖報我師之恩耳,蓋我之學識,雖非全爲我師所授,但我係其弟子,受其指導,安可忘恩負義!」查此病人爲一少女,當基氏診視時,業已氣絕,氏立用木醫王照視頭顱,發現微蟲數百,乃即施行手術,繼命病者靜養十天,卒告痊癒云。

更有一次,某格拉發蒂人(Graphati)之子,因一時不愼,由木馬失足墜地,傷及肝臟,幾將氣息奄奄,基氏亦藉木醫王照視之力,用手術方法,將肝臟移回原位,病卒告痊。此次診費計黃金五百兩,氏悉數奉交其母杧花果,以表孝敬之心。

上述病症四例,都極奇異,經基氏診治後,莫不一一回春,因此,氏之聲譽,日益昭著,稱爲印度聖手,誰曰不宜?

除此外,基氏臨症頗多,其中有足紀者,約略如下:

基氏之父乃係俾畢沙拉王(Bimbisara),前已提及。俾王曾患痔瘡,每每膿血染衣,污穢難堪。基氏乃用某種油膏塗抹患處,立即見效。其父感其治癒之功,立命五百嬪妃將彼等所有寶石,悉以贈之。氏堅辭不受,王嘉其德,乃升其爲御醫,並封其爲佛陀弟子。

某次,烏但尼(Udeni)國王名康達普拉帝阿托(Canda Pradyota)者,患狂燥之症(據史家哈爾提氏的考證,大約係黃疸症。)雖經多數醫師的診治,但終未見效。王怒之,悉將彼等處以死刑。其殘酷之心,可想而知。後王聞基氏之名,亟欲請其前往,囑之主治,但基氏此時年紀尙輕,胆量又小,雅不欲應此聘請,其父俾王亦以此行,頗爲危險,乃共往佛陀(Buddha)處,詢其意見,以定去就。佛陀乃示之曰,「未降世之前,汝與余曾立誓約,將來化身人間,定必互相合作,共圖濟世。靈魂罪孽,由余治之;肉體疾病,由汝治之。今余已降世充佛陀之職,汝亦爲名醫,應守從前之約,爲世人解除肉體痛苦,余可得藉此機會,拯救彼等於罪惡之中。現此國王,病已沉重,特來聘請,汝其速往診治,至於汝之安全,定保無虞。」

基氏聞此言後,乃稍放心前往烏但尼國(Udeni)。見及國王時,卽用木醫王照察其內臟,始悉病者的血液在百靜脈管中,極其紊亂。繼由太后處,得其生前祕史如下:「一日太后臥寢,覺有巨蛇覆身,因而受娠生王。」

此事頗屬奇異,基氏卽斷定國王之病,係受蛇毒,非服用牛酪溶液,無由解除。可是,國王一生最懼服牛酪溶液及其他油類,偶嗅其味,就憤怒無比。因此,基氏與太后密商,設法假用別藥,使王吞食牛酪,以除其患,但氏深恐此舉,易招王怒,爲保全自己生命起見,不如立即逃遁爲妥。

基氏竊得王家巨象,用以騎乘,國王得知此事後,隨命首相卡卡氏(Kaka)追趕。此人素與基氏有嫌,因行程匆忙,遂覺呼吸短促。基氏利此機會,私將瀉藥藏於杧果之前半,並以此物和飲水一杯,分給卡卡氏。卡卡氏深信不疑,服後腹瀉不止,頭目眩暈,體弱無力,竟不能行動。

卡卡氏乃求治於基氏。後者告以病無妨害,休息三天後,毒質便由大腸排除,病可復元。

當此事發生之際,國王之病業已痊癒,乃遣使速告基氏。基氏接此消息後,仍恐遭譴,不敢即回,乃請示於佛陀,佛陀應之曰「基伏迦,汝於前世曾立誓行善,今汝何得半途而廢。汝必前往。汝已治癒國王肉體疾病,余將救其心靈罪惡。」

經佛陀勸勉後,基氏乃鼓其勇氣,回見國王。國王感其治療之功,賞賚有加。但氏堅辭不受,僅謂「陛下苟能接見佛陀,並學習其佛法,則不勝榮幸矣。」國王卒從其議,並遣使迎接佛陀。結果該王不特身體健康,而且他的智慧和道德,亦日增加,非佛陀與基氏合作之功,曷克臻此?

基氏外科手術,極其精良,除上述各種割症外,曾舉行空前未有之開腹產術(Caesarean Operation),關於這點,我們無須細述,但有一事,足爲我們所效法者,即心理治療是也。某次,有一富人係王室勳臣,患劇烈頭痛病,達有七年之久,國王乃遣御醫基氏代爲診治。以期早日告瘳。基氏詳細診後,即問病者曰,「萬一貴恙得痊,足下有何見賜?」病者答之曰「苟蒙不棄,施以聖手,不特願將私產全數送上,即充奴隸之役,也所不辭。」

基氏復問之曰,「在治療時期中,共需臥床二十一月,首七月右側臥,次七月左側臥,最後七月方可仰臥,足下對於此舉,是否願意?幸即告之。」病者謂極願遵守一切。

二人議定後,基氏乃命病者臥於牀上,並由侍者爲之助手,即將其顱骨剖開,取出微蟲兩條。

此時基氏爲顧全醫家道德(Medical deontology)起見,對於意見不同之醫師,莫不委曲求全,即稱「從前有二位醫師,曾爲病者診治,一說病者將於五日內死亡,一謂將於一星期內死亡,雖所見不同,但皆未可厚非,蓋前者所察得之蟲,爲其大者;而後者所察得之蟲,爲其小者,其吞食腦髓速度,略有不同,故計算死亡日期,因之,略有差異。」

基氏言畢後,乃將病者顱骨縫合,並命病者靜臥牀中,以資休養。病者側臥一星期後,不勝其苦,乃訴告基氏,基氏令其轉側復臥,待一星期後,病者又訴其苦,基氏謂之曰,「仰臥可矣。」至第三星期,病者遂覺頭痛病漸已消滅,亟欲起床,基氏竟允之,並對其言曰,「余料貴恙三星期內即可痊癒,所以曾告需二十一月者,誠恐足下無此耐心,故特詭言日期,以免屆時過於失望耳。現足下已獲平安,對於我之酬報,未知仍憶及前言否?」該富人一時感激交集,答之曰,「此次承蒙救治,定踐前言。」基氏慰之曰,「關於酬報之事,余斷無這種奢望,足下若要表示一二,給與國王和余各十萬元,即已足矣。」

某次,基氏曾診治塔沙加他(Tathagata)便祕之症,其事亦有足述之點。按塔氏係阿馬達(Amanda)的信徒,因患便祕多時,就診於聖手基氏。基氏先用油遍擦其身體數日,繼用皂夾葉三握和數種藥掌膏汁,令其吸入所發出之香氣。基氏自忖每一握皂夾葉,可通便十次,故病者服食後,即可通便三十次,再加沐浴一次,即可痊癒。後竟如所言。

此次治療,基氏不特謝却酬報,並給病者御賜奇布二方,以資紀念。氏對於一般僧侶,素有憐憫之心,利此機會,曾囑塔氏准許彼等服着簡單民服,以免區異。自後一般民衆,均極愛惜僧侶,競贈衣服多種,論者莫不歸功於基氏之一言。

查基氏之所以有豐功偉業者,實因其生前即有救人觀念也。據印度軼史所載,氏生前曾爲貧家之子,曾爲某尼院司灑掃之職,常自嘆曰,「他日苟得掃除人間疾病和污穢,我願亦已足矣。」其母杧果花每遇朋輩患病時,即命其出外請醫落院診治。待見病者告痊,基氏必自誓曰,「吾願來世,能充御醫之職,藉此機會,並能救治一般平民。」此種神話,亦可見印度醫史之一斑矣。

卡爾提阿與波斯的(Chaldean and Persian)醫史。卡爾提阿與波斯兩國,和印度頗有關係,惜關於該兩國的古代醫史,可資參考之文獻極少,惟威丁頓氏(Withington)所著醫史(History of Medicine, London,1894)內述此事,簡要無比,故引證其說,足窺一斑。

據史家黑羅多塔斯(Herodotus)的記載,古代巴比倫人(Babylonians),雖無正式醫師,但對於治療疾病,頗有獨到之處,其法即將病者置諸公共地點,按當時禮俗,凡經過其地之人,必詳詢其病狀,如彼等自身或見他人曾患同樣疾病者,必道其經歷和治療方法,以資病者之借鏡。

至於卡爾提阿人,據近代的考證,他們素無正式醫師,關於治療工作,僅由占星家和預言家兼任。塞斯教授(Prof. Sayce)曾謂「在卡爾提阿文字中,醫師與預言家統以一種名辭名之,」可見當時情形之一斑。在這種制度之下,該國人民能貢獻於醫學者,自屬無幾,他們的醫理,和原始人民所信仰者,不相上下,即多涉及妖魔和符咒等等。關於此點,雷俄那蒙氏(Lenormant)所著卡爾提阿的魔術(Chaldean Magic)一書,言之頗詳,可作參考之用。又阿蘇班尼普(Assurbanipal)圖書館中,藏有若干卡爾提阿古代醫籍,近由塞斯教授翻譯一部分 內述病者對於魔術或藥物可以自由選擇。該書所載藥方,頗爲繁雜,惜其藥性,多無從查考。茲舉數例如下:

「凡患胆囊病者,可服下列各方:(一)濃酒和水;(二)產犢之乳;(三)牛乳和苦味棕酒;(四)葫和苦味棕酒。」查胆液味苦,今以苦酒治之,與近代所謂「順勢療法論」(homeopathic),頗有相似之點。該書又稱,「凡人心倘被魔鬼所瀀割,宜服下列各藥:(一)鳥肉一塊,(二)大蛇肉一塊,(三)杉樹之皮。上述各藥,須與棕酒一同飲下,方保無虞。」

此外,巴比倫人禁忌星期日服用藥物,亦饒興趣。

觀近代史家所載,卡爾提阿的醫學,似無足取之處,但我們切不可因此輕視彼等,蓋美索不達米亞(Mesopotamia)的古冢中,蘊藏豐富,倘一一發現,該金製寶刀一柄,一時醫法極其精良,波斯人民莫不以神醫目之。

阿母慈特氏曾謂,「索羅阿斯忒的信徒(Zoroaster)乎,汝宜信三種醫師,即外科,草藥科和符咒科是也。但最要者,莫如神醫,蓋他乃醫師的醫師,他的醫法,不特注重肉體,兼且救治靈魂,」可見三派醫法,同時存在也。

按當時的法律,凡波人欲業醫者,必先將其技術,施諸一般非教徒,倘有三人被其醫死者,即永遠無開業資格,反是,三人幸而治癒,即可得醫師執照。

又樊特德(Vendidad)經中,關於醫費,亦有詳細之規定,例如祭司每代人祝福,萬一生病,其診費可免。至於家主,村長,與鎮長等,醫費規定牛一頭,省長則價增加,計車一輛和馬四匹。又醫師亦有醫治畜牲之責任,其診費之多寡,隨種類略有不同,羊的醫費最低,治愈後,主人僅給醫師「一餐好飯」之價值。犬病所用藥品,應與富人一樣。如犬不肯服藥。醫者可綁縛其身,强張其口,灌入藥物云。

上述醫費,在古代時期,可說極其豐富,波斯的醫學,得此規定,又有宗教為之保障,以理論之,其進步應比他國為快,但從事實看來,竟有大不然者,蓋波人富於保守性,觀其宗教,亦可知其一二,醫學在此情形之下,自難例外。故「醫師」二字,在波人眼光中,仍以為無足輕重,一般君王,萬一患病,均欲聘請國外名醫如埃及人及希臘人等,即至後來回教勢力逐漸長大,波斯成為醫學重要區域,其功多由於外籍醫師,波人鮮有力焉,此讀史者每為之興嘆也。

談中國最早第一種醫藥期刊「西醫新報」

王吉民

中華醫學會醫史博物館

我國最早之醫學雜誌當推廣州博濟醫局發行嘉約翰主編之西醫新報。但其內容如何,格式大小,年出幾期,報費若干,恐知者甚鮮;尤以創刊年月,言者不一,有云一八八〇年,更有云一八八五年,相差五年之多,聚訟紛紜,莫衷一是。筆者曾費相當時間,搜集資料,頗有所得,謹先將各文獻臚列於左,加以考證,確定其出版年月,然後再述其內容。

新醫來華後之醫學文獻云:嘉約翰氏西醫新報,一八八〇年出版。

China Medical Missionary Journal(博醫會報)云:廣州嘉約翰醫生最先發行醫報,時在一八八〇年。嗣以種種原因,出至八期,而不能繼續,至今仍無恢復之希望。

醫學史綱云:嘉氏於一八八〇年更辦西醫新報,是爲中國有醫學報之始,不幸二年卽停。

History of Chinese Medicine(中國醫史)云:嘉氏於一八八〇年發行一醫學雜誌,名西醫新報,係季刊,二年卽停,爲中國新醫學史上最早之醫報。

中國醫史文獻圖說云:西醫新報爲我國最早之西醫雜誌,創刊於光緒七年,卽公歷一八八一年,爲嘉約翰醫師主編,在廣州發行,年出四册,九期後停刊。

醫學衛生報云:嘉先生於一八八二年,卽光緒八年,曾辦一雜誌名西醫新報,月出一册,共出八册也。嗚呼!此等專門學報,發見於光緒初年,偉矣!惜乎其外人所辦已,附識於此,以俟他日之纂醫學史者。

中國醫藥期刊目錄云:溯國內醫報之出版,以嘉約翰主編之西醫新報爲最早,創刊於前淸光緒八年(一八八二年),年出四册,在廣州印行,惜僅出八期而止。

中國新醫事物紀始云:第一種醫學雜誌爲廣州嘉約翰之西醫新報,一八八二年創刊，每季一期，發行至第八期停刊。

中西醫藥云：國內醫藥期刊之發行最早者，首推嘉約翰主編之西醫新報，其創刊之年月，時在清光緒八年，即公歷一八八五年。

At the Point of the Lancet（在刀圭鋒尖之上）云：嘉氏在一八八四年創辦一月報，名西醫新報，雖僅出八期而停版，但在如此早期，即有一專門雜誌出現，是值得驚奇者也。（上註謂根據葉芳圃之嘉約翰傳）

Lancet and Cross（刀圭與十字架）云：一八八四年嘉氏發行西醫新報，此為我國最早之中文醫學雜誌。但壽命不長，僅出八期而停。

廣東光華醫社月報云：吾國之醫報皆不永壽，嘉約翰之西醫新報，出至八期而止，尹端模之醫學報，權約翰之西醫知新報，梁慎餘之醫學衛生報，少者二期四期，多者十期而亦止。

綜觀以上文獻，可歸納為四說，一八八〇年者四，一八八一年者一，一八八二年者四，一八八四年者二，其中如博醫會報，醫學史綱，新醫來華後之醫藥文獻，中國醫史，皆謂創刊於一八八〇年，惜均未註明出處，故無從證實，但據研究結果，確係是年出版也。最可惜者中國醫史文獻圖說有實物在手，仍將創刊年期誤為一八八一年，此或因該報封面有第四號一八八一年等字，既是季刊，推想第一號必為該年一月出版也。至說一八八二年者，有醫學衛生報，中國醫藥期刊目錄，中西醫藥，及中國新醫事物紀始四種。察其發表年份，可知謬誤實由醫學衛生報為首，其餘錯誤，皆由此產生，按醫學衛生報一文，係嘉約翰高足葉芳圃所著，理當準確，不幸竟差兩年，又謂係月報亦誤，致以訛傳訛，中西醫藥稱光緒八年即公歷一八八五年，係推算之誤也。又在刀圭鋒尖之上一書係嘉惠霖與龔斯合著，專為博濟醫院一九三五年百週紀念而作，嘉氏任該院院長多年，且參考文獻，固可就地取材，乃竟錯誤如此，並稱係根據葉芳圃之嘉約翰傳一文，但查與原著不符。在刀圭鋒尖之上有此一誤，致刀圭與十字架亦隨而錯誤，足徵引證之不易也。筆者因欲知西醫新報創刊確實年月，特遍查同時期發行之各種雜誌，有述及該報者，得有下列三條：

China Réview（中國評論）云：西醫新報係廣州博濟醫局一八八〇年

出版。

Chinese Recorder（中國教務雜誌）亦有同樣之紀載。

以上兩誌皆係一八八〇年出版，足以證明西醫新報之創刊年月，而最確鑿者莫過於嘉約翰本人之言：

吾人早有用中文辦一醫學雜誌之議，乃本年始付諸實現，先試行每季出一期，如有成效，則多出數期，目前既無雜誌交換，執筆者人亦少，而參考文獻有限，此舉之困難固甚顯焉。

嘉氏此語係載在行醫傳道會一八八〇年年報，廣州博濟醫局一八八〇年之報告欄，千眞萬確，更無可疑矣。

再論該報內容，因未見第一號原刊，不敢妄論，但由中國評論所載，可得其概要，今節譯該文，以供參考：

此係一種醫學雜誌，專爲華人而設，報共八頁，大號雜誌格式，有封面及目錄，全屬中文，在發刊詞用簡潔文言，說明雜誌之益，醫誌尤爲需要，並述西醫較中醫之優越，第一號有短論文十四篇如下：（一）論醫院（二）中國行醫傳道會（三）內科新說（四）方便醫院之情况（五）燙傷之治法（六）眞假金鷄納霜（七）初起之眼炎（八）大腿截去術（九）上臂截去術（十）肉瘤奇症略述（十一）論血瘤（十二）癲狂之治法（十三）論內痔（十四）論外痔。

西醫新報第一期，國內恐無藏本，筆者前曾向各方徵求而未得，博濟醫院亦無存書，最後於一九三九年由嘉惠霖醫師處覓到第四期兩册，據謂尙係在美國嘉約翰子孫處得之，特分贈其一與中華醫學會醫史博物館，以資保存，報係連史紙印，字爲木刻，封面用銀黄箋，縱爲九公分，横五公分强，古色古香，允爲醫林鴻寶，報費每年收銀壹錢，每本收銀叁分，謹將攝影附刊本誌，以供研究。

詳考以上各文獻，可得結論，西醫新報係光緒六年即公歷一八八〇年創刊，嘉約翰主編，廣州博濟醫局出版，年出四期，至八期停止。爲中國第一個醫藥期刊。

參考文獻

1. 醫學史綱，李濤著，二八七頁。
2. 新醫來華後之醫學文獻，魯德馨張錫五。中華醫學雜誌第廿二卷十一期一一〇九頁。
3. 博醫會報 China Medical Missionary Journal，第二卷五九頁。
4. 中國醫史 History of Chinese Medicine，王吉民伍連德合著，四四七頁。
5. 中國醫史文獻圖說，震旦醫刊第五卷第一期六一頁。
6. 美國醫學博士嘉約翰先生傳，醫學衛生報第四期三十頁。
7. 中國醫藥期刊目錄，中華醫學雜誌第二十卷第一期五四頁。
8. 中國新醫事物紀始，中華醫學雜誌第卅一卷第五六期合刊二八四頁。
9. 中西醫藥，全國醫藥期刊調查記，第一卷第一期一二九頁。
10. 在刀圭鋒尖之上 At the Point of the Lancet，嘉惠霖龔斯合著一三四頁。
11. 刀圭與十字架 Lancet and Cross，王吉民編著二五頁。
12. 廣東光華醫社月報第一期發刊詞。
13. 中國評論 China Review，第九卷第二期一一七頁一八八〇年出版。
14. 中國教務雜誌 Chinese Recorder，第十一卷四四七頁一八八〇年十一月出版。
15. 行醫傳道會一八八〇年年報，Report of the Medical Missionary Society in China for the year 1880. 二十頁。

本草經眼錄

王重民

「本草」是一部極偉大的科學辭典，是我國一千多年以來傑出的科學家們對於植物動物礦物在「藥用」方面研究的結晶。歷代的修訂，增纂，新編，傳刻是非常多的。我隨時見到的都曾有簡略的記載，現擬隨時發表出來請大家指教，並且把這件工作繼續下去，編成一個專門書目。一九五一年五月二十五日記。

重修政和經史證類備用本草　殘　存十三卷　十册　三函

平陽張存惠刻本　十一行十九至二十一字　(16.8×12.4.)

原題：「成都唐愼微續證類，中衛大夫康州防禦使句當龍德宮總轄修建明堂所醫藥提舉入內殿官編類聖濟經提舉太醫學臣曹孝忠奉勅校勘。」按原書凡三十卷，此本凡存卷一，四，五，七，八，十，十一，十五，十六，十八，十九，二十，二十二，僅十三卷。是書宋代兩經官刻；一爲大觀二年艾晟序刻本，一爲政和六年曹孝忠奉勅校刻本。此本爲元初張存惠翻刻政和本，又增入寇宗奭本草衍義，書題下所註「己酉新增衍義」者是也。錢謙益錢大昕並謂己酉爲元定宗后稱制之年，楊守敬韙之，余亦韙之則是書刻於金祚已亡之後矣。明成化四年山東巡撫原傑翻刻於魯，明代諸翻本，蓋多從原氏翻本出。又鐵琴銅劍樓藏書目錄卷十四有金貞祐二年嵩州福昌孫夏氏書籍舖刊大觀本草，爲元大德宗文書院本所從出，而楊氏海原閣又有宋刊政和本草，半頁十一行，行十九，二十，二十一字不等，見楹書隅錄卷三，行款與此本同，謂爲是刻祖本，極有可能。貞祐本爲眞金本，自大德翻刻後，世人只知大觀本草有元刻本不知有金刻本；張存惠刻是書實在元初，而紀元用金泰和甲子，後人著錄，遂通稱爲金本，名實皆不合而皆相因不改，甚矣習慣入人之深也。

金元兩代，平水刻書之業頗盛。是書刻於金元之交，尤爲書業鼎盛時代，故字畫與插圖，均較他處所刻者爲精。卷四海鹽解鹽兩圖，古樸生動，遠非宋本列女傳託名顧凱之畫者所能比。持校俄人科斯洛夫在黑水古城所得金刻王昭君趙飛燕畫像，雖雅秀殊觀，而人物之活躍，極爲相似。此題「平陽府姜一刊，」彼題：「平陽口家敬印。」元明以來戲曲小說所插版畫，要當以此爲祖，然則版畫之興，亦當由平陽啓之。

天祿琳琅書目後編卷八載是書一部，今不知爲眞爲僞，亦不知流落何許？北平圖書館所藏，亦僅殘本。此本無名家印記，觀眉端所批，爲出於一庸醫之手，蓋亂後流入北平，又流出海外者也，

重修政和經史證類備用本草三十卷 二十四册 四函

明嘉靖二年刻本 十二行二十三字 (25.4×16.4.)

原題：「成都唐愼微續證類，中衞大夫康州防禦使句當龍德宮總轄修建明堂所醫藥提舉入內醫官編類聖濟經提舉太醫學臣曹孝忠奉敕校勘。」陳鳳梧序云：「成化間巡撫山東都御史原公傑，得平陽善本，刻之臬司，其傳寖廣。然模印旣久，字畫汗漫，至不可辨。聖天子紀元之初，鳳梧以謭陋承乏巡撫，迺檄臬司訪舊本而重鋟之，閱歲而工始告成。凡爲版一千三百四十有奇。是舉也，始其事者江憲使潮，中其事者吳憲副山，錢憲副宏，而終其事者潘憲使珍也。」卷內有：「譚瑩之印」「元珍氏」「栽杏堂」等印記。

商輅序 成化四年(一四六八)

陳鳳梧序 嘉靖二年(一五二三)

重修政和經史證類備用本草三十卷 二十四册 四函

明嘉靖三十一年刻本 十二行二十三字 (25.5×16.4.)

原題：「成都唐愼微續證類，中衞大夫康州防禦使句當龍德宮總轄修建明堂所醫藥提舉入內醫官編類聖濟經提舉太醫學臣曹孝忠奉敕校。」王積序云：「原本刊於山東按察司，摹印旣久，剝落漶漫，幾不可識，覽者病之。憲使周君珫曰：「此書殆不可坐令其廢，」乃謀於方伯謝君存儒，沈君應龍，暨諸僚寀，請爲重刊。予樂從之，乃屬濟南守李遷鳩工鋟梓。越兩月，工且告竣，諸君以序來請。」按此本蓋依陳鳳梧翻本重雕，故字體行款，莫不相同。陳本不記刻工，此本則下書口記刻工姓氏。又卷末有牌記云：「嘉靖三十一年歲次壬子春正月重刊，山東濟南府儒學教授胡大慶，訓導龔爲珩同校督。」

王積序 嘉靖三十一年(一五五二)

項廷吉序

馬三才序　嘉靖三十一年(一五五二)

商輅序　成化四年(一四六八)

陳鳳梧序　嘉靖二年(一五二三)

重修政和經史證類備用本草三十卷　二十四册　四函

明隆慶四年刻本　十二行二十三字　(25.6×16.)

原題:「成都唐慎微續證類,中衛大夫康州防禦使句當龍德宮總轄修建明堂所醫藥提舉入內醫官編類聖濟經提舉太醫學臣曹孝忠奉敕校勘。」谷中虛序云:「余來督撫兩浙,越再稔,以其暇日,檢自敝笥,得嘗所校讎證類本草一編,表而梓之。」知此本爲浙江翻刻本。(此本與萬曆內府刻本並從山東刻本出)用萬曆元年公文紙刷印;刷印雖稍後,而文字頗清晰。惜殘闕五之四,後人遂用隆慶六年傅希摯校刻者配成此本。傅本半頁十一行,眉端有音注,此本無之,至易分辨也。

谷中虛序　隆慶四年(一五七〇)

商輅序　成化四年(一四六八)

重修政和經史證類備用本草三十卷　二十四册　二函

明隆慶六年刻本　十一行二十三字　(25.8×16.2.)

原題:「成都唐慎微續證類,中衛大夫康州防禦使修建明堂所醫藥提舉入內醫官編類聖濟經提舉太醫學臣曹孝忠奉敕校勘。」傅希摯序云:「本草刊於東省舊矣,模印既久,漸蠹齕,幾不可辨,閱者病之。方伯施君篤臣恐愈久而愈失其眞也,乃謀諸寮寀洎臬閫諸君,請爲重梓。余善之,遂屬醫官時孟陽輩,細加校讎。間有字畫之譌訛者改正之,藥性之有忌者增註之,可省可用,或不可多用者更詳補之。神農本□□陶隱居唐本等注,原刊陰文白字,今易以陽文□字;其來自神農者,又特以圈爲識別。」是此本稍有校正,故行款與成化嘉靖諸本不同。又此本眉端有音註,亦爲以前諸本所無。惜此本後印,文字漫漶,有不能辨識者。卷內有:「黃綸之印」,「黃養吾記」、「綸山居士」,「蟫隱廬所得善本」等印記。

傅希摯序　隆慶六年(一五七二)

吳從憲序　隆慶六年(一五七二)

施篤臣序 隆慶六年(一五七二)

商輅序 成化四年(一四六八)

陳鳳梧序 嘉靖二年(一五二三)

王積序 嘉靖三十一年(一五五二)

項廷吉序

馬三才序 嘉靖三十一年(一五五二)

重修政和經史證類備用本草三十卷 十册 一函

明萬曆十五年內府刻本 十二行二十三字 (23.9×21.7)

原題:「成都唐愼微續證類、中衛大夫康州防禦使句當龍德宮總轄修建明堂所醫藥提舉入內醫官編類聖濟經提舉太醫學臣曹孝忠奉敕校勘。」書前後有御製序跋。序有云:「朕萬輯羣書,得證類本草,乃命工重梓之,」檢劉若愚內板經書紀略有重刻證類本草十本,一千三百四十五葉,當卽此本。又丁氏善本書室藏書志卷十六載一本,稱「字大悅目」,疑亦爲此本,而謂刻於山左,蓋因無御製序跋,誤據王積等序爲說也。此本有王積等序,因知內府乃據山東翻本重刻者。又卷二十一第十七葉以後至卷二十二之尾爲崇禎十五年補鈔本。

御製序 萬曆十五年(一五八七)

王積序 嘉靖三十一年(一五五二)

項廷吉序

馬三才序 嘉靖三十一年(一五五二)

商輅序 成化四年(一四六八)

陳鳳梧序 嘉靖二年(一五二三)

御製跋

重修政和經史證類備用本草三十卷 二十四册 四函

明天啓五年重刻本 十二行二十三字 (25.1×16.5)

原題:「成都唐愼微續證類,中衛大夫康州防禦使句當龍德宮總轄修建明堂所醫藥提舉入內醫官編類聖濟經提舉太醫學臣曹孝忠奉勅校勘。」卷一、二、七、八、九、十一、二十三、二十五、二十六之末並記:「天啓甲子歲歷下世醫邑庠生胡馴,府庠生陳新重校。」卷七、八、十一、二十三、二十六天啓下多「四年」二字。二書尾有校勘官銜名，遂錄如後。

天啓五年歲次乙丑春二月既望重刊

山東等處承宣布政使司左布政使直隸長洲曹爾楨督理

山東等處承宣布政使司右布政使湖廣景陵胡承詔督理

署按察司事山東布政使司分守萊州道右參政浙江嘉興譚昌言督理

濟南府知府　浙江錢塘樊時英督理

同知　直隸棗強蘇爲梯督理

通判　山西興邑李一桂督理

通判　陝西朝邑井東星督理

推官　浙江黄巖吳執御督理

山東等處承宣布政使司經歷司經歷河南泌陽陳民思督工

山東等處承宣布政使司經歷司都事廣東瓊山林捷春督工

知翻刻之役，始於天啓四年，竣工於五年二月。此本字體與嘉靖間兩翻本不同，劉祁跋後有成化四年翻本督工人銜名，又知此本殆逕從成化本出。余尚未見成化本因並逐錄其督工人銜名：

成化四年歲次戊子冬十一月既望重刊

山東按察司經歷司知事湖廣黄陂楊昇督工

山東兗州府東平州學正湖廣武陵梅翊重校

山東都司濟南衞經歷司知事華亭劉楯重錄

寓濟南士人姑蘇朱同錄

商輅序　成化四年（一四六八）

陳鳳梧序　嘉靖二年（一五二三）

王積序　嘉靖三十一年（一五五二）

項廷吉序

馬三才序　嘉靖三十一年（一五五二）

晦明軒牌記

宇文虛中跋　皇統三年（一一四三）

劉祁跋 大德十年(一三〇六)

重刊經史證類大全本草三十一卷 二十四册 四函

明萬曆五年刻本 十二行二十三字 (25.1×16.4)

目錄題:「唐愼微纂」,卷內題:春穀王秋捐貲命男大獻大成同校錄。」按徐乃昌南陵縣志懿行傳有秋傳,稱:「性豪爽,有慧識,捐貲刻大觀本草。」艾晟序後有:「大德壬寅孟春宗文書院刊行」牌記。楊守敬日本訪書志卷九跋大德本云:「明萬曆丁丑,宣城王大獻始以成化重刻政和之本,依其家所藏宗文書院大觀本之篇題,合二本爲一書。卷末有王大獻後序,自記甚明。並去政和本諸序跋,獨留大觀艾晟序及宗文書院木記。按其名則大觀,考其書則政和,無知妄作,莫此爲甚。」

艾晟序 大觀二年(一一〇八)

王大獻後序 殘

重刊經史證類大全本草三十一卷 二十四册 四函

明萬曆二十八年印本 十二行二十三字 (24.8×16.4)

目錄題:「唐愼微纂,」卷內題:「知南陵縣事楚武昌後學朱朝望重梓,春穀義民王秋原刊,庠生王大獻引禮程文繡同校。」卷三十一之末又有牌記云:「萬曆庚子歲秋月重鍥於籍山書院。」按此本並非重刊,蓋就萬曆五年原板修補,並改刻題銜然後重印者,朱朝望序之甚明。序云:「陵民王秋,好義樂施予,競輸三百金,復梓行於世。余每於署暇,取梓本諦觀,則見磨者十四,朽者十三,爰捐俸鳩工補葺,黜蠹納新,屬博雅引禮程生文繡董其役,閱月始告成。」

梅守德序 萬曆五年(一五七七)

朱朝望序 萬曆二十八年(一六〇〇)

艾晟序 大觀二年(一一〇八)

程文繡跋 萬曆二十八年(一六〇〇)

王大獻後序 萬曆五年(一五七七)

重刊經史證類大全本草三十一卷 十册 兩函

清順治間印本 十二行二十三字 (23.9×15.7.)

目錄題:「唐愼微纂,」卷一題:「知南陵縣事關東楊必達重梓,春穀義民王秋原刋,邑舉人秦鳳儀許允成何天俊·貢士劉篤生劉弘基同校。」卷末牌記改爲「順治丁酉歲夏月重鋟於籍山書院,」楊必達序云:「陵邑舊有是刻。歲丙申,修志之役竣事,因諸君子之餘力與梓人之便,爲蒐補其闕略而成之。」卷內補版,多爲是役所刻者。徐乃昌南陵縣志釋未見此本,而周中孚鄭堂讀書記卷四十二正據此本著錄。

楊必達序　順治十一年(一六五七)

秦鳳儀序　順治十年(一六五六)

彭端吾序　萬曆三十八年(一六一〇)

梅守德序　萬曆五年(一五七七)

金勵序　萬曆三十八年(一六一〇)

王大猷後序　萬曆五年(一五七七)

經史證類大觀本草三十一卷　二十四册　四函

高麗刻本　十二行二十三字(21.7×15.2)

目錄題:「唐愼微纂。」艾晟序後有:「大德壬寅孟春宗文書院刋行」牌記。楊守敬云:「又有朝鮮國翻刻本,一依宗文本,不增改一字,較明人爲謹飭焉,」日本訪書志卷九葉九上。卽此本是也。又此本卷內朱筆批校,爲日本人津島信用政和本校總目及卷一,用籍山書院本通校全書。據其自題,蓋始校於嘉永五年八月,訖於六年三月。又於安政四年用新修本草校第三十卷。用力甚勤,惜所據非善本,然借此可略知大觀政和兩本之異同。津島氏自署,或稱叔閑甫,或稱藤信,或稱北溪居士。卷十四題記後並係有詩云:細君經略終年事,課婢督奴多選差。畢竟乃翁何所作?校讐本草坐書齋。」卷內有「津島家藏」等印記。

艾晟序　大觀二年(一一〇八)

經史證類大觀本草三十一卷　二十六册　三函

日本翻刻本　十二行二十三字　(20.9×15.2.9)

卷一及卷三十一之末題:「江都醫官望草玄翻刻。」板權葉題:「安永四年乙未十月」字樣,乾隆四十年印本也。此本闕目錄及卷三至卷五。

書明末醫林奇士高斗魁事

章次公

明末清初，醫學界有奇士曰高斗魁者，爲人任俠慷慨，扶義不倦；其於醫，盛名播於吳越，閭閻掀動，實開一代風氣之先。其人其事，有足述焉。

斗魁，字旦中，號鼓峯，浙江鄞縣人，明季諸生。其先系出韓國武烈王高瓊之後，建炎南渡，王之五世孫修職郎世殖，自中原徙鄞，始爲鄞人。修職生元之，字端外，學者稱萬竹先生，爲宋之名儒。萬竹之四世孫明善，洪武初亦以隱德稱安敬先生。安敬之四世孫士，有文名，嘗摘注靈樞，稱志齋先生，贈刑部山東司郎中，則斗魁之曾祖也。祖斈，萬歷甲戌進士，知廣東肇慶府，贈右副都御史。父翺，光祿寺署丞致仕，封右副都御史。斗魁兄弟五人，長斗樞，崇禎戊辰進士，巡撫陝西右副都御史；次斗權，工詩，澹蕩蘊藉，爲時所稱；斗魁居三，季幼斗開、斗礪，昆仲咸以志節賢能有聲於甬上。

斗魁少負才名，蜚聲壇坫，長而幹濟，欲匡天下。素嗜聲氣節義，有所急，不惜肝腦以徇。遭時喪亂，明室覆亡，睹故國之喬木，彌殷匡復之思。畫江而後，遺民諸公，咸欲揮魯陽之戈，以挽頹日，斗魁忠義在心，呼吸響應。及事敗，遺民罹難者無數，或身繫囹圄，或名在捕籙，患難相尋，日無寧時。斗魁蒿目時艱，奮其熱腸，爲之奔走營救，多獲保全；或竟遇害，則經紀喪葬，料理身後，交誼無間，生死不渝。其著者若脫黃宗炎於犴狴，理華吉甫之後事；而乃兄斗樞及其子宇泰並戮力匡復，厄難相乘，瀕危者屢，得以不死者，斗魁之力也。斗魁長身玉立，美鬚髯，丰儀俊整，議論風動，談笑足傾一座，人皆呼爲高髯云。

初，甬上人倫之望，以陸文虎萬履安，爲一時冠冕。及斗魁出，品節卓犖，風概激揚，諸名輩咸爲歎異。未幾，文虎履安相繼物故，斗魁敻然獨秀於震蕩殘缺之後。鹽城劉伯繩，少所容接，金閶徐昭法，不輕酬應，每遇斗魁，輒倒屣爭迎，披布胸懷。斗魁亦頗以此自重，所至喜拾清流佚事，增重雅故，不啻珠玉。而友朋往返，與姚江黃宗羲、宗炎昆季，石門呂留良，同郡李杲堂輩，尤稱莫逆。少治詩古文詞，工書法，與二兄斗權跌宕詞場，揚搉風雅，兼好醫藥方書，甚有得於心。素服膺同里趙養葵說，醫以溫補為主。先是家世炎盛，不以醫行，迨後遭逢陽九，中更國變，禍亂紛乘，患難交灼，斗魁心悲故國，時與匡復事，慷慨任義，家日以落，然猶足供饘粥。會黃宗炎累謀復國無成，竄伏亡命，家人困於飢餓，無法資生，斗魁篤於朋交，念所以振乏之者，始鬻醫於吳越之間。以所入濟其一家，不足則輾轉稱貸以益之，而宗炎雅有書堂器物之癖，斗魁不特謀其家事，且間致一二清供以娛悅之。然則斗魁之於宗炎，生死交誼，良非尋常比者。

先是黃宗炎者，嘗隨其伯子宗羲起兵故里，事敗而入四明山寨，再參馮京第軍事，未幾為清軍獲，待死獄中。幸賴故舊救之，得不死。事亟時，馮道濟慨然以營護為己任，斗魁履安為劃策。行刑之夕，潛載死囚，隨至法場，燈火猝滅，昏黑中突有人背負宗炎而去，則履安子斯程也。及燈再明，以囚代受刑。而宗炎悄然被負，宵行十里外，遂止於履安之白雲莊。一時遺民畢集，為之解縛，置酒壓驚，宗炎陶然而醉，未嘗以驚憂自怯也。既違難，家資盡喪，眷口煩重，枝梧未易，斗魁遂以醫佐之，贍其一室。慷慨扶將，肝胆照人，其所施為，風義有足多者。

斗魁既以方技問世，所至輒能起死回生。客西陵日，適有死者，屍橫半日，斗魁往視之，謂坐氣厥不醒，飲以火劑，張目而蘇，霍然以愈。江湖間動色相告，神其技，於是求治病者徧於南國，蝸爭蟻附，千里挐舟，孝子慈父，頓首候門，往往逾月而不得其一診；苟其致之，便為心力畢盡。病人得含斗魁之藥而死，雖死無怨。蓋斗魁之醫，得之趙養葵，養葵又為溫補派之最後大師，其學說大旨：「壯水之主以制陽光，益火之原以消陰翳，」故治病輒以養火為主。斗魁得其指要，能見其眞，而又洞悉物理人情，知所愛惡，足以涉世週旋，用圓破楞，巧發奇中，治效如神，當世莫不偉之。時仁和陸圻（麗京，）先十年避身為醫人，吳中謂之陸講山，謁病者如市，斗魁出而講山之門驟衰，一時風動，其影響若此。斗魁之醫道既廣，名鬨吳越，任俠當先，赴義恐後，其為人也過多，自為也過少，桑榆菲景，仔肩難卸，家勢中衰，藥囊所入，有餘亦緣手散盡，故易簀時，家徒壁立，幾至無以為殮。庚戌（清康熙九年）五月，疾亟，賦詩有「明月岡頭逝，實不勝悲慨系之。未幾大漸，存年四十有七。一代奇才，遂作古人，當論志節，含識同悲。遺著醫家心法，另詩文桐齋集冬青閣集語谿集數種並行於世云。

章次公曰：明末以還，喪亂迭乘，中國醫學亦遭晦盲否塞之運，終順治之世，初不見有何創發，及斗魁出而聲華掩映，震耀一時，餘子碌碌，黯然失色。夷考其故，蓋亦有由，斗魁生平，磊落軒昂，光明俊偉，及習醫，授受既有淵源，操技復奏神效，輔以雄辯，證以學驗，流俗爲之風動，社會因而鼓盪，時代風氣，遂以丕變，其魔力誠哉不小。張璐嘗謂康熙初元，儒林上達，每多降志於醫；醫林好尙之士，日漸聲氣相通，便得名譟一時。蓋爾日山海漸定，烽煙無聞，遺民所志不達，類皆放廢於藥籠，苦求韓康之肥遯，斗魁亦其儔也。然懷才負奇，任俠好義，置之遊俠傳中，自可與朱家郭解並垂不朽，若方技之道，特餘事耳，固不足以盡之也。

痲瘋桿菌發見家韓生醫師傳

海 深 德

韓生博士肖像

韓生醫師於一八四一年生於挪威之畢根城，中學畢業後就讀於挪京奧士陸國立大學，於一八六八年畢業，得醫學博士學位，奉派充畢根城龍嘉格痲瘋病院副醫師，爲丹里臣醫師之助手，丹氏爲挪威著名痲瘋專家，曾於一八四七年與博克醫師合著一書，名痲瘋學，是書譽滿全球，韓氏旋娶丹氏之女爲妻，有此淵源，其學問日益猛進，其日後之得以名留青史，實由於此。

其時痲瘋病源，人多不知，丹博兩氏均以爲此疾并無傳染性，其蔓延係出於偶然，或係因生活情形不良之結果，一經發生，則以爲係遺傳性，互相結合所致，但其他專家則不認痲瘋有遺傳性，但僅言其係出於偶然，意見紛岐，莫衷一是，是時韓氏雖爲畢根城痲瘋病院之新進，然而熱心此道，不肯後人，遂毅然以担任研究痲瘋病源爲職志，苦心孤詣，孜孜不倦，其醫用品殊爲簡單，僅有剪刀一把，酒精若干，染劑少許，及顯微鏡一具而已。初欲用顯微鏡查痲瘋內有何物體，結果并無所見，嗣爲法國名醫巴斯德之種種發見所鼓動，遂開始欲在痲瘋血及組織內查其機體生物，但在血及其培養內均無所獲，乃改變方針，向未穿破之痲瘋瘤查驗，未幾即發見痲瘋桿菌，於是就痲瘋皮膚及健康皮膚從事長期試驗，卒完全肯定所有查出皮膚小結內之桿形物體，即爲痲瘋病因。一八七四年韓氏爲挪威醫學會撰一論文，詳述經過，因韓氏之研究工作費用，係由該會所資助，而其名滿天下，亦全得該會之力，至是韓氏之痲瘋桿菌，遂爲全球所公認麻瘋之病因也。

韓氏爲進一步研究此病之流行性起見，曾分向國內各處調查，與當地醫師互相交換意見，研討其蔓延及治法，其結果韓氏極力主張管理麻瘋應以隔居爲主要前提，遂力陳於政府制定取締麻瘋條例，其第一讀曾於一八七七年通過，第二讀於一八八二年通過，但遭受各方强烈反對，甚至挪威醫學會亦以此條例實有侵犯麻瘋病者之個人權利，然而日久成效大著，證明韓氏主張無誤，遂使麻瘋病例在頒佈隔居條例後，由百分之三，減至百分之點〇三。

韓氏於一八八七年離國赴美，事緣斯堪的那維亞移居美國之僑民，曾發見麻瘋傳染病，氏在美旅行期間再從事研究此疾，并予以科學上之有益貢獻甚多。

挪威政府以韓氏發見麻瘋桿菌有功，特派其爲畢根城麻瘋院院長，該城因此在麻瘋歷史上享有盛名，每年國立奧士陸大學之醫學生，必赴畢根城研究麻瘋學，甚至一九〇九年之第一次國際麻瘋大會亦在畢根城舉行，人傑地靈，韓氏誠足自豪矣。

韓氏於一九一二年逝世，享年七十一歲，其妻數年後亦死，遺獨子一，亦係業醫，現仍在畢根城開業云。

按韓生氏爲麻瘋專家之鼻祖，但遍查麻瘋季刊雖出有十六卷而無其傳，此篇係已故會員海深德遺著，特爲發表。

評胡美著「勇敢的醫生」

王 吉 民

歐美科學醫之勃興而達今日之昌明，僅係近一二百年間的事，中國和印度開化最早，其醫學在一時期，曾登峯造極，祇以墨守舊章，不謀改進，致形落後，反被後來居上爲可惜耳。

美國基督教國外醫事委員會，因欲知新醫自推行至各地後，成績多少，與該國文化有何影響，特請胡美担任研究此題，經一年餘之調查收集資料，分析報告，始成此書，在調查表中有下列各問題徵求答案：

(一)醫藥先鋒採用何種進取途徑，有效之方法爲何，失敗之原因何在？

(二)科學醫初到一個地區時，其醫學水準如何，當地人士對之有何反應？

(三)此等醫生或護士所以成功，是因得到當地舊醫之同情與友誼，或因醫藥優良，博得社會之歡迎？

(四)所得之效果，是否靠了醫藥的事業，或因商業，文化，及其他的關係。

我們看了以上各節，可知寫此書之動機，背景，範圍，及目標，在沒有評論本書之前，先一述著者略歷。

胡美係美國人，生長印度，爲牧師之子，一九〇一年得霍布金醫學博士學位，初在印度孟買研究鼠疫，旋來中國，創辦湘雅醫學院，並歷任醫校教授及教會醫務幹事等職，在華共計廿五年，所以有「中國通」之稱。著作很多，最著者爲東方醫西方醫一書，風行一時，勇敢的醫生爲其最近作品。

全書共十九章，分四大段：(一)非洲之部。(二)印度之部。(三)中東與近東之部，及(四)中國之部，每章先介紹該地區的歷史背景，風土人情，醫學之概況，次述傳教醫師輸入科學醫開始時如何困難，經多少艱苦而卒獲成功，全書用輕鬆的筆調描寫，每用故事頗能引人入勝，所舉之開路先鋒非洲有李弗斯頓 Livingstone，施威沙 Schweitzer 等，印度有史葛德 Scudder，高希恩 Goheen 等，中東近東有何禮信 Harrison，薛柏德 Shepard 等，吾人特別注意著爲「中國之部」，紀載中有一六九二年康熙皇帝患瘧疾，得天主教神父以金鷄納治瘧事。一八〇五年東印度公司皮爾遜 Pearson 介紹牛痘術來澳門。一八三五年美國基督教會派伯駕 Parker 來廣州創立醫院,此即日後遠近聞名之博濟醫院也,該院實爲新醫發祥地,影響所及,遍於全國。繼伯氏之後有洛克 Lockhart, 合信 Hobson, 嘉約翰 Kerr, 麥根濟 Mackenzie, 德貞 Dudgeon 等,或創辦醫院,或設立醫校,或編譯醫書,或組織醫會,僅一百五十年間,中國各處皆有他們的足跡,眞所謂其始也簡,其畢也鉅。

雖然,在表面看來,此一班「先進」,本基督教博愛犧牲之精神,遠離本國,到異鄉服務,爲人類謀幸福,功德無量,是值得「歌頌」的,在彼帝國主義者眼光來看,是「烈士」,「功臣」,人格「偉大」,名留青史,但站在亞洲國家民族立場而論,則恰好相反。姑不論其本人開始時動機如何,吾人祇觀其以後之惡果,因李弗斯頓之勇敢冒險,作開路先鋒,非洲大部份即淪爲大英帝國殖民地,國亡種滅,悲慘不堪言狀,因伯駕利用曾治癒亡清交涉大員之病,得預起草「中美條約」之席,使中國主權喪失殆盡,區區介紹新醫之功,豈能抵償其引狼入室之罪行哉。在本書序言葛來 Gregg 第一段話非常深刻:

「有人口稱耶穌爲主,而以種種手段待人,彼等一面加以殺戮,而又一面稱奉上帝之命予以治療,一面施給食粮,而又一面欺騙掠刼,一面加以愛護,而又一面進行剝削,一面施以教育,而一面又使之爲奴,彼等曾使多人惡恨,而又曾使多人感激,何其矛盾如此?蓋異族人對於基督教中之聖人及匪類,均有一種不可思議之吸引力,彼自稱宗教代表隨自已之私意解釋教義各行其是,致有偏差,在過去五百年間,已插足於異邦之岸矣。」

西來的醫生一書,並非名醫傳略,或醫學用書,係宣傳基督教醫藥事業大衆讀物,除第一二五頁謂中醫自古皆爲人敬重,及第二三九頁杭州廣濟醫院誤作仁濟醫院外,其餘所述事物尙少錯誤,但胡美係資產階級出身,又係受教會之委托而寫此書,其觀點與立場皆不合潮流,結論當然根本錯誤。所列舉之醫師共有一百二十餘名之多,其中善良純潔之徒,眞正全心全意爲人民服務者,固屬不少,然敗類與帝國份子亦非無之,故吾人讀此書時勿忘帝國主義利用宗教及醫藥侵略之陰謀而加以警惕,始不致爲所惑也。

國際醫史界動態

資料室

1. 和大决定舉行阿維森納逝世千年紀念

上次在維也納召開世界和平理事會會議時，曾通過應於一九五二年六月中舉行亞拉伯名醫阿維森納 Avicenna 氏逝世千年紀念大會，現向各方搜集資料。

2. 丹麥研究醫史的概況

丹麥國對於醫史的研究，極爲重視，在丹京大學早有醫史講座之設，第一位教員爲斐德生 Petersen 氏，在一八八九年聘爲講師，至一八九三年則升爲正式醫史教授。在丹麥，凡醫師祇須經考試及格，即可執行業務，惟博士學位則須提出論文方可。有多人選醫史文題而得博士榮銜的。丹京大學設有醫史博物館，一九〇七年成立，初爲私人機構，至一九一八年則贈歸大學接辦。該館規模頗大，總館設在前王家外科學院，共有房舍廿八間，另有演講廳，可容二百餘人，醫學展覽品皆在此處陳列，庭院對面尙有大廈一座，共有房間十三個，爲前生理學研究所，專陳列藥物史的展覽品。丹麥醫史學會係一九一七年成立，共有會員五百八十六人，是世界最大醫史學會之一，會員不限於醫師及藥師，凡對醫史感興趣的，皆可入會。冬季舉行演講會五，六次，夏季則多從事遊覽，講員中常有國際學者，如世界第二次大戰前有維也納醫史權威紐巴查 Neuburger 氏，及來比錫布郎 Braun 氏，均曾蒞會演講，大戰後曾請得蘇格蘭之葛德理 Guthrie 氏，那威之非拉斯 Fahraeus 氏，瑞典之施丹德 Strandell 氏及瑞士之斯格理 Sigerist 氏等演講。

丹國第一種醫史雜誌在一八二三年出版，又於一八三五年發行醫史論文彙報，但因其時同道太少，兩誌僅出一卷即停。此後馬哈教授自一九一二至一九一七年連出醫史小册十八種。一九四二年丹京大學圖書館發行自然科學及醫學史雜誌，已出七卷，一九四八年丹麥藥業公會發行醫學論壇，分醫學及歷史兩部,內容圖文並茂,每年十期,係非賣品,頗受歡迎云。

3. 美國醫史學會協會年會

美國醫史學會協會第廿四屆年會於一九五一年五月三至五日假波地摩城霍布金醫史研究所舉行,出席代表約七十五人,宣讀論文十篇,又舉行座談會一次,本屆嘉力森紀念學術演講,由紐約大學戴立堅博士担任,題爲琉蘭拿氏 Soranus 及其學說,歐斯拉紀念徵文獎牌授予洛楂士打醫學院學員華西禮氏,論文爲新再斯一個癘疫調查員。又醫史教學委員會報告醫史一科在各醫學院尚未獲得應有的地位,規定爲必修科的固屬不少,但仍有許多定爲選科,或竟無此課者亦有之,委員會結論不贊成選科。至師資問題皆感人才缺乏,全國具此資格的不到七十人,因此學校常請不到教師,故主張凡對醫史感興趣的臨時講師,前往有醫史研究設備的醫校如支加哥,霍布金威斯康辛等校作短期進修。大會中尚有醫史文獻展覽,甚爲精彩,展覽品分兩部,一爲皮膚學大家赫祺臣醫師文物展覽,內有印度畫家所繪痲瘋水彩畫一套,係專爲赫氏一九〇一年在印度工作時所繪,尤爲特色,一爲醫學編史業展覽,將歷代編史之趨勢,方法等,製表陳列,附以各種圖書文獻。

4. 以色列醫學及自然科學史年會

以色列醫學及自然科學史第二屆大會於一九五一年五月在特阿威夫舉行,博登海馬教授任大會主席,通過用希伯來文刊行季刊云。

5. 國際醫史學會協會會長逝世

國際醫史學會協會的名譽會長羅雅氏於一九五一年七月六日在比國普特利城逝世,享年七十五歲,該會係由羅氏於一九二〇年發起。

6. 國際藥物史學會協會廿五週年紀念

國際藥物史學會協會於一九五一年九月十三至十六日在德國沙士堡舉行廿五週年紀念的慶祝大會。

7. 韋夫女士被聘爲醫學史教授

中國黃帝內經的翻譯者韋夫女士,現被聘爲支加哥大學內科及醫史系副教授,兼該大學出版社生物及內科的助理編輯,韋女士前在霍布金醫學院專攻醫史,爲美國得醫史博士學位第一人。

8. 國際科學及醫史雜誌出版

第二次世界大戰以後,專科雜誌停刊者頗多,因此關於科學及醫史的論文,無處發表,有識的人士頗爲之憂心,於是有國際科學及醫史雜誌的組織,俾各國學者的研究心得,得以刊行,茲該誌第一卷第一,二期業已出版,定名人馬座 Centaurus,不論英法德等國的文字,均在採取之列。編輯委員皆係國際知名的人士,這兩期中的論文代表六個國度,以德文爲最多,佔六篇,奧國兩篇,墨西哥法蘭西意大利澳大利亞各佔一篇,它的印刷,紙張,插圖,裝璜等都很好,定價每年美金六元半,在丹京大學出版,主編係該館館長安克氏。

中華醫史學會簡訊

資料室

中華醫史學會常收到個人或團體來函,要求代搜集醫史文獻者,近數月除上海方面外,有下列三處:

一、北京中華醫學會總會:(1)阿維森納 Avicenna 業經世界和平理事會在維也納會議議決,應於一九五二年六月中舉行逝世千年紀念,阿氏像片歷史及著作希搜集寄京,俾便轉送和大審核。

(2)本會歷史自開辦至一九五〇年底 此間所有材料不全,希即查明草編一稿,以供參考。以上兩項事關醫史請查照辦理。

二、廣州博濟醫院陳耀眞:茲有捷克一教授 Prof. Fr. Lenoch, 欲得中國溫泉文獻,請代搜查,以便回覆,此人係捷京大學物理療法及水療法教授、馬薩醫院風濕科主任醫師。不知上海有無風濕專家該教授亦想交換意見。

三、馬來亞伍連德博士:此間牙科學會會長,扶輪社社長梁君欲得中國牙醫文獻,俾作舉行大會時演講,務請代爲搜集有關資料,如能航寄更佳。

中華醫學會歷屆大會年表

資 料 室

第幾屆	日期	地點	附註
第一屆	1916年2月7—12日	上海(基督教青年會)	
第二屆	1917年1月24—30日	廣州(基督教青年會)	與博醫會聯合舉行
第三屆	1920年2月21—28日	北京(協和醫校)	與博醫會聯合舉行
第四屆	1922年1月31—2月4日	上海(基督教青年會)	
第五屆	1924年2月7—12日	南京(東南大學)	
第六屆	1926年2月16—22日	上海(時疫醫院)	
第七屆	1928年1月26—2月2日	北京(中國紅十字會醫院)	
第八屆	1930年2月2—8日	上海(基督教青年會)	與中華生理學會及中華護士會聯合舉行

中華醫學會與中國博醫會於一九三二年合併

第幾屆	日期	地點	附註
第一屆	1932年9月29—10月6日	上海(雷氏德醫學研究院)	合併後第一次大會
第二屆	1934年3月31—4月6日	南京(勵志社衛生署及中央醫院)	
第三屆	1935年1月1—8日	廣州(博濟醫院)	
第四屆	1937年4月1—8日	上海(國立上海醫學院)	
第五屆	1940年4月2—6日	昆明(昆華醫院)	
第六屆	1943年5月11—15日	重慶(中央衛生實驗院)	
第七屆	1947年5月5—10日	南京(中央衛生實驗院)	勝利後第一次大會
第八屆	1950年8月23—27日	北京(中法大學)	解放後第一次大會
第九屆			
第十屆	1956年7月23-29日	北京	

醫史雜誌第三卷全卷篇目索引

編輯室

例：本索引中粗體數字代表卷數與期數，如3:2；即本誌第三卷第二期；P.31即第三十一頁也，餘倣此。

·白页·

醫史雜誌

第四卷　第二期　　　　一九五二年六月出版

編輯者　中華醫學會醫史學會編輯委員會

插圖　阿維森納圖像　阿維森納之墓　阿維森納醫典書影
　　　阿維森納講學圖　回回藥方書影二幀

阿維森納誕生一千週年紀念專號

華東醫務生活社出版

上海(18)淮海中路中南新邨十二號　電話七九〇七八號

· 白 页 ·

阿維森納像　　巴黎大學醫學院藏

阿維森納之墓　　據世界文化史大系覆製

寫在「阿維森納紀念專號」之前

王吉民

數月前中華醫學會北京總會致函本會，謂去年第二屆世界和平理事會召開會議時，曾通過定於一九五二年六月中舉行名醫阿維森納誕生千年紀念，囑代搜集其像片歷史及著作等寄京，俾便轉送和大審核，當即着手進行，經向各方訪求，略有所獲。上月適宮乃泉院長亦因此事莅會，建議在醫史雜誌出一專號。但稿件一時恐不易徵集，擬在本誌特闢一欄，專載幾篇論文，以作紀念。至四月下旬始悉文化界定於〔五四〕節舉行世界四大文化名人紀念大會及圖片展覽會，各團體如上海中蘇友好協會，上海科聯等文化機構，都向本會要求協助供給資料。本會除將數篇特寫及譯稿保留送中華醫學會總會外，曾將搜集所得的照片圖書及文獻悉數分借各會，以盡合作協助之意。嗣各報於〔五四〕節多發行紀念特刊，有不少紀念阿維森納的文字，以篇幅關係，故僅能選刊幾篇作品，連同原有的稿件，將本期醫史雜誌改作阿維森納誕生一千週年紀念專號，提前出版，藉表本會尊崇醫界偉人之微意！

本專號論文共計十篇，專爲本誌而寫者有胡宣明之中東醫聖阿維森納，范行準之中國與亞拉伯醫學的交流史實，及陳邦賢之美國侵略者細菌戰史料。選譯者有阿維森納與亞拉伯的醫學，亞拉伯的醫學和科學。轉載者有沈克非之向阿維森納學習，烏伊之阿維森納誕生一千年紀念，李濤之阿維森納的醫典和他在世界醫藥的影響，並選刊有關資料元大都回回藥物院遺物。插圖方面共有六幅，計阿維森納肖像，劉永純藏；阿維森納之墓，余雲岫藏；回回藥方殘卷，北京圖書館藏；阿氏講學圖，阿氏醫典之第一頁，並王吉民藏。皆甚珍貴，因此種圖片我國存者極少，此次上海世界四大文化名人展覽會中之陳列品關於阿氏者僅有四張，而其中三張均係由本會所借者，於此可見一斑矣。

本專號此次得以刊出，多賴同仁於百忙中加緊工作，本會會員慨將珍藏出借，及中華醫學會圖書館，約大圖書館等供給圖書參考，謹此誌謝！

一九五二年，五，十五，王吉民於中華醫史博物館。

中東醫聖阿維森納

胡 宣 明

阿維森納的原名叫作 Abu Ali al-Hussein ibn Abdallah ibn Sina 簡稱 Avicenna。他的事可分為三方面來講:(1)經歷,(2)著作,(3)人格。

I. 阿維森納的經歷

公元 980 年阿維森納生在菩卡拉 Bokhara 附近的一個小鎮阿法西那 Afshena,他的父親是波斯人,在菩卡拉郡王曼蘇 Mansur 的統治下當一個稅吏。他的母親是阿法西那的本地人。阿氏的大弟出世之後,全家搬到著名的大都邑菩卡拉去住。

阿氏幼年的時候,他的父親請了一位先生教他讀可蘭經;十歲就能背誦全部經文。隣居有一個賣青菜水果的,是個半通的讀書人,阿氏跟他學當時通行的地質學入門,幾何及初步天文學。後來又跟一個遊行的學販學習,以為他的學問比較高明,可是他很快就看出這位江湖先生,外強中乾,乃是一個混飯吃的騙子,就決定多買些參考書自己研究。

阿氏的好奇心非常之大;甚麽科目他都要研究:文法,數學,天文,地理,物理,化學,音樂,醫學,法學,哲學,神學,語言學,辯證法,動植物學。對於醫學他的興趣最高,悟性最好。他的自述說:「醫學並不像數學及哲學那樣難懂。我一開始就感到濃厚的興趣,進步也極迅速;不久之後居然成為一個卓越的醫生。我便開始免費醫病,藉以多得治病的經驗。」

有一本書他無論如何用心,總是讀不通,那就是亞理斯多德 Aristotle 的玄學 metaphysics。他把這書唸過四十遍,全部都能背誦得一字不錯,但是仍然莫測高深,不得要領;他眞苦悶!有一天他在一個書攤上看見一本書,是土耳其的哲學家法拉俾氏 Farabi 所著的亞理斯多德玄學註解,價錢波斯銀幣三個 dirhems,約值中國舊時銀幣五毛。據阿氏過去的經驗,往往註解的書比原文更不好懂。究竟應該不應該買呢?但是原文既讀不懂,只好買來試讀一下。居然一讀瞭如指掌，豁然貫通，喜出望外，滿心感謝。這時他才十七歲，已成爲當地最淵博的學者。他專心求學的時期就此結束了。

這時薩馬尼朝的王，諾本曼蘇患了重病。「堂深人不知何病，身貴醫爭試一方。」菩卡拉的名醫都來試過他們的本領，却沒有一個能把王的病治好。最後有人報告王說：「有一個十七歲的青年，名叫阿維森納，頗懂一點醫學，可否請他來試一方？」王命召阿氏入宮試醫。果然，著手成春，沉痾若失。王大喜，即任阿氏爲御醫，並特准他自由出入王家圖書館參考世界名人所著各種的唯一手抄本。阿氏得此機會，如魚得水，非常高興。可惜不久之後王家圖書館失火，所藏的珍貴書籍全部焚燬。

1002年阿維森納氏的父親去世之後，他開始周遊各大城市，尋找機會發揮他的技能與學問。那時的中東很像中國的戰國時代，武人各自割據一方，彼此嫉妒，互相殘殺，兵災滿地，民不聊生。阿氏東奔西走，過着多年的流浪生活，屢經危險患難。

1004年薩馬尼的王朝滅亡；新王穆罕默德 Mahmud 有意留用阿氏，他却不肯接受任命而西向逃走至烏爾眞斯 Urjensh，就是近代的基發 Khiva。基發的首相愛惜才智之士，每月送他一點生活費。阿氏無心久留，繼續旅行，經過尼沙普爾 Nishapur 及麥爾夫 Merv，直到科拉桑 Khorasan 的邊界。此地有一小國名叫達林 Dailam；國王魁巴斯 Qabus，博學能詩，禮賢下士，阿氏想去找他。可惜事不湊巧，正在這時魁巴斯王的傭傭兵叛變，王被困多日，終於餓死。阿氏不勝艱苦，患了一場大病。這是 1012 年的事。後來在如眞 Jurjan 遇到一位老朋友。這位知己買一座房子送給他住。阿氏就在這屋裏開始講學，主要的題目是邏輯與天文；又寫了三十篇的科學論文送給這位知己，同時開始編著醫典 “Canon of Medicine”。

在如眞住了一段的時候，歡喜遊歷的阿氏又移到德黑蘭 Teheran 附近的賴國 Rai 就是波斯名醫 Rhazes 出世的所在地去住。在這裏阿氏又作了三十篇較短的科學論文，賴國的王馬吉 Majd 懦弱無能，政權全操在攝政太后的手。太后的次子阿刀拉 Shams Addaula，野心很大，有意篡奪王位，因而發生內戰。阿氏不堪其擾，又從賴國跑到卡斯平。在這裏住了短短的時候，又向南往阿刀拉所割據的大城哈馬丹 Hamadan 去。他在哈馬丹一位貴族婦女的家找到工作。不久之後阿刀拉患腹部絞痛病；聽見阿氏在哈馬丹立刻派人請他來看病。得到滿意的結果之後，就留他住在王宮裏當御醫並任命他作哈馬丹的首相。王所僱用的土耳其及庫提斯兵就在這時叛變，逼王斬阿氏的首。王旣不能從，又不好完全拒絕，答應採取折中辦法，免阿氏的職，把他驅逐出境。阿氏知道王的病不久會再發，就躲在一位亞拉伯酋長的家，暗中和王互通消息。果然不久之後，王的舊病又發，立刻派人請阿氏入宮看病。病好之後，下令復阿氏的首相及御醫的原職。

過了不久的時候，阿刀拉王死了。新王繼位。阿氏躲在一個藥商的家裏，聚精會神努力著作。他寫了一封密函給新王的敵人伊斯化恩的郡守，毛遂自荐。這封密函落在新王的手裏。王又發覺他的藏身處，即下令將阿氏拘捕，關在堡壘中。

伊斯化恩和哈馬丹年年戰爭不已。1024年伊斯化恩滅哈馬丹，把僱傭兵全部趕走。平息之後阿氏回到哈馬丹，但是不久之後即攜帶弟弟和兩個奴隸，化妝作一個回教的苦行者，逃往伊斯化恩。經過許多困難危險，終於到達伊斯化恩，備受阿部雅化阿拉阿刀拉 Abu Yafar Ala Addaula 王的熱烈歡迎，並作王的醫學哲學顧問，餘下的十四年阿氏專心致志編著醫典及其他科學及哲學書籍。1037年六月阿氏隨王出征，途中忽患胃腸絞痛病，自醫無效而死，享壽五十八歲，葬在哈馬丹，至今他的磚砌的墓依然存在，各國旅客多往瞻仰，視為聖地。

II. 阿維森納的著作

阿維森納所著的書大小共有一百零五種，題目包括數學，法學，天文，哲學，物理，化學，地質學，音樂，語言學，醫學；其中的一小部份，例如邏輯，是用詩寫的。數學，法學，天文等書都已散失無遺了，後人所知的只是書名而已。哲學書大部也已失去，所保存的不過是拉丁文譯本的殘篇斷簡而已。至於醫學的書,他多年所積的臨診筆記不幸也都失去了,所保存的就是關於醫學的理論,這就是阿氏著名的醫典。

醫典的篇幅很大,約為一百萬字;全書分為五大本,每本分為若干篇,再分為章節。第一本的第一篇講醫學的定義,一般的方法及基本的學說,都是根據希臘醫學鼻祖希波克拉提氏 Hippocrates, 所傳的原則寫的。第二篇論全身病,特別是關於病狀的察驗,切脈及驗尿的方法。第三篇論衛生,防疫及防病的藥方。這一篇成為中古時代衛生學的基礎。第四篇論一般的治療方法,特別是關於洗腸,瀉劑,放血法及燒灼術等問題。這篇成為中古療學的標準。醫典第二本大體是根據代俄斯科利提斯 Dioscorides 的著作寫的,但是內中也有許多藥物是希臘人所不知道的。第三本講病理學,對於每一種病的徵候都有詳盡的敍述。對於胸膜炎,膿胸,腸病及花柳病等的病狀說得頭頭是道。關於胸膜炎的病狀有下面的話:「單純胸膜炎的病狀清楚得很:(1)病人發稽留熱。(2)肋骨下感覺急痛,但是這急痛或在深呼吸時方才感覺的。(3)第三種的病狀是急而頻的呼吸。(4)脈急而弱。(5)病人先有乾咳,後來咳出痰來,此時病已入肺了。第四本的第一篇論各種的發熱並敍述幾種流行病,如天花,痲疹等症。第五篇講外科,把骨折及骨節脫位形容得很清楚。第七篇講化妝品。第五本詳述處方及製藥法。這本藥物學成為中古時代製藥的準則,直到歐州文藝復興的時候。

以上是關於醫典內容比較有次序的要點。此外還有幾點值得一提的,例如關於兒童的教養,阿氏說:「我們的研究與注意力應當集中在培養兒童的品格,並應小心避免一切足以刺激兒童生氣的事。不可使他們受到驚慌與恐怖。不可使他們鬱悶憂愁,垂頭喪氣,更不可使他們患失眠的痛苦。所以我們必須時時留心觀察,究竟兒童們需要甚麼?歡喜甚麼?盼望甚麼?而盡量滿足他們的需要。他們所厭惡的必須從他們的中間掃除出去。這樣作可以得到兩重的益處:兒童的心身交受其益。」關於一般的衛生,阿氏也提供了意見。他所說關於環境衛生的原則至今還是適用的,對於旅行衛生也有所指示。又有一章專論老年人的衛生。散見於醫典及其他的書有硫酸及酒精的製法,導管的製法和用法,畸形脊骨復位術以及幾內蟲,「波斯火」(癰),糖尿病,結核病的傳染性等的發現,或進一步的發現。

阿氏喜歡用格言概說醫理,例如:「心熱,腦冷,骨乾硬,而後身體健康。」「身體發熱,腹部劇痛,則病勢嚴重。」「病人頻動手指,好像從身上拿掉東西,這是死的徵象。」

醫界名人對於醫典的評論很多,略舉數例如下:

Robinson 說:「阿維森納的醫典是影響後人最大的醫學教科書。它控制了歐亞兩洲的醫界思想六百年之久。所載的藥物學範圍浩大,幾乎無所不包。談到病狀的研究,更可看見阿氏燦爛的天才。」Meyerhof 教授說:「自有醫書以來,沒有一本像醫典受到這樣多人的歡迎。」巴丟阿大學教授Castiglioni 說:「醫典裏臨診病歷的明晰,對症開方之準確,醫理解釋之透澈,思想結構之合乎邏輯,以及文章之美麗雄偉,使醫典享受無可爭辯的權威,直到十七世紀的末葉。」維也納大學教授 Neuburger 說:「醫典的偉大成功及久遠的影響在乎體裁之適宜,用字的巧妙,推理技術之合標準,思想之嚴密,周至與深刻,及全盤佈置之有系統。全書成爲一個和諧的整體,宛若從一個完美的模型鑄成的。它是歷代醫學思想的總結,希臘及亞拉伯醫學的化合物。所舉的規律都有豐富的例證,好像政府裏面全班的文武官員,各有特權,各有職守,互相管制,互相支持,其思想組織之巧妙,使歷代讀者讚嘆不已!」

第一個人把醫典譯成拉丁文的是Gerard (1114—1187)。以後根據這譯本而重新編著的共有三十版。全部醫典於1473年在米蘭出版。1491年的希伯來文版在那不勒斯出版。1523年Giunta印書局第一次發行醫典註解。1593年有亞拉伯文版在羅馬出版。1921年 Gruner 將醫典第一本譯成英文。此外自然還有很多版,但是考據的材料不多,不能列舉,也無一一細說的必要。

III. 阿維森納的人格

人格包括智慧,氣質,動性,自表及社會性五個方面。我們用「人格」作分題是指着這個涵義而言,而不是像一般人所想,單指着行爲之好壞而言的。

阿維森納是一位出類拔萃的天才。十歲的時候,他不但能背誦全部可蘭經並能了解經的眞諦。連他讀不懂的亞理斯多德的玄學他也能背誦,他的記憶力之强眞是世所罕見。

阿氏不但有驚人的記憶力,而且有超人的悟性。他在十歲左右就能看穿他的老師都是銀樣的臘槍頭,所以就不再跟他們學,不再拜別的老師,也不進學堂,只用參考書,而居然把最深晦的玄學,數學及醫書都讀通了,悟性不高的人辦得到嗎?他有筆記,大意說:「我讀書遇到困難的問題,就翻翻自己的筆記,閱後深思默想,直到能够明白而後止。有時竟在睡夢中解決了難題,深夜讀書覺得十分疲倦時,我就飲一杯酒提一提精神。」

在極端不平靖的環境之中,終日忍受政事的煩勞,兼負醫病的責任,義務講學的工作,阿氏居然寫出一百零五種被人推崇的書。他的精力之大,注意力之强,眞是不可思議!他的胸中一股熱力,好像火山裏鎔化的石浪,是關不住的。或是比得準確一點,他像天上一顆大星,晝夜奔馳,一刻千里,而貞明則萬古不易。

有人諷刺阿維森納說他「精醫學,而不能自療;通哲學,而道德不高。」這是妒忌他之人的刻薄話。他們暗指阿氏末了一次生病,沒有把自己治好,又譏笑他行爲放蕩。事實是阿氏像許多絕頂聰明之人,乃是一個瀟灑活潑的人,他在整天極端緊張的工作之後,喜歡在大庭廣衆之前,痛痛快快的消遣一下;這比一班表面規矩內裏骯髒的僞君子要光明得多。

阿氏的天性樂善好施,對於窮人體恤入微。他從小就喜歡給窮人免費醫病。除了施診之外,他拿出金錢賑濟窮人,尤其是在求學有心得,特別高興的時候,例如當他讀懂亞理斯多德玄學之後;他立刻進入回教堂去賑濟窮人。

普通人,像阿氏那樣成功,都覺得驕傲自滿,但是阿氏却不是這樣,因爲他的天賦很高,他的慧眼認識了另外一個世界,比肉眼所見的要高到無量數倍。在臨終的時候,阿氏吩咐請人唸可蘭經給他聽,深切懺悔終身所犯的罪過,命將家奴婢都解放,虧人之處加倍償還,餘下的財產全部分送貧民;發落淸楚,安心瞑目而逝。然而阿氏的精神不死。 一九五二年四月十五日

阿維森納誕生一千週年紀念

吉培爾·烏伊

阿布·阿立·阿爾一胡森·伊本·阿勃達拉·伊本·西納(後來西方拉丁國家爲簡化起見改稱阿維森納,)是一位偉大的人物,他的成就不僅是一個民族、或信一種宗教的人們的光榮,也是全人類的光榮。因此,很顯然,每一熱愛進步與和平的人,不管他是回教徒,或者不是回教徒,都共同地準備紀念這位偉大的科學家與思想家誕生一千週年紀念;他爲全人類謀得了極大的幸福,他的事業對世界文化乃是重要的貢獻。

在未談到正文以前,我們必須先對一種反對論調加以答覆。有些人問:爲什麼要在一九五一年紀念一位生於九八〇年(如果相信百科全書的話)的人呢?

我們不能忘記阿維森納是回教徒,紀念他的首先是回教國家的人民。回教國家人民所用的曆法和基督教國家人民所用的曆法大不相同:不僅是回曆紀元比公曆紀元爲遲(回曆紀元是黑蚩拉節,也就是穆罕默德出奔到麥地那的一天,事在公元六二二年,)而且,回曆年雖以太陽週計算,但比公曆年稍微短些。累積一千年以後,差別就不小了,大約相差有三十年之多。行將結束的一九五一年大致和回曆的一三七〇年相合。阿維森納生於回曆三七〇年。所以我們在今年紀念他誕生一千週年紀念。

另外一個問題是這位偉大人物的國籍問題。幾個地方爭奪作爲一位大人物的故鄉的榮譽,也是常有的事。有些人認爲阿維森納是土耳其人,又有人說他是亞拉伯人。其實眞相很容易弄明白,因爲我們還可以讀到阿維森納的傳記,那是他的得意門生在他死後不久寫的。傳記上說阿維森納原籍阿富沙那鎭,離菩卡拉城不遠;這個地方在現在烏茲別克蘇維埃社會主義共和國,降近塔吉克蘇維埃社會主義共和國邊境。毫無疑義,我們這位科學家是屬於塔吉克民族的。烏茲別克民族的語言接近於土耳其語,而塔吉克民族則不同,他們說的是波斯語。語言學家也說,塔吉克共和國雖然離伊朗相當遠,但是一直到現在還保留着最純粹的波斯語。我們有絕對的把握，肯定阿維森納所說的本國語言是波斯語。如果說他的作品大部分是用亞拉伯文寫的，那是因爲當時亞拉伯文是所有回教知識分子的共同語文，正如拉丁文是中世紀西方國家知識分子的共同語文一樣。

此外，在一千年以前，這一區域的政治地理也和今日大不相同。那時有一個廣大的王國，比今日的伊朗廣大得多，版圖遠超出於阿姆河以東。王國的首都就在阿姆河東岸的菩卡拉。王國的統治者是薩曼拿王朝，王朝的歷代君主都是飽學之士，愛好文藝。回曆第四世紀是回教文化最燦爛的一個世紀，那時菩卡拉就是回教文化最主要的中心之一。

阿維森納的父親是受過相當教育的小官吏。他信的是亞拉伯教，非常喜歡討論神學。孩子生下不久，他就遷居在菩卡拉，在那裏把孩子交給最有名的老師教育。

阿維森納和巴士喀（十七世紀法國作家、科學家和宗教家）有很多相似的地方，由於成績過人，深得老師的青睞和父母的寵愛。有人說他在學過六種幾何圖形以後，就能從中演繹出全部幾何學。他同時熟習神學，哲學、自然科學和醫學。在十六七歲的時候，他已經博通古今。他雖然不懂希臘文，但是由於翻譯之助，精通了亞里斯多德浩翰的著作。在那時期及很久以後，亞里斯多德的著作是一切眞實學問的基礎。

菩卡拉的蘇丹——孟蘇爾身患重病，被阿維森納治好了，那時他雖然還在少年，但是醫學知識却已經非常驚人。蘇丹爲了對這位青年醫師表示感謝，特准他利用琳琅滿目的王室圖書館——這是只有極少數博學之士才能享受的特權。阿維森納學習的熱情非常高漲，進了圖書館就不再出來，充分利用了國王給他的特權。到了二十一歲，他的父親死了，他承襲了官職，直到外亞細安那省發生變亂，才不得不逃到花剌子模省去避難。花剌子模的一位愛好學術的大臣熱烈招待了他，並爲他創設了繼續工作的條件。他在那兒住了幾年，跟許多知名的科學家見過面，同時完成了幾部重要的著作，其中最重要的是以治療論爲名的一部哲學百科全書。

三十二歲那年，他離開花刺子模，一連遭了幾次不如意的事，才在裏海邊的戈爾丹地方定居下來。在那兒，我們這位科學家似乎是初次從事了一些社會活動，然而他還有足夠的時間來繼續他的研究工作，完成了他那部醫學巨著——醫學原理。

不久以後，他到了哈馬丹，又治好了一位病勢十分沉重的國王。國王爲表示對恩人的感謝，任命他爲大臣。但是，阿維森納生來是做科學研究的人，不善於搞宮庭裏那一套鈎心鬥角的把戲，而這正是當時政治生活中的主要部分！由於他的直爽和眞誠，他馬上遭到大部分朝臣的嫉恨。他毫不掩飾他對御林軍裏的外國僱傭兵的鄙視，因此特別遭他們的怨恨，他們决定施以報復。有一天，一隊僱傭兵包圍了這位博學而不懂世故的大臣的官邸，使他不得不從祕密的後門逃出，方免於殺身之禍。幾個月以後，國王的兒子把他投入獄中。但是他倒利用這强迫「休息」的機會寫了好幾部著作。

阿拉·烏爾·圖雷·阿布·查發爾王子攻佔了哈馬丹城，把他釋放出獄。王子知道這位了不起的罪犯的才能，馬上派他担任隨侍醫官和文學科學顧問。阿維森納隨王子到了德黑蘭附近的伊斯巴汗，在那裏度了一生最安靜、最有成就的幾年，寫了好些作品。王子每星期召集博學之士開會，他們在阿維森納領導之下討論各種問題。阿維森納還爲王子築了一座天文台。

在五十一歲的時候，阿維森納得了重病。他想用他自己配的藥劑治療，可是這位偉大的醫生雖然救活了那麼多的病人，却不能恢復自己的健康。他所能做到的只是推延死期，而死神終於在回曆四二八年（公元一〇三七年六月）降臨哈馬丹。他只活了五十八歲。我們今日還可以在哈馬丹城看到他的墳墓。（下略）

（原載保衛和平第八期）

向阿維森納學習

沈克非

距今一千年前，公曆九百五十二年——回曆第四世紀——之頃，在今蘇聯烏茲別克蘇維埃社會主義共和國境內，出生了一位對人類幸福、世界文化有極大貢獻的大科學家兼大思想家阿維森納。他既精於醫學，復擅長自然科學，文學和哲學。我們現在來紀念這位突出的思想家，應該向他學習下列三方面：

（一）學習他克服困難，努力鑽研的精神：

阿維森納是個醫學家。在當年客觀條件十分困難，研究工具異常簡陋的時代，又時遭喪亂、襲擊、幽禁，在顛沛流離之中，而竟能够克服各種困難，沉浸在當年藏書最富豐的圖書館中從事研究工作，並跟許多知名的科學家和博學之士討論各種問題。因此，在解剖、病理、藥物、外科、衛生、營養等等科學上，都有精闢獨到的見解和成就。尤其是關於眼部肌肉的構造，對腦膜炎的病因和症狀的分析，對中風、胃潰瘍和肋膜炎的解釋，對用汞蒸氣治病後可能引起的汞中毒的預防，和飲水應該濾過或是煮沸，治療時應該注意營養，並分別行施熱水浴、冷水浴、日光浴，以及積極提倡體育、戶外運動等等，可見他學術的精深。毋怪他用亞拉伯文寫述的醫學原理，到十七世紀末年，風行歐陸，成爲各著名的學校、像意大利的薩勒諾，法國的蒙培利挨等等大學的醫學教學的基本教材。這固然一半由於他天才的穎異，但是另外一半不得不歸功於他隨時隨地刻苦、鑽研的精神。這種精神是永遠值得人們學習的。

（二）學習他不斷追求眞理，力闢邪說的革命精神：

阿維森納是塔吉克族，習用波斯語文，但是他對於那時期足爲一切眞實學問基礎的亞里斯多德的希臘文著作，因爲翻譯的幫助，在十六、七歲時候，就已能精通了。這對於他一生學問的研求上，得力不少。同時他具有聰穎的資質（據說他小時學過了六種幾何圖形，就能從中演繹全部幾何學。）他曾經在德黑蘭附近築過一座天文台（這證明他懂得天文。）他那時已能把形成山脈的起因歸之於地震和流水的侵蝕,分明他對於地質地理,已經有了深刻的認識。但是,尤其使我們佩服他的,還在他的革命精神:他猛烈攻擊當年盛行一時的鍊金術,斥爲不可能有的;並親自進行實驗,分析並合成物體,用來辯證。這是他對於化學的貢獻。他並且挺身反對魔術,反對噴火、茹刀的妖法,反對迷信符籙,尤其反對那時非常盛行的星相學。他是回教徒,但是他努力不使科學變成宗教的奴隸。這樣新穎生動的思想,影響所及,使每一個回教國家都迅速地覺醒過來,後來並且從中亞細亞經過北非,傳達到西班牙,使整個歐洲文化的面目爲之一新。他所著的哲學百科全書治療論,十二世紀譯本流通以後,更大大地充實了基督教國家的哲學思想。他那種在學術上力闢邪說、切實追求眞理的革命精神,實在是値得我們學習的。

(三)學習他不把學術作爲私有的精神:

阿維森納有了心得,絕不自祕,很爽快地把他的經驗和理論公開貢獻給同道參考,並供備後人研究。他曾在哈馬丹供職朝廷,由於他的直爽和眞誠,遭到大部分朝臣的嫉恨。但是他仍然不和他們妥協,仍然努力爲人類尋找征服自然的道路。我們新中國的科學工作者有着一切爲人民服務的條件,應當更好地將自己的才智貢獻給人民。　(一九五二年五月五日解放日報)

阿氏講解剖學時圖　　開羅參也喀大藏

阿氏醫典第一頁

原稿本 40.5×28.2 cm
波倫亞大學圖書館藏

阿維森納的醫典和他在世界醫學上的影響

李　濤

阿維森納平生從事促進本國醫學，和世界醫學進步的工作，影響歐亞兩洲醫學進步，前後不下七百年。他在加强各民族間文化聯系方面，曾盡了很大的力量。中世紀的歐洲在文化上，科學上都是處在極黑暗的時代。一切經典和醫學文獻，都由僧侶牧師掌管。僧侶以治病爲副業，終日奔走於病家之門。這時的醫生，只是學習一些簡單的醫術，談不到什麽研究，他們不過問解剖、生理、病理等基礎知識。所謂名醫亦不過背誦若干藥名而已。

這時回教帝國成立，奬勵科學，對於化學和醫學尤其注意，他們不但大胆地吸收希臘醫學，而且在這方面有輝煌的業績，遠超過當時的歐洲。他們曾建立若干大學校，其中以巴格達的大學最爲有名，一時曾有六千名教師和學生。

第十世紀是亞拉伯文化燦爛的時期，圖書館，學校，和醫院相繼設立。教育也相當發達，曾訓練出很多醫師，其中多半爲波斯人。波斯人精於科學，但因亞拉伯文是當時回教知識分子的共同語文，所以不用本國文而用亞拉伯文著述。這時最有名的醫師，便是阿維森納氏。他不僅促進亞拉伯醫學，而且對於歐洲醫學的發展，有顯著的影響。

阿維森納氏曾給我們留下許多的偉大著作，竟達九十九種之多。其中屬於神學和哲學者有六十八種，屬於科學和天文學者十一種，屬於醫學者十六種，詩集四種。他的詩寫得非常美麗，有八種醫書是用詩寫的。他的哲學屬於亞里斯多德派，所用的方法是亞里斯多德的辯證法，後世稱他爲亞里斯多德第二。在醫學方面以格林氏爲法，努力爲醫學創立一嚴密系統，極力主張醫學是有一致性，有規律，合乎邏輯的科學。認爲治病，也似數學中的定律。

他的醫學著作中最有名的是醫典。這部書總結了所有當代的醫學知識，加以整理和註釋，超過他以前和他同時代的人的醫學著作。這部書共分爲五卷，每卷内又分若干章，共約一百萬字。第一卷總論；第二卷本草；第三卷按身體部位（從頭到脚）敍述疾病和治療；第四卷全身病，就是全身各部同時發病，如發熱性病；第五卷配方。但是以上這種介紹和實際仍有若干出入，例如第一卷分四章，第一章爲醫學定義，第二章；疾病的分類和一般原因和症狀，第三章論保持健康的方法，第四章爲一般治法。每章又分若干節。又如第四卷除了記述天花，麻疹等流行病外，其中第五章則記載外科的骨折和脫臼等。

這部書直接吸取希臘醫學家格林氏的學說，兼採中國和印度的醫學，溝通了歐亞兩洲各民族醫學的知識。他的醫學學說是根據宇宙學，心理學的基本原則，以解釋人生，疾病和死亡的問題。至於治病方法則兼取養生法，藥物和手術。醫典內的學說和治法，直到現在仍然有多處被沿用着。例如情感和生理狀態；住房和飲水的選擇，氣候對於疾病和健康的關係，水療法，飲食療法，尿道注藥法，陰道填塞法，口服麻藥法，動物試驗藥力法，用瘧疾治療精神病法等等。它首先記載肺結核的傳染性，糖尿病患者的尿有甜味等。

在藥物方面，他記載了六百七十種之多，首先記載煉丹家的蒸餾法，酒精製造法，對於藥化學進步上有很大價值。它又記載了三種礦酸、薔薇水，砒素，昇汞等。

他在診斷方面很重視切脈，驗尿和檢糞。脈搏的區別極其精細，多到四十八種。中國的脈經大約這時已傳到亞拉伯，阿維森納或已見到這類書，所以四十八種脈有卅五種和脈經所記的相合。其次他對驗尿也很重視，例如尿的外觀，顏色、沉澱等等都詳加鑑別。書中診斷標準有很多地方和現代醫學相合。

阿氏是一位敏於觀察，善於描寫的人，不但綜合了以前醫家的記載，而且用邏輯方法找出事物共同不易的規律。用此規律推論人生的健康和疾病。於是將病人分成類別，成爲一完好的系統。這種方法，易學易行，使初學醫的人減少了暗中摸索的苦惱，是最實用的方法。他這部書所以流行廣大而且年久，主要原因是實用，其次是淵博。這部書完成於歐洲醫學衰落時期，十二世紀西班牙人將它譯成拉丁文，同時猶太人更將它加以註釋。所以這部書很快地流行歐亞兩洲，醫家都把它奉爲經典。歐洲的醫學校也用這部書作教本，在考試醫學生時，照例地從他的書中找一些問題，讓學生答覆。

例如德國萊比錫大學於一四零九年成立，在第一和第二學期的醫學課程教阿維森納的醫典，第三和第四學期教格林氏的著作，第五和第六學期教希波克拉提斯的箴言，這種課程表經過一百多年都沒有變動。

十五世紀歐洲印刷術發明以後，阿維森納的這部著作的拉丁文譯本在一四七六年便印行起來。以後因爲流行的廣泛，前後曾刊行三十版以上，就是近年還在開羅印過一次。他的這部著作的原文在一四九三年首先在羅馬刊印。又有希伯來文的譯本，現存菩隆雅圖書館內。後來這部醫典曾經多數歐洲人註釋，洋洋大觀，所以在一五二三年意大利人曾將它輯成專書印行。

我們中國在一二七零年在北京設立了廣惠司，掌修製御用回回藥物及和劑，用以治療當時的衛士和在京貧寒者。在一二九二年更在大都（北京）及上都（多倫）設置「回回藥物院」，聘請回民也里可溫人（即基督徒）和漢人共掌醫藥。這時亞拉伯醫學正當興盛時代，無論亞拉伯人或歐洲人都用阿維森納氏的醫書作爲教本（已在上面說明），可見這時他的著作頗有譯爲中文的可能。北京圖書館現存的明抄本回回藥方，殘缺不全，目錄也僅有下卷。按照下卷的目錄的次序，和他的醫典相似。可見他的醫典或已影響到中國的醫學。他這部著作由十一世紀起到十七世紀，一直影響着歐亞兩洲的醫學界。雖然十六世紀德國人巴拉塞爾薩斯氏曾在巴爾大學，當大衆面前焚毁這部醫典，斥爲無用。但是他引起了醫界人士的憤怒，終於在一五二八年被逐出走，可見在十六世紀，他仍然是被醫界尊敬的。直到一六五零年，蒙培利埃和羅文大學仍用他的書作教本。

總之，他在醫學上的貢獻不在一枝一節的臨床經驗，而是將醫學創立系統；更善於應用邏輯到醫學中去，使學醫的人讀了他所著的書，便有所遵循。從十一世紀起，這位醫界的明燈照耀了六七百年，便利了醫生的學習；解除了無數病人的疾苦，更影響了世界文明的進步。無疑的，他在各民族間的文化聯繫上已佔了永不磨滅的地位。在他誕生千年的今日，美國的反動醫生和科學家們，忘了治病救人的眞理，反而製造細菌來毒害中朝人民，誠然是人間最可恥最卑鄙的行爲。我們痛恨那些利用科學技術毒害和平居民的戰爭罪犯，同時更使我們尊敬這位造福人類的偉大醫學家阿維森納。（一九五二年五月四日人民日報）

阿維森納與亞拉伯的醫學

査撻原著　　蔡恩頤譯

阿維森納稱爲亞拉伯醫師之王，是毫無愧色的。我們要談他的生平事蹟，就不能忽略那一時期的歷史背景，使我們能約略知道他的生活和學問。這一時期的亞拉伯醫學可包括紀元前 640 年至1400年，因約在此世紀開始以前的一世紀時，科學的醫學已慢慢地由格林（Galen）和希臘其他名醫漸入衰謝之境，其時地球上有許多國家因戰爭與內亂的關係，先後傾覆，羅馬帝國已漸衰敗，而亞拉伯則在名人 Haroun al Raschid 指導之下，勵精圖治，造成强盛的東方帝國的基礎，此外尙有波斯敍利亞基督教和猶太等民族，對於各種美術和科學的更生，都有很大的貢獻。而且回教君主努力網羅國內國外的名流，予以扶助，保護，和優待，故能獲得更大的進步。

其時希臘和其他各國的名流，學者都紛紛前往東方各大城市，或往西班牙，因那裏的回教人士學習西法已經發揚光大，並且巴格達（Bagdad）菩卡拉（Bokhara）大馬色（Damascus）亞歷山大地亞（Alexandria）和其他各處，都設立大學了。其中有許多大學的經費的預算，有好幾年每年達五千萬元之鉅，以那時候幣制來說，確屬一很大的數字了。在巴格達方面，全球各地前往肄業的人，教師和學生合計常有六千人之多，在西班牙的哥爾多巴（Cordova）托利多（Toledo）塞維爾（Seville）和麥喜阿（Murcia）等城市，都設有公共圖書館和研究院。在十世紀時代哥爾多巴的著名大學附設的圖書館，藏書約有二十五萬册之多。

這時亞拉伯的教育並無硬性規定，它包括許多學科，所以醫師常兼數學家，哲學家，法學家，神學家和自然科學家。因爲與希臘人有商務上的密切關係，而早期亞拉伯人的當中又有許多希臘的醫師，於是根據希波克拉提斯氏（Hippocrates）（尤以格林氏爲最）的主義和理想，奠定希臘一亞拉伯醫學的基礎了。但並非完全得力於此，因其時印度醫學和早期亞洲人士與埃及人士的醫學觀念，已連同星宿學及煉金學也先後滲入亞拉伯醫學的思想中了。

那時醫學一門，爲攻讀神學，哲學，數學，物理學，星宿學的副科，並非分開教授的。實驗解剖完全被宗教信仰所禁止，而產科和婦科也不許男子學習，東方各國幾乎盡皆如此，又實驗外科一門，也視爲不應由有體面的人來學習，只准由人們所鄙視的截石術者和低級社會的人來學習。即靜脈切開術；燒烙術，和動脈切開術等手術，仍只有讓醫師的助手來執行。

關於個人觀察一層，雖然醫校內有若干的教導，但很少加以研究的，名醫累塞斯氏（Rhazes）有云：「有成千成萬的醫師，在過去千數百年間，盡心於醫學的改進，人們若苦讀其著作而加以研究，則在短短的時間內就可以多所發明，遠勝於千年的臨床治病」。但雷氏隨後也曾切實自認：「單獨念書是不能成醫師的，對於特別的病例須予以批評審察和結合到臨床實驗上去」。

學生於讀畢醫學課程後，須經過一委員會特別考試，始能獲得畢業文憑。教師一般待遇很好，有許多人每月可得二百元以上的薪水，此點極關重要，因那時的醫生診費除了眞有名的以外，其餘大都甚微。茲將診費表列下：

（甲）貧窮者必須一律免費：

（乙）凡醫師經病人延診者，每日至少診視二次，如病人要求，則晚上亦須診視一次，如此他每日診病可領取下列的診費：

（子）在城內或他的住所一角四分

（丑）離住所出診者

(1) 由病人付給醫師車費八角五分

(2) 由醫師自付車費者，一元一角七分

診費通常預先訂定，或在診病時定之。有某作者曾有言「診費不妨定多些，因病愈後而記得醫生的功勞的，能有幾人」？

在第十世紀的時候，巴格達城共有醫師八百六十名之多，他們所用藥品的配合最爲有趣，幾盡採取幾何比例與音樂和諧的主義，照錄如下：

白荳蔻	1° 溫	½° 涼	½° 濕	1° 乾
糖	2° ,,	1° ,,	1° ,,	2° ,,
靛	½° ,,	1° ,,	½° ,,	1° ,,
Emblica	1° ,,	2° ,,	1° ,,	2° ,,
總數	4½° ,,	4½° ,,	3° ,,	6° ,,

因爲溫與涼相等,而乾爲濕之二倍，故上開的藥方乃係第一等乾的混合物。

此時醫院在開羅城內,爲最有名,因它備有男女看護，對於創傷,眼疾,腹瀉和發燒的疾病都備有特別病房（發燒病的病房係用水泉使之涼爽)。凡婦女和漸愈的病人都各有病房,此外尙有其他病房甚多。

亞拉伯的醫師中最傑出的爲累塞斯氏(Rhazes)(紀元後八五〇至九二三年)。他著作的萬國醫典(Liber Continens)爲最有名,並有天花和痲疹最詳晰的敍述。其時有阿利阿巴氏(Ali Abbas)亦係名醫,他曾說過「醫師在書本內所得到的疾病形狀，必須按其自已所得的仔細臨床經驗而判斷其眞切」,此說確係至理名言。此外還有一位西班牙亞拉伯混血兒的醫師名阿部卡斯氏(Albucasis)(紀元九三六至一〇一三年),和他的學生阿華路斯氏(Averröes)(紀元一一六六至一一九八年)。

在所有亞拉伯名醫中，聲譽流傳較久而最有聲望的當推阿維森納氏(Avicenna)爲巨擘了。公歷九百八十年生於菩卡拉區(Bokhara)的阿符士金納(Afschena)一個小村莊,他的母親是當地人,父親則爲波斯官員,所以能給他完全自由的教育。阿氏年少時就很聰慧,學問進步得奇快，據說:他在十歲時，就完全能熟讀整本可蘭經,他讀完各種課程如文法,方言，天文和幾何後,便從一位遊歷商人學習印度數學,不久竟靑出於藍了。他曾在若干時候學習亞理斯多德哲學,最後在巴格達學醫，年十六歲便能在當地有資格做教授與開業了。

阿氏首次所得之職業,爲被派充任亞拉伯某酋長的醫官，他曾治愈這酋長的重病,爲酬謝起見,特許阿氏入皇家圖書館閱覽書籍,此點對他學問大爲得力。他生平著作甚多，最早的著述名爲 Collectio 即普通學識綱要。年廿二喪父，阿氏開始前往各城市遊歷若干年，先後爲各酋長的門下客，曾爲人治病，又從事著作各種書籍，並開始撰述其最著名的醫典(Canon)一書。最後擇居於哈馬丹(Hamadan)，曾爲該處的酋長醫病，奉派爲高級行政官，隨後忽被驅逐，但未幾又恢復權勢，在隱居的一個時期，他得專心從事寫作和讀書，這爲他最有益的時期。

阿氏在最後的十年中，多住在伊斯巴罕(Ispahan)地方，仍繼續工作，但同時却也甚不當心，不善攝生，遂使他原來强壯的體質，漸漸損虧，在隨同酋長軍隊開赴哈馬丹途中，忽染嚴重的疝痛病，他自知病狀日深，無可救藥，遂安心待死。在他懺悔時，將本人原有的奴隸開釋准予自由，又將錢財施贈於窮人，聽讀可蘭經，以待末日，於公歷1037年六月逝世，享年五十有八歲，遺體葬於哈馬丹。根據史奇廉馬氏(M. Schlimmer)所言，這墳墓至今猶在，但已頹廢不堪云。

阿氏生平的著作，以醫典(Canon)一書爲最重要，初版在公歷1476年刊於拍都亞，但其全集亞拉伯文，於公歷一五九三年在羅馬出版。隨後重版多次，以一六五八年爲最晚的。這本名著近數世紀來，各國都採用爲課本，直至1650年羅文(Louvain)和蒙特彼利厄(Montpellier)的大學仍用作課本。據希沙氏(Haeser)所言，在第十五世紀時萊比錫大學醫學院的課程表，有如下表的規定，於此亦可見其一斑：

時間	第一年	第二年	第三年
上午六時至七時	阿維森納氏的醫典第一集連同 Jacob 氏的註解	格林氏的 ArsParva 連同 Torrigiano 氏的釋義	希波克拉提斯氏的 Aphorism 連同格林氏和 Jacobus 氏的評論
下午一時	雷些氏的書第九集連同 Arculanus 氏的釋義	阿維森納的醫典第四集第一課	阿維森納的醫典第一集第四課連同 Dinus de Gabo 或 Hygo的批註
下午三時	在一個學期內由各醫師朗誦若干論文例如希波克拉提斯氏的豫後論		

查這部醫典分爲五集,第一集爲普通科學,第二集爲藥物學,第三集爲特別病,第四集爲各種不同部位和器官的普通病,第五集爲普通藥典。我們若加意研究這書,必定覺得它不僅具有廣博的範圍,而且備有各種可供實驗和符合近代思想的許多重要事物,而爲之驚奇不置的。根據病理學和病原學,空氣與水都係重要因素,所以阿氏曾說過若要身體壯健,則心部必須溫暖,腦部要潤濕,神經要冷靜,骨幹要乾燥,他曾說個人致病的因素,他在療治骨氣臌(Spina Ventosa)的敍述中,有案語說:此病由骨幹發生侵蝕性液之故,隨後又提出一奇論,謂此骨幹或爲有些小動物由創口跑進而蛀壞的,但我此種觀察不能徵實等語。(在近代微生物致病的理論方面,此點極相符的)。

阿氏對於天花的敍述,其診斷與病狀,都很明晰,他對疹子,無論稀疎或融合的,也敍述得很詳細,至對痲疹方面說:如果疹子的顏色發紅的病狀尙輕,若發黑(出血狀)那就很重了,在熱症方面,統稱爲傳染熱;但牠的普通症狀,敍述得很詳細,尤著重於病人的面色,脈搏,尿,糞等。他對各種精神病方面極端重視,列在顯著地位,他曾描寫破傷風及人類和畜類的瘈咬病,又曾描寫胸膛發炎病三種和肌風濕病,根據力丁士登氏(Lichtenstien)所說,阿氏係指出癆瘵傳染性學之第一個人,他曾辨別十五種的疼痛,又確定逍遙學派 Peripathetico scholastic 的四種病因(物質,功效,正式和終結)此外又保存格林氏之體液病理學說。

在診斷學方面,阿氏敍述病徵和症狀甚詳,判斷豫後之良否,這與希波克拉提斯氏的著作大同小異,玆摘述一二如下:

凡眼淚非自然落下者,非吉兆,尤以由一隻眼流出者爲更凶。

雙眼張開若注視,甚至以指近之仍張開不闔者,是死兆。

在急性熱症有黃色水自鼻中流出者,爲將身死之徵兆。

在嚴重熱症兩唇偏斜者,非吉兆。

水由鼻孔反流者,非吉兆。

病人俯臥與向來習慣不同者,非吉兆。

患急性肚瀉而腹部漲起者,是死亡之徵兆,尤以腹部有靑色斑點者爲更凶。

凡患嚴重熱症而覺腹部奇痛者,是危急徵兆。

若見病人手動狀若由自身拾物拋棄者,是死兆。

若病人各器官的疼痛忽然無故停止者,是可怕的徵兆。

若病人向不說話而忽然咻咻不停者,是譫妄的開始。

若病人忽畏死過甚,非吉兆。

病人患慢性病者忽無食慾,又患嚴重熱病的病人,忽口渴停止,都非吉兆,尤以舌部發黑者更凶。

查醫典一書的大部份係專載各種疾病與療法,此外又敍述當時最普通的各種藥品和混合物,對於人們的生活和習慣都很詳細注意,房屋應怎樣位置,水應怎樣供給,空氣應怎樣調節,運動與按摩應怎樣使用都有敍述。據云按摩方面,若行之適當,有最大益處等語。

在水療方面,亦曾討論熱水浴和冷水浴,並述及施用的時候。又礦泉水有大用處,玆照錄若干點如下:

硫磺水對於痲瘋,骨節發炎都係有益的,且能治瘰癧。

以明礬灌水飲之,可治痰血。

硫磺水對於脾肝疾患,和因此而起的疼痛,都屬有益。

鐵水對於脾腹也都有益。

食鹽水初時能致肚瀉,繼之能使便祕。

各種礦泉水,都能使排尿,月經,和分娩困難。

如遇蛇咬,施行海水浴,頗有益處。

關於傳染熱病,阿氏主張先要休息和導瀉,如此可以尋病源而驅除之,放血也可施用,他對病者主張給以樟腦錠和冷糖漿,病人的飲食須和以些少酸牛乳或醋,多飲大量冷水,極有益處。阿氏對瘋犬咬傷主張燒灼或放血,他說:凡各種咬傷,失血愈多,則危險愈少等語。對於藥品方面,也提及樟腦,琥珀,畢澄茄,首先應用瀉藥,水蛭,番瀉葉,大黃,羅望子,肉桂油,麝香,肉豆蔻,和丁香。在鐵劑的方面,阿氏亦曾在各種方法用過,並覺得金銀等物可以清血,因此金丸或銀丸都極有功效。他主張凡起病時，可以放血，它的部位須在離病處稍遠一點，至病終止時，則須在病處相近的地點。阿氏對腹瀉常用輕瀉劑。在大冷或大熱的地方，他不給藥，因他覺得凡同樣的藥，在一處地方能有益，但用之於其他的地方，或有害矣。

在外科方面阿氏深以外障摘出術乃一危險的手術，他不允對絞窄性疝氣開刀，而且對膀胱刺穿術也曾敍述。他對拔牙方面，主張用樹蝦蟆使牙鬆動而不主張用力拔除。他對產科方面，則沿用古人方法，在軍事外科方面，則採用格林方法。巴士氏(Baas)說:阿維森納對於醫師所能許有怎麽思想一層的見解，係寓有亞拉伯人意思和見地的特性的。他在宗教家立場，全不講求理智，但在哲學家立場，則係講求理智的。有人說，凡患黃胆症的人若注視黃色的物，這黃胆病可以除去的，阿氏以醫師立場，當不調查這點是否眞確，但以哲學家立場，他就反對此種迷信療法了。

阿氏除所著的醫典一書外，其關於醫學最重要的著作，係一種詩歌體裁的醫學撮要名干的甘(Canticum)(公歷一四八四年在溫尼士出版)。此外尙有其他著作，如脈案，醫學綱要，治療學綱要，和結腸病綱要，他亦著有許多重要哲學論文和書籍。阿氏雖係亞拉伯和基督教的權威，也係一個註釋家和編輯家，他的著作有許多人曾作釋義。

根據巴士氏(Baas)所云，亞拉伯醫學，除單獨發見有若干新的和重要的病症外，倘有下列之特殊貢獻:

1.提倡研究希臘文學，俾能傳至西方，直至文藝復興希臘作家能再就原書學習時爲止。此種溝通希臘科學(醫學亦在內)至西方的舉動，係經過意大利和西班牙而完成的，早在查理曼(Charlemagne)大帝時代已有之，不過在隨後數世紀始算全盛了。亞拉伯人因此獲得西方智識發展的偉大而重要之益處不少，尤以醫學方面更爲顯著。許多人鄙視亞拉伯僅獲得醫學方面的新事體一語，是完全不合的。亞拉伯的文明和文化因此再間接獲得益處，它在自己卑劣的摹仿中甦醒了，反對自己的教師，甚至反對自己。

2.它由植物方面採用許多新的與有效的藥品，尤以從化學方面所得的爲最要（這科學係乜創造的），並且使製藥學有生氣，在實驗上有進步。

3. 乜展開化學療治，係對於實用醫學上有直接改善的貢獻，並對於自然科學與醫學聯合上有間接的貢獻，此點係根據亞理士多德的建議，而有乜自己的根源的。

4. 乜雖在本身的收穫很少，但却首次在臨床敎導的方法中被採用。

5. 乜在只有僧道以迷信方法療治疾病與西方一樣的時候，已保藏一種民間醫學，這一時期如果無亞拉伯人或者會給比實在時候延長較久。

因有以上種種的貢獻，在醫學文化史上亞拉伯無論何時已獲得榮譽的地位了。亞拉伯人已開始在磽薄荒廢的沙漠中建築一塊靑綠肥沃的科學園地了。此輩亞拉伯人的確係文明方面的一顆流星，曾照耀過整個的西方。

參攷文獻

白克（Roswell Park）醫學史 1901 年。

李克棘（Lucien Leclerc）亞拉伯醫學史 1876 年第一卷。

古代與近代醫學歷史辭典 1828 年第一卷。

巴士氏（Baas）醫史大綱 1889 年。

大英百科全書第十五卷 805 頁 2 第一卷 152 頁。

伍士登菲（Wüstenfeld）亞拉伯醫學 1840 年。

嘠地氏（J.Eddé）阿維森納與亞拉伯醫學 1889 年。

亞拉伯的醫藥和科學

黎士曼原著　李德蓁譯

亞拉伯的醫藥對世界上有二大貢獻：一爲許多希臘文獻，因它的保存得以流傳至今，不致遺失。其次，西方醫藥和化學的發展受到它的影響也不能算小。當然這種影響也有相當的不良之處，例如占星術中種種的迷信。可是，亞拉伯醫藥的優點實勝於其劣點的。正如芮農 Renan 所說：自從亞拉伯文化的傳入西方，便將中古時代的科學史和哲學史，前後劃分二個清晰的階段。

在傳入西歐的許多學術文化中，希臘和亞拉伯，究竟佔到百分之幾？我們尚未有確實的估計。可是希臘對世界的貢獻是决不能抹殺的。他曾給我們以哲學思想的啓示和開源。至於亞拉伯人，除保存希臘的科學及文化外，增添了些什麼，則尚不能確定，將來寶藏探掘後，必有很多發現，是可無疑的。

我們所謂的亞拉伯醫藥乃是由亞拉伯語言所寫的醫藥作品。屬於亞拉伯民族的著名作者僅有阿爾克地 Al-Kendi 一人。其他所謂的亞拉伯醫學作者包括了許多的國籍：如波斯人，敍利亞人薩拉孫斯，回教徒。還有西班牙和回教王國內的猶太人等等。總之，使用亞拉伯文字的作者即算其中的一員。

那些宗教狂熱的回教遊牧民族起初征服了文明程度較高的西方時，並不注意到他們的文化。但是，逐漸地，他們開始欣賞，於是便收集各種書籍。他們的圖書館的規模宏大，簡直難以置信。據說在科爾多巴 Cordova 的圖書館，曾收集了六十萬册稿本書，在開羅 Cairo 圖書館的書，竟能充滿十八個房間。在 1260 年巴格達 Bagdad 被佔據時，韃靼人把書籍全部擲入河中，竟超出水面直至對岸，形成了一座橋樑。

穆罕默德時代的回教徒，對於翻譯希臘文學，實有莫大的愛好和熱忱。但他們很少是向原文去翻譯，而多數是譯自景教徒的敍利亞文。那時回教王國的首都巴格達，竟成了學術研究的中心。把希臘著作譯爲亞拉伯文的工作，是超過了其他各地的。於六世紀中葉時，哲的沙巴 Djondisabour 地方創辦了一所醫學校。他們用亞蘭 Aramean 文講授課程。學校旁邊建立了一所醫院。

此後數世紀中哲的沙巴學校和醫院，在世界醫藥和科學界中佔有第一流地位。這學校出來的學生便成了波斯 Persia，伊拉克 Irak，敍利亞等地的醫生。創辦此所學校的人乃是伊梅納特 Imniad 王朝始祖的孫子卡利德·伊本·耶賽特 Khalid Ibn Yasid。此後哈羅·阿爾·累郃特 Harroun al Rachid 的王子阿拉梅蒙 Ala Mamoun 主持校政時，學校的工作更趨興盛。因他極力提倡譯述希臘著作的運動，他的兒子美數 Mesue 和約翰 John 氏，也爲譯者中之一。這樣一來，醫藥文學著作的數量因此增添不少，可惜大多數是沒有什麼價值的。較顯著的幾個作者乃是：累塞斯 Rhazes 氏，哈利阿拔斯 Haly Abbas 氏和阿維森納 Avicenna 氏。他們比同時代的西方學者更富於觀察力，他們描寫的辭句亦更詳細。假如可蘭經不禁止解剖的話，他們和他們的弟子或許可能達到新紀元的成就。

累塞斯氏全名爲阿部·貝格·伞漢特·伊部·薩克累哲 Abu Bekr Muhammed Ib Zagarija 又稱累塞 Razi，生於 841 年卒於 926 年，曾被他同時代的學者稱爲「有經驗者」。他寫了不少的著作，約有二百種之多。可惜多數已經失傳了。他借述了希波克提斯 Hippocrates 氏，格林 Galen 氏，俄利拔塞斯 Orbasius 氏，保盧斯埃基尼塔 Paulus Aegineta 氏及阿伊喜阿斯 Aetius 氏等人的學說，却更增添許多他對各種疾病的新觀點。他所著的痲疹和天花"Liber de Variolis et Morbillis"一書中，曾把這二種疾病作了第一次的描寫，並且還能區別這二種疾病不同之處。此書的亞拉伯原文現僅存二部，一在荷蘭雷登 Leyden，一在意大利威尼斯 Venice；後者曾被德人卡爾俄普斯 Karl Opitz 氏所譯，1911 年在萊比錫出版。各種傳染病的來源乃由於血液的發酵作祟，此學說首由累塞斯氏倡議。克蘭瑪娜地 Cremona 的吉拉特 Gerard 氏曾翻譯了他的名著"Liber ad Almansorem"。此書的第九卷稱作頭部至足部的疾病乃是中世紀最盛行的一部教科書。一個西西里島的猶太人伊本·發拉地 Ibn Faradj 氏在 1280 年時曾將他的一部百科全書萬國醫典"Liber Continens"譯成拉丁文。此後在1395年時，巴黎醫學院的圖書館全部存書共九種，此書乃是其中之一。累塞斯氏同時又是第

一個人在醫藥治療中應用化學藥品,他用得最多的便是水銀藥膏。這裏有一段故事是講到累塞斯氏診斷力的穎悟銳敏:

〔阿布杜拉·伊本·斯娃特 Abdu'llah ibn Swada 氏時常受到不規則的熱病的侵襲,有時是每日發的,有時是間日發的,有時是四日發的,又有時是六日一次的。在發病前,先有些微的寒戰,排尿次數亦增多。我的診斷是這熱病將轉變爲四日性的,否則便是腎臟有潰瘍。不久,患者便有膿汁自小便中排出,於是我便告訴他,不會再發熱了。結果的確如是。〕

卒於994年的波斯作者哈利·阿拔斯 Haly Abbas氏曾寫了一部有名的書君士坦丁大帝大全"Pantegni"。這本書在實際上是一部內外科醫藥理論及實用的百科全書。其中大部份是根據累塞斯氏和一般希臘作者的。歐洲各醫學校採用此書爲教科書歷時頗久,直到後來方才換以阿維森納氏的醫典"Canon"。

阿維森納 Avicenna 氏(980—1036)和累塞斯氏哈利阿拔斯氏二人同籍,都是波斯人。他著的百科全書醫典包括了全部的希臘化的亞拉伯醫藥。自幼生長於普卡拉區的阿非西那。他的父親乃是普卡拉酋長屬下的稅吏。阿維森納氏在十六歲以前,不只懂得醫藥理論而因他甘願不取診費的替病家服務,於是漸漸地他學得了許多新的診治經驗。他是非常的好學,見到什麼書便要讀閱。據說他曾把亞理斯多德的玄學讀過四十餘遍。他曾治癒了一個酋長的危急疾病,於是他被准許進入皇家圖書館參閱各種稀有的書籍。爲了要發展他的才能,他遊歷了很多地方。在許多醫藥教科書中被採用得時間最長的便是他的巨著醫典。作者也存有一部1636年版的醫典,它的結構竟和今日的教本或問答綱要相差無幾。在1650年時蒙皮烈及魯文二地的大學尚在使用這本書,直至十八世紀時,有五百年之久。阿維森納乃是毒藥及其救治法的權威者,他於醫典中描寫着礦物性的,動物性的及植物性的毒物如何經口腔而進入人體;還有由毒蟲或毒性動物噬咬而傳入體內,其中最長的一章是講到瘋狗病的。雖然他的治療法在今日已換以各種進步的方法了,可是尚有極少數留存被應用着。阿氏也寫及靜脈切開術,乳癌等等,至於他對膀胱石截除術的寫述則遜於阿爾部克斯了。水囊腫的治療,他採用切開術,並主張使用烈性療藥或烙灼法。關於難產問題他曾說:「如用產科鉗術,嬰兒不致死亡」。中古後期的基督徒作者十分崇敬阿維森納氏,因此他常被稱作「醫王」。契里納氏在他梅毒學一書中首以此榮銜稱他。還有超瑟 bhancer 在坎特布里故事"canterbury tales"的序文中也提起過他。布朗博士認為除了醫藥著作之外,阿維森納又是文學家,那首被費滋裘拉所譯的詩奧瑪卡揚,據說也是阿氏所作的。

早期負譽的亞拉伯譯者和成名的評註家便是猶漢那·伊本馬薩華 Yuhanna ibn Masawayh氏,在西方被稱為老美斯Mesue。他是巴格特Bagdad醫學校的校長,也是哈綸納拉喜特 Harunur Rashid 王的御醫。他的拉丁文譯作共有九部,最後出版的一部係在1623年,除了他那部最享盛譽的箴言"Aphorisms"之外,(此書可能是康士坦丁 Constantine 氏翻譯的)他尚著了數部關於熱病和脈理的書。

在第九世紀時,一個波斯醫師阿利·伊本·累本·阿提·塔巴利 Ali ibn Rabban at-Tabari 氏亦寫了一部有價值的著作智慧的樂園"Firdaws al-Hikma"此書包括了醫德,胚胎學,衛生學,三種體液的學說(痰,胆汁,及風,)食物的價值,疾病的原因及治療等等。由於布朗 E. G. Browne 氏和邁厄哈夫 M. Meyerhof 氏二人的研討,使我們知道這本書還有其他重要的價值,一為這本書最早提及印度的醫學,其次,此書曾被伊本·拉本 Ibn Labban 的弟子累塞斯 Rhazes 氏作為寫作的參考及根據。末了,此書乃亞拉伯醫學第一部印刷品,或許更是第一部以亞拉伯文字寫成的醫學著述。以它的內容及意義來說,這乃是一部希臘著作,並不屬於波斯。

洪那尼本·伊什克 Honan ibn Ishaq 氏曾被邁厄哈夫氏推崇為巴格特的名醫及學者。他和他的學生同把格林的著作譯成亞拉伯文,格林的第一本關於醫藥名辭的書,如果沒有亞拉伯譯文的存留,這本書便要失傳了。因今日除了亞拉伯譯文外,我們並沒有看到此書的希臘,拉丁,或敘利亞文。此外,他又是第一個人寫了一本有系統的眼病及治療的書。邁厄哈夫氏在1928

年曾將此書的亞拉伯文版及英文版印行。

讓我們再提出一位亞拉伯平民作者，便是塞累彼氏，又被稱爲詹紐絲達馬西納斯 Janus Damascenus。他乃是敍利亞人，約死於 930 年。他和累塞斯氏一般，俱以希臘作品爲藍本。在中世紀時，他的著作流傳頗廣。那時的英國著名文學家超瑟氏亦在坎特布里故事的序文中提到他。伊薩卡·尤大 Issac Judaeus 氏乃是生於埃及的，爲眼科醫師。他有一句名言流傳至今：「不要任意譴責醫師，因每人都有患病的時候」。伊薩卡氏乃是在他那時代中最負盛譽的眼科專家之一。他有許多出名的弟子，同時他又是數個王朝的皇家醫師。他的著作含量甚廣，有哲學的，亦有醫學的。夫累得華而 Freidenwald 氏曾將他的醫藥作品分類如下：

1. 食物及疾病簡療法：這本書有拉丁文譯本，在1070年出版。

2. 泌尿學：係一部銷路甚廣的書，或爲阿部特拉的夫 Abd-ul Latif 氏所作，亦有譯本。

3. 熱病論：這本書爲伊薩卡氏的不朽之作。曾兩次由亞拉伯文譯成希伯來文，並多次譯成拉丁文，據森加 Singer 氏說在歐洲中古時代論熱病的書，當以此爲最佳。

4. 醫師學習指導。爲一本醫學格言的書，現存者僅有一本，係希伯來文版，在1861年始發現。

尚有許多別的醫藥作品，也被認爲是伊薩卡氏所著，但是其中"Pantegni"一書，我們認爲它的作者乃是哈利阿拔斯氏。夫累得華而博士的藏書中，有一部名叫"Articella"乃是十三世紀的手抄本，包括十一種醫藥書籍，其中四册乃是伊薩卡氏所著。係討論著熱病，尿，和各式的膳食指導。

美斯 Mesue 氏二世（死於1015年）時常在各文章中被引。但是我們知道他的很少。他的著作是關於藥理方面的，和提煉的方法。

塞累彼 Serapion 氏第二世（死於1070年）的著作是藥物學，可是我們見到的並不是原文，而是拉丁文譯本。他把亞拉伯人和希臘人的各種簡單藥物都蒐集起來，並且還詳述了麝香，番瀉葉，阿魏等等藥草的功用。直至十六世紀,他的著作還被西歐各國,普遍應用着。

我們由希爾什堡 Hirschberg 氏的眼科醫學史,便能瞧出亞拉伯學者十分重視眼科學。近來邁厄哈夫氏經考據又找出了數位亞拉伯作家,其中最早的一個便是波斯的基督徒醫師猶漢那·伊本·馬薩華 Juhanna ibn Masawah 氏。另一個亞拉伯眼科醫師乃是阿利伊本埃爾希薩氏 Ali ibn-el-Hissa, 醫史學專家如那保格Neuburger氏,希爾什非 Hirschfeld 氏和卡姆斯登 Cumston 氏等都十分稱讚他的眼科醫師要略"Tadkirat-el-kahhalin"。此書現在倘存有拉丁文本名為"Tractatus de Oculis Jesu Hali 係 1497,1499,1500 年在威尼斯出版。此外,德累布根 Diepgen 氏也有一重要的發現,便是有個死於 1290 年的作者埃爾·可拉喜 el Korrashi 氏, 曾正式宣稱,據格林氏的學說心房的中隔並沒有孔道可通,但是心房的血液能流動至肺部,然後經過肺部的靜脈,回流至左心房。這種論調是依據他個人在動物上試驗而來的呢,還是借述了別人的主張,我們至今還不知道。但無論如何埃爾·可拉喜氏的學說比那不幸的邁克爾·塞爾維塔斯 Michael Servetus 氏所倡的學說,要早上三個世紀。塞爾維塔斯氏為了他那本和宗教辯論的册子基督教的回復"Christianismi Restitutio"竟被判以火焚的酷刑。塞爾維塔斯氏宣稱血液並不由心房中隔通過,而是經過肺部血管,由右心房至左心房。他更增加了一點意見,便是血液在過道中改變色澤。因此德累布根氏認為西班牙的塞爾維塔斯的學說是依據了埃爾·可拉喜的著作的。

並沒有人知道,究竟有沒有一個叫做該柏 Geber 或加俾 Gabir 練金術者的存在。可是在九世紀末葉及十世紀初期時,在米所波大米Mesopotamia,有許多的著作被認為是加俾氏所著的。這些書一部份是關於鍊金術的,另一部份是關於毒藥的。不論哲學家,醫家和化學家都對加俾氏的傳說感到興趣。現在有許多學者如荷姆亞特 Holmyard 氏,拉斯卡Ruska氏,克勞斯Kraus氏等等都在研究發掘加俾的史實,這是一件令人興奮的消息。

回教徒逐漸向西方發展,他們佔領了地中海區域;北非洲,西西里,南意大利,西班牙等地。雖然,依據傳說,奧瑪 Omar 王曾把名聞天下的亞歷山地亞城的圖書館燒燬,但是實際上,回教徒是十分注重學術的研究的。當歐洲其他各國尚未脫離迷信及黑暗的時期,這些回教徒已盡力培植文學和科學了。在西班牙 Iberian 半島上,亞拉伯的文化已發展到高深的地步了。他們把歌德 Goth 人留下的羅馬文化加以改進,再參入了亞拉伯和猶太人的文化。所以這文化是混合式的。那時文化的中心區,乃是在西班牙的托利多和科爾多巴,此外尚集中於西西里。這時,西歐的希臘語言已逐漸衰退,甚至在大希臘殖民地也不通用了,在羅澤培根 Roger Bacon 的時代(1214—1294)只有在南意大利及西西里地方也仍應用此語言,因此,1360 年時彼特拉克 Petrarch 氏慨嘆着全意大利,恐怕只有十個人能懂得希臘文了。

回教文化高深的美名,向各處傳佈,直達彼累內 Pyrennees。於是學者紛紛到西班牙去。有的學習亞拉伯文以便做翻譯工作,有的聘請猶太或回教學者做他們的譯人。爲了找不到適當的拉丁譯名,於是有的譯者便在譯本中插入了亞拉伯文。因此歐洲語言中雜有不少亞拉伯文字,如 alkali, alcohol, zinobar, zenith 等字。羅澤培根曾推舉了四位有名的譯者便是:克蘭瑪娜的吉拉特 Gerard 氏,英格蘭的亞勒弗烈 Alfred 氏,蘇格蘭人邁克爾 Michael 氏和德意志人赫爾曼 Hermann 氏。亞拉伯對我們還有一重要的貢獻,便是計算的數目字。經過教皇西微士德二世 Sylvester II 的採用,這方法是遠勝於羅馬人複雜的計算制度。在十一世紀,十二世紀和十三世紀時,希臘化的亞拉伯教科書,盛行於歐洲,同時也是各醫學校教材所必需的資料。可是這些譯文,時有發現不符原文之處。因此一位意國佛羅稜薩 Florence 城的醫師,波倫亞 Bologna 大學的教授塔德俄阿爾得累地 TaddesAlderotti 氏盡力設法尋求那些直接由希臘文而譯的書籍。

這些西班牙的亞拉伯人和猶太人並不是單純的譯者。他們也寫作了許多的原著,因此歐洲的哲學及醫學是受了他們雙重的影響。我們將舉出幾位較有名望的人來加以討論:

阿爾部克斯 Albucasis 氏(1013—1106)的父母是西班牙人。他寫了一本有圖解的外科書,討論着傷口，骨折和脫臼的治療法（他亦述及脊椎骨折後繼起的癱瘓,）還有生產手術,膀胱結石手術，眼科及牙科手術等等。他也提起過今日產科學上所謂［垂腿仰臥勢］“Walcher Position”的。這本富於圖解的著作,乃是標準的外科教科書,被採用達數世紀之久。在十三世紀時意大利許多有名望的外科醫師所應用的各種手術，多襲自阿爾部克斯氏的。克蘭瑪娜的吉拉特氏曾將他的外科學譯爲拉丁文。

阿文左阿 Avenzoar 氏生於西班牙塞維爾 Seville 地方。他的父親也是以醫爲業的。他是一個智力過人的批評家,所以他反對占星術和醫藥中其他迷信的元素。“Itersir”他的成名之作,乃是一部關於製藥和膳食的書,其中討論着腎結石手術和氣管切開術。他也明瞭疥蟲和疥瘡等類的皮膚病。

原籍科爾多巴的阿弗羅斯氏 Averroes 氏（1126—1198)，曾研讀過哲學,法律和醫學。他的著作在拉丁文學界中頗負時譽，並且是和亞理斯多德 Aristotle 氏的學說同途併進的,故他被認作亞理斯多德氏的隨從者。在那時代他和他教師的著作，在巴黎是被禁止發行的。他的哲學推論,表現他是一個前進的獨立的思想家，因而給予歐洲不小的影響。他認爲疾病和疫厲的原因，必須直接去尋求的，正如其他的自然現象一般。宗教的存在，只是安慰那些較懦弱的人罷了。人只要運用自己的理解力，不必什麼神祕啓示，便能得到智慧，便能明白事物的原理。世界和物質都是永存的，上帝和大自然是混合的，並稱個人永生不滅是不可接受的信條。這些邪道的，汎神論的教義,在西班牙及歐洲其他部份傳佈迅速，因此阿弗羅厄斯主義同時遭到回教和基督教的嚴禁。據傳說,上述兩教認爲阿弗羅厄斯氏的書都該投入斯世的火焚燬,而他的靈魂則當投入幽靈的火燒滅，於是阿弗羅厄斯氏曾說下列一句亞拉伯名言:［讓我的靈魂與哲學家同處吧!］據羅澤培根說,翻譯阿弗羅厄斯著作的功臣乃是邁克爾斯科特 Michael Scotus 氏,但是培根又添述了一句,這是一個名叫安德羅 Andrew 氏的猶太人替斯科特氏所譯的。這裏又得提起一個虔誠的詩人朱達哈雷維 Juda Halevi（1084－1140)，他在原籍托利多行醫,很受到猶太人和亞拉伯人的稱頌。

在西部回教王國中最著名醫師之一便是生於科爾多巴的猶太人默斯伊本美蒙累本 Mus ibn Maymum Rambam 氏又稱拉拜摩西本美蒙Rabbi Moses ben Maimon, 在拉丁歐洲,他被呼作邁蒙尼提斯 Maimonides (1135—1208)。與他同時代的學者阿弗羅厄斯氏的學說,給予他相當的影響,他曾傳佈阿弗羅厄斯主義直至西歐。開羅乃是他學醫之處,後來他的名望逐漸四佈,於是被聘爲薩拉丁 Saladin 王的御醫,又續任爲薩王的太子及其他繼位者的醫師。據說英王查理第一 Richard 曾聘請他,可是被他回絕了。有一本深奧的哲學名著迷惑者的指導 "More Nebuchim" 乃是他的著作。他主要的醫藥作品爲忠告之書 "Tractatus de regimine sanitatis" 這書係用書信的體裁獻給薩王的。這裏包括養身之道,急救法,病者和康健者的各種指導。他的話都相當有理,並不像那時代其他學者,那般的迷信及荒謬。占星學是被他排斥的,於迷惑者的指導中他寫道:「凡是由人的智力能把握的,知覺能領悟到的,或從有威信有智慧者所學習的,才可加以相信,否則任何理論都不當相信。占相術便是一種沒有根據的學說,應當受到排斥」。他曾將阿維森納氏的醫典譯成希伯來文,又彙集了格林氏和希波克拉提斯的箴言。他的原文著作全是亞拉伯文,後來被譯成希伯來文,拉丁文,甚至有時爲現代文字。他在靈魂的健康一書中,他曾描寫自己的日常生活:

「我對回教國王的責任是很重大的,每日清晨,我就得至王宮探訪一次。假如他的子女妻妾或家人,偶患微恙我便不敢離開克希拉 Kahira, 並且大部份時間將逗留於王宮中。有的時候,當王家官長患病時,我也得去診治。因此,我每日清晨便往克希拉去,直至下午才能返回米斯亞 Misr。那時已經飢疲交迫,可是在我的前房中已座滿了各式的病人——猶太人或異教徒,貴族和平民,法官及典史,友人和仇敵——在等候着我的歸來。

於是我下馬洗手,然後請他們略候,先進一點飯食,這是我在廿四小時內唯一的一餐,然後我便診病,開方,指導的忙個不休,直至晚臨方止。有的時候,到了晚上還得繼續二三小時的診治,因爲實在太疲乏了,只能躺着談話及處方。我的累倦,有時甚至於到了不能開口的程度」。

邁蒙尼提斯氏於開方用藥時,很是謹慎的。他决不胡亂處方,更不贊成任意用瀉藥來治病,因為這樣只是刺激腸胃而已。每人應該注重修養,節制生活,避免疾病。他於"Sefer Hamadah"中曾說在一千個人中恐怕只有一人是自然死亡,其他在年青時夭折的,都是因為生活習慣的不良及無節制。當小病時,只要注重膳食,便能痊癒,並不需要醫藥的幫助。醫師對每個病人,都當有個別的護理及治療。在他寫給回教王太子阿雷發赫 Sultan Alafdhal 王的信中說:每個人應當是情慾和本性的主人,他應當懂得自主和控制自己。這句話是相當的合乎現代觀點,因此我們可知邁氏比他的時代是前進得多了。

邁氏的謝世,使各種人,不論亞拉伯人,猶太人或基督徒都感哀悼。一個亞拉伯詩人曾作了下面的一首詩:

格林氏的技能只能醫我們的身體;
但是邁蒙尼提斯氏却能治我們的心和身。
他的智慧能治無知的疾病。
假如嫦娥月兒能受到他的照顧,
在月圓之時,他能把她的污點洗去,
醫好了她那定期的瑕疵。
在交會之際,將再不有月缺。

最近世界各地都在慶祝邁氏的八百年生辰紀念。這次慶祝引起了許多學者對邁氏的作品及生活加以研究。居然有了一個有趣的發現,便是這位哲學家那一首美麗的詩醫師的祈禱,向以為是這位大師所著的,而實際上是一篇現代的作品。它的眞正作者是德國柏林的馬可赫芝 Marcus Hertz 氏(1747—1803)。此詩由伊薩卡猶克而 Isaac Euchel 氏譯成希伯來文。

或許尚有許多亞拉伯文著作,還沒有被我們發現,因此我們對亞拉伯在醫藥上有多少的貢獻,還不能下定論。當然他們已有了相當的成就,如那些規模宏大的圖書館所保存的古籍,許多化學上的發明,膳食方面的各種方法,對許多疾病清晰的認識,植物藥材的應用等等。此外還有些奇異的藥石如靈效的馬糞石。據說可從印度的牡鹿或羊體內取得。它能治療傷口或其他嚴重的疾病尤以解毒爲最靈。彼得羅·阿巴諾 Pietro d, Abano 氏曾講述英王愛德華於戰場受了重傷,得十字軍的武士飲予馬糞石湯後,才獲同了生命。

雖然阿弗羅厄斯氏和邁蒙尼提斯氏二人都卑視占星術,但是歐洲的占星學乃由亞拉伯人所傳入的。該柏首創鍊金術,因而有許多重要的發現,可是它的缺點頗多,如人類思想的被擾亂因此發生了許多虛詐的事。

達累堡 Daremberg 氏和浦契諾提 Puccinotti 氏二人認爲亞拉伯醫藥無甚特長,可是卡斯提利俄內 Castiglioni 氏和卡姆培 Campbell 氏二人十分崇敬亞拉伯醫師。近年來,中世紀亞拉伯文學研究的興趣已大爲增進,這是一件很令人高興的事,因爲這樣能促進許多新的發現。我們已證實在十二世紀時,英國赫累福德 Hereford 地方乃亞拉伯學術研究的中心。那時的研究人員,據我們所知者有赫累福德的羅查 Roger 氏,末黎 Merlai 的但以理 Daniel 氏,內卡姆 Neckam 氏或許還有阿爾弗利達 Alfredus 氏安格利克 Anglicus 氏。這時代以前,我們不知道赫爾德福地方研究亞拉伯學術的興趣以前之歷史,但是夏斯金 Haskins 氏發覺在十一世紀後期及十二世紀初葉,有一批有學問的法國羅朗 Lorrainers 人來到英國。其中最有名望者爲赫累福德的主教羅星架 Robert de Losinga 氏和馬爾弗恩的方丈華爾查 Walcher 氏。湯卜遜 Thompson 氏證明亞拉伯科學在十一世紀時已經輸入羅朗了。

中國與亞拉伯醫學的交流史實

范行準

（一）緒言

一國文化的發展，不是孤立的，而是往往與鄰國甚至與迢遠的國家發生關係之後，才有這種結果。中國與亞拉伯醫學的發展，毫無疑問地不能例外。

中國對外文化的交流，以與印度最爲密切，其次爲亞拉伯回教各國。其與歐非兩洲的交通，也以亞拉伯爲通路。在世界文化史上起巨大影響的如火藥、造紙、及羅盤等中國發明事物，都經亞拉伯人之手輸入歐洲的。在中國方面，自紀元前第一二二年張騫鑿通西域後，不但與印度發生關係，其間接且獲知羅馬波斯大食等地區的情況。大食是波斯人用來稱亞拉伯的。據史記大宛傳說，張騫已與安息交通。安息是波斯王朝之名，而中國史家以爲國名，誤矣！

如其從中國與亞拉伯國家在醫學交流史上而言，中國之與亞拉伯醫學發生關係，是與佛教傳入中國同一時期。因在後漢時精於醫方異術的佛教徒安清，字世高於一四八年來中國，他是安息王滿屈二世 Pakor 的王子，是很早把佛法傳入中國者之一。也可說中國與亞拉伯在醫學上第一次發生關係的人。

亞拉伯正式與中國通使的，當在第七世紀的中葉，即唐顯慶二年（公元六五一年）爲開始。據唐書高宗本記及唐書西域傳等書，並說永徽二年正月乙丑大食王瞰密莫末膩始遣使朝獻。西域傳並說，景雲二年（七一二）開元初（七一三）先後遣使來朝，進獻良賓，和寶鈿帶等方物。而中國史書所記的亞拉伯除伊朗外，爲泛指敍利亞及美索不達米亞的一部分，紅海西岸，波斯灣東岸，以及阿非利加洲的北部等有亞拉伯人的地區。但應當注意的，中國史書上所說的波斯有兩處，除原有今日所說西亞伊朗外，尚有中國南海的波斯。此處可參法國費瑯的中國南海之波斯見馮承鈞譯的西域南海史地考證譯叢續編 P. 91 按尚有勞福爾 Laufer 氏等亦主此說，但並爲章鴻釗張星烺諸人所駁。因爲中國醫書上所說的波斯事跡，也往往泛指南海中的波斯和兩者混而爲一的地方。

由於商業宗教及政治（戰爭）等的關係，中國在原有醫學中除受到印度醫學的影響外，要以受亞拉伯醫學的影響最爲鉅大。當然，旣稱文化的交流，不是來而不往，施而不報之謂，而是兩者之間交光互影的。中國的醫學，對亞拉伯地區國家的醫學影響，也同樣地起一定的作用。

在這方面的交流史跡，約可分爲下列幾項：其一爲藥物，其次爲診斷和治療，其次爲亞拉伯醫家在中國政府中的職位，及他們的著作。

中國與亞拉伯國家的文化交流，自第十一世紀到十二世紀後，益日見密切起來，尤其在醫學方面更爲顯著。亞拉伯的傑出醫家阿維森納 Avicenna 恰生於第十世紀的末葉。由於宋元以來亞拉伯國家在海上交通日益發達，兩國間醫學的交流，也比例地加强。我們可想而知在中國的醫學史上所受於亞拉伯醫學影響中，當有不少的史跡，與阿氏有關的。而阿氏所受於中國醫學方面的影響，也爲史家所承認。阿氏的誕生，以回曆計算，距今適爲一千年代，今天我寫這篇中亞兩地醫學交流史實之前，對這位傑出的醫家——阿維森納，在醫學上之貢獻，而緬想那一時代阿氏爲了醫學，在那流離困難的環境中，仍能堅持不屈地完成他那不朽之業——醫典。不禁油然發生一種敬仰之情！

（二） 藥物

（甲） 生藥的互市

自唐宋以來，由於海上交通的發展，中國與亞拉伯國家在商業上關係的密切，有超越過去任何一國之勢。而同時亞拉伯對外商業之繁盛，在時間與空間而言，也是很闊大而悠久的，這裏可引證夏德（Hirth）在他的趙汝适中古地理新資料論文中的話：「中世紀時代，在東洋海上貿易最活躍的，當推亞拉伯商人。他們獨佔東洋貿易霸權達數世紀之久，直到和他們競爭的葡萄牙人出來爲止。當時西自摩洛哥東至日本、朝鮮之大海原中，都完全屬於亞拉伯商人的勢力範圍之內。」據日本桑原隲藏蒲壽庚之事蹟P. 14—15. 我們知道中國與外人交易的「互市」很早。史記匈奴傳之「關市」，唐六典卷二十二漢魏以降，緣邊郡國的「互市」，和晉書陶侃傳的「夷市」，大抵泛指與今蒙藏等地區的通商，惟宋史食貨志說「互市舶法，自漢初與南粤通關市，而互市之制行焉」，才是與西方國家如印回諸國互市的嚆矢。今之「海關」，係含「關市」「市舶司」二者之義。但說唐初已設置市舶司的話，很難考信，雖有顧炎武天下郡國利病書卷一百三十說是唐貞觀十七年（六四三）詔設市舶司，略謂：蕃商販到龍腦、沈香、丁香、白豆蔻四色香藥的交易。但此說別無其他文獻的根據，所以學者多有置疑。惟唐會要卷六十二御史臺下評諫條載：殿中侍御史柳澤在開元二年（七一四）十二月上書，諫嶺南市舶司周慶立、波斯僧及烈進奇器之事。則市舶司至少在開元以前已成立了。而唐六典卷二十二，亦有「互市監」以掌諸蕃交易之文。考唐開元元年（七一三）創立的市舶司，其動機即基於亞拉伯商人與中國貿遷之盛，而當時波斯賈胡的集中地，除了京師——長安外，要以廣州明州（寧波）杭州泉州揚州等沿海地區爲最多，而江西之洪州（南昌）等處亦不少。（注一）

大概屬於亞拉伯地區的藥物，唐宋以前的本草書如陶弘景的本草經集注等，雖已有收錄，可是數量上並不怎樣多。只有唐蘇敬新修本草和陳藏器的本草拾遺諸書中，外藥的名色頓增，同時鄭虔又有專記外來本草——胡本草，到了北宋時唐愼微的大觀本草，已沒有多大的增加，明李時珍本草綱目只有轉錄和補苴愼微之書，實際新增加的已很有限了。

關於亞拉伯地區輸入中國的藥物，近人張星烺先生在中西交通史料匯編中，已作初步的整理。但他的匯編中所根據的文獻，在中文方面，似仍覺得有點簡陋，不外唐段成式酉陽雜俎和本草綱目幾部書，他竟不知本草綱目所據的是大觀本草。本文兼參政和證類本草這與姚振宗的隋書經籍志考證醫家類，知有千金方而不知有外臺祕要一書爲同樣不可理解的疏略。

關於張氏匯編中整理亞拉伯地區傳入的藥物，分見匯編第一册古代中國與歐洲之交通（P. 204—219），第三册古代中國與亞拉伯之交通（P. 101—111），第四册古代中國與伊蘭之交通（P. 156—185）。爲了節省篇幅起見，這裏僅把它的藥名之屬，合併摘錄於下。爲了證實時珍綱目所錄的外藥多本愼微的本草計，又把它凡屬政和本草已著錄的藥品，塡寫今見政和本草的卷數，而以「〇今案」兩字識之。

注一：按唐宋文人書中言及波斯胡流寓江西者甚多。如唐沈亞之沈下賢文集卷四郭常侍傳，杜牧樊川集卷二懷鍾陵舊遊詩。宋王安石臨川集卷六送程公闢守洪州等，並有言洪州等地波斯賈胡諸事。

(A) 礦石

玻璃本草綱目卷八〇今案出政和本草卷三引拾遺　琉璃綱目九〇今案出政和三引拾遺　玉綱目九〇今案政和三引名醫別錄惟海藥引異物志出崐崙　水銀綱目九〇今按出政和四引本草經此據陳霆兩山墨談云出拂林國　金鋼石綱目十〇今按出綱目惟說文巳著錄　石硫黃綱目十一〇今按政和三出本經此據海藥出崐崙波斯　礬石綱目十一〇今按出本經此據海藥出波斯　馬腦綱目八〇今按出政和卷四　無名異綱目九〇今按政和三　火油吳越備史卷二　密陀僧綱目八〇今按政和四　珊瑚綱目八〇今案政和四　爐甘石綱目九　綠鹽綱目十一〇今案政和三　鐃沙匯編云蘇恭曰產西戎隋書記康國有鐃沙今按即硇砂本草無鐃沙之名　黃礬即金線礬　綱目十一〇今案政和三　琥珀匯編引魏書　周書波斯傳〇今按政和十二在木部

(B) 植物

木香本草綱目卷十四〇今按出政和本草卷十六　肉豆蔻綱目十四〇今按政和九　鬱金綱目十四〇今案政和九　迷迭香綱目十四〇今案政和九　兜納香綱目四〇今案政和八　無風獨搖草綱目二十一〇今案政和六　蜜香亦名沒香又名阿𩬬綱目三十四〇今案政和十二　降眞香亦名紫藤香又名雞骨香綱目三十四〇今案政和十二　薰陸香亦曰乳香綱目三十四〇今案政和十二　蘇合香綱目三十四〇今案政和十二　蕪荑綱目三十五下〇今案政和十三　阿魏酉陽雜俎卷十八〇今案政和九　婆郝娑樹酉陽雜俎卷十八　槃砮穡樹酉陽雜俎卷十八　齊暾樹酉陽雜俎卷十八　蓽撥酉陽雜俎卷九　䕡音別齊酉陽雜俎卷十八　波斯皂角酉陽雜俎卷十八〇今案政和十二綱目三十一　沒樹酉陽雜俎卷十八　阿驛酉陽雜俎十八波斯呼爲阿馹拂林呼爲底珍時珍謂即無花果　阿勃參酉陽雜俎十八本草綱目拾遺四　捺祇晒酉陽雜十八綱目十三　野悉蜜酉陽雜俎十八〇今案即耶悉茗亦名素馨一名茉莉今併於此　酒稅酉陽雜組卷四　指甲花南方草木狀上　簩簩竹草木狀下　抱香履草木狀上　石榴酉陽雜俎續集卷十〇今案政和二十三綱目三十　人木酉陽雜俎續集十　阿芙蓉綱目二十三〇今案即底野迦見蘇敬新修本草卷十五獸部政和十六，職方外紀名的里亞加。舊唐書拂菻傳「乾封二年遣使獻底野迦」。亦即宋市舶中的烏香。　騏驎竭綱目三十四〇今案政和十三　無食子亦名沒食子綱目三十五下〇今案政和十四　訶黎勒綱目三十五下〇今案政和十四　金顏香諸蕃志下　梔子花諸蕃志下〇今案政和十三　薔薇水太平寰宇記百七十九鐵圍山叢談五諸蕃志下　丁香諸蕃志下〇今案政和十二綱目三十四　蘆薈諸蕃志下〇今案政和九　押不盧志雅堂雜鈔上癸辛雜識續集上〇今案綱目十四　胡黃連綱目十三〇今案政和九　縮砂蔤綱目十四〇今按政和九　蒟醬綱目十四〇今按政和九　補骨脂綱目十四〇今案政和九　螺子黛唐人馮贄南部煙花記　蘿蒔又名小茴香綱目二十六〇今案政和六　巴旦杏綱目二十八酉陽雜俎十八　阿月渾子綱目三十〇今案政和十二　葡萄綱目三十三〇今案政和二十三　橄欖綱目三十一酉陽雜俎十八〇今案政和二十三　石蜜綱目三十三〇今案政和二十三　波斯棗匯編有考證〇今案政和二十三　安息香綱目三十四〇今案政和十三　龍腦香亦名元茲勒綱目三十四〇今案政和十三　婆羅得綱目三十五〇今案政和十四　烏木綱目三十五下案匯編有考證　柯樹亦名木奴綱目三十五下〇今案政和十四作柯樹皮　靑木香魏書一百二隋書八十三並波斯傳〇今案政和十二綱目十四

(C) 動物

地生羊本草綱目卷五十一引北戶錄　狗舊唐書一百九十八高昌傳文獻通考二十四　土撥鼠綱目五十一下〇今案和政和十六　象綱目五十一下〇今案政和十六　駝鳥綱目四十九下引劉郁西域使記〇　馬酉陽雜組十六　大尾羊綱目五十上　胡羊綱目五十上引方國記　羚羊綱目五十一上〇今案政和十

七 木乃伊綱目五十二引輟耕錄 珊瑚諸蕃志下〇今案大觀四綱目八 珠子諸蕃志下〇今案政和二十綱目四十六 象牙諸蕃志下〇今案政和十六綱目五十上 膃肭臍諸蕃志下〇今案政和十八 龍涎諸蕃志下〇今按本草綱目拾遺十 狗寶綱目五十一下引程氏遺書

以上這許多藥物，都不過從亞拉伯地區或經亞拉伯人之手傳入的一部分。據宋會要所記自太平興國七年（九二〇），及咸平中和紹興三年（一一三三），紹興十一年（一一四一）等年份，經市舶司彼此交易的藥材中，除了從亞拉伯地區輸入的香藥外，更有由中國地區輸到亞拉伯等地區的藥物的。

（乙）宋時香藥互市的情况

由於當時封建暴君和資產階級享樂腐化思想的普遍，他們都非常愛好香藥。（注二）故唐宋以來，每年香藥的輸入數量，是非常可驚的。據日本元開唐大和上東征傳說，元開在廣州看到婆羅門（印度人）波斯崐崙（北非人？）等船很多，「並載香藥珍寶，積載如山」。（注三）

在宋以前輸入香藥，其具體情形如何？因文獻斷缺，很難敍述。惟宋代因宋會要尚在人間，故對這一時期香藥互市的情形，比較完備。

宋自開寶元年（七一三）詔置舶市。四年（九一六）置市舶司於廣州，略有香藥，如犀象珊瑚等物見宋史一百八十六食貨志互市舶法然仍欠具體。到了七年（九二〇）香藥的互市情形才有較具體的記錄。宋會要說：

> 太宗太平興國七年閏十二月詔聞在京及諸州府人民，或少藥物食用，今以下項香藥止禁榷，廣南漳泉等州舶船上，不得侵越州府界，紊亂條法。……凡禁榷物八種：瑇瑁、牙、犀、賓鐵、鼊皮、珊瑚、瑪瑙、乳香。放通行藥三十七種：木香、檳榔、石脂、硫黃、大腹、龍腦、沈香、檀香、丁香、皮桂、胡椒、阿魏、蒔蘿、華澄茄、訶子、破故紙、荳蔻花、白荳蔻、鵬砂、紫礦、胡盧芭、蘆會、畢撥、益智子、海桐皮、縮砂、高良薑、草荳蔻、桂心苗、沒藥、煎（箋？）香、安息香、黃熟香、烏樠木、降眞香、琥珀。後紫礦亦禁榷。永樂大典第一千一百二十四引宋會要職官四之二

注二：關於中國人愛好香藥，和以它做賄賂獵取官爵事，可參梁任昉述異記，唐牛嶠紀聞（太平廣記卷二三六引），杜寶大業拾遺記，（御覽卷九八二引）及宋張知甫可書，方勻泊宅編上，齊東野語八等書。至愛好香藥的則五代陶穀清異錄卷下薰燎門，宋陸游老學庵筆記卷一等書，都說唐宋以來封建帝王和豪門婦女愛好香藥的淫侈生活。

注三：此外，梁廷枏粵海關志卷三引北宋畢仲衍中書備對，及宋史食貨志互市舶法等，並有每年香藥輸入數量記錄。

再看咸平中（一〇〇一？）的情形：

……咸平中又命杭明州各置司，聽蕃客從便……凡大食古邏闍婆占城勃泥麻逸三佛齊賓同朧沙里亭丹流眉並通貨易，以金、銀、緡錢、鉛、錫、雜色帛，精麤瓷器市易香藥，犀、象、珊瑚、琥珀、銂（紫礦）、賓鐵、鼊皮、瑇瑁、瑪瑙、車渠、水晶、蕃布、烏樠、蘇木之物。同上職官四之一

此下並述太平興國初，京師置榷易院，詔：諸蕃國香藥珍寶不得私相市易。到了紹興三年（一一三三）這種交易更加活躍了，藥材也多起來了。宋會要云：

紹興三年十二月十七日戶部言：勘會三路市舶，除依條抽解，外蕃商販到：乳香一色，及牛皮筋角，堪造軍器之物，自當盡行博買。其餘物貨，若不權宜立定所起發窠名，竊慮枉費脚乘欲令三路市舶司將今來立定名色，計置起發下項名件，欲令發起赴行在（杭州），送納金、銀、眞珠、玉、乳香、牛皮筋、角、象牙、犀、腦子、麝香、沈香、上中次箋香、檀香、烏文木、鵬砂、朱砂、木香、人參、丁香、瑪瑙、珊瑚、蘇合油、白荳蔻、牛黃、膃肭臍、龍涎香、藤黃、血竭、蓽澄茄、安息香、縮砂、降眞香、肉荳蔻、訶子、舶上茴香，茯苓、善薩香、鹿茸、黑附子、油腦、蓯蓉、琥珀、上等螺犀、中等螺犀、下等螺犀、水銀、上等藥犀、中等藥犀、下等藥犀、鹿速香、赤倉腦、米腦、腦泥、青木札腦、夾雜銀、石碌、白附子、銅器、銀、木苛子、南蕃蘇木、高州蘇木、隨風子、木香、乾薑、川芎、紅花、雄黃、川椒、石鍾乳、瑠黃、白朮、夾黃、熟香頭、上等生香、茴香、烏牛角、白牛角、沙魚皮、上等鹿皮、魚膠、海南蘇木、熟速香、薑黃、龜鼊皮、魚鰾、椰心。……單下色缾香、……單揀香、上色缾香、乳香、中色缾香、下色缾香、上色袋香、中色袋香、下色袋香、乳香、塌香、黑塌香、水濕、黑塌香。……生速香、斫削揀選低下水濕，黑塌香、黃蠟、松子、榛子、夾煎黃熟香、頭白蕪荑、山茱萸、茅朮、防風、杏仁、五苓脂、黃耆、土牛膝。……占城速香、生孰（熟）香，夾雜煎香、上黃熟香、中黃熟香、下箋香、石斛。下項名件欲令本處一面變賣薔薇水，御碌香、蘆薈、阿魏、蓽撥、史君子、荳蔻花、肉桂、桂花、指環腦、丁香母、扶津膏、大風油、加路香、火丹子、紫藤香、篤芹子、荳蔻、黑篤耨、龜黃、沒藥、天南星、青桂頭、秦皮、橘皮、鱉甲、蒔蘿、官桂、榆甘子、益智、高良薑、甲香、天竺黃、草荳蔻、藿香、紅荳、草菓、大腹子肉、破故紙、苓苓香、蓬莪朮、木鱉子、石決明、木鬮皮、丁香皮、殼荳蔻、烏藥、柳桂、

桂皮、檀香皮、薑黃、相思子、蒼朮、青椿香、幽香、桂心、大片香、薑黃、熟鹽末潮腦、三賴子、龜頭枝實、密木、檀香纏、丁香枝、白膠香、椿香頭、鷄骨香、白芷、亞濕香、木蘭茸、烏黑香、麤熟香、下等丁香、下等冒香、下等鑞香頭、下等青桂片香、麝香、木蕃、檳榔肉、連皮檳榔、舊香、連皮大腹、麤熟香頭、海桐皮、松搭子、犀蹄土、半夏、常山、甍仁、遠志、暫香、下速香、下黃熟香、詔依。大典卷一千一百二十四宋會要職官四四之十七之十九

到了紹興十一年（一一四一），十一月又有以下的藥物相互市:

紹興十一年十一月戸部言:重行裁定市(市)舶香藥名色，仰依合起發名件，須管依限起發前來所是本處變賣物貨，除將自來條格內該載，合充循環本錢外，其餘遵依；已降指揮計置起發施行，不管違戾，合赴行在送納。可以出賣物色:細色呵子、中箋香、沒藥、破故紙、丁香、木香、茴香、茯苓、玳瑁、鵬砂、蘿蒔、紫礦、瑪瑙、水銀、天竺黃、末硃砂、人參、鼊皮、銀子、下箋、香片子、銀珠、熟速香、帶根丁香、桔梗、澤瀉、茯苓、茯神、舶上茴香、中熟速香、玉乳香、麝香、夾雜金、夾雜銀、沈香、上箋香、次箋香、鹿茸、珊瑚、蘇合油、牛黃、血蝎(竭)、膃肭臍、龍涎香、華澄茄、安息香、琥珀、雄黃、鍾乳石、薔薇水、蘆薈、阿魏、黑篤耨、鱉甲、篤耨香、皮篤耨香、沒石子、雌黃、鷄舌香、香螺奄、葫蘆芭、翡翠、金顏香、畫黃、白荳蔻。龍腦有九等:（熟腦、梅花腦、米腦、白蒼瑙、油腦、赤蒼腦、腦泥、鹿速腦、木札腦、）麤色胡椒、檀香、夾箋香、黃蠟、黃熟香。……縮砂、乾薑、蓬莪朮、生香、斲白香、藿香、蓽撥、益智、木鱉子、降眞香、桂皮、木綿、史君子、肉荳蔻、檳榔、青橘皮。……甘草、荊三稜、箋香、防風、蒟醬、次黃熟香、烏里香、苓上香、中黃熟香、冒頭香、三賴子。……下生香、丁香、海桐皮。……下等五里香、苓牙簟修割香、中生白附子、……山桂皮、暫香、帶枝檀香、鉛、土茴香、烏香、牛齒香、半夏。……石碌、紫藤香、官桂、桂花、花藤、麤香、紅荳、高良薑、藤黃、黃熟香、頭敍藤黃、熟香、片螺頭、斬剉香、生香片、水藤皮、蒼朮、紅花、片藤、瑠璃、水盤頭、赤魚鰾、香纏、小片水盤頭、杏仁、紅橘皮、二香、大片香、糖霜、天南星、松子。……大片水盤香、中水盤香、獐瑙、青桂香、斧口香。……丁香皮、草菓。……土檀香、蓯蓉、螺、犀、隨風子、紬丁海母、龜、同亞濕香、菩提子、鹿角、蛤蚧、洗銀珠、花梨木、瑠璃珠。……犀蹄、蕃糖。……窊木、大蘇木、硫磺、白藤棒、修截香、青桂頭香、蕃蘇木、□□、蘇木、□□□□。……大腹子、薑黃、麝香、木

跳子、鷄骨香、大腹、檀香皮。……火丹子、蛙蛄乾。……白檀木、黄丹、麝檀木、蘇木、相思子、倭梨木、榼藤子、滑皮、松香、螺壳、連皮大腹。……瓊枝菜、砂黄、矗生香、硫黄、泥黄。……黑附子、油腦、藥犀、青木香、白朮。……白蕪荑、山茱萸、茅朮、五苓脂、黄耆。……熟香、石斛、大風油、秦皮、草荳蔻、烏藥、香白芷、木蘭、茸、菝仁、遠志、海螵皮、生薑、黄芩、龍骨。……土琥珀。……密木、白眼香、欝香。……荳蔻花。……還腦香。……滑石、蔓荆子、金毛狗脊、五加皮、楡甘子、菖蒲、土牛膝、甲香、加路香、石花菜。……大價香、五倍(子)、細辛、韶腦、舊香、御碌香、大風子、檀香皮、纏香皮、纏末、大食芎、崙梅、董(薰)陸香、召亭枝、龜頭犀、香荳根、白腦香、生香片、舶上蘇木、水盤幽香。……永樂大典一千一百二十四宋會要職官四四之二一之二三

從上文引見的當時互市的香藥文獻而言，有很多香藥產於亞拉伯地區的，而這許多香藥，尙見於宋元以來各家香藥譜錄。又値得注意的，宋會要所保存的記錄，想是根據當時市舶司的檔案。因許多藥物，尙屬當時牙行中的名色，如上等中等下等或次等的不同。其中龍腦，竟有九種的區別。

(丙)　輸入亞拉伯地區的藥物

據阿維森納的著作中，在藥物方面，不下八百種，其中有不少是亞洲，尤其是我們中國所產的藥物的記載。我們看了宋會要中互市的藥品名色如朱砂、人參、牛黄、茯苓、茯神、附子、水銀、白附子、川芎、雄黄、川椒、石鍾乳、瑠黄、白朮、蕪荑、山茱萸、茅朮、防風、杏仁、五苓脂、黄耆、土牛膝、石斛、史君子、肉桂、天南星、秦皮、橘皮、鱉甲、官桂、紅荳、苓苓香（陵零香）、蓬莪朮、石决明、烏藥、桂皮、薑黄、青椿皮、桂心、半夏、常山、遠志、桔梗、澤瀉、益智子、甘草、荆三稜、草菓、松香、滑石、白芷、蕤仁、生薑、黄芩、龍骨、蔓荆子、金毛狗脊、五加皮、菖蒲等藥，都是中國的藥品，經過市舶司，由亞拉伯商人的船隻，運往歐非等國家。

當然，那時運往歐非兩洲的藥品，不是絕對都是亞拉伯商人的船舶，除了當時所謂波斯和崑崙船隻外，中國的船舶，也是很出名的。所以中國許多藥物的出口，仍由中國的船隻運往西方各國。據桑原隲藏唐宋貿易港一書引伊蘭斯教徒的著作印度中國航海故事 Relation des voyages 前編，其中有記中國第九世紀的商船情形。略謂：

至於容積甚大之中國商船，當更感困難，因之，中國商船，以東洋產物，例如蘆薈、龍涎香、竹材、檀木、樟腦、象牙、胡椒等，先後載至 Sîrâf 港，然後更由 Sîrâf 港、用小舟改裝，輸往此等物於 Basra，Baghdâd 等方面。唐宋貿易港研究二波斯灣之東洋貿易港 P. 31

在元代卽第十三世紀來遊中國的意大利大旅行家馬可波羅在他遊記中，也記着中國船有將藥材等物，經過印度洋而至亞歷山大里亞的情形：

來自蠻子（中國南方人）的船帶着銅作爲鎮船的重物。此外，又裝運金線織成的錦緞、絲、薄綢、金銀塊，和馬拉巴 Malabar（是印度一大王國）所不產的許多種藥材。他們用這些貨物，兌換此處的商品。當地有些商人將上述的貨物，運往亞登，由亞登再轉運到亞歷山大里亞。李季譯馬可波羅遊記卷三第二十五章馬拉巴 P. 308

這樣我們便不難明了中國與亞拉伯國家由於商業上的發達，在醫學上也發生了很大的關係，尤其在藥物上更是如此。早在紀元前二世紀東羅馬已知用中國原產物了，想亦經過亞拉伯人之手的。

（丁） 中亞藥物交流的一例

如前文所述，中國與亞拉伯在藥品上的交流是頻繁和密切的。我們不能把每一種藥的交流歷史加以敍述。現在僅舉「牛黃」一類的藥物爲例：

中國的藥物中很早便知用「牛黃」一類的藥品，牛黃神農本草經已著錄了。本經乃第二世紀左右的人所僞託。但牛黃一物在漢永和元年（公元一三六）權臣梁冀已以牛黃倖利了。見資治通鑑卷五十三 而那時的巫師京房易占中，亦有「兵强主武，則牛腹生石」的話。可知中國是知道利用牛馬腹中結石爲藥用的最早國家。西方則在十二世紀才知道利用此類的藥物，而亞拉伯人首先用之。大概在十二世紀以前，由亞拉伯地區的國家。轉入歐非諸國的。據現存的文獻而言，亞拉伯名醫阿文左阿（Avenzoar 死於1162）在他的筆記中，有深信「解毒石」(bezoar stones)功效的記載。此「解毒石」爲半鑛物質半有機質的結石。在食草動物的腸管內發見的，名爲「解毒。」"expeller of poisons"根據文字是含有波斯的語意的。此「解毒石」在後來的藥物學上，非常重視，在最初百年中的倫敦藥典，都收載此藥。惟此物亦分做兩種：一是「東洋解毒石」（牛黃，）用量四到十六克，另一爲「西洋解毒石」（馬糞石？）力弱，用量十六乃至三十克。把它裝在金製或銀製的箱中攜帶出外，以爲辟疫之用。據說，在十六世紀時，東方某國的太守，在他贈送英國女王伊麗莎白 Elizabeth (1533—1603)禮物中，有一大型「解毒石，」其價之高，殆難置信，說是用某一全部領土換來的。詳見美國西歐督 Charlston 世界藥學史（日本日野岩・久保寺十四夫共譯本）P.82

這種西洋解毒石，後來也有反由亞拉伯傳入中國的。據日野巖譯世界藥學史時，對 bezoar stones 一名的注釋說，它一名「酢答，即馬糞石。」我以爲「酢答」當即鮓答，明沈周客座新聞明人小說本作「赭丹，」田藝蘅留青日札作「鮓單，」清方觀承松漠草述本堂詩集本作「楂達，」七十一椿西域聞見錄作「箚答」，宋犖筠廊偶筆引徐籀吾邱集又作「砟答，」顯係外來的一種譯名。除松漠草說它生於駝羊腹中外，餘並云出牛馬腹中。在中國書中最初見於元楊瑀山居新語，據說：蒙古人祈雨，「輒以石子數枚浸在水盆中玩弄，口念咒語，多獲應驗。石子名曰：『鮓答。』乃是走獸腹中之石，大者如鷄子，小者不一，但得牛馬者爲貴。恐亦是牛黃狗寶之類。」陶宗儀的輟耕錄卷四亦載之，是據楊氏之說的。明李時珍也把這味「鮓答」收進他的本草綱目卷五十下獸類中，並說他在嘉靖庚子（一五四〇）蘄州侯姓屠夫，殺牛得此，人無識者，後被番僧所知，認爲至寶，牛、馬、猪等家畜皆有之。今按宋賈似道悅生隨抄之「狗心化石，」說郛卷十二引明郎瑛七修類藁之「羊哀、狗寶、馬黑，」卷四十三狗寶馬黑條都是獸腹內的結石。松漠草所說的，略與楊瑀及時珍之書相同，都說蒙古人拿它作祈雨用的。

惟明末西士艾儒略職方外紀中的記載，才與阿文左阿之說相符合。外紀略謂「渤泥有獸似羊似鹿，名『把雜爾』，其腹中生一石，能療百病，西客極貴重之，可至百換，國王藉以爲利。」卷一渤泥所以我說阿文左阿筆記中的「解毒石，」bezoar stones，當即「把雜爾」的譯音。

清初墨西哥教士石鐸琭泰西本草補所載「保心石」一藥之說明，也是解毒石之類。本草補說：「保心石生鹿腹中，鹿食各種解毒之藥，其精液久積結而爲石。」並云：「有二種，一是鹿獸生成，一是西洋名醫至小西洋采珍藥製成，服之令毒氣不攻心，故曰保心石。」據趙學敏本草綱目拾遺卷二引所言與世界藥學史相同。

關於牛黃一類的藥品。據清姚衡寒秀草堂筆記卷三說，嘉慶十九年（一八一四）八月初七日，因修理武英殿露房進呈庫中所藏貢品，他的父親與其他的大臣，獲得賞賜藥品一百二十二種，其中有猴寶、鹿寶、野羊寶、山羊寶、羊寶。並注云：「以上五種，能保心解毒，治傷寒痘疹。」獅子寶，注云：「治婦人難產，經水不調，研水服。」牛寶、野豬寶、馬寶。並注云：「以上三種治痢疾，研水服。」這一百二十二種藥中，多半是亞拉伯的藥品，我想或是元明以來所積存的。很可能的是元代回回藥物院（後併於廣惠司）的遺物。

中國與亞拉伯在藥物方面，看了解毒石一類的文獻，即可充分了解中亞地區藥物交流關係的密切，和歷史的悠久了。

（三） 方劑學

中國許多醫方中，有不少是從外國來的。隋書經籍志中已有不少印度南海等處的醫方。宋鄭樵通志藝文略的醫方中，竟將隋志之屬於西域者，別立胡方一門。其中當有不少從波斯及亞拉伯那些地區傳入的。由於唐宋以來經亞拉伯人之手，輸入大量香藥，在中國醫學史上漸次造成局方時代的形勢。這是醫史學者應當特別注意的。關於此點，我已別有文字記之，此處不再重複了。

中國醫方很早已用複方，西洋自中世紀後才盛行此風。但據元代遺留下來的回回藥方一書而言，亞拉伯的醫方，也是好用複劑的，其中一方有用十多味至數十味，頗有千金方中的「耆婆萬病丸」的作風。按阿維森納醫典第五卷中，有複合藥的記載，我雖沒有看到原書，但從這名稱上推側起來，阿氏也許是注意到多味藥組成的方劑。

其次，亞拉伯醫家中用藥方面，也注意到汚穢的藥品，有很多動物的糞、尿、月經、血等。按好以動物等的糞尿穢物爲藥用的，乃中國方士的獨特作風，而中國醫家又與方士分不開的。如葛洪抱朴子黃白篇說：煉丹須燒馬糞。梁陶弘景也時有用天鼠屎，猪屎等物爲藥用的。見大觀本草卷十八、十九而素問中用「鷄矢醴」治鼓脹，那更早了。當然以人糞尿及人血，月經等爲藥，陶弘景陳藏器諸人的本草中已有論及了。而中國本草學家有此作風的似獨有唐開元中（第八世紀初葉）陳藏器，他的本草拾遺所收即多此類藥物。陳書雖佚，但尙散見大觀本草中。據我的推測，亞拉伯醫家似受陳藏器本草拾遺一書的影響。清代中藥趙學敏本草綱目拾遺也有用動物排泄物如「申紅」（猴子的月經）一類之藥，那是繼承古舊的精神。

如前所說中國自隋志及藝文略中所載外來的醫方，既有這樣多，但至今除了回回藥方以外，已看不到有一書流傳下來，所以要找到波斯或亞拉伯這方面的醫方，是很感困難的。

我有一時期研究中外醫學關係的問題。找到若干有關的文獻先後作成古代中西醫藥之關係，胡方考等書。今僅舉有關亞拉伯方面的醫方若干於下：

（一）悖散湯 千金翼方云：

服牛乳補虛破氣方，牛乳三升、蓽撥半兩，末之；綿裹。右二味銅器中取三升，水和乳合，煎取三升，空肚頓服之，日一二。七日除一切氣。……張澹云：「波斯國及大秦甚重此法，謂之悖散湯。」卷十二養老食療

按千金翼方舊題孫思邈撰。而近儒井研廖平以爲本非孫氏之書，詳見廖氏實圖書庫記其說必有所據。但此方據我的研究，蘇沈內翰良方引唐薛用弱獨異記說：張寶藏以牛乳煎蓽撥治愈唐太宗的氣痢而言，至少此方在唐代已經由波斯傳入，張寶藏或即張澹也。又按：此方據太平廣記卷一百四十六張寶藏條引廣異記。大觀本草卷九蓽撥條引太宗實錄，及劉禹錫傳信方等書並載之，僅文字互有出入。

（二）補骨脂方擬題○簡易方作魏將使青蛾圓 圖經本草云：

補骨脂生廣南諸州及波斯國……不及蕃舶者。……或云，胡桃子也。胡人呼若婆固脂，故別名破故紙。今人多以胡桃合服。此法出於唐鄭相國。自敍云：「予爲南海節度，年七十有五，越地卑濕，傷於內外，衆疾俱作，陽氣衰絕，服乳石補益之藥，百端不應。元和七年（八一三），有訶陵國舶主李摩訶知予病狀，遂傳此方，幷藥。予初疑而未服，摩訶稽頭固請，遂服之。經七八日而覺應驗，自爾常服，其功神驗。十年二月，罷郡歸京，錄方傳之：破故紙十兩，淨擇去皮，洗過，擣篩令細，用胡桃瓤二十兩，湯浸去皮，細研如泥，即入前末，更以好蜜和攪令勻如飴糖，盛於磁器中，旦日以煖酒二合調藥一匙，服之，便以飯壓，如不飲人，以煖熟水調亦可。服彌久則延年益氣，悅心明目，補添筋骨。……此物本自蕃，隨海舶而來，非中華所有，蕃人呼爲補骨鴟，語訛爲破故紙也。大觀本草卷九補骨脂條

按圖經之文，是引南唐王紹顏續傳信方的。文中不載鄭相國之名，惟簡易方據明

初朝鮮梁誠之等撰朝鮮醫方類聚卷九十五引作鄭佃，其方亦稍有出入，且有詩一首。按類聚卷九十八引經驗方亦有此方，又一百五十三引袖珍方作張遜。予又據村居救急方文並不同，其詩則見於全唐詩卷三十二。但元和七年廣州刺使爲鄭絪，此作鄭佃當爲形近而誤。

此方雖爲南海中的訶陵國舶主所獻，但根據他的姓氏及當年亞拉伯人海上商業與藥物的原產地而言。都可斷定此方確屬由波斯所傳入的。

（四）製藥賣藥的關係

（甲）藥露

藥露是指由蒸溜出來的藥液而言。在藥學史上說來，蒲萄酒和薔薇水都是波斯的特產。據說古時極上等的蒲萄酒，是沒有顏色的，即經過蒸溜器蒸溜而成。這種蒸溜有似用蒸溜燒酒 aqua ardens 的方法製成的。

據說蒸溜的歷史很古，在亞理斯多德時代已有這種思想，而在第四世紀後，已有人把蒸溜的裝置記在書本上了。但是這許多記載，是否可靠，不敢武斷，我們知道阿維森納是第一個發明製造酒精的人，所以關於藥露製法，對於阿氏這種發明，是不能忽然置之不問的。

從亞拉伯輸入的許多藥物中，薔薇水一物，也算是特出藥物之一了。薔薇水卽薔薇露，阿氏書中已有記載。據說它是用蒸溜之法，把花的液體蒸溜出來的，許多書都說它香氣裂鼻，就是封在玻璃瓶或錫瓶內，依然也能透露出來；那末，它一定不是完全蒸溜出來的薔薇花的液體，是可肯定的。但薔薇露的製法，歷史家都說創於波斯人，在宋以前，中國書中似尚未見記載。惟北宋樂史太平寰宇記說占城國在世宗顯德五年（九五八），「其王釋利因得漫，遣其臣蒲訶散等來貢方物，中有洒衣薔薇水一十五琉璃瓶。言出西域。」卷一百七十九此泛指西域，尚未指稱那一國家所造，但同時蔡絛鐵圍山叢談遲說「故大食國薔薇水雖貯琉璃缶中，蠟密封其外，然香猶透徹聞數十步，洒著人衣袂，經十數日不歇也。」卷五嶺外代答卷三，及諸蕃志上並有類似寰宇記之說，據蔡絛說北宋時五羊（廣州）人有倣外國造香的，因沒有薔薇花以素馨茉莉代之：「但視大食國眞薔薇水，猶奴爾。」這是說香味遠不及大食眞貨好。明初人居家必用引香譜中所載「經進竜（卽龍字）涎香」瓶子中所用的薔薇水，謂卽當時番客所賣的「大石水。」據朝鮮醫方類聚卷一百九十八諸香門引則薔薇水實出大食，與近代西方歷史家所說相符。明萬曆時沈德符野獲編補遺,對中國人仿造的薔薇水,仍做造不好,但清初周亮工閩小記所言,用蒸製燒酒法來蒸製薔薇露,已倣製得很好了。此雖與明末西士熊三拔泰西水法傳入中國有關,但與阿維森納發明造酒精之法,應屬主要的原因。

閩小記既說明末中國人用製燒酒法倣造薔薇水倣造得很好,而蒸製燒酒的方法,與酒精是相同的。大概中國人在北宋末雖已從亞拉伯人那邊學到蒸溜法,但還沒有學得好。其能具體了解蒸溜的方法,是從元代南方沿海地區傳入的。今天據我所知中國舊有文獻,元人似乎已充分能蒸製燒酒的方法了。明初熊宗立(?)居家必用事類全集載製「南番燒酒法」原注番名阿里乞云:

> 右件不拘酸甜淡薄,一切味不正之酒,裝八分一瓶,上斜放一空瓶,二口相對。先於空瓶邊穴一竅,安以竹管作嘴,下再安一空瓶,其口盛住上竹嘴子,向二瓶瓶邊,以白磁碗楪片遮掩令密,或瓦片亦可。以紙筋搗石灰厚封四指,入新大缸內坐定,以紙灰實滿,灰內埋燒熟硬木炭火二三斤許,下於瓶邊,令瓶內酒沸,其汗騰上空瓶中,就空瓶中竹管內,却溜下所盛空瓶內,其色甚白,與清水無異,酸者味辛甜,淡者味甘,可得三分之一好酒。此法臘煮等酒皆可燒。已集酒麴類

此燒酒番名「阿里乞」者,即元忽思慧飲膳正要卷三之「阿剌吉酒。」思慧之書,成於元天曆三年(一三三〇)三月,那末中國人在第十四世紀初葉,已完全能知蒸製藥露的方法了。

到了十七世紀初葉,已知用米類蒸製藥酒之屬。明末江上遺民李之遜三朝野記所說,天啓六年(一六二六)秋,天啓因遊西苑,覆舟獲救,按天啓被溺幾死明史不載,惟虞山陳悰天啓宮詞有詠此事,所謂:「須臾一片歡聲動,捧出眞龍水面來」者是也。遂患水腫病,霍維華進用「仙方靈露飲,」「其法取上號粳米淘淨,入水甑蒸之,甑底安中長頸大口空銀瓶一箇,米漸滲漸熟,水漸熟漸易,不數易,而瓶中之露滿矣。」卷三這也是屬於從亞拉伯傳入的蒸溜法之類。至於惲南田甌香館集卷四贈顧若思能製花露及方以智物理小識卷六,屈大均廣東新語卷十四等所說的蒸溜法,則得之於明末西士如熊三拔及鄧玉函之流了。不過推究熊三拔等的蒸製藥露法,還是不出亞拉伯的名醫如阿維森納所發明酒精製法的範圍。

（乙） 阿維森納發明的丸衣

在第十一世紀年代，世界成藥史上又有一新的發明事件，那便是阿維森納發明丸衣的方法。據西歐啓世界藥學史說：

他（阿維森納）又爲用金銀包裹丸劑之創始人。此種丸劑，不僅在外觀上有一種美化之感，且亦能增高醫治上的効果。世界醫學史 P. 85

所謂用金銀包裹丸劑者，就是用金銀箔包裹丸劑之謂。中國的金銀箔製法，是從印度那些地區傳入的。他們多用在描鍍佛像上，及廟宇的藻繪。據太平御覽卷七百一引支僧載外國事說：斯訶調國的大富翁，以金箔做佛的承塵。按日本狩谷望之所引此以箋注源順倭名類聚鈔卷五的外國志一書名稱，按杜佑通典一百九十一，已有「支僧載外國事」，又有「外國傳」之名，狩谷氏以爲一書，似誤。考後漢書陶謙傳三國志劉繇傳，都說笮融用金塗佛像。不能斷定他是用金屑或金箔，但在第四世紀陸翽鄴中記，及北魏宋雲行紀，楊衒之雒陽伽藍記等書，皆言用金箔爲裝飾和描貼偶像之事。阿維森納以金銀箔做丸衣的思想，是否從此等事物出發，無從考見。

關於以金銀箔爲丸衣，自從阿氏發明了不久之後，由於海上交通便利，很快便傳入中國了。而且在中國起了很大作用。我國熟藥業用金銀箔做丸衣的，似首見於和劑局方，此書約成於第十一世紀左右，按宋末陳元靚歲時廣記卷五引千金方辟温丹已有朱砂爲衣的記載，今查千金方並無此文，知爲後人所竄。關於此一問題，我在古代中西醫藥之關係中已有考證了。原文載一九三五年「中西醫藥」第二卷第三期。中國人不僅用了金銀箔做了丸衣，而且能舉一反三，推而擴之，用硃砂、青黛、礬紅、阿魏、麝香等爲衣。此等歷史，亦見古代中西醫藥之關係中。同上

（丙） 靠了阿維森納發財的藥商

阿維森納發明的丸衣，不但增加丸劑外表的美觀，同時對於防止藥性的揮發，也能起一定的作用的。由此而發展到［蠟丸］的創製，這都是好的一方面。但也有因此而爲商人所利用爲發財的工具。此事在舊題宋蘇軾沈括合撰的蘇沈內翰良方中的「褐丸」，即有它的記載：

蘇州有人賣一硃砂丸，食藥無所不治，其效如神，如此致巨富。服其藥者，徧天下，人無有得其眞方者。後有親人竊得，乃與此（褐丸）一同，但加硃砂爲衣耳。卷四

按良方但記商人致富之由，而未舉其姓氏，惟南宋龔昱中吳紀聞有記蘇州郭姓藥家以售硃砂丸致巨富的始末：

郭家本郡中一小民，所謂林酒仙者，每至其家，必解衣以醉之，酒仙遷化前數日，語郭氏曰：「疇昔荷相接之勤，以藥一杯爲報。……」遂授以硃砂圓方曰：「惜乎，富及三世爾！」郭氏竟售此藥，四方爭求買之。自此家大富，三世之後，絕無有欲之者。（卷五郭家硃砂圓條）

文中所謂授硃砂丸於郭姓的林酒仙，是否屬於波斯胡一流人物，或故造鬼話，今亦無從判斷。至云，富僅三世，正是此事久而被人拆穿內幕，如良方所說：「後有親人竊得，但加硃砂爲衣耳」而已。據歲時雜記說：南宋時蘇州又有一「賣藥朱家，燈燭之盛，號天下第一。」（見歲時廣記卷十州郡燈條引）或者那位北宋末年的郭姓藥家衰敗了之後，接踵而起的就是這位朱姓的藥家。

不論郭姓或朱姓的藥家，他們能售硃砂丸致富的原因，是由於阿氏發明丸衣方法傳入中國不久，所以人家覺得新奇，易受欺騙，售賣既久，那便不足奇了；故郭家亦僅擅三世之利而已。總之，人家辛苦發明出來的事物，受益者倒是惟利是圖的商人，這是在封建社會和資本主義社會中一致的現象。像發明丸衣的阿維森納，他那裏會想到我們東方的藥商，借它爲發財的工具呢？

（丁）販賣香藥的波斯商

唐宋以來亞拉伯商人流寓中國的，除當時的京師外，廣州泉州杭州明州揚州洪州等處都很多。據阿布賽德哈散（Abu Zaid Hassan）記錄：在公元八七八年有十二萬至二十萬的回教徒，猶太人，基督教徒，火祆教徒因遇黃巢的革命攻陷廣州而犧牲了。（參張星烺中西交通史料匯編第三册 P. 130—132。桑原隲藏唐宋貿易港研究第三篇廣府問題及其陷落年代 P. 47—o3）在揚州的亞拉伯商人和回教徒，唐末田神功焚掠揚州時，也被殺了數千人。（參舊新唐書鄧景山傳及田神功傳）這許多商人，我們根據前述市舶輸入的貨物，可推斷他們多數是販賣香藥和珠寶爲生的。

但這許多波斯胡的姓名，至今已很少有流傳了，據舊唐書李漢傳說，有獻沈香亭子的李蘇沙的，他是販賣香後來歸化我國的波斯人，到了五代王蜀時土生波斯李珣李玹兄弟，仍以鬻香藥爲業。宋黃休復茅亭客話說：

李四郎名玹，字廷儀，其先波斯國人，隨僖宗入蜀，授率府率。兄珣有詩名，預賓貢焉。玹舉止溫雅，頗有節行，以鬻香藥爲業。善奕棋，好攝養，以金丹延駐爲務，暮

年以爐鼎之費，家無餘財，唯道書、藥囊而已。卷二李四郎條

這位上生波斯，除染習中國文人氣派外，更迷於長生之說，把醫香藥的利益，都付之爐鼎，以致暮年弄成李商隱雜纂上所說不相稱之一的「窮波斯」了。

(戊) 開設藥鋪的波斯胡與崑崙奴

亞拉伯之坐商中，也有啓建藥鋪的。牛肅紀聞曾記唐段敭之子碧，見有好道之客，時往胡商那裏去求難得之藥：

……段子天寶五載（七四六），行過魏都，舍於逆旅，逆旅有客焉，自駕一驢，市藥數十斤，皆養生辟穀之物也。而其藥有難求未備者，日日於市邸謁胡商覓之。……

太平廣記卷二十八神仙二十八郗鑒條引

據段碧說曾見晉時的郗鑑，那自然是誑話，但牛肅是唐人，而記長安有胡商醫藥爲業，那是眞的。可惜這類的記載很少，不能多所舉證。

據史傳所載，唐宋以來的崑崙奴，多從亞拉伯商人帶到中國的，所謂崑崙奴多指非洲的黑人。而白洛克爾曼之回教古今史，曾記唐末大食國黑奴之亂。參中西交通史料滙編第三册古代中國與歐洲交通 P. 58 今考唐佚名的崑崙奴傳亦記唐大曆中，（七六六——七七九）崔生家的崑崙奴磨勒，代他的主人刼奪豪門的豔奴紅綃，爲崔的愛人，因被豪門脅迫遁去，後來有人在洛陽市，還看到這豪俠的崑崙奴在那裏賣藥。他雖不是亞拉伯人，但是與亞拉伯人是很有關係的。

(五) 診斷學

(甲) 幾種與阿維森納相同的診斷學

在診斷學方面，中國與亞拉伯醫家，尤其與阿維森納的診斷學方面，是有很多相同之點的。以時間而言，在阿氏的許多診斷學中，有的是從中國傳去，現姑舉數例於此。

（1）糖尿病　此病中國舊名消渴病。西方史家，記載第一個發見此病之尿必甜者，即阿維森納。阿氏這一篇文字，是在醫典的第二篇中。但阿氏的話，直到十九世紀時才由德人諾寧 Naunyn 在一八九〇年證實，因諾寧偶然看到蒼蠅團集在割掉胰腺的犬尿而才發見，才知是脺臟出了毛病。復由此而發明「因粟林」這一治糖尿病的特效藥了。我想西方醫家，如能早日注意阿氏

的學說,那末糖尿病這一疾患,或許早已發明特效藥,而可挽救了更多不應該死亡的糖尿病的患者。

倒是南毗國人在宋時已知此病的情狀,因爲他們也知以嘗糞診病之習俗的。此事在南宋後,復由亞拉伯人的口碑,傳到中國。據趙汝适諸蕃志說:

南毗國……飲食精細,鼎以百計,日一易之,有官名翰林,供王飲食,視其食之多寡,每裁納之,無使過度;或因而致疾,則嘗糞的甘苦以療治之。(卷上南毗國)

這記錄對糖尿病的病因和診斷法,是完全正確的。我們皆知患糖尿病者,多數爲營養過庶之人。南毗國王之每食列鼎百計,眞是鐘鳴鼎食之家了。足見他的營養是非常豐富的,這與中國方書上多記膏粱之家,易罹此病相符。我想南毗國王的御醫診斷此病的知識,是受阿維森納學說的影響的。

中國史書上最早記錄此病與糞溺的甘苦有關的,當推後漢趙曄吳越春秋中所述越王勾踐爲吳王夫差嘗大小便這一故事爲開始。吳越春秋說:

下囚臣勾踐,賀於大王:「王之疾,至己巳日有瘳,至三月壬申病愈。」吳王曰:「何以知之?」越王曰:「下嘗事師,聞糞者順穀味逆時氣者死,順時氣者生。今者,臣竊嘗大王之糞,其惡味苦,且楚酸,是味也,應春夏之氣,臣以知之。」……(勾踐入臣外傳第七)

此爲紀元前第五世紀之事。雖不能十分正確,但中國在紀元第二世紀左右,確已知這類事情,因中國的醫家有嘗穢的知識,是受那時方士的影響。而趙曄適在方士横行的後漢時代也。說見後。

到了第五世紀梁庾黔因父親病了,聽醫生說,嘗糞能知病的安危,便實行嘗他父親之糞,他發覺是甜的,而他的心便「更苦」了。(見梁書庾黔傳)可知庾黔的嘗糞,是聽了醫生的話,但還沒有單言小便甜。(按越王嘗吳王之「穢」,已包括大小便的)惟第七世紀時中國的方書上已明確規定患糖尿病的小便,是甜的。據唐武后時李諫議說:

論曰:「消渴者,原其發動,此則腎虛所致。每發即小便至甜。醫者多不知其疾,所以古方論,亦闕而不言。」(外臺祕要卷十一引近效祠部李郎中消渴方)

所以我說中國知糖尿病的糞尿有甜味,是很早之事,而醫家著爲實錄,則在第七世紀之初。今詳阿維森納醫典,其著作年代,當在第十一世紀之初,大家皆知阿氏的醫學,是擷取東西各國醫學的精萃,故他的知道糖尿病之尿必甜,當從中國傳過去的。至中國醫家知糖尿病之糞尿爲甜味，是受道家影響，因道家有食糞飲小便的詭行。按論衡卷六雷虛篇云：「道士劉春熒惑楚王英，使食不清。」而後漢書方技傳載甘始，東郭延年，封君達三人有：「飲小便或自倒懸」的詭行，這也是明人「服秋石」的歷史根源。但漢時的太平經對於這種行徑，則痛加呵斥，如太平經卷一百十七說，「教食糞飲小便，……此大邪所著，大猪之精所下也。」又謂，食糞飲小便，必遭「雷電所殺，」似漢時已有此風，故論衡有雷虛之說，趙曄吳越春秋記吳王嘗糞事，疑受道家的影響。

（2）循衣摸床　中國醫書上診斷病的死證很多，而循衣摸床，亦屬其中之一。在第二世紀時，張仲景傷寒論已有此種記載。其後醫家也叫做「撮空理線」如第隋巢元方在大業六年（六一〇）撰成的諸病源候總論說：

其人當妄掇空指地，或自拈衣尋縫，如此數日而死。卷一中風候

這種瀕死前的象徵，都是由於病人的神經失去控制之故，在十一世紀初葉的阿維森納醫典中，也有這類記載：

病人頻動手指，好像從身上拿去東西（Carphologia），這是死的徵象。見胡宣明中東醫聖阿維森納

從時代的先後，及阿氏時代醫學上的背景看來，他這種診斷學，很可能是從中國傳過去的。至阿氏又以麻疹之紅潤者吉，黑陷者凶，亦與中國斑疹書相同。

（3）相思脈　史記倉公傳曾記淳于意治一患相思病的青年侍女說：

濟北王侍者韓女，病要背痛……病得之欲男子而不可得也。所以知韓女之病者，診其脈時，切之腎脈也，嗇而不屬；嗇而不屬者，其來堅難，故曰「月事不下。」肝脈弦出左口，故曰「欲男子不可得也。」

按約在紀元前第三世紀，即亞歷山大時代的名醫拉西斯特拉塔斯（Erasistratus），也用診脈法診出塞琉卡斯王子患的是失戀病。而阿維森納也用診脈法診斷 Jurian 患的是相思病 參李濤醫學史綱 P. 85 這裏阿氏是否僅據拉氏之說或亦參考過史記倉公傳的脈案，今天很難判斷了。但據阿氏書中關於診脈方面，則在四十八種脈中，有三十五種與脈經相同。我想他是很早已知中國的脈診的。

（乙）　十二星宫占病法

中國的醫學，在學說方面，幾千年來都保存了陰陽五行說的傳統。其中的

偶然也有提及印度的四大說，如金匱玉函經，巢氏病源等書，但片詞隻字，並沒有作爲一種中心思想而加以研究和發揚。印度尚且如此，更不要說亞拉伯了。然我從五代時杜光庭的玉函經中發見採用巴比侖人所發明的十二宮（獸帶）說，是前人所沒有注意的。按十二宮說傳入中國，蓋始於隋那連提耶舍譯：大集日藏經，及唐天寶時不空譯文殊師利菩薩及諸仙所說吉凶時日善惡宿曜經二書，則印度釋家採用其說，中國似假釋家之手而始傳入者。玉函經說：

> 絡有十五經十二，上應周天下臨地，水漏百刻運流行，與周天度爲綱紀。手足陽明江海水，天蝎金牛井豫翼，太陽手足合淸淮，天秤白羊充淮裏，陰陽人馬對寅申，燕益渭漯水氣深。太陰巨蟹幷磨蝎，丑未湖河水難竭，寶瓶獅子對周齊，汝水三河合應之。巳上楚宮屬雙女，亥上雙魚時掉尾。生死訣中

玉函經一書的全題，爲「廣成先生玉函經，」宋盱江黎民壽注。全書作七言韻語。每節文字均有黎氏注文。但上面這節文字，雖有注文，而並沒有把天蝎、金牛、天秤、白羊、人馬、巨蟹、磨蝎、寶瓶、獅子、雙女、雙魚、陰陽十二星宮名稱加以注釋。我本來疑心玉函經是黎民壽託名廣成先生的，但後來看到此處，才恍然明白不是黎氏所能僞造。今考杜光庭此文，是糅合靈樞經水篇，淮南子天文訓，及大集日藏經書等而成。黎民壽僅知隨文敷釋，但對十二星宮却無一字提及，蓋由亞拉伯傳入的天文學，非醫家所素習，故無從注釋也。

考西洋的占星術，萌芽於美索不達米亞埃及等處，到了紀元前，才移植於亞力山大里亞，後來又轉移於羅馬，印度等處。因巴比侖的民族，夙擅星數之學，而天文學，與醫學發生關係，也濫觴於巴比侖民族。希臘醫家如希波克拉提斯（Hippocratis）格林（Galen）等也用星象以診疾患的吉凶，惟尚不用十二宮的星象名稱而已。

我想回回曆法的傳入中國，當較回教傳入時爲早。所以我敢斷定十二星宮說，在第六世紀末年早已傳入了。但杜光庭的玉函經有一部分是襲用大集日經之說，其接受時間已較晚了。到了元末明初，即洪武十五年（一三八二）由政府命當時西域（回回）人海達兒明史作黑的兒及回回大師馬沙亦黑馬哈麻等，將從元代政府中接收過來的西域書中有關天文、陰陽、曆象的文字、次第譯成

天文書四卷,及明西土穆尼閣天步眞原等書,都有很多用十二宮星象,來豫測疾病的根源和吉凶的。

但這些占星術,都早被阿維森納所排斥了。

（六） 理學療法

在理學療法方面,阿維森納的醫典第一卷第四章中。即有敍述灌腸、罨法、刺絡、吸角、水蛭、燒灼等的療法。此等療法,雖爲古代希臘羅馬醫家如希波克拉提斯達米松(Themison)羅馬之方法論學派中人活動於紀元前五〇年頃格林等之著作中已有記載。但是阿氏乃一極弘偉的醫家,他的學問,包涵希臘羅馬埃及印度中國等國家精粹之醫學,兼收並蓄,不名一家。所以不能說阿氏此等理學療法,絕對與中國沒有關係。因中國對於此等療法,如放水穿孔術之見於靈樞四氣篇,吸角法（鬱血療法）已見於肘後方,甄權古今錄驗外臺祕要卷四十引李絳兵部手集大觀本草卷十三苦竹葉及蘇沈良方之治久嗽角法。薩德彌實瑞竹堂經驗方,濟急仙方之竹筒吸毒法等。水蛭療法,卽唐宋俠經心錄所稱之蜞鍼。日本丹波忠雅醫略抄引而陳藏器之水蛭吸吮癰毒之法,言之尤詳。宋後亦見於陳自明外科精要等外科之書。至於刺絡放血,則靈樞等書所言亦不一而足。若灌腸術自傷寒論及肘後方,龍門古藥方醫心方卷十六治內癰方等書並有記錄,而以古今錄驗療關格大小便不通方見外臺卷二十七引敍述更爲詳盡。他若燒灼之法,則千金方用燒灼法以治猘犬傷。獨冰罨法方書較罕見,惟宋司馬光資治通鑑卷二百八十六載契丹主患熱病,以冰罨貼胸腹四肢,但亦終至死亡。

以上所述,都不能斷定誰受誰的影響。但有數事,不能不特別提出的,那便是葛洪孫思邈等用燒灼治猘犬傷,方書之刺絡放血法,及灌腸法等。

（1）用燒灼法治瘋狗傷 西方史家,用燒灼法治瘋狗咬傷,說是阿維森納第一個使用的。但中國醫家如葛洪崔知悌孫思邈諸人書中對此並有用火灸灼創口的療法。見外臺祕要卷四十治狂犬咬人方引 葛孫諸人都是第三世紀和第六世紀左右的人,阿維森納的醫學,旣然是集歐、亞、非三洲醫學之大成,那末,在時間方面和那一時代的歷史背景而言,阿氏之用燒灼法來醫治瘋犬傷,很可能是由中國方面傳過去的。

（2）刺絡放血 這是中國自靈樞經以下的方書所恆見的治法。但在第七世紀的末葉，也可能有東羅馬醫家在中國以此法治愈唐高宗之病。據資治通鑑唐鑑第十九說，弘道元年（六八三），秦鳴鶴治高宗風眩疾，頭目不能見物，因召秦鳴鶴來診治，鳴鶴刺其百會腦戶兩穴而愈，（並見太平廣記二百十八秦鳴鶴條引胡璩譚賓錄，宋周守忠歷代名醫蒙求下等書引之）據桑原隲藏諸人推測，秦鳴鶴很可能是大秦人，大秦即今之東羅馬，那時也是亞拉伯人勢力所及的地方。考唐杜環經行記（杜佑通典卷一百九十三引）亦言大秦人「善醫眼及痢，或未病先見，或開腦出蟲。」所以我以爲刺絡放血這一療法，在第七世紀時，中國與亞拉伯兩地區在醫學上很有交互流傳的可能。

（３）灌腸術　如前所述，灌腸療法，中國自第二世紀張仲景傷寒論以下的醫書所習見的一種療法。而明清以來，亞拉伯醫家的灌腸法，據清初袁枚所述，其法是與中國蜜煎導滯法不同。他說：

> 回回病不飲藥，有老回回能醫者，熬藥一桶，令病者覆身臥，以竹筒插入穀道中，將藥水乘熱灌入，用大氣力吹之，少頃腹中汩汩有聲，拔出竹筒，一瀉而病愈矣！（據日本今村亮醫事啓源引）

這是今日西醫通導大便所用灌腸法之濫觴，西洋之灌腸術，實阿維森納所創用。而那位老回回所用的，却很像中國方書上竹筒通便法。

（七）外科手術（上）

在外科手術方面，華佗的醫術，其神奇的傳說，唐後仍亦由波斯的商人傳播到亞拉伯那些國家去。三國志華佗傳中所說的麻醉劑之「麻沸散」一方，因其亡佚，久成歷史上的懸案。

由於華他名字的特殊，所以在二十年前，中國有名的歷史語言學家陳寅恪先生，作了一篇三國志曹冲華他傳佛教故事，發表於清華學報六卷一期，疑華他乃印度耆婆的蛻變，其後某君又暗襲其說，作了一篇華他醫術傳自外國考，以爲華他眞是印度人，陳先生之誤，我早已把它指出來了。但從文獻上看來，華他的醫術，倒與亞拉伯人有關係的。據元周致中異域志木蘭皮國條說：

> 其國乃陽盛之方，生物甚旺，在大食國西，有巨海。國之西有國，不可勝數，可至者惟木蘭皮耳。……胡羊高三四尺，尾大如扇，春則剖腹取脂數十斤，再縫而能復活，藥線之功也。華他之術出此。（卷上）

異域志一書,四庫全書入於存目,以其說之簡略也。其實多有依據的,如此條除了末句「華他之術出此」一語外,他是根據周去非嶺外代答卷三木蘭皮國,和諸蕃志卷上木蘭皮國之文而來的。末句雖屬周致中所附會,但他的附會,也有根據,他是看了周密志雅堂雜鈔及癸辛雜識續集二書的。說見下。

從來研究華他的外科手術,多注意他的麻沸散一方的內容。其實麻沸散之麻沸二字,乃煎藥煎茶時水沸的情形如魚眼蟹等名稱,麻沸者是指水沸如亂麻之狀而已,曾記方書及茶經中有麻沸二字的名稱 並沒有研究的必要。其値得研究的,是華他當時究用何種麻醉品?關於此事,志雅堂雜鈔中有涉及亞拉伯人在醫學上所用麻醉劑——「押不盧」的記載:

回回國之西數千里,地產一物,極毒,全似人形如人參之狀,其名「押不盧。」生於地中深數丈,或傷其皮,則爣毒之氣,著人即死。取之之法,則先開大坑,令四旁可容人,然後輕手以皮條結絡之,其皮條之前,則繫於大犬之足,用杖打犬,犬奔逸則此物拔起,犬感此氣卽斃,然後別埋他土中,經歲後,取出暴乾,別用藥以製之。其性以少許磨酒飲人卽通身麻痺而死,雖刀斧加之,不知也。然三日別以少藥投之,卽活。蓋古者華他能刳腸滌藏治疾者,蓋用此藥也。聞今時御藥院中有二枚,此神藥也。白廷玉聞之盧松厓云。卷八醫藥門又粵雅堂叢書本卷上 按癸辛雜識續集亦載此事文互有出入又元白珽湛淵遺稿卷中續演雅十詩之第二首卽詠押不盧並據周氏之說

我們可以看出異域志中「華他之術出此」,是從雜鈔「華他行手術時,蓋用此藥也」一語而來的。

關於木蘭皮國,張星烺先生謂卽今北非之摩洛哥。張先生說:「木蘭皮乃亞拉伯文 Maghrib el Aksa 首一字之譯音,其義猶今之「泰西」也。亞拉伯人征服摩洛哥後,稱以是名,由此而歐人訛作摩洛哥。諸蕃志此處記地中海及歐洲諸國,至爲明瞭。」又云「而諸蕃志此節不專指摩洛哥,歐洲西部亦在內。」中西交通史料匯編第一册古代中國與歐洲之交通 P. 232 又第三册古代中國與非洲之交通 P. 94-5 今詳西士艾儒略職方外紀卷三,稱爲馬邏可。而外紀利未亞總說上言:「其地產一異羊,甚鉅,一尾得數十斤,其味甚美。」馬可波羅遊記亦有此說。見李季譯本 P. 44 所以我說異域志的話,是有他的根據的。

「押不盧」一物,星烺先生亦以爲亞拉伯的譯音,卽今蔓陀羅華。他說:

「押不盧」乃阿拉伯文 Yahruh，或 abruh 之譯音。波斯人稱之曰 jabruh 今代英文曰 mandragora or mandrake，日本人英文字典上譯曰「蔓陀羅華。」

中西交通史料滙編第三册古代中國與阿拉伯之交通 P. 108

據李時珍本草綱目所載曼陀羅花別名風茄兒，山茄子。蓋本借釋典法華經天雨曼陀羅花之名而譯的。而明魏濬嶠南瑣記云，一名「悶陀羅」。其實司馬光涑水紀聞已言：杜杞在廣南以「曼陀羅酒」誘殺宜州蠻數千人。考其事在周密所說之前，恐此物很早已入中國了。金張子和儒門事親卷十五，及元御藥院方卷十一，都有曼陀羅花一藥治病的記載。則金元以來的醫家，已知使用蔓陀羅花了，不過北非土產的「押不盧，」還不是中國醫家所知的。所以時珍綱目把「押不盧」和「曼陀羅華」分爲兩物，而明王肯堂的續醫說據清陳鴻履重論文齋筆錄卷一引也僅能轉引志雅堂雜鈔的話，以廣異聞而已。

據中外史家的考證，中國在紀元前二三世紀已與西歐及北非各國通商，那末中西文化的交流的史實，也應隨而存在。在第二世紀時代華他使用西方的麻醉品，也非不可能之事。不過中國醫家很早已知「鬧陽花」及「莨菪」等藥，是具有麻醉作用的，所以無須採用生在迢遠地區的押不盧，這是想象得到之事。但反之，據西歐魯氏世界藥學史中的話，倒是亞拉伯地區的醫家知用麻醉品的知識，是吸取中國的希波克拉提斯——華佗的醫術的：

亞拉伯醫家知用一種吸入的麻醉劑，恐從中國人學來。稱爲中國希波克拉提斯的華佗，很精此種技術。其方法爲用 Aconite、曼陀羅華 Folia hyoscymus 等調合而成。世界藥學史 P. 88

西氏的話，雖然還不能算是十分正確，他推測那時麻沸散是用「曼陀羅華」等藥合成，也於史無徵。我想他是從「押不盧」這一故事演化而來的。不過中國與亞拉伯醫家在外科學的麻醉藥方面，也如其他醫學一樣，有過交互的歷史，那是毫無可疑之事。而〔曼陀羅華〕一藥，在阿維森納書中已有記載了。

（八） 外科手術（下）

元代亞拉伯人，不僅在商業上掌握了海運霸權。就在那時政府中亞拉伯人的地位，也較漢人爲高。在衛生醫學機關中，「廣惠司」是他們集中的地點，在那裏有不少亞拉伯的名醫。關於外科跌扑方面，要以廣惠司卿聶只耳爲第一了。山居新語云：

元統甲戌，（紀元一三三四年）三月二十九日，瑀在内署，退食餘暇，廣惠司卿聶只兒原注也里可溫人言去歲在上都有剛哈剌咱慶王今上皇姊之駙馬也，忽得一證，偶墜馬，扶起則兩眼睛俱無，而舌出至胸，諸醫束手，惟司卿曰，「我識此證。」因以剪刀剪之，剪下之舌尙存。廣惠司者，囘囘人隸焉。卷一

按此事輟耕錄卷九奇疾條亦載之。「也里可溫」即基督教中之一派。

輟耕錄又述囘囘醫官及老囘囘以刀割治病人和醫治馬疾之事：

任子昭云：向寓都下，時鄰家兒患頭痛不可忍，有囘囘醫官用刀劃開額上，取一小蟹，堅硬如石，尙能活動，頃焉方死。疼亦遄止。至今藏之。夏雪簑云，「嘗於平江閶門，見過客馬腹膨脹倒地，店中偶有老囘囘見之，於左腿内割取小塊，出不知何物也。其馬隨即騎去。信哉，西域多奇術哉！卷二十二西域奇術條

文中所說囘囘醫官割治小兒，或係當時亞拉伯人所行穿顱術一類的手術，所謂取出小蟹，那不過從中國「出蚘走獺」那一類的神話，而又雜糅波斯人識寶一類的傳說附會而成；其實決無此事。至老囘囘之割治馬疾，則在中國的亞拉伯人，亦有知獸醫者，元重馬政，想當時所謂「天廐」之中，必少不了此輩囘囘獸醫担任治馬的工作也。

（九）流寓中國的亞拉伯醫家

唐宋以來，亞拉伯人流寓中國者，不下數十萬人之衆。其中當有不乏精習醫家之言的波斯醫。但他們的歷史，多爲時間所吞沒，有百無一存之慨！此處僅能舉李珣愛薛拉施特三人爲例。實則此三人中，一屬詩人而兼習醫學者，並不是純粹的醫家。此與元代囘囘文人丁鶴年相似的，但鶴年沒有醫學上的著作。其他爲政治家，而兼領星曆，醫藥二司而已。

（1）李珣　李珣字德潤，是土生的波斯胡。爲公元第九至第十世紀時人。其祖上因黃巢革命破了長安，跟從僖宗入蜀，他便生在四川的梓州，故有土生波斯之稱。弟玹字廷儀，妹舜絃，一家都擅詩詞。珣的聲名最大，與當時尹鶚牛希濟歐陽炯等齊名。據蜀何光遠鑑誡錄說，有次被他的詞友尹鶚開了一次

玩笑:

賓貢李珣字德潤,本蜀中土生波斯也。少小苦心,屢稱賓貢,所吟詩句,往往動人。尹校書鶚者,錦城烟月之士,與李生常爲善友,遽因戲遇嘲之,李生文章掃地而盡。詩曰:

異域從來不亂常 李波斯强學文章;

假饒折得東堂桂 胡臭薰來也不香!卷四斥亂常

其實李珣的文章聲價,並沒有被這位娼門才子——尹鶚所貶損。珣的妹被王衍選爲昭儀,所以他爲那時的賓貢,玹爲率府率。他的集子名瓊瑤集,本草的集子名海藥本草。瓊瑤集一卷,宋後已佚,但散見於花間集及尊前集宋王灼碧雞漫志和淸康熙歷代詩餘中,尙存五十七首,其詞以南鄉子一調爲多。海藥本草宋後亦佚,惟大觀本草時引其說,尙可輯爲一書。

(2)愛薛 愛薛拂林(東羅馬)人,祖不阿里,父不魯麻失,乃回回的基督教徒,希臘聖而公會會員。精於西方各國語言,對於天文、曆法、和醫藥無不研曉。初事定宗,敢於批評時政,那時元世祖尙在藩邸時,已很看重他。中統四年(一二六三),命掌西域星曆,醫藥(京師醫藥院)二司。到了至元十年(一二七三)正月,改「醫藥院」爲「廣惠司,」仍由他主持。給在京的疲癃殘疾和窮而無告的病人,加以治療。生於宋寶慶二年,(一二二六)卒於元至大元年(一三〇八),年八十二歲,死後封他爲拂林忠獻王。有子六人,四壻、三孫、皆爲大官。有一子名魯哈,仍襲他的餘蔭,做廣惠司提舉。

(3)拉施特(注四)他是波斯人,宋淳和七年(一二四七)生於波斯之哈馬丹城(Hamadan),祖爲猶太人,崇奉回教。少年時卽習醫學,故以醫侍阿八哈汗(Abaka khan)及繼任諸汗,極得寵幸,位至首相。在位頗與諸朝士不睦,被人所嫉而去職。後因鄂爾介都(Ojtaitu)有疾,羣醫畢集,藥石雜投,拉施特亦羣醫之一,獨排衆議,而用瀉藥,鄂爾介都終於給他治死了。所以被其他的醫生所訕笑,又進讒言,說是他的小的兒子伊伯拉希姆(Ibrahim)進毒之

注四:拉施特,火者拉施特愛丁(Khodja Bashid-eddin),(拉施特姓也,愛丁則回敎徒人名末尾贊辭也。)名法則兒烏拉喝(Fazl-Ullah)。簡稱曰,拉施特。

故，因此兒那時適爲宮中司膳長官，於是先殺他的兒子，而後腰斬拉施特。這是延祐五年（一三一八）的事。拉施特是位多才多藝的人，精通波斯亞拉伯蒙古突厥希伯來諸國語言，所著史記彙編，極有名的多桑（D'ohsson）蒙古史就是根據拉施特史記的。略據中西交通史匯編第四册古代中國與伊蘭之交通，波斯人記中國事情第四十五節施拉特 P. 236—241

（一〇）在中國做衛生行政工作的亞拉伯人

在元代掌握衛生行政的，有一部分是亞拉伯的基督教徒。因爲元代好用色目人，那時回回人佔很大的勢力。也有他們自己的醫藥衛生行政機構，其最顯著的例子，便是「廣惠司。」這「廣惠司」是回回醫家的大本營，所以楊瑀山居新語說：「廣惠司者，回回人隸焉。」我們不難揣測那時「廣惠司」中的亞拉伯人勢力之大了。

「廣惠司」之前身爲「京師醫藥院，」是至元十年（一二七三）改組的：

> 至元十年春正月。……改回回愛薛所立「京師醫藥院」名「廣惠司。」…… 元史卷八世祖紀五

我們再看那時「廣惠司」的組織是這樣的。元史職官志說：

> 廣惠司秩正三品，掌修製御用回回藥物及和劑，以療諸宿衛士，及在京孤寒者。至元七年（一二七〇）始置提舉二員。十七年（一二八〇）增置提舉一員。延祐六年（一三一九）陞正三品，七年（一三二〇）仍正五品，至治二年（一三二二）復爲正三品，置卿四員，少卿司丞各二員。後定置司卿四員，少卿二員，司丞二員，經歷知事照磨各一員。卷八十七百官志四

這裏的「廣惠司」的主要職官，已不下二十人之多。由於都是回回的藥品，所以自然都需要亞拉伯人職掌了。

到一二九二年大都和上都，成立了兩所「回回藥物院，」後來先後倂入「廣惠司」了。元史百官志也有記述它的組織和歸倂經過：

> 大都上都回回藥物院，二秩，從五品，掌回回藥事。至元二十九年（一二九二），始置。至治二年（一三二二）撥隸「廣惠司。」定置達魯花赤一員，大使二員，副使一員。元史百官志四

我們從上述的文獻看來，元代的亞拉伯人在當時政府中的衛生機構中之所以占極大的勢力，還是由於當時的統治者，對於亞拉伯的藥物異常看重。這許

多由亞拉伯國家來的「外藥」，自然需要亞拉伯地區的衛生人員來管理了。這樣我們不難了解那時亞拉伯人在中國衛生行政方面的地位的重要，同時也可衡量中國與亞拉伯地區，在醫藥方面的交流關係是如何的密切！此外，元史稱：月舉連赤海牙奉命修劑藥以療師疫而獲賞。(見本傳)這也是回教徒的醫事。

（十一） 亞拉伯人的方書

在中國的亞拉伯人有關醫學的著作，現在尚可考見的，似僅有二種，一爲王蜀時的李珣海藥本草，一爲不著撰人姓氏的回回藥方。又如宋人安文恢萬全方，元人薩德彌實瑞竹堂經驗方，也可能屬於亞拉伯人所撰的醫方。但前者僅見王堯臣崇文總目，後者原書雖存，但究不知他是否爲回回人。

（1）海藥本草六卷　王蜀李珣撰。此書最先被醫家所引用的，爲掌禹錫本草補注，而爲簿錄家所著錄的，則首見於宋鄭樵通志卷六十九藝文略醫方類本草之屬。李時珍本草綱目敍歷代諸家本草，以掌禹錫補注本草稱述南海藥譜爲海藥本草。並云：「唐人李珣所撰。珣蓋肅代時人。收采海藥，亦頗詳明。」可謂巨謬。南海藥譜，據禹錫說，僅有二卷，並說「不著撰人名氏，雜記南方藥物，所產郡縣，及療疾之功，頗無倫次。」(政和本草卷一)是海藥本草與南海藥譜明爲兩書，此其一。通志藝文略於海藥本草下，又著南海藥譜七卷，卷數雖與禹錫所見者不同，其爲二書則一，此其二。即以二書內容而論，則大觀本草卷十三木部中品龍腦下，先引南海藥譜，復引海藥本草之文。此其三。有此三異，則時珍說南海藥譜爲海藥本草是絕對錯誤的。至說李珣是唐之肅代時人，則海藥時引懿宗時之段成式酉陽雜俎，那很顯然地珣並不是肅代二宗時的人了。

海藥本草久佚，但它尚散見於大觀本草等書中，據我的輯本，仍有一百二十多種的藥物，其中多半是波斯的藥物，但所引文獻，却全然是中國人的。

（2）回回藥方三十六卷　不著撰人。現國立北京圖書館所藏的，爲僅存四卷的殘本，計存：目錄下一卷，計五十八葉；第十二卷，計六十三葉；第三十卷，計六十三葉；第三十四卷，計四十九葉；明紅格鈔本。其中藥物，亦有用中藥，餘多爲亞拉伯譯音，並時有回文，故雖屬漢文，但除了有注釋者外，很難了解它是中國的那一種藥。至其學說，間有襲用液體說的。

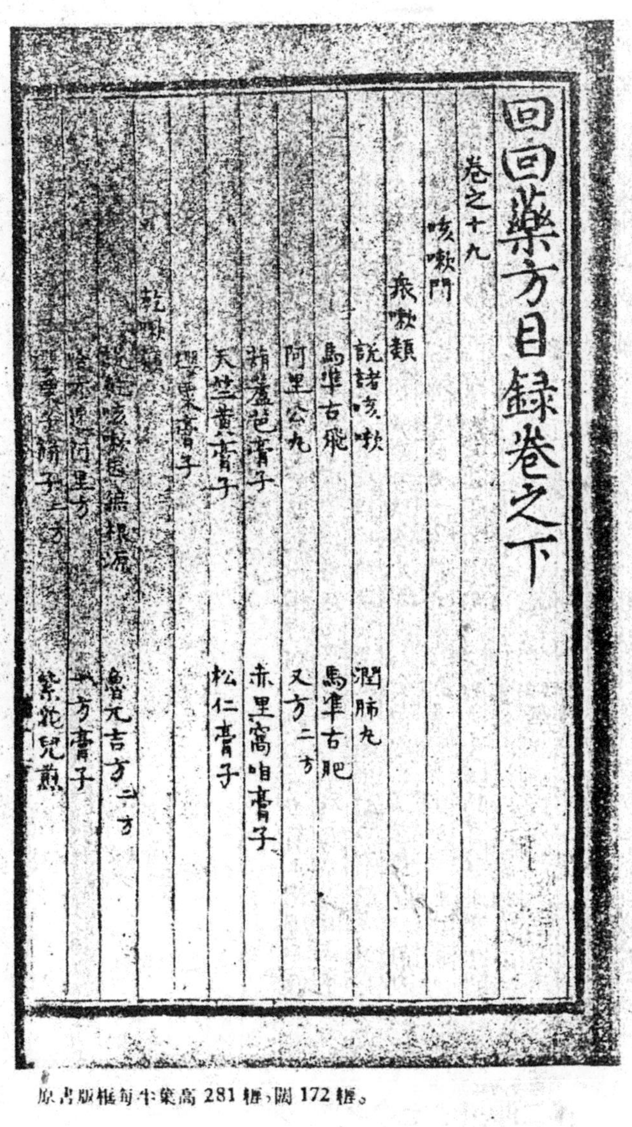
回回藥方目錄卷之下

卷之十九

咳嗽門

乖嗽類

說諸咳嗽　潤肺丸

馬準古飛　馬準古肥

阿里公丸　又方二方

葫蘆芭膏子　赤里窩咱膏子

天竺黃膏子　松仁膏子

罌粟膏子

乾嗽類

說乾咳嗽根源　魯尤吉方二方

哈夫連阿里方　一方膏子

罌粟子餅子二方　紫花兒煎

原書版框每半葉高 281 糎，闊 172 糎。

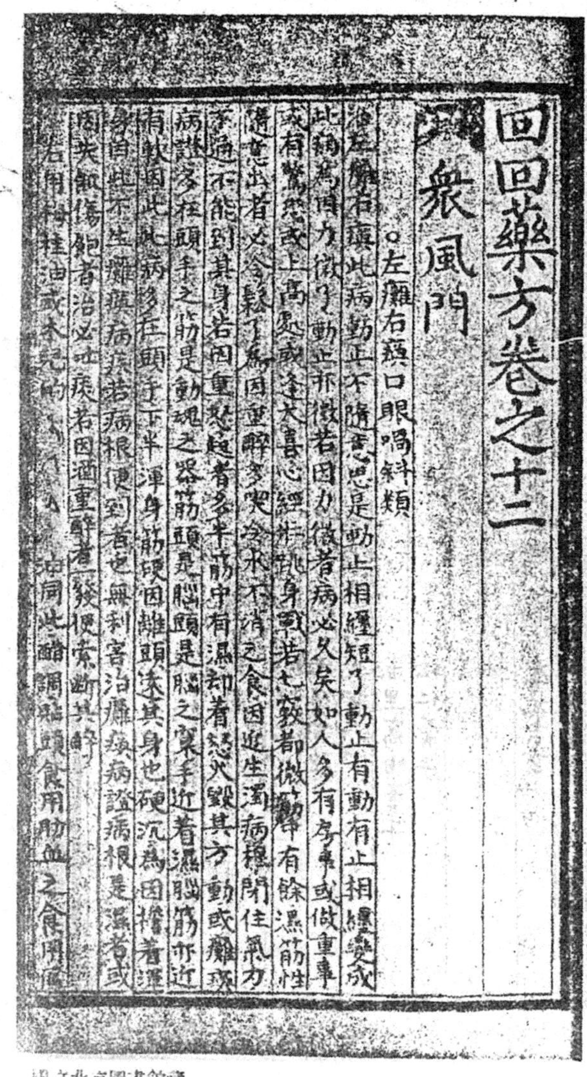

回回藥方卷之十二

衆風門

○左癱右瘓口眼喎斜類

治左癱右瘓此病動止不隨意思是動止相纏短了動止有動有止相纏變成此病爲因力微了動止亦微若因力微着病必久矣如人多有房事或做重事或有驚恐或上高處或逢大喜心經中跳身戰若七竅都微動瘁有餘濕筋性隨意出者必令鬆了爲因重醉多吃冷水不消之食因此生濁病根閉住氣力予過不能到其身若因重怒起者多半筋中有濕卻着怒火發其方動或癱瘓病證多在頭手之筋是動魂之器筋頭是腦頭是腦之窠手近着濕腦筋亦近有軟因此此病移在頭手下半渾身筋硬因離頭遠其身也硬沉爲因積着濕身因此不生癱瘓病疾若病根便到者也無利害治癱瘓病證病根是濕者或因失飢傷飽者治必吐痰若因酒重醉者一發便索斷其醉

右用椰桂油或木瓜[illegible]治同此酪調貼頭食用肋血之食用[illegible]

國立北京圖書館藏

元大都回回藥物院的遺物

資料室

下面的藥物目名，是從清姚衡寒秀草堂筆記卷三中錄出的。從它的名稱上和簡單的治法看來，似乎都是亞拉伯的藥物，很可能是元大都回回藥物院的遺物，故擬此題附錄於此。很希望讀者，能把它一一加以考證。　編者

嘉慶十九年（公元一八一四年）八月初七日因修理武英殿露房，進呈庫中所藏，頒賞內廷大臣，先文僖公以戶部侍郎入直南書房與賜：

肉荳蔻油二斤四兩 一匣 治筋骨疼，怕冷，塗搽。

肉荳蔻花油二兩五錢 二玻璃瓶 能補脾胃，順氣，保心，化痰。

白荳蔻油五錢 一玻璃瓶 能暖脾胃，去食水，下小水。

蜜蠟金油八兩四分三厘 三玻璃瓶

蜜蠟油四兩九錢七分五厘 三玻璃瓶 以上二種，治頭迷，痰火病。

香橼油十二瓶 能化痰，補脾胃，保心血。

阿里西油五錢四分 一玻璃瓶 能保心暖脾胃，化溼痰，順氣。

都爾們底那油十六斤八兩二錢 三十一玻璃瓶外又一瓶 治小水不通，兼內疼痛。

郭巴爺巴油三十斤九兩九錢 三十二玻璃瓶一磁瓶一錫合 治刀傷。

丁香油二十六斤九兩三錢五分二釐 二十七玻璃瓶 治胃氣痛。

蘇合油七兩 一錫合 治胃寒，解瘡毒，收口。

巴爾撒米油三斤一兩三錢五分 六玻璃瓶 治刀傷。

冰片油十一斤九兩四錢 二十玻璃罐，二磁瓶 係冰片蒸成，其用法與冰片同。

肉桂油八兩 二玻璃瓶 能補力。

桂皮油八兩二錢八分五厘 六玻璃瓶 能補力。

利諾油一斤 一玻璃瓶 能化散止痛，化毒。

阿里法油十八斤九兩 二十五玻璃瓶，一磁瓶。能解諸蟲之毒。

蜜羅柑油八瓶 治頭迷。

噶几雅油四瓶 保補藥。

蜜羅費的里油四瓶

郭羅多油八瓶

方日班你油七瓶

熱爾索蜜尼油二瓶

橙子花油三瓶

客几拉油三瓶

日牙心的油三瓶

花露油二十瓶 二匣

百花油二十五瓶

花露六瓶 以上十種，能補脾胃，治肚疼。

德里雅噶一百六斤十五兩三錢 二磁瓶，二玻璃瓶，四十三錫合。治惡毒，冷氣，腹內擰痛，脾胃虛弱。

牙卜都牙十一兩六錢 一匣 治諸瘡腫毒，坌氣痛。

色噶謀牛十兩五錢 一匣

兀思噶末牙五兩 一匣 以上二種，治瀉肚，去食氣，化痰。

撒蘇付拉蘇五斤八兩 一匣 發散，調脾胃，頭洸，順氣。

達噶馬噶十二兩 一匣 治牙疼，偏腦疼筋受傷。

達末利地二十四斤三兩 三磁瓶 治發燒。

昂地謀牛一百廿八斤十三兩二錢 二匣二磁瓶 治瘡內膿發散。

金地略二斤九兩 一匣 能清脾胃。

厄把昂地莫牛一兩 一玻璃瓶 治嘔吐，清脾胃。

昂地謀牛瑠璃十四兩七錢 一匣 係吐藥

阿里噶農對不理噶四斤八兩 一匣 能化澄痰，順氣。

得爾西日拉達十五兩五錢 一匣 治吐血，紅痢疾。

都地牙二斤五兩 一匣 治瘡，止瀉，把甘收口。

色三多二斤十四兩 一匣 能清血解毒。

立克農噶牙公三斤十兩 一匣 治五藏內溼潮，清血解毒。

熱拉巴十斤七兩 一匣 能跑肚，去小水，治蟲證，筋骨疼。

撒拉撒巴里拉五斤七兩 四匣 治五藏內溼潮，發散。

郭車尼勒八斤八兩 二磁瓶 能保心，治傷寒。

三爾郭郭拉七兩三錢 一匣 治眼疾，拔毒收口。

辣依斯得杜爾們底拉一斤十四兩 二匣

多爾們底拉二斤十一兩 一匣 以上二種，治吐血，紅痢疾。

得蠟得馬爾達八兩八錢 一匣 治傷寒熱之證。

西白噶瓜那四斤九兩五錢 一磁瓶一匣 治痢疾。

臥博博那果六斤七兩 一磁瓶 能化痰。

瑟拉必諾一斤二兩四錢 一匣 能化痞疾，解肝毒。

額勒蜜一斤 一匣 能壯筋骨，發散腫毒。

思朋納牙二兩八錢 一匣 能治鼠瘡疳瘡。

巴思達一斤十二兩 一匣 係吐藥。

古馬拉必各二兩三錢 一匣 能去火，解毒。

得勒瑪剛地八兩七錢 一錫合 能止血，治痔漏。

歐福爾必窩一兩 一錫合 係外用搽藥，去瘡上瘀肉。

噶斯多里約一斤三錢 一匣 能化濁痰順氣。

額里斯波羅碧額達得八兩二錢 一玻璃瓶

厄里克西爾必厄達底思一兩 一玻璃瓶 以上二種，能避瘟病，治牙病。

馬斯底斯三斤十五兩五錢 一匣 能補脾胃。

瓦牙郭七錢 一玻璃瓶 合膏藥用。

阿莫你牙果六斤九兩六錢 一錫合一匣 能化痰。

噶拉巴諾八斤三兩 二錫合一木合 治婦人月經不調

白得略七斤一兩 一磁瓶 能化溼痰，利小水，解毒。

西巴爾撒蘇爾佛勒四兩 一玻璃瓶

西爾撒末多爾們底那四兩 一玻璃瓶 以上二種，治痨證，咳嗽，吐痰，順氣。

阿里斯多羅吉牙九兩 一匣 能化痰，利小水，和血。

薩朋四斤六兩 一匣 係膏藥料。治溜火，半身不遂。

索爾達十斤八兩 二匣 治跌打損傷，和血。

噶種得七十七斤十三兩六錢五分 二磁瓶三匣 能補脾胃，去心跳，頭迷。

格羅佛尼三斤 一匣

白斯噶肋菓七兩 一匣

郭羅佛你牙五斤十一兩 二匣

斯噶末尼牙一斤十三兩 一匣 以上四種，能發散，化痰，順氣。

墨竹剛八錢 一匣 治蟲證，肚腹不調。

硫黃乳一兩 一匣 能順氣，和血，散氣。

倭硫黃九斤十四兩七錢 二匣 能溫補，命門相火。

龍涎香六斤三兩九錢九分 二匣 能保心，補脾胃，散悶氣。

沈香一斤四兩 一匣 能降氣，化積滯。

苦木八斤十四兩三錢 一匣 治諸瘡腫毒，坌氣病。

蛇木十五斤十一兩四錢 二匣 治瘧疾，肚內疼，腹膨脹。

冰片木五兩一錢 一錫合 係樟木津液結成，能治喉痹，退雲翳。

涼石二斤 一匣 治尿泡內疼，利小水。

方石五十塊 一匣 能保心，去悶氣，頭迷，腫毒。

螃蟹石七兩 一匣 治肚疼，保心理氣，去毒火。

吸毒石十三兩五錢 一匣 治痘疹毒，瘟疹瘄，傷寒。

珊瑚枝子十四兩 一匣 能解毒，去火理氣，脾胃熱，痔瘡。

藍寶石面子四兩五錢 一匣

白寶石面子二兩五錢 一匣 以上二種，能保心解毒。

綠寶石面子五兩 一匣

紅寶石面子一兩五錢 一匣

黃瑪瑙面子三兩 一匣

瑪瑙面丸一兩三錢 一圓合 以上四種，治痰火，瘟病，瀉肚。

保心石丸十五兩 一匣 治瘧疾，傷寒，解小兒痘疹。

昂地謀牛鍾二個 一匣 或水或酒，裝滿放十二時辰服，治痰火病。

刺豬毬二個 一匣

蜘蛛寶四個 一匣 以上二種，能治發燒傷寒。

猴寶七十七個半 內破的二個 一匣

鹿寶九個 一匣

野羊寶二個 一匣

山羊寶十七個 一匣

羊寶二十八個 一匣 以上五種，能保心，解毒，治傷寒，痘疹。

獅子寶十五個 內破的一個 一合 治婦人難產，經水不調，研水服。

牛寶四個 一匣

野豬寶一個 一匣

馬寶一個 一匣 以上三種，治痢疾，研水服。

辟毒牙一個 一匣

蛇睛一對 一匣

蛇哩一個 一匣

蛇舌一個 一匣

蛇牙二十二個 一匣

蛇王舌一個 一匣

魚牙一個 一匣 以上七種，治傷寒，心跳，發散，解毒。

白葡萄城四斤四兩二錢 一匣

葡萄城九十斤十一兩七錢 一匣三磁瓶

葡萄城鹽一斤十四兩九錢 一匣 以上三種，合別藥煎水，化痰，利小水。

葡萄城醋六十一斤 三磁瓶 性涼，入內發澀，外合藥料用。

番紅花三斤六兩 三匣 能破積血。

乾桂花十七斤十二兩 二箱二磁瓶 能避一切惡氣，調髮。

共計一百廿二種

美國侵略者細菌戰史料

陳邦賢

滅絕人性的殘暴無恥的美國侵略者，在朝鮮戰場遭到空前慘敗以後，竟在朝鮮和我國東北及山東青島等地區進行細菌戰的滔天罪行，已引起了中朝人民及世界愛好和平的人民無比的憤怒。美國侵略者自從第二次世界大戰結束以後，就加緊進行它的侵略全世界的計劃。它把希特勒德國和日本法西斯的細菌戰犯們收羅起來，在國內國外大規模地研究製造屠殺人類的細菌武器，企圖作垂死的掙扎，其實美帝國主義者的失敗，命運早已注定了的絕不能用卑劣無恥滅絕人性的行動可以挽回的。它在朝鮮和我國東北及山東地區進行了滅絕人性的細菌戰以後，我周恩來外長曾兩次發表聲明及嚴重抗議，各民主黨派發出了莊嚴號召，全國醫藥衛生工作者都積極的行動起來，以實際行動來給美國侵略者以有力的回擊，堅決撲滅美國侵略者細菌戰的毒燄，堅決斬斷美國侵略者撒佈細菌的罪惡血手，以及中朝兩國人民加強了愛國的衛生防疫運動，世界各國愛好和平的人民都團結起來堅持正義不屈不撓的予美國侵略者以極嚴重的打擊，這許多可歌可泣的史實，尤其是帝國主義者滔天罪行的史實，都放在我們的面前，我們在這簡短的時間還不能作出有系統的文字，我們只能就各種報紙雜誌所記載的，依着年代和日期的先後，把它編排出來，以供研究美帝的罪行——細菌戰史的參攷。

一七六三年，英人阿姆赫史脫 Armhurst 用毛氈投以天花病毒，謀害北美紅印度人，這是以細菌毒殘殺人類的開始。

一九〇七年，第四次海牙公約第二十三條所定的禁例，今天無疑地適用於細菌毒。

一九一七年，當第一次世界大戰進行正酣時。德國曾用鼻疽桿菌危害法國的馬匹，並有其他細菌戰的祕密計劃。

一九二五年六月十七日，四十四個國家政府的代表在瑞士的日內瓦開會，共同簽定了議定書，明確規定了禁止用毒氣或類似毒品及細菌方法作戰。

一九三一年，當我國東北被佔領後，日關東軍即陰謀成立了爲準備細菌戰的「東鄉部隊」的細菌實驗室。

一九三五——三六年，日本參謀本部和陸軍省根據日皇裕仁的密令，在細菌戰思想家石井四郎所主持的細菌實驗所（歸日本關東軍的建制）的基礎上，建立了「關東軍防疫給水部」和「關東軍獸疫預防部」兩個，為準備和進行細菌戰的秘密機關。

一九三九年，日本侵略者在哈桑湖一帶地區對蒙古人民共和國及蘇聯曾使用過細菌武器。

一九四〇年十月——十二月，日寇飛機在浙江省的寧波、衢州、金華、諸暨、湯溪等地撒佈帶鼠疫細菌的跳蚤、棉絮、小麥、麵粉和粟，以致造成浙江、福建、江西三省鼠疫流行。

一九四〇——四二年，日本侵略者在中國甯波等地曾撒佈細菌，致流行了鼠疫及傷寒。

一九四〇——四五年，駐在哈爾濱附近的日本第七一三部隊，用活人實驗結果，染受病菌而致命者至少三千人。

一九四一年，日寇第七一三部隊又侵犯湖南常德，從飛機上投下大批稻穀、麥粒、棉絮和磁罐，常德人民也因此遭受了鼠疫的災害。

同年底，美國政府開始從事細菌戰的準備。它在一批極著名的專家參加下，曾在一個特設的野營裏，組織了製造生物武器的工作。

一九四二年，日寇在華中某戰區內，乘日軍退却之際 撒佈副傷寒，炭疽等病菌和作為疾病媒介物的跳蚤，使進佔這一地區的中國軍隊傳染到疾病。此外，日寇在華北戰場上，也曾用各種方法撒佈鼠疫、傷寒等病菌，並在井中、食物中置毒毒害中國人民。

一九四三年，美國陸軍部設立了「生物作戰委員會」，並且在馬里蘭州的狄特里克兵營、印第安納州的伐歌、密士失必州的巴斯古拉、猶他州的德格威等好幾個地方設立了細菌殺人工廠，專門研究和製造大批害人的傳染病細菌。

一九四五年一月，日本第七一三部隊第二部部長碇常重中佐協同該部科學人員二木一起在十個中國戰俘身上進行壞疽病傳染的實驗。（據日本細菌戰犯西俊英在伯力法庭供認）

同年，在日本投降前夕，日本細菌戰犯為了消滅罪證，就進行毀壞各種製造細菌武器的裝備和文件，並集體槍殺細菌工廠中國工人一千多名，又放出了大批染有鼠疫細菌的老鼠。

一九四六年一月四日，美國陸軍部在「關於細菌戰爭給陸軍部長的報告」中，曾透露：美國在第二次世界大戰中已有一個以「軍事研究處」爲名的機構，開始研究完備的細菌武器的工作。

同年六月十五日，柯里爾雜誌引用了美國陸軍化學戰爭處處長韋特少將的談話：「我對於談論一種武器的人道或不人道，完全沒有同情。近來這種沒有同情論，而發展爲經濟價值論了」。

同年六月十八日，蘇聯提交聯合國的「禁止製造與使用具有大規模破壞力的原子及其它武器的國際公約草案」的前文裏，强調指出在戰鬥中使用細菌武器已被禁止這一事實的重要意義。

同年，戰犯麥克阿瑟曾經選派了十八個日本細菌戰犯到美國馬利蘭州、密士失必州、猶太州等細菌戰基地去服務，想利用他們的罪惡經驗。

同年，東北各地因爲日寇於前一年放出大批染有鼠疫細菌的老鼠，在夏秋兩季流行鼠疫。

同年，紐倫堡審訊納粹戰犯時所公佈文件中，載有希特勒匪徒準備進行細菌戰的材料。

一九四七年十二月，紐約先驅論壇報引哈羅爾特·布爾少將領導的政府特別局的報告說：「經過空氣散佈放射性的毒物，以使用細菌對付人動物和植物的秘密技術，這一切都列在陸海空軍和其它機構所進行的研究工作之內」。

一九四九年三月十二日，曾任美國國防部長福萊斯特爾發表聲明說：「我們的研究說明，或者它們的有毒生成物可以有效地用作戰爭武器」。

同年夏季，美國政府曾經以愛斯基摩人作爲細菌武器的實驗品，在愛斯基摩人區域引起了腺鼠疫的流行。

同年七月二十四日，美國陸軍部向衆院要求撥三百多萬美元來增加狄特里克營的設備。這筆款將用來改進細菌武器。

同年十二月十六日，蘇聯濱海軍區軍事檢察官對日本戰犯山田乙山等十二人在侵華戰爭中曾準備和使用細菌武器的犯罪行爲提起公訴。

同年十二月，據伯力軍事法庭的審判材料證實以日皇裕仁爲首的日本統治集團，多年以來就曾祕密準備着細菌戰。

前日本關東軍軍醫處長軍醫中將梶塚隆二在伯力法庭上供認在細菌戰研究所得到的罪惡經驗。

同年十二月二十五日——三十日，蘇聯濱海軍區軍事法庭對日寇細菌戰犯舉行了公開審判。在判決書中肯定「日本帝國主義者曾準備在對蘇聯及對其他國家開始侵略戰爭時，就大規模使用細菌武器，藉此而把人類捲入新災禍的苦海」；它又肯定「日寇在進行準備細菌武器時，不惜採取一切罪惡手段，在進行準備細菌武器的罪惡實驗時殺害過成千數的中國公民和蘇聯公民，在中國和平居民中間散佈過各種烈性疫症」。分別判處十二名日本細菌戰犯以二年到二十五年不等的徒刑。

同年，曾在狄特里克營參加製造細菌武器的美國哥倫比亞大學教授提奧多爾羅茲伯里寫了一本「和平或是瘟疫」的書，無人性地公開頌揚細菌武器。

一九五〇年二月一日，蘇聯政府通過大使館以同樣的照會送達我國政府和英美兩國政府，照會中除通知關於濱海軍區軍事法庭審判十二名日本細菌戰犯的經過外，還提議由遠東委員會委任特別國際軍事法庭來審判在伯力審判中被揭露的日皇裕仁、石井四郎中將醫官、北野政藏中將醫官、若松次郎少將獸醫官、笠原行雄中將等細菌戰主要組織者和鼓勵者。

同年三月三十一日，美國國防部長詹遜曾說：「關於對人、家畜、穀物傳染疫病的許多媒介，已經有了完全的和詳盡的研究」。

同年四月，美國堪薩斯州指揮與參謀學校出版的軍事評論發表「要進行細菌是很危險的，細菌沒有意志，可以反擊其使用者」。

利汶渥斯堡的美國陸軍參謀學校校刋軍事評論登載「討論如何細菌戰」？

同年七月，美國的化學部隊派遣到朝鮮準備細菌戰爭和化學戰爭。

同年十一月，八十個國家人民的代表在華沙舉行的第二屆世界保衛和平大會會議通過了決議要求無條件禁止各種原子武器、細菌和化學武器、毒器、放射性武器以及其它大規模毀滅人類的工具，並宣佈首先使用這些武器的政府爲戰爭罪犯。

同年十二月，賓喬在英國發現雜誌透露了美國侵略者製造出細菌炸彈，並且在美國猶他州進行野外試驗。

一九五〇年冬——五一春，美國侵略者對朝鮮人民發動了第一次細菌戰，以致朝鮮北部天花流行。

同年，美國侵略者曾在德意志民主共和國撒佈馬鈴薯甲蟲，損害其農作物。

一九五一年三月，東京李奇微總部衞生福利處處長的賽姆斯准將，曾率領美海軍第一〇九一號細菌登陸艇，所謂腺鼠疫船，到朝鮮元山港秘密登陸，把港口內小島上的中國人俘虜去作鼠疫的實驗品。（一九五一年四月九日美國新聞週刊發表）

同年三月十三日，美國賽姆斯特秘密潛入朝鮮後方搜集發生瘟疫的情報，進行罪惡的活動。

同年四月十三日，紐約時報報導美國侵略者在日本設立了細菌研究站，麥克阿瑟和李奇微都積極地鼓勵着日本細菌研究和生產的繼續。

同年五月十八日，美國侵略者腺鼠疫船又到了巨濟島，把朝鮮人民軍被俘人員作爲試驗品，每天進行三千次的試驗。

同年十二月五日，李奇微把豢養的日本細菌戰犯石井四郎、若松次郎、和北野政藏派遣到朝鮮進行細菌戰的工作。

一九五二年一月二十二日，美國陸軍化學兵團助理主任羅克斯准將在美國巴爾的摩公然談到美國軍方利用大規模屠殺人類的化學與細菌武器的擴大計劃。

同年一月二十五日，美國陸軍化學兵團研究部長准將克利西在華盛頓發表談話，認爲細菌、瓦斯、放射能物質等，是最廉價的武器，它可以毁滅敵人而保留其財產。

同年一月二十八日，美國侵略者開始在朝鮮前綫和後方的重要城市及交通要道，從開城以東到北漢江一帶，連續不斷地撒佈大量的帶有病菌的昆蟲和其他有毒的物體。朝鮮江原道平康郡發現蒼蠅、跳蚤和蜘蛛。

同年二月十一日，朝鮮江原道鐵原郡發現蒼蠅和跳蚤、蚊子。

同年二月十七日，朝鮮江原道平康郡發現蜘蛛。

同年二月十八日，朝鮮平安南道安州郡發現蒼蠅和跳蚤。

同年二月二十二日，中華醫學總會理事長傅連暲發表「全國醫藥工作者積極行動起來，給美國侵略者以有力的回擊」。

中國紅十字會會長李德全發表聲明，抗議美軍在朝鮮進行細菌戰爭的滔天罪行。

北京細菌學家集會成立細菌戰防禦專門委員會。

抗議美軍進行細菌戰爭的滔天罪行，朝鮮外務相朴憲永發表聲明，號召全世界人民制止干涉者的暴行，追究使用細菌武器的組織者的國際責任。

同年二月二十三日，人民日報社論發表「全世界人民起來，制止美國侵略者進行細菌戰爭的滔天罪行」。

同日，朝鮮平安南道平原郡發現蒼蠅和魚。

同年二月二十四日，支持朝鮮外務相抗議美國政府進行細菌戰，周恩來外長發表聲明，號召全世界人民採取行動，制止美國政府這種瘋狂的罪行。

同年二月二十五日，美機在朝鮮平壤以南兼二洞、九龍洞一帶撒下蒼蠅、跳蚤、蜘蛛等毒蟲。

朝鮮江原道德源郡發現跳蚤及其他昆蟲。

同年二月二十六日，美機在朝鮮九化里西南陵洞投擲細菌彈四枚，爆炸後散出蚊子、蒼蠅和螞蟻。金城地區的昌道里、秦川的南市、谷山的坪院里等地都投下跳蚤、蒼蠅等毒蟲。

痛斥美軍在朝鮮進行細菌戰爭的獸行，我志願軍司令部發言人發表談話，指出中朝人民一定能夠打敗使用細菌武器的美國侵略者。

同年二月二十七日，美機在朝鮮九化里投下毒氣炸彈二十餘枚。在渭川里西北之下升谷，投下蒼蠅和蚊子。另在九化里東北的馬城里上黃浦洞撒下附有細菌的宣傳品和蒼蠅。此外在伊川以東，定州以東，鐵山西南等地也投下細菌毒蟲。

同年二月二十八日，美機在朝鮮球場以西投下帶有細菌的老鼠九化州西南之望海山西投下帶有細菌的樹葉。此外在平康以北，文川以西，兔山東南等地投下帶細菌的毒蟲。

同年二月二十九日，美國侵略軍又瘋狂地出動大批飛機，在我國東北地區安東、撫順、鳳城等地撒佈細菌、昆蟲。

美機在朝鮮金城、谷山、順川北漢江以東等地相繼撒下蒼蠅、蚊子、蜘蛛等毒蟲。

朝鮮黃海道遂安郡發現蒼蠅及其他昆蟲。

我國醫藥衛生科學界人士，組成了抗美援朝志願防疫檢驗隊，首批乘飛機自北京啓程，赴朝鮮進行防疫工作。

同年三月一日，美機侵入我撫順大東溝、長甸河口、寬甸、輯安等地，並在撫順縣馬金莊等地撒佈類似跳蚤的黑色昆蟲。

朝鮮兎山、信川、谷山等地發現敵機投擲的跳蚤、蚊子、蒼蠅等毒蟲。

朝鮮平安北道江東郡發現蒼蠅。平安南道陽德郡發現跳蚤及其它昆蟲。

人民日報發表「堅决撲滅美國侵略者細菌戰的毒燄」的社論。

同年三月二日，美機侵入我撫順、安東、大東溝、長甸河口、九連城、輯安、寬甸、長白等地，並在撫順縣大溝等地及撫順、瀋陽間撒佈大量蒼蠅、蚊子、跳蚤等昆蟲。

美機在朝鮮文川、成川等地投下大批蒼蠅、跳蚤、白蛉子等毒蟲」。

朝鮮咸鏡道高原郡發現跳蚤及其它昆蟲。

首批志願防疫檢驗隊到達朝鮮前線。

同年三月三日，美機侵入我安東、浪頭、輯安等地，並撒佈昆蟲。

美機在鮮安州以北投下細菌彈一枚，在肅山投下細菌彈三枚。

同年三月四日，艾奇遜無恥的發表狡辯抵賴的聲明說：「聯合國不曾使用過，也沒有使用着任何種類的細菌武器」。

美機侵入我安東、浪頭、大東溝、九連城、長甸河口、新民、輯安、洋江口、寬甸等地撒佈昆蟲。又在寬甸城東及紅色拉子等地投下蒼蠅、蚊子、蟋蟀、跳蚤等昆蟲。

美機在朝鮮高良山西南某高地在十七發炮彈中，飛散出許多帶有細菌的棉花。

朝鮮平壤市中區發現蒼蠅。

同年三月五日，美國國防部化學兵團長伯倫少將在「國會文摘」發表了典型談話，重複克利西的經濟價值說，主張無限制地使用細菌武器。

美機朝鮮西線炮彈炸後散出大批帶有細菌的鷄毛。又在開城東北之花谷撒放許多帶有細菌的樹葉。

同年三月六日，美國侵略者飛機侵入我青島市郊太平角、浮山所、大麥島、沙子口一帶上空撒佈細菌毒蟲。敵機過後，青島市東郊太平角及沙子口等地居民發現大批突然出現的蒼蠅、蜘蛛和小甲蓋蟲、螞蚱、土蜂、螞蟻等毒蟲。

美機又侵入我安東、九連城、鳳城、水豐、大東溝、馬甸河口等地撒佈大量蒼蠅、蚊子、跳蚤、蜘蛛、硬蓋蟲、壁虱、白蛉子、虱子、螞蟻、蚯蚓、黑色小蟲等傳播細菌的毒蟲。

美機在朝鮮順安上空投下帶菌的毒蟲。

同年三月七日，美機侵入我青島市東北的滄口、李村等地上空，撒佈大量蒼蠅、蚊子、跳蚤、蜘蛛等毒蟲。

美機又侵入我輯安等地上空撒佈細菌。當天輯安、太平溝、莊河、寬甸、錦州、瀋陽、新民屯等地，都先後發現蚊子、蒼蠅、跳蚤、蝴蝶等毒蟲。

同年三月八日，對美軍犯東北領空使用細菌武器的野蠻行爲，周恩來外長聲明嚴重抗議，宣佈：凡屬使用細菌武器的美國空軍人員，一經俘獲，卽行作戰犯處理。

抗議美帝國主義進行細菌戰各民主黨派發出莊嚴號召，全國人民必須繼續加强抗美援朝運動，徹底完成反貪污等鬥爭任務，厲行增產節約，支持中朝部隊，給細菌戰犯以毀滅性的打擊。

中華醫學會總會理事長傅連暲發表「全國醫藥衞生工作者要更加積極地走上反對美帝國主義細菌戰爭的最前線」。

人民日報發表「嚴懲濫炸我東北和撒佈細菌的美國兇手」的社論。

瀋陽、通化、臨江、撫松、輯安、新賓、鳳城、安東、撫順等地續發現美機投下的蜘蛛、蜈蚣、蛤螟、蝗蟲、蜜蜂等毒蟲。

同年三月九日，美機侵入浪頭、龍王廟、鳳城、長甸河口、桓仁、長白、輯安等地上空撒佈細菌。當日在鳳城、桓仁、長白、輯安等地，發現小黑蟲、蚊子、蒼蠅、蜘蛛等毒蟲。

美機向朝鮮板門店附近大德山陣地進犯時炮擊十餘發，在彈片散落處發現大批類似蒼蠅、螞蟻的毒蟲。又在文川地區散佈大批帶細菌的跳蚤。

同年三月十日，美機侵入我安東市、平安河、長甸河口、石柱子等地上空撒佈細菌。當日安東市郊五龍背發現敵機大批帶有細菌的柞樹葉、玉米葉、槐樹苗等毒物。又臨江等地繼續發現美機投下的蒼蠅、蚊子、小黑蟲、螞蟻、蜘蛛、蟋蟀、跳蚤等毒蟲。

美機又在朝鮮鐵原西北孝龍垈上空投下一布包，落地後發現裏面有紙包的帶有細菌的猪肉。又在球場附近上空，散佈帶有細菌的類似烏鴉的野鳥一羣。

美國派遣的朝鮮籍空降特務韓正玉自首供認被美國派來收集細菌戰情報，並揭露美國侵略者準備擴大進行細菌戰的罪惡陰謀。

同年三月十一日，美機投入我安東、浪頭、九連城、安平河、長甸河口、土門子等地上空。當日安東市以西之龍王廟發現敵機投下帶有細菌的鷄毛、鴨毛、鵝毛等毒物。浪頭在當天發現敵機投下白包一個，黄色布包兩個；前者裝有白色結晶體，後者裝有黄色粉末等毒物。

美機在朝鮮順川投下蜘蛛、蒼蠅、白蛉子等毒蟲。另在德源郡上空撒下帶有細菌的黄色樹葉。

同年三月十二日，美機侵入我安東市、安平河、永甸河口、大東溝、鳳城、岫巖、輯安等地上空在黄柏甸子和陽坌兩車站之間投下膠狀粘液體的毒物。

美機在朝鮮陽德附近投擲細菌彈，彈坑附近發現許多螞蟻、臭蟲等毒蟲。又在市邊里東南的龍岩洞上空投下帶有細菌的白玉米做成的圓餅。

上海市科技界醫務界成立細菌戰防禦委員會。

同年三月十三日，莫斯科勞動人民舉行盛大集會憤怒抗議美國侵略者進行細菌戰；科學家、工人和知識分子一致斥責美國侵略者罪行，大會通過決議支持朝中兩國政府對美國所提嚴重抗議。

打垮美國侵略者的細菌戰瀋陽十六萬人民示威遊行。

同年三月十四日，美機在朝鮮開城以西和以北，伊川以東，遂安、板門店東北等地撒佈蒼蠅、跳蚤、蜘蛛、蝗蟲、樹葉鷄毛等帶菌毒蟲與毒物。又在市邊里以東投擲細菌彈二十多枚。

同年三月十五日，美機在瀋陽市投下帶有傷桿菌之大家蠅。

美機在朝鮮開豐郡地區投下大量帶菌的蒼蠅。開城東北和西南均有美機撒下的帶菌毒蟲。

中國人民志願軍某部在朝鮮金川郡附近山上捕獲了一名被美軍派來刺探美國撒佈細菌效果的空降特務王琦（化名王志嘉）。該匪左臂上刺有十字架形的符號。

同年三月十五日——三十一日，美帝國主義細菌戰罪行調查團東北分團到瀋陽、撫順、安東、寬甸等地進行實地調查。

同年三月十六日，美機在朝鮮谷山西投下帶有鼠糞的棉花球，當地居民發現棉花球中有老鼠。又在南川店東北撒下很多隻帶菌的蝦蟆。谷山以南並發現美機投下的黑頭蛆蟲。

蘇聯科學家舉行會議强烈抗議美國侵略者使用細菌武器。

同年三月十七日，美機在四平市投下有炭疽菌的家蠅。

美機在朝鮮平壤以北，肅川以南、投下類似人糞之物及蝴蝶、螞蟻等昆蟲。

中華醫學總學發表「防禦細菌戰的常識」。

國際學聯執委會在布達佩斯會議討論制止美國進行細菌戰。

同年三月十八日，美機在朝鮮新安州投下細菌炸彈，次日在投彈區發現大批蒼蠅、蜂子、蜘蛛等毒蟲。另在元山以西投下紙筒，內裝帶毒菌的棉花及毒蟲。

同年三月十九日，美機在朝鮮文昌里投下許多帶菌樹葉。

人民日報發表「堅决斬斷美國侵略者撒佈細菌的罪惡血手」。

同年三月二十日，美機在朝鮮遂安郡投下帶菌樹葉。

同年三月二十日，美機在朝鮮白易山投下類似跳蚤的小紅蟲。

同年三月二十六日，美機又在我遼東長白縣投下細菌彈。又在齊齊哈爾撒佈細菌毒蟲。

同年三月二十八日，馬立克在聯合國裁減軍備委員會再斥美國進行細菌戰罪行。

同年三月二十九日，郭沫若在世界和平理事會執行局會議上關於美帝國主義細菌戰罪行的報告。

朝鮮外務相朴憲永致電聯合國祕書處再度嚴正抗議美國進行細菌戰。

同年三月三十一日，國際民主法律工作者協會調查團關於美國在朝鮮的罪行的報告。

同年四月一日，美帝國主義細菌戰罪行調查團東北分團關於美帝國主義在中國東北地區撒佈細菌罪行調查報告。

同年四月二日，國際民主法律工作者協會調查團發表關於美國軍隊在中國領土上使用細菌武器的報告。

世界和平理事會執行局會議爲反對細菌戰告全世界男女書。號召禁止使用細菌武器把使用者作爲戰犯歸案法辦。

同年四月三日，人民政協全國委員會學習委員會舉行反對美帝國主義細菌戰罪行報告會。

同年四月七日，人民日報發表社論：「爲擊敗美帝國主義細菌戰而鬥爭到底」。

同年四月八日，解放日報記者方遠發表「我看見了美國侵略者在東北撒佈細菌的罪證」。

同年四月十六日，國際保衞兒童會議勝利閉幕，發表告全世界男女書，號召全世界人民用一切力量保衞和平拯救孩子。

同年四月十七日，日產別會議主席吉田資治致函郭沫若主席抗議美日反動派使用細菌武器。郭主席覆函希望發動日本人民制止細菌戰。

同年四月十八日，世界工會聯合會發表五一節告全世界勞動人民書提出要求馬上制止美國武裝部隊在朝鮮和中國使用細菌武器，馬上懲辦應對這些可怖罪行負責的戰爭罪犯。

按本稿暫以一九五二年四月十八日爲止，其以後的材料或前面遺漏的材料容再續補。

參攷資料：

人民日報　解放日報　蘇南日報

醫務生活

前日本陸軍軍人因準備和使用細菌武器被控案審判材料一九五〇年莫斯科外國文書籍出版局印行

儲華編慘無人道的細菌戰爭一九五一年二月大東書局出版

堅決撲滅美國侵略者細菌戰的毒談一九五二年三月蘇南衞生建設委員會編印

粉碎美國侵略者的細菌戰開展愛國防疫衞生運動（宣傳材料）一九五二年四月蘇南抗美援朝分會宣傳委員會編印

醫史雜誌編輯委員會

醫史雜誌稿約

（一）本誌以登載中外醫學歷史之譯著爲宗旨。

（二）譯文請附原書，或原文一段，以便參考，否則請指明原書書名及頁數。

（三）文體不拘，但以白話爲原則。各文請用標點。

（四）圖表請用黑墨水繪製，以便製版。

（五）已發表過的文稿，請勿惠寄。

（六）來稿本誌有修改權。

（七）來稿刊出後，概酬本誌五册，如作者欲添印單行本，請於來稿時聲明添印數量，印費照成本計算，由作者自理。

（八）來稿請寄上海（9）慈谿路四十一號，中華醫學會醫史學會。

醫史雜誌第三卷篇目索引

編輯室

例：本索引中粗體數字代表卷數與期數,如 **3:2**;即本誌第三卷第二期;P.31 即第三十一頁也,餘倣此。

·白页·

醫史雜誌

第四卷　第三期　　　一九五二年九月出版

編輯者　中華醫學會醫史學會編輯委員會

插圖：庾衮護侍兄病圖

華東醫務生活社出版

上海（18）淮海中路中南新邨十二號　電話七九〇七八號

·白页·

中國近代精神病學發展概況

王吉民

中華醫學會醫史博物館

在這科學昌明的時代，醫學的進展是日新而月異的，它所包羅各科眞是不勝枚舉，單就精神病學這一門而論，已是成績斐然，但是在我國方面因過去種種的關係，科學的進展不能追及他國，因此精神病學的年史是極短短的，它的發展和歷史都尚在萌芽時代。從前我國人對精神病方面的智識，可說是完全沒有。遇到這一種病人不是迷信運命，便是厭惡摒棄，那時對付患者都是消極的，有的被鐵鍊鎖縛在幽室內，有的僅由家人看管，是完全沒有醫學方面的積極治療。

（一）

約在七十餘年前，廣州博濟醫院的嘉約翰醫師 John Kerr 乃是在中國建議設立精神病院的第一人。他在一八七二年的醫院報告中曾說過：「設立精神病院，我們能證明患此病者可以醫好，同時又有教導學生的機會」。可惜其時曲高和寡，嘉氏的建議未被注意。一八八七年廣州醫學聯合會開會時，因受嘉氏之催促，曾議決組織一個委員會推動設立精神病院來紀念它們的五十週紀念，於是成立了一個臨時委員會。但於二年後，因聯合會不予經濟補助，該委員會遂告瓦解。

至一八九〇年醫學大會開會時，有 Prof. E. P. Thwing 宣讀「新醫治療法與中國精神病患者」一論文。於是嘉氏又舊案重提，當時似乎得到大會的贊同，但結果還是困難重重，未能實現。嘉氏雖然遭到數次的失望和挫折，但是他並不灰心，時時刻刻在設法達到其目的，終於一八九一年他自行出資購買了廣州下芳村地皮一塊，六年後，那塊地上已有一座小小的病院建成了。那個病院可容納病床三十張。次年病院開始收留了第一個病人，於是我國第一所精神病院便正式成立了。因有嘉氏的發軔和毅力，該院逐漸發展至五百病床，成爲我國最大的精神病院，直到一九二七年時因工潮而關閉。

精神病學發展史的早期中，除了廣州嘉氏病院外，依據調查，尚有病院二所，一所爲佛山中國瘋人院，成立於一八八五年，內容不詳。Dr. Wenyon 於該院開設六年後，曾數次探訪，但是從未見到一個病人。另一個病院就是香港的癲人院。但嘉氏對該院的內容，頗有疑竇，據他調查所得，凡患精神病的人來該院求醫，大都送至東華醫院診治，故該院似不能視爲正式瘋人院。然而香港西醫大學堂却是在中國醫學校中最早設立精神病學課程者。在一九〇五年時，末一學期的醫學生都要選讀此科，有的時候還到癲人院去實習。

現在再談廣州嘉氏精神病院，它自從開設後，便穩速地進展擴充。剛開辦的時候只收留那些由親友送來的病人，後來到了一九〇四年公安局也常送患者入院了，並且還負担病人的費用。當時醫院的日常開支除醫師的薪金不計外，完全係由病家所繳納的費用來維持。自從一八九八年至一九二七年止共收容了病人 6,599 名。據報告所載，痊愈人數和入院人數的平均百分比爲 24.0 痊愈人數和出院人數的平均百分比爲 26.7。一九〇一年嘉氏去世，這所病院遂由 Dr. Seldon 接辦，尚有 Dr. Hoffman 襄助他。

（二）

從一九一〇年起，我國開始有科學化的精神病治療研究，推動這方面工作的第一個人乃是廣州嶺南大學的校醫 Dr. A. H. Woods。他同時亦兼任廣州博濟醫院神經科醫師，對我國精神病學研究和教導方面的貢獻，實屬不少。一九一九年他被北京協和醫學院聘爲神經學和精神病學教授。一九二二年開辦神經學及精神病學班，曾訓練了數位中國神經科醫師。到了一九二八年由 Dr. Ernest de Veris 醫師繼任。同年神經科又加聘了 Dr. George Schallenbrand 醫師任教，此後的數年協和醫學院的神經科和精神病科教授都有變更和加添，陣容更爲堅强。一九三二年 Dr. de Veris 離職，由 Dr. R. S. Lyman 繼任。Lyman氏於一九三一年先在上海國立醫學院担任精神病學的講師，後被聘至北京任職。不久又有 Dr. Leo Alexander 和 Dr. Scholz 二位教授的加入，因此協和醫學院的神經科更爲發達。到一九三六年有 Dr. Bingham 設立心理分析學課程，乃爲我國的第一次有此課程。

北京的精神病工作除了協和醫學院外，遠在一九〇六年時已有一瘋人院。這所病院是附屬于市政醫院的，由西醫和中醫各一人負責，Dr. Mullow-ney 於一九一二年曾去訪査過，那時的住院病人有七十二名，辦理尙稱完善，可惜不能持久。

一九三二年北京市政府衛生局和協和醫學院合作，將北京瘋人院改組，成爲市府精神病院，由惠汝粱任院長。從一九三二年至一九四二年，這一所能容納二百張病床的精神病院便成了醫學生，護士和社會工作人員的教學中心。至於協和醫學院在此後的數年中，人事方面，多有變動。一九三七年 Dr. T. S. Hill 繼 Dr. Lyman 的任，到了一九四一年又由魏氏繼 Hill 氏的任。我們看到北京醫學界人士在精神病學工作方面的種種活動，便可知道他們對此項硏究漸有心得。一九三九年出版的「中國神經精神學於社會及心理方面之硏討」一書，便是他們對這項工作的結晶。協和醫學院更於一九四〇年建立了一所極現代化的精神病房。隨後北京雖被日寇佔領，但是北京精神病學的工作，並未因此而停頓。北京大學醫學院也開始把精神病學，成爲獨立的科門，聘請 Dr. Hsu Ying K'uei 爲神經精神病學教授。

(三)

中國精神病學雖然起源於南方，後却轉移發展於北方。可是在華東——尤其是在上海——等地另有更大的進展。且讓我略談它的經過。最早在一九二三年時，蘇州的 Elizabeth Blake Hospital 已設立了精神病房，由 L. S. Wang 和 M. P. Young 二位醫師主持，這所病房雖然在太平洋戰爭的時候關閉，可是在開設的數年中，它却有相當的貢獻。這時候在上海並沒有什麼精神病院。St. Joseph Hospital 雖然收容精神病患者，但是並不予以適當的治療，實際上和一般的舊式瘋人院無異。直至一九三三年時患者還是用鐵鍊鎖縛。除此之外，還有一所由俄人團體出資設立的小型精神病院是專收俄國難民的，主持醫師爲 Dr. A. Tarle。那時的精神病人大多數僅由家人看管，一般社會人士並不知道此病可以醫治，或者應當送醫生處治療。

那時候上海的精神病院是如此的缺乏，社會上對精神病的智識也如此的幼稚,就是在醫生方面也缺乏這種經驗和訓練,醫學校也沒有這一種課程。於是上海醫學院顏福慶院長首先感到這項課程的迫切需要,遂於一九三一年時聘請美國霍布金醫學院畢業的 Dr. R. S. Lyman 到上海國立醫學院來講授神經學和精神病學。Dr. Lyman 離職後又聘請維也納大學之神經精神病學教授韓芬 Fanney G. Halpern 到上海推動精神病學開拓工作。於是上海便成爲中國華東和華中最早發動精神病的科學化治療和訓練,此後更擴充爲心理衛生運動的中心點。韓芬在一九三三年被聘爲上海醫學院的精神病學教授,次年她便開始講授課程,並且在上海醫學院的教學醫院紅十字會第一醫院中組織了神經科。一九三四年秋,聖約翰醫學院和女子醫科大學的學生也來參加韓氏的課班,同時精神病的專門護士訓練班也開辦,於是上海的精神病學工作漸露萌芽,並開始欣欣向榮。這時候有一位著名的慈善家陸伯鴻先生出資建築一所規模宏大和科學化的精神病院於上海附近的閔行。其名叫做 Mercy Hospital 能容納五百張病床,於一九三五年六月開幕,院內的設備完善而現代化,面積極大,儘够日後的發展擴充,可稱爲中國第一所科學化的精神病院。韓芬被任爲該院的醫務主任,因她在籌備,計劃,和建立該院的時候花了不少的心機和精力。病院成立後外籍護士方面的工作則有 Mary Knoll sisters 及 Brothers of Charity from Trice 担任。上海醫學院與此院也有密切的連繫和合作。

一九三七年上海醫學院的另一所教學醫院——中山醫院落成,於是紅十字會醫院的神經科病房便遷至中山醫院,另在原址設立精神病房。由一九四〇年起,紅十字會醫院的精神病科由粟宗華醫師主持,而韓芬便到聖約翰大學醫學院講授精神病學,並在它的教學醫院同仁第一和第二兩醫院內設立病房。

上海精神病工作的另一部發展,就是一九三九年冬季成立的神經病治療院。該院的前身即是佛教慈善機關的世界紅卍字會醫院。後來經過特別協商便成爲聖約翰醫學院的教學醫院,並且與心理衛生協會有密切的關係和合作。一九四〇年在院內設辦精神病護士訓練班,該院和同仁醫院在一九四四年夏季都被迫停止工作。此後上海便沒有什麽新的精神病院開設，祗有粟宗華醫師於一九四五年在虹橋療養院設立精神病房並且還開辦了團體診所。

（四）

以上所述種種精神病學工作發展的情况都是區域性的，全國並沒有統一的發展，並沒有普遍地感到精神病工作的迫要。自從一九三五年，中華醫學會在廣州開第三次大會後，此運動便擴充至全國性了！大會曾議决組織精神病學委員會，包羅全國各地精神病學專家，派魏毓慶醫師爲主席，韓芬爲祕書，該委員會曾商討精神病學方面的種種問題，又提議制定立法草案，關於中國的刑法及民法對精神病患者或神經不健全者的處置。此爲我國制法中的創舉。祠因中日戰事爆發，此委員會並沒有什麽成就！

韓芬醫師知道精神病治療工作急需發展對心理衛生須有基本的了解及有系統的研究。自一九三五年起便在各婦女組織，慈善機構或宗教團體中組織訓練班從事進行，後來又得到 Dr. Florence Sheriff 和 Dr. C. Hart Westbrook 二人的贊助，經過這數人的初步推動，便逐漸得到外界的響應，結果便有上海婦女聯合會感到興趣，在他們第十次國際會議時便排定全日程序專門來商討上海方面的心理衛生事業，經過了各部的討論及宣讀各種有關的論文後，一致認爲上海的精神病科專門醫師實在太少，如果要發展心理衛生事業，便不够應用，唯一補救的辦法便是把一批對心理衛生有興趣的人士，加以訓練，他們受訓後必需自動參加心理衛生工作替社會盡義務服務，自從有此决議後，心理衛生的範圍便大大的擴充了！

因爲有這會議便促成一九三八年六月廿九日心理衛生委員會的成立，後來中華醫學會將此委員會改組成爲中華醫學會精神病學會的分會。心理衛生委員會的工作在此後的二年中是非常活躍的，韓芬醫師開設了一專班，特敎授心理衛生學，並有實際的訓練，同時還有 Dr. Westbrook 和陳鶴琴主持智力測驗班，當時報名受訓的人乃是一批醫界人員和外界人士，他們都願意在受訓完畢後爲這個新運動盡義務工作。這樣一來，對心理衛生有相當訓練的人員數量便充足了，於是在一九四〇年一月便有第一個心理衛生診療所成立，同時又另外開設了一個兒童指導診所。

心理衛生委員會因爲工作活躍，會員人數增加，因此便在一九四〇年五月擴充會務改組爲上海心理衛生協會，當時主要的職員如下：會長 Dr. C. H. Westbrook 副會長黃嘉音先生，醫學顧問及心理衛生診所主任韓芬，於是協會的工作更爲發展，除了醫藥方面工作外，他們還有教育宣傳方面的工作，這就是電台廣播，每一星期舉行一次，由各會員輪流講授，講詞中英文併用。此外對各團體的演講仍舊繼續着，同時還有數篇論文發表。

一九四二年日寇佔據上海，該會被迫停止工作。勝利後該會仍想捲土重來，恢復舊狀，可惜因會員大多分散各地，不能再有任何大規模的活動了！但是一部份會員仍舊有時到各機關團體演講。後來在一九四八年時國際禮拜堂和上海兒童福利委員會合辦了一所兒童指導診療所。

（五）

在結束此文之前，讓我們來略述一下中國其他各處心理衛生運動概況。南京最早在一九三六年時有程玉麐醫師在中央大學，開辦精神病學課程，但是並沒有適宜的醫院，所以病者常被送到上海來治療。後來南京失陷程醫師便到成都華西大學教授神經學和精神病，他又設立了一所精神病院和一個兒童指導診所。戰事結束，程醫師返至南京恢復一切工作，終於在一九四七年開辦了南京第一所精神病院，這所病院同時亦爲中央大學之教學醫院。至於華中區首先有精神病科者，乃是長沙的湘雅醫學院，由一九三六年時開始，主持醫師是凌敏猷醫師。

中日戰爭的前一年，南京也有一中國心理衛生協會成立，但是從一九三七年起便告停頓，直到一九四七年十一月改組成立舉行第二次年會，當時的主席爲中央衛生實驗院院長朱章賡，次年協會曾派了二個代表去參加英國倫敦國際心理衛生協會會議，這二位代表乃是丁瓚先生和程玉麐醫師。

重慶方面的心理衛生開拓工作者乃是丁瓚先生。自一九四三年起他便在重慶的中等學校裏推動這項運動。一九四八年時，中國心理衛生協會在重慶設立分會。此外在一九三三年開封也有瘋人院的創立，但並沒有任何發展情況的報告。至於蘇州的精神病房自中日戰爭關閉後，迄今尙未恢復。廣州的精神病院自一九二七年由政府接辦後仍繼續進行，但無甚進步，仍與初辦時相仿。解放後，人民政府公共衛生機關對於我國精神病學和心理衛生工作頗爲著重。自一九五〇年八月中華醫學會在北京召開大會後，特設立精神病學和神經學的機構，全國各地均有分會，它的目的是促進精神病學之發展和連絡各地的精神病學工作者。

（六）

我此篇中國近代精神病學和心理衛生學發展史係寫至一九五〇年底爲止，恰巧中國第一所瘋人院創立至一九五〇年適爲五十年，亦即中國人民政府成立的一年。因爲材料缺乏，參攷不易的原故，這篇文字是不完全的。作者雖曾致函各地徵求材料，但是却得到很少的結果，因此文中如有任何遺漏或錯誤是要請讀者原諒的。任何新的運動都需要長遠的時候，因此這短短的半世紀，決不能給我們有巨大的收穫。話雖如此，但精神病學工作在我國的一些成就是決不能忽視的。雖然經過了種種的困難如社會人士對精神病的無知和偏見；如昔日腐敗政府當局對此運動的漠視，又如專門此科醫學人員及護士的缺乏等等，但精神病學的先進工作者能逐漸克服了上述的困難，使我國精神病學有今日的成績是不容易的。精神病學和心理衛生學尙在萌芽時期，我們需要更強的開拓力量，更多的服務人員來發揚之，廣大之，普遍之，在現今新的時代下，它的前途必屬光明無疑。

參考文獻

1. WESTBROOK, C. H.: A Sketch of the History of the Mental Hygiene Movement in China.
2. WONG, RICHARD; The History of Mental Welfare in Shanghai.
3. HALPERN, F. G.: Problems of Psychiatry in China from Medical, Social and Legislative Points of View.
4. WONG, K. C. and WU, L. T.: History of Chinese Medicine.
5. SELDON, C. C.: The Life of Dr. John G. Kerr. *C. M. J., 49*: 4, p. 366.

亞拉伯醫學傳入中國

廖溫仁原著　唐海平編譯

(一) 亞拉醫學的眞相

亞拉伯醫學的主要功績，在於它能研究埃及、印度、中國、希臘、羅馬等之醫學，而融和之，咀嚼之，更發揚之使其傳於後世，造成今日歐洲醫學的根基。

要之亞拉伯人，博識廣聞，他們在學問上的貢獻很多，值得我們稱讚的。

那時有拔革達特、達馬斯克斯、薩馬爾康等的回教學府。法基彌騰屬下的亞歷山大黎亞學校。喬美耶騰屬下的葛特伐學校。在第八世紀時。有一分派移往西班牙。其後設立了錫維爾拉脫列、亞爾茂連、木爾顚等地方的學校。愛特利其騰屬下。則有突尼斯、弗支等的學校。

亞拉伯的文明，尤其是亞拉伯的醫學，最隆盛的時代，在第九至第十世紀的時候，卽是哈利發諸國（卽回教國）極富强的時代。當時亞拉伯的醫學，稱爲世界第一。

在豫言者的時代。（卽回教尙未成立之時），亞拉伯人，已有受過希臘醫學教育的醫家哈拉孚彭、喀爾達特，其後則有德奧杜諾斯、吉爾獨葛斯等的希臘醫家。

在亞拉伯的醫家中，最有名的是波斯人。他名叫龐哈默·伊奔·扎喀連·阿蒲·培克爾·愛耳·拉氏。他的著作，有節制自由 Continens liber 和格言 Aphorismen 二書。其後西洋諸國，常用它做教科書。他是有名的皮膚病學者，他的著作中，有記述痘疹和麻疹（痧子）的事。

阿利·培恩·愛爾亞拔斯。是產科婦人科的著作家。很有名望。他的著作叫做 El Haloki 孔斯丹吉奴斯·阿孚利卡奴斯。把他翻譯了，題名叫做 Pantegni。

阿蒲·沙弗·矮黑特·伊蓬·乾札爾。曾經著作了病理學纂要。他的名聲就流傳到後世了。

亞布爾·霍森·軋利勃·培恩·賽特的著作,其流傳至今日的,僅有一部「助產書。」書中詳論懷胎,並產婦穉兒的疾病。

錫威爾拉附近的彭太夫羅人阿布特·愛爾·馬利克·亞婆·卡爾溫·伊蓬·查爾。也是亞拉伯第一流的醫家,他已知道疥癬的由寄生蟲而起,他曾批評了格林的醫學。

亞拉伯的外科學,沒有顯著的進步。此因禁忌驗血手術的東方思想,和宗教上的宿命論,致受了非常的妨害。他們對外科的疾患治療法,不過應用烙鐵腐蝕劑、絆創膏等。就中腐蝕法的應用最多,可稱它爲濫用。後人至稱之爲亞拉伯式燒灼法。

當時的外科醫中,其名傳於後世者,有累塞斯(Rhazes),哈康·愛地麥堪(Hakam Eddimachky),伊薩克·培恩(Isahk Ben),肅黎孟(Soleiman),挨離、阿拔士(Ali Abbas),阿菩爾·卡休(Abulkasim),阿文查爾(Avenzoar)等。他們大抵皆精通一般醫學,特別擅長外科學,就中長於外科學,而負傳亞拉伯當時的外科於後世的,實爲阿菩爾卡休。他在公元九一〇年,生於科爾多巴相近的愛爾札拉,長修醫學,著作醫書三十卷,名Alatasrif。

本書是講醫學的全般者,而最後的一卷,則專講外科。它不能作爲亞拉伯外科,因它並沒有極特出的色彩,而只祖述鮑爾士·豐恩·愛其那(Pawlus von Aigina)的外科,僅參加他的二三經驗而已。故其項目,不出鮑爾士的範圍,唯他的觀察點,頗稍緻密耳。玆試示其外科的處置,烙鐵法極爲尊重,他應用金製銀製的灼熱器,對於椎骨關節結核、股關節結核、可還納性小腸氣動脈出血等症,皆用灼熱法以治之。小腸氣的處置,以此烙鐵法爲唯一的法寶。關於驗血手術的記載,皆以鮑爾士爲根據,絕不參入一點自己的經驗。對結石症,則施碎石術。四肢上的壞疽及於關節部時,在關節以下之部,施切斷術。但至病症劇烈,不堪手術之時,則視爲不治之症,而放棄之。他的切斷術,和鮑爾士的記載相同,對於出血,則用烙鐵及止血藥,於結紮毫無所記載。傳說阿菩爾·卡休在手術時,使用灼熱的刀,但無可以證實的記載。雖然,他在解剖學的外科實施上,頗以爲重要的補助學而研究之。蓋他在業務上,對於結紮、切內障手術、角膜排膿術、葡萄腫手術等，固無不實施之。但他對於膝或臂以上的切斷，以爲危險而不敢用。

原來人體的解剖，爲亞拉伯人所嚴禁，一如今日的土耳其人。故其術極爲幼稚。

阿喜爾·卡休的著作，當時即譯成臘丁語，輸入歐洲。他的貢獻，對於歐洲醫學上之發達進步，實屬不少。當時亞拉伯的學者，多爲醫家而兼理化學者，其中最卓絕的有三人。

（1）累塞斯Rhazes 他是猶太人，青年的時候，經營金銀兌換業，後來專心研究理化學。入拔革達特大學而習醫學。業成，爲該市的病院長。曾經爲該市一青年治療胃潰瘍，其後他專心研究理化學，著作一書。題爲 El mansuri，與其化學上之著作，共貢獻於國王。國王一日召他進宮，命實驗他書中的一事項，不幸在這御前的實驗，沒有成功，國王大怒，鞭撻其面，因而一目失明。（Browne Arabian Medicine. Cambridge. 1921）。

他的理化學的著作，譯成臘丁語的有四卷。許多學者頗疑爲非他所作，但他爲天然痘的最初記錄者，這事似乎確實可靠。

（2）乾倍爾 他大抵是第八世紀後半乃至第九世紀初的人。關於記載他的人物和行動，雖諸說紛紛，莫衷一是。但他的著作，流傳於後世的頗多。他的學說謂一切的金屬，皆爲水銀和硫黃的化合物；各金屬性質的所以相異者，悉基於此二要素化合的比例，及其純粹度的相差，這就是奠定中古錬金學之基礎理論，始創此說者，恐即乾倍爾。但「理學者之石」（Philosopher's stone）及「不老不死藥」（Elixir of Life）等語，至第十二世紀以後，始爲世所用。然乾倍爾更從古代卡爾地亞人之說，以爲天體和金屬之間，有神祕的連絡關係。金和日（Solar）相通，銀和月（Lunar）相通，銅和 Venus 相通，鐵和 Mars 相通，錫和 Jupiter 相通，鉛和 Saturn 相通。更進而言宇宙間的日月星辰。和小宇宙（Microcosm）的人體器官之間，亦有相互之連絡關係咧。

（3）阿維森納 Avicenna（公元九八〇年——一〇三七年） 他在公元

九八〇年。生於中央亞細亞之菩卡拉附近阿富顯那地方。始修宗教和哲學，後入巴革達特大學，學習醫學，他的著作，世稱爲歷代醫學之寶典。迨至第十六世紀拔拉賛爾詞斯（Paracelsus）的時代，遂爲歐洲各地醫科大學的重要教科書。他的書名，稱爲 Canon of Medicine（醫典。）詳述藥物的成分和製法。歸納的學術史之著作者霍伊惠爾詳定阿維森納的身價，稱譽爲兼備希波克拉提斯（Hippocrates），和亞理斯多德（Aristotle）的亞拉伯人。

原來［醫典］一書。採用格林諸人的遺業，論述西洋中古的醫學，阿氏所異於亞列諾司的，爲主用化學劑耳。對於皮膚病，說明鑑別疹，助產科則主張保護會陰，對於外科上的貢獻，較之阿菩爾卡休雖或不及，但他在哲學上的造詣很深；記載明確，整然有序，則爲阿菩爾卡休所不及。整復上膊骨脫臼時，用直接壓迫之法，爲當時外科學界所倘未能知的處置，由阿維森納之推獎，始至應用於世。

又在阿維森納的書中，已有用酒精加入硫化安德摩尼鑛物的方法。但到第十二世紀，才有書問世，能製作今日吾人適用的酒精。蓋古人在公元前數世紀時，已知蒸溜法，然知道蒸溜葡萄酒，由而得酒精之事，當是阿氏所開始。

按阿維森納的字音。實爲［伊蓬支那］Ibn Sina 的轉訛。乃［支那之子］之義。故阿維森納有人說是支那人的話，但我還沒有得着確實的根據，不能說這話是正確的。

但是，阿維森納的醫學，是受了中國醫學的感化，這是確實的。所以西洋近世醫學，和中國的古典醫學，有相互之關係，固不難推想而定，今舉一例以論述之：

當第十八世紀的後半，有法國醫家名 Sauvage 者，對於圓形禿頭頭病，曾作學理上的研究。他注意於毛髮之圓形狀脫落，而行研究；在西洋實以他爲第一人。蓋在羅馬之賛爾詞斯時代，對於禿頭病，已經注意，但並沒有研究到圓形之點。今日一般人所用的 Alopecia areata（即圓形禿頭病）名稱，乃由此法蘭西人所命名的。

當時中國，恰當清乾隆時，雖然中國在隋朝時代，巢元方之病源候論中，已見有「鬼舐頭」之名，即病源卷二七之「毛髮病諸候」篇曰：『鬼舐頭候，人有風邪在於頭，有偏虛處，則髮禿落，肌肉枯死；或如錢大，或如指大，髮不生，亦不癢，故謂之鬼舐頭。』

由此觀之，「鬼舐頭。」即今日所說的圓形禿頭病，世界上對此病症有明確之記載者，當以中國病源候論爲最早。

病源候論係隋煬帝大業六年（公元六一〇年）所撰者。上距乾隆（公元一七三六年乃至一七九五年），即 Sauvage 時代，恰爲一一五〇年以前之事。

可知中國的醫學，在古時已大有進步。據某學者之說，西洋醫學的一部份係受了中國古醫學之影響。

我想唐宋元明時代，中國和亞拉伯的交通貿易，頗爲隆盛，彼此往來頻繁，醫學亦相互交流，於是亞拉伯的醫藥，輸入中國。中國醫學，爲亞拉伯人所研究。其後西洋在文藝復興（Renaissance）時代，（自十四世紀至十六世紀之前半）對亞拉伯的學問醫術，大事研究，把它的醫書，都譯成臘丁文，中國的醫學，也間接的爲西洋人所研究了。我這樣的推測，想沒有錯誤吧。

（二） 亞拉伯的藥物及醫化學的發達

亞拉伯的文明，自昔已廣被世界，即現在尚有它的一部份勢力，在文化史上，是值得刮目相看的。今就其屬於醫學的藥物及醫化學，試概論之：

據 Kremer 說，亞拉伯醫學，乃承希臘醫學的系統者，唯在醫學上，則藥物方面，較病理方面爲發達。我以爲這個原因，當由於土地上產生多量藥物之故。據宋史卷四九〇之大食傳（中國稱亞拉伯爲大食，當係Tadjik的音譯）記載：「太宗問其國山澤所出，對云。惟犀象香藥。」則可知它富於天產藥品了。亞拉伯人以這種天產藥物，應用於工業及醫術，他們爲了煉金術，努力於化學的工作，這個目的，在於製作愛利克薩（elixir）。（愛利克薩，古代鍊金家所用的鍊金藥水。）愛利克薩有二種，一種稱大愛利克薩，譯名爲「哲學者之石，」即以之加於如銀或鉛之劣等金屬中，則能化此等爲黃金的藥石，其他的一種稱「生命愛利克薩。」服之則能強生活力,而長生不老。因欲造成此等的藥物,醫化學自然進步,有了這個結果,遂能發明亞爾加利(Alkali)鹼和酸的區別,及蒸溜罐。

又各種的醫藥,例如在丸藥上着金銀色,原爲亞拉伯人所創;千金丹之名,即其一例。此等理化學者,大概皆爲醫家,而亦爲哲學家,代表這種學者的東方有中央亞細亞菩卡拉(Bokhara)附近的阿富顯那人阿維森納,西方則有西班牙之葛特伐(Cordová)人阿凡賴斯(Averroes),二人皆爲名醫,後者爲葛特伐回教君主的御醫;至就思想上言之,二人並屬於亞理斯多德的哲學範圍內,紹述其形而下之學風,在西洋哲學史上,占有相當力量的位置。雖然,伊斯蘭教(即回教)嚴禁人體之解剖,故醫學上不能充分的發達,而彼等之妙技,實際上固游刃有餘也。

據文學博士瀨川秀雄的研究,僅在巴格達市,即有醫師八百六十名。專從事於療病,其令名宣傳於四方。歐洲基督教國君主,不遠千里。而來受其治療者不少。

(三) 唐宋元明時 拉伯人通商之活躍及藥品之輸入

自公元八世紀之初,迄十五世紀之末,即自唐之中葉。迄明之中葉,歐羅巴人來航東方,約八百年間,爲亞拉伯人立於世界通商貿易舞臺上最活躍之時代。特於八世紀之後半 Attas 王朝,奠都於巴格達以來,彼等最注力於海上和印度及中國方面的通商。

今據Hirth, "Chao ju-kua, a new source of mediaeval geography (中古地理學)"(J. R. A. S. 1896, P. 57.)的記述如次。

在中古時代,東方海上貿易,最活躍的首推亞拉伯商人。直到葡萄牙人出與它競爭爲止,數世紀中,彼等獨占東方貿易。西自摩洛哥,東至日本朝鮮的大海原,當時全屬於亞拉伯人勢力範圍之內。

由是觀之,可知那時亞拉伯人的活躍了。

彼等從波斯灣經印度洋繞馬來半島,而入今日之廣東,作商業上的競爭。

當時的亞拉伯人稱廣東爲Khanfou。即廣府之音譯。

廣東之外，嶺南之交州，江南之揚州，福建之泉州，皆自唐代，卽與亞拉伯人通商。公元九世紀之中頃，亞拉伯之地理學者Ibn Khordadbeh所著書中。記載中國之貿易港，順次自南而數。（一）交州Loukin（Al Wakin），（二）廣府Khanfou，（三）泉州Djanfou。（四）揚州Kantou。

在此貿易港中。以廣州最爲繁盛，其詳細情形，留在今日東西各國的史料中，猶可考見。

亞拉伯人的通商，其間雖迭有盛衰，或一時的斷絕。要之，自唐經五代至宋，別無特殊的變化，繼續地通商。而且到了宋代，亞拉伯人的通商，更益趨隆盛。關於此點，中國方面的史料也很多。

如前所述，亞拉伯的醫學，有名於世，特於藥物，更爲發達。因爲通商貿易而藥物大爲輸入。據宋史大食傳，則唐朝永徽（公元六五〇年——六五五年）以後，屢次入朝而獻方物。然新唐書及舊唐書之大食傳中，記載不詳。玆撮錄［宋史］卷四九〇［大食傳］。之文如下：

［開寶元年、（公元九六八年）四年、六年、七年、九年。太平興國二年、（公元九七七年）四年。］前後七次入貢，獻上方物。又說：

［雍熙元年（公元九八四年）國人花茶來獻花綿，越諾揀香、白龍腦、白砂糖、薔薇水、琉璃器。］又曰：

［淳化四年。（公元九九三年）……以方物附亞物來獻。其表曰。［大食舶主臣蒲希密上言。……謹備蕃錦藥物，附以上獻。臣希密凡進象牙五十株，乳香千八百斤，賓鐵七百斤，……薔薇水百瓶。］又云：

［至道元年。（公元九九五年）其國舶主蒲押陀黎。齎蒲希密上表，來獻：白龍腦一百，全膃肭臍五十對，龍鹽一銀合，銀藥二十小琉璃瓶，白砂糖三琉璃甕，千年棗舶上五味子各六琉璃瓶，舶上扁桃一琉璃瓶，薔薇水二十琉璃瓶，乳香山子一座。……白越諾三段。］

當時亞拉伯人入貢於中國之方物，頗多爲藥品之原料。

又至道三年二月，咸平二年、（公元九九九年）三年。六年。景德元年。（

公元一〇〇四年）四年；大中祥符元年，（公元一〇〇八年）四年，獻上「瓶香、象牙、琥珀、……白琉璃酒器、薔薇水、千年棗等。」

又天禧三年（公元一〇一九年）天聖元年（公元一〇二三年）六年。建炎三年（公元一一二七年）及紹興元年（公元一一三一年）曾入貢數次，然宋朝「皆厚賜之，不貪其利，故遠人懷之，貢賦不絕。」由上文觀之，自開寶元年（公元九六八年）至紹興元年（公元一一三一年）前後入貢二十三次，獻上方物。

如上所述，據宋史大食傳之所記載亞拉伯人輸入中國的方物。以白龍腦、白砂糖、薔薇水、香藥、蕃錦、賓鐵等最爲注目。這不但是醫史學上有研究之必要，即在文化史上，也是不可忽略的好資料。而此等藥品，直接或間接，對於中國的藥物學界，與以不少的影響。徵之大觀本草、本草衍義、湯液本草、本草綱目等書可以見之。

更據趙汝适的諸蕃志。(Hirth-Rockhill, Chao ju-kua 1911, P. 114—116.)彼等和中國貿易的藥品，爲犀角、乳香、龍涎香、木香、丁香、安息香、沒藥、硼砂、薔薇水、等。此等藥品，已直接爲中國藥物學界所採用，散見於證類本草、本草衍義、湯液本草、日用本草、本草發揮、救荒本草、食物本草、本草會編、食鑑本草、本草集要、本草蒙筌、本草綱目、本草經疏、本草乘雅等書。

又太平御覽之藥部及香部中，有龍腦、安息香、及薔薇水之名目。其卷九八八之「藥部」五中。引本草經曰。『犀牛角味鹹，治百毒。』又卷九九一之，「藥部」八中，引本草經曰：「木香名木密香，味辛，溫無毒，治邪氣，辟毒疫。」由此可以知採用的證跡。

然或疑此等由亞拉伯輸入的香藥品，中國原來已有，據本草圖經，此等香藥品，僅產於廣東地方，廣東以外地方，則不產；故恐爲外國所輸入的。不過此等藥物或確爲廣東所產，亦未可知。

但據漢魏叢書及南方草木狀，則此等香藥，原來不產於南中國乃由西方（主爲波斯亞拉伯）輸入者。陸賈的南越行記，亦記載同樣的事實。可知此等藥品，固非中國所產，而由亞拉伯輸入，才爲醫家所採用。

中國預防醫學思想史(四)

范行準

五 避疫與檢疫

甲 避疫與檢疫的關係

避疫，是避免與病菌接觸，爲最徹底的防止傳染病的方法。檢疫，是檢查病疫的來源而隔絕之，使它沒有傳播的機會；二者並居預防醫學史上最重要的地位，而且有着相互的關係的。但在發展的歷史上看來，却有先後之分。

所謂「避疫」，乃人類一種趨吉避凶的本能行動，「檢疫」則人類文明進化到一定的程度之後才有的一種制度。這制度在中國較晚，約在十七世紀時才有檢查天花的制度，但西洋則在十四世紀因鼠疫的流行而立此項制度。它是往往是遇到猖猛疫癘後的產物。

乙 避疫

避疫，確是人類最原始的趨吉避凶行動之一。人類亦賴此最原始而理智的行動，對生命保全上起鉅大作用。當疫癘發生時，目擊同類死亡枕席，他們自然帶着原始的恐怖情緒，和當時實際情況，經過一番理智的分析後，只有出於逃避的這一條路了。

中國最早而且有毀滅性的傳染病，如鼠疫、天花、眞性霍亂等，都是外來的傳染病。所以逃避傳染病的情緒，還沒有那些原發地的民族那樣強烈。但很早的傳染病如瘧疾、傷寒、麻風等，都有避之若浼的心情，如前所述，中國的瘴癘，多數屬於瘧疾，此病在夏秋之季最爲流行，例如有名的重九（重陽）登高佳節，實際是一段集體避疫的故事。

這種避疫的故事，可謂史不絕書，大抵文化較低的民族，最爲多見；而在封建社會中，這種行動，却受到若干的遏止了。我們只要看了晉庾袞隋辛公義二人不避疫的故事，不難反映那時人對疫病的逃避，是如何的紛擾？（詳第六章）。同時由於封建社會的倫理觀念的發達，醫家乃倡造許多完全無效的避疫法，（包括藥物及符咒等）。

丙 痘疫和霍亂諸病的避免

如前所說，中國的傳染病史上，很難找到具有閃電式的毀滅生命的猖猛傳染病如天花、鼠疫、霍亂等傳染病。

這許多傳染病，本質上是非常凶惡的，當它流行到從未到過的新的地區時，那地區的人民因絲毫沒有抵抗力，所以它的死亡率最高，而不能不使他們發生無比的恐懼。在這裏我們可舉許多地區人民對逃避天花的恐怖情形做爲例證。明蕭大亨夷俗記說：

夷人原不知禨祥之說，其所最忌者無過於痘瘡。凡患痘瘡，無論父母兄弟妻子，俱一切避匿不相見。調護則付之漢人，如無漢人，則以食物付之他所，令患痘者自取之也。至若夫妻之患痘也，必俟聞雷聲，然後相聚；不聞雷聲，卽終年避匿如路人。然其地寒，患痘者少，視內地若火宅，不肯久留，慮患痘也。禁忌

此所指的夷俗，卽今之綏遠及山西毗連地區的內蒙風俗。清李心衡金川瑣記則記新疆地區患痘者亦往往被棄置山谷：

夷人終身不出痘，間有一二患此者，輒裹數月糗糧，舁置荒僻巖洞中，父母兄弟曾不一顧，懼纏染也。以故，患痘者十死八九。……卷二痘症

此外，如清初章楹諤崖脞說也有「建平縣西有村堡曰諸葛城。其中居民生兒俱不出痘，痘證行時，外人或攜兒避入堡中，輒無恙」據重論文齋筆錄卷一引。的話，又雲貴少數民族，對於防止痘疫，則在受孕之後：卽禁絕綢繆。清陳鼎滇黔土司婚禮記云：

苗中嬰兒，最忌種痘，痘必死。百無一二生者。其氣又易沾染，卽壯夫染之，無不痘，痘無不死，常因一兒痘而禍延一鄉，竟絕噍類者。求其不痘，無如一受孕，卽不與男子同處，則他日所產兒決不痘矣。故大家有「室老」之設，專護其事。小戶其姑卽嚴護之。其孕也易識，今夕受胎，明晨婦眉間卽有一縷紅絲，隱隱而現，大家婦每早必參見「室老」，「室老」一見，卽知曰，「若有孕矣，毋與男子同處」！立爲移置別室，夜必扃鑰。「室老」日夜隄防，至七閱月胎成方可解嚴。蓋關係非一人一家故也。

蓋痘爲外來之病，又是比較其他傳染病更容易傳染之病，所以避痘的傳說，也較其他的傳染病更多。總之，此項避疫法在接種法沒有發明之前，雖有點不近人情和迷信的成分在內，但在那時却是必需的。

至中國用科學方法的避疫法，大概始於光緒年間亞細亞眞性霍亂流行之時。日人中野太郎用中文寫成的避疫法大意稿。其說有云：

避疫要略，別爲二種，曰各自避疫法，曰官衙避疫法。又各別爲三段：一曰防之未然，二曰救之已然，三曰絕之將來。皆爲切要，而其最置重者在第一，何者？防之未

然，如果周到，則第二第三可以不用。

此爲僅有五葉的小册子，是一種宣傳品。它有述及當年漢口患痧疫（卽霍亂）之事。雖有說及「痧疫病源爲一種幻微生體」，因「各人飲食之不良而發生」的話，但還沒有說及蒼蠅爲傳染此病的媒介物。惟道光初，汪期蓮的瘟疫彙編中有說及蠅蚋是瘟疫的媒介物：

憶昔年入夏，瘟疫大行，有紅頭青蠅千百爲羣，凡入人家，必有患瘟而亡者。……卷十五諸方備用「逐蠅祛疫法」。

據他說，凡用「逐蠅祛疫法」的人家，青蠅遠避，卽不染瘟病了。在那時有這種觀察，確也值得表揚的。至於他的驅蠅法，未必有用。

丁 隔離病院的設置

許多法制的規定，往往是結合實際的。由於人類趨吉避凶的本能，逐漸成爲理智的，終於發展爲一種制度，此事可引用晉書王彪之傳的話作證：

永和末（三五六），多疾疫。舊制：朝臣家有時疾染易三人以上者，身雖無疾，百日不得入宮。至是百官多列家疾，不入。卷七十六。

當時百日不得入宮的臺制，疑與第三世紀時病假不得逾百日的臺制有關。見三國志魏志卷九夏侯尙傳注引魏略此制直到趙宋時，事實上仍存在的。所以慶元條法事類卷六十九尙載此項條款。但這種「舊制」，有時却被那班封建頭子的忠實走狗所動搖而被取消了。所以接下又說：

彪之又言：「疾疫之年，家無不染，若以不復入宮，則直侍頓闕，王者宮省空矣」！朝廷從之。晉王彪之傳

這話，大得宋後理學家朱翌之流所擁護。然則慶元條法事類的話，或者尙沿晉時舊制。

不過消極的避疫固可以防止疫區的擴大，但對已傳染的病員，如不加以收容醫治，那仍不算一種完密的撲滅傳染病的辦法。這便需要隔離傳染病院了。漢書平帝紀說：

元始二年（公元二年），郡國大旱蝗，……：民疾疫者，舍空邸第，爲置醫藥。

這是公立時疫醫院的濫觴。後來隋辛公義安置州民之病疫者，於廳事而調治之，亦是此類。在第二世紀時行軍遇疫時，又有野戰病院的設置。後漢書皇甫規傳說：

延熹四年（一六一）冬，三公舉爲中郎將。……明年，規因發其騎，共討隴右，而道路隔絕，軍中大疫，死者十三四，規親入菴廬，巡視將士，三軍咸悅。卷六十五

此菴廬據阮元在釋漢龍虎銅節銘文「王命命患賃一檐飤之」說：

吳侃叔云：楷，古文篚，…… 蓋行軍遇疫，故王命賃一篚以棲軍之病疫者，而爲醫藥以飲之也。說文：賃，庸也。積古齋鐘鼎彝款識卷十

此釋是參證皇甫規傳中的話的。

自佛教傳入中國後，對於傳染病的管理，也起一定的作用。南齊書文惠太子傳言「太子與竟陵王子良俱好釋氏，立六館以養窮民。」再檢竟陵王傳亦有「子良於貧病不能立者，在第北立廨收養給衣及藥」的話。但都未言及傳染病事。惟唐釋道宣續高僧傳曾說那連提黎耶舍收男女之患痲風者的「癘人坊」之設：

又收養癘疾，男女別坊，四時供承，務令周給。卷二

據本傳說耶舍卒於隋開皇九年（五八九）八月二十九日，所謂癘人坊，卽今日之痲風病院也。道宣高僧傳又載釋智嚴在今之南京地區說法，看護痲風病員，而終於癘所：

釋智嚴 ……後往石頭城，癘人坊住；爲其說法，吮膿洗濯，無所不爲。永徽五年（六五四）二月二十七日終於癘所。卷二十五。

再詳唐會要卷四十九病坊條，引開元五年（七一七）宋璟奏章，資治通鑑卷二百十四開元二十二年（七三四）條及胡三省注文，舊唐書武宗紀等記載而言，則自武后以來，癘人坊並屬僧徒管理，惟武后時已有遣置領導此類痲風病院的行政官吏，所謂「置使專知」是也。這類病坊，宋元以來，都有設置，在清代末葉，廣州地區設有「瘋塾」，以聚痲風病員。竟有那些喪失天良的鴇母，騙取「瘋塾」中的痲風女來做妓女之事。詳見雨般秋雨庵隨筆卷四痲風女條

戊　檢疫

據說滿清未入關之前，滿人尙無天花，但當入關後，這不識好歹的痘疫，卽向當時的戰勝者撲來，那時的戰勝者，卽遷怒於當地患天花的老百姓，專門有人到外檢查，如果發見患天花的人家，卽被他們强迫驅逐到四五十里之外，所以清人對於天花非常恐怖，它的措置也非常嚴峻的，故很快地便設立「查痘章京」一官，來專門檢查痘疹。癸巳存稿說：

國初有查痘章京，理旗人痘疹及內城民人痘疹遷移之政令。久之，事乃定。……卷九查痘章京。

其事當在十七世紀的中葉。存稿又說：

西洋地氣寒，其出洋貿易回國者，官閱其人有痘發，則俟平復而後使之入。蓋其氣始於南洋，今徧及也。……同上

今證以嘉慶時謝清高海錄的話，是確有其事的：

凡有海艘回國，及各國船到本國．必先遣人查看，有無出痘瘡者，若有則不許入口，須待痘瘡平愈，方得進港內。大西洋國條第四十葉

這是中國最早記錄西洋港海檢疫制度的文獻。其導源似起於到中國學種痘的俄羅斯人。

中國古時已有關津之設，其所檢查的，多限於防止間諜及稅收。所以自漢以來，雖有「過所」（即通行證一類之物）的規則，但從沒有說起檢查傳染病的規定。自清季以來，對於妓館，已被警局抽稅了，所謂「花捐」是也。但對於她們感染花柳病毒的痛苦，却絲毫不管。所以那時有娼門才子作了一首妓捐詩，送給抽納妓女捐稅的官吏，內有一聯云：

賴有皮毛全國計，誓將涓滴報皇恩！見樗秋孫秦淮廣記卷一之二

在封建時代的人民，對於統治者的敲剝，也僅能作這樣俏皮的反抗！其實「花捐」是資本主義國家所創始的，中國的封建主，不過效尤而已。（那時廣州已設花捐局，蓋受英葡諸帝國主義影響。）到了宣統初年（一九○九）似乎才有建立檢查娼妓花柳病制度之議：

羊城報云：東關大沙嘴與大沙頭，僅隔一衣帶水，去年東興公司擬在東堤開闢商場，將大沙咀建築妓館，現聞有人條議：仿外國公娼之制，由官圈沙咀任妓居留，附設檢查院，實行梅毒檢查法云。醫學衛生報第七期P.23宣統元年閏二月出版。

這種建議，後來有無實行，仍不可考。縱使實行，也不過對妓女多一種剝削，對於制止花柳病的傳播，其效力還是很小的，倒不如取締娼妓來得徹底。像清初所設的查痘章京，完全爲統治者自己安全打算。但它的規模是窄小偏狹的，所起防疫的作用，也是很小的。

至宣統二年東北鼠疫的檢查，已有陳垣奉天萬國鼠疫研究會始末一文，故不贅。

六 預防醫學史上的反動思想

甲 由倫理上出發的反傳染思想

在封建時代，人民一切利益，都要隨統治者個人的需要而犧牲，這可在中國預防醫學史上得一證明。本來趨吉避凶是人類一種本能的行動，在疫癘橫行，死亡枕席的時候，逃避這種傳染病，乃是人類一種自然的行爲。這行爲不論在已未開化的民族中間，是屢見不鮮的。即在今日文明人的中間，也是如此。只有在某些倫理觀念較深的士大夫階級中間，反對或否認疫癘有傳染這一事實。這種倫理觀念，又往往在封建制度完密下而產生。

因爲人類智力發展到某一程度後，便發生一種同情心，即倫理學上所說的「良心」。

當他們看到同類被戮的時候，這種同情心更容易發生，一般說來在親屬方面尤其如此。到了封建時代這種同情心便更加深了，——只少表面上有這類的行爲。在中國的封建時代，儒墨之流，及宋元的理學家，他們有時教人以犧牲一己爲快樂的「心安理得」的心理。這種反動心理，造成在君、臣、父、子、兄、弟、夫、婦間之孝、悌、忠、信、節、義、和、順的那樣巽順的倫理學，叫人沒有選擇地忠於他們的統治者，這也是中國儒家向人誇稱的綱常名教。當然這其間也含有若干奴隸社會制度中的奴隸心理。

不幸，這類反動的綱常名教，也應用在醫學上。除了親病封股醫療和親喪過禮，杖而後行，結果因破傷風，和營養不足而致死亡者外，也竟在預防醫學史上造成反動的思想。

由倫理學上良心和封建時代的忠君思想爲出發點的否定，或反對疫癘有傳染，造成預防醫學史上反動思想的誘因，則爲有人適在某幾種傳染病有先天或後天和暫時的免疫性，遂說一切疫癘沒有傳染，而醫家又復加以推波助浪，造成一種極端反動的無傳染的學說。這裏有下述的幾個例子：

(1) 出於孝悌　中國史書上第一次疑心疫癘不會傳染的記載，似乎始於第三世紀末葉的庾袞。他侍兄毗病疫，而己並不感病的故事。晉書庾袞傳說：

> 庾袞字叔褒，明穆皇后伯父也。……事親以孝稱，咸寧中（公歷二七五——二七九）大疫，二兄俱亡，次兄毗復殆。癘氣方熾，父母諸弟皆出次于外，袞獨留不去，諸父兄强之，乃曰：「袞性不畏病」。遂親自扶持，晝夜不眠，復撫柩哀臨不輟。如此十有餘旬，疫勢既歇，家人乃反，毗病得差，袞亦無恙。父老咸曰，「異哉此子！守人所不能守，行人所不能行，歲寒然後知松柏之後凋」。始疑疫癘之不相染也。卷八十八

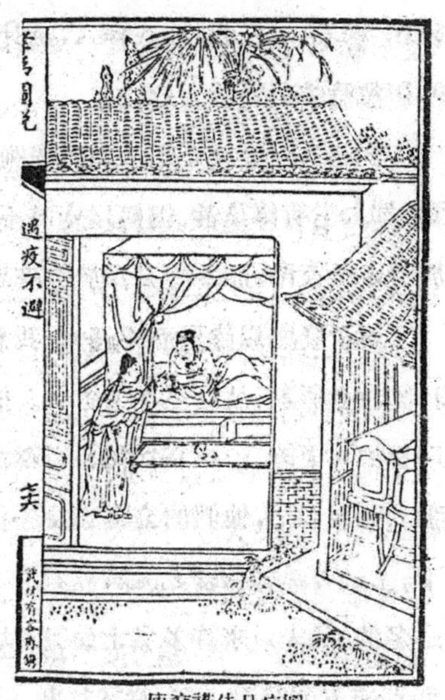

庾袞護侍兄病圖

(2) 出於忠義　由於第三世紀時人見庾袞侍兄病次無恙的經驗，其後遂有不少相同的例子，下面二例出於忠義的。隋書辛公義傳說：

> 辛公義隴西狄道人也。…… 從軍平陳，以功除

岷州刺史，土俗畏病，若一人有疾，卽合家避之，父子夫妻，不相看養，孝義遂絕，由是病者多死。公義患之，欲變其俗，因分遣官人巡檢部內，凡有疾病皆以牀輿來安置聽事，暑月疫時，病人或至數百，廳廊皆滿，公義親設一榻，獨坐其間，終日連夕，對之理事，所得秩俸，盡用市藥，爲迎醫療之，躬勸其飲食，於是悉差。方召其親戚而諭之曰，「死生由命，不關相着，前汝棄之，所以死耳。今我聚病者坐臥其間，若言相染，那得不死，病兒復差，汝等不復信之！」諸病家子孫慚謝而去。後人有病者爭就使君，其家無親屬，因留養之，始相慈愛，此風遂革，合境之內，呼爲慈母。

按本傳言公義以平陳之功，除岷州刺史，創安置病人於聽事者，當爲隋開皇八年（五八七）之事，這很象今之時疫醫院。不過公義以死生由命，並以自己不曾被着，來證明疫癘並無傳染，規勸岷州的老百姓，居然「此風遂革」，博得「合境之內，呼爲慈母」的聲譽。我想如果眞是這樣的話，岷州老百姓因病而喪其親友以致「呼天搶地」之聲，一定高於「呼爲慈母」之聲的。再看明宋琰不避疫的故事吧。明焦竑玉堂叢話云：

宋琰居鄉勇於行義，時疫大作，姑家尤甚，人皆遠避，無至門者，公曰，「若此，噍類盡矣！患難不恤，何以親爲？」遂宿其家，躬治湯藥，以全活之。……鄉閭爲之感化。卷一

我想庾袞，辛公義，宋琰等人，處身疫癘之鄉，而厥身不染，或由於他們有先天的或後天的和暫時的免疫性之故。

不過我們如其分析上面幾個例子，那都有它們時代的背景的。疫癘之患，人不論文野，都知它有傳染性，但何以疫癘不會傳染之說，在晉初才開始呢？這我們可以看庾袞入於晉書孝友傳，而辛公義入於隋書忠義傳，便可明白了。

庾叔褒所以侍兄而不避疫，我想他或者是爭取孝悌之名。魯迅分析孔融嵇康等被當時統治者所殺，是借不孝之名的。他在魏晉風度及文章與藥及酒之關係中說：「魏晉是以孝治天下的。……爲什麼要以孝治天下呢？因爲天位從禪讓，卽巧取豪奪而來的，若主張以忠治天下，他們的立脚點便不穩，辦事便棘手，立論也難了。所以一定要以孝治天下。」這可說明叔褒之流所以看護其兄，效死不去，雖或出於天性，其間也不無爭取孝友之名的。晉宋以來許多名士如殷仲堪李密之流所以學醫，其出發點也多出於爭取孝名。我別有五朝醫學一文，詳言其事，這裏不再嚕囌了。

但隋之辛公義，他不避疫的背景，便不這樣了。我想凡讀過晉書的人，晉自八王之亂以來，不論華胡，每一統治者的歷史，都是父子推刃，兄弟加兵，作爲結局；孝友兩字已談不到，於是他們又提倡以忠治天下了。隋書把辛公義入於循吏傳，亦卽此義，所謂循吏，便是當時統治者的忠實的鷹犬，所以他們在這時便又「移孝作忠」了。至於宋琰，我想恐受庾衮及宋元理學影響，有「忠孝兩全」的企圖。

乙 預防醫學思想史上的反動者——程迥

預防醫學到了宋代，它也不免受了理學影響，而且在這一時期，前人疫癘無傳染的觀念，已由偶然的經驗演成一種理論了。約在第十二世紀的朱翌，他對於病疫之家至親絕迹的行動，以爲非常不人道的。他說：

> 江南病疫之家，往往至親皆絕迹，不敢問疾，恐相染也。藥餌食飲，無人主張，往往不得活，此何理也？死生命也，何畏焉！使可避而免，則世無死者矣。猗覺寮雜記卷下

這不能不說朱翌挾了道學家眼光來決定疫病不一定能傳染的謬見了。我想他一定也看到過庾衮辛公義一流人的故事的。但他又遠引晉室王政之失以爲厲階，所以他又說此事其來已久，引了晉書王彪之傳，「舊制，朝臣家有時疫，染易三人以上者，身雖無疾，百日不得入宮，」的話之後，感歎地說：

> 國家且如此，况民間乎？此令一下，至今成風，不仁哉！人臣仕于朝，其可一日不見君，謨謀輔弼之臣，使百日不入見，其爲國也，亦疎矣哉！同上

這是封建時代士大夫忠君愛國的思想，而否決了疫癘有傳染性的話。但朱翌也僅能從世道人心出發，若把它發展到成爲一套疫癘無傳染的理論。則有待南宋年間理學家的程迥。

這時以理學發家的沙隨程迥，他的醫經正本書是爲了疫癘無傳染而做的。可算是中國預防醫學史上最具反動思想的一部書。這書丹波元胤醫籍考卷三十一雖著錄，但云已「佚」。今有光緒間錢培名小萬卷樓叢書本，陸心源十萬卷樓叢書初集本。其初是仁和勞權得江都鄭堂影宋抄本、朱緒曾據以傳錄，寄金山錢資之培，刻入萬卷樓叢書中而重顯於世。詳見開有益齋讀書志卷四 它在宋時已以專論傷寒無傳染而知名的。陳振孫書錄解題說：

> 醫經正本書一卷。專論傷寒無傳染，以救薄俗骨肉相棄絕之敝。卷十三

全書一卷共十四篇，附一篇。雖不是專論傷寒無傳染而作，但其中確有半數以上文字關

揚此說。按程迥在淳熙三年（一一七六）自序醫經正本書有云：

至有舉世繆誤傷風敗俗，殞絕人命，而醫家俯首和附，莫敢指其非者，如至親危病，妄言傳染，遂相棄絕，古之人無有也，醫經不道也，嫂溺不援，比諸豺狼，願君子之爲政化，亦置此事於度外，使天下民日益嚚嗜，寃魂塞于冥漠，余竊悼之，此醫經正本書所由作也。醫經者黃帝岐伯之問答，方書之本也。本正則邪說異論不能搖也。

最後，他自述這書的宗旨，是爲風教之助：

是書也，脫或達于君子之前，察其稽考之久，見於試用之勤，開喩俚俗，務廣傳布，庶爲風教之助云。

迥於翌年（一一七七）六月在松陽偶遇三因方的作者陳言出示此書，所以此書有陳言的跋，也無非說此書有益於世道人心的話而已。以上也是直齋書錄所根據的地方。今考本書論傷寒無傳染者，有「辯傷寒溫病熱病並無傳染之理第三」；「辯五運六氣感傷名曰時氣亦無傳染第四」；「辯四時不正之氣謂之天行卽非傳染第五」；「辯方士著書乃采俚俗不合醫經者第十二」；「記仲景事實第十三」；「與內弟襄陵許進之論醫書第十四」等六篇。而第三第四第五等三篇，尤反覆爭辯傷寒溫病等無傳染之說。其論據不外自敍中所述之素問仲景等書。總觀迥在這幾篇文字，所下的結論如下：

(1) 以各時觸冒寒毒所致，不是猝然傳染的。（第三）

(2) 主客勝復，鬱發，亦隨臟氣致病，初不能相染。（第四）

(3) 疫癘之發皆由氣血中感此異氣，絕對不是傳染。所以有的並不和病人在一處而感疾的，有的與病人同床共舍居然不病的，從這一點也可證明它是不會傳染了。此下他並引證了隋辛公義北宋侯可的事作證。（第五）

(4) 以方書中旣有屠蘇酒雄黃圓辟疫一類的藥物，何以服用過的人依然感染疫癘呢？（第十四）按他在這一條中似乎攻擊外台祕要一類之書

他這樣不憚煩地反覆推論疫癘之不會傳染，誠可說是「繆用其心」了。再從程迥本人的歷史，來分析他這種反動思想的根源：——按迥字可久，應天府寧陵人，家於沙隨，學者稱沙隨先生。靖康之亂，徙紹興之餘姚，登隆興元年（一一六三）進士第，歷揚州泰興尉訓。知上饒，進賢縣等職，在官頗有政聲。與尤袤同受學於嚴陵喻樗之門。樗字子才號湍

石，故學者稱爲湍石先生。詳見宋史卷四百三十七本傳，黄宗羲宋元學案卷二十五龜山學案 我們知道湍石是楊時龜山的門人，而龜山原以立雪程（頤）門知名的。楊時的事，詳見宋史四百二十八本傳，宋元學案二十五龜山學案。則沙隨在學問上亦遠有端緒，乃龜山的再傳弟子，而爲明道的曾孫了。

詳明道在官視民如子弟，凡有事到官者，必教他們以孝悌忠信，有孤煢殘廢者，即責他們的親戚鄉黨收容；行旅出於其途而患有疾病者，都有所療養。詳見宋史卷四百二十七本傳宋元學案卷十三明道學案上 這樣，便不難了解程迥反對傷寒温病有傳染說的思想來源了。試更引一例爲證。迥說：

本朝太原侯可，至和中（一〇五四——一〇五七）調巴州化成縣，巴俗尚鬼而廢醫，惟巫言是用，雖父母之疾，皆棄而弗視。可誨以義理，嚴其禁戒，或親至病家，爲視醫，所活既衆，人亦知化。其事見吾家明道先生文集。醫經正本書辯四時不正之氣謂之天行即非傳染第五。按侯可爲關學之先，也是知醫的，詳見宋李元綱厚德錄卷二，宋史卷四百五十六，宋元學案卷六十劉諸儒學案。

這事不能說與程迥反對傷寒温病有傳染的思想沒有關係的。我們對於親屬染病棄置勿顧，在人情方面固然說不過去，而事實上對傳染病作消極的隔離，有時也有困難。然而强調地說疫癘沒有傳染，因而借用風教之說，使他們的親屬受不必要的犧牲，這不能不說是禮教作祟，其害甚於率獸食人了。

所以我說對程迥醫經正本書中的話，是代表中國預防醫學史上最典型的反動思想！

丙　反傳染思想的調停者——朱熹

程迥的疫病無傳染說，誠足聳動當時一般士大夫階級的耳目，也貽禍於當時一羣崇拜士大夫階級的無知人民。後來元人謝廷芳辨惑論中也以避疫爲「傷風敗俗」之舉，詳見說郛卷七十四引 未始與程迥之說無關。然而疫癘之具有普遍的傳染性，又是鐵一般的事實，它這樣冷酷而無情地打擊程迥那一流的惟心論者。所以程迥的醫經正本書問世不久，理學家之綜合學派的創始者朱熹，不得不出來調停其說。他在漫記疫疾事一文中有云：

偶俗相傳，疫疾能傳染，人有病此者，隣里隔斷，絕不通訊問。甚者，雖骨肉至親，亦或委之而去，傷俗害理，莫此爲甚。或者惡其如此，遂著書曉之，謂疫無傳染，不須畏避，其意甚善矣。然其實不然，是以聞者莫之信也。予嘗以爲誣之以無染而不必避，不若告之以雖有染而不當避也。蓋曰無染而不須避者，以利害言也。曰雖染而不當避者，以恩義言也。告之以利害，則彼之不避者，信吾不染之無害，而不知恩義之爲重，而不忍避也。一有染焉，則吾說將不見信，而彼之避者，惟恐其不速矣。告之以恩義，則彼之不避者，知恩義之爲重，而不忍避也。知恩義之爲重，而不忍避，則雖有染者，亦知吾言之無所欺，而信此理之不可違矣。新安文獻志卷三十二

案朱熹字元晦一字仲晦，徽州婺源人。父松仕閩，宋建炎四年（一一三〇年）生於閩之尤溪，慶元六年（一二〇〇年）卒。以父臨歿囑其受學於胡元仲、劉致中劉彥冲三人之門。而幼年實已出入於伊川龜山兩派的伊洛之學，及後又受其父同門友李侗之門，故能貫穿濂溪橫渠康節明道諸家之說，復輔以佛老之書，遂巍然爲南宋理學之宗。所以全祖望在晦翁學案下說，「楊文靖公（楊時）四傳而得朱子，致廣大精微，綜羅百代矣」！詳見宋元學案卷四十八四十九。其事略又見宋史卷四百二十九本傳。誠非溢美之詞。

我們看了朱熹的事略，知他的年齒稍後於程迥，他的學說，與程迥之學，也近出一源，所以在他的文集中，還時可找出他與程可久的書。但他這裏說「或者惡其如此，遂著書曉之。」顯指沙隨和沙隨的醫經正本書。晦翁的話，在表面上看來，很爲通達，但因與沙隨之學近出一源之故，所以他說了疫疾無染爲誣的話之後，終於拖出下面的一條尾巴：

抑染與不染，係乎人心之邪正，氣體之虛實，不可一概論也。吾外大父祝公，少時鄰里有全家病疫者，人莫敢親，公爲煮粥藥，日走其家，遍飲病者而後歸。劉賓之官永嘉，時郡中大疫，賓之日徧走視，親爲診脈，候其寒溫，人與藥餌，訖事而去，不復盥手，人以爲難，後皆無恙。同上

這裏所說，又是庾袞辛公義和侯可諸人類型的故事了。晦翁之學，既屬綜合諸家之言，自然有取中庸之道，而採調停之說的。他所說「染與不染，係乎人心之邪正，氣體之虛實」，與程迥立言旨在扶持風教的話，並無兩樣。他又明知疫有傳染，而不設想有何預防的方法，只是仍一味勸他們不要離開有病的親屬，他這樣硬性規勸病家的親屬不要逃避，與沙隨的以疫疾不會傳染的誑話，並爲吃人的禮教作怪，結果使疫癘蔓延，當然也是相同的。推晦翁所以明立疫疾有染，與親屬當謹視病人說，蓋以晦翁之學主於「誠」，「敬」之故。誠則不欺，所以他不說疫疾無染，以誑世惑俗。敬則恭順，所以不主張親屬有病，自己逃避他往的行爲。

總之，不論沙隨主張疫無染說與晦翁有條件的主張疫有傳染說，不從本身設法消滅傳染病，而各從風教之說犧牲他們的親屬，使傳染病蔓延開去，在預防醫學的原則上而言，程朱二人的思想，都可說同樣是反動的。

七 中國免疫學的史跡(上)

甲 免疫學發生的年代

據說「免疫」(Immunity)一詞,原出拉丁,含有免除軍役之義。中國之用此名,似譯取日本。其實中國在十八世紀左右,已有李口口免疫類方(注)一書的名稱,所以「免疫」一詞,是中國固有的。

近代免疫學,實開始於十八世紀英人秦那(Jenner 1749—1823)所發明的牛痘法。也可說是人工免疫法的開始。它在預防醫學史上,是件驚天動地之事。因它的發明,保全無數人類的生命,所以在生命統計學上,有無比的價值。其後法人巴斯德(Pasteur 1822—1895)繼此而有更大的發明;它不僅用在預防上,而且進而用在治療上。自那時起,直到今天許多免疫學上方法進步,如自動免疫法被動免疫法等,其原理無不依據秦那的種痘法的。

但一件事物之形成,絕不是天上掉下來的,必有它的根原。遠在秦那未發明種痘法之前,據說印度在紀元前已有種痘法,並於十一世紀時,已傳入中國。不過這類傳說,我至今尚未找到正確的文獻,所以也僅能疑以傳疑而已。

印度在紀元前已發明種痘法的傳說,至今既沒有正確文獻可資引證,那末免疫學的最早歷史,仍不能不於中國的歷史中求之。因中國在第三世紀末,已確有這類免疫學的思想及其方法也。

乙 幾種屬於接種法的史跡

用人工改變細菌或黴子的品種,及利用菌毒,作爲服用或注射生體,因而引起免疫作用的叫做萬克辛(Vaccin),今天我們最常見的牛痘、傷寒、霍亂、卡介苗、鼠疫、白喉、與破傷風等疫苗,就是屬於此類,同時,也用作醫治的,如瘋犬病接種法,白喉血清,及各種萬克辛治療法等,中國在第三世紀以前,醫書中已有類似關於後者的記載,此可舉如下的幾個例子:

(1)狂犬病接種法的前驅 由於巴斯德根據培養病原的生活體使它感染家兎,漸次降低了毒性而製成疫苗之自動免疫法,這一原則的發明,在歷史上是可永垂不朽的。

注:光緒杭州府志卷百八藝文三載:

免疫類方二卷,清李口口撰,題李氏免疫類方紫硤樵叟輯,不著撰人名氏。見海昌備志。

但在中國第三世紀以前已有同樣的記載，如葛洪肘後方說：

療猘犬咬人方：仍殺所咬犬、取腦傅之，後不復發。卷七治卒有猘犬，凡所咬毒方第五十四。

今之肘後方，一般說來，都不能說是葛氏的原書，但此方唐王燾外臺祕要卷四十引崔氏療狂犬方及孫思邈千金要方卷二十並載之。千金作：「治猘犬毒方，取猘犬腦傅上，後不復發」，是根據葛氏方的。葛氏卒於東晉成帝咸康八年（三四二），是第四世紀時人。他的抱朴子成於建武元年（三一七），而肘後方的序文已見於抱朴子，肘後方是集第三世紀以前之經驗而成，所以也許在第三世紀以前已有這種醫方了。至於外臺所引的崔氏方，即崔知悌的纂要方，知悌是與殷仲堪同時人，而稍後於葛洪，那末我們知道以狂犬腦敷貼創口的方法，至少在第三世紀末葉已經發明，是毫無可疑的。

至於葛氏方所載此方的價值，這裏似應稍加說明。據劉永純先生說，「以瘋犬之腦預防瘈病，巴斯德所用者不外乎此。其毒性已減低，而注射於人之皮下，可無害而有益。中國此法，以大量之瘈毒與創口接近，以常理度之，非特不能阻止瘈病之進行，恐將促成瘈病之早現。但吾之提出此法者，爲其似可表現中國古時醫家，亦曾揣度瘈犬之腦中含有抗瘈毒物質之故。按瘈畜腦中含有抗瘈物質，已爲巴斯德所證明矣」！見劉氏：瘈狗病之史觀及其診治方法的初步檢討。原文載醫史雜誌一卷二期 P.4 我以爲中國方書中用狂犬腦以治狂犬所咬的創口方法，或者似在「以毒攻毒」和「以類治之」的原始思想下所產生的。可惜由於自然科學的落後，不能很早把它引到科學的路上去。否則，預防醫學史中在菌苗接種方面，中國早在秦那巴斯德諸人之前而拔纛先登了！

關於防止瘈狗病復發的方法，中國方書中也早有記載，其主要的方法爲用蟾蜍和毒蚰二種，以蟾蜍爲防止猘犬病之再發，似首見於第四世紀晉陳延之小品方：

若重發者，療之方：生食蟾蜍膾絕良，亦可燒炙之，不必令其人知。初得嚙，便爲此，則不發。外臺卷四十狂犬咬人方

據方後注文，知肘後備急，千金，隨身備急方等書，並載之。千金方本於北周姚僧坦集驗方。法用蟾蜍剝皮作膾吞服，而新效方更加班毛（斑貓）了。詳見「朝鮮醫方類聚」卷一百六十八獸傷門，及明宣德八年，朝鮮俞孝通、盧重禮，朴允德等撰「鄉藥集成方」卷四十九蟲獸傷門。今按蟾蜍卽蝦蟆，劉宋沈約宋書張暢傳載：張收被猘犬所傷，醫勸食生蝦蟆膾治之。大概此法在晉宋時已很流行了。

與此同一意義的，那是用蚰蜒防止猘犬病之再發。此方亦見千金方：

治狂犬齧人方：虵脯一枚，炙，去頭；案外臺作去頭炙擣末，服五分匕，日三。外臺作日二　千金卷二十五，外臺卷四十

這是用虵脯炙製內服之法，據朝鮮鄉藥集成方引千金此方下注云：「一方：燒合燋末納瘡孔中」。這種由以毒攻毒思想出發的醫方，對於防止猘犬病的復發，在學理上的價值，據劉永純先生說，它大約是根據蟲虵之毒與瘈毒同原而來的。劉先生於指出它的錯誤外，又引證了法國學者卡默特 Calmette 及費沙利 Phisalix 二人的試驗，證明二者確有關係，據說卡氏實驗爲交叉性的，以狂犬疫苗接種犬類，或兔類使之免疫，完成了免疫後，取出血清在玻璃管中與虵毒混合，可以看出中和作用，如把狂犬毒的血清先注射動物體內之後，再注射虵毒，便可阻止中毒現象的發生。卡氏又證明對虵毒免疫之兔，若於眼前室中接種瘈毒，而兔不病，一似對瘈毒已經有了免毒的樣子。

至於用蝦蟆膾來防止瘈毒的再發，也有科學上的解釋。劉先生又引用費氏之說，以紅色蝦蟆皮膚分泌液，或單用致死量以下之虵毒，注射兔的靜脈中，經若干時後，對於瘈毒可以免疫，但它的免疫時間，也僅有二個多月，過此，便沒有抗瘈力了。

費氏又用虵毒和瘈毒混合後，瘈毒之致病性爲虵毒消滅，但抗原性不減，故可作狂犬病的疫苗之用。所加虵毒分量應在動物致死量之下，因此，可發生虵毒免疫作用。而抗原性不減，所以可作狂犬病疫苗之用。

我們看了卡費二氏之說，中國方書用蟾蜍和虵脯來作防止瘈病之再發，雖有合於科學上的原理，但不應忘記：在使用的方法上，大有出入；例如：用虵脯而須炙焦，用蝦蟆而竟活剝生吞，分量上也沒有合法的規定，那末縱用這兩種具有科學原理的防治瘈毒的藥物，在臨床使用時，能夠獲效和能免流弊否？仍有問題的。

作成此兩方面思想的出發點，我以爲除了「以毒攻毒」的原則之外，尙有雜糅生剋厭勝的思想在內。治猘犬傷何以用蟾蜍？或因淮南子精神訓及說林訓，論衡順鼓篇，及史記龜策傳等書，並言月中有兔、和蟾蜍二物的消長，而俗又有天狗吃月傳說之故。按太平御覽卷四月蝕條引抱朴子云：「黃帝醫經有蝦蟆圖，言：月始生二日，蝦蟆始生」。這樣我們可了解蝦蟆是克復天狗吃掉月亮的東西，那末用牠來治猘毒，是含有制勝作用的意義的。至於用虵脯治猘毒之又一原因，爲虵屬木，而犬屬土，木能剋土，故用虵脯以治狂犬之毒。總之，蟾蜍和虵脯治猘犬傷的原始意義，有一部分或與用虎骨治狗咬傷的相制原則下所產生的。

因此，從它產生治瘋狗病的原始意義而言，它在歷史上不能有過高的評價。但在經驗而言，它往往成爲科學家發明事物的楔子，所以它在科學上仍有一定的地位。

（2）斑疹傷寒一類接種法的前驅　傷寒和斑疹傷寒的接種法，還是最近三四十年中才發生的事情。在中國則第三世紀年代，已有這類方法的出現了。巢氏病源云：

> 江南有射工毒蟲，一名短狐，一名蜮，常在山澗水內。……大都此病多令人寒熱，欠伸，張口，閉眼。此蟲冬月蟄其土內，人有識之者，取帶之溪邊行亦佳。若得此病毒，仍以爲屑漸服之。夏月在水中者，則不可用。（卷二十五 射工候）

巢源諸書又把它分做射工、沙蝨、溪毒，實則一病而强把證候巧立名目而已。據友人王玉潤先生說，從一種名爲沙蟲的小蛛傳染的，名爲「叢林斑疹傷寒。」因巢源所述傳染此病的證象，完全符合恙蟲病斑疹傷寒的（注）。今詳巢源此論與外臺卷四十射工毒方引肘後方相同。那末，此法在第三世紀以前已發明了。它雖然是治療而不是預防，但從服用的方法而言，它和萬克辛的操作原理相同，它的治法意義也與免疫的萬克辛防治方法相似，所以在免疫學上而言，它是可以卓然占一地位的。但迄未有人表而出之！

我們看了以上二個例子，它的原來的思想雖依然用「以毒攻毒」，或「同類治之」的原則下所產生。操作方法亦遠不及今天那樣周密，例如用猘犬之腦，仍治猘犬之創，和刮取有蟄藏着射工之土等，都難免因增加毒害，及雜有其他細菌而引起重大禍患的危險。但這都只能說它方法上未臻妥善，在原則方面，與今天的免疫學，並沒有什麼差異的地方。

注：王玉潤：斑疹傷寒（原稿本。按：原據 Texthook of Medicine ceeil & Loel 1951 P.98）

× × × × ×

更正：本誌四卷二期，第八十三頁正文第十三行：

「即唐永徽二年……」，誤作「即唐顯慶二年……」。

本草經眼錄（續）

王重民

本草綱目五十二卷附圖二卷　二十五册　四函　104/8a

明萬曆間原刻本　十二行二十四字　(20×139.)

輯書姓氏葉題：「勑封文林郎四川蓬溪縣知縣蘄州李時珍編輯，雲南永昌府通判男李建中，黄州府儒學生員男李建元校正，應天府儒學生員黄申高第同閱，太醫院醫士男李建方，蘄州儒學生員男李建木重訂，生員孫李樹宗李樹聲李樹勳次卷，荆府引禮生孫李樹本楷書，金陵後學胡承龍梓行。」又附圖題：「階文林郎蓬溪知縣男李建中輯，府學生員男李建元圖，州學生孫李樹宗校。」按是書刻於何年，與時珍卒於何年？至今猶未能攷定，請先試言之，攷是書序例記歷代諸家本草，於是書下稱：「蒐羅百氏，訪采四方，始於嘉靖壬子，終於萬曆戊寅，」則應寫定於萬曆六年。又攷蓬溪縣志，建中萬曆三年知縣事，觀時珍題銜，已得勑封蓬溪知縣，建中又已遷陞，則萬曆六年。至十年之間，方可得有如此銜名。又輯書姓氏題校正人李建中銜名爲「雲南永昌府通判，」當爲刻書時建中官銜，惜雲南通志及永昌府志無建中任通判年月。又蘄州志云：「擢建中永昌同知，因親老不赴，三上牘乞休。」父母年七十，不異孺慕。殆建中由通判擢同知，（或州志同知爲通判之誤），遂乞休，永昌通判爲建中最後所任職；而乞休時，時珍已七十，猶健在也。是書卷端有王世貞序。世貞作序多不署年月，此序獨署：「萬曆歲庚寅春上元日」。余未見王錫爵所撰世貞神道碑，按錢大昕弇州山人年譜云：「萬曆十八年庚寅再上疏乞致仕。三月二十五日得邸報，奉旨准回籍調理，次日即行」，則上元日，作序時，世貞正官南京刑部尚書，而序謂，過予弇山園，謁予，留飲數日者，亦在南京也。世貞勸時珍付梓，知其所攜猶是寫本也。

萬曆二十四年十一月李建元進本草綱目疏云：「勑儒臣開局纂修正史，移文中外。凡名家著述，如已刻行者，即印刷一部送部；或其家自欲進獻者，聽」。是建元所進，即此刻本。進疏又云：「甫及刻成，忽値數盡」，則時珍猶及見是書之刻成，準此，則刻成應在萬曆十八年以後，二十四年以前也。明神宗實錄卷二百七十一：「萬曆二十二年三月庚寅，禮部尚書陳于陛先以纂修本朝正史請，允之。於是閣臣王錫爵等條上事宜：一請聚書」。甲辰，又任命纂修正史官，則聚書移文，在任命纂修官後，應即可發出。二十二年歲杪，似可發到南京或蘄州，而建元不於二十二年冬或二十三年春進呈者，可假定爲彼時是書尚未刻成，即時珍尚未逝世之一反證。余今僅得此微弱孤單之反證，可約略說明是書殆刻成於萬曆二十三年冬，或二十四年春 。又李氏父子，似是時均寓金陵，若在金陵，則獲聚書移文消息當更快，故余於時珍之卒，頗欲假定爲二十四年春。時珍既卒之後，諸子護喪回蘄州，長子建中在家守制，建元赴京進呈是書，故投進禮部時，已在十一月矣。又因是書已先在南京印行，故卷首不載建元進書表。

卷內有：「出雲國藤山氏藏書記」，「俳諧書二酉精舍第一主荻原乙亥記」，「八卷氏」等圖記。眉端有朱筆校字，卷十三有：「辛巳八月二十六日一讀過，七十九翁枳園」，下鈐「立之」印記；卷十四有：「一讀過，加朱筆，森立之」等題記。然則此本不但爲原刋，且爲日本宿儒森立之所批校，尤足珍貴。

王世貞序 萬曆十八年(一五九〇)

本草綱目五十二卷附圖二卷 二十册 四函

明崇禎間印本 十二行二十四字 (20.1×13.8.)

按此即金陵胡承龍所刻原板，蓋崇禎間售與新安程嘉祥攝元堂，故題銜均有剜改。輯書姓氏葉改爲較書姓氏云：「新安婺源縣後學程嘉祥少岐甫較正重刻，賜進士出身中憲大夫江西袁州府知府前刑部郎中伯程汝繼簡閱，山東濟南府鄒平縣儒學教諭叔程陞較正，徽州府儒學廩生弟程士玉同較，歙縣門人朱宗般惟存甫同閱」。附圖改題爲：「新安婺源縣後學程嘉祥輯，徽州府儒學廩生程士玉，徽州府歙縣門人朱宗般仝較」。卷內有：「金氏圖書之記」，「南溟齋」等印記。

程國祥序

王世貞序 萬曆十八年(一五九〇)

程陞序 崇禎十三年(一六四〇)

程嘉祥序 崇禎十三年(一六四〇)

本草綱目五十二卷附圖二卷 二十九册 四函

明萬曆三十一年刻本 九行二十字(22.2×15.4)

原題:「勅封文林郎四川蓬溪縣知縣蘄州李時珍編輯」。附圖上。張鼎思序云:「余自辛丑承乏江臬,謁中丞夏公,云:本草綱目一書,初刻未工,行之不廣,盍圖廣其傳乎?中丞公倡之,在事諸寅長佐之,南新二縣尹成之,不佞思董剞劂之事而已。刻始於今歲萬曆三十一年正月。竣於六月」。下書口記刻工及字數。

夏良心序 萬曆三十一年(一六〇三)

王世貞序 萬曆十八年(一五九〇)

張鼎思序 萬曆三十一年(一六〇三)

李建元進疏 萬曆二十四年(一五九六)

本草綱目拾遺十卷正誤一卷 二十册 四函

鈔本 (九行二十字)(16.3×11.1)

原題:「錢塘趙學敏恕軒氏輯」。學敏撰利濟十二種,凡百卷,綱目拾遺其一也。事蹟漸失傳,余曾參攷羣書,撰趙學敏傳一篇。是書有同治十年張應昌校刻本,應昌跋云:「鮑氏彙刻書目亦載十二種之目,但有傳鈔本,皆未刻。至嘉慶末年,傳鈔本則只有是編與串雅二種,其十種已不傳。且是編與藥品下論列各條,顚倒錯亂,眉目不晰。余因訪知杭醫連翁楚珍藏其稿本,假閱乃先生手輯未繕清本者。初稿紙短,續補之條,皆黏於上方,黏條殆滿,而未注所排序次,故傳鈔錯亂耳。余乃按其體例,以稿本校正排比傳鈔本之誤,然後各條朗若列眉,還其舊觀。原稿本仍歸返連翁。迨庚申寇亂,翁家原稿本亡失。余編繕此本,幸攜帶僅存」。卷內有「江山劉履芬彥清手收得」印記,猶是同治十年以前寫本,殆卽張應昌所指之傳鈔本也。持與刻本相校,編次時有不同,然長短互見,有不能以彼廢此者。按學敏自序署乾隆三十年,而卷內所記,有晚至嘉慶八年事者。蓋學敏業此書幾四十年,其用力之久,又加李時珍十年也。

利濟十二種序 乾隆三十五年(一七七〇)

自序 乾隆三十年(一七六五)

巴甫洛夫年譜

陳邦賢

一八四九年　一歲　九月二十六日，這位蘇聯及全世界偉大的科學革新者——伊凡·彼得羅維奇·巴甫洛夫 Ivan Petro vich Pavlov 誕生於俄國的中部列山省倆湛一個鄉鎮的地方。

他的祖父和曾祖父都是當地的貧農；他的父親彼得·德密特立維奇是一個窮牧師，好讀書，愛勞動，因此巴甫洛夫在幼年時就養成愛讀書愛勞動的良好習慣。他的母親華爾華拉因爲家裏貧窮，曾爲女傭。他有兄弟姊妹十人，他居長。

一八五九年　十一歲　曾被送入一個神學校讀書，後升入高等神學校。

他在學校裏常常讀比沙列夫、車爾尼雪夫斯基、謝巧諾夫等人著述。這些人都是唯物論者，都是當時大思想家；其中謝巧諾夫是俄國生理學的始祖。他受了這些人的影響，非常愛好科學。

一八六五年　十七歲　他讀了一本最早的俄譯劉惠士實用生理學，一直到晚年還不忘却，引以爲幸。

一八七〇年　二十二歲　考入聖彼得堡大學法科兩月以後，又轉入博物科，當時教他生理學的便是季昂教授，很能引起他的興趣，從此他便專心研究生理學。

一八七三年　二十五歲　他幫助季昂教授在實驗室裏做解剖工作，他選生理學爲主修課。

一八七四年　二十六歲　他以優良成績畢業於聖彼得堡大學。第一篇科學論文「關於胰腺機能的支配神經」發表。

一八七五年　二十七歲　季昂教授建議巴甫洛夫接受內外科醫學研究院助手位置。

一八七五——七八年　二十七歲——三十歲　他担任獸醫研究所助手。

一八七七年　二十九歲　在德國留學，隨哈登哈恩研究。

一八七八年　三十歲　研究循環系統及實驗開始。發表「關於胰腺液分泌的神經性機程」。

一八七九年　三十一歲　在外科醫學院（後改爲軍醫學院）畢業，得醫師稱號，並得獎學金。

一八八一年　三十三歲　與教育系女生卡爾契夫斯卡耶在聖彼得堡結婚。

一八八三年　三十五歲　發表學位論文「心臟的遠心性神經」得醫學博士學位。

一八八四年　三十六歲　獲得講師稱號。到德國留學，隨德國兩位大生理學家路易和海登海因共同研究。

一八八六年　三十八歲　回國任鮑特金的實驗室助手。

一八八八年　四十歲　論述「心臟促進神經」。發現胰腺分泌的神經。

一八八九年　四十一歲　發表了著名的研究胃液分泌實驗的（假餵食）。

一八九〇年　四十二歲　任托木斯克大學藥理學教授，不久又任聖彼得堡的軍醫專門學校生理學教授。

一八九一年　四十三歲　被選爲實驗醫學研究院理事兼任管理該院研究院的生理部主任。奧爾登親王建造新的實驗醫學研究院成立，其中生理實驗所的外科手術部是依照巴甫洛夫計劃建築的。

一八九二年　四十四歲　根據實驗觀察而說明了「經門脈循環對血液與以解毒的器官——肝臟——之意義」，同時更闡明了其他與肝臟活動有關若干問題發表「生脈、門脈、及下腔靜脈之 ECK 氏瘻」。

一八九三——一九〇三年　四十五——五十五歲　解說了每個消化腺的意義，且就消化過程的精神及神經作用（例如食慾及其他）加以闡明。

一八九四年　四十六歲　完成「巴甫洛夫胃」的手術。

一八九五年　四十七歲　轉任爲生理學教授先後達三十年。唾液腺瘻管設置新方法的完成。

一八九七年　四十九歲　接受正式教授的名稱。轉任軍醫學院生理學講座。出版「關於主要消化腺工作的講義」，曾譯成幾國文字，德國生理學家蒙克極力稱讚。

一八九七——一九一七年　四十九——六十九歲　發表「主要消化腺之活動」,「動物高級神經之客觀研究的十二指腸實驗」,「條件反射」,「大腦半球活動」等選集、論述、報選、講義等刊物。

一八九八年　五十歲　第一次接受墨西哥科學協會會員名譽稱號。

一九〇二年　五十四歲　參加國際醫學會議時受到所有到會學者歡迎。發表關於條件反射的初次論文。

一九〇三年　五十五歲　在西班牙京城馬德里國際醫學會演講「動物的實驗心理學與心理病理學」。

一九〇四年　五十六歲　爲了消化腺活動的研究，他獲得了國際諾貝爾獎金。

一九〇六年　五十八歲　當選爲俄國科學院院士　在倫敦舉行赫胥黎紀念，他演講了「高等動物的所謂精神活動的自然科學的研究」。

一九〇七年　五十九歲　被選爲倫敦英國皇家學會會員。自然科學者與醫師大會,演講自然科學與腦。

一九一一年　六十三歲　冬季,俄國內戰方酣在封鎖和飢餓狀態中，列寧曾委托高爾基竭力設法保全巴甫洛夫各實驗室，這就看出人民領袖愛護科學和科學家的盛意。

一九一二年　六十四歲　劍橋大學贈以名譽博士稱號。

一九一三年　六十五歲　在格洛尼閉會國際生理學會，他報告了「高級神經機能的研究」。

一九一五年　六十七歲　在彼得堡生物學協會報告:「睡眠生理學的資料」。

一九一七年　六十九歲　脚骨跌折，寫就「關於大腦兩半球的機能的講義」。

一九一八年　七十歲　爲研究精神病患者遷往距實驗室十二公里的烏傑爾寧精神病院的附近,每日騎自行車來往。列寧在內戰最困難的歲月裏,曾資助巴甫洛夫。

一九二〇年　七十二歲　六月二十五日，列寧寫信給彼得堡執行委員會主席，希望對巴甫洛夫格外照顧。

一九二一年 七十三歲 一月二十四日，由列寧簽名發佈人民委員會的命令中，決定由大文豪高爾基等組織特別委員會，保障巴甫洛夫科學工作的順利進行出版巴甫洛夫近二十年間的科學著作，供給巴甫洛夫夫婦比其他科學院院士多一倍的食糧配給，並且供給他的研究室和住宅以最大方便的設備。

一九二三年 七十五歲 接受英國愛丁堡大學博士學位。

在赫辛斯基的芬蘭醫師協會演講「大腦的正常活動與一般構成」。

到美國去講演。

一九二五年 七十七歲 在巴黎的沙頓大學講演。

一九二六年 七十八歲 出版了「關於大腦兩半球活動的講義」。

一九二七年 七十九歲 患胆石症決計開割療治。他從這一年便努力研究自己的身體，寫成結論論文發表。

他和他的助手經常的在星期三舉行討論會，因此「巴甫洛夫星期三會」成爲有名的集會。在外科協會報告「關於神經系統類型的生理學學說」。

一九二八年 八十歲 出版了「動物 高 級神 經 活動客觀的研究實驗二十年」。他到美國出席克蘇寧演講會。

一九二九年 八十一歲 在他八十誕辰的時候，蘇聯政府撥款充實他的實驗室設備，並改村名巴甫洛夫村以誌紀念。

一九三〇年 八十二歲 曾任列寧格勒國立醫學實驗所研究生理系以及科學研究院生理研究所主任。

一九三一年 八十三歲 在白爾恩第一次神經學會用德文演講「實驗性神經病」。

一九三二年 八十四歲 九月在羅馬第十四次生理學會報告「高級神經機能的生理學」。

一九三五年 八十七歲 巴甫洛夫八十五歲的壽辰，蘇聯人民委員會給他的賀電。八月，曾於列寧格勒主持第十五次國際生理學會會議。發表論文「動物與人類高級神經機能的共同型類」。

一九三六年　八十八歲　二月二十七日二時五十二分逝世，年八十六歲。

他不僅在生理學方面有所貢獻，並且在心理學、醫學、教育學以及唯物主義世界觀方面，都有很大的貢獻。綜計他的一生，人格的偉大，工作的精絕，造詣的卓越，都是值得我們崇敬而學習的。

他在臨終以前，曾經爲蘇聯青年科學工作者留下一個有名的遺囑，勉青年第一要循序而進，第二要虛心，第三要熱情，這篇遺囑已譯成各國文字，作爲青年科學家的箴言。

巴甫洛夫是蘇聯和全世界科學革新者，他在生理學界創造了條件反射學說，他的學說已成爲衛生科學的普遍眞理與基礎，他的學說已經從蘇聯先進國家發展到全世界各國。

附註：按以上所計年歲是依照中國習慣年齡計算；如依照滿足十二個月爲一歲，便相差兩歲。

主要參考文獻

巴甫洛夫學說與蘇聯醫學　1951　東北人民政府衛生部

部巴甫洛夫 M·巴拔娃著　于敏譯　1950.5.　新華書店出版

巴甫洛夫學說之發展　哈爾濱醫科大學研究處　1952.1.15.　再版

巴甫洛夫學說之發展第二集　同上　1952.4.1.　出版

巴甫洛夫及其學派　交替反射論之發展　福羅樂夫著　王光煦譯　1952.1.　商務印書館再版

巴夫洛夫百年誕辰　戈紹龍編著　1949.9.初版　時代出版社

巴夫洛夫傳　黄維榮編譯　1950.3.　商務印書館出版

巴甫洛夫　俞高夫著　朱濱生譯　1949.6.　蘇南新華書店出版

巴夫洛夫畫傳　晨光出版公司編輯出版

蘇聯科學家　72—83　錢家梅編寫　1950.2.12.13日廣播

世界醫史界動態

資料室

印度組織醫史學會

印度有舊式醫各派學者多人於一九五一年七月十六日在南印度根宅城假西醫學校校長來地住宅開會，成立根城印度醫史學社，當即推舉來地爲會長，其宗旨爲研究南印度醫學史。來氏强調研究醫史文獻及國產藥物之重要性，并列舉各國皆有此種學社之組織及研究之開發，最後議決籌設醫史圖書館及博物館并發行月刊云。

比利時科學史委員會舉行座談會

比利時科學史委員會於一九五一年十一月廿四廿五日在比京方德純大學舉行醫史座談會，第一日宣讀論文者七人，其中有杜嘉典博士講述中國十二世紀時論梅毒之書，最後由威克西瑪氏放映歷代醫院建築幻燈片。廿五日則討論比國醫學史，由富羅金氏，海曼氏，華勃治氏，戴列奇氏分別演講。

蘇格蘭醫史學會

蘇格蘭醫史學會一九五〇至一九五一年會務報告，業已出版，內有第九次在愛丁堡第十次在格拉斯高十一次在阿巴甸會議情況，該會會員現已超過一百人。會長葛德理氏甚爲活動，去年一月曾往南非州，在各大學演講醫史，秋間又出席瑞士醫史學會年會，葛氏著有醫學史一書，頗精簡。

國際科學史第七屆大會

第七屆國際科學史大會定於一九五三年八月在以色列耶路撒冷舉行，其議程中除普通演講集會外特設四組(一)數學，物理，天文史組(二)化學，藥物，生物史組(三)實用科學，科學技術史組(四)醫學史組。通訊處耶路撒冷希伯來大學 F. S. Bodenheimer 教授。

土耳其醫史節

土耳其之伊斯丹波及安哥拉兩醫學校每年三月十四日皆停課一天，由教授演講土耳其醫學史，據謂此舉係伊斯丹波新醫學校創辦人穆哈默第二世在一八二七年所規定云。

國際醫史學會協會

國際醫史學會協會每兩年召開大會一次，兹第十三屆大會定於一九五二年九月八日至十四日在法國奈斯，加尼斯及滿拿高舉行，葛爾抱教授將任大會主席，居理爾博士任祕書長，註册費爲每人五千法郎，代表則爲三千法郎。

芬奇誕生五百週年紀念

世界聞名大畫家意大利人達，芬奇亦係解剖學家，今年係其誕生五百週年，各國醫界亦紛紛舉行紀念，美國德士醫學院特請比爾達博士於三月十七日演講，比氏以收藏芬奇之文獻著名，而陸軍圖書館則請李奇氏於四月十五日演講，同時幷舉行展覽會。在中國方面「五四」青年節文化界曾舉行世界四大名人紀念會，而芬奇亦係其中之一。

瑞士醫史座談會

瑞士國除有瑞士醫學及科學史學會外，倘有醫史學社，爲全國醫學史講師所組織，每年舉行春秋兩季座談會各一次，中華醫史學會名譽會員斯格里氏爲其中主要份子之一，客秋座談會斯氏曾將我會各項工作，詳細報告。

美國醫史學會協會

美國醫史學會協會每年召開大會一次，一九五二年大會於五月一至三日在甘薩大學醫學中心舉行。開會時有會員宣讀論文十篇，並請得科學史權威沙頓博士演講二次，題爲「公元前第三世紀亞歷山大地亞文藝復興」及「醫學家及哲學家格倫氏」。此外尙有參觀名勝及聚餐等節目。

意大利華拉拉大學醫史講座

意大利對於醫史研究頗爲注重，曾產生一醫學史大家一卡斯底革里安尼 Castiglioni 其所著醫學史一書，插圖極豐富，爲世界名著。最近華拉拉大學，新設醫史講座，並聘得倍里妙達博士担任此席云。

新書介紹

實用內科學

上海醫學院內科學院編(九月十九日出書)
每冊定價 80,000元

本書是上海醫學院內科學院全體同志的集體著作，全書約六十餘萬言，有圖表一百三十餘幅，是醫學院校與臨床醫務工作者不可缺少的參考書。本書內容的主要特點是着重臨床實際應用，少談空洞而繁瑣的理論；多講國內常見的重要疾病，少講或不講不常見的疾病；儘量採用本國的資料和文獻，避免搬弄外國的教條。所以本書可以說是一部擺脫西洋教條，結合我國實際，向民族醫學發展的一本內科學。

醫務工作者必須進行思想改造

本社編 5,500元

醫務工作者必須經過思想改造，眞正樹立了爲人民服務的觀點，才能實現毛主席所指示的「救死扶傷，發揚革命人道主義」的光榮任務。現在中央人民政府衞生部已決定領導全國醫務人員展開這一運動。本書選集了許多醫務工作者發表的有關這方面的資料，將崇美思想、純技術觀點、名利觀點、個人英雄主義等資產階級思想作了深刻的批判與檢討，對於今後醫務工作者的思想改造，有一定的啓發與教育作用。

藥理學

北京中國藥理學會編 90,000元

這是中國藥理學會的集體著作，由國內三十位藥理學專家分頭執筆，再由周金黃教授担任主編。材料豐富，對於新近的理論學識和國藥研究都有詳明的闡述和討論。全書共分七十章，約七十餘萬字，所以這是一本國內目前最完善的藥理學著作。

組織學

蔣天鶴編著 平裝 50,000元 精裝 56,000元

本書分有細胞、組織和器官三部，計分二十一章，全書二十餘萬言，列有插圖四百三十餘幅，適合醫學院前期或生物學系作課本用。本書內容簡潔扼要，並介紹新近學說及研究組織學的新方法和新方向。每章有總結適合復習之用。

實用抗生素學

戴自英編著 30,000元

目前有關抗生素的書籍不多，有些內容亦不夠詳盡，本書偏重抗菌菌種的找尋，臨床應用，體液內抗生素的鑑定，敏感度測驗諸方面，並對劑量和治程有相當明確的規定；對如何選擇抗生素更不厭求詳的加以闡明。本書對中國常用的抗生素，如青黴素、鏈黴素……等有詳盡的敍述；對不常採用的抗生素，如土黴素、崔茜桿菌素、多粘液桿菌素……等亦有簡明的介紹。本書共十二章二十餘萬言，可作醫務幹部醫師和技術人員的參考用。

華東醫務生活社出版　新華書店華東總分店總經售

上海市軍事管制委員會
書報雜誌通訊社臨時登記證
期字第壹壹柒號

本刊每三個月出版一次
本期零售五千元

·白页·

第四卷　第四期　一九五二年十二月出版

編輯者　中華醫學會醫史學會編輯委員會

插圖：道光八年江南雲峯居士勸種痘花招帖
中國防痨紀念郵票

華東醫務生活社出版

上海（18）淮海中路中南新邨十二號　電話七九〇七八號

·白页·

力勸普種痘花法

嬰兒痘疹人人不免或週歲或二三歲以至十數歲必要出痘
種痘係天花常因天行癘氣而出若本年時氣好出痘保全者
多若本年時氣不好出痘保全者少嘗見每鄉每鎮之中因痘
而殤者比户皆然甚是可慘今福建廣東江西江南徽寧地方
向有春夏種痘之法每當天時溫和之氣選人家嬰兒痘之稀
少飽滿者取其痘殼四五粒研為細末用綿絨包裹男左女右
塞在嬰兒鼻內對時拔去至五七日自然身熱出痘所出之痘
輕者不過四五粒重者不過一二十粒痘稀毒亦稀最為安穩種
即平散樂餌數劑至半月光景即可收功嬰兒過此一關則後
來撫養易成即後來出蔴花亦必極輕蓋天行之痘必挾病而
出或受風寒或積飲食或因驚嚇而所出之痘必重況天時有
美惡節氣有冷熱而所出之痘全看造化以為輕重今種痘之
法選擇春暖時候可以自主而嬰兒氣血平和又無疾病況痘
種又好所出之痘自然飽滿稀少且近日京師　王公大人家
常用種痘之法曰少痘殤之慘何庶民之家反疑畏而不種痘
乎若嬰兒果能一生躲出此症則已既不能躲與其聽之天時
自出痘之輕重則權不能自主如能行種痘之法痘之輕重其
權在人有識之士依法行之則保全嬰兒良不少矣況湖北與
國大冶等處種痘之法效行日久想不乏良醫余因見　嘉慶
二十二年秋冬武漢地方嬰兒痘症遭難者無數情堪憫惻是
以力勸普種連年春令早已詳述詎知舊歲冬令嬰兒又復遭
難者不少雖各省士商有家室在楚者亦有照種奈未周知普
行故不揣識淺而再敢詳述焉至若查看痘書惟太醫院朱純
嘏先生所著痘疹定論一部又摘星樓治痘全書一部略識詳
細應證確鑿各書坊現刊行世遇症查閱自有把握也

道光八年正月　　江南雲峯居士謹識

道光八年江南雲峯居士勸種痘花招帖　　湯溪范氏藏

·白页·

「本草經」藥物產地表釋

李　鼎

本草經,今世所傳,卽出自(梁)陶隱居(弘景)集注本。其體例:神農本經以朱書,名醫別錄以墨書;「藥名」之下先繫以「性味寒溫」,再述其「主治」,再舉其「異名」;後則有墨書所記「生某郡縣山谷川澤」。唯宋太平御覽所引,則於「藥名」之下卽舉「異名」,次言「性味寒溫」,次記「生山谷,生川澤」,後乃述其「主治」,後又記其「生某郡縣」。按以敍次言之,則御覽似古。(清)孫星衍氏因又據(宋)薛綜注張衡賦所引『太一禹餘糧一名石腦生山谷』文,以爲「生山谷、生川澤」原是本經,其下「郡縣」乃屬名醫所益。按其言良是。今本草所載,「郡縣」「山川」相合不分;比覽其文,頗不順理。如遠志『生太山及寃句川谷』黃芩『生秭歸川谷及寃句』,同言「川谷」而居次不同,卽見其異。蓋授受傳抄者以「山谷川澤」之文無關義旨,因乃渾而合之;又以「異名」繁複,乃移次諸後耳。陶隱居云:『所出郡縣,乃後漢時制,疑(張)仲景、(華)元化等所記。』北齊顏之推家訓書證篇云:『本草神農所述,而有豫章、朱崖、趙國、常山、奉高、眞定、臨淄、馮翊等郡縣名,出諸藥物。——皆由後人所羼。』其語蓋不別古今,未詳朱墨;本屬名醫,何乃云羼?茲將本經藥物(三百六十餘種),各依其所出郡縣、山谷川澤,譜列而綜觀之;旁參諸書,附以考證。庶於醫家文史之事跡,有所稽證焉。

漢代地名	類別	今所在地	所生藥物	考證
符陵	縣	四川彭水縣治	丹沙、水銀。	丹沙條,陶弘景注云:「符陵是涪州。接近巴郡南,今無復采者;乃出武陵、西川諸蠻夷中,皆通屬巴地,故謂之巴沙;仙經(丹經、道書)亦用越沙,卽出廣州臨漳者」。案:御覽引吳氏本草(華佗弟子吳普撰)亦云「生武陵」。據漢地理志,「符」當

漢代地名	類別	今所在地	所生藥物	考證
				作「涪」。劉昭後漢郡國志云：「涪陵出丹」。劉逵蜀都賦注：「涪陵、丹興二縣出丹沙」丹興乃漢末劉璋分涪陵立。說文云：「丹，巴越之赤石也。澒丹沙所化爲水銀也。」澒，今省作汞。
太山	郡	山東泰安縣東北十七里山在縣東	雲母、石鍾乳、滑石、太一餘糧、白、紫石英、石流黃、慈石、長石、女萎、遠志、赤箭、黃連、絡石、丹參、景天、因陳蒿、徐長卿、王不留行、瞿麥、石龍芮、藜蘆、澤漆、茵芋、連翹、松脂、柏實、伏苓、木蘭、秦椒、龍骨、伏翼、蛞蝓、桃核仁，麻黃，大豆黃卷。	太山郡以山得名，今以郡言，稱其大者耳。
齊盧山	山	山東…	雲母、石膏。	
琅邪	郡	山東諸城縣治	雲母、陽起石。防風，秦椒、山茱萸·柳華。	陶云：「琅邪在彭城東北」。
北定		雲母。		考郡縣無名北定者，或是琅邪郡中山名。原文云：「生琅邪北定山石間。」
藍田	縣	山在陝西藍田縣東廿八	玉泉，別羈。	陶云：「藍田在長安東南」。後漢書郡國志云：「藍田出美玉」。三秦記曰：「有川方三十里，其水北流，出玉銅鐵石。」蘇頌圖經已云：「今藍田不聞有玉」。別羈，唐本草退之有名未用中。

漢代地名	類別	今所在地	所生藥物	考證
少室	山	河南登封縣西十	石鍾乳、礜石，防葵、赤箭、蓍實、天雄、貫衆，冬葵子。	
河西	地	黃河以西	礬石、石流黃，甘草、肉從容、紫參、大黃，羖羊角。	北魏時始有此郡名，此蓋以地方言之。
隴西	郡	甘肅臨洮縣治	礬、消石、獨活、徐長卿、石下長卿、當歸、大黃，葡萄。	陶云：「隴西屬秦州，在長安西。」案：漢地屬涼州，魏乃分置秦州。
武都	郡	甘肅成縣西八十	礬、消石、扁青、雄黃、雌黃、蜀椒，石蜜、蜂子、蜜蠟，	
石門	山	甘肅導河縣西南	礬石。	
益州	部	四川	消石、朴消、空青、膚青，白英、蛇合、常山，竹葉、合歡，射香、犀角，苦菜。	
西羌	地	甘肅岷縣南	消石、戎鹽	陶云：「羌中今宕昌」。案：宕昌北周置郡 原文：「生赭陽山谷及太山之陰或掖北白山或卷山」。
赭陽	縣	河南葉縣西南	滑石。	陶云：赭陽先屬南陽，漢哀帝置，明本經所注郡縣，必是後漢時也。掖縣屬青州東萊，卷縣屬司州滎陽。」案：漢地理有南陽郡有「堵陽」，無「赭陽」。於宋永初郡國有「赭陽」，而所治地別。清方愷新校晉地理志云：「赭陽州。郡志作赭陽。」吳翌寅案云：「郡國志有堵
掖	縣	山東掖縣	同上	
白山	山		同上	
卷	縣	河南原武縣西北	同上	
棘陽	縣	河南新野縣東北		

漢代地名	類別	今所在地	所生藥物	考證
				陽無赭陽，本志不誤。」堵、赭之差，有同然者，司州滎陽郡，乃魏初割漢河南郡地所置。檢御覽石藥門，引作「滑石生棘陽」，漢治在今河南新野縣東北，與堵陽同屬南陽郡。
羌道	縣	甘肅武都縣西北一百六十	石膽	
羌里	地		同上	
句青山	山		同上	
越嶲	郡	四川西昌縣東南	空青、曾青。	陶云:「越嶲屬益州」。
蜀中	地	四川	曾青。	
東海	郡	山東郯城縣西南三十	禹餘糧、石流黃，海藻、藿菌，山茱萸，牡蠣，海蛤，文蛤，烏賊魚骨、馬刀、寶子。	石流黃條，陶云:「東海郡屬北徐州」。案:石流黃、山茱萸「生東海山谷」，當指郡言；餘多皆稱「東海池澤」，當是指東海水言也。
華陰	縣	陝西華陰縣東南	白石英，細辛、石韋、皁莢，石南，羚羊角。	華山之陰
南山	山	終南山在陝西武功縣	五石脂，橘柚、麋脂。	五色石脂「生南山之陽山谷中」，掌禹錫等按蜀本草云:一本作「南陽山谷中」。蓋是誤缺。橘柚「生南山川谷及江南」，綱目錄作「生江南及山南山谷」。麋脂「生南山谷及淮海邊」。
豫章	郡	江西南昌縣治	白青，石決明。	石決明，文附見決明子下。

漢代地名	類別	今所在地	所生藥物	考證
朱崖	郡 縣	海南島瓊山東南三十	扁青，女青。	陶云：「朱崖郡先屬交州，在南海中，晉代省之，」
朱提	縣	四川宜賓縣西南	扁青。	陶云：「朱提郡今屬寧州」。案：朱提本漢縣，屬犍爲郡；永初元年，分歸犍爲屬國；建安二十年，蜀先主乃置朱提郡。
敦煌	郡	甘肅敦煌縣治	雄黃，蒲萄。	陶云：「敦煌在涼州西數千里。」
牧羊			石流黃、鐵落。	其地未詳。
齊山	山	山東	石膏、陽起石，五味子。	石膏「生齊山及齊盧山魯蒙山」。陶云：「二郡之山，青州、徐州爾。」陽起石條，唐本草注云：「山在齊州歷城西北五六里，采訪無陽起石，乃齊山西北六七里盧山出之。」
蒙山	山	山東蒙陰縣南	石膏。	
慈山	山		慈石。	
常山	郡	河北元氏縣西北	凝水石，卷柏、續斷、狗脊、款冬花大戟，枸杞。	陶云：「常山卽恆山，屬幷州。」案：漢志「常山郡」張晏注：恆山在西，避文帝諱故改曰常山。」
中水縣	縣	河北獻縣西北三十	凝水石。	陶云：「中水縣屬河間郡，邯鄲卽趙郡，並屬冀州域。案：中水縣先屬涿郡。
邯鄲	縣	河北邯鄲縣西南十	凝水石、大鹽、白堊、防風、薇銜、紫菀。	
雲山	山		陽起石。	原文：「生齊山及琅邪或雲山陽起山」。唐本草注：「齊山西北盧山出之；本經云或雲山，雲盧

漢代地名	類別	今所在地	所生藥物	考 證
				字譌矣。」案：注語非是，因其敍次有不合。
陽起山	山		同上。	圖經云：「今齊州城西一土山，石出其中，人謂之陽起山，山常温暖，惟一穴，歲久益深，得石甚艱。」
梁山	山	山西呂梁山	孔公孽、殷孽。	陶云：「梁山屬馮翊郡。」
趙國	國	河北邯鄲縣治	殷孽。	陶云：「趙國屬冀州。」
南海	郡	廣東南海縣治	殷孽、戎鹽，香蒲，牡桂、龍眼，龜甲、鮀魚甲，水蘄。	
祊城		山東費縣東南	鐵落。	案：漢縣無此名，只有方城屬涿郡者；此當即是古祀太山之祊邑，乃在琅邪費縣東南。
析城	山	山西王屋縣西北六十	同上	別有析縣，舊治在今河南內鄉縣西北一百二十。
漢中	郡	陝西南鄭縣東二	理石、礜石，朮、黄耆，薇銜、防己，牡丹，女菀，爵牀、虎掌，常山、蜀漆，櫟木，乾漆、五加皮、辛夷、杜仲、山茱萸、雷丸，木虻、雀甕，梅實；腐婢、假蘇，屈草。	陶云：「漢中屬梁州。」案：漢屬益州。 說文云：「礜，毒石也，出漢中。」
盧山			理石。	陶云：「盧山屬青州。」
長子	縣	山西長子縣西	長石。	陶云：「長子縣屬上黨郡。臨淄縣屬青州。」
臨淄	縣	山東臨淄縣治	長石，防葵、蛇牀子。	

漢代地名	類別	今所在地	所生藥物	考證
中山	國	河北定縣	石灰，白蒿，甘遂。	陶云：「中山屬代郡，」案：中山國乃屬冀州。
蜀郡	郡	四川成都縣治	鉛丹、青琅玕、昌蒲、黃連、黃耆、營實、蜀羊泉、蜀漆、夏枯草、黃環、藥實根。	
桂陽	郡	湖南郴縣治	粉錫，牛扁。	
齊國	國	山東臨淄縣治	代赭。	說文：「赭，赤土也。」別錄云：「出姑幕者名須丸，出代郡者名代赭。」陶注：「舊說云是代郡城門下土，江東久絕。」唐本草注：「此石多從代州來，云山中采得，非城門下土。今齊州亭山出赤石，其色有赤、紅、青，其赤者亦如雞冠且潤澤，紫色且暗，與代出相似，古來用之。今靈州鳴沙縣界河北平地掘得者，皮上赤滑中紫如雞肝，大勝齊代所出。」范子計然亦云：「石赭出齊郡，赤色者善。」山海經北山經云：「少陽之山，其中多美赭。」元和郡縣志：「少陽山在交城縣。」其地近代也。古稱紫塞雁門，卽指赤土言爾。
姑幕	縣	山東諸城縣西南		
胡鹽山	山	甘肅	戎鹽。	
北地	郡	甘肅環縣東南	同上	原文：「生胡鹽山及西羌北地酒泉福祿城東南角，北海青南海赤。」大鹽生「邯鄲及河東」鹵鹹「生河東鹽池。」案：西北諸省均有鹽，而青海各湖尤多。說文云：「鹵，西方鹹地也。陝西省，象鹽形。安定有鹵縣。東方謂之
酒泉	郡	甘肅酒泉縣治	同上	
福祿	縣	甘肅成縣	同上	
北海	郡	山東（青州府）昌樂縣	同上	

漢代地名	類別	今所在地	所生藥物	考證
		南五十		斥，西方謂之鹵鹽。河東鹽池，袤五十一里廣七里周百十六里。」北山經：「景山南望鹽販之澤。」郭璞傳：「卽解縣鹽池也。」今地屬山西，產鹽量爲全國各鹽池冠。說文云
河東	郡	山西夏縣北	大鹽、鹵鹹，蒲黃、麻黃、蠡實、白芷，酸棗，䗪蟲、斑貓，大棗，姑活。	「古者宿沙初作煮海鹽。」帝王世紀載：「諸侯夙沙叛不用命，夙沙之民自攻其君而歸炎帝。 爾雅釋木，大棗，郭璞注云：「今河東猗氏縣出大棗子，如雞卵。」
方谷	地	冬灰。		
上洛	縣	陝西商縣治	菖蒲。	陶云：「上洛郡屬梁州嚴道縣在蜀郡。」案：上洛本漢縣，屬弘農郡，後移屬京兆尹，置爲侯國。晉武帝泰始二年分京兆南郡置上洛郡。梁州古九州一，漢合益州，泰始三年再分益州置梁州。說文云：「茆，昌蒲也；益州生。」
嚴道	縣	西康榮經縣治	同上	
雍州	部	陝西鳳翔縣	菊花、獨活、赤箭、菴閭子、蘼蕪、蓂蓂，白棘、皁莢，射香、熊脂。	雍州，古九州一，漢屬司隸部，並置涼州；後漢光武都洛陽關中，復置雍州，後罷。建安十八年魏復分司隸置雍州。
上黨	郡	山西（潞安府）長安縣西	人參、菴閭子、款冬花，杜仲，胡麻。	陶云：「上黨郡在冀州西南。高麗卽是遼東。」案：上黨本屬幷州。建安十八年省幷州屬冀州，魏黃初元年復分。
遼東	郡	遼東遼陽縣北七十	人參	

漢代地名	類別	今所在地	所生藥物	考證
奉高	縣	山東泰安縣東北十七	天門冬，狼毒。	陶云:「奉高泰山下縣名也。」
上郡	郡	陝西上縣東南五十	甘草、淫羊藿。	
咸陽	縣	陝西咸陽縣東	乾地黃、析蓂子、蕘花，商陸、石長生，衣魚。	陶云:「咸陽卽長安也。」
鄭山	山	陝西南鄭縣東	朮。	陶云:「鄭山卽南鄭也。」案:今，大致蒼朮出西北，白朮出東南。
南鄭	縣	陝西南鄭縣東二	同上	
朝鮮	縣	朝鮮	菟絲子，丹雄雞。	丹雄雞條，陶云:「朝鮮不應總是雞所出，恐別是一種爾。」
河內	郡	河南武涉縣南	牛膝、藍實、飛廉、沙參、知母、枳實、梓白皮，蠐螬、樗雞。	
臨朐	縣	山東臨朐縣治	牛膝。	
海濱	地	沿海	充蔚子、葨薚子。	
嵩高	縣	河南登封縣	防葵、署預、桔梗，瓜蔕、白瓜子、翹根。	武帝置嵩高縣。
弘農	郡	河南靈寶縣南四十	茈胡、括樓根，桑上寄生。	
冤句	縣	山東荷澤縣西南	茈胡、遠志、龍膽、蘼蕪、杜若、沙參、薇銜、玄參、紫參、地榆、虎掌、桔梗、白及、貫衆、牙子、鬼臼、蚤休、皂莢，五加皮、吳茱	

漢代地名	類別	今所在地	所生藥物	考證
			萸、厚朴、秦皮、山茱萸、豬苓、莽草，蓬蘽。	
函谷	地	河南靈寶縣西南十二里東自崤山西至潼津	麥門冬，蘗核。	陶云:「函谷卽秦關。」
南安	縣	四川夾江縣西北二十	獨活。	陶云:「此州郡縣並是羌活;出益州北部西川爲獨活。」案:古本草，羌、獨活不分。
眞定	國	河北正定縣南	車前子、薏苡仁、紫菀、萆薢。	陶云:「眞定屬常山郡。」案:眞定國，建武十三年省入常山。
永昌	郡	雲南（永昌府）保山縣北三十	木香，檗木，犀角，彼子。	木香，陶云:「卽青木香;永昌不復貢，今皆從外國舶上來。」案:永昌郡乃東漢明帝永平二年分益州所置。
汝南	郡	河南汝陽縣東南六十	澤瀉、苦參、澤蘭、王孫，藕實莖。	陶云:「汝南郡屬豫州。」
齊朐		山東臨朐縣	龍膽。	齊郡臨朐縣有臨朐山。
六安	國	安徽六安縣北十三	石斛，枲耳實，巴豆、蜀椒。	陶云:六安屬廬江。」
巴郡	郡	四川巴縣西	巴戟天、牡丹，巴豆、蜀椒。	
下邳	縣	山東邳縣東三	巴戟天。	
陳倉	縣	陝西寶雞縣東二十	赤箭。	陶云:「陳倉屬雍州扶風郡。」有陳倉山。
霍山	山	安徽霍山縣南五	赤芝。	陶云:「南岳本是衡山，漢武帝始以小霍山代之，非山也，此

漢代地名	類別	今所在地	所生藥物	考證
常山	山	山西恆山	黑芝。	則應生衡山也。」唐本草注云:「五芝,經云皆以五色生於五岳。諸方所獻:白芝未必華山,黑芝又非常岳;且多黃白,希有黑青者;然紫芝最多,非五芝類。但芝自難得,縱獲一二,豈得終久服耶?」案:五色芝文體各別,非本經言,必出漢代方士僞羼。今特另表其名,不與諸品混合。常山,御覽引作「恆山」,是。
泰山	山	山東泰山縣	青芝。	
華山	山	陝西華陰縣南	白芝。	
嵩山	山	河南登封縣北	黃芝。	
高夏	地		紫芝。	陶云:「按郡縣無高夏名,恐是山名爾。」
武功	縣	陝西武功縣西四十	芎藭。	陶注:「胡(洽)居士云:武功去長安二百里,正長安西,與扶風狄道相近。斜谷是長安西嶺下,去長安一百八十里,山連接七百里。」
斜谷	地	陝西武功縣	同上	
西嶺	山	陝西	同上	
巫陽		四川巫山縣	黃連。	陶云:「巫陽在建平。」案:漢縣單名巫,屬南郡;吳永安三年分置建平郡。
馮翊	郡	陝西大荔縣治	疾藜子。	漢志作「左馮翊」,魏時始去左。此出簡省。
白水	縣	四川昭化縣西北	黃耆。	
代郡	郡	河北蔚縣東北	肉蓯蓉、五味子、藺茹。	陶云:「代郡、鴈門屬幷州。」案:漢志代郡乃屬幽州。
鴈門	郡	山西代縣西北四十	肉蓯蓉。	
沙苑	地	陝西大荔縣	防風。	陶云:「郡縣無名沙苑。」案:

漢代地名	類別	今所在地	所生藥物	考證
		南十二		郡縣志：「一名沙阜，在同州馮翊縣南十二里，東西八十里，南北三十里，」寰宇記：「沙苑古城在朝邑南十七里。」顏氏匡謬正俗曰：「本草防風生沙苑川澤，今同州沙苑之內猶有防風。陶公生長江南，竟不知處。」
上蔡	縣	河南上蔡縣西十	同上	
喬山	山	陝西中部縣西北橋山	漏盧、茜根。	陶云：「應是黃帝所葬處，乃在上郡。」
零陵	郡	廣西全縣南七十八	營實、木蘭。	
平原	郡	山東平原縣南二十	天名精、白薇。	
龍門	山	山西河津縣陝西韓城縣界	決明子。	陶云：「龍門乃在長安北。」
桐柏山	山	河南、湖北交界	丹參、地榆，桐葉。	陶云：「此桐柏山是淮水原所出之山，在義陽；非江東臨海之桐柏也。」
豫州	部	河南	旋花。	
大吳	郡	江蘇吳縣治	蘭草，蜈蚣。	陶云：「大吳卽應是吳國爾；太伯所居，故呼大吳。」案：若指吳郡，乃順帝分會稽所置。
荆州	部	湖北（荆州府）江陵縣治	地膚子、乾薑、百合、酸漿、積雪草、蛇蛻。	
武陵	郡	湖南武陵縣西	杜若，女貞實。	
般陽	縣	山東淄川縣治	沙參。	
瀆山	山		同上	御覽引吳氏本草作「般陽瀆山」。

漢代地名	類別	今所在地	所生藥物	考證
交州	部	廣東廣西越南	白兔藿。	
梁州	地	陜西	石龍芻。	梁州古九州一，依漢地理則應稱益州或作梁國；魏末克蜀後乃置梁州。
河間	國	河北河間縣	雲實、玄參。	
犍爲	郡	四川彭山縣東北十五	乾薑、附子，桑根白皮。	
揚州	部	江蘇	乾薑。	
安陸	縣	湖北安陸縣治	枲耳實。	
汶山	郡	四川汶水縣西	葛根、鹿藿，地膽。	汶山郡，漢志未載。洪亮吉云：「漢武帝置，宣帝地節三年合蜀郡，靈帝又分蜀郡北部置；非蜀漢時始置也。」 岷文亦稱汶山。
晉地	地	山西臨汾縣治	麻黄、貝母，龍骨、牛黄，苦瓠。	貝母，今出西南、西北及浙江象山。
石城	縣	安徽貴池縣西	通草，雷丸，羚羊角。	
山陽	郡	平原金鄉縣西北四十	通草、紫葳、蚤休。	
中岳	山	即嵩山	芍藥。	
飛烏	山	四川中江縣西南五十五	秦艽。	陶云：「飛烏或是地名。」案：飛烏別作飛鳥。山在益州廣漢郪縣地，隋時始置縣，蓋因山而名也。
陽山	山	綏遠烏剌特	淫羊藿。	陽山縣則在廣東。其山亦有

漢代地名	類別	今所在地	所生藥物	考證
		旗西北二百		數處,此言「生上郡陽山」,當卽指綏遠之山而言。其名見史記蒙恬傳。
秭歸	縣	湖北秭歸縣治	黃芩。	陶云:「秭歸縣屬建平郡。」案:本屬南郡。
楚地	地	湖北	芫根、紫草,酸漿。	
房陵	縣	湖北房縣治	紫菀。	說文云:「茈菀,出漢中房陵。」
碭山	縣	江蘇碭山縣南有山	紫草。	陶云:「博物志云:平氏陽山,紫草特好。」案:齊民要術引作「平氏山之陽,紫草特好也」。
江夏	郡	湖北黃岡縣西北	敗醬,蜚虻。	
上谷	郡	河北懷來縣南	白鮮,吳茱萸、莽草。	
崇山	山	湖南大庸縣西南	槀本。	
雷澤	澤	平原濮縣西南	水萍,水蛭,雞頭實,蓼實。	
魯地	地	山東曲阜縣	王瓜,皁莢。	
南陽	郡	河南南陽縣治	馬矢蒿、射干、梔子。	
海西	縣	江蘇海縣南一百二十	王孫。	
廣漢	郡	四川(成都府)	附子。	
朗陵	縣	河南確山縣西南三十五	烏頭。	

漢代地名	類別	今所在地	所生藥物	考證
槐里	縣	陝西興平縣西南十	半夏。	陶云:「槐里屬扶風。」
九疑	山	湖南寧道縣	鳶尾。	
藁城		河北藁城縣西南	葶藶。	案:藁城是西漢時縣。寰宇記云:「後漢改屬鉅鹿郡,晉省,於北魏時始復。」
傅高			鈎吻。	案:郡縣無傅高名,或是山名也。
會稽	郡	浙江紹縣治	同上	
江林山	山	四川	蜀漆。	陶云:「江林山即益州江陽山名。」
衡山	山	湖南衡山縣北七十	白斂,豬苓。	
勃海	郡	河北(天津)南皮縣東北八	雚菌。	
章武	縣	河北(天津)滄縣東北八十	同上	
北山	山		白及。	
越山	山		同上	
玄山	山		貫衆。	
河南	郡	河南洛陽縣東北二十	蕘花,槐實。	
中牟	縣	河南中牟縣	蕘花。	
淮南		安徽	芥子、羊躑躅。	晉始有此郡名,此蓋以地方言之。

漢代地名	類別	今所在地	所生藥物	考證
太行山	山	主峯在山西晉城縣南	羊躑躅。	
陳留	郡	河南陳留縣治	羊蹄。	
東萊	郡	山東掖縣治	萹蓄。	
秦亭	地	陝西	狼毒。	陶云:「秦亭在隴西。」
嵩山	山	河南登封縣北	白頭翁。	
九眞	郡	越南之河內以南順化以北清華義安等處	鬼臼,水蘇。	
山林			羊桃。	
熊耳	山	河南盧氏縣南	陸英,松蘿、溲疏,蠐螬。	溲疏條,陶注云:「掘耳疑應作熊耳,熊耳山名,都無掘耳之號。」案:今本草正作熊耳,當是已經改易。
青衣		西康雅安縣	藍草。	陶云:「青衣在益州西。」案:青衣爲前漢蜀郡縣,陽嘉二年改名「漢嘉」;其地有青衣江。
交阯	郡	越南北部東京	菌桂、厚朴。	陶云:「交阯屬交州。桂林屬廣州。」案:廣州乃吳黃武五年分交州置。
桂林	縣	廣西象縣西南	菌桂。	
潁川	郡	河南禹縣治	楡皮,白殭蠶。	
上虞	縣	河南虞城縣西南三	杜仲。	陶云:「上虞在豫州。虞虢之虞,非會稽上虞縣也。」若此,則

漢代地名	類別	今所在地	所生藥物	考證
				當只稱虞。今浙江上虞。不出杜仲。
巴西		四川閬中縣西	䔢核。	若是郡名，乃是漢建安六年劉璋分巴郡置者。
晉山	山	山西	蕪荑，杏核仁。	
廬江	郡	安徽廬江縣西一百二十	秦皮。	
秦嶺	山	陝西上洛縣（終南山）	秦椒	
承縣	縣	山東嶧縣西北一	山茱萸，	
西海	縣	山東日照縣西	紫葳。	西海，東漢縣。漢建安末，又以張掖居延屬國置西海郡。
濟陰	郡	平原定陶縣西北四	豬苓。	
霍山	山	安徽霍山縣南五	衞矛。	
鄒縣	縣	山東鄒縣東南三十六	阜莢。	
荊山	山	湖南南漳縣	楝實，石龍子，蓬蘽。	
高山	縣		郁李仁，燕屎。	漢下邳國有高山縣，此言「生高山川谷」「生高山平谷」，或非祇指縣邑言也，郁李仁，今出遼陽、山東。
雲中	郡	山西	蔓椒，白膠、白馬莖。	

漢代地名	類別	今所在地	所生藥物	考證
淮源	地	安徽	芫花。	隋時有此縣，此蓋以地方言之。
中臺			麝香。	郡縣無此名。魏銅雀臺亦號中臺，當非是爾。「生中臺川谷」御覽引作「生中臺山也」。
東平郡		山東東平縣	阿膠。	案：當作「東平國」，郡乃北魏時改置。原文「生東平郡」又言「出東阿」，或是兩筆。東阿縣，係隸屬於「東郡」。有東平湖，卽古阿澤。(見左傳)。酈道元水經注：「東阿有井大如輪，深六七丈，歲常煑膠，以貢天府。」今阿井已塞。
東阿	縣	平原陽穀縣西北	同上	
淮海	地	淮河　東海	麋脂。	原文：「生南山山谷及淮海邊。」
山都	國	湖南襄陽縣西北	鼺鼠。	
東門			丹雄鷄頭。	原文：「東門上者尤良。」案：齊民要術引崔實四民月令云：「十二月，東門磔白雞頭」「注云：可以合法藥。」與此意合。
江南	地	長江之南	鴈肪，橘柚。	說文云：「橘，果出江南。」
合浦	郡	廣東海康縣治	天鼠屎。	
河源	地	黃河上流	石蜜。	
九江	郡	安徽壽縣治	蠡魚·鯉魚膽。	
楚山	山	湖北	蝟皮。	

漢代地名	類別	今所在地	所生藥物	考證
牂柯	郡	貴州平越縣治	露蜂、房蠮螉。	
丹陽	郡	安徽宣城縣治	鼈甲。	
伊	水	河南河南縣東南十八東流入洛	蟹。	蘇頌圖經云:「今淮海京(開封)東河北陂岸澤中多有之,伊洛乃反難得也。」
洛	水	河南洛陽縣西南三里至鞏縣入河	同上	
平陽	縣	山西(平陽府)臨汾縣西南	石龍子。	
晉陽	縣	山西太原縣治	蜚廉,淮木。	
江湖	水		蝦蟆、馬刀。	
江漢	水		石蠶。	
長沙	國	湖南長沙縣治	蜣蜋。	
東城	縣	安徽定遠縣東南	螻蛄。	
玄菟	郡	朝鮮咸境道及吉林南境	馬陸。	
魏郡	郡	河南臨漳縣西南四十	鼠婦。	

漢代地名	類別	今所在地	所生藥物	考證
階地			螢火。	
五原	郡	綏遠烏拉特旗	蒲萄。	
中原	地	河南	青蘘。	
淮陽	國	河南懷寧縣治	莧實。	章和二年改爲陳國。
魯山	山	山東	葱蘸。	
濟南	郡	山東歷城縣治		案:名醫別錄藥物條文之產地記載,大都不出於本經藥物產物產地之範圍。惟於其紫石脂條云「生濟南射陽」黑石脂條云「生穎川陽城」數名爲以上所無,今以之附於此末。
射陽	縣	江淮安縣		
陽城	縣	河南登封縣西南		

以上,將本經藥物產地依次條歸。所言郡縣,正多合後漢(東漢)時制。除雍州梁州之稱,可遠可近;其多名號,盡出陽嘉(順帝年號公元一三二年)以先。若淮南巴西,卽以地方而言,非必始自漢後,然陶隱居注,每以三國魏季之制爲說,如秦州司州榮陽建平,別錄所未書;則其所言,不無以晚釋古之嫌,況三國鼎立,當時記載,必未能綜括四境;今玆所書,則各方具有,其中雖以吳郡爲大吳,陶氏已云:「太伯所居,故呼大吳。」否則,詎知非出後人竄易。今以別錄所書名號,推合其年代;再依地理志作隸屬表,藉略明統系,於山川所在,亦幷見之。

(表略)

再以本經諸藥,依其所載「山谷川澤」而類別之,約歸七項——山谷、川谷、川澤、平澤、池澤、平谷、平土。或今本草所漏失其字者,則據他本補入:據御覽補者五名(麻黃、澤蘭、女青、厚朴、海蛤。)據嘉祐刻本補者一名(五加皮)。其他古合今分,如:粉錫當合錫鏡鼻(千金翼本、嘉祐刻本、孫輯本合),鐵精與鐵當合鐵落(孫輯本合),戎鹽、鹵鹹當合大鹽(孫輯本合)，大戟當同澤漆(大戟苗也)，文蛤當同海蛤(御覽引合)，葱當同薤(孫氏合)，鹿當同麋。他如：桑螵蛸「生桑枝上」(今本草朱書)、蚱蟬「生楊柳上」，雀甕「生樹枝間蛅蟖房也」，腐婢「小豆花也」(御覽引有)，茵陳蒿「生丘陵陂岸」，鼠李「生田野」，竹葉只言「生益州」，姑活只言「生河東」(唐本草在退中)——而不言「山谷川澤」。或是變文，或出遺誤。貝母「生晉地」與麻黃同，當係一類，而御覽未見徵引。冬葵子「生少室山」，當逸「谷」字，或有二項同具者：石下長卿「生隴西池澤山谷」(唐本草在退中)與旋復花「生平澤川谷」(未記郡縣)，以莫可去取，仍予分載。餘如：髮髲、白膠、阿膠、牛黃、狗莖、豚卵、六畜毛蹄甲等，皆係近見物類，故多未記所出；今亦闕之。

山谷——一百二十三名；川谷——一百二十三名；川澤——三十一名；平澤——二十九名；池澤——三十五名；平谷——四名；平土——二名。 (目略)

綜上神農本經、名醫別錄藥物產地分類，足見古人記載確實。所舉「山川」「郡縣」，其於藥物之品種選擇、地理分佈，頗具規模。二三千年前能有此書，可知我國古先對生物界之有廣泛認識。周禮地官大司徒；『以土(地)會(計)之法，辨五地之物生：一曰山林，其動物宜毛物。其植物宜皁物(柞栗之屬。)；二曰川澤，其動物宜鱗物，其植物宜膏物(楊柳之屬，理致白如膏者，鄭玄謂當爲橐，蓮芡之實有橐。)；三曰丘陵，其動物宜羽物，其植物宜覈物(有核之物。)；四曰墳衍，其動物宜介物，其植物宜莢物；五曰原隰，其動物宜蠃物，(裸物，短毛動物。)其植物宜叢物(萑葦之屬。)。』尚書禹貢載九州職貢：『(冀州無貢)濟——河惟兗州，貢：漆、絲。海——岱惟青州，貢：鹽、絺，海物惟錯，岱畎絲枲，鉛松怪石。海——岱及淮惟徐州貢：惟土五色，羽畎夏翟，嶧陽孤桐，泗濱浮磬，淮夷蠙珠暨魚。淮——揚州，貢：惟金三品，瑤琨、篠簜，齒革、羽毛，惟木；包：橘柚。荆及淮陽惟荆州，貢；羽毛、齒革，惟金三品，杶幹栝柏，礪砥、砮、丹，惟箘簵、楛；包匭，菁茅；九江納錫大龜。荆——河惟豫州，貢：漆、枲，絺紵。華陽——黑水惟梁州，貢：璆、鐵、銀、鏤、砮、磬、熊羆、狐狸，織皮。黑水——西河惟雍州，貢：惟球琳、琅玕。』周禮職方舉九州所利：『東南曰揚州，其利金錫、竹箭；正南曰荆州，其利丹、銀、齒革；河南曰豫州，其利林、漆、絲枲；正東曰青州，其利蒲、魚河，東曰兗州，其利蒲、魚；正西曰雍州，其利玉石；東北曰幽州，其利魚、鹽；河内曰冀州，其利松、柏；正北曰并州，其利布帛。』爾雅釋地著九方之美：『東方。有醫無閭之珣玗琪(今大凌河之錦川石)；東南，有會稽之竹箭；南方，有梁山(衡山)之犀象;西南,有華山之金石(藍田玉);西方,有霍山之多珠玉(今山西黑色之玫玉);西北,有崐崙虛之璆琳(于闐玉)琅玕(似珠);北方,有幽都之筋角;東北,有岸山之文皮;中有岱岳與其五穀、魚鹽生焉。』——是皆秦漢以前關於物產分佈之約略記載(引文節略。舊說以爲周禮紀周制、爾雅紀商制、禹貢紀夏制。)。然有系統之著述,實允推本經一書,宜其爲我國古代醫學文獻之珍籍也。西方希氏(Hippocrates)被稱爲醫界鼻祖,或疑其非止一人;我國神農、扁鵲之名,當亦如是。若於其藥物治療記載之價值,本經蓋有過之。

參考書目

(清)王闓運校刋明翻本嘉祐官本神農本草,(清)孫星衍輯本草經,(唐)孫思邈撰千金翼方,(宋)李昉等撰太平御覽,(明)李時珍撰本草綱目,(後魏)賈思勰撰齊民要術(晉)郭璞注山海經,(漢)許愼撰說文解字,(唐)李善等注文選(清)李兆洛撰歷代地理通釋,(清)陳芳績撰歷代地理沿革表,(漢)班固撰漢書地理志,(梁)劉昭撰後漢郡國志,唐)晉書地理志,(清)洪亮吉撰補三國疆域志,(宋)樂史撰太平寰宇記,(宋)王應麟撰通鑑地理通釋,(唐)李吉甫撰元和郡縣志,(北齊)顏之推撰顏氏家訓,(晉)皇甫謐撰帝王世紀,(唐)顏師古撰匡謬正俗,(後魏)酈道源撰水經注,周禮地官夏官、尙書禹貢。(晉)郭璞注爾雅。

曼松的「蚊—瘧學說」

胡宣明

未入正題之前,我們先寫幾句介紹這個學說的倡始人。曼松氏名巴特利克 Patrick Manson,英國蘇格蘭人,生於一八四四年。一八六六年他應中國海關總稅務司赫德之聘,就台灣打狗海關醫務員之職。一八七一年調往廈門海關服務。他利用公餘的時間研究象皮病, Elephantiasis, 而很快的就發現這病的原因係一種夜現幼絲蟲 Filaria nocturna。他在百忙中繼續研究七年,發現庫列蚊 Culex,爲傳染象皮病的媒介。這是醫史上一個重要的發現。

一八八三年曼松離開廈門往香港行醫, 一八八七年他與康德黎及何啓等創辦香港西醫書院即現在香港大學醫學院的前身, 被公推爲第一任院長。首先報名投考的便是孫中山先生。一八八九年囘國治關節性痛風。一八九六年中山先生因革命失敗逃往倫敦, 被滿淸的公使館人員騙入使館,准備把他送囘中國請賞。中山先生感動了使館裏一個英籍差役送信給曼松。後因曼松及康德黎 Dr. Cantlie (中山先生的老師) 的營救,得以脫險。

一八九七年曼松的名著熱帶病出版。一八九九年倫敦熱帶病專科學校成立,曼松任校長。一九〇七年五月熱帶病學會成立, 曼松被推爲第一任會長。一九二二年四月歿於倫敦。醫界人士稱他爲「熱帶病學之父」。

現在我們開始講「蚊—瘧學說」的內容: 一八九四年十二月八日曼松在英國醫學雜誌發表一篇論文, 其標題爲:「瘧血中的新月形體及抽鞭毛體的性質及其意義」"On the Nature and Significance of the Crescented and Flagellated Bodies in Malarial Blood", 這篇文章所講的就是曼松的「蚊—瘧學說」,其內容大概如下:

1. 患瘧者血中必有寄生物,其主要的構成部份爲水晶狀質地, 上面有或多或少的小黑粒,但是也有不見小黑粒的。在這寄生物發育的過程中,可以看見幾種不同的形體: 有散佈在血液中的桿狀小芽胞,有鑽入或附於紅血球的物體,有狀如薔薇花的物體,也有形狀居間的物體(Intermediate forms)。

2. 有這寄生物在血中者必有發熱的現象。

3. 若將患瘧者的血注入健康人,則這寄生物必在血中迅速蕃殖,而瘧疾隨之而發,故斷定這寄生物爲瘧的病因。

4. 和患瘧者接觸,無論多久多密,不能從病人直接得到傳染。

5. 人口極稀及無人居住的地方也能發生瘧疾;可見人身之外也有瘧原蟲存在。

6. 瘧原蟲在人的血中滋生,係傳種的天然安排,决非偶然而毫無目標的現象。

7. 既然在無人居住的地方也能發生瘧疾,就可以推想,在人身之外也有瘧原蟲傳種的安排。

8. 除第一點所說各種形式的瘧原蟲之外,還有一種狀如新月形,其質地和上面所說的略同;有的鑽進紅血球裏面,也有漂流在血液中的。

9. 此外還有一種物體,它到了時候能從其邊沿抽出鞭毛,所以叫它作「抽鞭毛體」Flagellated Bodies。但是,請注意,在血剛抽出的時候看不到這抽鞭毛體,必須等十分鐘至十五分鐘之後,方才可以看見。

10. 凡是抽出的瘧血都可以看見抽鞭毛體;可見這不是偶然的,而乃是經常的現象。

11. 抽鞭毛體有兩種產生的方法:一個是從新月形體產生出來的;另一個是從紅血球內,類似阿米巴的物體穿出血球而成的,其穿出的樣子很像血球的滲出。

12. 新月形體的變化如下:從新月形變爲棍狀,再變爲蛋形,再變爲球形,同時內中的黑小粒先集中,而後分散到全面;然後從邊沿抽出幾條細長如鞭的東西,迅速搖擺,顫動不已,狀如鱔魚。

13. 過了一會兒這鞭毛脫離母體而揚揚然游泳血液中,其動態有二:一個,波動如鱔魚的游泳;一個顫動如發抖。

14. 以上所描寫的都是屢經證明的事實。

從上面所說的觀察,曼松作了下列的推論:

甲、瘧血中的新月形體既是這樣常見的，而又能堅持抵抗血液排除外物的天然力量，所以它們的存在不可看爲是一種變化無定的怪現象。相反的，這種現象應當看爲是專爲瘧原蟲的福利傳種，而服務的。

乙、抽鞭毛體不見於人身內的血，而只見於抽出的血，可見它們爲瘧原蟲作傳種的工夫不在人身之內，而在人身之外，換一句話說，新月形體的發育（約十分之七變爲抽鞭毛體）只見於瘧血抽出十幾分鐘之後，所以我們可以斷定它們作傳種的工夫，不在人身之內，而在人身之外。

丙、瘧原蟲不見於生理上或病理上的排洩物，而流血又是不常有的事，所以它們不能自己逃出，而必須靠自然界經常存在的生物幫助它們完成這傳種的使命。

講到這裏，他自然而然的聯想到在廈門所發現庫列蚊傳象皮病的事。他想很可能的，瘧原蟲也藉着吸血的昆蟲來完成它們的傳種的事。但是究竟他所推想的對不對？到底甚麼昆蟲能把瘧原蟲從病人的血帶到別人的血管裏？傳病經過的情形怎樣？這些問題，在那個時候，他沒有法子答覆。他知道要作這個研究工作必須到熱帶的地方去，方才可以得到豐富的研究材料。他很願意自己去，可是因爲年齡高，職務忙，去不了。他發表「蚊—瘧學說」，目的在鼓勵醫界的青年去作實地試驗。

一八九四年有一位駐印度的青年軍醫姓羅氏名樂諾爾德 Ronald Ross 到倫敦去見曼松。曼氏和他暢談蚊—瘧學說。羅氏聽了大受感動，立志回印度之後，用全副精神研究這個很有希望成功的重要問題。羅氏是一個意志堅强，多才多藝的青年科學家。經過四年的苦幹，終於一八九八年證明安俄斐雷司蚊就是傳瘧的媒介。在研究期間，他把一切重要的經過報告曼松，共寫了一百一十封信。曼松在百忙中撥冗寫信指示，安慰，鼓勵他，一共覆他五十五封函。

曼松在一八九八年九月在英國醫學雜誌發表一篇文章，報告羅氏四年研究瘧疾之傳染的結果，其標題爲：「蚊與致瘧的寄生物」"The Mosquito and the Malarial Parasite"。在這論文的第一段，他將自己所倡的「蚊瘧學說」作一個簡略的概說。

他接着說:「關於我的學說的第一點,就是瘧原蟲出了人身之後的生命與發育,羅氏很快就證實了。他讓自己所培養的蚊子一個一個去吸患秋夏瘧者的血。吸血後,經過長短不同的時間,把蚊的胃抽出來,放在顯微鏡下細看。他發現十分之七的新月形體變爲抽鞭毛體;後來鞭毛脫離母體,而生動的游泳於血液中,狀如游鱶,而蠻橫喜鬥似的,逢物即行進攻。但是過了一些時候自己也消滅了。究竟它們到那裏去了,羅氏却查不出來」。

「約在一年前,即一八九七年,羅氏的印度籍助手穆罕默德找到幾只前所未見的蚊子,翅上有棕色斑點,此蚊後來他才知道是安俄斐雷司蚊 Anopheles。羅氏讓這蚊子叮患秋瘧的病人而發現在蚊的胃壁上有許多圓形物體,內面有很多黑點,樣子很像瘧原蟲,羅氏憑直覺斷定此物一定是寄生在人身之外的瘧原蟲,後來他又讓庫列蚊叮患間日瘧的病人,結果也得到很多黑點物體。他叫這物體「有色細胞」"Pigmented Cell"。

在他的學說上,曼松認爲鞭毛就是傳瘧的活物,換句話說,就是瘧原蟲的胚胎。可是鞭毛沒有黑點而瘧原蟲都有。羅氏所發現的有色細胞也有。所以在這一點,他的學說就出了岔子,講不通了。幸而在一八九七年馬卡覽氏 McCallum 在研究鳥瘧疾的時候,清楚的證明鞭毛不是瘧原蟲,而是相等於雄性的瘧原蟲的精蟲。羅氏也曾有一次看見已鑽入母性細胞的鞭毛,可是他沒有看出這現象的重大意義,因此覺得十分羞憤。

後來羅氏因爲找不到病人肯給他試驗,就用鳥作試驗品。他讓灰色蚊叮患瘧的烏鴉,和百靈,過了幾天驗蚊子的胃,很容易找到有色細胞夾在蚊胃的肌肉層之間。試驗的結果,平均百分之七十二是肯定的。羅氏又讓二四九只蚊子叮無病的人和鳥而驗蚊子的胃,結果找不到一個「有色細胞」。

後來又從他所培養的蚊取出十只,讓它們叮患瘧的鳥,結果在顯微鏡下平均一次就可看到一百個「有色細胞」。其次他讓十只蚊叮患輕瘧的鳥,結果平均一次可以看到二十九個「有色細胞」。最後讓十只蚊叮無病的鳥,結果找不到一個「有色細胞」。

從上面所說的試驗可以得到一個不可避免的結論,就是:「有色細胞」

便是瘧原蟲發育過程所具的形體，而瘧原蟲的傳種和「有色細胞」的出現都和蚊子有直接的關係。

這「有色細胞」長得很快。蚊子吸了瘧血之後第一天還看不出甚麼！第二天就長到六一七兆分米 Micra。第四天竟長到六〇—七〇兆分米，看來好像蚊胃上長了很多黑痣，向腹腔突入。這像黑痣的東西叫作「球蟲」Coccidia。

有一天羅氏發現在一只蚊子的胸裏有無數的梭形的物體，他給它們起名爲「發芽桿」Germinal rods. 他一時不知道此物的來源。他想或者是從蚊胃上的球蟲來的，所以就開始解剖蚊胃，把球蟲在一滴鹽水中壓破，用顯微鏡一驗，果然看到無數的發芽桿。

這發芽桿自己不能移動，所以羅氏想它們必須靠血的流動找出路，否則沒有出路。他在蚊子的背上（自然必須選擇球蟲成熟的蚊）刺了一針，即見一滴白血流出；用顯微鏡一照，果有無數的發芽桿。

作了多次解剖之後，羅氏發現靠近蚊子的頭有幾個腺，裏面有很多發芽桿。這些腺的管子都通入一條總的管子而轉入蚊喙。「這便是瘧原蟲的出路了」！羅氏高興的說。這便是蚊子從患瘧的人抽出瘧原蟲，而經過必要的發育之後，再將幼蟲，即發芽桿，注入受傳染者的血管中而開始又一次的生命的循環。瘧原蟲傳種的方法原來就是這麼一回事。

爲要證明這個結論是否準確，羅氏讓自己所培養，新近孵化，沒有吸過血的蚊子去叮患瘧疾的雀鳥。過了五天或六天，再讓這蚊叮沒有瘧疾的麻雀。又過了幾天用針刺這麻雀的皮膚而驗其血；果然在鳥的紅血球裏可以看到很多瘧原蟲。他的試驗的統計如下：十五只蚊子叮沒有瘧疾的鳥，結果沒有找到一個瘧原蟲。十九只蚊子叮患輕瘧的麻雀，結果找到一些瘧原蟲，可是不多。二十只蚊子叮患重瘧的麻雀，結果找到很多的瘧原蟲；在顯微鏡下一個視野之中可以找到三十至四十個瘧原蟲。

一八九八年四月十二日羅氏從印度打電報到倫敦給曼松說：「好了，你的學說的正確已被證明了。「蚊—瘧學說」已成爲事實了」。後來他又對全世界表示說:「當我研究這個問題的時候,我不斷的得到曼松博士的指示。他的歸納法準確的指出研究的方向;我不過照他所指的方向作試驗的工夫罷了」。

參考文獻

1. MANSON-BAHR and ALCOCK: Life and Work of Sir Patrick Manson.
2. ROSS, RONALD: Memoirs.
3. ROSS, RONALD: Studies on Malaria.
4. WALKER, M. E. M.: Pioneers of Public Health.
5. HALE-WHITE, SIR WILLIAM: Great Doctors of the 19 th. Century.
6. MANSON, P.: On the Nature and Significance of the Crescented and Flagellated Bodies in Malaria Blood, Brit. Med. J. Dec. 8, 1894.
7. MANSON, P.: The Mosquito and the Malaria Parasite, Brit. Med. J. Sept' 1898.

中國醫藥慈善郵票史話

王子鴻

誰都知道集郵是個很有意義的嗜好，從這裏我們可以窺視到一般社會發展之過程。現在我們專將與醫藥、健康和慈善等有關的郵票及郵章作一個簡單的敍述。我們先將郵票、郵章、及郵戳之區別略加解釋。郵票是通常寄信時付了郵資後貼在信封上的一種標記。郵章式樣與郵票雖頗類似，然而不能當作郵票貼用，祗可貼在信封上或其他物品上以表示贊助該項特殊事業而已。至於郵戳則係專爲舉辦某種會議時，在信封或郵票上加蓋一特製戳以作紀念。

世界各國常有利用郵票或郵章以舉辦醫藥慈善救濟事業者，其用意頗善，收效亦巨，因由此可以募得一筆資金，以充作與疾病鬥爭和普及衛生之經費，來補助政府力量之不足。據調查所得，中國最早印行有關醫藥之慈善郵章乃在一九一四年第一次世界大戰期間，其時上海之美帝紅十字會曾推行過募集綳帶運動，以救助傷兵。此郵章之圖案甚爲簡單，當中僅有一紅十字上印「助打勝仗」四字，上段印有「本章作一個綳帶之費」，下段有「目的二百萬個綳帶」，二旁則有「中國美紅十字會」等字，每枚售價二角五分，如二百萬個郵章全部售出，可得約值五百萬斤大米價值之現款，此筆巨款是否眞正用於救助傷兵，甚爲可疑，蓋亦帝國主義假慈善之名欺騙國人罷了。其次中國華洋義賑救災總會亦曾發行過類似的郵章，所見計有二種，圖案簡單，中繪藍地白十字，右旁有「慈」字，左旁有「祥」字，每枚售價一分，發行年份則不詳。

各國正式有關某種疾病郵票之發行，應以防癆郵票最爲廣泛，世上第一張，恐怕要算一八九七年英屬新南威爾斯發行的二種，至於世上第一所因發行防癆郵票而募得足够基金，建造起一所肺癆病院的則在丹麥，那是還有着一段短短有趣的故事：

「這是在一九〇四年的時候了，那時丹麥京城的郵局中，有一個三十八歲的郵務助理員,名叫伊拿哈波,他懷抱着一顆熱誠的心,遠大的眼光,他想,假使從他手中經過的每件信,每年中能有一次貼上一個特別的一分郵票,那末不久就可以得到足够的金錢,來建築一所完備的兒童肺病醫院了。於是他就着手設計這種郵票,同時又把他的計劃大綱呈報到郵政當局去,果然他的意見被丹麥皇室贊成而核准,同時內政部長也允許這張郵票在丹麥全國的郵局中出售,於是在第一年中居然銷去了四百萬張,第二年就用這筆資金買了一塊基地,而在一九一〇年間造成了一所肺病醫院」。

此後各國羣起倣法,我國上海防癆協會曾於一九三八年初次試印類似郵票之「耶誕防癆章」,在十二月廿五日耶誕節前後銷售,義賣所得充作防癆事業經費。一九四八年改名爲「新年防癆章」,由中國防癆協會發行推銷全國。一九五〇年約售出三十四萬枚,每枚人民幣二百元,共得約六千萬元,成績尙佳。此郵章用三色精印,頗爲悅目,上有紅色雙十字之防癆標記。

至於中國最早之慈善郵票,在一九二二年間,曾有附加賑款郵票一套,共分五種,計一分、五分、一角、五角及一圓,圖案及印刷均頗精緻。此外郵政總局所發行之賑濟難民附捐郵票一套,共計六枚,乃大型橫式,印刷精良,色彩亦豔。原分綠色八分加八分,棕色二角一分加二角一分,灰色二角八分加二角八分,紅色三角二分加三角二分,藍色五角加五角,及紫色一元加一元。然發行不久,面値即改蓋加價由二十倍至五十倍不等,可見當時反動政府通貨澎漲害民之情形了。

一九四八年郵局曾發行一套直式防癆郵票,共計三枚,分淡紫色五千元,

淡棕色一萬元,及淡灰色一萬五千元,每種均加二千元以充作防癆經費之用。圖爲萬里長城,上左角有紅色雙十字防癆特徵,此爲我國唯一的正式有關醫藥之郵票。一九五二年中央人民政府郵政總局亦發行一套廣播體操郵票,內分十節,面值均爲人民幣四百元,體操姿勢由一女性表演,各各不同,共計四十枚,洋洋大觀,可見政府努力提倡體育以增人民健康減少疾病之決心。

關於醫藥郵戳,據調查約有下列七種:

(一)「第九屆遠東熱帶醫學會」一九三四年十月四日在南京舉行,大方形木製紀念戳。

(二)「新生活運動六週年紀念擴大徵求傷兵救護」一九四二年九月二十二日,大圓形膠製紀念戳。

(三)「中華醫學會第六屆大會」一九四三年五月十一日在重慶歌樂山舉行,圓形膠製紀念戳。

(四)「衛生展覽會」一九四八年十月十九日在上海舉行,膠製紀念戳。

(五)「防癆展覽會」一九四九年十二月十六日在上海舉行,膠製紀念戳。

(六)「西南衛生展覽會」一九五一年二月六日西南軍政委員會在重慶舉行,膠製紀念戳。

(七)「浙江省第一屆全省人民體育大會紀念」一九五一年十一月一日在杭州舉行,膠製紀念戳。

英國博物院所收藏中文醫書目錄

王吉民

帝國主義國家，每藉其武力金錢，歷年在我國搜羅古物珍籍，如水銀瀉地，無孔不入。復得腐敗政府，奸商劣紳，助桀爲虐，巧取豪奪，大量運出，損失不可勝數。故今在英、美、法、日等國之博物院圖書館，藏有吾國之名貴珍品圖書不少，多係搶刼而來，言之憤恨，僅就倫敦英國博物院而論，其中關於漢文圖書，亦甚可觀。該院印有已刊及未刊中文書籍目錄兩巨册，第一册刊於一八八七年，第二册續編，刊於一九〇三年，爲該院東方文獻部主任德格拉氏(Douglas)所編，自一九〇三年迄今幾五十載，在此期間，增添之圖書，爲數極巨，第三册目錄或已印行，惜未獲睹，客歲在西方文藝社得見上述兩册目錄，此書早已絕版，乃商借攜歸，將漢文醫藥部份抄錄，其中善本名著雖不多，然內有新醫小書數種，頗具歷史之價值。一爲哆咻吱之暎咭唎國新種痘奇書，一爲孫逸仙之紅十字會救傷第一法，一爲尹端模之醫學報，皆屬罕見，恐國內皆無藏本也。

考牛痘術爲皮爾遜氏(Pearson)於一八〇五年介紹來華，種痘奇書實係皮氏所著，由嘶噹東(Staunton)譯成漢文，以哆咻吱(Drumond)爲東印度公司總理，鄭崇謙爲廣州商行十三行行主之一，而皮氏僅係公司醫官，嘶氏係船上貨物管理人，均屬僱員，故書中并列哆鄭兩氏之名，想係尊崇之意。孫逸仙之紅十字會救傷第一法，係譯自柯士賓(Osborn)原著，一八九七年在倫敦出版，逸仙即中山先生之別號，於一八九二年畢業香港西醫書院，曾一度在澳門廣州開業，後致全力於革命工作，不復行醫，此書爲其唯一之醫學著述，蓋未聞有其他醫藥寫作也。

尹端模之醫學報，爲國人自辦醫學雜誌之鼻祖，時在亡清光緒二十四年即公歷一八九八年。前曾蒙允贈一份與中華醫史博物館，詎尹氏於一九二七年遽爾謝世，藏書散失，致使此早年醫誌無存，治醫史者，無不惜之。今幸在英國博物院藏有第一期一册，雖物非我有，然遺著猶在，略可告慰。再該圖書目錄中所列舉之人名如哆啉呅、嘶喘咦、皺咺及國名暎咭唎等字，多爲漢文字典所未載，當係出自早年英人所譯，特於每字之旁加一口字，以示譯音之意，近世翻譯者，已不復取此矣。

書名	著者	刊年	備攷
金匱要略	張機	一七四〇	一至二十五卷
類經	張介賓	一七九九	四十三卷
景岳全書	同上	一八二五	六十四卷
藥性雷公炮製	張光斗	一八一八	分二集第一集八卷第二集二卷
王叔和圖註脈訣大全	張世賢	一六九三	
圖註難經脈訣	同上	一八〇〇	
圖註難經	同上	一八〇〇	不全只有第一集
小兒推拿廣意	陳紫山	一八三二	參閱熊應雄　計三卷
瘡瘍經驗全書	陳友恭	一七五〇	
瘡瘍經驗全書	竇漢卿	一七五〇	十三卷
食物本草會纂	沈李龍	一六九一	十二卷　不全只有頭五卷
圖註脈訣大全	沈微垣		參閱王叔和
圖註難經脈訣	同上		
醫學心悟	程國彭	一七九〇	六卷
萬病囘春	周亮登	一八二一	參閱龔雲林　計八卷
萬病囘春	龔雲林	一八五九	八卷不全只有胡廷訓編輯一至三卷
古金醫鑑		一七九〇	不全
醫方考		一七〇〇	不全　只有四卷
女科	傅山		二卷
產後編	同上	一八四八	二卷海山仙館叢書一一一卷至一一二卷
內科新說	合信	一八五八	二卷管茂村編輯　在上海刊印
婦嬰新說	同上	一八五八	在上海刊印
全體新論	同上	一八四八	十卷海山仙館叢書第一二〇卷
西醫略論	同上	一八五七	三卷在上海刊印
內經註證	黃帝	一八〇五	第一集九卷第二集十卷
已任編	高鼓峯	一八三〇	八卷
化學初階	嘉約翰	一八七一	二卷在廣州刊印
壽世編	顧奉璋	一八四六	
本草原始	李中立	一七〇〇	由葛鼐編輯　不全只有八、九兩卷
醫宗必讀	李中梓	一六五〇	全書十卷　不全只有五、六兩卷
奇經八脈考	李時珍	一六〇三	

書　名	著者	刊年	備　考
脈　學	李時珍	一六〇三	
脈學奇經八脈	同　上	一六〇三	
本草綱目全書	同　上	一六〇三	五十二卷
本草綱目	同　上	一六五五	五十二卷　由吳毓昌編輯
眼科大全	傅仁宇	一八一九	由林長生編輯　六卷
脈訣攷證		一七八三	
大觀本草		一七〇〇	
內經知要	李念莪	一七六四	全書二卷不全只有一卷
銀海精微	孫思邈	一七五〇	二卷由周亮節編輯
臟腑明堂圖		一八〇〇	
醫宗備要	曾香田	一八一四	三卷
婦科指歸	同　上	一八〇〇	四卷
痘疹會通	同　上	一七八六	五卷
入藥鏡	崔　公		參閱彭好古道言內外秘訣全書
種福堂精選良方	同人公	一七九〇	不全只有三、四兩卷
痘疹玉髓金鏡錄	翁仲仁	一七六八	四卷由仇天一編輯
證治準繩	王肯堂	一七九一	全書分六集
類方證治準繩	同　上	一六〇二	八卷
女科證治準繩	同　上	一六〇七	五卷
傷寒證治準繩	同　上	一六〇四	全書八卷不全缺少二、三兩集
雜症證治準繩	同　上	一六〇二	八卷
幼科證治準繩	同　上	一六〇四	全書九卷不全缺少第一集
銅人腧穴針灸圖經	王維德	一七五〇	三卷
醫方集解	汪　中	一六八二	二卷
醫方湯頭歌括	汪　昂	一六九四	
經絡歌訣	同　上	一六九四	
素問靈樞類纂	同　上	一八二四	三卷由汪桓、汪端編輯
增補詳註本草備要	同　上	一六九四	全書四卷不全缺少第四卷
增訂圖註本草備要	同　上	一六九四	四卷
金鑑外科	吳　謙	一七四二	十六卷
御纂醫宗金鑑	同　上	一七四〇	全書九十卷不全（有另刻本）
三家醫案合刻	吳金壽	一八三一	內缺少一卷
醫效秘傳	吳葉桂	一八三一	三卷
溫疫方論	吳又可	一八〇〇	二卷由徐天章等編輯
本草從新	吳遵程	一七五七	六卷由吳有杜等編輯
同　上	同　上		另刻本　內缺第五卷

書名	著者	刊年	備攷
本草從新	吳遵程	一八一七	另刻本六卷
鍼灸大成	陽靳賢	一七九八	十卷由李月桂編輯
暎咭唎國新種痘奇書	哆啉呅	一八〇五	�編嘶嚐嗹鄭崇謙同譯

英國博物院圖書館所藏中國已刊及未刊醫書圖籍目錄續編

書名	著者	刊年	備攷
人體解剖圖（譯意因無書名）	Allen	一八〇〇	
同上	同上		另刻本
幼學操身	Blaikie	一八九〇	在上海刊印
金匱方歌括	張仲景	一八三六	八卷
張氏醫通	張飛疇	一七〇九	參閱張路玉之張氏醫通
傷寒彙證析義	同上	一七〇九	
張氏醫通	張路玉	一七〇九	十六卷
診宗三昧	同上	一七〇九	
本經逢源	同上	一六九五	四卷
傷寒緒論	同上	一八五〇	三卷
傷寒大成	同上	一六六八	二卷
傷寒舌鑑	張誕先	一七〇九	
本草綱目	張雲中	一八二六	參閱李時珍之本草綱目
本草綱目拾遺	趙恕軒	一八七一	十卷
儒門醫學	趙元益		
名醫類案	沈殿曾	一八七一	
金匱方歌括	陳念祖	一八三六	
公餘醫錄十五種合刊	陳修園	一八七六	
化學衞生論	眞司騰 Johnston	一八八一	二卷在上海刊印由 John Fryer 譯漢
儒門醫學		一八六七	由 John Fryer 等譯漢
馮氏錦囊秘錄	馮楚瞻	一八一三	三十四卷
痘疹全集		一八二〇	十五卷
全體闡微	Gray	一八八一	由 Osgood 氏譯漢
儒門醫學	海得蘭 Headland	一八六七	三卷由 John Fryer 譯漢
咽喉症通論	許楗	一八三八	
婦嬰新說	合信 Hobson	一八五八	在上海刊印
同上	同上		另刻本
西醫略論	同上	一八五七	在上海刊印

書名	著者	刊年	備攷
西醫略論	合信 Hobson		另刻本
全體新論	同上	一八五一	在廣州刊印
痰證全生	黃鶴齡	一八六三	
昌邑黃先生醫書八種	黃坤載	一八六一	
同上	同上	一八六五	不全只有五種
四聖心源	同上	一八六〇	十卷
內經靈樞註證發微	黃帝	一六〇九	九卷在日本刊印（活版）
種福堂公讀選臨證指南	華岫雲	一七七五	
臨證指南醫案	同上	一八四四	
瘍科臨證心得案	高錦庭	一八〇六	三卷
西藥略釋	嘉約翰	一八七一	在廣州刊印
濟世良方		一八三九	四卷
臨證指南醫案	李翰圃	一八四四	
胎產秘書	利步條	一八六〇	三卷
重刊證類本草	李時珍	一六〇三	在日本刊印活版
本草綱目	同上	一八二六	五十二卷
劉河間傷寒三書	劉守眞	一四三一	
痘疹全集	羅丹臣		
內經靈樞註證發微	馬元臺	一六〇九	
眼科證治	Oliver	一八九五	三卷在上海刊印
全體闡微	Osgood	一八八一	六卷在福州刊印
醫學報	尹端模	一八九八	第一卷第一期在香港出版
正人明堂圖	伯仁滑	一五七七	
哺乳須知		一八九八	在香港刊印
本草圖		一六〇〇	二卷
徐氏醫書六種	徐靈胎	一八七三	
昌邑黃先生醫書八種	徐樹銘		
臨證指南醫案	邵新甫		
傷寒緒論	施元倩		
經史證類大觀本草	愼微	一三〇二	三十一卷
增訂驗方新編縮本	守謙氏	一八八九	十八卷
紅十字會救傷第一法	孫逸仙	一八九七	
紅十字會救傷第一法	柯士賓 Osborn	一八九七	在倫敦刊印
勸戒洋烟	師惟善 Smith	一八七〇	在漢口刊印（詳字係洋字之誤）

書名	著者	刊年	備攷
達生編		一八一三	
戒烟醒世圖	德貞 Dudgeon	一八八三	
幼學操身	畀汝舟 Blaikie	一八九〇	
醫書匯參輯成	蔡象貞	一八〇七	二十四卷由王鳴衢編輯
臟腑明堂圖		一七八二	
圖註本草醫方合編	汪昂	一八〇〇	六卷在南京刊印
同上	同上	一八三〇	六卷（另刻本）
增訂圖註本草醫方備要	同上	一六九四	四卷在南京刊印
醫書匯參輯成	王鳴衢	一八〇七	
廣羣芳譜	王象晉	一七〇八	一百卷
醫林改錯	王清任	一八四九	二卷在南京刊印
名醫類案	魏玉橫		參閱江瓘
側人明堂圖	魏玉麟	一七八二	
金鑑外科	吳謙	一七四二	十六卷
御纂醫宗金鑑	同上	一七四二	九十卷
同上	同上	一七四二	九十卷另刻本
植物名實圖考	吳其濬	一八四八	二十二卷
本草述鉤元	楊貞頤	一八四二	三十二卷
鍼灸大成	陽靳賢	一七九八	十卷
醫門法律	喻嘉言	一八五〇	六卷
尙論篇	同上	一七四〇	四卷
寓意草	同上	一六四三	
醫學心傳	虞摶	一五三一	八卷

附錄

書名	著者	刊年	備攷
增廣經驗良方	陳傑臣	一九〇〇	在香港刊印
化學易知	傅蘭雅	一八八一	在上海刊印
婦科保嬰三生合編	同安閑道人	一八九八	在香港刊印
衛生要術	潘霨	一八四八	

補遺

書名	著者	刊年	備攷
醫林撮要	弘退思	一五五〇	十三卷（在高麗刊印此書係由日軍於十六世紀之末由高麗帶至中國）
伏人明堂圖		一七八二	
化學指南	畢利幹 Billequin	一八七三	十卷

書名	著者	刊年	備攷
化學分原	蒲陸山		
化學鑑原	韋而司 Wells	一八七〇	六卷在上海刊印
化學鑑原續編	蒲陸山		
化學鑑原補編			參閱 Bloxam 之化學分原
化學闡原	畢利幹	一八八二	十五卷在北京刊印
化學衛生論	眞司騰 Johnston	一八八一	二卷在上海刊印
化學分原	Bloxam	一八七〇	八卷在上海刊印
化學鑑原續編		一八八〇	二十二卷在上海刊印
上海醫院述略	韓雅各 Henderson	一八六一	十四册在上海刊印
食物本草	何克諫	一七三二	二卷
食物本草會纂	沈李龍	一六九一	十二卷
同上	同上	一七八三	另刻本
錢氏胎產秘書		一八六〇	三卷在廣州刊印

中國預防醫學思想史（五）

范 行 準

九　中國免疫學的史迹（下）

甲　人痘接種法

（一）天花傳入中國的年代問題

要述種痘的歷史，應先了解天花傳入的年代。詳天花發源於印度諸地，肘後方說此病乃建武中於南陽擊虜所得，「仍呼為虜瘡」。肘後云：

> 比歲有病天行發斑瘡，頭面及身，須臾周匝，狀如火瘡，皆戴白漿，隨決隨生。……瘥得差後，瘡瘢紫黯，彌歲方滅；此惡毒之氣也。世人云，「以建武中，於南陽擊虜所得，仍呼為虜瘡」。……外臺祕要卷三天行發斑方

又外臺載文仲引陶氏有

> 云，永徽四年，比（此？）瘡從西域東流于海內。……同上

按此兩段文字，今通行本肘後備急方綴為一文。而建武永徽二個年號，並有問題；十多年前我已疑永徽乃元徽之誤（注）。它是劉宋廢帝年號，元徽四年即公元四七六年。而建武年號有六：一、東漢光武年號（公元二五——），二、西晉惠帝年號（二九一），三、東晉元帝年號（三一七），四、後趙石虎年號（三三五），五、西燕慕容忠年號（三八六），六、南齊明帝年號（四九四——四九七），我們很難斷定那一朝的建武，自明萬全倡痘乃馬援征交趾帶歸，更附會為南陽擊虜所得，遂定天花在第一世紀初已入中國，不知秦漢的南陽，即河南的南陽縣，與交趾（越南）相去懸絕；且南陽為光武帝鄉，後漢書亦無遺馬援用兵南陽之事。惠帝的建武稱號，僅五月即改元元康，元帝建武，也僅有一年改元大興；至趙石慕容兩朝的建武，並屬僭竊，葛洪陶弘景身在南朝，必不屑提。剩下祇有明帝的建武了。

考蕭齊用兵南陽，南齊書明帝本紀不載，惟魏虜傳略載房伯玉守南陽抗拒拓拔南侵事。按魏書高祖紀稱：「太和十九年（四九五）五月己巳，城陽王鸞赭陽失利，降為襄王」。太和十九年，即建武二年也。赭陽為堵陽別名，屬南陽郡，今河南之方城，古稱裕州。據魏書盧淵傳中的話，知當時魏主拓拔宏攻略赭陽，目的在於南陽：「詔淵進取南

注：范行準：古代中西醫藥之關係丁、傳染病。原文載一九三五年五月，中西醫藥第二卷第五期，P14.

陽，淵以兵少糧乏，表求先攻赭陽以近葉倉（今河南葉縣）故也。高祖（拓拔宏）許焉，乃攻赭陽。蕭鸞遣將垣歷生來救，淵素無將略，爲賊（指蕭齊）所敗」。陽城王鸞傳、李佐傳並有此類記載。按南齊書明帝本紀載：建武三年詔稱：「去年索虜寇邊，將士有臨陣及疾病死亡，」即指此年擊虜之事。由於北魏這次攻略南陽的失敗，在太和二十一年（四九七）六月，魏主集了二十萬兵，以備南侵。九月攻赭陽，和南陽並不克。次年（四九八）正月赭陽失守，二月南陽也終於淪陷。然天花在四九五年拓拔氏第一次侵略赭陽時，已在浙東嵊縣地區發見了。（見後）

然既定葛氏肘後方中的建武，屬於蕭齊明帝的年號，那末葛氏卒於東晉咸康八年（三四二），何能預見一百五十年後的建武時天花的流行？蓋葛氏之書，隋後已有亡缺，雖王燾纂外臺祕要時，已不見其原帙；卽弘景補闕肘後百一方，王氏似亦未睹其全書，所以外臺此處僅從文仲隨身備急方轉引陶氏之文。今通行本肘後備急方有元段成己引陶氏說：「乃著百一方疏於備急之後」、可證也。陶書成於齊永元二年（五〇〇），上距元徽四年適爲十九年。若建武四年，則相距僅有四年、近在眉睫之事，故有「比歲」之說。

自元徽四年，天花由西域傳入中國後，時有散發性的流行。蓋自劉宋末年，鮮卑族的拓拔氏，奄有中原，南臨江漢，與劉宋爭奪於淮泗之間。因此，天花卽乘戰爭的機會，經鮮卑人傳播江東地區，故弘景百一方有「永（元）徽四年此瘡從西域東流於海內」的話。但除此而外，我尚未找到有關當時天花流行的文獻。惟元徽四年後之十九年，卽公元四九五年浙東地區確有天花發見了。南齊書孝友傳云：

> 建武二年（四九五），剡縣（嵊縣）有小兒八歲，與母俱得赤斑病。卷五十五剡縣小兒傳。又南史卷七十五隱逸傳上同。

所謂「赤斑病」，卽百一方中所說的狀如火瘡的「赤斑瘡」。據醫心方康賴的按語說：在日本天平九年，（中國開元二十五年，公元七百三十七年）六月廿六日，下諸國官符（政府的通告）中，也以天花名「赤斑瘡」。醫心方十四治傷寒豌豆瘡方第五十七 俱可說明「赤斑病」是天花的最初名稱。這可證明弘景引世人傳說建武中擊虜所得「虜瘡」之直接史料。也是中國史書上記錄天花最早的文獻，爲過去研究天花史的學者所沒有注意到的。於此又可證明建武二年五月，蕭齊因抵抗北魏侵略南陽的那次戰役中，戰士帶歸的天花，已在嵊縣發見，事類基督教與回教之戰，後來軍隊把天花傳到歐洲相同。我疑蕭鸞在建武三年的詔語中追敍建武二年「將士臨陣及疾病死亡」的疾病中，已有患天花的將士了。

那時北方天花流行的情形，雖不能詳，但觀卒於武平三年（五七二）按北史作卒於天統末年，今據北齊書。的北齊崔贍，因患天花而得遺留症（痲皮）的記載，也可約略得其彷彿。北史崔贍傳云：

崔贍字彥通，潔白善容止，神彩嶷然。……贍經熱病，面多瘢痕。

這種遺留症——「痲皮」，明葉子奇草木子亦稱「天黥」，又見明人木增雲薖淡墨卷二。蓋寓有天刑之意時人以其罕見，故猶以贍之痲面爲奇，史家遂秉筆特書。因此，我想當時天花在北方尚未流行也。

萬全造馬援征交趾帶歸天花的謊話，看了以上的史跡已可充分證明它的不可靠。宋人如龐安時、朱肱、諸人傷寒書中，也有研究天花傳入的歷史問題，雖沒有天花是馬援征交趾帶歸之説，但說魏晉時已有天花。故南宋人疹豆論所說，卽概括龐朱諸人的話：

近世醫流議者云：「豆瘡始於魏晉，脚氣肇於晉末」。宋劉昉幼幼新書卷十八瘡疹論第一引

又云：

余歷究諸古今方，自魏晉已前，瘡疹之說，經方不載，惟扁鵲有油劑，仲景有數方，悉已備錄。昔宋之秦承祖，晉中書令王珉，各有一方，亦見於後。同上

疹豆論又載張仲景論，以地黃汁點初生兒口，可至壯年不患瘡疹之方。而幼幼新書卷十八，並有秦承祖王珉二家之方，蓋卽疹豆論之引文。承祖方用蟬蛻治瘡疹，不能決其爲天花。王珉傷寒身驗方用樺皮治傷寒時氣熱毒瘡，似乎晉時確有痘瘡了。但傷寒身驗方唐後已佚；疹豆論是據唐人陳藏器本草拾遺的。宋嘉祐補注本草掌禹錫引陳藏器云：

晉中書令王珉傷寒身驗方中，作樺字。濃煑汁冷飲，主傷寒時行熱毒瘡，特良。今之豌豆瘡也。大觀本草卷十四樺木皮條引

按「今之豌豆瘡也」六字，非藏器之按語，卽禹錫的綴文，因從文氣上看來，可斷定絕對不是王珉的原文。時行熱毒瘡，不能卽決定爲天花的原始名稱，而疹豆論誤把按語闌入正文。宋郭雍傷寒補亡論卷二十，亦載禹錫本草引王珉此方，而信東晉時已有此病，並屬有意曲解的。至扁鵲油劑，和張仲景的用地黃汁點初生兒口，以免瘡疹，不用說都是後人僞託的。以上所說，並不能作爲中國在魏晉時已有天花之證。

因此，隋唐方書，除陶氏百一方巢氏病源外，僅有千金方，延年祕錄外臺卷三引新錄方醫心

注：見巴黎所藏燉煌藥方番號2882。按文中有天寶七載（七四八），正月十三日張惟澄進方，則此亦中唐以後方書。

方卷十四引)及燉煌所藏唐人藥方以免皮療豌豆瘡方(注)等，確在論治今之天花。他如古今錄驗水解散，(外臺卷三引)葛氏方治時行皰瘡方，救急單驗方(醫心方卷十四引)等書，治皰瘡方都不能肯定是天花。就說是天花也都是隋唐時的方書。(葛氏方非原書，說已見前)。故宋人說魏晉時已有天花之證，是不能成立的。

(二) 鼻苗未發明以前的天花接種法

宋元以後，天花日見猖狂。元明以來，幾乎每人都難免此病。到十六世紀中葉，才有鼻苗的發明。在此以前，雖有不少的稀痘方，但都沒有科學上的價值。大概此病初入中國，因當時交通關係和人類原始的避疫本能(注一)，所以流傳未廣，在第六世紀時崔贍所患的麻皮，世人猶以為怪，到了唐代痘瘢已屬於美容方面的大敵了(注二)。五代朱梁時陳黯患痘新愈，餘瘢未滅，已被以痘瘢作嘲笑資料。後周慕容彥超因體黑面麻，又嘗冒姓閻氏，因有閻崑崙之諢名。陳與慕容，並因患天花遺留下來的黑麻子(注三)。足見五代時，大江以北天花已漸流行；宋後此病益見猖獗，所以應時而起的除太平聖惠方已有專論痘疹之篇外，有錢乙董汲之徒，著書立說，專立一書，以究此病。惟預防天花的所謂稀痘方，却仍少著錄，元明以後，此法便漸漸多起來了，現在尚見流行的有陰有瀾的稀痘方，郭子章博集稀痘方，吳建鈕異傳稀痘經驗良方等，都是十六世紀以後的方書，而實際上却很少有效的。我也先後收集了有關預防天花方面的文獻不下百數十種，但內容多憑理想，或竟混入許多迷信，如明郭晟家塾事親所載除夕小兒滾猪窩的辣痘法，那樣荒唐的例子。

但其中竟有幾乎近於接種原則的牛痘法，如明初談倫試驗方用白水牛蝨的免痘法。此方李時珍本草綱目卷四十牛蝨條引談野翁方云：

用白水牛蝨一歲一枚，和粉作餅與兒空腹服之，取下惡糞，終身可免痘疹之患。

注一：參本文第五。

注二：見李義山雜纂卷上以「子女豆瘢」爲「羞不出」之一。(按明嘉靖原刊本古今說海無此一句，此據說郛卷五引)。

注三：陶岳五代史補卷一云：陳黯東甌人。才思敏速，時年十三，袖卷謁本郡牧，時面上有班瘡新愈，其痕炳然，郡牧戲之曰，「藻才而花貌，何不詠歌」？黯應聲曰，「玳瑁寧堪比，班犀詎可加；天嫌未端正，敷面與裝花」。今按全唐詩卷二十二亦載陳黯此詩，文稍異。慕容氏事見五代史一百三十本傳。北史崔贍傳說贍富姿貌，雖綺紈，面多瘢痕，然仍雍容可觀，此因贍潔白，故所患的是「白麻」。而陳黯其名爲黯，疑因其面本黑，又留痘[illegible]，故以玳瑁斑犀自喻。則黯的痘瘢，是「黑麻」也。(浙東俗呼面白有痘瘢者爲「白麻」，黑者爲「黑麻」)。

按倫字本彝，號野翁，上海人。明天順丁丑(一四五七)年黎淳榜三甲第五名進士，官至總督易州山廠工部侍郎。黃虞稷千頃堂書目有談綸醫家便覽一卷。可知此方在十五世紀中葉已行於世了。據郭子章稀痘方卷上亦載此方，却用牛蝨燒灰存性，和粥飯一切飲食與兒食之，以治痘瘡。並載它的本事。明馮時可衆妙仙方卷一稀痘門，又轉錄郭氏之書。關於以牛蝨防痘，即與談倫同時的高仲武，在他的痘疹管見中，也有懷疑。大概此方於預防痘瘡，必有偶然奏效之故。但其先決條件，必須此牛適在患痘，和取用的牛蝨，適從叮在牛痘上取下研服，才有作用，如燒灰而服，那就無效了。中國的牛有無染過天花，曾尋了許多獸醫的文獻，竟找不到有此病例。後來我從南宋時葉真坦齋筆衡有牛患痘瘡之事：

> 東坡在黃仰坡之下，種稻，為田五十畝，自牧一牛。一日牛忽病，幾死，呼牛醫療之，云不識證狀。王夫人多智，多經涉，語坡曰，「此牛發豆斑。療法當以青蒿作粥啖之」。如言而效。……說郛卷十八引

大概牛患痘瘡，在中國是比較少見，所以雖屬牛醫，亦有不識者。那末如以無痘的牛蝨防痘，可肯定它毫無作用的。不過我們不能因此便說它過去沒有服用牛蝨，得免天花之事。按宋洪邁夷堅乙志卷五又有魚病豆瘡事，未知有無其事。

由於偶然有效的例子，雖有用牛蝨預防天花確獲有效的這回事，但因沒有科學觀察與研究，終不能發展到象秦那發明種痘的那一階段。這可證明凡發明一件事物，必須有它一定的條件。

(三)第八世紀和第十一世紀初已有種痘術之謎

中國的痘瘡從西域傳入，而種痘法據說是從印度傳入的。印度的種痘法，史家又多說它在紀元前已發明了。以我的管見，這些話都絕對不可相信。因為印度許多醫學，在紀元前後，已有傳入中國，不應避免威脅人類最大的種痘法，到了第十六世紀中國才有正確的記載。自來討論中國究在何時才有種痘法，其說有二，一為第十一世紀初葉時，峨嵋山的神人傳播世間的。清朱純嘏痘疹定論中說：(四)

> 宋仁宗時丞相王旦，生子俱苦於痘，後生子素，招集諸醫，探問方藥，時有四川人請見，陳說：「峨眉山有神醫能種痘，百不失一。……凡峨眉山之東西南北，無不求其種痘，若神明保護，人皆稱為神醫，所種之痘稱為神痘。若丞相必欲與公郎種

痘，某當往峨眉叩請，亦不難矣」！不踰月，神醫到京，見王素摩其頂曰，「此子可種」！卽於次日種痘，至七日發熱，後十二日，正痘已結痂矣。由是王旦喜極而厚謝焉。……(卷二種痘論)

此一說也，爲醫宗金鑑以下諸書所據。所謂「神痘」二字名稱，卽源於此。第二爲光緒十年（一八八四）董玉山牛痘新書竟說此法自唐開元間（七一三——七四一）已傳入：

考上世無種痘，諸經自唐開元間，江南趙氏，始傳鼻苗種痘之法。……(種痘源流)

此又一說也，惟一般人多信金鑑之說，而於董氏之言竟無提及。實則二說俱不可信，董說可不論，朱純嘏說峨眉山神醫爲王旦子素種痘，稍具免疫學常識的人，卽無法相信。因初時僅知用痘衣痘漿，並不用痘苗。汴京（開封）離四川的峨眉山有數千里之遙，往返需時，卽用痘苗接種，當時也並沒有保持痘苗到一個月以上的方法。試問那位峨眉山的神醫，如何保持一個月時間的有效苗種？旣然說是從北宋第十世紀後已有種痘術，爲何到十六世紀以前沒有人提過種痘術？這都是很顯然的破綻。不過從康熙以前，似乎還沒有此說。而造此異說的，究是何人？這過去治醫史的人也從未探究它；據章次公先生說，造此異說的，蓋一明季的遺民醫——胡璞。同治重修湖州府志說：

國朝胡美中名璞，以字行，崇禎後（公元一六四四——）棄家而精於醫。……時無種痘法，託名峨眉山人創爲之，後遂傳播。康熙壬辰（五十一年，公元一七一二）後，不知何往，雍正初（一七二三——）有於金陵見之者。(卷八十人物傳)

這裏除了說胡璞活動的時間有可疑者外，還帶有鄉曲之見。說胡璞因亡國後而棄家習醫，至少他已是三十歲左右之人，故有故國山河之痛，到了雍正初，已是一百四五十歲之人。而把種痘的發明權歸於他，不知十六世紀中葉已有此術了。但宋眞宗時峨眉山人發明種痘術的謠言，當是胡氏所編造散佈的。自有此異說後，康雍以來，各地且有種痘仙師之廟，如清初時顧震濤吳門表隱記說，蘇州石磐巷中有種痘仙師，廟神爲宋峨眉山人，像如純陽祖師的記載了。

（四） 十六世紀中國始有種痘術

如上文所說，朱純嘏等謂種痘始於宋眞宗時峨眉山人固不可靠，而董玉山說唐開元時已有種痘術，更屬鑿空之談。但究在何時始有此術？當以第三說明隆慶間最爲可靠。據我所知的文獻，中國之有種痘術，至十六世紀才有正確的記錄。清俞茂鯤（天池）痘科金鏡賦集解說，種花始於明隆慶年間；即十六世紀的中葉：

……又聞種痘法起於明朝隆慶年間，寧國府太平縣，姓氏失考。得之異人，丹傳之家，由此蔓延天下，至今種花者，寧國人居多。……卷二種痘說

按俞氏此書成於雍正五年（一七二七），書中絕無種痘始於宋時峨嵋山人之說。然俞雖清初人，其說或仍有影響之談。請更直接證以明人之說。按明周暉瑣事剩錄云：

陳評事生一子，頗鍾愛。……其受用過分，未幾種荳夭。卷三小兒受用過分條第二十八葉

所說「種荳」，即清初王百家天花仁術序中的「種豆」。當是最初「種痘」的名稱，因痘字是後來的字，最初稱爲豌豆瘡，唐人逕稱爲「豆」，宋後才加疒爲痘了。所以剩錄的「種荳」，即是「種痘」之本名。按周暉字吉甫明萬曆年間秀才，上元人。著有金陵瑣事正續二續共三集，並作於萬曆三十八年（一六一〇），瑣事剩錄六卷，則作於天啓間（一六二一——）。按千頃堂書目卷六載有周氏金陵瑣事四集。（剩錄六卷）周星軺文瑞樓書目卷五天啓朝小說項下載周氏瑣事剩錄四卷，我所見的是僅存第三卷殘本。十年前假自書肆，以此卷多載反天主教事，故書估居奇未買，匆匆錄若干條。後聞此殘本賣給越南河內圖書館了。但所記陳評事的愛子因「種荳夭」，當是萬曆間事。此外，明程從周程氏醫案載「一兒布痘，痂中生蛆」一案，亦萬曆中已有種痘之文獻。更證以明鄭仲夔冷賞種疹的記錄，則俞茂鯤說種痘起於明隆慶年間的話，是可靠的。此外，據有人說，明萬曆間有醫學疑問，已詳載種痘之法，見大公報「中國的世界第一」，第八八條周有尙「種痘」。惜未見其書。

試更引幾條旁證的記錄爲證。張琰在乾隆六年（一七四一）自序種痘新書云：

余祖承聶久吾先生之教，種痘箕裘，已經數代。

但我所見的聶氏之書，爲僅有痘疹慈航二卷，痘門方旨八卷，活幼心法八卷本（道光八年台灣總督府重刊本），內容大略相同，顯係增改心法一書而成。惟慈航或近聶氏原書，但都無種痘之說。按同治寧化縣志卷三名宦志，尙有聶氏醫學，醫案痘科痳科諸書，但不載慈航方旨二書。日本內閣漢籍目錄尙有聶氏奇效醫述一卷。檢同治新淦縣志、宣化縣志亦並無聶氏種痘的行誼。其痘疹慈航卷下或問所說，是反對豫解痘毒的，說他提倡種痘，恰居相反地位，原張氏之意，蓋指其祖承聶氏治痘之學而已。此外，黃百家自敍天花仁術中說：在康熙二十年（一六八一）到甬上種痘的浦陽人傅商霖，他的曾祖思川，祖岐山，始以種痘術聞遠近的話。以三十年爲一世，則傅商霖的曾祖，當亦是隆萬間人，而張琰之遠祖亦萬曆間人。此也可做十六世紀中葉已有種痘術的一種旁證。

附：種疹法

鄭仲夔冷賞有記種疹之事：

> 吉州永寧人種疹，初不服藥。當其種時，則羣於土神廟，日向神祈請。其疹自愈。或痕重者，取香灰調服之，亦漸次就安。卷三種疹條

中醫書上所謂疹，多指麻疹，即痦子是。但亦有斑疹連類而言的，如董汲斑疹論即其著例。則廣義有時或亦與痘瘡連類而言。對於冷賞所言之種疹，方法未明，只有述及迷信方面的儀式，與下文所引董含三岡識略所載種痘說相似。按明末張自烈正字通午集疒部痘字云：「又俗呼痘瘡曰疹」。則明人固以疹為痘的俗稱，蓋痘之初發，似疹也。且詳冷賞「有痕重者」的話，則所謂種疹，亦即種痘之異稱。因疹子一般愈後是無餘痕的。至西洋麻疹的接種法，到十九世紀，才由日人傳到中國。說見後。

（五）人痘的接種法

在秦那未發明牛痘之前，人痘接種法，可說具有科學價值之最早的免疫法。所以有人說秦那發明牛痘，是與人痘接種法有關係的。

然而所謂人痘接種法者，是包括醫宗金鑑各種痘法，它有以下幾種：（一）痘漿法：是將痘粒之漿，以綿花醮染即塞入鼻孔。（二）旱苗法；是以痘痂研細用銀管吹入鼻內的。（三）痘衣法：是以出痘小兒的內衣，衣於欲種痘的小兒，使其感染。（四）水苗法：是以痘痂調濕，先醮棉花納入鼻孔。但從歷史發展階段來看，這四種種痘法，絕對不是同時發明，它必有先後之別。據我的推測：痘衣的方法，較為原始的種痘法，其次為痘漿，其次為旱苗，而水苗最後。這與金鑑謂古法獨用水苗與近世始用旱苗的先後不同。蓋金鑑以法之馴暴為前後也，請試言之。

凡事物必先從簡易入手，而種痘法亦必以痘衣之種痘法為先。據三岡識略說：

> 安慶張氏，傳種痘法，云已三世。其法先收稀痘漿貯小瓷瓶，遇欲種者，錄小兒生辰，焚香置几上，隨取黃豆一粒，傅以藥，按方位埋土中，取所貯漿染衣衣小兒，黃豆三日萌芽，小兒頭痛發熱；五日豆長，兒痘亦發；十日而萎，兒病隨愈。自言必驗。……卷二種痘條

據董氏三岡識略自敘云：「凡五年為一卷」，上文出第二卷，卷下有注云：「己丑至癸巳」。即清順治六年至十年（公元一六四九——一六五三）。此所記必在一六五三年以前，上距明亡，恰好十年。這是清初人記錄種痘最早的文獻。其痘衣法，也與金鑑以下諸書不同。它把所種的黃荳的生發萎謝為種痘全程的標準；自是原始時代的一種象徵的迷

信，也可說明種痘二字來源的背景。同時證明那時還沒有痘漿及水、旱諸苗的種法，所以董氏文中絕未提及，否則，董氏必有補充的文字說明之。

其次爲漿苗階段。按正字通午集疒部痘字下云：

> 痘瘄，方書胎毒也。有終身不出者。神痘法：凡痘汁納鼻，呼吸卽出。

此指用痘漿種痘法，蓋當時雖已有朱純嘏痘疹定論，而所種者，必流行痘漿種法。張璐之種痘說，亦先舉痘漿，次言「旱苗」，而後及痘衣。則以功效爲先後。所謂神痘法者，係指其法始於峨眉山神人、及天姥或乩仙，三白眞人等所傳。（見定論，金鑑及種痘指掌等書）。因當時多行其法，故爲字書所錄。再取康熙十一年陶燿弋陽縣志所載黃旻曙徐成吉二人種痘法爲證：

> 黃旻曙五十三都人，徐成吉五十五都人，得十全神痘法：以棉絮取痘漿之佳者，送入鼻內，及愈；有瘢如眞，往往靈驗。遠近皆聞風焉。卷十

由旱苗而水苗，這是種痘法進步之一過程。自醫宗金鑑提倡用水苗後，漿苗之法幾廢。所謂苗者並非痘漿，而是痘痂，此點已有明確規定。鄭望頤種痘方：「夫痘者，取他兒之痘痂也，必要用種出之痘，發下之痂，謂之『種苗』。……若自出天花之痂謂之時苗」朝鲜丁若鏞與猶堂全書第七集卷六麻科會通引。金鑑亦有「苗者痘之痂也」。卽鄭氏所說的時苗也。本草綱目拾遺，於苗花亦有區分：「夫痘痂曰苗，痘發曰花。」卷二藏香條所謂痘痂，卽痘痂也。用痘痂爲種，在方法上已大爲進步，而水苗較旱苗更爲進步。它的收藏方法，也很嚴密，有近似今天牛痘苗的裝置，更不是痘衣和痘漿之近於原始階段了。至旱苗製法，痘疹定論已有說明：

> 其法以光圓紅潤四字俱全痘痂研末，納於男左女右之鼻孔中，一歲之兒女，可用此痂三十粒於淨磁鍾內，以柳木作杵，研此痂爲細末。……卷二種痘論

此爲旱苗法較早的文獻。至水苗則朱氏未有提及，蓋其時尚未發明。惟鄭氏種痘方，金鑑等書載之，卽將痘痂落下後，用紙包好（案：曾鼎痘疹會通卷四「用烏金紙包」），記明何日收得，收貯新瓶內，緊護其口。用時以清水研如漿糊，用新彈棉花裹所調痘屑，捏一小團如棗核大，塞入鼻孔，卽得。醫宗金鑑的種痘心法要旨亦多取朱氏之書，但說種一次痘要用痘痂三十粒，不免多得可怪了，金鑑改爲一歲兒用痘痂二十餘粒，三四歲者用三十餘粒，尚嫌過多。惟鄭望頤種痘方用三四粒，似較近情。種痘方云：

> 至於下手種法，尤須詳愼，凡種一兒用痘痂三四粒，兩兒則六七粒。……與猶堂全書第七集第六卷引

種痘指掌，謂下藥丹數，與八年相配，自一歲三粒，至十八歲十二粒而止的規定，嚴格說來，一兒用痘痂到三四顆，仍嫌過多，然鄭氏方及指掌已較痘疹定論及金鑑所規定的合理了。而朱奕梁種痘心法，則下苗輕重，視當時痘痂情況而定，他說，「厚大之痂，兩三顆足種一孩，薄小者二三十顆不嫌多也。大抵孩長而實宜加重，孩幼而虛宜減輕。」用苗輕重似亦較硬性規定多少粒一孩，爲有伸縮性。在那時用苗多少，我們誠不忍用今天的學理去評衡它。此外鄭望頤對痘師說痘痂之外，尙須加藥爲引的欺人勾當，亦給以無情的揭露。

（六）痘苗的改進

種痘的好壞，多繫乎痘苗的好壞，此點痘疹定論，俞茂鯤種痘說、種痘法（並見痘科金鏡賦集解卷二）以下諸書已屢言之。但對如何使所種的痘苗毒性減低，這是定論金鑑等書所未注意，也可推測到二書所說，近於原始的。我以爲使痘苗毒性減輕的改良方法，其最早的文獻似首見鄭望頤的種痘方。他是極端主張用「種苗」，而「時苗」則須有條件才可使用：

> 至於種法，全在乎好苗。……若自出天花之痂，謂之「時苗」，此苗之中，有時行之氣，若不辨而用之，名雖爲種，實與傳染他兒天行時痘之氣無異。此時苗之不可用也。……輿猶堂全書第七集卷六麻科會通引

望頤這些話，誠是十分警闢。他接下又說，如要用此等「時苗」，亦必須有以下條件：

> 不知「時苗」之性，卽選上好者，亦必要種過四五兒俱各順當者，其苗性始和平，方能與「種苗」相等。同上

因此，鄭氏對於保持種苗之不斷，主張採用如下方法：

> 欲覓此等「種苗」，先訪有人家正在種痘之際，向彼明言其故，懇求四五粒，卽可源源而種。或平日於同道種師內，相與一二位志誠老實者議明彼此互借，則苗亦可不斷。

這確是鼻苗種法之一大進步。因此，他更同意某些種師採用如下方法。所以接下又說：

> 亦有膽大種師，於五六月中，覓貧家壯實之兒，種之；不唯不索酬謝，反肯津貼銀錢，次遞傳種三四個兒，延至七月，則苗亦可以不斷矣！同上

那時保持苗種不斷的方法，與牛痘初傳中國時邱熺之流用菓餌之錢，酬謝貧家痘兒，使痘苗不斷的情形，是完全相同的。可惜鄭望頤不知何許人？但書中有引費啓泰救偏瑣

言，及據丁若鏞麻科會通中列鄭氏書於醫宗金鑑之前，則他可能是康雍時人。

約與鄭望頤同時的俞茂鯤，亦主張用熟苗，而且說苗種遞傳愈久愈好。據說隆慶間太平府的痘苗，清初爲溧陽人所竊傳，故極口推獎太平痘苗：

至近種花者寧國人爲多。近日溧陽人竊而爲之者亦不少。當日異傳之家，至今尚留苗種，必須二三金方得一丹枝苗。買苗後，醫家因以獲利。時當冬夏，種痘者，即以親生族黨姻戚之子傳種留種，謂之「養苗」。設如苗絕，又必至太平再買。所以相傳並無種花失事者。……種痘說

俞氏並嚴厲指斥那些痘師昧去良心，把天行痘痂作苗（敗苗）的危險！又據種痘法所說，知其亦用「水苗」。大概俞氏與鄭望頤是同一學統的。

由於當時已有「時苗」「種苗」之別，嘉慶以前，在浙中已分出兩派種師，即一派用「時苗」，一派用「種苗」——熟苗。朱奕梁種痘心法，在審時熟苗中說：

種痘之派有二：其一爲湖州派，其法選時痘之順者，取其痂以爲苗，是名「時苗」。種出之痘，稀密不常，時或有失。起於秋分之後，停止於小滿之前。蓋圖利之所爲，非仁人之用心也。其一爲松江派，其法專用種痘之痂，以爲苗，是名「熟苗」。種出之痘，稀密視乎胎毒之輕重，輕者，不過數顆，而毒已盡；即重者，亦不過二三百顆，從無通漿合眼諸苦；雖酷暑嚴寒，並無妨礙。良由其苗傳種愈久，則藥力之提拔愈清，人工之選鍊愈熟，火毒汰盡，精氣獨存，所以萬全而無患也。若「時苗」能連種七次，精加選鍊，即爲「熟苗」，不可不知。

如朱氏之說，則松江派之種師，屬於鄭望頤俞茂鯤的學統。此等選用熟苗作種，其原理與今之「卡介苗」相近，蓋接種愈久，則毒性愈減，牛痘發明人秦那之用牛痘接種人身，除了苗原及接種的方法不同外，它的原理與此完全相同，這是中國免疫學歷史中值得特別提出表揚的！至湖州派乃宗法醫宗金鑑的，由於金鑑只知用「時苗」，危險性很大，因此金鑑的種痘，多有擇吉下種和禁忌等迷信的條例，如禁在四五六月種痘等。而鄭氏種痘方便無此項規定了。這因鄭氏選用「熟苗」之故。

嘉道以後，「熟苗」的好處，已爲有識者所瞭解，故對那些懶惰不知養苗，只知騙錢的痘師，多加以批評。如王端履在重論文齋筆錄所說的，即是一例。筆錄云：

端履見近日痘醫，吝惜養苗之費，不復傳種。及至種之時，多輾轉購買，貽害無

竊。……卷一第七葉上

端履在這裏，把不肯養苗的痘醫，和那些用「水痘苗充數」的江湖痘醫等量齊觀。從這裏我們也可看出：只知選用時苗的那類「御纂」和「欽定」的醫書——醫宗金鑑的聲價，在這方面，也大大地跌落了！

（七）痘苗優劣和眞僞的選擇

種痘也如莊稼的選擇種子，有好的痘苗，才可以種出好的痘。當時由於痘苗種類不一，和苗的本身大有好壞，所以選擇痘苗，爲當時痘醫一大苦惱的問題。由於選苗的不善，種後有出有不出，或出而重出之事。種痘雖出而重出，其絕對多數，固應歸咎於痘苗；但事實上患過天花的，仍有重患的例子，我們皆知法王路易十五，他原是一位麻子帝王，這是患過天花的確鑿證據；但後來他竟又因患天花而死了。在中國我也找到同樣的例子：據十五世紀時人郎瑛說，他的朋友陳敬亭之子，患過二次天花。詳見七修續藁卷六痘瘡條 那時中國尚無種痘之法，郎氏的話，當屬可靠。因天花無終身免疫性，故有再罹的例子。

但由於當時種過痘的而重患天花的例子疊出，如嘉慶十年（一八〇五）湯公恩述證（見種痘眞傳）說：他第四弟種痘旣種而出，後感天時而復出。又說：他的鄉人在數十年前種過痘，近有復出的。因其再出，所以種痘的推行便受到阻礙了，這確實多數屬於痘苗的關係。也有免疫力容易消失的人，和由於痘醫所用的痘苗不同，各是其是地爭論着。如前所說，醫宗金鑑，它是極力推獎「水苗」而排斥其他的苗種的，所以水苗大爲風行；這因金鑑是一部「欽定」一類之書之故。但江西派的痘師，却仍固守朱純嘏「旱苗」之法，對後起的「水苗」，表示懷疑並加以抨擊。如曾鼎說：

……近時竟有一等種痘者，取洩氣薄苗，再以藥水製去其性，名爲「水苗」。遍遊種痘，痘發數粒，十日之內，圓滿收功；以此欺人，而取人財物。誰知臟府之毒，未能發透，每逢天行之年，感而復發；其父母以爲種過，不疑其爲痘症。……俟痘發出，或作痲疹治之。至於大貫之時，方知是痘，其害大矣！……痘疹會通卷四附取苗種痘法

曾氏書成於乾隆五十一年（一七八六）。他的話，可代表當時使用「旱苗」的苗師之立場和觀點；他不知「水苗」有它進步的一面：「水苗」性質比較和平，不似「旱苗」的悍烈；故易於推行。況水苗只有江湖醫師用藥水製去其性，眞水苗並不如此。然「旱苗」得驗比率較高，故乾隆時民間多數尚僅知「旱苗」。如王應奎柳南續筆卷三，也說到種痘，而

僅及「旱苗」的種法。事實上，「旱苗」的歷史，一直延長到民國初年，才告結束。

嘉慶時有一不著撰人的種痘指掌，前有嘉慶戊辰(十三年卽公元一八〇八)黄廷鑑序於選苗方面，極爲重視。它對「漿苗」，仍有好感；說它有百種百發的效率。也重視「神苗」——「熟苗」，而鄙視「時苗」。它又把不可種的痘苗，分做野苗、禍苗、險苗、雜苗、過痘之苗、按卽過期失效的痘苗病苗、毒苗、火苗等。我以爲它在鼻苗歷史上的選苗方面，已做到能辨別優劣的地步了。

選苗固有如鄭望頤種痘方以下諸家所說的那樣重要，而中國那些痘師，也正如西諺「黄金，是醫家的興奮劑」一樣。許多江湖痘師，他們竟有意的以假苗，水痘苗冒充種苗，來屠害嬰孩。此事王端履曾親見之：

……又有黠者，以水痘苗充數，亦能灌漿結靨，誆人酬謝；其父母方以兒痘已出，可保無虞，不知一遇天災，仍罹刼數，忍心害理，莫此爲甚！故種痘以揀苗爲第一要事。……重論文齋筆錄卷一

在那封建社會中，這許多喪失人性的江湖痘師，所做危害嬰孩生命的勾當，當時政府旣無此項醫師管理的法規，除了有心人作了道德上的譴責外，只好任他們無止境地亂幹下去了。

乙 人痘接種法的傳佈與政府推行政策

(一) 國人對於種痘的反應

人痘術雖說在十六世紀時已見流行，但流行的幅度不廣，似僅限於南方。又因此術在初期時，尚僅知採用「時苗」，危險性較大，所以許多胆小的人，包括醫家在內，多反對它，如士大夫階級的董含，在三岡識略中說：

夫痘疹事關先天，生死預定，乃欲以人工奪之，可乎？予終未敢深信。卷二種痘條

清初程雲鵬（鳳雛）說種痘是「誣善爲寇」的勾當：

其未發也，深藏潛伏，㷭臭俱泯，正如閭閻無事時，未可執人而誅之，曰：「爾將爲寇也」，奈何世有預解痘毒之說者。慈幼新書卷三痘瘡總訣。按此卽程氏慈幼筏，書估託名張介賓所著，遂妄改此名。

張璐則以種痘多不能順，因者聽其自然的話：

吾以靜眼觀之，爲若順天隨時，不假强爲之爲愈也！醫通卷十二附種痘說

關於董含及程雲鵬所持反對理由，各家種痘書中多以種痘乃防患未然的話，可作有力的反駁，至張璐之說，那是因痘苗尚未改進之時的話，但自鄭望頤等提倡改用「熟苗」後，

它的效率和安全，已大爲提高了。鄭氏在種痘方中，對張璐之流的見解，曾慨乎言之曰：

假使一莊之中，有百兒出天花，未嘗不延醫服藥，若能八九十收功，人咸稱爲太平痘矣。甚有極力調治，而損傷幾及一半者，不聞其歸咎於醫生。……今若種百兒之痘，設或損傷四五個，則必責罰種師，並不容其託足於此一村矣。丁若鏞麻科會通引

按徐大椿在蘭臺軌範及醫學源流論中，亦有與鄭氏相似的話。足見當時一般人對於鼻苗是抱有一種戒懼之心的。就是請師放種，也是抱着僥倖求全的心理而去嘗試的。這也很可理解鼻苗雖在十六世紀中葉已發明，何以天花尚流行不斷的原因之一了。

（二） 人痘術的傳佈概況

人痘術的傳播，據諸書所載，並言自南而北。張璐說：

邇年有種痘之說，始自江右，達於燕齊，近則徧行南北。……醫通卷十二嬰兒門下附種痘說

俞茂鯤亦言：「近來種花一道，無論鄉村城市，各處盛行」。似十七世紀末葉，種痘術已南北風行。但實際恐很難說了，更參以前引董氏三岡識略及弋陽縣志等書所述，種師多在南方，尤其江西安徽兩地，很有種痘術發祥地的可能。據純嘏自述，他的種痘術是由江西而達燕雲內蒙等地的。他與他的同鄉陳添祥二人，首次把種痘術打進北京皇宮。可惜陳氏的事跡不顯，沒有朱氏那樣喧赫。按沈大成學福齋集卷二，序痘疹定論亦有：「康熙辛酉，聖祖仁皇帝命江西巡撫考送善種痘醫二人，純嘏與焉」之說。俱不言陳氏之名。只有他的同鄉盱江曾鼎在痘疹會通自序中提過他的名氏而已（注）。關於朱氏傳佈種痘術的路線，王鳴盛在序朱氏痘疹定論中，敍述得更覺具體：

康熙二十年（一六八一），聖祖命內務府廣儲司郎中徐定弼至江西求痘醫時，督糧道參政李月桂以純嘏應詔，命試種痘術有效，遂入大內，爲皇子孫種痘，皆愈。又至蒙古科爾沁，治八德馬親王痘，至鄂爾多斯治根都世希牙布貝子痘，於是閱見益廣，術業益精，而定論成焉。……

據康熙庭訓格言的話，那時「邊外四十九旗，及喀爾喀俱命種痘」。所以實際純嘏不單是醫治那些王子之流的痘瘡，沒有出過痘的王子，也必有經過朱氏之手而佈種的。

但純嘏自被玄燁（康熙）宣召之後，他所服務的對象，不外帝子王孫等貴族統治階

注：曾鼎自序痘疹會通云：「國朝康熙間，吾鄉朱純嘏陳添祥始相偕至京師，試苗選種，凡天行自出者一時全活。迄今吾鄉僅有種痘之師，而鄰郡無此說」。

級，老百姓是沾不到絲毫的光的。所以那時滿蒙等地雖經常有純嘏的足跡，但民間天花依然盛行，據方燦自序種痘眞傳說，他在一七七六年遊奉天時，那地方尙沒有種痘之法，後來他從崇明施鎬學習種痘，才把此法傳到關外去：

……（乾隆）丙申（四十一年，即公元一七七六）歲，來遊奉省，詢知北地未聞種痘之法，任其自出，遭殤者，不可勝數。……余深研窮究 種痘之理，始悟於心。復遊奉省，至今已三十年矣，所種之痘，無不收效。……種痘眞傳自序

至於當時的浙江，可說是種痘術風行地區。據黃百家序天花仁術說：

邇乃有種豆之仁術，康熙戊申余讀書甬上，有暨陽（諸暨）某者，挾此術至，吾友陳夔獻篤奉之，號之同志。……學箕初稿卷二

康熙戊申（七年，一六六八）黃氏已看到有諸暨的痘師在寧波種痘了。論時間，他較爲那時統治者服務的朱純嘏，要早十多年。而康熙二十五年，鼻苗已自荆楚傳至端州。見張京鏗序痘疹慈航到乾嘉時，浙江的松江湖州兩地區，因採苗分「熟苗」「時苗」的不同，而分做兩派了。

乾嘉時，流寓揚州的程維章，亦精種痘之術，程氏並著有種痘書，焦循序其書云：

海上程翁名維章，精種痘之術。……其說極平易，亦極神奇。翁每能豫言種痘粒之多寡不爽，以詰翁，翁曰「自天爲之，不可測；自人力爲之，何不可測！其測全在於痘母，多之少之，可自母而消息之也」。……雕菰樓文集卷十六

據焦氏言，程翁豫言痘粒多少，從程氏爲他的兒孫種痘時所「目驗」的。那末種痘術在乾嘉時已進入另一境界了。按乾隆時揚州李斗，亦有「小兒之生，以種痘爲要」的話。見揚州畫舫錄十二 則揚州在當時因鹽筴繁富，人才鱗萃之地，種痘術也較他處爲進步。

不過康熙以降，大江南北，雖已流行種痘術，但到了道光八年，尙有許多地區，如湖北、武昌等處；不信種痘之事，所以江南雲峯居士在力勸普種痘花法揭帖中有云：

今福建廣東江西江南徽寧地方，向有春夏種痘之法。……余因見嘉慶二十二年秋冬，武漢地方，嬰兒遭難者無數。……是以力勸普種。連年春令，早已詳述。詎知舊歲冬令，嬰兒又復遭難者不少，雖各省士商有家室在楚者，亦有照種。奈未普行，故不揣識淺，而敢再詳述焉。……

那時牛痘，雖已流行荆楚，但此處仍稱述旱苗種法，我很疑心這種告白出於當日在武漢地區江南種師或書估的廣告。不過不論用鼻苗或牛痘，人民還沒有普遍奉行，却是事實。

故俞茂鯤說:「近來種花一道,無論鄉村城市,各處盛行」的話,應該大打折扣的。

但自道光後此術重心,又移至湖南湖北地區了。所以梁紹壬在兩般秋雨盦隨筆中說,此術以湖廣人最爲擅長。

(三) 政府推行種痘的政策

如前所說,中國種痘術,政府並未有計劃地去推行,其初只在痘疫地區流行時,及疫情減輕或消滅後,才作亡羊補牢,把它推展開去。所以只能說它的發展是被動的,並不是有計劃的推行;到後來才有按照季節去布種,但亦僅限於某些地區。

若說政府對天花的防治,作有計劃地的推行,實開始於康熙二十年,如前引王鳴盛序朱氏痘疹定論所說,而康熙的庭訓格言,亦有關於種痘的訓示:

> 訓曰:國初人多畏出痘,至朕得種痘方,諸子女及爾等子女,皆以種痘得無恙。今邊外四十九旗及喀爾喀諸藩,俱命種痘;凡所種皆得善愈。嘗記初種時,年老人尙以爲怪,朕堅意爲之,遂全此千萬人之生者,豈偶然耶?(第二十五葉)

康熙爲何對於種痘如此堅決推行?此中實有關於他們統治者的政權得失之故。據清王熙自撰年譜中說,他的父親福臨(順治),是患天花而死的。自後皇子凡未出天花的,不准繼承王位,因此清初王家對於天花的預防,非常嚴格,在康熙自製的文集中,備述他因避免天花的傳染,僻處宮外,不敢進宮來看他父親的病,因而認爲終天之恨。這也是順治患天花而死的一個旁證。至爲他服務種痘的,即那位江西痘師朱純嘏,爲那時的統治者工作了三十年之久,痘疹定論就是他在皇家服務經驗的總結。那時他已七十八歲了。

清代王室自從康熙二十年開始布種鼻苗後,一直是恪遵庭訓的話的。那時的統治者,在高興時,也有勸他的寵臣子女布種鼻苗。乾隆二十八年(一七六三),桐城人方承觀,在他的燕香續草中,曾記其子承弘曆(乾隆)恩詔宣醫種痘,方氏作了一首携耆兒迎駕(注)的感恩詩,中有:

> 造膝幾人容抱子,眷懷昨歲詔迎醫。

原注云:

> 曾蒙恩詔,諭爲耆兒種痘,得奏請御醫。

注:據桐城方氏詩輯卷五十七引述本堂集燕香續草。按我所見的二部述本堂詩集原刊本,都無燕香續草,疑並爲不足之本。

據日本平澤元愷在他的瓊浦紀行中說，他曾聽到由中國去的一位汪姓痘醫，謂中國的貴族階級中子女，十之八九都種痘的。紀行有云：

余問：「醫宗金鑑載種痘法甚悉，此際未有行者，不知中土一般皆用此法否」？汪曰，「種痘之法，由來已久，中土高貴之家，種者十之八九」。

平澤元愷是吉雄耕牛的高足，為當中國乾隆年間的日本醫家。足見中國在十八世紀時，貴族階級子女，已多種痘了。

（四） 民間推廣鼻苗的宣傳工作

民間方面，對於推廣鼻苗的接種工作情形如何，因為我所知的文獻很少。根據現存的文獻而言，當時似有痘疫猖狂時，也有人做了勸告種痘的文字作為宣傳。多年以前，我從摘星樓治痘全書中，得到一張道光八年（一八二八），江南雲峯居士的力勸普種痘花法的揭帖，是用一種黃紙泥金木刻的印刷品。（附圖）它在當時也用作揭諸通衢的招貼。不過這種宣傳，很難發展為一種運動，所以它的作用也有限的。

丙 中國人痘接種法傳佈國外

（一） 俄羅斯派留學生來中國學習種痘

中國的種痘技術，不但在第十七世紀已相當的風行，而且已引起鄰國的注意，先後傳布俄羅斯朝鮮日本，遠及歐非諸國。尤其俄國先後派遣留學生來中國學習種痘。

自一六八八年即康熙二十六年中俄兩國訂了尼布楚條約後，大彼得之帝俄政府，即派留學生來京，學習滿漢文字，而八旗子弟，則學習俄文。當時因天花盛行，俄國乃派學生來我國專習種痘法，及檢痘法，準備歸國後做防治天花的工作。關於此事，清道光時俞理初癸巳存稿即有述及：

康熙時俄羅斯遣人至中國學痘醫，由撒納特衙門移會理藩院衙門，在京城肄業。

卷九查痘京章條

附： 為中國貴族子弟治痘的俄國留學生

在康熙時既有來我國學習種痘的俄國醫生，其後當續有派遣，道光時，他們之中，竟有勝過中國的種痘名醫，為中國人治病了。此事可用道光時子章貝勒奕繪哭子詩為例：

十二月二十二日，哭九兒載同，用題周東村傳經圖八絕句韻，即以此圖為殉：

九月種痘悔誤聽，臘月死發徧身青；秦公識晚老潘歿，過信庸醫讀父經。

詩後並有注云：

先是，自三兒載欽痘殤後，兒女皆倩老潘種花。今春潘翁沒，其第四子於九月間，強與種痘，不出；妄云，「此子無痘」。至臘月初間病，伊又用竈底抽薪法，與克削和解藥，蓋恐見苗也。至半月病亟，始更俄羅斯秦醫名婆爾斐里者，治之以截風油，浴之以芳草，故又遷延七日乃死。

右並出明善堂集流水編八。奕繪的寵姬顧氏，即世傳與龔自珍鬧過戀愛的丁香花案女主角太淸夫人，她也有一首哭載同詩，載在天游閣集卷下，不錄。由於他們夫妾二人善於詩詞，各有詩哀悼那位未滿周歲的兒子，所以舊社會的詩人也往往把此事作爲題材。如近人冒廣生在他的小三吾亭集卷三，讀太素道人明善堂集感顧太淸遺事輙書六絕句之第二首中的：「秦生晚遇潘生死，腸斷天家鄭小同」之句，即咏此事。

至此俄羅斯之秦其姓而婆爾斐里其名的醫生，咸豐時高郵王同壽自稱曾於奕繪邸中見之。何秋濤朔方備乘卷四十一云：

在子章貝勒奕繪處，識俄醫人，華名秦綏，爲俄羅斯官學生，在彼國不知何名，子章貝勒，因其業醫，遂名之曰秦綏。其人能爲華言，每歲朝來賀，持刺即用秦綏。

那末婆爾斐里既爲官學生，可能原是來中國學習種痘的，且那時他的年齡已相當大了。可惜我知道有關婆爾斐里的歷史太少，這要希望研究中蘇文化交流史的人來作考證！

（二） 日本

中國的鼻苗接種術，在乾隆九年（一七四四，即日本延享元年），由中國杭州人李仁山到長崎，始把種痘術傳於長崎醫家折隆元堀江元道二人，蓋奉長崎松波前守之命，向李氏學水苗、旱苗的種痘法。仁山先爲肥前大村侯領內與大浦處的二十個幼妓種痘。但後來這二位醫家到崎陽去種痘，却失敗了，因經過這二位醫家種痘的小兒，仍出天花，所以當時都說淸人吝惜種法的話，也因此而有種痘仍有再出的流言。此爲後來長崎藩醫緒方春朔種痘必順辨中所記載的話。其實說種痘失效之事，是毫無可信之處。據說李仁山的種痘法，大抵是依據醫宗金鑑及張琰種痘新書的。金鑑成於乾隆七年公元一七四二 乾隆十七年（一七五二，日本寶曆二年）金鑑一書，也傳入日本。於是，中國的種痘法，在日本流傳益廣了。

（三） 朝鮮

中國種痘法，傳入朝鮮，時間似較日本爲晚。據堀江元道辨醫斷的痘疹條說，寶曆十三年（乾隆二十八年，一八六三）癸未季春，朝鮮國大國手李慕庵致南丹崖成尚菴的信札中，有關種痘之事。但實際種痘法傳入朝鮮，似乎尚在其後。丁若鏞痲科會通云：

始，李參判基讓氏，爲義州府尹時，得鄭氏種痘方歸以示余，余逢朴撿書齊家氏言之，朴公又得醫宗金鑑中種痘要旨，傳之抱川李生員鍾仁氏，令以時苗試種四五傳，遂如方書所言。李公故習於痘者，入京城，得兒稺與種，法遂得行；此東國種痘之始也。時

聖上二十四年庚申，三月。嘉慶五年

苕溪漁者記。

所謂聖上二十四年，是指朝鮮正宗二十四年，適爲公元一千八百年也。所謂苕溪漁者，卽丁若鏞的別號。據丁氏自序痲疹會通時在嘉慶（三年）戊午，卽一七九八年。那末種痘術之入朝鮮，亦在乾隆末年，似仍由大陸上直接傳過去，並不經過日本而傳入的。

(四) 歐非諸國

至於傳入歐洲的人痘接種術，蓋先由俄羅斯人之手傳入土耳其，以至整個的歐洲。據中西聞見錄載德貞氏牛痘考之說：

自康熙五十六年(一七一七)有英國欽使曾駐土爾其國京，有國醫種天花於其使之夫人，嗣後英使夫人，隨傳其術於本國，於是其法倡行於歐洲。

德貞亦言此種痘之術，傳自中華。按此年適值俄王發兵土耳其斯坦，土耳其與俄國接壤，則中國種痘術之傳入土耳其，是否在此年以前或卽在此年，因一時找不到文獻，只好留待他年考定了。不過據諸書所載，北歐各國，於一七二一年始行天花接種術，非洲北部突尼斯等處則在十八世紀初葉，已使用此法。疑亦由俄國或土耳其人傳去。惟接種方法，已有改變，不用鼻苗而是先將被接種者的虎口刺破，再用痘漿注入包紮，三、四日卽發。其後亦有種在臂上的（見種痘奇法詳悉）。然與中國古醫書上刺兒臂去汚血卽可免痘之法，不無關係。因此我想中國種痘法，對秦那發明牛痘的啓發之功是很大的。自後凡近代免疫學上的自動免疫法，他動免疫法等，並從此出。那末說免疫學發源於中國，絕無誇張之處。（未完）

醫史在瑞士

斯格里　H. E Sigerist

瑞士雖係一個小國,人口僅有四百五十萬,然它竟有大學七所之多,除夫賴堡(Fribourg)和納沙泰爾(Neuchatel)兩大學外,其餘皆設有醫學院,幷有大學四所設有醫史一科。目前祖利克(Zurich)大學爲教學和研究的中心,它在一九五一年春間設有一個醫史及生物學史的全日講席和研究醫學及生物學史的機關。這機關收羅關於醫史的文獻甚富,皆係由威里醫師(Dr. Gustar Adolf Mehrli)在過去卅五年熱心工作的成績,他曾在這大學教授醫史幾三十年之久,業於前數年去世了。新任講師爲米路迪醫師(Dr. B Milt),他最近著有關於祖利克大醫院之歷史一本。

布士醫師(Dr. H. Buess)現係在巴士里大學教授醫史,甚爲得力,他計劃在一九五一至一九五二年冬季前往美國一行,與霍布金斯大學的沙奈玉醫師(Dr. Shryock)和耶路大學的富爾敦醫師(Dr. Fulton)合作。此外巴士里大學還有一位醫史名譽講師名卡爾查醫師(Dr. Karcher)。

魯善大學的醫史講師現係由高士蔑醫師(Dr. E. Goldschmid)担任,他係前任佛蘭福的醫史教授,但不支薪的。非倫堡醫師(Dr. R. von Fellenberg)現係在班尼大學担任教授醫史,還有一位慶士徐醫師(Dr. Huntsche)亦不時向留心醫史的學生演講此題,他現正爲班尼最著名的老醫院寫一部歷史。

瑞士的醫史教師們每年在春秋二季舉行非正式的會議(座談會)各一次,研討他們的學科經常事件,有許多醫藥期刊的編輯人都參加,此外亦有特約的人士邀請與會,但爲數有限,且係非正式的。

因習慣關係,春季會議通常係在浦拉(Pura)地方舉行,幷宣讀論文,每一種論文宣讀時,輒撥出一小時俾便詳細討論,以免倉卒從事。一九五一年之春季會議係於三月十日至十一日,共計宣讀論文七篇,其第四次議程係專從事熱烈討論醫史之教授,而這種會議之主要特點乃係研究全球醫史之活動情形,浦拉會議亦備有機會展覽醫史之重要新著作。

照例凡秋季會議幷無論文宣讀，俾免與瑞士醫史及科學史學會之每年大會競爭。本年秋季會議係在琉瑟恩(Lucerne)地方隣近舉行，時間爲一九五一年九月廿九日,上午係專爲從事研討通常會務。余曾將一九五一年四月間前往意大利及其他各國考察情形,詳爲報告。米路廸醫師則將出席一九五一年八月卅一日至九月四日在德理佛斯(Trier)舉行之德國醫學科學及技術史學會五十週年紀念大會經過情形,報告一切,幷報導德國最近發展情形。高士葳醫師亦係國際醫史學會瑞士永久委員代表之一，曾報告該委員會於一九五一年六月在巴黎開會之情形。我們同時歡迎外國來賓二人，一爲晏打活醫師(Dr. E. Ashworth Underwood)，他爲倫敦威金生醫史博物館館長,一爲愛丁堡之葛他里醫師(Dr. Douglas Guthrie),他報告在愛丁堡大學教學情形，及蘇格蘭醫史學會之活動,與他最近前往南美洲及非洲攷察之所得。下午則專係討論瑞士學會之各種問題。

瑞士醫史及科學史學會每年大會，係在九月卅日至十月一日在琉瑟恩舉行,有關於希波克拉提斯氏的重要論文兩篇宣讀,其餘尚有論文若干篇。

按瑞士醫史及科學史學會係於一九二一年成立，迄今適爲三十年,這是一個全國性組織,至今從未停頓過。此外尙有一瑞士藥學史學會博物館,內藏文獻及物品極爲豐富,該館現屬於巴士里大學,爲其最寶貴部份之一。

（譯自醫史雜誌第26卷第4期）

醫史出版界消息

資料室

一、余氏古代疾病名候疏義出版延期

此書爲余雲岫醫師二十餘年研究之心得。凡爾雅、方言、説文、釋名、廣雅、十三經等有關病名證候之名詞，根據科學方法，將古代疾病名稱與證候之本義，分別詳加疏證。全書二十餘萬言，并附索引，由華東人民出版社出版，早已付排，嗣因余先生抱病，校對需時，不得不延期出版云。

二、伊氏中國藥物付印消息

已故伊博恩博士爲研究中國藥物之專家，歷年將本草綱目一書，分別翻譯英文印行，人咸稱便。已出版者有綱目金石部，獸部，禽部，鱗部，介部，蟲部等。此中國藥物一書，係伊氏遺稿，內容包括草部，穀部，菜部，果部，木部，是本草綱目最重要之一部。該書本擬在中國印行，嗣以種種困難，乃寄往外國排印，聞已接洽妥當，惟工作浩大，須一、二年方能出版問世云。

三、斯氏世界醫史近訊

蘇聯的醫學和保健著者斯格理博士，爲世界醫史學權威。自去年告退回瑞士家鄉後，專心寫其世界醫史巨著，原定全書八册，每年出版一册，其第一册於一九五一年問世，第二册因計劃略有更改，欲將印度醫學加入，故須延至一九五三年出版。斯氏尚有名著世界名醫傳一書，第一版已無存，現正努力於第二版增訂本，以期早日問世云。

四、國際藥物史學院成立

本年春間，有著名藥學史家五十餘人，多係各大學教授，倡議組織一國際藥物史學院，經討論後，咸表贊同。該院設於荷蘭之海牙，其主要宗旨爲鼓吹國際藥物史合作，以該院爲接洽中心，并擬設圖書館，收集各國藥物史文獻，以供學者參考及研究之用，其組織法則照其他學院辦法，會員有一定額數，如因病故或退會時，遺缺由現任會員選舉新人補充，凡被提名者,須有相當地位,所以一經當選,每視爲光榮之事。

設院於一九五二年六月十三日正式成立, 開辦費係由各藥業團體與個人踴躍捐輸,以後希望由會費收入維持,第一任院長,推定威斯康星大學藥學史教授阿登博士,祕書爲柏蘭博士。

五、英國醫史圖書新著

一九五二年度英國關於醫史之圖書出版頗多, 可見彼邦近年對於醫史之重視。據書店目錄有下列六種:

古柏醫師之業蹟及生平	白樂克著
曼徹斯特皇家醫院二百週年紀念	樂　賓著
英國使用痲醉藥之先進	卡德黎著
愛爾蘭醫學史	斐利活著
皇家醫學會二百年史	葛德理著
中古及復興時代猿猴及其傳說	翟　生著

六、舒曼印刷公司出版芬奇紀念册

意大利藝術大家科學家芬奇氏亦係解剖學家, 今年爲其五百週年誕辰,各國均舉行慶祝紀念。舒曼印刷公司特刊行一巨著, 以作紀念。全書撰載芬氏手繪解剖圖共計一千二百幅之多, 并將原文整理, 編訂, 翻譯英文, 編纂者爲斯坦弗大學歷史教授奥馬利氏與加州大學解剖學教授桑德氏,二人皆係醫史學名家,附有緒言, 註釋及芬奇傳。書共 512 面, 有215 銅版圖, 布面精裝,定價美金 25 元。

七、醫史雜誌季刊改名

中華醫學會總會議决各分科學會所主辦之專科雜誌, 自一九五三年起,應統一名稱,故醫史學會出版之「醫史雜誌」,自第五卷起,改爲「中華醫史雜誌」以示一律。又該誌發行向爲上海華東醫務生活社,現改由各地郵局代訂云。

中華醫學會醫史學會二年來工作總結

本會成立於一九三六年，雖有十六年之歷史，然因研究醫史者，人數甚少，故全國歷年會員僅七十餘人，散居各地，且處在舊惡劣環境之下，致難發展，解放後，乃從新改組，精神爲之一振，茲將兩年來工作總結如下：

一、職員姓名

執行委員會

主　席：李　濤（不能出席會議時由侯祥川代）

副主席：余雲岫　王吉民　祕　書：范行準

會　計：朱恆璧　委　員：劉永純　金寶善

編輯委員會

主　任：余雲岫(1951)　王吉民(1952)　委　員：范行準(負責人)

李　濤　宋向元　章次公　陳耀眞　侯祥川　楊濟時

劉永純

經濟委員會

主　任：朱恆璧　委　員：王逸慧　丁濟民　耿鑑庭　李　濤

蕭叔軒　余雲岫　王玉潤

二、會員人數

兩年來共新添會員十人，計顏福慶、金寶善、方石珊、瞿紹衡、范日新、朱中德、胡宣明、徐德言、汪良寄、張贊臣，連前共計七十六人，但其中五人已故，十八人在國外，已失聯繫，故實際會員爲五十一人，內有二十九人係上海會員。

三、第三屆大會

本屆大會係於一九五〇年九月十七日在上海中華醫學會大禮堂舉行，各地出席代表三十八人，除修改會章，選舉下屆職員，通過醫史雜誌復刊，推定醫史課程委員會等重要議決案外，并宣讀論文十四篇，與參觀醫史博物館及圖書館。

四、團結中西醫

本會在創辦時，即規定破除派別之分，中醫亦得加入，故會員中有百分之三十强爲中醫，合中西醫爲一爐，和衷共濟，甚爲融洽，嗣一九五〇年政務院中央衞生部確定團結中西醫爲三大方針之一，本會對此倍加努力，所附設之醫史圖書室藏有中醫書籍約一千七百餘種，在華東方面，可稱首屈一指，過去服務對象，限於中華醫學會會員，自解放後，即行公開，中醫界皆得來會閱覽及借書，而圖書委員會中，上海中醫學會亦有代表任委員之一，中西醫團結，於此可見一斑。

五、醫史博物館

本館係與中華醫學會合辦，爲國內唯一之醫史博物館，所藏文物，尚稱豐富，因限於經濟，除會員捐贈外，兩年來未曾添購物品，但有一事，頗足報告，即本館於一九五二年六月發起徵集全國中西各醫校畢業文憑，個人開業執照，名人題詞，獎章校徽，及凡與醫藥有關文物，以期保存固有醫學文化，而供史家研究，響應踴躍，成績甚佳，三個月來，收到一百五十餘件，其中有極名貴者，現仍繼續進行搜集，將來必更有可觀。

六、醫史雜誌

本會主編之「醫史雜誌」季刊，創刊於一九四七年，在國際著有聲譽，蓋此爲東方僅有之醫史專門雜誌也。嗣因經費支絀，於一九四九年停版，至一九五一年荷蒙華東醫務生活社協助，得以復刊，已出至四卷三期，會員研究之心得，多在此發表，其中論文關於蘇聯醫學者，有「費拉托夫院士傳略」，及「巴甫洛夫年譜」兩篇，反美帝主義者，有「伯駕利用醫藥侵華史實」，及「美國侵略者細菌戰史料」兩篇，又爲響應世界和平理事會紀念文化四巨人之號召，本誌第四卷第二期特改爲中東醫聖阿維森納誕生一千週年紀念專號，藉表尊重醫界偉人之微意。

七、會員活動

各醫學院之醫史講席，如北京北大醫學院，合肥東南醫學院，上海同德醫學院，上海醫學院，上海第二軍醫大學最近擬添設的醫史一科等多係由本會會員担任，中央衛生部衛生教材編審委員會之醫學史組各委員,皆係本會會員,所委該組編纂之「醫學概論」教本，業已起草，但尙未完成,至個人之醫史著作,有余雲岫之「古代疾病名候疏義」一書,由華東人民出版社出版,在印刷中，王吉民之「中國醫史論文索引」編成三分之一,已故會員伊博恩之遺稿「中國藥物」,聞已付印。

八、協助方面

本會常收到國內外個人或團體來函,要求代搜集文獻者，如馬來亞牙科學會梁會長要中國古代牙科歷史，捷克京都大學連諾教授要中國溫泉文獻,德國保恩大學東方言語研究所克羅所長要本會出版醫刊，北京中華醫學會總會要阿維森納相片傳記及著述，本年「五四」青年節各地舉行世界四大文化名人紀念大會時,上海中蘇友好協會，及上海科聯等團體皆要求本會供給關於阿維森納名醫之資料及圖片，均已分別照辦。

九、今後工作計劃

下列四項爲本會一九五三年度工作預定方針和計劃:

(一) 儘量搜集蘇聯先進對於醫史有關之圖書論文及其他史料。

(二) 徵求中國共產黨歷年醫藥衛生一切文獻。

(三) 整理醫史博物館陳列品,幷製具卡片,詳加考據及說明。

(四) 繼續編纂「中國醫史論文索引」,務於明年底完成。

十、論文發表

兩年來,會員在各醫學期刊發表有關醫史的論文頗多，據所知者有下列三十餘篇。

王吉民: 尹端模傳,醫史雜誌,3:1,P.47,1951.

王吉民: 伯駕利用醫藥侵華史實,醫史雜誌,3:3,P.1,1951.

王吉民: 談中國最早第一種醫藥期刊「西醫新報」,醫史雜誌,4:1,P.25,1952.

王吉民: 評胡美著「勇敢的醫生」,醫史雜誌,4:1,P.43,1952.

王吉民: 寫在「阿維森納紀念專號」之前,醫史雜誌,4:2,P.49,1952.

王吉民: 中國近代精神病學發展概況,醫史雜誌,4:3,P.127,1952.

李　濤,鄭麟書：中國的口齒科,中華新醫學報,1:7,P.523,1950.

李　濤：原始社會的醫學,醫史雜誌,3:2,P.1,1951.

李　濤：阿維森納的醫典和他在世界醫學上的影響,人民日報,五月四日,1952.

李　濤：中國衛生的進展,中華新醫學報 2:9,P.705,1951.

余雲岫：在中國歷史上出現的眼角瞼緣結膜炎,醫史雜誌,3:1,P.15,1591.

余雲岫：醫家五行說始於鄒衍,醫史雜誌,3:3,P.7; 3:4,P.1; 1951.

宋向元：王淸任先生事蹟瑣探,醫史雜誌,3:2,P.6,1951.

宋向元：王淸任先生一百二十年祭,天津醫藥,1:3/4,P.20,1951.

汪良寄：傷寒書目,醫史雜誌,3:2,P.45; 3:3,P.45; 3:4,P.49; 1951.

范行準：五運六氣說的來源,醫史雜誌,3:1,P.3,1951.

范行準：中國預防醫學思想史,醫史雜誌,3:2,P.9;3:3,P.31;3:4,P.23;1951; 4:3,P.142,1952.

范行準：醫家訓蒙書——五藏論的研究,醫史雜誌 3:1,P.51,1951.

范行準：中國與阿拉伯醫學的交流史實,醫史雜誌,4:2,P.83,1952.

胡宣明：中東醫聖阿維森納,醫史雜誌,4:2,P.50,1952.

陳邦賢：費拉托夫院士傳略,醫史雜誌,3:3,P.39,1951.

陳邦賢：美國略侵者細菌戰史料,醫史雜誌,4:2,P.115,1952.

陳邦賢：巴甫洛夫年譜,醫史雜誌,4:3,P.160,1952.

海深德：麻瘋桿菌發見家韓生醫師,醫史雜誌,4:1,P.41,1952.

章次公：曼公事蹟考,醫史雜誌,3:1,P.33,1951.

章次公：書明末醫林奇士高斗魁事,醫史雜誌,4:1,P.38,1952.

章次公：中國醫學史,新中醫藥,2:1,P.15,1951.

賴斗岩,朱席儒：印度的醫史和卡爾提阿及波斯的醫史,醫史雜誌, 4:1,P.13, 1952.

蕭叔軒：結核病在中國醫學上之史的發展,醫史雜誌,3:1,P.23; 3:2,P.29; 3:3,P.19; 3:4,P.13; 1951.

蕭叔軒：中國防疫法考,江西中醫藥月刊,2:1,2,3/4,5/6,1951.

葉勁秋：中醫名辭釋義,新中醫藥,2:3,6; 1951. 3:1,P.19; 3:3,P.57; 3:8,P. 158,1952.

葉勁秋：孔穴名稱的釋義,新中醫藥,3:7,P.132,1952.

本卷篇目索引 編輯室

論文索文

本卷著者索引

编輯室

本誌第三卷篇目索引

編輯室

例：本索引中粗體數字代表卷數與期數，如 **3:2**；卽本誌第三卷第二期；P.31 卽第三十一頁也，餘倣此。

四　畫

五　畫

六　畫

七　畫

十　畫

十一畫

十二畫

十三畫

十四畫

十八畫

學習蘇聯先進醫學爲發展新 中國的醫藥衛生事業而奮鬥

蘇聯的今天就是我們的明天。處於展開大規模建設前夕的我國，這個明天是一步近似一步了。因此，迫切的需要我們努力學習蘇聯的建設經驗，以提高自已，當然醫務工作者自不能例外；而蘇聯在醫藥衛生事業上的成就，亦如同其他事業，有着巨大的成績。偉大的巴甫洛夫學說，卽已公認爲現代醫學的基礎，至於蘇聯的公共衛生和社會保健事業的發展，更爲人類的幸福開闢了新的輝煌的道路。爲了介紹蘇聯醫學適應廣大醫藥衛生工作者的學習的需要，特將本社出版以及卽將出版的蘇聯醫藥衛生事業的書籍大量供應各地。

巴甫洛夫學說講演集
蔡翹 宋少章主編 7,500元

華東區組織療法資料第一輯
華東區組織療法推行委員會編 16,000元

蘇聯的醫學和保健 宮乃泉譯 14,000元

蘇聯傳染病預防指導 陳述編譯 6,500元

蘇聯保育機構的兒童服裝與設備
王孟非譯 14,000元

蘇聯小兒機關保育員與衛生員工作手册
陳述譯 6,000元

無痛分娩法講義
上海軍醫大學醫院婦產科主編 5,500元

無痛分娩法文獻 本社編 2,000元

無痛分娩法文獻續篇 本社編 2,400元

無痛分娩法通俗講話
上海軍醫大學醫院婦產科編著 800元

無痛分娩法學習資料
上海市無痛分娩法推行委員會主編

第一號	爲什麼要推行無痛分娩法	500元
第二號	高級神經活動學說和「精神預防性」無痛分娩	800元
第三號	無痛分娩法	500元
第四號	怎樣教育孕產婦	600元

無痛分娩法助產動作圖
上海市無痛分娩法推行委員會編繪 12,000元

★新書預告★

蘇聯環境衛生學	劉夢飛譯	(在排印中)
頭痛	潘崇熙譯	(在排印中)
蘇聯區級衛生人員手册		(在排印中)

中央衛生部北京中醫進修學校主編

中醫進修講義

藥理學	朱顏編	4,200元
眼科學	張曉樓等編	4,800元
解剖組織學	馬繼興編	5,600元
診斷學	殷培芝編	12,000元
傳染病學	殷培芝編	8,000元

(以上各書正在排印中，十一月二十日出齊)

中央衛生部衛生教材編審委員會主編

中級醫校教本

生物化學	鄭集編(再版排印中，卽出)
調劑學	金理文編(排印中，十二月出書)

中央衛生部衛生教材編審委員會審定

中級醫校臨時教本

傳染病管理
李希聖編著(三版，修訂本排印中，十二月出書)

實用急救學	劉球編譯 48開精裝本	15,000元
實用護病學	本社編	15,000元
常用藥物學	本社編	7,000元
組織與胚胎	沈霽春 黃志上譯	25,000元
精簡產科學	蘇應寬 李寶星編著	12,000元
臨床化學檢驗(增訂本)	陳叔騏編著	5,[illegible]

華東醫務生活社出版　新華書店華東總分店總經售